— POCKET —

Arabic
Dictionary

عربي - إنجليزي

إنجليزي - عربي

HarperCollins Publishers
Westerhill Road
Bishopbriggs
Glasgow
G64 2QT
Great Britain

First Edition 2011

© HarperCollins Publishers 2011

Reprint 10 9 8 7 6 5 4 3

ISBN 978-0-00-741968-5

Collins® is a registered trademark of
HarperCollins Publishers Limited

www.collinslanguage.com

A catalogue record for this book is
available from the British Library

Typesetting by Davidson Publishing
Solutions, Glasgow and Lingea s.r.o.

Printed in Great Britain by Clays Ltd,
St Ives plc

Acknowledgements
We would like to thank those authors
and publishers who kindly gave
permission for copyright material to be
used in the Collins Word Web. We would
also like to thank Times Newspapers Ltd
for providing valuable data.

Series Editor
Rob Scriven

Managing Editor
Gaëlle Amiot-Cadey

Editors
Susanne Reichert
Susie Beattie

Contributors
Nachwan Driai
Phil Hermina

CONTENTS — المحتويات

NOTE ON TRADEMARKS

INTRODUCTION

We are delighted that you have decided to buy this Arabic-English, English-Arabic dictionary and hope that you will enjoy and benefit from using it at home, on holiday or at work.

مقدمة

يسرنا أنك قررت شراء هذا القاموس عربي – إنجليزي. إنجليزي عربي ونأمل أن تستمتع وتستفيد من إستعماله في المنزل. أو أثناء الإجازات أو في العمل.

ABBREVIATIONS		الاختصارات
adjective	*adj*	صفة
adverb	*adv*	ظرف
exclamation	*excl*	تعجب
preposition	*prep*	حرف ج
pronoun	*pron*	ضمير
noun	*n*	اسم
plural	*pl*	جمع
verb	*v*	فعل
intransitive verb	*vi*	فعل لازم
transitive verb	*vt*	فعل متعدّ

الأصوات اللينة

	English example	Explanation
[ɑː]	father	ألف فتح مثل: بات /مات
[ʌ]	but, come	فتح خفيف قصر مثل: مَن /عَن
[æ]	man, cat	فتح طويل يشبه الألف اللينة مثل: مشى
[ə]	father, ago	فتحة قصيرة مثل: أب
[əː]	bird, heard	كسر طويل
[ɛ]	get, bed	كسر طويل وخفيف
[ɪ]	it, big	كسر قصير قوي
[iː]	tea, see	[ياء مد] مثل: يأتي / صائمين
[ɔ]	hot, wash	ضم منتهي بسكون
[ɔː]	saw, all	ضم ممدود
[u]	put, book	[ضم] مثل: مُستعد /قُم
[ʊ]	too, you	[واو مد] مثل: يولد/ يوجد

الأصوات المدغمة

	English example	Explanation
[ai]	fly, high	ألف فتح منتهي بياء ساكنة محيايْ
[au]	how, house	ألف فتح منتهي بضم مثل: واو
[ɛə]	there, bear	كسر طويل خفيف منتهي بياء مفتوحة مثل: يَدي
[ei]	day, obey	فتح منهي بياء مثل: أيْن
[iə]	here, hear	كسر قوي قصير منهي بياء بفتح
[əu]	go, note	ضم منتهي بسكون مثل: مُنتهي
[əi]	boy, oil	ضم منتهي بياء ساكنة
[uə]	poor, sure	ضم منتهي بفتح مثل واسع

الأصوات الساكنة

	English example	Explanation
[b]	big, lobby	[ب] مثل: باب /مبلغ /العب
[d]	mended	[د] مثل: دخل /مدح /أباد
[g]	go, get, big	[ج] بدون تعطيش كما تنطق في العامية المصرية
[dʒ]	gin, judge	[ج] مع المبالغة في التعطيش لتنطق وكأنها /د+ج/
[ŋ]	sing	تشبه حكم إخفاء النون في قراءة القرآن الكريم كما في قوله تعالى "ناصية كاذبة"
[h]	house, he	[هـ] مثل: هو /ملهى /أخرجه
[j]	young, yes	[ى] /الألف اللينة مثل/ يجري /هذيان/ جرى

[k]	**c**ome, mo**ck**	[ك] مثل: كامل /تكلم / ملك
[ɾ]	**r**ed, t**r**ead	[ر] مثل: رمى /امرمى /امر
[s]	**s**and, ye**s**	[س] مثل: سمير /مسمار /رأس
[z]	ro**s**e, **z**ebra	[ز] مثل: زعم /مزروع /فاز
[ʃ]	**sh**e, ma**ch**ine	[ش] مثل: شارع /مشروع /معاش
[tʃ]	**ch**in, ri**ch**	[تش] مثل:
[v]	**v**alley	[ف]مثل [ف] ولكن تنطق بوضع الأسنان العلوية على الجزء الخارجي من الشفاه السفلية: مثل الريفيرا
[w]	**w**ater, **wh**ich	[و] مثل: وجد /موجود
[ʒ]	vi**s**ion	تنطق ما بين [ش] و [ج] بحيث يكون الفك العلوي ملامسا للشفاه السفلى واللسانقريب من اللثة العليا بحيث يخرج الهواء محدثا صوتا إحتكاكيا
[θ]	**th**ink, my**th**	[ث] مثل: ثرى /امثلث
[ð]	**th**is, **th**e	[ذ] مثل ذئب /مذيب /ملاذ

ARABIC ALPHABET

Isolated Letter	Name	End	Mid.	Beg.	Explanation	IPA
ا	alif	ـا	ـا	ا	m**a**n	ʔ
ب	baa	ـب	ـبـ	بـ	**b**oy	b
ت	taa	ـت	ـتـ	تـ	**t**oy	t
ث	thaa	ـث	ـثـ	ثـ	**th**ree	θ
ج	jeem	ـج	ـجـ	جـ	gara**ge** - vi**si**on	ʒ
ح	ħaa	ـح	ـحـ	حـ	pronounced from the middle of the throat with back tongue a little higher	ħ
خ	kha	ـخ	ـخـ	خـ	pronounced with back tongue in a position between the position for /h/ and that for /k/ like (lo**ch**) in Scots	x
د	dal	ـد	ـد	د	**d**ay	d
ذ	dhal	ـذ	ـذ	ذ	**th**e	ð
ر	raa	ـر	ـر	ر	**r**un	r
ز	zay	ـز	ـز	ز	**z**oo	z
س	seen	ـس	ـسـ	سـ	**s**orry	s
ش	sheen	ـش	ـشـ	شـ	**sh**ow	ʃ
ص	ṣaad	ـص	ـصـ	صـ	heavy /s/	sˤ
ض	ḍaaḍ	ـض	ـضـ	ضـ	strong /d/	dˤ
ط	ṭaa	ـط	ـطـ	طـ	heavy /t/	tˤ
ظ	ḍhaa	ـظ	ـظـ	ظـ	heavy /Dh/	zˤ

ع	,aeen	ج	ع	ع	**a**rm but pronounced with back tongue a little lower	ʕ
غ	gheen	غ	غ	غ	**g**irl but pronounced with back tongue a little lower	ɣ
ف	faa	ف	ف	ف	**f**ree	f
ق	,qaaf	ق	ق	ق	**q**uarter but with back tongue a little higher	q
ك	kaaf	ك	ك	ك	**c**amp	k
ل	lam	ل	ل	ل	**l**eg	l
م	meem	م	م	م	**m**oon	m
ن	noon	ن	ن	ن	**n**ight	n
ه	haa	ه	ه	ه	**h**igh	h
و	wow	و	و	و	**w**ow	w
ي	yaa	ي	ي	ي	**y**ear	j

NUMBERS		الأعداد	
zero	0	صفر	.
one	1	واحد	١
two	2	اثنان	٢
three	3	ثلاث	٣
four	4	أربع	٤
five	5	خمس	٥
six	6	ست	٦
seven	7	سبع	٧
eight	8	ثمان	٨
nine	9	تسع	٩
ten	10	عشر	١٠
eleven	11	أحد عشر	١١
twelve	12	اثنا عشر	١٢
thirteen	13	ثلاث عشر	١٣
fourteen	14	أربع عش	١٤
fifteen	15	خمس عشر	١٥
sixteen	16	ست عشر	١٦
seventeen	17	سبع عشر	١٧
eighteen	18	ثمان عشر	١٨
nineteen	19	تسع عشر	١٩
twenty	20	عشرون	٢٠
twenty-one	21	واحد وعشرون	٢١

twenty-two	22	اثنان وعشرون	٢٢
twenty-three	23	ثلاث وعشرون	٢٣
thirty	30	ثلاثون	٣٠
thirty-one	31	واحد وثلاثون	٣١
fourty	40	أربعون	٤٠
fifty	50	خمسون	٥٠
sixty	60	ستون	٦٠
seventy	70	سبعون	٧٠
eighty	80	ثمانون	٨٠
ninety	90	تسعون	٩٠
one hundred	100	مائة	١٠٠
one hundered and ten	110	مائة وعشر	١١٠
two hundred	200	مائتان	٢٠٠
two hundred and fifty	250	مائتان وخمسون	٢٥٠
three hundred	300	ثلاثمائه	٣٠٠
one thousand	1,000	ألف	١٠٠٠
one million	1,000,000	مليون	١٠٠٠٠٠٠

DAYS OF THE WEEK	أيام الأسبوع
Monday	الاثنين
Tuesday	الثلاثاء
Wednesday	الأربعاء
Thursday	الخميس
Friday	الجمعة
Saturday	السبت
Sunday	الأحد

MONTHS	الشهور
January	كانون الثاني
February	شباط
March	آذار
April	نيسان
May	أيّار
June	حزيران
July	تمّوز
August	آب
September	أيلول
October	تشرين أوّل
November	تشرين ثاني
December	كانون أوّل

ENGLISH-ARABIC
إنجليزي – عربي

a

a [eɪ] *art*; **Is there a cash machine here?** هل توجد ماكينة صرف آلي هنا؟ [hal tojad makenat ṣarf aaly huna?]; **This is a gift for you** إنها هدية لك [inaha hadyia laka]

abandon [ə'bændən] *v* يَهْجر [jahɡaru]

abbey ['æbɪ] *n* دَيْر الرهبان [Deer al-rohban]

abbreviation [əˌbriːvɪ'eɪʃən] *n* اختصار [ixtisˤaːr]

abdomen ['æbdəmən; æb'dəʊ-] *n* بَطْن [batˤn]

abduct [æb'dʌkt] *v* يَخطَف [jaxtˤafu]

ability [ə'bɪlɪtɪ] *n* قدرة [qudra]

able ['eɪbəl] *adj* قادر [qaːdir]

abnormal [æb'nɔːməl] *adj* غير طبيعي [Ghayer ṭabe'aey]

abolish [ə'bɒlɪʃ] *v* يلغي [julɣiː]

abolition [ˌæbə'lɪʃən] *n* إلغاء [ʔilɣaːʔ]

abortion [ə'bɔːʃən] *n* إجهاض [ʔiʒhaːdˤ]

about [ə'baʊt] *adv* حوالي [ħawaːlaj] ▷ *prep* عن [ʕan]; **Do you have any leaflets about…?** هل يوجد لديكم أي مطبوعات عن…؟ [hal yujad laday-kum ay maṭ-bo'aat 'aan…?]

above [ə'bʌv] *prep* فوق [fawqa]

abroad [ə'brɔːd] *adv* بالخارج [Bel-kharej]

abrupt [ə'brʌpt] *adj* (خطير) مفاجئ [mufaːʒiʔ]

abruptly [ə'brʌptlɪ] *adv* بشكل مفاجئ [Be-sakl mofajeya]

abscess ['æbsɛs; -sɪs] *n* خُرَّاج [xurraːʒ]

absence ['æbsəns] *n* غياب [ɣijaːb]

absent ['æbsənt] *adj* غائب [ɣaːʔibb]

absent-minded [ˌæbsən't'maɪndɪd] *adj* شارد الذهن [Shared al-dhehn]

absolutely [ˌæbsə'luːtlɪ] *adv* بكل تأكيد [Bekol taakeed]

abstract ['æbstrækt] *adj* نظري [naẓ'arij]

absurd [əb'sɜːd] *adj* سخيف [saxiːf]

Abu Dhabi ['æbuː 'dɑːbɪ] *n* أبو ظبي [ʔabu zˤabj]

abuse *n* [ə'bjuːs] سوء استعمال [Sooa este'amal] ▷ *v* [ə'bjuːz] يُسيء استخدام [Yosea estekhdam]; **child abuse** *n* سوء معاملة الأطفال [Soo mo'aamalat al-aṭfaal]

abusive [ə'bjuːsɪv] *adj* مؤذي [muʔðiː]

academic [ˌækə'dɛmɪk] *adj* أكاديمي [ʔakaːdiːmij]; **academic year** *n* عام دراسي ['aam derasey]

academy [ə'kædəmɪ] *n* أكاديمية [ʔakaːdiːmijja]

accelerate [æk'sɛləˌreɪt] *v* يُسرع [jusriʕu]

acceleration [ækˌsɛlə'reɪʃən] *n* تسريع [tasriːʕ]

accelerator [æk'sɛləˌreɪtə] *n* معجل [muʕaʒʒil]

accept [ək'sɛpt] *v* يَقْبَل [jaqbalu]

acceptable [ək'sɛptəbəl] *adj* مقبول [maqbuːl]

access ['æksɛs] *n* وصول [wusˤuːl] ▷ *v* يَدخُل [jadxulu]

accessible [ək'sɛsəbəl] *adj* سهل الوصول [Sahl al-woṣool]

accessory [ək'sɛsərɪ] *n* كماليات [kamaːlijjaːt]

accident ['æksɪdənt] *n* حادث [ħaːdiθ]; **accident & emergency department** *n* إدارة الحوادث والطوارئ [Edarat al-hawadeth wa-al-tawarea]; **accident insurance** *n* تأمين ضد الحوادث

[Taameen ded al-hawaadeth]; **by accident** adv بالصُدْفة [Bel-ṣodfah]; **I've had an accident** تعرضت لحادث [ta-aar-dto le-ḥadith]; **There's been an accident!** كانت هناك حادثة [kanat hunaka ḥadetha]; **What do I do if I have an accident?** ماذا أفعل عند وقوع حادث؟ [madha af-aal 'aenda wi-'qoo'a ḥadeth?]

accidental [ˌæksɪˈdɛntəl] adj عرضي [ʕaradˤij]

accidentally [ˌæksɪˈdɛntəlɪ] adv بالصُدْفة [Bel-ṣodfah]

accommodate [əˈkɒməˌdeɪt] v يُجهز (يوفر) [juʒahhizu]

accommodation [əˌkɒməˈdeɪʃən] n مسكن [maskan]

accompany [əˈkʌmpənɪ; əˈkʌmpnɪ] v يُرافِق [jura:fiqu]

accomplice [əˈkɒmplɪs; əˈkʌm-] n شريك في جريمة [Shareek fee jareemah]

according [əˈkɔːdɪŋ] prep; **according to** prep وفقاً [wifqan-li]

accordingly [əˈkɔːdɪŋlɪ] adv بناء على [Benaa ala]

accordion [əˈkɔːdɪən] n أكورديون [ʔaku:rdju:n]

account [əˈkaʊnt] n (in bank) حساب [ḥisa:b], (report) بيان (بالأسباب) [baja:n]; **account number** n رقم الحساب [Ra'qm al-hesab]; **bank account** n حساب بنكي [Hesab bankey]; **current account** n حساب جاري [Hesab tejarey]; **joint account** n حساب مشترك [Hesab moshtarak]

accountable [əˈkaʊntəbəl] adj مسؤول [masʔu:l]

accountancy [əˈkaʊntənsɪ] n مُحاسَبة [muħa:saba]

accountant [əˈkaʊntənt] n محاسب [muħa:sib]

account for [əˈkaʊnt fɔː] v يُبَرِر [jubariru]

accuracy [ˈækjʊrəsɪ] n دِقّة [diqqa]

accurate [ˈækjərɪt] adj دقيق [daqi:q]

accurately [ˈækjərɪtlɪ] adv بدِقّة [Bedae'qah]

accusation [ˌækjʊˈzeɪʃən] n اتهام [ittiha:m]

accuse [əˈkjuːz] v يَتَّهِم [jattahimu]

accused [əˈkjuːzd] n متهم [muttaham]

ace [eɪs] n واحد [wa:ħid]

ache [eɪk] n أَلَم [ʔalam] ▷ v يؤلم [juʔlimu]

achieve [əˈtʃiːv] v يُحقِق [juħaqqiqu]

achievement [əˈtʃiːvmənt] n إنجاز [ʔinʒa:z]

acid [ˈæsɪd] n حمض [ħimdˤ]; **acid rain** n أمطار حمضية [Amṭar hemdeyah]

acknowledgement [əkˈnɒlɪdʒmənt] n اعتراف [iʕtira:f]

acne [ˈæknɪ] n حب الشباب [Hob al-shabab]

acorn [ˈeɪkɔːn] n ثمرة البلوط [Thamarat al-baloot]

acoustic [əˈkuːstɪk] adj سمعي [samʕij]

acre [ˈeɪkə] n أُكر [ʔakr]

acrobat [ˈækrəˌbæt] n أكروبات [ʔakru:ba:t]

acronym [ˈækrənɪm] n اسم مُختَصَر [Esm mokhtaṣar]

across [əˈkrɒs] prep عبر [ʕabra]

act [ækt] n فعل [fiʕl] ▷ v يَقُوم بعمل [Ya'qoom be]

acting [ˈæktɪŋ] adj نائب [na:ʔibb] ▷ n تمثيل [tamθi:l]

action [ˈækʃən] n فِعْل [fiʕl]

active [ˈæktɪv] adj نشيط [naʃi:tˤ]

activity [ækˈtɪvɪtɪ] n نشاط [naʃa:tˤ]; **activity holiday** n أجازة لممارسة الأنشطة [ajaaza lemomarsat al 'anshe ṭah]

actor [ˈæktə] n ممثل (عامل) [mumaθθil]

actress [ˈæktrɪs] n ممثلة [mumaθθila]

actual [ˈæktʃʊəl] adj فعلي [fiʕlij]

actually [ˈæktʃʊəlɪ] adv في الواقع [Fee al-wa'qe'a]

acupuncture [ˈækjʊˌpʌŋktʃə] n وخز بالإبر [Wakhz bel-ebar]

ad [æd] abbr إعلان [ʔiʕla:nun]; **small ads** npl إعلانات صغيرة [E'alanat ṣaghera]

AD [eɪ diː] abbr بعد الميلاد [Ba'ad al-meelad]

adapt [ə'dæpt] v يَتَكَيَّف [jatakajjafu]

adaptor [ə'dæptə] n مُحَوِّل كهربي
[Mohawel kahrabey]

add [æd] v يُضِيف [jud'i:fu]

addict ['ædɪkt] n مدمن [mudmin]; **drug addict** n مدمن مخدرات [Modmen mokhadarat]

addicted [ə'dɪktɪd] adj مُدمِن [mudmin]

additional [ə'dɪʃənᵊl] adj إضافي [?id'a:fij]

additive ['ædɪtɪv] n إضافة [?id'a:fa]

address [ə'drɛs] n (location) عنوان ['ʕunwa:n], (speech) خِطاب [xit'a:b]; **address book** n دفتر العناوين [Daftar al-'aanaaween]; **home address** n عنوان المنزل ['aonwan al-manzel]; **web address** n عنوان الويب ['aonwan al-web]; **My email address is...** عنوان بريدي الالكتروني هو... ['ainwan ba-reedy al-ali-kitrony howa...]; **Please send my mail on to this address** قم من فضلك بتحويل رسائلي إلى هذا العنوان [min faḍlak 'qum be-tahweel rasa-ely ela hadha al-'ainwan]; **The website address is...** عنوان موقع الويب هو... ['ainwan maw-q i'a al-web howa...]; **What is your email address?** ما هو عنوان بريدك الالكتروني؟ [ma howa 'ain-wan bareed-ak al-alikit-rony?]; **Will you write down the address, please?** هل يمكن لك أن تدون العنوان، إذا تفضلت؟ [hal yamken laka an tudaw-win al-'aenwaan, edha tafaḍalt?]

add up [æd ʌp] v يُجَمِّع [juʒammiʕu]

adjacent [ə'dʒeɪsᵊnt] adj مجاور [muʒa:wir]

adjective ['ædʒɪktɪv] n صفة [s'ifa]

adjust [ə'dʒʌst] v يُضْبِط [jad'bit'u]

adjustable [ə'dʒʌstəbᵊl] adj يُمْكِن ضبطه [Yomken ḍabtoh]

adjustment [ə'dʒʌstmənt] n ضَبْط [d'abt']

administration [ədˌmɪnɪ'streɪʃən] n إدارة [?ida:ra]

administrative [əd'mɪnɪˌstrətɪv] adj إداري [?ida:rij]

admiration [ˌædmə'reɪʃən] n إعجاب

[?iʕʒa:b]

admire [əd'maɪə] v يُعجب بـ [Yoʕajab be]

admission [əd'mɪʃən] n اعتراف [iʕtira:f]; **admission charge** n رَسْم الالتحاق [Rasm al-elteha'q]

admit [əd'mɪt] v (allow in) يَسمَح بالدخول [Yasmaḥ bel-dokhool], (confess) يُقِر [juqiru]

admittance [əd'mɪtᵊns] n اذن بالدخول [Edhn bel-dekhool]

adolescence [ˌædə'lɛsəns] n سن المراهقة [Sen al-moraha'qah]

adolescent [ˌædə'lɛsᵊnt] n مراهق [mura:hiq]

adopt [ə'dɒpt] v يَتَبَنى (يُقِر) [jatabanna:]

adopted [ə'dɒptɪd] adj مُتَبَنَّى [mutabanna:]

adoption [ə'dɒpʃən] n تَبَنِّي [tabanni:]

adore [ə'dɔː] v يَعْشَق [jaʕʃaqu]

Adriatic [ˌeɪdrɪ'ætɪk] adj أدرياتيكي [?adrija:ti:ki:]

Adriatic Sea [ˌeɪdrɪ'ætɪk siː] n البحر الأدرياتيكي [Albahr al adriateky]

adult ['ædʌlt; ə'dʌlt] n بالِغ [ba:liɣ]; **adult education** n تعليم الكبار [Ta'aleem al-kebar]

advance [əd'vɑːns] n تَحَسُّن [taḥass] ⊳ v يَتَقدم [jataqadamu]; **advance booking** n حجز مقدم [Hajz mo'qadam]

advanced [əd'vɑːnst] adj متقدم [mutaqaddim]

advantage [əd'vɑːntɪdʒ] n ميزة [mi:za]

advent ['ædvɛnt; -vənt] n نزول المسيح [Nezool al-maseeḥ]

adventure [əd'vɛntʃə] n مغامرة [muɣa:mara]

adventurous [əd'vɛntʃərəs] adj مُغامِر [muɣa:mir]

adverb ['ædˌvɜːb] n ظرف [z'arf]

adversary ['ædvəsərɪ] n خَصْم [xas'm]

advert ['ædvɜːt] n إعلان [?iʕla:n]

advertise ['ædvəˌtaɪz] v يُذاع [?aða:ʕa]

advertisement [əd'vɜːtɪsmənt; -tɪz-] n إعلان [?iʕla:n]

advertising ['ædvəˌtaɪzɪŋ] n صناعة الإعلان [Ṣena'aat al e'alan]

advice [əd'vaɪs] n نصيحة [nasˤiːħa]

advisable [əd'vaɪzəbəl] adj من المستحسن [Men al-mostahsan]

advise [əd'vaɪz] v ينصح [jansˤaħu]

aerial ['ɛərɪəl] n هوائي [hawa:ʔij]

aerobics [ɛəˈrəʊbɪks] npl أيروبكس [ʔajru:bi:k]

aerosol ['ɛərəˌsɒl] n هباء جوي [Habaa jawey]

affair [əˈfɛə] n شأن [ʃaʔn]

affect [əˈfɛkt] v يُؤثِر [juaθθiru]

affectionate [əˈfɛkʃənɪt] adj حنون [ħanu:n]

afford [əˈfɔːd] v يقدر [jaqdiru]

affordable [əˈfɔːdəbəl] adj يُمْكِن شراؤه [jumkinu ʃira:ʔuhu]

Afghan ['æfɡæn; -ɡən] adj أفغاني [ʔafɣa:nij] ⊳ n أفغاني [ʔafɣa:nij]

Afghanistan [æfˈɡænɪˌstɑːn; -ˌstæn] n أفغانستان [ʔafɣa:nista:n]

afraid [əˈfreɪd] adj خائف [xa:ʔif]

Africa ['æfrɪkə] n إفريقيا [ʔifri:qja:]; **North Africa** n شمال أفريقيا [Shamal afreekya]; **South Africa** n جنوب أفريقيا [Janoob afree'qya]

African ['æfrɪkən] adj أفريقي [ʔifri:qij] ⊳ n إفريقي [ʔifri:qij]; **Central African Republic** n جمهورية أفريقيا الوسطى [Jomhoreyat afre'qya al-wosta]; **North African** n شخص من شمال إفريقيا [Shakhs men shamal afree'qya]من , شمال إفريقيا [Men shamal afree'qya]; **South African** n جنوب أفريقي [Janoob afree'qy] , شخص من جنوب أفريقي [Shkhs men janoob afree'qya]

Afrikaans [ˌæfrɪˈkɑːns; -ˈkɑːnz] n اللغة الأفريكانية [Al-loghah al-afreekaneyah]

Afrikaner [ˌafrɪˈkɑːnə; ˌæfrɪˈkɑːnə] n جنوب أفريقي من أصل أوربي وخاصة من المستوطنين الهولنديين [ʒanu:bu ʔifri:qijjin min ʔasˤlin ʔu:rubbi: waxa:sˤsˤatan mina al-mustawtˤini:na al-hu:landijji:na]

after ['ɑːftə] conj بَعْد [baʕda] ⊳ prep بَعْدَما [Ba'dama]

afternoon [ˌɑːftəˈnuːn] n بَعْد الظهر [Ba'ada al-dhohr]

afters ['ɑːftəz] npl أوقات الظهيرة [Aw'qat aldhaherah]

aftershave ['ɑːftəˌʃeɪv] n عطر الكولونيا ['aetr alkoloneya]

afterwards ['ɑːftəwədz] adv بَعْد ذلك [Ba'ad dhalek]

again [əˈɡɛn; əˈɡeɪn] adv مرة ثانية [Marrah thaneyah]

against [əˈɡɛnst; əˈɡeɪnst] prep ضد [dˤiddun]

age [eɪdʒ] n سِن المرء [Sen al-mara]; **age limit** n حد السِن [Had alssan]; **Middle Ages** npl العصور الوسطى [Al-'aosoor al-wosta]

aged ['eɪdʒɪd] adj مُسِن [musinn]

agency ['eɪdʒənsɪ] n وكالة [wika:la]; **travel agency** n وكالة سفريات [Wakalat safareyat]

agenda [əˈdʒɛndə] n جدول أعمال [Jadwal a'amal]

agent ['eɪdʒənt] n وكيل [waki:l]; **estate agent** n سمسار عقارات [Semsaar a'qarat]; **travel agent** n وكيل سفريات [Wakeel safareyat]

aggressive [əˈɡrɛsɪv] adj عدواني [ʕudwa:nij]

AGM [eɪ dʒiː ɛm] abbr الاجتماع السنوي للجمعية العمومية [Al-jtema'a alsanawey leljam'ayah al'aomomeyah]

ago [əˈɡəʊ] adv; **a month ago** منذ شهر [mundho shahr]; **a week ago** منذ أسبوع [mundho isboo'a]

agony ['æɡənɪ] n (سكرة الموت) ألَم [ʔalam]

agree [əˈɡriː] v يَقْبَل [jaqbalu]

agreed [əˈɡriːd] adj مُتفق عليه [Motafa'q 'alayeh]

agreement [əˈɡriːmənt] n اتفاق [ʔittifa:q]

agricultural ['æɡrɪˌkʌltʃərəl] adj زراعي [zira:ʕij]

agriculture ['æɡrɪˌkʌltʃə] n زِراعة [zira:ʕa]

ahead [əˈhɛd] adv قُدُماً [qudumaan]

aid [eɪd] n عون [ʕawn]; **first aid** n إسعافات أولية [Es'aafat awaleyah];

first-aid kit n أدوات الإسعافات الأولية [Adawat al-es'aafaat al-awaleyah];
hearing aid n وسائل المساعدة السمعية [Wasael al-mosa'adah al-sam'aeyah]

AIDS [eɪdz] n الإيدز [al?i:dz]

aim [eɪm] n هدف [hadaf] ▷ v يَسعَى إلى [Yas'aaa ela]

air [ɛə] n هواء [hawa:ʔ]; **air hostess** n مضيفة جوية [Moḍeefah jaweyah];
air-traffic controller n مراقبة جوية [Mora'qabah jaweyah]; **Air Force** n سلاح الطيران [Selah al-ṭayaran]; **Can you check the air, please?** هل يمكن مراجعة ضغط الهواء في الإطارات من فضلك؟ [hal yamken mora-ja'aat ḍaghṭ al-hawaa fee al-eṭaraat min faḍlak?]

airbag [ɛəbæg] n وِسادة هوائية [Wesadah hwaaeyah]

air-conditioned [ɛəkənˈdɪʃənd] adj مُكيف الهواء [Mokaeyaf al-hawaa]

air conditioning [ɛə kənˈdɪʃənɪŋ] n تكييف الهواء [Takyeef al-hawaa]

aircraft [ˈɛəkrɑːft] n طائرة [tˁaːʔira]

airline [ˈɛəlaɪn] n شركة طيران [Sharekat tayaraan]

airmail [ˈɛəmeɪl] n بريد جوي [Bareed jawey]

airport [ˈɛəpɔːt] n مطار [maˈtˁaːr]; **airport bus** n أتوبيس المطار [Otobees al-maṭar]; **How do I get to the airport?** كيف يمكن أن أذهب إلى المطار [Kayf yomken an adhhab ela al-maṭar]; **How much is the taxi to the airport?** ما هي أجرة التاكسي للذهاب إلى المطار؟ [ma heya ejrat al-taxi lel-thehaab ela al-maṭaar?]; **Is there a bus to the airport?** هل يوجد أتوبيس يتجه إلى المطار؟ [Hal yojad otobees yatjeh ela al-maṭaar?]

airsick [ˈɛəsɪk] adj دوار الجو [Dawar al-jaw]

airspace [ˈɛəspeɪs] n مجال جوي [Majal jawey]

airtight [ˈɛətaɪt] adj مُحكم الغلق [Moḥkam al-ghal'q]

aisle [aɪl] n ممشى [mamʃa:]

alarm [əˈlɑːm] n إنذار [inðaːr]; **alarm call** n نداء استغاثة [Nedaa esteghathah]; **alarm clock** n منبه [munabbihun]; **false alarm** n إنذار كاذب [endhar kadheb]; **fire alarm** n إنذار حريق [endhar Haree'q]; **smoke alarm** n كاشف الدُخان [Kashef al-dokhan]

alarming [əˈlɑːmɪŋ] adj مُرعِبٌ [murʕib]

Albania [ælˈbeɪnɪə] n ألبانيا [ʔalba:nja:]

Albanian [ælˈbeɪnɪən] adj ألباني [ʔalba:nij] ▷ n (language) اللغة الألبانية [Al-loghah al-albaneyah], (person) ألباني [ʔalba:nij]

album [ˈælbəm] n ألبوم [ʔalbu:m]; **photo album** n ألبوم الصور [Albom al sewar]

alcohol [ˈælkəhɒl] n كحول [kuħu:l]; **Does that contain alcohol?** هل يحتوى هذا على الكحول؟ [hal yaḥ-tawy hadha 'aala al-kihool?]; **I don't drink alcohol** أنا لا أشرب الكحول [ana la ashrab al-koḥool] , لا أتناول المشروبات الكحولية [la ata-nawal al-mashro-baat al-kiḥol-iyah]

alcohol-free [ˈælkəhɒlfriː] adj خالي من الكحول [Khaley men al-koḥool]

alcoholic [ˌælkəˈhɒlɪk] adj كحولي [kuħu:lij] ▷ n سكير [sikki:r]

alert [əˈlɜːt] adj منتبه [muntabih] ▷ v يُنَبِّه [junabbihu]

Algeria [ælˈdʒɪərɪə] n الجزائر [ʔal-ʒaza?iru]

Algerian [ælˈdʒɪərɪən] adj جزائري [ʒaza:?irij] ▷ n شخص جزائري [Shakhṣ jazayry]

alias [ˈeɪlɪəs] adv اسم مستعار [Esm mostaar] ▷ prep الشهير بـ [Al-shaheer be-]

alibi [ˈælɪbaɪ] n دفع بالغيبة [Dafa'a bel-ghaybah]

alien [ˈeɪljən; ˈeɪlɪən] n أجنبي [ʔaʒnabij]

alive [əˈlaɪv] adj على قيد الحياة [Ala 'qayd al-hayah]

all [ɔːl] adj جميع [ʒamiːʕ] ▷ pron كُل [kulla]

Allah [ˈælə] n الله [allahu]

allegation [ˌælɪˈɡeɪʃən] n إدِّعَاء [?iddiʕa:ʔ]

alleged [ə'lɛdʒd] *adj* مَزْعوم [maz'u:m]

allergic [ə'lɜːdʒɪk] *adj* مثير للحساسية [Mother lel-hasaseyah]

allergy ['ælədʒɪ] *n* حساسية [ħasa:sijja]; **peanut allergy** *n* حساسية تجاه الفول السوداني [Hasaseyah tejah al-fool alsodaney]

alley ['ælɪ] *n* زُقاق [zuqa:q]

alliance [ə'laɪəns] *n* تَحَالُف [taħa:luf]

alligator ['ælɪˌɡeɪtə] *n* تمساح أمريكي [Temsaah amreekey]

allow [ə'laʊ] *v* يَسمَح [jasmaħu]

all right [ɔːl raɪt] *adv* على ما يُرام ['aala ma yoram]

ally ['ælaɪ; ə'laɪ] *n* حليف [ħali:f]

almond ['ɑːmənd] *n* لوز [lawz]

almost ['ɔːlməʊst] *adv* تقريباً [taqri:ban]

alone [ə'ləʊn] *adj* وحيد [waħi:d]

along [ə'lɒŋ] *prep* على طول [Ala tool]

aloud [ə'laʊd] *adv* بصوت مرتفع [Beṣot mortafe'a]

alphabet ['ælfəˌbɛt] *n* أبجدية [ʔabaʒadijja]

Alps [ælps] *npl* جبال الألب [ʒiba:lu al-ʔalbi]

already [ɔːl'rɛdɪ] *adv* بالفعل [bil-fiʕli]

alright [ɔːl'raɪt] *adv*; **Are you alright?** هل أنت على ما يُرام [hal anta 'aala ma yoraam?]

also ['ɔːlsəʊ] *adv* أيضا [ʔajdˤan]

altar ['ɔːltə] *n* مذبح الكنيسة [madhbaħ al-kaneesah]

alter ['ɔːltə] *v* يُبَدِل [jubaddilu]

alternate [ɔːl'tɜːnɪt] *adj* مُتَناوب [mutana:wibb]

alternative [ɔːl'tɜːnətɪv] *adj* بَديل [badi:l] ▷ *n* بديل [badi:l]

alternatively [ɔːl'tɜːnətɪvlɪ] *adv* بالتبادل [bittaba:dali]

although [ɔːl'ðəʊ] *conj* بالرغم من [Bel-raghm men]

altitude ['æltɪˌtjuːd] *n* عُلُوّ [ʕuluww]

altogether [ˌɔːltə'ɡɛðə; 'ɔːltəˌɡɛðə] *adv* تماماً [tama:man]

aluminium [ˌæljʊ'mɪnɪəm] *n* ألومونيوم [ʔalu:minju:m]

always ['ɔːlweɪz; -wɪz] *adv* دائما [da:ʔiman]

a.m. [eɪɛm] *abbr* صباحا [sˤaba:ħan]; **I will be leaving tomorrow morning at ten a.m.** سوف أغادر غدا في الساعة العاشرة صباحا [sawfa oghader ghadan fee al-sa.aa al-'aashera ṣaba-han]

amateur ['æmətə; -tʃə; -ˌtjʊə; ˌæmə'tɜː] *n* هاو [ha:win]

amaze [ə'meɪz] *v* يُذهِل [juðhilu]

amazed [ə'meɪzd] *adj* مندهش [mundahiʃ]

amazing [ə'meɪzɪŋ] *adj* رائع [ra:ʔiʕ]

ambassador [æm'bæsədə] *n* سفير [safi:r]

amber ['æmbə] *n* كهرمان [kahrama:n]

ambition [æm'bɪʃən] *n* طُموح [tˤamu:ħ]

ambitious [æm'bɪʃəs] *adj* طموح [tˤumu:ħ]

ambulance ['æmbjʊləns] *n* سيارة إسعاف [Sayarat es.aaf]

ambush ['æmbʊʃ] *n* كمين [kami:n]

amenities [ə'miːnɪtɪz] *npl* أسباب الراحة [Asbab al-rahah]

America [ə'mɛrɪkə] *n* أمريكا [ʔamri:ka:]; **Central America** *n* أمريكا الوسطى [Amrika al wostaa]; **North America** *n* أمريكا الشمالية [Amreeka al- Shamaleyah]; **South America** *n* أمريكا الجنوبية [Amrika al janobeyiah]

American [ə'mɛrɪkən] *adj* أمريكي [ʔamri:kij] ▷ *n* أمريكي [ʔamri:kij]; **American football** *n* كرة القدم الأمريكية [Korat al-'qadam al-amreekeyah]; **North American** *n* شخص من أمريكا الشمالية [Shkhṣ men Amrika al shamalyiah], من أمريكا الشمالية [men Amrika al shamalyiah]; **South American** *n* جنوب أمريكي [Janoob amriky], شخص من أمريكا الجنوبية [Shakhṣ men amreeka al-janoobeyah]

ammunition [ˌæmjʊ'nɪʃən] *n* ذخيرة [ðaxi:ra]

among [ə'mʌŋ] *prep* وسط [wasatˤa]

amount [ə'maʊnt] *n* مبلغ [mablaɣ]

amp [æmp] *n* أمبير [ʔambi:r]

amplifier [ˈæmplɪˌfaɪə] n مكبر [mukabbir]

amuse [əˈmjuːz] v يُسَلي [jusalliː]; **amusement arcade** n لعبة ترفيهية [Lo'abah trafeheyah]

an [ɑːn] art أداة تنكير [ʔada:tu tanki:r]

anaemic [əˈniːmɪk] adj مُصاب بالأنيميا [Moṣaab bel-aneemeya]

anaesthetic [ˌænɪsˈθɛtɪk] n مُخَدِّر [muxaddir]; **general anaesthetic** n مُخَدِر كلي [Mo-khader koley]; **local anaesthetic** n عقار مخدر موضعي [ˈaaˈqar mokhader mawdeˈaey]

analyse [ˈænəˌlaɪz] v يُحلِل [juhalliluː]

analysis [əˈnælɪsɪs] n تحليل [taħliːl]

ancestor [ˈænsɛstə] n سَلف [salaf]

anchor [ˈæŋkə] n مرساة [mirsa:t]

anchovy [ˈæntʃəvɪ] n أنشوجة [ʔunʃu:da]

ancient [ˈeɪnʃənt] adj قديم [qadiːm]

and [ænd; ənd; ən] conj و [wa]; **a whisky and soda** ويسكي بالصودا [wesky bil-ṣoda]; **in black and white** باللون الأسود والأبيض [bil-lawn al-aswad wa al-abyaḍ]

Andes [ˈændiːz] npl جبال الأنديز [ʒiba:lu al-ʔandi:zi]

Andorra [ænˈdɔːrə] n إمارة أندورة [ʔima:ratu ʔandu:rata]

angel [ˈeɪndʒəl] n ملاك [mala:k]

anger [ˈæŋgə] n غضب [ɣaḍʕab]

angina [ænˈdʒaɪnə] n ذبحة صدرية [dhabḥah ṣadreyah]

angle [ˈæŋgəl] n زاوية [za:wija]; **right angle** n زاوية يُمنى [Zaweyah yomna]

angler [ˈæŋglə] n سمك الشص [Samak al-shaṣ]

angling [ˈæŋglɪŋ] n صيد بالسنّارة [Ṣayd bel-sayarah]

Angola [æŋˈgəʊlə] n أنجولا [ʔanʒu:la:]

Angolan [æŋˈgəʊlən] adj أنجولي [ʔanʒu:lij] ▷ n أنجولي [ʔanʒu:lij]

angry [ˈæŋgrɪ] adj غاضب [ɣa:ḍʕib]

animal [ˈænɪməl] n حيوان [ħajawa:n]

aniseed [ˈænɪˌsiːd] n يانسون [ja:nsu:n]

ankle [ˈæŋkəl] n رُسغ القدم [rosgh al-'qadam]

anniversary [ˌænɪˈvɜːsərɪ] n ذِكرى سنوية [dhekra sanaweyah]; **wedding anniversary** n عيد الزواج [ˈaeed al-zawaj]

announce [əˈnaʊns] v يُعلن [juʃlinu]

announcement [əˈnaʊnsmənt] n إعلان [ʔiʃla:n]

annoy [əˈnɔɪ] v يُضايق [juḍa:jiqu]

annoying [əˈnɔɪɪŋ; anˈnoying] adj مضايق [muḍˈa:jiq]

annual [ˈænjʊəl] adj سنوي [sanawij]

annually [ˈænjʊəlɪ] adv كل عام [Kol-ˈaaam]

anonymous [əˈnɒnɪməs] adj غير مسمى [ghayr mosama]

anorak [ˈænəˌræk] n جاكيت ثقيل [Jaket tha'qeel]

anorexia [ˌænɒˈrɛksɪə] n فقدان الشهية [Fo'qdaan al-shaheyah]

anorexic [ˌænɒˈrɛksɪk] adj مُفقِد للشهية [Mof'qed lel-shaheyah]

another [əˈnʌðə] adj آخر [ʔa:xaru]

answer [ˈɑːnsə] n إجابة [ʔiʒa:ba] ▷ v يُجيب [juʒi:bu]

answerphone [ˈɑːnsəfəʊn] n تليفون مزود بوظيفة الرد الآلي [Telephone mozawad be-waḍheefat al-rad al-aaley]

ant [ænt] n نملة [namla]

antagonize [ænˈtægəˌnaɪz] v يُعادي [juʃa:di:]

Antarctic [æntˈɑːktɪk] adj القارة القطبية الجنوبية [Al-'qarah al-'qotbeyah al-janoobeyah]; **the Antarctic** n قطبي جنوبي [ˈqotbey janoobey]

Antarctica [æntˈɑːktɪkə] n قطبي جنوبي [ˈqotbey janoobey]

antelope [ˈæntɪˌləʊp] n ظبي [zʕabjj]

antenatal [ˌæntɪˈneɪtəl] adj جنيني [ʒani:nij]

anthem [ˈænθəm] n نشيد [naʃi:d]

anthropology [ˌænθrəˈpɒlədʒɪ] n الأنثروبولوجيا [al-ʔanθiru:bu:lu:ʒja:]

antibiotic [ˌæntɪbaɪˈɒtɪk] n مضاد حيوي [Moḍad ḥayawey]

antibody [ˈæntɪˌbɒdɪ] n جسم مضاد [Jesm moḍad]

anticlockwise [ˌæntɪˈklɒkˌwaɪz] adv
عكس عقارب الساعة ['aaks 'aa'qareb
al-saa'ah]

antidepressant [ˌæntɪdɪˈprɛsᵊnt] n
مضاد للاكتئاب [Moḍad lel-ekteaab]

antidote [ˈæntɪˌdəʊt] n ترياق [tirja:q]

antifreeze [ˈæntɪˌfriːz] n مانع للتجمد
[Mane'a lel-tajamod]

antihistamine [ˌæntɪˈhɪstəˌmiːn;
-mɪn] n مضاد للهستامين [Moḍad
lel-hestameen]

antiperspirant [ˌæntɪˈpɜːspərənt] n
مضاد لإفراز العرق [Moḍad le-efraz
al-'aar'q]

antique [ænˈtiːk] n عتيق ['ati:q];
antique shop n متجر المقتنيات القديمة
[Matjar al-mo'qtanayat al-'qadeemah]

antiseptic [ˌæntɪˈsɛptɪk] n مُطهر
[muṭˤahhir]

antivirus [ˈæntɪˌvaɪrəs] n مضاد
للفيروسات [Moḍad lel-fayrosat]

anxiety [æŋˈzaɪɪtɪ] n توق شديد [Too'q
shaded]

any [ˈɛnɪ] pron أي [ʔajju], أي من [Ay men];
Do you have any vegan dishes? هل
يوجد أي أطباق نباتية؟ [hal yujad ay
aṭbaa'q nabat-iya?]; **I don't have any
cash** ليس معي أية أموال نقدية [laysa
ma'ay ayat amwaal na'q-diya]

anybody [ˈɛnɪˌbɒdɪ; -bədɪ] pron أي
شخص [Ay shakhṣ]

anyhow [ˈɛnɪˌhaʊ] adv بأي طريقة [Be-ay
taree'qah]

anyone [ˈɛnɪˌwʌn; -wən] pron أحد
[ʔaḥadun]

anything [ˈɛnɪˌθɪŋ] pron أي شيء [Ay
shaya]; **Do you need anything?** هل
تحتاج إلى أي شيء؟ [hal tahtaaj ela ay
shay?]

anyway [ˈɛnɪˌweɪ] adv على أي حال [Ala
ay ḥal]

anywhere [ˈɛnɪˌwɛə] adv في أي مكان
[Fee ay makan]

apart [əˈpɑːt] adv بشكل مُنفصل [Beshakl
monfaṣel]

apart from [əˈpɑːt frɒm] prep بخلاف

[Be-khelaf]

apartment [əˈpɑːtmənt] n شقة
[ʃuqqa]

aperitif [ɑːˌpɛrɪˈtiːf] n مشروب فاتح
للشهية [Mashroob fateḥ lel shaheyah]

aperture [ˈæpətʃə] n ثقب [θuqb]

apologize [əˈpɒləˌdʒaɪz] v يعتذر
[jaʕtaðiru]

apology [əˈpɒlədʒɪ] n اعتذار [ʔiʕtiða:r]

apostrophe [əˈpɒstrəfɪ] n فاصلة علوية
[Faṣela a'olweyah]

appalling [əˈpɔːlɪŋ] adj مروع
[murawwiʕ]

apparatus [ˌæpəˈreɪtəs; -ˈrɑːtəs;
ˈæpəˌreɪtəs] n جهاز [ʒiha:z]

apparent [əˈpærənt; əˈpɛər-] adj ظاهر
[zˤa:hir]

apparently [əˈpærəntlɪ; əˈpɛər-] adv
من الواضح [Men al-waḍeh]

appeal [əˈpiːl] n استئناف [ʔistiʔna:f] ▷ v
يستأنف حكما [Yastaanef al-hokm]

appear [əˈpɪə] v يظهر [jaz͌haru]

appearance [əˈpɪərəns] n مظهر
[maz͌har]

appendicitis [əˌpɛndɪˈsaɪtɪs] n التهاب
الزائدة [Eltehab al-zaedah]

appetite [ˈæpɪˌtaɪt] n شهية [ʃahijja]

applaud [əˈplɔːd] v يُطري [jutˤri:]

applause [əˈplɔːz] n تصفيق [tasˤfi:q]

apple [ˈæpᵊl] n تفاحة [tuffa:ħa]; **apple
pie** n فطيرة التفاح [Faṭeerat al-tofaah]

appliance [əˈplaɪəns] n جهاز [ʒiha:z]

applicant [ˈæplɪkənt] n مُقدم الطلب
[Mo'qadem al-ṭalab]

application [ˌæplɪˈkeɪʃən] n طلب
[tˤalab]; **application form** n نموذج
الطلب [Namozaj al-ṭalab]

apply [əˈplaɪ] v يتقدم بطلب [Yata'qadam
be-ṭalab]

appoint [əˈpɔɪnt] v يُعين [juʕajjinu]

appointment [əˈpɔɪntmənt] n موعد
[mawʕid]; **Can I have an
appointment with the doctor?** هل
يمكنني تحديد موعد مع الطبيب؟ [hal
yamken -any tahdeed maw'aid ma'aa
al-ṭabeeb?]; **Do you have an**

appointment? هل تحدد لك موعداً؟ [hal taha-dada laka maw'aid?]; **I have an appointment with...** لدي موعد مع.....؟ [la-daya maw-'aid m'aa...]; **I'd like to make an appointment** أود في تحديد موعد [awid fee tahdeed maw'aid]

appreciate [əˈpriːʃɪˌeɪt; -sɪ-] v يُقَدِر [jaqdiru]

apprehensive [ˌæprɪˈhɛnsɪv] adj خائف [xa:ʔif]

apprentice [əˈprɛntɪs] n مهني مبتدئ [Mehaney mobtadea]

approach [əˈprəʊtʃ] v يَقْتَرِب [jaqtaribu]

appropriate [əˈprəʊprɪɪt] adj ملائم [mula:ʔim]

approval [əˈpruːvəl] n موافقة [muwa:faqa]

approve [əˈpruːv] v يوافق [juwa:fiqu]

approximate [əˈprɒksɪmɪt] adj تقريبي [taqri:bij]

approximately [əˈprɒksɪmɪtlɪ] adv تقريبا [taqri:ban]

apricot [ˈeɪprɪˌkɒt] n مشمش [miʃmiʃ]

April [ˈeɪprəl] n أبريل [ʔabri:l]; **April Fools' Day** n يوم كذبة أبريل [yawm kedhbat abreel]

apron [ˈeɪprən] n مريلة مطبخ [Maryalat maṭbakh]

aquarium [əˈkwɛərɪəm] n حوض سمك [Hawḍ al-samak]

Aquarius [əˈkwɛərɪəs] n الدلو [addalu:]

Arab [ˈærəb] adj عربي الجنسية [ˈarabey al-jenseyah] ▷ n (person) شخص عربي [Shakhṣ 'arabey]; **United Arab Emirates** npl الإمارات العربية المتحدة [Al-emaraat al'arabeyah al-motaḥedah]

Arabic [ˈærəbɪk] adj عربي [ʕarabij] ▷ n (language) اللغة العربية [Al-loghah al-arabeyah]

arbitration [ˌɑːbɪˈtreɪʃən] n تحكيم [taḥki:m]

arch [ɑːtʃ] n قنطرة [qantˤara]

archaeologist [ˌɑːkɪˈɒlədʒɪst] n عالم آثار ['aalem aathar]

archaeology [ˌɑːkɪˈɒlədʒɪ] n علِم الآثار ['Aelm al-aathar]

archbishop [ˈɑːtʃˈbɪʃəp] n رئيس أساقفة [Raees asa'qefah]

architect [ˈɑːkɪˌtɛkt] n معماري [miʕmairij]

architecture [ˈɑːkɪˌtɛktʃə] n فن العمارة [Fan el-'aemarah]

archive [ˈɑːkaɪv] n أرشيف [ʔarʃi:f]

Arctic [ˈɑːktɪk] adj قطبي شمالي ['qoṭbey shamaley]; **Arctic Circle** n الدائرة القطبية الشمالية [Al-daerah al'qotbeyah al-Shamaleyah]; **Arctic Ocean** n المحيط القطبي الشمالي [Al-moheeṭ al-'qotbey al-shamaley]; **the Arctic** n قطبي شمالي ['qoṭbey shamaley]

area [ˈɛərɪə] n مجال [maʒa:l]; **service area** n منطقة تقديم الخدمات [Menta'qat ta'qdeem al- khadamat]

Argentina [ˌɑːdʒənˈtiːnə] n الأرجنتين [ʔal-ʔarʒunti:n]

Argentinian [ˌɑːdʒənˈtɪnɪən] adj أرجنتيني [ʔarʒunti:nij] ▷ n (person) أرجنتيني [ʔarʒunti:nij]

argue [ˈɑːgjuː] v يُجادل [juʒa:dilu]

argument [ˈɑːgjʊmənt] n مشادة كلامية [Moshadah kalameyah]

Aries [ˈɛəriːz] n الحَمَل [alħamal]

arm [ɑːm] n ذِراع [ðira:ʕ]

armchair [ˈɑːmˌtʃɛə] n كرسي مزود بذراعين [Korsey mozawad be-dhera'aayn]

armed [ɑːmd] adj مُسلح [musallaħ]

Armenia [ɑːˈmiːnɪə] n أرمنيا [ʔarminja:]

Armenian [ɑːˈmiːnɪən] adj أرمني [ʔarminij] ▷ n (language) اللغة الأرمنية [Al-loghah al-armeeneyah], (person) أرمني [ʔarminij]

armour [ˈɑːmə] n دِرْع [dirʕ]

armpit [ˈɑːmˌpɪt] n إبط [ʔibitˤ]

army [ˈɑːmɪ] n جيش [ʒajʃ]

aroma [əˈrəʊmə] n عبير [ʕabi:r]

aromatherapy [əˌrəʊməˈθɛrəpɪ] n علاج بالعطور ['aelaj bel-oṭoor]

around [əˈraʊnd] adv حول [ħawla] ▷ prep في مكان قريب [fi: maka:nin qari:bin]

arrange [əˈreɪndʒ] v يُرتب [jurattibu]

arrangement [əˈreɪndʒmənt] n ترتيب

[tarti:b]

arrears [ə'rɪəz] npl متأخرات [muta?axxira:tun]

arrest [ə'rɛst] n اعتقال [?i?tiqa:l] ▷ v يَقبض على [jaqbudˤu ?ala:]

arrival [ə'raɪvəl] n وصول [wus'u:l]

arrive [ə'raɪv] v يصل [jas'ilu]

arrogant ['ærəgənt] adj متعجرف [muta?aʒrif]

arrow ['ærəʊ] n سهم [sahm]

arson ['ɑːsən] n إشعال الحرائق [Esha'aal alharae'q]

art [ɑːt] n فن (مهارة) [fann]; **art gallery** n جاليري فني [Jalery faney]; **art school** n كلية الفنون [Koleyat al-fonoon]; **work of art** n عمل فني ['amal faney]

artery ['ɑːtərɪ] n شريان [ʃurja:n]

arthritis [ɑː'θraɪtɪs] n التهاب المفاصل [Eltehab al-mafaseˤl]

artichoke ['ɑːtɪˌtʃəʊk] n خرشوف [xarʃu:f]

article ['ɑːtɪkəl] n مقالة [maqa:la]

artificial [ˌɑːtɪ'fɪʃəl] adj اصطناعي [?isˤtˤina:ʕij]

artist ['ɑːtɪst] n فنان [fanna:n]

artistic [ɑː'tɪstɪk] adj فني [fanij]

as [əz] adv حيث أن [Hayth ann] ▷ conj بينما [bajnama:] ▷ prep كما [kama:]

asap [eɪsæp] abbr بأسرع ما يُمكن [Beasraa'a ma yomken]

ascent [ə'sɛnt] n; **When is the last ascent?** ما هو موعد آخر هبوط للتزلج؟ [ma howa maw-'aid aakhir hiboot lel-tazaluj?]

ashamed [ə'ʃeɪmd] adj خجلان [xaʒla:n]

ashore [ə'ʃɔː] adv; **Can we go ashore now?** أيمكننا العودة إلى الشاطئ الآن؟ [a-yamkun-ana al-'awdah ela al-shaṭee al-aan?]

ashtray ['æʃˌtreɪ] n طفاية السجائر [Ṭafayat al-sajayer]

Asia ['eɪʃə; 'eɪʒə] n آسيا [?a:sja:]

Asian ['eɪʃən; 'eɪʒən] adj آسيوي [?a:sjawij] ▷ n آسيوي [?a:sjawij]

Asiatic [ˌeɪʃɪ'ætɪk; -zɪ-] adj آسيوي [?a:sjawij]

ask [ɑːsk] v يَسأل [jas?alu]

ask for [ɑːsk fɔː] v يَطلُب [jatˤlubu]

asleep [ə'sliːp] adj نائم [na:?im]

asparagus [ə'spærəgəs] n نبات الاسبراجوس [naba:tu ala:sbara:ʒu:s]

aspect ['æspɛkt] n ناحية [na:hija]

aspirin ['æsprɪn] n أسبرين [?asbiri:n]; **I can't take aspirin** لا يمكنني تناول الأسبرين [la yam-kinuni tanawil al-asbreen]; **I'd like some aspirin** أريد بعض الأسبرين [areed ba'aḍ al-asbereen]

assembly [ə'sɛmblɪ] n اجتماع [?iʒtima:ʕ]

asset ['æsɛt] n شيء ثمين [ʃaj?un θami:n]; **assets** (property) n أصل [?asˤlun]

assignment [ə'saɪnmənt] n مهمة [mahamma]

assistance [ə'sɪstəns] n مساعدة [musa:ʕada]; **I need assistance** أحتاج إلى مساعدة [ahtaaj ela musa-'aada]

assistant [ə'sɪstənt] n مساعد [musa:ʕid]; **personal assistant** n مساعد شخصي [Mosa'aed shakhṣey]; **sales assistant** n مساعد المبيعات [Mosa'aed al-mobee'aat]; **shop assistant** n مساعد في متجر [Mosa'aed fee matjar]

associate adj [ə'səʊʃɪɪt] مساعد [musa:ʕid] ▷ n [ə'səʊʃɪɪt] مرافق [mura:fiq]

association [əˌsəʊsɪ'eɪʃən; -ʃɪ-] n جمعية [ʒam'ijja]

assortment [ə'sɔːtmənt] n تصنيف [tasˤni:f]

assume [ə'sjuːm] v يَفترض [jaftarid'u]

assure [ə'ʃʊə] v يُطمئن [jatˤma?innu]

asthma ['æsmə] n الربو [Al-rabw]

astonish [ə'stɒnɪʃ] v يُدهش [judhiʃu]

astonished [ə'stɒnɪʃt] adj مذهول [maðhu:l]

astonishing [ə'stɒnɪʃɪŋ] adj مذهل [muðhil]

astrology [ə'strɒlədʒɪ] n علم التنجيم [A'elm al-tanjeem]

astronaut ['æstrəˌnɔːt] n رائد فضاء [Raeed faḍaa]

astronomy [ə'strɒnəmɪ] n علم الفلك ['aelm al-falak]

asylum [əˈsaɪləm] n ملتجأ آمن [Moltajaa aamen]; **asylum seeker** n طالب لجوء سياسي [t aleb lejoaa seyasy]

at [æt] prep عند [ʕinda]; **at least** adv على الأقل [ʕala alaˈqal]

atheist [ˈeɪθɪˌɪst] n مُلحِد [mulħid]

athlete [ˈæθliːt] n لاعب رياضي [Laˈaeb reyaḍey]

athletic [æθˈlɛtɪk] adj متعلق (رياضي) بالرياضة البدنية [(Reyaḍy) motaˈaleʕq bel- Reyaḍah al-badabeyah]

athletics [æθˈlɛtɪks] npl ألعاب القوى [ʔalʕaːbun ʔalqiwaː]

Atlantic [ətˈlæntɪk] n أطلنطي [ʔatˤlantˤij]

atlas [ˈætləs] n الأطلس [al-ʔatˤlasu]

atmosphere [ˈætməsˌfɪə] n جَوّ [ʒaww]

atom [ˈætəm] n ذَرّة [ðarra]; **atom bomb** n قنبلة ذرية [ˈqobelah dhareyah]

atomic [əˈtɒmɪk] adj ذَري [ðarij]

attach [əˈtætʃ] v يُرْفِق [jurfiqu]

attached [əˈtætʃt] adj ملحق [mulħaq]

attachment [əˈtætʃmənt] n رَبْط [rabtˤ]

attack [əˈtæk] n هجوم [huʒuːm] ⊳ v يهاجم [juhaːʒimu]; **heart attack** n أزمة قلبية [Azmah ˈqalbeyah]; **terrorist attack** n هجوم إرهابي [Hojoom ˈerhaby]; **I've been attacked** لقد تعرضت للهجوم [laˈqad taˈaaraḍto lel-hijoom]

attempt [əˈtɛmpt] n محاولة [muħaˌwala] ⊳ v يُحاوِل [juħaːwilu]

attend [əˈtɛnd] v يحضر [juħadˤdˤiru]

attendance [əˈtɛndəns] n الحاضرين [ʔal-ħaːdˤiriːna]

attendant [əˈtɛndənt] n; **flight attendant** n مضيف الطائرة [moḍeef al-ṭaaerah]

attention [əˈtɛnʃən] n انتباه [ʔintibaːh]

attic [ˈætɪk] n طابق علوي [Ṭabeˈq ˈaolwei]

attitude [ˈætɪˌtjuːd] n مَوْقِف [mawqif]

attorney [əˈtɜːnɪ] n وكيل [wakiːl]

attract [əˈtrækt] v يَجذِب [jaʒðibu]

attraction [əˈtrækʃən] n جاذبية [ʒaːðibijja]

attractive [əˈtræktɪv] adj جذاب

aubergine [ˈəʊbəˌʒiːn] n باذنجان [baːðinʒaːn]

auburn [ˈɔːbən] adj أسمر محمر [Asmar mehmer]

auction [ˈɔːkʃən] n مزاد [mazaːd]

audience [ˈɔːdɪəns] n جمهور [ʒumhuːr]

audit [ˈɔːdɪt] n مراجعة حسابية [Morajˈah ḥesabeyah] ⊳ v يدقق الحسابات [Yodaˈqeq al-ḥesabat]

audition [ɔːˈdɪʃən] n حاسة السمع [Hasat al-samaˈa]

auditor [ˈɔːdɪtə] n مراجع حسابات [Moraaje'a ḥesabat]

August [ˈɔːɡəst] n أغسطس [ʔuɣustˤus]

aunt [ɑːnt] n (خالة) عمة [ʕamma]

auntie [ˈɑːntɪ] n زنجية عجوز [Enjeyah 'aajooz]

au pair [əʊ ˈpɛə; o pɛr] n أجنبي مقيم [Ajnabey mo'qeem]

austerity [ɒˈstɛrɪtɪ] n تقشُف [taqʃifu]

Australasia [ˌɒstrəˈleɪʒɪə] n أوسترالاسيا [ʔuːstraːlaːsjaː]

Australia [ɒˈstreɪlɪə] n أستراليا [ʔustraːlija]

Australian [ɒˈstreɪlɪən] adj أسترالي [ʔustraːlij] ⊳ n أسترالي [ʔustraːlij]

Austria [ˈɒstrɪə] n النمسا [ʔa-nnamsaː]

Austrian [ˈɒstrɪən] adj نمساوي [namsaːwij] ⊳ n نمساوي [namsaːwij]

authentic [ɔːˈθɛntɪk] adj مُوثق [muwaθθiq]

author, authoress [ˈɔːθə, ˈɔːθəˌrɛs] n المؤلف [al-muallifu]

authorize [ˈɔːθəˌraɪz] v يُفَوض [jufawwidˤu]

autobiography [ˌɔːtəʊbaɪˈɒɡrəfɪ; ˌɔːtəbaɪ-] n سيرة ذاتية [Seerah dhateyah]

autograph [ˈɔːtəˌɡrɑːf; -ˌɡræf] n أوتوجراف [ʔuːtuːʒraːf]

automatic [ˌɔːtəˈmætɪk] adj آلي [ajj]; **An automatic, please** سيارة تعمل بنظام نقل السرعات الآلي من فضلك [sayara ta'amal be-neḍham na'qil al-sur'aat al-aaly, min faḍlak]; **Is it an automatic**

car? هل هذه السيارة تعمل بنظام نقل [hal hadhy al-sayarah ta'amal be-neḍham na'qil al-sur'aaat al-aaly?]

automatically [ˌɔːtəˈmætɪklɪ] *adv* آلياً [ajjan]

autonomous [ɔːˈtɒnəməs] *adj* متمتّع بحُكْم ذاتي [Motamet'a be-ḥokm dhatey]

autonomy [ɔːˈtɒnəmɪ] *n* حُكْم ذاتي [ḥokm dhatey]

autumn [ˈɔːtəm] *n* الخريف [Al-khareef]

availability [əˈveɪləbɪlɪtɪ] *n* تَوَفُّر [tawaffur]

available [əˈveɪləbəl] *adj* متوفر [mutawaffir]

avalanche [ˈævəˌlɑːntʃ] *n* انهيار [ʔinhijaːr]

avenue [ˈævɪˌnjuː] *n* طريق مشجر [ṭaree'q moshajar]

average [ˈævərɪdʒ; ˈævrɪdʒ] *adj* متوسط [mutawassiṭ] ⊳ *n* معدل [muʕaddal]

avocado, avocados [ˌævəˈkɑːdəʊ, ˌævəˈkɑːdəʊs] *n* ثمرة الأفوكاتو [Thamarat al-afokatoo]

avoid [əˈvɔɪd] *v* يَتَجنب [jataʒanabbu]

awake [əˈweɪk] *adj* مُستيقظ [mustajqizˤ] ⊳ *v* يُفيق [jafiːqu]

award [əˈwɔːd] *n* جائزة [ʒaːʔiza]

aware [əˈwɛə] *adj* مدرك [mudrik]

away [əˈweɪ] *adv* بعيداً [baʕiːdan]; **away match** *n* مباراة الذهاب [Mobarat al-dhehab]

awful [ˈɔːfʊl] *adj* شنيع [ʃaniːʕ]

awfully [ˈɔːfəlɪ; ˈɔːflɪ] *adv* بفظاعة [befaḍha'aah]

awkward [ˈɔːkwəd] *adj* أخْرَق [ʔaxraq]

axe [æks] *n* بَلْطَة [balṭˤa]

axle [ˈæksəl] *n* محور الدوران [Meḥwar al-dawaraan]

Azerbaijan [ˌæzəbaɪˈdʒɑːn] *n* أذربيجان [ʔaðarbajʒaːn]

Azerbaijani [ˌæzəbaɪˈdʒɑːnɪ] *adj* أذربيجاني [ʔaðarbiːʒaːnij] ⊳ *n* أذربيجاني [ʔaðarbiːʒaːnij]

b

B&B [biː ænd biː] *n* مبيت وإفطار [Mabeet wa eftaar]

BA [bɑː] *abbr* ليسانس [lajsaːns]

baby [ˈbeɪbɪ] *n* طفل رضيع [Ṭefl readea'a]; **baby milk** *n* لبن أطفال [Laban aṭfaal]; **baby wipe** *n* منديل أطفال [Mandeel aṭfaal]; **baby's bottle** *n* زجاجة رضاعة الطفل [Zojajat reḍa'aat al-tefl]

babysit [ˈbeɪbɪsɪt] *v* يُجالس الأطفال [Yojales al-atfaal]

babysitter [ˈbeɪbɪsɪtə] *n* جليس أطفال [Jalees aṭfaal]

babysitting [ˈbeɪbɪsɪtɪŋ] *n* مجالسة الأطفال [Mojalasat al-atfaal]

bachelor [ˈbætʃələ; ˈbætʃlə] *n* أعزب [ʔaʕzab]

back [bæk] *adj* متجه خلفاً [Motajeh khalfan] ⊳ *adv* إلى الوراء [Ela al-waraa] ⊳ *n* ظهر [zˤahr] ⊳ *v* يُرجع [jurʒiʕu]; **back pain** *n* ألَم الظهر [Alam al-dhahr]

backache [ˈbækeɪk] *n* ألَم الظهر [Alam al-dhahr]

backbone [ˈbækˌbəʊn] *n* عمود فقري ['amood fa'qarey]

backfire [ˌbækˈfaɪə] *v* يُخَلِف نتائج عكسية [Yokhalef nataaej 'aakseyah]

background [ˈbækˌgraʊnd] *n* خلفية

backing ['bækɪŋ] n دَعْم [da'm]

back out [bæk aʊt] v يتراجع عن [jatara:ʒaʕu ʃan]

backpack ['bækˌpæk] n حقيبة الظهر [Ha'qeebat al-dhahr]

backpacker ['bækˌpækə] n حامل حقيبة الظهر [Hamel ha'qeebat al-dhahr]

backpacking ['bækˌpækɪŋ] n حمل حقيبة الظهر [Hamal ha'qeebat al-dhahr]

backside [ˌbæk'saɪd] n مُؤَخِّرَة [muʔaxira]

backslash ['bækˌslæʃ] n شرطة مائلة للخلف [Shartah maelah lel-khalf]

backstroke ['bækˌstrəʊk] n ضربة خلفية [Darba khalfeyah]

back up [bæk ʌp] v يدعم [jadʕamu]

backup [bækˌʌp] n نسخة احتياطية [Noskhah ehteyateyah]

backwards ['bækwədz] adv للخلف [Lel-khalf]

bacon ['beɪkən] n لحم خنزير مقدد [Laḥm khanzeer me'qaded]

bacteria [bæk'tɪərɪə] npl بكتريا [baktirja:]

bad [bæd] adj سيء [sajjiʔ]

badge [bædʒ] n شارة [ʃa:ra]

badger ['bædʒə] n حيوان الغُرَيْر [Ḥayawaan al-ghoreer]

badly ['bædlɪ] adv على نحو سيء [Ala nahw saye]

badminton ['bædmɪntən] n تنس الريشة [Tenes al-reshah]

bad-tempered [bæd'tɛmpəd] adj شَرِس [ʃaris]

baffled ['bæfˤld] adj متحير [mutaħajjir]

bag [bæg] n حقيبة [ḥaqi:ba]; **bum bag** n حقيبة صغيرة [Ha'qeebah ṣagheerah]; **carrier bag** n كيس مشتريات [Kees moshtarayat]; **overnight bag** n حقيبة للرحلات القصيرة [Ha'qeebah lel-rahalat al-'qaseerah]; **plastic bag** n كيس بلاستيكي [Kees belasteekey]; **polythene bag** n حقيبة من البوليثين [Ha'qeebah men al-bolytheleyn]; **shopping bag** n كيس التسوق [Kees

al-tasawo'q]; **sleeping bag** n كيس النوم [Kees al-nawm]; **tea bag** n كيس شاي [Kees shaay]; **toilet bag** n حقيبة أدوات الاستحمام [Ha'qeebat adwat al-estehmam]; **I don't need a bag, thanks** شكرًا لا أحتاج إلى حقيبة [shukran la ahtaj ela ha'qeba]

baggage ['bægɪdʒ] n أمتِعة [amtiʕa]; **baggage allowance** n وَزْن الأمتعة المسموح به [Wazn al-amte'aah al-masmooh beh]; **baggage reclaim** n استلام الأمتعة [Estelam al-amte'aah]; **excess baggage** n وزن زائد للأمتعة [Wazn zaed lel-amte'aah]

baggy ['bægɪ] adj مرهوظ [marhu:ẓ]

bagpipes ['bægˌpaɪps] npl مزامير القربة [Mazameer al-'qarbah]

Bahamas [bə'hɑːməz] npl جزر الباهاما [ʒuzuru ʔal-ba:ha:ma:]

Bahrain [bɑː'reɪn] n البحرين [al-baħrajni]

bail [beɪl] n كفالة [kafa:la]

bake [beɪk] v يخبز [jaxbizu]

baked [beɪkt] adj مخبوز [maxbu:z]; **baked potato** n بطاطس بالفرن [Baṭaṭes bel-forn]

baker ['beɪkə] n خباز [xabba:z]

bakery ['beɪkərɪ] n مخبز [maxbaz]

baking ['beɪkɪŋ] n خُبْز [xubz]; **baking powder** n مسحوق خبز [Mashoo'q khobz]

balance ['bæləns] n توازن [tawa:z]; **balance sheet** n ميزانية [mi:za:nijjatun]; **bank balance** n حساب بنكي [Hesab bankey]

balanced ['bælənst] adj متوازن [mutawa:zinn]

balcony ['bælkənɪ] n شُرْفَة [ʃurfa]

bald [bɔːld] adj أصلع [ʔasˤlaʕ]

Balkan [bɔːlkən] adj بلقاني [balqa:nij]

ball [bɔːl] n (dance) حفل رأقص [Half ra'qeṣ], (toy) كرة [kura]

ballerina [ˌbælə'riːnə] n راقصة باليه [Ra'ṣat baleeh]

ballet ['bæleɪ; bæ'leɪ] n باليه [ba:li:h]; **ballet dancer** n راقص باليه [Ra'qeṣ baleeh]; **ballet shoes** npl حذاء الباليه

[hedhaa al-baleeh]; **Where can I buy tickets for the ballet?** أين يمكنني أن أشتري تذاكر لعرض الباليه؟ [ayna yamken-any an ashtray tadhaker le-'aard al-baleh]

balloon [bə'lu:n] n بالون [ba:lu:n]

bamboo [bæm'bu:] n خَيْزُران [xajzura:n]

ban [bæn] n حظر [ħaz°r] ▷ v يَمنع [jamnaʕu]

banana [bə'nɑ:nə] n موز [mawz]

band [bænd] n (musical group) فرقة موسيقية [Fer'qah mose'qeyah], (strip) رباط [riba:t°]; **brass band** n فرقة الآلات النحاسية [Fer'qat al-aalat al-nahaseqeyah]; **elastic band** n رباط مطاطى [rebat matatey]; **rubber band** n شريط مطاطى [shareet matatey]

bandage ['bændɪdʒ] n ضمادة [d°amma:da] ▷ v يُضَمد [jud°ammidu]; **I'd like a bandage** أريد ضمادة جروح [areed dimadat jirooħ]; **I'd like a fresh bandage** أريد ضمادة جديدة [areed dimada jadeeda]

Band-Aid [bændeɪd] n لصقة طبية [Las°qah tebeyah]

bang [bæŋ] n ضَجّة [d°aʒʒa] ▷ v يُحْدِث ضجة [jamħaq]

Bangladesh [ˌbɑ:ŋglə'dɛʃ; ˌbæŋ-] n بنجلاديش [banʒla:di:ʃ]

Bangladeshi [ˌbɑ:ŋglə'dɛʃɪ; ˌbæŋ-] adj بنجلاديشى [banʒla:di:ʃij] ▷ n بنجلاديشى [banʒla:di:ʃij]

banister ['bænɪstə] n دَرابِزين [dara:bizi:n]

banjo ['bændʒəʊ] n آلة البانجو الموسيقية [Aalat al-banjoo al-mose'qeyah]

bank [bæŋk] n (finance) بنك [bank], (ridge) ضفة [d°iffa]; **bank account** n حساب بنكى [Hesab bankey]; **bank balance** n حساب بنكى [Hesab bankey]; **bank charges** npl مصاريف بنكية [Maşareef Bankeyah]; **bank holiday** n عطلة شعبية [A'otalh sha'abeyah]; **bank statement** n كشف بنكى [Kashf bankey]; **bottle bank** n مستودع الزجاجات [Mostawda'a al-zojajat]; **merchant bank** n بنك تجارى

[Bank Tejarey]; **How far is the bank?** ما هى المسافة بينا وبين البنك؟ [Ma heya al-masafa bayna wa been al-bank?]; **I would like to transfer some money from my bank in...** أرغب فى تحويل بعض الأموال من حسابى البنكى فى... [arghab fee taħweel ba'ad al-amwal min hisaaby al-banki fee...]; **Is the bank open today?** هل البنك مفتوح اليوم؟ [hal al-bank maf-tooħ al-yawm?]; **Is there a bank here?** هل يوجد بنك هنا؟ [hal yujad bank huna?]; **When does the bank close?** متى ينتهى عمل البنك؟ [mata yan-tahy 'aamal al-bank?]

banker ['bæŋkə] n موظف بنك [mowaðhaf bank]

banknote ['bæŋkˌnəʊt] n ورقة مالية [Wara'qah maleyah]

bankrupt ['bæŋkrʌpt; -rəpt] adj مُفلس [muflis]

banned [bænd] adj مُحَرّم [muħarram]

Baptist ['bæptɪst] n كنيسة معمدانية [Kaneesah me'amedaneyah]

bar [bɑ:] n (alcohol) بار [ba:r], (strip) قالب مستطيل ['qaleb mostateel]; **snack bar** n متجر الوجبات السريعة [Matjar al-wajabat al-sarey'aa]; **Where is the bar?** أين يوجد بار المشروبات؟ [ayna yujad bar al-mash-roobat?]

Barbados [bɑ:'beɪdəʊs; -dəʊz; -dɒs] n البربادوس [?albarba:du:s]

barbaric [bɑ:'bærɪk] adj همجى [hamaʒij]

barbecue ['bɑ:bɪˌkju:] n شواء اللحم [Shewaa al-lahm]

barber ['bɑ:bə] n حَلاق [ħalla:q]

bare [bɛə] adj مُجرد [muʒarrad] ▷ v يَكْشِف عن [Yakshef 'an]

barefoot ['bɛəˌfʊt] adj حافى القدمين [Hafey al-'qadameyn] ▷ adv حافى القدمين [Hafey al-'qadameyn]

barely ['bɛəlɪ] adv بجهد شديد [Bejahd shaded]

bargain ['bɑ:gɪn] n صفقة [s°afqa]

barge [bɑ:dʒ] n زورق بخارى مخصص لقائد الأسطول [Zawra'q bokharee mokhaşaş al-osţool] le-'qaaed al-ostool]

bark [bɑːk] v ينبح [janbaħu]

barley ['bɑːlɪ] n شعير [ʃaʕiːrr]

barmaid ['bɑːmeɪd] n مضيفة بار [Moḍeefat bar]

barman, barmen ['bɑːmən, 'bɑːmɛn] n مضيف بار [Moḍeef bar]

barn [bɑːn] n مخزن حبوب [Makhzan ħoboob]

barrel ['bærəl] n برميل [birmiːl]

barrier ['bærɪə] n حاجز [ħaːʒiz]; **ticket barrier** n حاجز وضع التذاكر [Hajez wad'a al-tadhaker]

bartender ['bɑːˌtɛndə] n ساقي البار [Sa'qey al-bar]

base [beɪs] n قاعدة [qaːʕida]

baseball ['beɪsˌbɔːl] n بيسبول [biːsbuːl]; **baseball cap** n قبعة البيسبول ['qoba'at al-beesbool]

based [beɪst] adj مؤسس على [Moasas ala]

basement ['beɪsmənt] n بدروم [bidruːm]

bash [bæʃ] n ضربة [ḍˤarba] ▷ v يضرب بعنف [Yaḍreb be'aonf]

basic ['beɪsɪk] adj أساسي [ʔasaːsij]

basically ['beɪsɪklɪ] adv بشكل أساسي [Beshkl asasy]

basics ['beɪsɪks] npl أساسيات [ʔasaːsijjaːtun]

basil ['bæzˀl] n ريحان [rajħaːnn]

basin ['beɪsˀn] n حوض [ħawdˤˀ]

basis ['beɪsɪs] n أساس [ʔasaːs]

basket ['bɑːskɪt] n سلة [salla]; **wastepaper basket** n سلة الأوراق المهملة [Salat al-awra'q al-mohmalah]

basketball ['bɑːskɪtˌbɔːl] n كرة السلة [Korat al-salah]

Basque [bæsk; bɑːsk] adj باسكي [baːskiː] ▷ n (language) اللغة الباسكية [Al-loghah al-bakestaneyah], (person) باسكي [baːskiː]

bass [beɪs] n سمك القاروس [Samak al-faros]; **bass drum** n طبلة كبيرة رنانة [Ṭablah kabeerah rannanah ghaleeḍhat al-sawt]; **double**

bass n الدُبَلْبِس وهي أكبر آله في الأسرة الكمانية [addubalbas wa hija ʔakbaru a:latu fi: al?usrati alkama:nijjati]

bassoon [bəˈsuːn] n مزمار [mizma:r]

bat [bæt] n (mammal) خُفّاش [xuffa:ʃ], (with ball) مضرب [midˁrab]

bath [bɑːθ] n; **bubble bath** n سائل استحمام [Saael estehmam]

bathe [beɪð] v يستحم [jastaħimmu]

bathrobe ['bɑːθˌrəʊb] n بُرنس حمام [Bornos hammam]

bathroom ['bɑːθˌruːm; -ˌrʊm] n حمام [ħamma:m]; **Does the room have a private bathroom?** هل يوجد حمام خاص داخل الحجرة [hal yujad ħamam khaṣ dakhil al-ħujra?]; **The bathroom is flooded** الحمام تغمره المياه [al-ħamaam taghmurho al-me-aa]

baths [bɑːθz] npl حمامات [ħamma:ma:tun]

bathtub ['bɑːθˌtʌb] n حوض استحمام [Hawḍ estehmam]

batter ['bætə] n عجينة الكريب ['aajenat al-kreeb]

battery ['bætərɪ] n بطارية [batˁˁa:rijja]; **I need a new battery** أريد بطارية جديدة [areed baṭaariya jadeeda]; **The battery is flat** البطارية فارغة [al-baṭareya faregha]

battle ['bætˀl] n معركة [maʕraka]

battleship ['bætˀlˌʃɪp] n سفينة حربية [Safeenah harbeyah]

bay [beɪ] n خليج [xali:ʒ]; **bay leaf** n ورق الغار [Wara'q alghaar]

BC [biː siː] abbr قبل الميلاد ['qabl al-meelad]

be [biː; bɪ] v يكون [jaku:nu]

beach [biːtʃ] n شاطئ [ʃa:tˁiʔ]; **How far is the beach?** ما هي المسافة بيننا وبين الشاطئ؟ [ma heya al-masafa bay-nana wa bayn al-shatee?]; **I'm going to the beach** سوف أذهب إلى الشاطئ [sawfa adhab ela al-shatee]; **Is there a bus to the beach?** هل يوجد أتوبيس إلى الشاطئ؟ [Hal yojad otobees elaa al-shatea?]

bead [biːd] n خرزة [xurza]

beak [biːk] n منقار [minqaːr]

beam [biːm] n غَارِضَة خَشَبِيَّة ['aaredeh khashabeyah]

bean [biːn] n فُول [fuːl]; **broad bean** n فول [fuːn]; **coffee bean** n حبوب البن [Hobob al-bon]; **French beans** npl فاصوليا خضراء [Faşoleya khadraa]; **runner bean** n فاصوليا خضراء متعرشة [faşoleya khadraa mota'aresha]

beansprout ['biːnspraʊt] n; **beansprouts** npl براعم الفول [Braa'em al-fool]

bear [bɛə] n دُبّ [dubb] ▷ v يَحتمل [juħtamalu]; **polar bear** n الدب القطبي [Al-dob al-shamaley]; **teddy bear** n دُب تيدي بير [Dob tedey beer]

beard [bɪəd] n لحية [liħja]

bearded [bɪədɪd] adj مُلتح [multaħin]

bear up [bɛə ʌp] v يَصْمُد [jasˤmudu]

beat [biːt] n نبضة [nabdˤa] ▷ v (outdo) يَهْزِم [jahzimu], (strike) يَضرب [jadˤribu]

beautiful ['bjuːtɪfʊl] adj جَميل [ʒamiːl]

beautifully ['bjuːtɪflɪ; 'beautifully] adv بشكل جميل [Beshakl jameel]

beauty ['bjuːtɪ] n جمال [ʒamaːl]; **beauty salon** n صالون تجميل [Salon hela'qa]; **beauty spot** n شامة [ʃaːmatun]

beaver ['biːvə] n قندس [qundus]

because [bɪˈkɒz; -ˈkəz] conj لأن [li?anna]

become [bɪˈkʌm] v يُصبح [jusˤbiħu]

bed [bɛd] n سرير [sariːrr]; **bed and breakfast** n مبيت وإفطار [Mabeet wa eftaar]; **bunk beds** npl سَرير بدورين [Sareer bedoreen]; **camp bed** n سرير رحلات [Sareer raħalat]; **double bed** n سَرير مُزدوج [Sareer mozdawaj]; **king-size bed** n فراش كبير الحجم [Ferash kabeer al-hajm]; **single bed** n سَرير فردي [Sareer fardey]; **sofa bed** n كنبة سرير [Kanabat sereer]; **twin beds** npl سريرين منفصلين [Sareerayn monfaş elayen]

bedclothes ['bɛdˌkləʊðz] npl بياضات [bajja:dˤa:tun]

bedding ['bɛdɪŋ] n شراشف [ʃara:ʃif]

bedroom ['bɛdˌruːm; -ˌrʊm] n غرفة النوم [Ghorfat al-noom]

bedsit ['bɛdˌsɪt] n شقة بغرفة واحدة [Sh'qah be-ghorfah waḥedah]

bedspread ['bɛdˌsprɛd] n غطاء سرير [Gheţa'a sareer]

bedtime ['bɛdˌtaɪm] n وَقْت النوم [Wa'qt al-nawm]

bee [biː] n نحلة [naħla]

beech [biːtʃ] n; **beech (tree)** n شجرة الزان [Shajarat al-zaan]

beef [biːf] n لحم بقري [Laḥm ba'qarey]

beefburger ['biːfˌbɜːgə] n شرائح اللحم البقري المشوي [Shraeḥ al-laḥm al-ba'qarey al-mashwey]

beer [bɪə] n بيرة [biːra]; **another beer** كأس آخر من البيرة [kaas aakhar min al-beera]; **A draught beer, please** كأس من البيرة من فضلك [kaas min al-beera min faḍlak]

beetle ['biːtˤl] n خُنْفساء [xunfusaːʔ]

beetroot ['biːtˌruːt] n بنجر [banʒar]

before [bɪˈfɔː] adv أمام [ʔamaːma] ▷ conj قبل أن [qabl an] ▷ prep أمام [ʔamaːma]

beforehand [bɪˈfɔːˌhænd] adv مقدماً [muqaddaman]

beg [bɛg] v يَستجدي [jastaʒdiː]

beggar ['bɛgə] n المتسول [Almotasawel]

begin [bɪˈgɪn] v يبدأ [jabdaʔu]; **When does it begin?** متى يبدأ العمل هنا؟ [mata yabda al-'aamal huna?]

beginner [bɪˈgɪnə] n المبتدئ [Almobtadea]

beginning [bɪˈgɪnɪŋ] n بداية [bida:ja]; **at the beginning of June** في بداية شهر يونيو [fee bedayat shaher yon-yo]

behave [bɪˈheɪv] v يَتَصرف [jatasˤarrafu]

behaviour [bɪˈheɪvjə] n سلوك [sulu:k]

behind [bɪˈhaɪnd] adv خلف [xalfa] ▷ n مُؤخِّرَه [mu?axxira] ▷ prep خلف [xalfa]; **lag behind** v يَتخلف [jataxallafu]; **I've been left behind** لقد تخلفت عنه [la'qad takha-lafto 'aanho]

beige [beɪʒ] adj بيج [biːʒ]

Beijing ['beɪˈdʒɪŋ] n بكين [biki:n]

Belarus ['bɛləˌrʌs; -ˌrʊs] n روسيا البيضاء [ru:sja: ?al-bajd'a:?u]

Belarussian [ˌbɛləʊ'rʌʃən; ˌbjɛl-] *adj* بيلاروسي [bi:la:ru:sij] ▷ *n (language)* اللغة البيلاروسية [Al-loghah al-belaroseyah], *(person)* بيلاروسي [bi:la:ru:sij]

Belgian ['bɛldʒən] *adj* بلجيكي [bilʒi:kij] ▷ *n* بلجيكي [bilʒi:kij]

Belgium ['bɛldʒəm] *n* بلجيكا [bilʒi:ka:]

belief [bɪ'li:f] *n* اعتقاد [ʕtiqa:d]

believe [bɪ'li:v] *vi* يُؤمن [juminu] ▷ *vt* يُصدق [jusˤʕaddiqu]

bell [bɛl] *n* جرس [ʒaras]

belly ['bɛlɪ] *n* بَطن [batˤn]; **belly button** *n* سُرّة البطن [Sorrat al-batˤn]

belong [bɪ'lɒŋ] *v* يخُص [jaxusˤsˤu]; **belong to** إلى ينتمي [Yantamey ela]

belongings [bɪ'lɒŋɪŋz] *npl* متعلقات [mutaʕalliqa:tun]

below [bɪ'ləʊ] *adv* تحت [taħta] ▷ *prep* تحت [taħta]

belt [bɛlt] *n* حزام [ħiza:m]; **conveyor belt** *n* سير متحرك [Sayer motaħrrek]; **money belt** *n* حزام لحفظ المال [Hezam lehefdˤh almal]; **safety belt** *n* حزام الأمان [Hezam al-aman]

bench [bɛntʃ] *n* نضد [nadˤʕad]

bend [bɛnd] *n* التواء [iltiwa:ʔ] ▷ *v* يَثْني [jaθni:]; **bend down** *v* يَميل [jami:lu]; **bend over** ينحني [janħani:]

beneath [bɪ'ni:θ] *prep* أسفل [ʔasfalu]

benefit ['bɛnɪfɪt] *n* فائدة [fa:ʔida] ▷ *v* يَستفْيد [jastifi:du]

bent [bɛnt] *adj (dishonest)* منحني [munħanij], *(not straight)* مَنْثني [munθanij]

beret ['bɛreɪ] *n* بيريه [bi:ri:h]

berry ['bɛrɪ] *n* تُوت [tu:tt]

berth [bɜ:θ] *n* مرسى [marsa:]

beside [bɪ'saɪd] *prep* بجانب [Bejaneb]

besides [bɪ'saɪdz] *adv* بالإضافة إلى [Bel-edafah ela]

best [bɛst] *adj* أفْضَل [ʔafdˤʕalu] ▷ *adv* أكثر [ʔakθaru]; **best man** *n* إشبين العريس [Eshbeen al-aroos]

bestseller [ˌbɛst'sɛlə] *n* الأكثر مبيعا [Al-akthar mabe'aan]

bet [bɛt] *n* رهان [riha:n] ▷ *v* يُراهن [jura:hinu]

betray [bɪ'treɪ] *v* يَخون [jaxu:nu]

better ['bɛtə] *adj* أفْضَل [ʔafdˤʕalu] ▷ *adv* أكثر [ʔakθaru]

betting ['bɛtɪŋ] *n* مراهنة [mura:hana]; **betting shop** *n* مكتب المراهنة [Maktab al-morahanah]

between [bɪ'twi:n] *prep* بين [bajna]

bewildered [bɪ'wɪldəd] *adj* مُتحير [mutaħajjir]

beyond [bɪ'jɒnd] *prep* وراء [wara:ʔa]

biased ['baɪəst] *adj* متحيز [mutaħajjiz]

bib [bɪb] *n* صدرية طفل [Sˤadreyat tefl]

Bible ['baɪbəl] *n* الإنجيل [al-ʔinʒi:lu]

bicarbonate [baɪ'ka:bənɪt; -ˌneɪt] *n*; **bicarbonate of soda** *n* ثاني كربونات الصوديوم [Thaney okseed al-karboon]

bicycle ['baɪsɪkəl] *n* دراجة [darra:ʒa]; **bicycle pump** *n* منفاخ دراجة [Monfakh draajah]

bid [bɪd] *n* مناقصة [muna:qasˤa] ▷ *v (at auction)* يُزايد [juza:jidu]

bifocals [baɪ'fəʊkəlz] *npl* ثنائي البؤرة [Thonaey al-booarah]

big [bɪg] *adj* كبير [kabi:r]; **It's too big** إنه كبير جدا [inaho kabeer jedan]; **The house is quite big** المنزل كبير بالفعل [al-manzil kabeer bil-fi'ail]

bigger [bɪgə] *adj* أكبر [ʔakbaru]; **Do you have a bigger one?** هل لديك غرف أكبر من ذلك؟ [hal ladyka ghuraf akbar min dhalik?]

bigheaded ['bɪgˌhɛdɪd] *adj* متورم [mutawarrim]

bike [baɪk] *n* دراجة هوائية [Darrajah hawaeyah]; **mountain bike** *n* دراجة الجبال [Darrajah al-jebal]

bikini [bɪ'ki:nɪ] *n* بيكيني [bi:ki:ni:]

bilingual [baɪ'lɪŋgwəl] *adj* ناطق بلغتين [Naˤteq be-loghatayn]

bill [bɪl] *n (account)* فاتورة رسمية [Fatoorah rasmeyah], *(legislation)* مشروع قانون [Mashroo'a 'qanooney]; **phone bill** *n* فاتورة تليفون [Fatoorat telefon]

billiards ['bɪljədz] *npl* لعبة البليارد [Lo'abat al-belyardo]

billion ['bɪljən] *n* مِليار [milja:r]

bin [bɪn] n صندوق [sˤundu:q]; **litter bin** n سلة المهملات [Salat al-mohmalat]

binding [ˈbaɪndɪŋ] n; **Can you adjust my bindings, please?** هل يمكنك ضبط الأربطة لي من فضلك؟ [hal yamken -aka dabt al-arbe-ta lee min fadlak?]; **Can you tighten my bindings, please?** هل يمكنك إحكام الأربطة لي من فضلك؟ [hal yamken -aka ehkaam al-arbe-ta lee min fadlak?]

bingo [ˈbɪŋɡəʊ] n لعبة البنجو [Lo'abat al-benjo]

binoculars [bɪˈnɒkjʊləz; baɪ-] npl منظار [minzˤaːrun]

biochemistry [ˌbaɪəʊˈkɛmɪstrɪ] n كيمياء حيوية [Kemyaa hayaweyah]

biodegradable [ˌbaɪəʊdɪˈɡreɪdəbˀl] adj قابل للتحلل بالبكتريا [qabel lel-tahalol bel-bekteriya]

biography [baɪˈɒɡrəfɪ] n سيرة [siːra]

biological [ˌbaɪəˈlɒdʒɪkˀl] adj بيولوجي [bjuːluːʒij]

biology [baɪˈɒlədʒɪ] n بيولوجيا [bjuːluːʒjaː]

biometric [ˌbaɪəʊˈmɛtrɪk] adj بيولوجي إحصائي [Bayology ehSaey]

birch [bɜːtʃ] n شجر البتولا [Ahjar al-betola]

bird [bɜːd] n طائر [tˤaːʔir]; **bird flu** n إنفلوانزا الطيور [Enfelwanza al-teyor]; **bird of prey** n طيور جارحة [Teyoor jarehah]

birdwatching [bɜːdwɒtʃɪŋ] n ملاحظة الطيور [molahadhat al-teyoor]

Biro® [ˈbaɪrəʊ] n ® بيرو [biːruː]

birth [bɜːθ] n ميلاد [miːlaːd]; **birth certificate** n شهادة ميلاد [Shahadat meelad]; **birth control** n تنظيم النسل [tandheem al-nasl]; **place of birth** n مكان الميلاد [Makan al-meelad]

birthday [ˈbɜːθˌdeɪ] n عيد ميلاد [ʿaeed al-meelad]; **Happy birthday!** عيد ميلاد سعيد [ʿaeed meelad saʿaeed]

birthplace [ˈbɜːθˌpleɪs] n محل الميلاد [Mahal al-meelad]

biscuit [ˈbɪskɪt] n بسكويت [baskawiːt]

bishop [ˈbɪʃəp] n أسقُف [asquf]

bit [bɪt] n جزء صغير [Joza sagheer]

bitch [bɪtʃ] n كلبة [kalb]

bite [baɪt] n قضمة [qadˤma] ▷ v يلسع [jalsaʕu]

bitter [ˈbɪtə] adj مر [murr]

black [blæk] adj أسود [ʔaswad]; **black ice** n ثلج أسود [thalj aswad]; **in black and white** باللون الأسود والأبيض [bil-lawn al-aswad wa al-abyad]

blackberry [ˈblækbərɪ] n ثمرة العُليق [Thamrat al-'alay'q]

blackbird [ˈblækˌbɜːd] n شحرور [ʃaħruːr]

blackboard [ˈblækˌbɔːd] n سبورة [sabuːra]

blackcurrant [ˌblækˈkʌrənt] n كشمش أسود [Keshmesh aswad]

blackmail [ˈblækˌmeɪl] n ابتزاز [ʔibtizaːz] ▷ v يبتز [jabtazzu]

blackout [ˈblækaʊt] n تعتيم [taʕtiːm]

bladder [ˈblædə] n مثانة [maθaːna]; **gall bladder** n مَرَارة [marraːratun]

blade [bleɪd] n نصل [nasˤl]; **razor blade** n شفرة حلاقة [Shafrat hela'qah]; **shoulder blade** n لَوْح الكِتف [Looh al-katef]

blame [bleɪm] n لوم [lawm] ▷ v يلوم [jaluːmu]

blank [blæŋk] adj فارغ [faːriɣ] ▷ n أبيض [ʔabjad]; **blank cheque** n شيك على بياض [Sheek ala bayad]

blanket [ˈblæŋkɪt] n بطانية [batˤaːnijja]; **electric blanket** n بطانية كهربائية [Bataneyah kahrobaeyah]; **Please bring me an extra blanket** من فضلك أريد بطانية إضافية [min fadlak areed bata-nya eda-fiya]

blast [blɑːst] n لفحة [lafħa]

blatant [ˈbleɪtˀnt] adj صارخ [sˤaːrix]

blaze [bleɪz] n وهج [wahaʒ]

blazer [ˈbleɪzə] n بليزر [blajzir]

bleach [bliːtʃ] n يُبيِّض [jubajjidˤu]

bleached [bliːtʃt] adj مُبَيَّض [mubajjidˤ]

bleak [bliːk] adj منعزل [munʕazil]

bleed [bliːd] v ينزف [janzifu]

bleeper [ˈbliːpə] n جهاز النداء الآلي [Jehaz]

al-nedaa al-aaley]

blender ['blɛndə] n خلاط كهربائي [Khalat kahrabaey]

bless [blɛs] v يبارك [juba:riku]

blind [blaɪnd] adj ضرير [dˤariːr] ⊳ n ستارة النافذة [Setarat al-nafedhah]; **Venetian blind** n ستارة مُعتمة [Setarah mo'atemah]

blindfold ['blaɪnd͵fəʊld] n معصوب العينين [Ma'aṣoob al-'aaynayn] ⊳ v يَعْصِبُ العينين [Ya'aṣeb al-ozonayn]

blink [blɪŋk] v يُومِض [juːmidˤu]

bliss [blɪs] n نعيم [naʕiːm]

blister ['blɪstə] n بَثْرَة [baθra]

blizzard ['blɪzəd] n عاصفة ثلجية عنيفة ['aasefah thaljeyah 'aneefah]

block [blɒk] n (buildings) بِنَايَة [bina:ja], (obstruction) كُتلة خشبية أو حجرية [Kotlah khashebeyah aw hajareyah], (solid piece) كُتلة [kutla] ⊳ v يقولب [jaquːlabu]

blockage ['blɒkɪdʒ] n انسداد [insida:d]

blocked [blɒkt] adj مسدود [masduːd]

blog [blɒg] n مُدَوّنة [mudawwana] ⊳ v يُدَوِّن [judawwinu]

bloke [bləʊk] n فتى [fataː]

blonde [blɒnd] adj أشقر [ʔaʃqar]

blood [blʌd] n دم [dam]; **blood group** n فصيلة دم [faṣeelat dam]; **blood poisoning** n تسمم الدم [Tasamom al-dam]; **blood pressure** n ضغط الدم [ḍaght al-dam]; **blood sports** n رياضة دموية [Reyaḍah damaweyah]; **blood test** n اختبار الدم [Ekhtebar al-dam]; **blood transfusion** n نقل الدم [Na'ql al-dam]; **My blood group is O positive** فصيلة دمي O موجب [faseelat damey O mojab]; **This stain is blood** هذه البقعة بقعة دم [hathy al-bu'q-'aa bu'q-'aat dum]

bloody ['blʌdɪ] adj دموي [damawij]

blossom ['blɒsəm] n زهرة الشجرة المثمرة [Zahrat al-shajarah al-mothmerah] ⊳ v يُزهِر [juzhiru]

blouse [blaʊz] n بلُوزة [bluːza]

blow [bləʊ] n لطمة [latˤma] ⊳ v يَهُبّ [jahubbu]

blow-dry [bləʊdraɪ] n تجفيف الشعر [Tajfeef al-saha'ar]

blow up [bləʊ ʌp] v ينفجر [janfaʒiru]

blue [bluː] adj أزرق [ʔazraq]

blueberry ['bluːbərɪ; -brɪ] n تُوت أزرق [Toot azra'q]

blues [bluːz] npl كآبة [ka?a:batun]

bluff [blʌf] n خديعة [xadiːʕa] ⊳ v يَخدَع [jaxdaʕu]

blunder ['blʌndə] n خطأ فادح [Khata fadeh]

blunt [blʌnt] adj متبلد [mutaballid]

blush [blʌʃ] v يَستحي [jastaħiː]

blusher ['blʌʃə] n أحمر خدود [Ahmar khodod]

board [bɔːd] n (meeting) هيئة [haj?a], (wood) لوح [lawħ] ⊳ v (go aboard) لوح [lawħun]; **board game** n لعبة طاولة [Lo'abat ṭawlah]; **boarding card** n كارت ركوب [Kart rekoob]; **boarding pass** n تصريح الركوب [Taṣreeh al-rokoob]; **boarding school** n مدرسة داخلية [Madrasah dakheleyah]; **bulletin board** n لوحة النشرات [Looḥat al-nasharaat]; **diving board** n لوح غطس [Looh ghaṭs]; **draining board** n لوحة تجفيف [Lawhat tajfeef]; **half board** n نصف إقامة [Neṣf e'qamah]; **ironing board** n لوح الكي [Looh alkay]; **notice board** n لوحة الملاحظات [Looḥat al-molaḥdhat]; **skirting board** n وَزَرة [wizratun]

boarder ['bɔːdə] n تلميذ داخلي [telmeedh dakhely]

boast [bəʊst] v يَتَباهى [jataba:haː]

boat [bəʊt] n مَركب [markab]; **fishing boat** n قارب صيد [qareb ṣayd]; **rowing boat** n قارب تجديف [qareb tajdeef]; **sailing boat** n قارب ابحار [qareb ebḥar]

body ['bɒdɪ] n جسم [ʒism]

bodybuilding ['bɒdɪ͵bɪldɪŋ] n كمال الأجسام [Kamal al-ajsaam]

bodyguard ['bɒdɪ͵gɑːd] n حارس شخصي [ḥares shakhṣ]

bog [bɒg] n مستنقع [mustanqaʕ]

boil [bɔɪl] vi يَغْلي [jaɣliː] ⊳ vt يَسلق [jasliqu]

[jasluqu]

boiled [bɔɪld] adj مغلي [maɣlij]; **boiled egg** n بيضة مسلوقة [Bayḍah maslo'qah]

boiler [ˈbɔɪlə] n مرجل [mirʒal]

boiling [ˈbɔɪlɪŋ] adj غليان [ɣalaːjaːn]

boil over [bɔɪl ˈəʊvə] v يَخرُج عن شعوره [jaxruʒu ʕan ʃuʕuːrihi]

Bolivia [bəˈlɪvɪə] n بوليفيا [buːliːfjaː]

Bolivian [bəˈlɪvɪən] adj بوليفي [buːliːfij] ⊳ n بوليفي [buːliːfij]

bolt [bəʊlt] n صامولة [sˤaːmuːla]

bomb [bɒm] n قنبلة [qunbula] ⊳ v يَقصف [jaqsˤifu]; **atom bomb** n قنبلة ذرية [ˈqobelah dhareyah]

bombing [ˈbɒmɪŋ] n تفجير [tafʒiːr]

bond [bɒnd] n سند [sanad]

bone [bəʊn] n عظمة [ʕazˤʕama]; **bone dry** adj جاف تماماً [Jaf tamaman]

bonfire [ˈbɒnˌfaɪə] n إشعال النار [Esh'aal al-naar]

bonnet [ˈbɒnɪt] n (car) قلنسوة [qulunsuwa]

bonus [ˈbəʊnəs] n علاوة [ʕalaːwa]

book [bʊk] n كتاب [kitaːb] ⊳ v يَحجز [jaħʒizu]; **address book** n دفتر العناوين [Daftar al-'aanaaween]

bookcase [ˈbʊkˌkeɪs] n خزانة كتب [Khezanat kotob]

booking [ˈbʊkɪŋ] n حجز [ħaʒz]; **advance booking** n حجز مقدم [Hajz mo'qadam]; **booking office** n مكتب الحجز [Maktab al-ḥjz]; **Can I change my booking?** هل يمكن أن أغير الحجز الذي قمت به؟ [hal yamken an aghyir al-hajiz al-ladhy 'qumt behe?]; **I want to cancel my booking** أريد إلغاء الحجز الذي قمت به؟ [areed el-ghaa al-hajiz al-ladhy 'qumto behe]; **Is there a booking fee?** هل يوجد مصاريف للحجز؟ [hal yujad maṣareef lel-ḥajz?]

booklet [ˈbʊklɪt] n كُتَيِّب [kutajjib]

bookmark [ˈbʊkˌmɑːk] n علامة مميزة [ˈalamah momayazah]

bookshelf [ˈbʊkˌʃelf] n رَف الكُتُب [Raf al-kotob]

bookshop [ˈbʊkˌʃɒp] n مكتبة لبيع الكتب [Maktabah le-bay'a al-kotob]

boost [buːst] v يُعزز [juʕazzizu]

boot [buːt] n حذاء عالي الساق [hedhaa 'aaley al-sa'q]

booze [buːz] n إسراف في الشراب [Esraf fee alsharab]

border [ˈbɔːdə] n حاشية [ħaːʃija]

bore [bɔː] v (be dull) يَثْقب [jaθqubu], (drill) يَثْقب [jaθqubu]

bored [bɔːd] adj يُسبب الملل [Yosabeb al-malal]

boredom [ˈbɔːdəm] n سأم [saʔam]

boring [ˈbɔːrɪŋ] adj ممل [mumill]

born [bɔːn] adj مولود [mawluːd]

borrow [ˈbɒrəʊ] v يَستدين [jastadijinu]

Bosnia [ˈbɒznɪə] n البوسنة [ʔal-buːsnatu]; **Bosnia and Herzegovina** n البوسنة والهرسك [ʔal-buːsnatu wa ʔal-hirsik]

Bosnian [ˈbɒznɪən] adj بوسنيّ [buːsnij] ⊳ n (person) بوسني [buːsnij]

boss [bɒs] n زعيم [zaʕiːm]

boss around [bɒs əˈraʊnd] v يُملي عليه [Yomely 'aleyh]

bossy [ˈbɒsɪ] adj دكتاتوري [diktaːtuːrij]

both [bəʊθ] adj كلا من [Kolan men] ⊳ pron كلاهما [kila:huma:]

bother [ˈbɒðə] v يُقْلِق [jaqlaqu]

Botswana [bʊˈtʃwɑːnə; bʊtˈswɑːnə; bɒt-] n بتسوانا [butswa:na:]

bottle [ˈbɒtəl] n زجاجة [zuʒaːʒa]; **baby's bottle** n زجاجة رضاعة الطفل [Zojajat reḍaʿaat al-ṭefl]; **bottle bank** n مستودع الزجاجات [Mostawda'a al-zojajat]; **hot-water bottle** n زجاجة مياه ساخنة [Zojajat meyah sakhenah]; **a bottle of mineral water** زجاجة مياه معدنية [zujaja meaa maʿadan-iya]; **a bottle of red wine** زجاجة من النبيذ الأحمر [zujaja min al-nabeedh al-ahmar]; **Please bring another bottle** من فضلك أحضر لي زجاجة أخرى [min faḍlak iḥdir lee zujaja okhra]

bottle-opener [ˈbɒtəlˈəʊpənə] n فتاحة الزجاجات [Fatahat al-zojajat]

bottom [ˈbɒtəm] adj أسفل [ʔasfalu] ⊳ n

قاع [qa:ʕ]

bought [bɔːt] *adj* جاهز [ʒaːhiz]

bounce [baʊns] *v* يَرتدّ [jartaddu]

bouncer ['baʊnsə] *n* المتبجح [al-mutabaʒʒiħ]

boundary ['baʊndərɪ; -drɪ] *n* حد [ħadd]

bouquet ['buːkeɪ] *n* باقة [baːqa]

bow *n* [bəʊ] (weapon) قوس [qaws] ▷ *v* [baʊ] انحناء [inħinaːʔun]

bowels ['baʊəlz] *npl* سلطانية [sulˤaːnijjatun]

bowl [bəʊl] *n* وعاء [wiʕaːʔ]

bowling ['baʊlɪŋ] *n* لعبة البولينج [Loʕaba al-boolenj]; **bowling alley** *n* مسار كرة البولينج [Maser korat al-boolenj]; **tenpin bowling** *n* لعبة البولنج العشرية [Loʕaba al-boolenj al-ʕashreyah]

bow tie [baʊ] *n* رباط عنق على شكل فراشة [Rebaṭ ʕala shakl frashah]

box [bɒks] *n* صندوق [sˤʊnduːq]; **box office** *n* شباك التذاكر [Shobak al-taḏhaker]; **call box** *n* كابينة تليفون [Kabeenat telefoon]; **fuse box** *n* علبة الفيوز [ʕaolbat al-feyoz]; **gear box** *n* علبة التروس [ʕaolbat al-teroos]

boxer ['bɒksə] *n* ملاكم [mulaːkim]; **boxer shorts** *npl* شورت بوكسر [Short boksar]

boxing ['bɒksɪŋ] *n* ملاكمة [mulaːkama]

boy [bɔɪ] *n* ولد [walad]

boyfriend ['bɔɪˌfrɛnd] *n* رفيق [rafiːq]

bra [brɑː] *n* حَمّالة صَدر [Hammalat ṣadr]

brace [breɪs] *n* (fastening) سناد [sanaːd]

bracelet ['breɪslɪt] *n* سُوَار [suwaːr]

braces ['breɪsɪz] *npl* حمالة [ħammaːlatun]

brackets ['brækɪts] *npl* أقواس [ʔaqwaːsun]

brain [breɪn] *n* دِماغ [dimaːɣ]

brainy ['breɪnɪ] *adj* ذكي [ðakijj]

brake [breɪk] *n* فرامل [faraːmil] ▷ *v* يُفرمِل [jufarmilu]; **brake light** *n* مصباح الفرامل [Mesbah al-faramel]; **The brakes don't work** الفرامل لا تعمل [Al-faramel la taʕamal]

bran [bræn] *n* نُخالة [nuxaːla]

branch [brɑːntʃ] *n* فرع [farʕ]

brand [brænd] *n* ماركة [maːrka]; **brand name** *n* العلامة التجارية [Al-ʕalamah al-tejareyah]

brand-new [brænd'njuː] *adj* ماركة جديدة [Markah jadeedah]

brandy ['brændɪ] *n* براندي [braːndiː]; **I'll have a brandy** سأتناول براندي [sa-ata-nawal brandy]

brass [brɑːs] *n* نحاس أصفر [Nahas aṣfar]; **brass band** *n* فرقة الآلات النحاسية [Ferʕqat al-aalat al-nahaseqeyah]

brat [bræt] *n* طفل مزعج [Ṭefl mozʕaej]

brave [breɪv] *adj* شجاع [ʃuʒaːʕ]

bravery ['breɪvərɪ] *n* شجاعة [ʃaʒaːʕa]

Brazil [brə'zɪl] *n* البرازيل [ʔal-baraːziːlu]

Brazilian [brə'zɪljən] *adj* برازيلي [baraːziːlij] ▷ *n* برازيلي [baraːziːlij]

bread [brɛd] *n* خُبز [xubz]; **bread roll** *n* خبز ملفوف [Khobz malfoof]; **brown bread** *n* خبز أسمر [Khobz asmar]

bread bin [brɛdbɪn] *n* نشابة [naʃʃaːba]

breadcrumbs ['brɛdˌkrʌmz] *npl* بقسمات مطحون [Boʕqsomat matḥoon]

break [breɪk] *n* فترة راحة [Fatrat raaħ a] ▷ *v* يكسر [jaksiru]; **lunch break** *n* استراحة غداء [Estrahet ghadaa]

break down [breɪk daʊn] *v* يتعطل [jataʕatˤˤalu]

breakdown ['breɪkdaʊn] *n* تَعَطُل [taʕatˤul]; **breakdown truck** *n* شاحنة قطر [Shahenat ʕqatr]; **breakdown van** *n* عربة الأعطال [ʕarabat al-aʕataal]; **nervous breakdown** *n* إنهيار عصبي [Enheyar aṣabey]

breakfast ['brɛkfəst] *n* إفطار [ʔiftˤaːr]; **bed and breakfast** *n* مبيت وإفطار [Mabeet wa eftaar]; **continental breakfast** *n* إفطار كونتيننتال [Eftaar kontenental]; **Can I have breakfast in my room?** هل يمكن أن أتناول الإفطار داخل غرفتي؟ [hal yamken an ata-nawal al-eftaar dakhil ghurfaty?]; **Is breakfast included?** هل يشمل ذلك الإفطار؟ [hal yash-mil dhalik al-iftaar?]; **with**

breakfast شاملة الإفطار [shamelat al-eftaar]; **without breakfast** غير شاملة للإفطار [gheyr shamela lel-eftaar]; **What time is breakfast?** ما هو موعد الإفطار [ma howa maw-'aid al-eftaar?]; **What would you like for breakfast?** ماذا تريد تناوله في الإفطار [madha tureed tana-wilho fee al-eftaar?]

break in [breɪk ɪn] v يسطو على [Yasto 'ala]; **break in (on)** v يقتحم

break-in [breɪkɪn] n اقتحام [iqtiḥa:m]

break up [breɪk ʌp] v يُجزِّئُ [juʒazzi?u]

breast [brɛst] n ثدي [θadjj]

breast-feed ['brɛstˌfiːd] v يُرضع [jardˤiʕu]

breaststroke ['brɛstˌstrəʊk] n سباحة الصدر [Sebaḥat al-ṣadr]

breath [brɛθ] n نَفَس [nafs]

Breathalyser® ['brɛθəˌlaɪzə] n بريثاليزر® [bri:θa:lajzr]

breathe [briːð] v يَتنفَّس [jatanafasu]

breathe in [briːð ɪn] v يَستنشق [jastanʃiqu]

breathe out [briːð aʊt] v يَزْفِر [jazfiru]

breathing ['briːðɪŋ] n تنفس [tanaffus]

breed [briːd] n نسل [nasl] ▷ v يَتناسَل [jatana:salu]

breeze [briːz] n نسيم [nasi:m]

brewery ['brʊərɪ] n مصنع البيرة [maṣna'a al-beerah]

bribe [braɪb] v يَرشو [jarʃu]

bribery ['braɪbərɪ; 'bribery] n رشوة [raʃwa]

brick [brɪk] n طوبة [tˤuːba]

bricklayer ['brɪkˌleɪə] n بنّاء [banna:ʔ]

bride [braɪd] n عروس [ʕaru:s]

bridegroom ['braɪdˌgruːm; -ˌgrʊm] n عريس [ʕari:s]

bridesmaid ['braɪdzˌmeɪd] n وصيفة العروس [Waṣeefat al-'aroos]

bridge [brɪdʒ] n جسر [ʒisr]; **suspension bridge** n جسر معلق [Jesr mo'aala'q]

brief [briːf] adj ملخص [mulaxxasˤ]

briefcase ['briːfˌkeɪs] n حقيبة أوراق جلدية [Ha'qeebat awra'q jeldeyah]

briefing ['briːfɪŋ] n إصدار التعليمات [Eṣdar al ta'alemat]

briefly ['briːflɪ] adv باختصار [bekhteṣaar]

briefs [briːfs] npl سروال تحتي قصير [Serwal taḥtey 'qaṣeer]

bright [braɪt] adj ساطع [saːtˤiʕ]

brilliant ['brɪljənt] adj شخص متقد الذكاء [shakhs mota'qed al-dhakaa]

bring [brɪŋ] v يُحضِر [juhdˤiru]

bring back [brɪŋ bæk] v يُعِيد [juʕi:du]

bring forward [brɪŋ ˈfɔːwəd] v يُقدم [juqaddimu]

bring up [brɪŋ ʌp] v يُربي [jurabbi:]

Britain ['brɪtən] n بريطانيا [bri:tˤa:nja:]

British ['brɪtɪʃ] adj بريطاني [bri:tˤa:nij] ▷ n بريطاني [bri:tˤa:nij]

broad [brɔːd] adj واسع [waːsiʕ]

broadband ['brɔːdˌbænd] n نطاق واسع [Neʈ'q wase'a]

broadcast ['brɔːdˌkɑːst] n إذاعة [ʔiða:ʕa] ▷ v يُذيع [juði:ʕu]

broad-minded [brɔːd'maɪndɪd] adj واسع الأفق [Wase'a al-ofo'q]

broccoli ['brɒkəlɪ] n قرنبيط [qarnabiːtˤ]

brochure ['brəʊʃʊə; -ʃə] n كتيب إعلاني [Kotayeb e'alaaney]

broke [brəʊk] adj مفلس [muflis]

broken ['brəʊkən] adj مكسور [maksu:r]; **broken down** adj مُعَطِّل [muʕatˤˤalun]; **The lock is broken** القفل مكسور [al-'qiful maksoor]; **This is broken** إنها مكسورة [inaha maksoora]

broker ['brəʊkə] n سمسار [samsa:r]

bronchitis [brɒŋ'kaɪtɪs] n التهاب شُعَبي [Eltehab sho'aaby]

bronze [brɒnz] n برونز [bru:nz]

brooch [brəʊtʃ] n بروش [bru:ʃ]

broom [bruːm; brʊm] n مكنسة [miknasah]

broth [brɒθ] n مرق [maraq]

brother ['brʌðə] n أخ [ʔax]

brother-in-law ['brʌðə ɪn lɔː] n زوج الأخت [zawj alokht]

brown [braʊn] adj بُنِّي [bunnij]; **brown bread** n خبز أسمر [Khobz asmar]; **brown rice** n أرز أسمر [Orz asmar]

browse [braʊz] v يتصفح [jatasˤafaħu]

browser ['braʊzə] n مُتَصَفِّح [mutasˤaffiħ]

bruise [bruːz] n كدمة [kadama]

brush [brʌʃ] n فرشاة [furʃaːt] ▷ v يُنَظِّف بالفرشاة [yonaḍhef bel-forshah]

brutal ['bruːtˤ°l] adj وحشي [waħʃiyy]

bubble ['bʌb°l] n فُقَّاعة [fuqaːʕa]; **bubble bath** n سائل استحمام [Saael estehmam]; **bubble gum** n لبان بالون [Leban balloon]

bucket ['bʌkɪt] n دَلو [dalw]

buckle ['bʌk°l] n إبزيم [ʔibziːm]

Buddha ['bʊdə] n بوذا [buːðaː]

Buddhism ['bʊdɪzəm] n البوذية [al-buːðiijatu]

Buddhist ['bʊdɪst] adj بوذي [buːðij] ▷ n بوذي [buːðij]

budgerigar ['bʌdʒərɪˌɡɑː] n بغبغاء [babbaɣaːʔ]

budget ['bʌdʒɪt] n ميزانية [miːzaːnijja]

budgie ['bʌdʒɪ] n بغبغاء [babbaɣaːʔ]

buffalo ['bʌfəˌləʊ] n جاموسة [ʒaːmuːsa]

buffet ['bʊfeɪ] n سُفرة [sufra]; **buffet car** n عربة البوفيه ['arabat al-boofeeh]

bug [bʌɡ] n بقة [baqqa]

bugged ['bʌɡd] adj مُراقب [muraːqib]

buggy ['bʌɡɪ] n عربة صغيرة خفيفة ['arabah ṣagheerah khafeefah]

build [bɪld] v يَبْني [jabniː]

builder ['bɪldə] n بَنّاء [bannaːʔ]

building ['bɪldɪŋ] n بناء [binaːʔ]; **building site** n موقع البناء [Maw'qe'a al-benaa]

bulb [bʌlb] n (electricity) بصلة النبات [baṣalat al-nabat], (plant) لِحاء [liħaːʔ]

Bulgaria [bʌl'ɡɛərɪə; bʊl-] n بلغاريا [bulɣaːrjaː]

Bulgarian [bʌl'ɡɛərɪən; bʊl-] adj بلغاري [balɣaːriː] ▷ n (language) اللغة البلغارية [Al-loghah al-balghareyah], (person) بلغاري [balɣaːriː]

bulimia [bjuː'lɪmɪə] n شراهة الأكل [Sharahat alakal]

bull [bʊl] n ثور [θawr]

bulldozer ['bʊlˌdəʊzə] n جرافة [ʒarraːfa]

bullet ['bʊlɪt] n رصاصة [rasˤaːsˤa]

bully ['bʊlɪ] n بلطجي [baltˤaʒij] ▷ v يستأسد على [jastaʔsidu ʕalaː]

bum [bʌm] n عَجِيزَة [ʕaʒiːza]; **bum bag** n حقيبة صغيرة [Ha'qeebah ṣagheerah]

bumblebee ['bʌmb°lˌbiː] n نحلة ضخمة [Naḥlah ḍakhmah]

bump [bʌmp] n ضَربة [dˤarba]; **bump into** v يتصادف مع [Yataṣaadaf ma'a]

bumper ['bʌmpə] n مصد [musˤidd]

bumpy ['bʌmpɪ] adj وَعِر [waʕir]

bun [bʌn] n كعكة [kaʕka]

bunch [bʌntʃ] n حزمة [ħuzma]

bungalow ['bʌŋɡəˌləʊ] n بيت من طابق واحد [Bayt men ṭabe'q wahed]

bungee jumping ['bʌndʒɪ] n قفز بالحبال ['qafz bel-ḥebal]; **Where can I go bungee jumping?** أين يمكن أن أذهب للقفز بالحبال المطاطية؟ [ayna yamken an adhhab lil-'qafiz bel-ḥebal al-maṭaṭiya?]

bunion ['bʌnjən] n التفاف إبهام القدم [Eltefaf ebham al-'qadam]

bunk [bʌŋk] n سَرير مبيت [Sareer mabeet]; **bunk beds** npl سَرير بدورين [Sareer bedoreen]

buoy [bɔɪ; 'buːɪ] n عَوّامَة [ʕawaːma]

burden ['bɜːd°n] n عبء [ʕibʔ]

bureaucracy [bjʊə'rɒkrəsɪ] n بيروقراطية [biːruːqraːtˤijjati]

bureau de change ['bjʊərəʊ də 'ʃɒnʒ] n مكتب صرافة [Maktab ṣerafah]; **I need to find a bureau de change** أريد الذهاب إلى مكتب صرافة [areed al-dehaab ela maktab ṣerafa]; **Is there a bureau de change here?** هل يوجد مكتب صرافة هنا؟ [hal yujad maktab ṣerafa huna?]; **When is the bureau de change open?** متى يبدأ مكتب الصرافة عمله؟ [mata yabda maktab al-ṣirafa 'aamalaho?]

burger ['bɜːɡə] n هامبرجر [haːmbarʒar]

burglar ['bɜːɡlə] n لص المنازل [Leṣ al-manazel]; **burglar alarm** n إنذار سرقة [endhar sare'qa]

burglary ['bɜːɡlərɪ] n سطو [satˤw]

burgle ['bɜːɡ°l] v يَسطو [jastˤuː]

Burma ['bɜːmə] n بورما [buːrmaː]

Burmese [bɜ:ˈmi:z] *adj* بورمي [bu:rmij]
▷ *n* (*language*) اللغة البورمية [Al-loghah al-bormeyah], (*person*) بورمي [bu:rmij]

burn [bɜ:n] *n* حرق [ħuriqa] ▷ *v* يحرق [jaħriqu]

burn down [bɜ:n daʊn] *v* يحترق عن آخره [Yaħtareˈqˌ'an aakherh]

burp [bɜ:p] *n* تَجَشُّؤ [taʒaʃʃuʔ] ▷ *v* يتَجشّأُ [jataʒaʃʃaʔu]

burst [bɜ:st] *v* ينفجر [janfaʒiru]

bury [ˈbɛrɪ] *v* يَدفن [jadfinu]

bus [bʌs] *n* أوتوبيس [ʔu:tu:bi:s]; **airport bus** *n* أتوبيس المطار [Otobees al-maṭar]; **bus station** *n* محطة أوتوبيس [Maḥaṭat otobees]; **bus stop** *n* موقف أوتوبيس [Mawˈqaf otobees]; **bus ticket** *n* تذكرة أوتوبيس [tadhkarat otobees]

bush [bʊʃ] *n* (*shrub*) شُجَيْرة [ʃuʒajra], (*thicket*) دَغَل [duɣl]

business [ˈbɪznɪs] *n* أعمال تجارية [Aˈamaal tejareyah]; **business class** *n* درجة رجال الأعمال [Darajat rejal ala'amal]; **business trip** *n* رحلة عمل [Reḥlat 'aamal]; **show business** *n* مجال الاستعراض [Majal al-este'arad]

businessman, businessmen [ˈbɪznɪsˌmæn; -mən, ˈbɪznɪsˌmɛn] *n* رَجُل أعمال [Rajol a'amal]

businesswoman, businesswomen [ˈbɪznɪsˌwʊmən, ˈbɪznɪsˌwɪmɪn] *n* سيدة أعمال [Sayedat a'amaal]; **I'm a businesswoman** أنا سيدة أعمال [ana sayidat a'amaal]

busker [ˈbʌskə] *n* فنان متسول [Fanan motasawol]

bust [bʌst] *n* صَدْر [sˤadr]

busy [ˈbɪzɪ] *adj* مشغول [maʃɣu:l]; **busy signal** *n* إشارة إنشغال الخط [Esharat ensheghal al-khat]

but [bʌt] *conj* لكن

butcher [ˈbʊtʃə] *n* جزار [ʒazza:r]

butcher's [ˈbʊtʃəz] *n* محل الجزار [Maḥal al-jazar]

butter [ˈbʌtə] *n* زُبْدَة [zubda]; **peanut butter** *n* زُبْدَة الفستق [Zobdat al-fosto'q]

buttercup [ˈbʌtəˌkʌp] *n* عُشْب الحَوْذان [ˈaoshb al-hawdhan]

butterfly [ˈbʌtəˌflaɪ] *n* فراشة [fara:ʃa]

buttocks [ˈbʌtəkz] *npl* أرْدَاف [ʔarda:fun]

button [ˈbʌtˢn] *n* زِرّ [zirr]; **belly button** *n* سُرّة البطن [Sorrat al-baṭn]

buy [baɪ] *v* يَشتَري [jaʃtari:]

buyer [ˈbaɪə] *n* مشتري [muʃtari:]

buyout [ˈbaɪˌaʊt] *n* شراء كامل [Sheraa kaamel]

by [baɪ] *prep* بواسطة [biwa:sitˤati]

bye-bye [baɪbaɪ] *excl* إلى اللقاء [ela al-le'qaa]

bypass [ˈbaɪˌpɑ:s] *n* ممر جانبي [Mamar janebey]

C

cab [kæb] n سيارة أجرة [Sayarah ojarah]

cabbage ['kæbɪdʒ] n كُرُنْبٌ [kurnub]

cabin ['kæbɪn] n كابينة [ka:bi:na] كوخٌ, [ku:x]; **cabin crew** n كابينة الطاقم [Kabbenat al-ṭa'qam]; **a first-class cabin** كابينة من الدرجة الأولى [kabeena min al-daraja al-o-la]; **a standard class cabin** كابينة من الدرجة العادية [kabeena min al-daraja al-'aadiyah]; **Where is cabin number five?** أين توجد الكابينة رقم خمسة؟ [Ayn tojad al-kabeenah ra'qm khamsah?]

cabinet ['kæbɪnɪt] n خزانة [xiza:na]

cable ['keɪbᵊl] n كابل [ka:bil]; **cable car** n وَصْلَة ترام [tra:mun]; **cable television** n تلفزيونية [Wṣlah telefezyoneyah]

cactus ['kæktəs] n صبار [sˤabba:r]

cadet [kə'dɛt] n طالب عسكري [Ṭaleb 'askarey]

café ['kæfeɪ; 'kæfɪ] n مقهى [maqha:]; **Internet café** n مقهى الانترنت [Ma'qha al-enternet]; **Are there any Internet cafés here?** هل يوجد أي مقهى للإنترنت هنا؟ [hal yujad ay ma'qha lel-internet huna?]

cafeteria [ˌkæfɪ'tɪərɪə] n كافيتريا [kafijtirja:]

caffeine ['kæfiːn; 'kæfɪˌiːn] n كافيين [ka:fi:n]

cage [keɪdʒ] n قفص [qafasˤ]

cagoule [kə'guːl] n معطف المطر [Me'ataf lel-matar]

cake [keɪk] n كعك [kaʕk]

calcium ['kælsɪəm] n كالسيوم [ka:lsju:m]

calculate ['kælkjʊˌleɪt] v يَعُد [jaʕuddu]

calculation [ˌkælkjʊ'leɪʃən] n حُسبان [ħusba:n]

calculator ['kælkjʊˌleɪtə] n آلة حاسبة [Aalah hasbah]; **pocket calculator** n آلة حاسبة للجيب [Alah haseba lel-jeeb]

calendar ['kælɪndə] n تقويم [taqwi:m]

calf, calves [kɑːf, kɑːvz] n عجل [ʕiʒl]

call [kɔːl] n مكالمة [muka:lama] ▷ v يَستدعِي [jastadʕiː]; **alarm call** n نداء استغاثة [Nedaa esteghathah]; **call box** n كابينة تليفون [Kabeenat telefoon]; **call centre** n مركز الاتصال [Markaz al-eteṣal]; **roll call** n تَفَقُد الحضور [Tafa'qod al-ḥoḍor]; **I must make a phonecall** يجب أن أقوم بإجراء مكالمة تليفونية [yajib an a'qoom be-ijraa mukalama talefonia]; **I'd like to make a reverse charge call** أريد إجراء مكالمة تليفونية مدفوعة من الطرف الآخر [areed ejraa mukalama talefonia mad-fo'aa min al-ṭaraf al-aakhar]

call back [kɔːl bæk] v يُعاوِد الاتصال [Yo'aawed al-eteṣaal]

call for [kɔːl fɔː] v يَدْعو إلى [Yad'aoo ela]

call off [kɔːl ɒf] v يَزْجُر [jazˤuru]

calm [kɑːm] adj ساكن [sa:kin]

calm down [kɑːm daʊn] v يَهْدأ [juhaddiʔu]

calorie ['kælərɪ] n سُعْر حراري [So'ar hararey]

Cambodia [kæm'bəʊdɪə] n كامبوديا [ka:mbu:dja:]

Cambodian [kæm'bəʊdɪən] adj كمبودي [kambu:dij] ▷ n (person) شخص كمبودي [Shakhṣ kamboodey]

camcorder ['kæmˌkɔːdə] n كاميرا فيديو نقال [Kamera fedyo na'q'qaal]

camel ['kæməl] n جمل [ʒamal]

camera ['kæmərə; 'kæmrə] n كاميرا
[ka:mi:ra:]; **camera phone** تليفون n
بكاميرا [Telefoon bekamerah]; **digital**
camera n كاميرا رقمية [Kameera
ra'qmeyah]; **video camera** n كاميرا
فيديو [Kamera fedyo]

cameraman, cameramen
['kæmərə,mæn; 'kæmrə-,
'kæmərə,mɛn] n مُصَوِّر [mus'awwir]

Cameroon [,kæmə'ruːn; 'kæmə,ruːn]
n الكاميرون [al-ka:mi:ru:n]

camp [kæmp] n معسكر [mus'askar] ⊳ v
يُخيم [juxajjimu]; **camp bed** n سرير رحلات
[Sareer rahalat]

campaign [kæm'peɪn] n حملة [ħamla]

camper ['kæmpə] n مُعَسكر [mus'askar]

camping ['kæmpɪŋ] n تنظيم
المعسكرات [Tanṭeem al-mo'askarat];
camping gas n موقد يعمل بالغاز
للمعسكرات [Maw'qed ya'amal bel-ghaz
lel-mo'askarat]

campsite ['kæmp,saɪt] n موقع المعسكر
[Maw'qe'a al-mo'askar]

campus ['kæmpəs] n الحرم الجامعي
[Al-haram al-jame'aey]

can [kæn] n علبة [ʕulba] ⊳ v يستطيع
[jastaťiːʕu]; **watering can** n رشاش مياه
[Rashah meyah]

Canada ['kænədə] n كندا [kanada:]

Canadian [kə'neɪdɪən] adj كندي
[kanadij] ⊳ n شخص كندي [Shakhṣ
kanadey]

canal [kə'næl] n قناة [qana:t]

Canaries [kə'nɛərɪz] npl طيور الكناري
[ť:uju:ru al-kana:rijji]

canary [kə'nɛərɪ] n طائر الكناري [Taaer
al-kanarey]

cancel ['kænsəl] v يُبْطِل [jubť'il]

cancellation [,kænsɪ'leɪʃən] n إلغاء
[ʔilɣa:ʔ]; **Are there any**
cancellations? هل تم إلغاء أي حجز؟ [hal
tam-a el-gha ay hajiz?]

cancer ['kænsə] n (illness) مرض السرطان
[Maraḍ al-saraṭan]

Cancer ['kænsə] n (horoscope) برج
السرطان [Borj alsaraṭan]

candidate ['kændɪ,deɪt; -dɪt] n مُرَشَح
[muraʃʃaħ]

candle ['kændəl] n شمعة [ʃamʕa]

candlestick ['kændəl,stɪk] n شمعدان
[ʃamʕada:n]

candyfloss ['kændɪ,flɒs] n غزل البنات
[Ghazl al-banat]

canister ['kænɪstə] n علبة صغيرة
['aolbah ṣagherah]

cannabis ['kænəbɪs] n حشيش [ħaʃiːʃ]

canned [kænd] adj مُعَلَّبَة [muʕallabat]

canoe [kə'nuː] n صندل [sˤandal]

canoeing [kə'nuːɪŋ] n تجديف [taʒdiːf];
Where can we go canoeing? أين يمكن
أن أمارس رياضة التجديف بالقوارب الصغيرة؟
[ayna yamken an omares riyaḍat
al-tajdeef bil-'qawareb al-ṣaghera?]

can-opener ['kæn,əʊpənə] n فتاحة
علب التصبير [Fatahat 'aolab al-taṣdeer]

canteen [kæn'tiːn] n مطعم [matˤʕam]

canter ['kæntə] v يُخِب الفرس [Yokheb
al-faras]

canvas ['kænvəs] n قماش الرسم
['qomash al-rasm]

canvass ['kænvəs] v يَستطلع الرأي
[Yastaṭle'a al-ray]

cap [kæp] n غطاء قنينة [Gheṭa'a
'qeneenah]; **baseball cap** n قُبَعة
البيسبول ['qoba'at al-beesbool]

capable ['keɪpəbəl] adj مؤهل [moahhal]

capacity [kə'pæsɪtɪ] n سعة [siʕa]

capital ['kæpɪtəl] n عاصمة [ʕa:sˤima]

capitalism ['kæpɪtə,lɪzəm] n
رأسمالية [raʔsuma:lijja]

Capricorn ['kæprɪ,kɔːn] n الجَدْي
[alʒadjju]

capsize [kæp'saɪz] v يَنقلب [janqalibu]

capsule ['kæpsjuːl] n كبسولة [kabsuːla]

captain ['kæptɪn] n رئيس [raʔijs]

caption ['kæpʃən] n تعليق [taʕliːq]

capture ['kæptʃə] v يَأسِر [jaʔsiru]

car [kɑː] n سيارة [sajja:ra]; **cable car** n
ترام [tra:mun]; **car hire** n إيجار سيارة [Ejar
sayarah]; **car park** n موقف انتظار
[Maw'qaf enteḍhar]; **car rental** n تأجير
سيارة [Taajeer sayarah]; **car wash** n

غسيل سيارة [ghaseel sayaarah];
company car n سيارة الشركة [Sayarat al-sharekah]; **dining car** n عربة تناول الطعام في القطار ['arabat tanawool al-ṭa'aam fee al-'qeṭar]; **estate car** n سيارة بصالون متحرك المقاعد [Sayarah be-ṣalon motaḥarek al-ma'qaed]; **hired car** n سيارة مستأجرة [Sayarah mostaajarah]; **patrol car** n سيارة الدورية [Sayarah al-dawreyah]; **racing car** n سيارة السباق [Sayarah al-seba'q]; **rental car** n سيارة إيجار [Sayarah eejar]; **saloon car** n سيارة صالون [Sayarah ṣalon]; **sleeping car** n عربة النوم ['arabat al-nawm]

carafe [kə'ræf; -'rɑːf] n غرّافة [ɣarra:fa]

caramel ['kærəməl; -ˌmɛl] n كراميل [karami:l]

carat ['kærət] n قيراط [qi:ra:tˤ]

caravan ['kærəvæn] n مَقْطُورَة [maqtˤuːra]; **caravan site** n موقع المَقْطُورَة [Maw'qe'a al-ma'qṭorah]

carbohydrate [ˌkɑːbəʊ'haɪdreɪt] n كَارْبُوهَيْدْرَات [ka:rbu:hajdra:t]

carbon ['kɑːbᵊn] n كربون [karbu:n]; **carbon footprint** n بصمة كربونية [Baṣma karbonyah]

carburettor [ˌkɑːbjʊ'rɛtə; 'kɑːbjʊˌrɛtə; -bə-] n المكربن [Al-makreen]

card [kɑːd] n بطاقة [biṭˤa:qa]; **boarding card** n كارت ركوب [Kart rekoob]; **credit card** n كارت ائتمان [Kart eateman]; **debit card** n كارت سحب [Kart sahb]; **greetings card** n بطاقة تهنئة [Beṭaqat tahneaa]; **ID card** abbr بطاقة شخصية [beṭ a'qah shakhṣeyah]; **membership card** n بطاقة عضوية [Beṭaqat 'aodweiah]; **playing card** n بطاقة لعب [Beṭaqat la'aeb]; **report card** n تقرير مدرسي [Ta'qreer madrasey]; **top-up card** n كارت إعادة الشحن [Kart e'aadat shaḥn]

cardboard ['kɑːdˌbɔːd] n ورق مقوى [Wara'q mo'qawa]

cardigan ['kɑːdɪgən] n سترة صوفية [Sotrah ṣofeyah]

cardphone ['kɑːdfəʊn] n كارت تليفون [Kart telefone]

care [kɛə] n عناية [ʕina:ja] ▷ v يعتني [jaʕtani:]; **intensive care unit** n وحدة العناية المركزة [Weḥdat al-'aenayah al-morkazah]

career [kə'rɪə] n حقل النشاط [Ha'ql al-nashat]

careful ['kɛəfʊl] adj حَذِرٌ [ħaðir]

carefully ['kɛəfʊlɪ] adv بعناية [Be-'aenayah]

careless ['kɛəlɪs] adj مهمل [muhmil]

caretaker ['kɛəˌteɪkə] n مشرف على بيت [Moshref ala bayt]

car-ferry ['kɑːˌfɛrɪ] n معدية سيارات [Me'adeyat sayarat]

cargo ['kɑːgəʊ] n حُمولة [ħumu:la]

Caribbean [ˌkærɪ'biːən; kə'rɪbɪən] adj كاريبي [ka:rajbi:] ▷ n البحر الكاريبي [Al-baḥr al-kareebey]

caring ['kɛərɪŋ] adj مهتم بالآخرين [Mohtam bel-aakhareen]

carnation [kɑː'neɪʃən] n قرنفل [qaranful]

carnival ['kɑːnɪvᵊl] n كرنفال [karnafa:l]

carol ['kærəl] n أغنية مرحة [oghneyah mareha]

carpenter ['kɑːpɪntə] n نجار [naʒʒa:r]

carpentry ['kɑːpɪntrɪ] n نجارة [niʒʒa:ra]

carpet ['kɑːpɪt] n سجادة [saʒa:dda]; **fitted carpet** n سجاد مثبت [Sejad mothabat]

carriage ['kærɪdʒ] n حافلة [ħa:fila]

carriageway ['kærɪdʒˌweɪ] n; **dual carriageway** n طريق مزدوج الاتجاه للسيارات [Taree'q mozdawaj al-etejah lel-sayarat]

carrot ['kærət] n جزر [ʒazar]

carry ['kærɪ] v يحمل [juħmalu]

carrycot ['kærɪˌkɒt] n سرير محمول للطفل [Sareer maḥmool lel-ṭefl]

carry on ['kærɪ ɒn] v يستمر [jastamirru]

carry out ['kærɪ aʊt] v يُنَفِّذ [junaffiðu]

cart [kɑːt] n عربة [ʕaraba]

carton ['kɑːtᵊn] n علبة كارتون ['aolbat kartoon]

cartoon [kɑːˈtuːn] n رسوم متحركة [Rosoom motaharekah]

cartridge [ˈkɑːtrɪdʒ] n خرطوشة [xartˤuːʃa]

carve [kɑːv] v يَنْحِت [janħutu]

case [keɪs] n قضية [qadˤijja]; **pencil case** n مقلمة [miqlamatun]

cash [kæʃ] n نَقْد [naqd]; **cash dispenser** n ماكينة صرافة [Makenat ṣerafah]; **cash register** n ماكينة تسجيل الكاش [Makenat tasjeel al-kaash]

cashew [ˈkæʃuː; kæˈʃuː] n ثمرة الكاجو [Thamarat al-kajoo]

cashier [kæˈʃɪə] n ضرّاف [sˤarraːf]

cashmere [ˈkæʃmɪə] n شال من الصوف الناعم [Shal men al-Ṣoof al-na'aem]

casino [kəˈsiːnəʊ] n كازينو [kaːziːnuː]

casserole [ˈkæsəˌrəʊl] n كسرولة [kasruːlatu]

cassette [kæˈsɛt] n كاسيت [kaːsiːt]

cast [kɑːst] n يَصُبّ [jasˤʕubu]

castle [ˈkɑːsˤl] n قلعة [qalʕa]

casual [ˈkæʒjʊəl] adj طارئ [tˤaːriʔ]

casually [ˈkæʒjʊəlɪ] adv بشكل عارض [Beshakl 'aared]

casualty [ˈkæʒjʊəltɪ] n مُصاب [musˤaːb]

cat [kæt] n قطة [qitˤʕa]

catalogue [ˈkætəˌlɒg] n كتالوج [kataːluːʒ]; **I'd like a catalogue** أريد مشاهدة الكتالوج [areed mu-shahadat al-kataloj]

cataract [ˈkætəˌrækt] n (eye) مياه بيضاء [Meyah baydaa], (waterfall) شلّال كبير [Shallal kabeer]

catarrh [kəˈtɑː] n نَزْلَة [nazla]

catastrophe [kəˈtæstrəfɪ] n نكبة [nakba]

catch [kætʃ] v يمسك [jumsiku]

catching [ˈkætʃɪŋ] adj فاتن [faːtin]

catch up [kætʃ ʌp] v لحق بـ [laħiqa bi]

category [ˈkætɪgərɪ] n فئة [fiʔa]

catering [ˈkeɪtərɪŋ] n توريد الطعام [Tarweed al-ṭa'aam]

caterpillar [ˈkætəˌpɪlə] n يَرْقانَة [jaraqaːna]

cathedral [kəˈθiːdrəl] n كاتدرائية [ka:tidra:ʔijja]; **When is the cathedral open?** متى تُفتح الكاتدرائية؟ [mata tuftaḥ al-katid-ra-eya?]

Catholic [ˈkæθəlɪk; ˈkæθlɪk] adj كاثوليكي [ka:θu:li:kij] ⊳ n شخص كاثوليكي [Shakhṣ katholeykey]; **Roman Catholic** n روماني كاثوليكي [Romaney katholeykey] , شخص روماني كاثوليكي [shakhṣ romaney katholeekey]

cattle [ˈkætˀl] npl ماشية [ma:ʃijjatun]

Caucasus [ˈkɔːkəsəs] n قُوقاز [qu:qa:z]

cauliflower [ˈkɒlɪˌflaʊə] n قنبيط [qanbi:tˤ]

cause [kɔːz] n (ideals) سبب [sabab], (reason) سبب [sabab] ⊳ v يُسبب [jusabbibu]

caution [ˈkɔːʃən] n حَذَر [ħaðar]

cautious [ˈkɔːʃəs] adj حذر [ħaðir]

cautiously [ˈkɔːʃəslɪ] adv بحذر [beḥadhar]

cave [keɪv] n كهف [kahf]

CCTV [si: si: ti: vi:] abbr دائرة تلفزيونية مغلقة [Daerah telefezyoneyah moghla'qa]

CD [si: di:] n اسطوانة [ustˤuwa:na]; **CD burner** n ناسخ الاسطوانة [Nasekh al-eṣṭewanah]; **CD player** n مشغل الاسطوانات [Moshaghel al-estewanat]; **When will the CD be ready?** متى ستكون الاسطوانة جاهزة؟ [mata sata-koon al-eṣṭ-ewana jaheza?]

CD-ROM [-ˈrɒm] n دُرج الأسطوانات المدمجة [Dorj al-estewanaat al-modmajah]

ceasefire [ˈsiːsˌfaɪə] n وَقْف إطلاق النار [Wa'qf eṭlaa'q al-naar]

ceiling [ˈsiːlɪŋ] n سقف [saqf]

celebrate [ˈsɛlɪˌbreɪt] v يَحْتَفِل [jaħtafilu]

celebration [ˌsɛlɪˈbreɪʃən] n احتفال [iħtifa:l]

celebrity [sɪˈlɛbrɪtɪ] n شُهْرة [ʃuhra]

celery [ˈsɛlərɪ] n كرفس [kurfus]

cell [sɛl] n خلية [xalijja]

cellar [ˈsɛlə] n قبو [qabw]

cello [ˈtʃɛləʊ] n كمنجة كبيرة [Kamanjah kabeerah]

cement [sɪˈmɛnt] *n* أسمنت [ʔasmant]

cemetery [ˈsɛmɪtrɪ] *n* مقبرة [maqbara]

census [ˈsɛnsəs] *n* إحصاء رسمي [Ehṣaa rasmey]

cent [sɛnt] *n* سنت [sint]

centenary [sɛnˈtiːnərɪ] *n* قرْن [qarn]

centimetre [ˈsɛntɪˌmiːtə] *n* سنتيمتر [santiːmitar]

central [ˈsɛntrəl] *adj* مركزي [markazijjat]; **central heating** *n* تدفئة مركزية [Tadfeah markazeyah]; **Central America** *n* أمريكا الوسطى [Amrika al wostaa]

centre [ˈsɛntə] *n* وسطٌ [wasatˤ]; **call centre** *n* مركز الاتصال [Markaz al-eteṣal]; **city centre** *n* وسط المدينة [Wasaṭ al-madeenah]; **job centre** *n* مركز العمل [markaz al-ʔaamal]; **leisure centre** *n* مركز ترفيهي [Markaz tarfehy]; **shopping centre** *n* مركز تسوق [Markaz tasaweʔq]; **town centre** *n* وَسَط المدينة [Wasaṭ al-madeenah]; **visitor centre** *n* مركز زائري [Markaz zaerey]

century [ˈsɛntʃərɪ] *n* قرن [qarn]

CEO [siː iː əʊ] *abbr* مدير الإدارة التنفيذية [Modeer el-edarah al-tanfeedheyah]

ceramic [sɪˈræmɪk] *adj* خزفي [xazafij]

cereal [ˈsɪərɪəl] *n* حبوب [hubuːb]

ceremony [ˈsɛrɪmənɪ] *n* مراسم [maraːsim]

certain [ˈsɜːtən] *adj* محدد [muħadadd]

certainly [ˈsɜːtənlɪ] *adv* بلا شَكّ [Bela shak]

certainty [ˈsɜːtəntɪ] *n* يقين [jaqiːn]

certificate [səˈtɪfɪkɪt] *n* شهادة [ʃahaːda]; **birth certificate** *n* شهادة ميلاد [Shahadat meelad]; **marriage certificate** *n* عقد زواج [ʕaaʔqd zawaj]; **medical certificate** *n* شهادة طبية [Shehadah ṭebayah]; **I need a 'fit to fly' certificate** أحتاج إلى شهادة تفيد أنني مؤهلة للسفر بالطائرة [aḥtaaj ela shahada tufeed inna-ni mo-ah-ala lel-safar bil-ṭaa-era]

Chad [tʃæd] *n* تشاد [tʃaːd]

chain [tʃeɪn] *n* سلسلة [silsila]

chair [tʃɛə] *n* (*furniture*) كرسي [kursij]; **easy chair** *n* كرسي مريح [Korsey moreeḥ]; **rocking chair** *n* كرسي هزّاز [Korsey hazzaz]

chairlift [ˈtʃɛəˌlɪft] *n* تليفريك [tili:friːk]

chairman, chairmen [ˈtʃɛəmən, ˈtʃɛəmɛn] *n* رئيس المجلس [Raees al-majlas]

chalk [tʃɔːk] *n* طباشير [ṭaba:ʃiːr]

challenge [ˈtʃælɪndʒ] *n* تحدٍّ [taħaddin] ▷ *v* يتحدى [jataħadda:]

challenging [ˈtʃælɪndʒɪŋ] *adj* صعب [sˤaʕb]

chambermaid [ˈtʃeɪmbəˌmeɪd] *n* خادمة في فندق [Khademah fee fodoʔq]

champagne [ʃæmˈpeɪn] *n* شامبانيا [ʃa:mba:nja:]

champion [ˈtʃæmpɪən] *n* بطل (*competition*) [batˤal]

championship [ˈtʃæmpɪənˌʃɪp] *n* بطولة [butˤuːla]

chance [tʃɑːns] *n* مصادفة [musˤ ʕa:dafa]; **by chance** *adv* بالصُدْفة [Bel-ṣodfah]

change [tʃeɪndʒ] *n* تغيير [taɣjiːr] ▷ *vi* يتغير [jataɣajjaru] ▷ *vt* يُغيّر [juɣajjiru]; **changing room** *n* غرفة تبديل الملابس [Ghorfat tabdeel al-malabes]; **I want to change my ticket** أريد تغيير تذكرتي [areed taghyeer tadhkeraty]; **I want to change some... into...** أرغب في تغيير بعض... إلى... [arghab fee taghyeer baʕaḍ... ela...]; **I'd like to change my flight** أريد تغيير رحلتي الجوية [areed taghyeer reḥlaty al-jaw-wya]; **I'd like to change one hundred... into...** أرغب في تغيير مائة... إلى... [arghab fee taghyeer ma-a... ela...]; **Where are the changing rooms?** أين توجد غرفة تغيير الملابس؟ [ayna tojad ghurfat taghyeer al-malabis?]; **Where can I change some money?** أين يمكنني تغيير بعض النقود؟ [ayna yamken-any taghyeer baʕaḍ al-niʔqood?]; **Where can I change the baby?** أين يمكنني تغيير ملابس الرضيع؟ [ayna yamken-any taghyeer ma-labis al-raḍeeʕa?]

changeable ['tʃeɪndʒəbªl] adj قابل
للتغيير [ʼqabel lel-tagheyer]

channel ['tʃænªl] n مجرى نهر [Majra
nahr]

chaos ['keɪɒs] n فوضى [fawdˤa:]

chaotic ['keɪˈɒtɪk] adj مشوش
[muʃawwaʃ]

chap [tʃæp] n فتى [fata:]

chapel ['tʃæpªl] n كنيسة صغيرة
[Kanesah ṣagherah]

chapter ['tʃæptə] n فصل [faṣˤl]

character ['kærɪktə] n شخصية
[ʃaxsˤijja]

characteristic [ˌkærɪktəˈrɪstɪk] n
سمة [sima]

charcoal ['tʃɑːˌkəʊl] n فحم نباتي [Faḥm
nabatey]

charge [tʃɑːdʒ] n (accusation) تهمة
[tuhma], (electricity) شحن [ʃaḥn], (price)
رسم [rasm] ▷ v (accuse) يتهم [jattahimu],
(electricity) يشحن [jaḥʃu:], (price) يَطْلُبُ
سعراً [jatˤlubu siʕran]; **admission
charge** n رسم الالتحاق [Rasm
al-elteḥaʼq]; **cover charge** n المصاريف
المدفوعة مقدما [Al-maṣaareef
al-madfoo'ah mo'qadaman]; **service
charge** n رسم الخدمة [Rasm
al-khedmah]; **It's not charging** إنها لا
تقبل الشحن [inaha la ta'qbal al-shaḥin];
It's not holding its charge لا تحتفظ
بشحنها [la taḥtafiḍh be-shaḥ-neha];
**Where can I charge my mobile
phone?** أين يمكن أن أشحن تليفوني
المحمول؟ [ayna yamken an ash-ḥan
talefony al-maḥmool?]

charger ['tʃɑːdʒə] n شاحن [ʃaːḥin]

charity ['tʃærɪtɪ] n إحسان [ʔiḥsaːn];
charity shop n محل لبضائع متبرع بها
لجهة خيرية [Maḥal lebaḍae'a motabar'a
beha lejahah khayriyah]

charm [tʃɑːm] n فتنة [fitna]

charming ['tʃɑːmɪŋ] adj ساحر [saːḥir]

chart [tʃɑːt] n رسم بياني [Rasm bayany];
pie chart n رسم بياني دائري [Rasm
bayany daery]

chase [tʃeɪs] n مطاردة [mutˤaːrada] ▷ v

يطارد [jutˤaːridu]

chat [tʃæt] n دردشة [dardaʃa] ▷ v يدردش
[judardiʃu]; **chat show** n برنامج حواري
[Barnamaj ḥewary]

chatroom ['tʃætˌruːm; -ˌrʊm] n غرفة
محادثة [ghorfat mohadathah]

chauffeur ['ʃəʊfə; ʃəʊˈfɜː] n سائق سيارة
[Saae'q sayarah]

chauvinist ['ʃəʊvɪˌnɪst] n شوفيني
[ʃuːfiːniː]

cheap [tʃiːp] adj رخيص [raxiːsˤ]

cheat [tʃiːt] n غش [ɣaʃʃa] ▷ v يَغُش
[jaɣiʃʃu]

Chechnya ['tʃetʃnjə] n الشيشان
[aʃ-ʃiːʃaːn]

check [tʃek] n فحص [faḥsˤ] ▷ v يفحص
[jafḥasˤu]; **Can you check the water,
please?** أتسمح بفحص الماء بالسيارة؟
[a-tas-maḥ be-faḥiṣ al-maa-i
bil-sayara?]

checked [tʃekt] adj ذو مربعات [dho
moraba'aat]

check in [tʃek ɪn] v يتسجل في فندق
[Yatasajal fee fondo'q]

check-in [tʃekɪn] n التسجيل في فندق
[Al-tasjeel fee fondo'q]

check out [tʃek aʊt] v يغادر الفندق
[Yoghader al-fondo'q]

checkout ['tʃekaʊt] n مغادرة الفندق
[Moghadarat al-fondo'q]

check-up [tʃekʌp] n فحص طبي عام [Faḥṣ
tebey 'aam]

cheek [tʃiːk] n خد [xadd]

cheekbone ['tʃiːkˌbəʊn] n عظم الوجنة
[aḍhm al-wajnah]

cheeky ['tʃiːkɪ] adj وقح [waqiḥ]

cheer [tʃɪə] n ابتهاج [ibtihaːʒ] ▷ v يبتهج
[jabtahiʒu]

cheerful ['tʃɪəfʊl] adj مبهج [mubhaʒ]

cheese [tʃiːz] n جبن [ʒubn]; **cottage
cheese** n جبن قريش [Jobn 'qareesh]

chef [ʃef] n رئيس الطهاة [Raees al-tohah]

chemical ['kemɪkªl] n مادة كيميائية
[Madah kemyaeyah]

chemist ['kemɪst] n كيميائيٌّ [ki:mija:ʔij];
chemist('s) n معمل كيميائي [M'amal

kemyaeay]

chemistry ['kɛmɪstrɪ] n كيمياء
[ki:mija:ʔ]

cheque [tʃɛk] n شيك بنكي [Sheek
bankey]; **blank cheque** n شيك على بياض
[Sheek ala bayad]; **traveller's cheque**
n شيك سياحي [Sheek seyahey]

chequebook ['tʃɛk,bʊk] n دفتر شيكات
[Daftar sheekaat]

cherry ['tʃɛrɪ] n كرز [karaz]

chess [tʃɛs] n شطرنج [ʃatˤranʒ]

chest [tʃɛst] n (body part) صَدْر [sˤadr],
(storage) صندوق [sˤundu:q]; **chest of
drawers** n خزانة ملابس بأدراج [Khezanat
malabes be-adraj]

chestnut ['tʃɛs,nʌt] n كَسْتِناءة
[kastana:ʔ]

chew [tʃuː] v يَمضُغ [jamdˤʕuɣu];
chewing gum n علكة [ʕilkatun]

chick [tʃɪk] n كتكوت [kutku:t]

chicken ['tʃɪkɪn] n دَجَاجَة [daʒa:ʒa]

chickenpox ['tʃɪkɪn,pɒks] n حُماق
[ħumq]

chickpea ['tʃɪk,piː] n حبة الحمص [Habat
al-hommos]

chief [tʃiːf] adj رئيسي [raʔiːsij] ⊳ n سيد
[sajjid]

child, children [tʃaɪld, 'tʃɪldrən] n غِر
[ɣirr]; **child abuse** n سوء معاملة الأطفال
[Soo mo'aamalat al-atfaal]

childcare ['tʃaɪld,kɛə] n رعاية الأطفال
[Re'aayat al-atfal]

childhood ['tʃaɪldhʊd] n طفولة
[tˤufuːla]

childish ['tʃaɪldɪʃ] adj طَفُولِيّ [tˤufuːlij]

childminder ['tʃaɪld,maɪndə] n جليسة
أطفال [Jaleesat atfaal]

Chile ['tʃɪlɪ] n دولة تشيلي [Dawlat
tesheeley]

Chilean ['tʃɪlɪən] adj تشيلي [tʃi:lij] ⊳ n
مواطن تشيلي [Mowaten tsheeley]

chill [tʃɪl] v يبرّد [jubarridu]

chilli ['tʃɪlɪ] n فلفل أحمر حار [Felfel aḥmar
ḥar]

chilly ['tʃɪlɪ] adj مُثَلج [muθallaʒ]

chimney ['tʃɪmnɪ] n مَدخَنة [midxana]

chimpanzee [,tʃɪmpæn'ziː] n شمبانزي
[ʃamba:nzij]

chin [tʃɪn] n ذَقَن [ðaqn]

china ['tʃaɪnə] n آنية من الصيني [Aaneyah
men al-seeney]

China ['tʃaɪnə] n الصين [as-sˤiːnu]

Chinese [tʃaɪ'niːz] adj صيني [sˤi:nij] ⊳ n
(language) اللغة الصينية [Al-loghah
al-seeneyah], (person) صيني [sˤi:nij]

chip [tʃɪp] n (electronic) شريحة [ʃari:ħatt],
(small piece) رقاقة [ruqa:qa]; **silicon chip**
n شريحة السليكون [Shreeḥah men
al-selekoon]

chips [tʃɪps] npl شرائح [ʃara:ʔiħun]

chiropodist [kɪ'rɒpədɪst] n مُعالِج القدم
[Mo'aaleg al-'qadam]

chisel ['tʃɪzᵊl] n إزميل خشبي [Ezmeel
khashabey]

chives [tʃaɪvz] npl ثوم معمر [Thoom
mo'aamer]

chlorine ['klɔːriːn] n كلور [klu:r]

chocolate ['tʃɒkəlɪt; 'tʃɒklɪt; -lət] n
شوكولاتة [ʃu:ku:la:ta]; **milk chocolate** n
شيكولاتة باللبن [Shekolata bel-laban];
plain chocolate n شيكولاتة سادة
[Shekolatah sada]

choice [tʃɔɪs] n اختيار [ixtija:r]

choir [kwaɪə] n جَوْقة [ʒawqa]

choke [tʃəʊk] v يَختنِق [jaxtaniqu]

cholesterol [kə'lɛstə,rɒl] n كولِسْتِرُول
[ku:listiru:l]

choose [tʃuːz] v يختار [jaxta:ru]

chop [tʃɒp] n فرم [faram] ⊳ v يَفْرُم
[jafrumu]; **pork chop** n شريحة لحم خنزير
[Shareehat laḥm khenzeer]

chopsticks ['tʃɒpstɪks] npl عيدان الأكل
في الصين [ʕi:da:ni al?akla fi: assˤi:ni]

chosen ['tʃəʊzᵊn] adj مختار [muxta:r]

Christ [kraɪst] n المَسِيح [al-masi:ħu]

christening ['krɪsᵊnɪŋ; 'christening]
n حفلة التعميد [Haflat alt'ameed]

Christian ['krɪstʃən] adj مَسِيحي
[masi:ħij] ⊳ n مَسِيحي [masi:ħij];
Christian name n اسم مَسِيحي [Esm
maseehey]

Christianity [,krɪstɪ'ænɪtɪ] n المَسِيحية

[al-masi:ħijjatu]

Christmas [ˈkrɪsməs] n عيد الميلاد المجيد [ˈaeed al-meelad al-majeed]; **Christmas card** n كارت الكريسماس [Kart al-kresmas]; **Christmas Eve** n عشية عيد الميلاد [ˈaasheyat ˈaeed al-meelad]; **Christmas tree** n شجرة عيد الميلاد [Shajarat ˈaeed al-meelad]

chrome [krəʊm] n كُروم [ku:ru:mu]

chronic [ˈkrɒnɪk] adj مزمن [muzmin]

chrysanthemum [krɪˈsænθəməm] n الاقحوان [al-uqħuwa:nu]

chubby [ˈtʃʌbɪ] adj مُمْتَلئ [mumtali?]

chunk [tʃʌŋk] n قطعة غليظة قصيرة [ˈqetˈaah ghaleḍhah]

church [tʃɜːtʃ] n كنيسة [kani:sa]; **Can we visit the church?** أيمكننا زيارة الكنيسة؟ [a-yamkun-ana zeyarat al-kaneesa]

cider [ˈsaɪdə] n عصير تفاح [ˈaaseer tofaḥ]

cigar [sɪˈɡɑː] n سيجار [si:ʒa:r]

cigarette [ˌsɪɡəˈrɛt] n سيجارة [si:ʒa:ra]; **cigarette lighter** n قداحة [qadda:ħatun]

cinema [ˈsɪnɪmə] n سينما [si:nima:]; **What's on at the cinema?** ماذا يعرض الآن على شاشات السينما؟ [madha yu'a-raḍ al-aan 'aala sha-shaat al-senama?]

cinnamon [ˈsɪnəmən] n قرفة [qirfa]

circle [ˈsɜːkəl] n دائرة [da:ʔira]; **Arctic Circle** n الدائرة القطبية الشمالية [Al-daerah al'qotbeyah al-Shamaleyah]

circuit [ˈsɜːkɪt] n دارة [da:ra]

circular [ˈsɜːkjʊlə] adj دائري [da:ʔirij]

circulation [ˌsɜːkjʊˈleɪʃən] n دَوَران [dawara:n]

circumstances [ˈsɜːkəmstənsɪz] npl ظروف [zˤuru:fun]

circus [ˈsɜːkəs] n سيرك [si:rk]

citizen [ˈsɪtɪzən] n مواطن [muwa:tˤin]; **senior citizen** n شخص متقدم العمر [Shakhṣ motaˈqadem al-ˈaomr]

citizenship [ˈsɪtɪzənˌʃɪp] n الانتماء الوطني [Al-entemaa alwaṭaney]

city [ˈsɪtɪ] n مدينة [madi:na]; **city centre** n وسط المدينة [Wasaṭ al-madeenah]; **Is there a bus to the city?** هل يوجد أتوبيس إلى المدينة؟ [Hal yojad otobees ela al-madeenah?]; **Please take me to the city centre** من فضلك أريد الذهاب إلى وسط المدينة [min faḍlak areed al-dhehaab ela waṣaṭ al-madena]; **Where can I buy a map of the city?** أين يمكن أن أشتري خريطة للمدينة؟ [ayna yamken an ash-tary khareeṭa lil-madena?]

civilian [sɪˈvɪljən] adj مدني [madanijjat] ▷ n مدني [madanijja]

civilization [ˌsɪvɪlaɪˈzeɪʃən] n حضارة [ħadˤara]

claim [kleɪm] n مطالبة [mutˤaːlaba] ▷ v يُطالب [jutˤaːlibu]; **claim form** n استمارة مطالبة [Estemarat moṭalabah]

clap [klæp] v يُصَفق [jusˤaffiqu]

clarify [ˈklærɪˌfaɪ] v يُوضح [juwadˤdˤiħu]

clarinet [ˌklærɪˈnɛt] n كلارينت [kla:ri:nit]

clash [klæʃ] v يَصْطَدِم [jasˤtˤadimu]

clasp [klɑːsp] n يُصافح [jusˤaːfiħu]

class [klɑːs] n طبَقةٌ إِجْتماعيَّة [tˤabaqatun iʒtimaːʕijja]; **business class** n درجة رجال الأعمال [Darajat rejal ala'amal]; **economy class** n درجة سياحية [Darjah seyaḥeyah]; **second class** n درجة ثانية [Darajah thaneyah]

classic [ˈklæsɪk] adj كلاسيكي [kla:si:kij] ▷ n كلاسيكي [kla:si:kij]

classical [ˈklæsɪkəl] adj كلاسيكي [kla:si:kij]

classmate [ˈklɑːsˌmeɪt] n زميل الفصل [Zameel al-faṣl]

classroom [ˈklɑːsˌruːm; -ˌrʊm] n حجرة دراسية [Ḥojrat derasah]; **classroom assistant** n مساعد المدرس [Mosa'aed al-modares]

clause [klɔːz] n مادة [ma:dda]

claustrophobic [ˌklɔːstrəˈfəʊbɪk; ˌklɒs-] adj خائف من الأماكن المغلقة [Khaef men al-amaken al-moghla'ah]

claw [klɔː] n ظُفْر [zˤufr]

clay [kleɪ] n صلصال [sˤalsˤaːl]

clean [kliːn] adj نظيف [nazˤiːf] ▷ v يُنَظِف [junazˤzˤifu]; **Can you clean the room,**

please? هل يمكن من فضلك تنظيف الغرفة؟ [hal yamken min faḍlak tanḍheef al-ghurfa?]; **I need this dry-cleaned** احتاج أن أنظف هذا تنظيفا جافا [ahtaaj an ana-dhif hadha tan-dheefan jaafan]; **I'd like to get these things cleaned** أود تنظيف هذه الأشياء [awid tandheef hadhy al-ashyaa]; **The room isn't clean** الغرفة ليست نظيفة [al-ghurfa laysat nadhefa]; **Where can I get this cleaned?** أين يمكنني تنظيف هذا؟ [ayna yamkun-any tandheef hadha?]

cleaner ['kli:nə] n خادم للتنظيف [Khadem lel-tandheef]

cleaning ['kli:nɪŋ] n تنظيف [tanzˤi:f]; **cleaning lady** n عاملة النظافة ['aamelat al-nadhafah]

cleanser ['klɛnzə] n غَسُول [ɣasu:l]

clear [klɪə] adj واضح [wa:dˤiħ]

clearly ['klɪəlɪ] adv بوضوح [biwudˤu:ħin]

clear off [klɪə ɒf] v يَذهَب بسرعة [yadhab besor'aa]

clear up [klɪə ʌp] v يُزيل الغموض [Yozeel al-ghmood]

clementine ['klɛmən,ti:n; -,taɪn] n نوع من البرتقال الناعم [nawʕun min alburtuqa:li alnaʕimi]

clever ['klɛvə] adj شاطر [ʃa:tˤir]

click [klɪk] n نقرة [naqra] ▷ v ينقر [janquru]

client ['klaɪənt] n زبون [zabu:n]

cliff [klɪf] n جُرف [ʒarf]

climate ['klaɪmɪt] n مناخ [muna:x]; **climate change** n تغير المناخ [Taghyeer almonakh]

climb [klaɪm] v يَتسلق [jatasallaqu]

climber ['klaɪmə] n متسلق الجبال [Motasale'q al-jebaal]

climbing ['klaɪmɪŋ] n تسلق [tasalluq]

clinic ['klɪnɪk] n عيادة [ʕija:da]

clip [klɪp] n مشبك [maʃbak]

clippers ['klɪpəz] npl ماكينة حلاقة [Makeenat ḥelaqah]

cloakroom ['kləʊk,ru:m; -,rʊm] n حجرة لحفظ المعاطف [Hojarah le-hefdh al-ma'atef]

clock [klɒk] n ساعة حائط [Saa'ah ḥaaet]; **alarm clock** n منبه [munabbihun]

clockwise ['klɒk,waɪz] adv باتجاه عقارب الساعة [Betejah a'qareb al-saa'ah]

clog [klɒg] n قبقاب [qubqa:b]

clone [kləʊn] n استنساخ [istinsa:x] ▷ v يَسْتَنْسِخ [jastansix]

close adj [kləʊs] حميم [ħami:m] ▷ adv [kləʊs] بإحكام [biʔiħka:min] ▷ v [kləʊz] يُغْلِق [juyliqu]; **close by** adj قريب من ['qareeb men]; **closing time** n وَقْت الإغلاق [Wa'qt al-eghlaa'q]

closed [kləʊzd] adj مغلق [muɣlaq]

closely [kləʊslɪ] adv مغلقًا [muɣlaqan]

closure ['kləʊʒə] n إغلاق [ʔiɣla:q]

cloth [klɒθ] n قماش [quma:ʃ]

clothes [kləʊðz] npl ملابس [mala:bisun]; **clothes line** n حبل الغسيل [ḥ abl al-ghaseel]; **clothes peg** n مشبك الغسيل [Mashbak al-ghaseel]; **Is there somewhere to dry clothes?** هل يوجد مكان ما لتجفيف الملابس؟ [hal yujad makan ma le-tajfeef al-malabis?]; **My clothes are damp** ملابسي بها بلل [mala-bisy beha balal]

clothing ['kləʊðɪŋ] n ألبسة [ʔalbisa]

cloud [klaʊd] n سحابة [saħa:ba]

cloudy ['klaʊdɪ] adj غائم [ɣa:ʔim]

clove [kləʊv] n فص ثوم [Faṣ thawm]

clown [klaʊn] n مهرج [muharriʒ]

club [klʌb] n (group) نادي [na:di:], (weapon) هراوة [hara:wa]; **golf club** n نادي الجولف [Nady al-jolf]; **Where is there a good club?** هل يوجد نادي جيدة؟ [Hal yojad nady jayedah]

club together [klʌb tə'gɛðə] v تشاركوا معاً [Tasharakoo ma'aan]

clue [klu:] n مفتاح لغز [Meftaḥ loghz]

clumsy ['klʌmzɪ] adj أخرق [ʔaxraq]

clutch [klʌtʃ] n قابض [qa:bidˤ]

clutter ['klʌtə] n ضوضاء [dˤawdˤa:ʔ]

coach [kəʊtʃ] n (trainer) مدرب [mudarrib], (vehicle) مَركَبة [markaba]

coal [kəʊl] n فحم [faħm]

coarse [kɔ:s] adj فظ [fazˤzˤ]

coast [kəʊst] n ساحل [sa:ħil]

coastguard [ˈkəʊstˌgɑːd] n خفر السواحل [Khafar al-sawahel]

coat [kəʊt] n سترة [sutra]; **fur coat** n معطف فرو [Me'ataf farw]

coathanger [ˈkəʊtˌhæŋə] n شماعة المعاطف [Shama'aat al-ma'aatef]

cobweb [ˈkɒbˌwɛb] n بيت العنكبوت [Bayt al-'ankaboot]

cocaine [kəˈkeɪn] n كوكايين [ku:ka:ji:n]

cock [kɒk] n ديك [di:k]

cockerel [ˈkɒkərəl; ˈkɒkrəl] n ديك صغير [Deek sagheer]

cockpit [ˈkɒkˌpɪt] n حُجَيرَةُ الطَّيّار [Ḥojayrat al-tayar]

cockroach [ˈkɒkˌrəʊtʃ] n صرصور [sˤarsˤuːr]

cocktail [ˈkɒkˌteɪl] n كوكتيل [ku:kti:l]; **Do you sell cocktails?** أتقدمون الكوكتيلات؟ [a-tu'qade-moon al-koktailaat?]

cocoa [ˈkəʊkəʊ] n كاكاو [ka:ka:w]

coconut [ˈkəʊkəˌnʌt] n جوزة الهند [Jawzat al-hend]

cod [kɒd] n سمك القد [Samak al'qad]

code [kəʊd] n شفرة [ʃafra]; **dialling code** n كود الاتصال بمنطقة أو بلد [Kod al-eteşal bemanţe'qah aw balad]; **Highway Code** n مجموعة قوانين السير في الطرق السريعة [Majmo'aat 'qwaneen al-sayer fee al-ţoro'q al-saree'aah]

coeliac [ˈsiːlɪˌæk] adj بطني [batˤnij]

coffee [ˈkɒfɪ] n قهوة [qahwa]; **black coffee** n قهوة سادة ['qahwa sadah]; **coffee bean** n حبوب البن [Ḥobob al-bon]; **decaffeinated coffee** n قهوة منزوعة الكافيين ['qahwa manzo'aat al-kafayen]; **A white coffee, please** قهوة باللبن من فضلك ['qahwa bil-laban min faḍlak]; **Could we have another cup of coffee, please?** هل يمكن الحصول على فنجان آخر من القهوة من فضلك؟ [hal yamken al-ḥuşool 'aala fin-jaan aakhar min al-'qahwa min faḍlak?]

coffeepot [ˈkɒfɪˌpɒt] n أبريق القهوة [Abreeq al-'qahwah]

coffin [ˈkɒfɪn] n تابوت [ta:bu:t]

coin [kɔɪn] n عملة معدنية [Omlah ma'adaneyah]

coincide [ˌkəʊɪnˈsaɪd] v يَتَزامن [jataza:manu]

coincidence [kəʊˈɪnsɪdəns] n تزامن [taza:mana]

Coke® [kəʊk] n كوك® [ku:k]

colander [ˈkɒləndə; ˈkʌl-] n مصفاة [misˤfaːt]

cold [kəʊld] adj بارد [baːrid] ⊳ n زكام [zuka:m]; **cold sore** n قرحة البرد حول الشفاة ['qorhat al-bard ḥawl al-shefah]

coleslaw [ˈkəʊlˌslɔː] n سلاطة الكرنب والجزر [Salaţ at al-koronb wal-jazar]

collaborate [kəˈlæbəˌreɪt] v يتعاون [jataʕa:wanu]

collapse [kəˈlæps] v ينهار [janha:ru]

collar [ˈkɒlə] n قلادة قصيرة ['qeladah 'qaseerah]

collarbone [ˈkɒləˌbəʊn] n تُرْقوة [turquwa]

colleague [ˈkɒliːg] n زميل [zami:l]

collect [kəˈlɛkt] v يجمع [juʒammiʕu]

collection [kəˈlɛkʃən] n مجموعة [maʒmu:ʕa]

collective [kəˈlɛktɪv] adj جماعي [ʒama:ʕij] ⊳ n منظمة تعاونية [monaḍhamah ta'aaaweneyah]

collector [kəˈlɛktə] n مُحصّل [muħasˤsˤil]; **ticket collector** n جامع التذاكر [Jame'a al-tadhaker]

college [ˈkɒlɪdʒ] n كُلِية [kulijja]

collide [kəˈlaɪd] v يتصادم [jataşaːdamu]

collie [ˈkɒlɪ] n كلب اسكتلندي ضخم [Kalb eskotalandey dakhm]

colliery [ˈkɒljərɪ] n منجم فحم [Majam fahm]

collision [kəˈlɪʒən] n تصادم [tasˤaːdum]; **I'd like to arrange a collision damage waiver** أريد عمل الترتيبات الخاصة بالتنازل عن تعويض التصادم [areed 'aamal al-tar-tebaat al-khaşa bil-tanazul 'aan ta'aweeḍ al-ta-şadum]

Colombia [kəˈlɒmbɪə] n كولومبيا [ku:lu:mbija:]

Colombian [kə'lɒmbɪən] adj كولومبي [ku:lu:mbi:] ⊳ n شخص كولومبي [Shakhṣ kolombey]

colon ['kəʊlən] n قولون [qu:lu:n]

colonel ['kɜːnᵊl] n كولونيل [ku:lu:ni:l]

colour ['kʌlə] n لون [lawn]; **A colour film, please** فيلم ملون من فضلك [filim mola-wan min faḍlak]; **Do you have this in another colour?** هل يوجد لون آخر غير ذلك اللون؟ [hal yujad lawn aakhar ghayr dhalika al-lawn?]; **I don't like the colour** أنا لا أحب هذا اللون [ana la oḥibo hadha al-lawn]; **I'd like a colour photocopy of this, please** أرجو الحصول على نسخة ضوئية ملونة من هذا المستند [arjo al-ḥuṣool 'aala nuskha mu-lawana min hadha al-mustanad min faḍlak]

colour-blind ['kʌlə'blaɪnd] adj مصاب بعمى الألوان [Moṣaab be-'ama al-alwaan]

colourful ['kʌləfʊl] adj غني بالألوان [Ghaney bel-alwaan]

colouring ['kʌlərɪŋ] n تلوين [talwi:n]

column ['kɒləm] n عمود [ʕamu:d]

coma ['kəʊmə] n غيبوبة عميقة [Ghaybobah 'amee'qah]

comb [kəʊm] n مشط [muʃtˤ] ⊳ v يَمْشُط [jamʃuˤu]

combination [ˌkɒmbɪ'neɪʃən] n مجموعة مؤتلفة [Majmo'aah moatalefa]

combine [kəm'baɪn] v يُوحد [juwaħħidu]

come [kʌm] v يأتي [jaʔti:]

come back [kʌm bæk] v يعود [jaʕuˤdu]

comedian [kə'miːdɪən] n ممثل هزلي [Momthel hazaley]

come down [kʌm daʊn] v يَنْخَفِض [janxafidˤu]

comedy ['kɒmɪdɪ] n كوميديا [ku:mi:dja:]

come from [kʌm frɒm] v يأتي من [Yaatey men]

come in [kʌm ɪn] v يَدخُل [jadxulu]

come off [kʌm ɒf] v; **The handle has come off** لقد سقط مقبض الباب [la'qad sa'qata me-'qbaḍ al-baab]

come out [kʌm aʊt] v يبْرُز من [Yabroz men]

come round [kʌm raʊnd] v يَستفيق [jastafi:qu]

comet ['kɒmɪt] n نجم ذو ذنب [Najm dho dhanab]

come up [kʌm ʌp] v يطلع [jutˤliˤu]

comfortable ['kʌmftəbᵊl; 'kʌmfətəbᵊl] adj مريح [muri:ħ]

comic ['kɒmɪk] n هزلي [hazlijja]; **comic book** n كتاب هزلي [Ketab hazaley]; **comic strip** n سلسلة رسوم هزلية [Selselat resoom hazaleyah]

coming ['kʌmɪŋ] adj مقبل [muqbil]

comma ['kɒmə] n فاصلة [fasˤʕila]; **inverted commas** npl فواصل معقوفة [Fawaṣel ma'a'qoofah]

command [kə'mɑːnd] n سلطة [sultˤa]

comment ['kɒmɛnt] n ملاحظة [mula:ħazˤa] ⊳ v يُعَلِّق على [Yo'alle'q ala]

commentary ['kɒməntərɪ; -trɪ] n تعليق [taʕli:q]

commentator ['kɒmənˌteɪtə] n مُعلِق [muʕalliq]

commercial [kə'mɜːʃəl] n إعلان تجاري [E'alaan tejarey]; **commercial break** n فاصل إعلاني [Faṣel e'alaany]

commission [kə'mɪʃən] n عمولة [ʕumu:la]; **Do you charge commission?** هل تطلب عمولة؟ [hal taṭlub 'aumoola?]; **What's the commission?** ما هي العمولة؟ [ma heya al-'aumola?]

commit [kə'mɪt] v يَرتكِب [jartakibu]

committee [kə'mɪtɪ] n لجنة [laʒna]

common ['kɒmən] adj شائع [ʃa:ʔiʕ]; **common sense** n الحِس العام [Al-ḥes al-'aam]

communicate [kə'mjuːnɪˌkeɪt] v يَتَصِل بـ [Yataṣel be]

communication [kəˌmjuːnɪ'keɪʃən] n اتصال [ittis̱a:l]

communion [kə'mjuːnjən] n مُشاركة [muʃa:raka]

communism ['kɒmjʊˌnɪzəm] n شيوعية [ʃuju:ʕijja]

communist ['kɒmjʊnɪst] adj شيوعي [ʃuju:ʕij] ⊳ n شيوعي [ʃuju:ʕij]

community [kə'mjuːnɪtɪ] n مُجتَمع [muʒtamaʕ]

commute [kə'mjuːt] v يُسافر يومياً من وإلى مكان عمله [Yosafer yawmeyan men wa ela makan 'amaleh]

commuter [kə'mjuːtə] n القائم برحلات يومية من وإلى عمله [Al-'qaem berahlaat yawmeyah men wa ela 'amaleh]

compact ['kɒm'pækt] adj مضغوط [madˤɣuːtˤ]; **compact disc** n قرص مضغوط ['qors madghoot]

companion [kəm'pænjən] n صاحب [sˤaːħib]

company ['kʌmpənɪ] n شركة [ʃarika]; **company car** n سيارة الشركة [Sayarat al-sharekah]; **I would like some information about the company** أريد الحصول على بعض المعلومات عن الشركة [areed al-husool 'aala ba'ad al-ma'aloomat 'an al-shareka]

comparable ['kɒmpərəbªl] adj قابل للمقارنة ['qabel lel-mo'qaranah]

comparatively [kəm'pærətɪvlɪ] adv نسبياً [nisbijjan]

compare [kəm'pɛə] v يُقارن [juqaːrinu]

comparison [kəm'pærɪsªn] n مقارنة [muqaːrana]

compartment [kəm'pɑːtmənt] n مقصورة [maqsˤuːra]

compass ['kʌmpəs] n بوصلة [bawsˤala]

compatible [kəm'pætəbªl] adj متوافق [mutawaːfiq]

compensate ['kɒmpɛnˌseɪt] v يُعَوِّض [juʕawwidˤu]

compensation [ˌkɒmpɛn'seɪʃən] n تعويض [taʕwiːdˤ]

compere ['kɒmpɛə] n مقدم برامج [Mo'qadem bramej]

compete [kəm'piːt] v يَتنافَس [jatanaːfasu]

competent ['kɒmpɪtənt] adj مختص [muxtasˤsˤ]

competition [ˌkɒmpɪ'tɪʃən] n منافسة [munaːfasa]

competitive [kəm'pɛtɪtɪv] adj تنافسي [tanaːfusij]

competitor [kəm'pɛtɪtə] n مُنافِس [munaːfis]

complain [kəm'pleɪn] v يَشكو [jaʃkuː]

complaint [kəm'pleɪnt] n شكوى [ʃakwaː]; **I'd like to make a complaint** إني أرغب في تقديم شكوى [inny arghab fee ta'qdeem shakwa]

complementary [ˌkɒmplɪ'mɛntərɪ; -trɪ] adj متمم [mutammim]

complete [kəm'pliːt] adj كامل [kaːmil]

completely [kəm'pliːtlɪ] adv بالكامل [bialka:mili]

complex ['kɒmplɛks] adj مُركَّب [markab] ▷ n مادة مركبة [Madah morakabah]

complexion [kəm'plɛkʃən] n بَشْرَة [baʃra]

complicated ['kɒmplɪˌkeɪtɪd] adj معقد [muʕaqqad]

complication [ˌkɒmplɪ'keɪʃən] n تعقيد [taʕqiːd]

compliment n ['kɒmplɪmənt] مجاملة [muʒaːmala] ▷ v ['kɒmplɪˌmɛnt] يُجامل [juʒaːmilu]

complimentary [ˌkɒmplɪ'mɛntərɪ; -trɪ] adj مُجامِل [muʒaːmil]

component [kəm'pəʊnənt] adj مكون [mukawwin] ▷ n مكون [mukawwin]

composer [kəm'pəʊzə] n مؤلف موسيقى [Moaalef mosee'qy]

composition [ˌkɒmpə'zɪʃən] n تركيب [tarkiːb]

comprehension [ˌkɒmprɪ'hɛnʃən] n إدراك [ʔidraːk]

comprehensive [ˌkɒmprɪ'hɛnsɪv] adj شامل [ʃaːmil]

compromise ['kɒmprəˌmaɪz] n تسوية [taswija] ▷ v يُسوى بحل وَسَط [juswaː biḥalli wasatˤin]

compulsory [kəm'pʌlsərɪ] adj إلزامي [ʔilzaːmij]

computer [kəm'pjuːtə] n كمبيوتر [kumbiju:tar]; **computer game** n لعبة إلكترونية [Lo'abah elektroneyah]; **computer science** n علوم الحاسب الآلى ['aoloom al-haseb al-aaly]; **May I use**

your computer? هل لي أن استخدم الكمبيوتر الخاص بك؟ [hal lee an astakhdim al-computer al-khaaş bik?]; **My computer has frozen** لقد تعطل جهاز الكمبيوتر [la'qad ta-'aaţal jehaaz al-computer]; **Where is the computer room?** أين توجد غرفة الكمبيوتر؟ [ayna tojad ghurfat al-computer]

computing [kəm'pjuːtɪŋ] n استخدام الحاسب الآلي [Estekhdam al-haseb al-aaly]

concentrate ['kɒnsən,treɪt] v يُركز [jurakkizu]

concentration [,kɒnsən'treɪʃən] n تركيز [tarkiːz]

concern [kən'sɜːn] n اهتمام [ihtimaːm]

concerned [kən'sɜːnd] adj مَعنيّ [maʕnij]

concerning [kən'sɜːnɪŋ] prep فى ما يتعلق بـ [Fee maa yata'ala'q]

concert ['kɒnsɜːt; -sət] n حفلة موسيقية [Haflah mose'qeyah]

concerto, concerti [kən'tʃɛətəʊ, kən'tʃɛəti] n لحن منفرد [Laḥn monfared]

concession [kən'sɛʃən] n امتياز [imtijaːz]

concise [kən'saɪs] adj موجز [muːʒaz]

conclude [kən'kluːd] v يَختَم [jaxtatimu]

conclusion [kən'kluːʒən] n خاتمة [xaːtima]

concrete ['kɒnkriːt] n خرصانة [xaraşˁaːna]

concussion [kən'kʌʃən] n ارتجاج فى المخ [Ertejaj fee al-mokh]

condemn [kən'dɛm] v يُدين [judiːnu]

condensation [,kɒndɛn'seɪʃən] n تكثيف [takθiːf]

condition [kən'dɪʃən] n شَرط [ʃartˁ]

conditional [kən'dɪʃənˀl] adj مشروط [maʃruːtˁ]

conditioner [kən'dɪʃənə; con'ditioner] n ملطف [mulatˁˁif]

condom ['kɒndɒm; 'kɒndəm] n عازل طبى لمنع الحمل ['aazel ţebey le-man'a al-haml]

conduct [kən'dʌkt] v يُوصِل [juːsˁilu]

conductor [kən'dʌktə] n قائد فرقة موسيقية [qaaed fer'qah mose'qeyah]; **bus conductor** n موصل [muːsˁilun]

cone [kəʊn] n مخروط [maxruːtˁ]

conference ['kɒnfərəns; -frəns] n مؤتمر [muˀtamar]; **press conference** n مؤتمر صحفى [Moataar şaḥafey]; **Please take me to the conference centre** من فضلك أريد الذهاب إلى مركز المؤتمرات [min faḍlak areed al-dhehaab ela markaz al-muta-marat]

confess [kən'fɛs] v يعترف [jaʕtarifu]

confession [kən'fɛʃən] n إقرار [ʔiqrar]

confetti [kən'fɛti] npl قُضاضات ورقية [qusˁaːsˁaːtu waraqijjatu]

confidence ['kɒnfɪdəns] n (secret) ثقة [θiqa], (self-assurance) ثقة بالنفس [The'qah bel-nafs], (trust) ثقة [θiqa]

confident ['kɒnfɪdənt] adj واثق [waːθiq]

confidential [,kɒnfɪ'dɛnʃəl] adj سِرّى [sirij]

confirm [kən'fɜːm] v يُؤَكِد على [Yoaked ala]

confirmation [,kɒnfə'meɪʃən] n تأكيد [taˀkiːd]

confiscate ['kɒnfɪ,skeɪt] v يُصادِر [jusˁaːdiru]

conflict ['kɒnflɪkt] n صراع [sˁiraːʕ]

confuse [kən'fjuːz] v يُربك [jurbiku]

confused [kən'fjuːzd; con'fused] adj مُرتبك [murtabik]

confusing [kən'fjuːzɪŋ; con'fusing] adj مُربك [murbik]

confusion [kən'fjuːʒən] n ارتباك [irtibaːk]

congestion [kən'dʒɛstʃən] n احتقان [iḥtiqaːn]

Congo ['kɒŋgəʊ] n الكونغو [al-kuːnɣuː]

congratulate [kən'grætjʊ,leɪt] v يُهنئ [juhanniˀ]

congratulations [kən,grætjʊ'leɪʃənz] npl تهنئة [tahniˀat]

conifer ['kəʊnɪfə; 'kɒn-] n شجرة الصنوبر المخروطية [Shajarat al-şonobar al-makhrooṭeyah]

conjugation [ˌkʌndʒʊˈgeɪʃən] n تصريف الأفعال [Taṣreef al-afaal]

conjunction [kənˈdʒʌŋkʃən] n حرف عطف [Harf 'aatf]

conjurer [ˈkʌndʒərə] n دَجَّال [daʒʒa:l]

connect [kəˈnɛkt] v يَفصِل [jafsˤilu]

connection [kəˈnɛkʃən] n رابِطة [ra:bitˤa]

conquer [ˈkʌŋkə] v يَغْزو [jaɣzu:]

conscience [ˈkʌnʃəns] n ضمير إنساني [Ḍameer ensaney]

conscientious [ˌkʌnʃɪˈɛnʃəs] adj حى الضمير [Hay al-Ḍameer]

conscious [ˈkʌnʃəs] adj واع [wa:ʕ]

consciousness [ˈkʌnʃəsnɪs] n وَعى [waʕa:]

consecutive [kənˈsɛkjʊtɪv] adj متعاقب [mutaʕa:qib]

consensus [kənˈsɛnsəs] n إجماع [ʔiʒma:ʕ]

consequence [ˈkʌnsɪkwəns] n عاقبة [ʕa:qiba]

consequently [ˈkʌnsɪkwəntlɪ] adv بالتالي

conservation [ˌkʌnsəˈveɪʃən] n المُحافظة على الموارد الطبيعية [Al-moḥafadhah ala al-mawared al-ṭabeʕaeyah]

conservative [kənˈsɜːvətɪv] adj شخص محافظ [Shakhṣ moḥafeḍh]

conservatory [kənˈsɜːvətrɪ] n مستنبت زجاجي [mustanbatun zuʒa:ʒij]

consider [kənˈsɪdə] v يُفَكِر في [Yofaker fee]

considerate [kənˈsɪdreɪt] adj مُراع لمشاعر الآخرين [Moraa'a le-masha'aer al-aakhareen]

considering [kənˈsɪdərɪŋ] prep بالنظر إلى [Bel-naḍhar elaa]

consist [kənˈsɪst] v; **consist of** v يَتَألَف من [Yataalaf men]

consistent [kənˈsɪstənt] adj متماسك [mutama:sik]

consonant [ˈkʌnsənənt] n حرف ساكن [ḥarf saken]

conspiracy [kənˈspɪrəsɪ] n مؤامرة [muʔa:mara]

constant [ˈkʌnstənt] adj مستمر [mustamirr]

constantly [ˈkʌnstəntlɪ] adv بِثَبات [biθaba:tin]

constipated [ˈkʌnstɪˌpeɪtɪd] adj مصاب بالإمساك [Moṣab bel-emsak]

constituency [kənˈstɪtjʊənsɪ] n دائرة انتخابية [Daaera entekhabeyah]

constitution [ˌkʌnstɪˈtjuːʃən] n دستور [dustu:r]

construct [kənˈstrʌkt] v يُنشِئ [junʃiʔ]

construction [kənˈstrʌkʃən] n إنشاء [ʔinʃa:ʔ]

constructive [kənˈstrʌktɪv] adj بَنّاء [banna:ʔ]

consul [ˈkʌnsəl] n قنصل [qunsˤul]

consulate [ˈkʌnsjʊlɪt] n قنصلية [qunsˤulijja]

consult [kənˈsʌlt] v يَستشير [jastaʃi:ru]

consultant [kənˈsʌltənt] n (adviser) مستشار [mustaʃa:r]

consumer [kənˈsjuːmə] n مُستَهلِك [mustahlik]

contact n [ˈkʌntækt] اتصال [ittisˤa:l] ▷ v [kənˈtækt] يَتَّصِل [jattasˤilu]; **contact lenses** npl عدسات لاصقة [ʕadasaat lasˤe'qah]; **Where can I contact you?** أين يمكنني الاتصال بك؟ [ayna yamken-any al-etisal beka?]; **Who do we contact if there are problems?** من الذي يمكن الاتصال به في حالة حدوث أي مشكلات؟ [man alladi: jumkinu alittisˤa:lu bihi fi: ħa:latin ħudu:θin ʔajji muʃkila:tin]

contagious [kənˈteɪdʒəs] adj ناقل للعدوى [Na'qel lel-'aadwa]

contain [kənˈteɪn] v يَحتوي [jaħtawi:]

container [kənˈteɪnə] n حاوية [ħa:wija]

contemporary [kənˈtɛmprərɪ] adj معاصر [muʕa:sˤiru]

contempt [kənˈtɛmpt] n احتقار [iħtiqa:r]

content [ˈkʌntɛnt] n رضا [riḍˤa:]; **contents** npl (list) محتويات [muħtawaja:tun]

contest [ˈkʌntɛst] n مسابقة

[musa:baqa]

contestant [kən'tɛstənt] n مُنازِع [muna:ziʕ]

context ['kɒntɛkst] n سياق [sija:q]

continent ['kɒntɪnənt] n قارة [qa:rra]

continual [kən'tɪnjʊəl] adj متواصل [mutawasˤil]

continually [kən'tɪnjʊəlɪ] adv باستمرار [bistimrarin]

continue [kən'tɪnjuː] vi يَستأنِف [jastaʔnifu] ▷ vt يستمر [jastamirru]

continuous [kən'tɪnjʊəs] adj مستمر [mustamirr]

contraception [,kɒntrə'sɛpʃən] n منع الحمل [Man'a al-ḥml]; **I need contraception** أحتاج إلى منع الحمل [aḥtaaj ela mani'a al-ḥamil]

contraceptive [,kɒntrə'sɛptɪv] n مواد مانعة للحمل [Mawad mane'aah lel-haml]

contract ['kɒntrækt] n عقد [ʕaqd]

contractor ['kɒntræktə; kən'træk-] n مقاول [muqa:wil]

contradict [,kɒntrə'dɪkt] v يناقض [juna:qiðˤu]

contradiction [,kɒntrə'dɪkʃən] n تناقض [tana:qudˤ]

contrary ['kɒntrərɪ] n مُعاكِس [muʕa:kis]

contrast ['kɒntrɑːst] n تباين [taba:j]

contribute [kən'trɪbjuːt] v يسهم [jushimu]

contribution [,kɒntrɪ'bjuːʃən] n إسهام [ʔisha:m]

control [kən'trəʊl] n تَحَكُّم [taḥakkum] ▷ v يضبط [jadˤbitˤu]; **birth control** n تنظيم النسل [tanḍheem al-nasl]; **passport control** n الرقابة على جوازات السفر [Al-re'qabah ala jawazat al-safar]; **remote control** n التحكم عن بعد [Al-taḥakom an bo'ad]

controller [kən'trəʊlə] n; **air-traffic controller** n مراقبة جوية [Mora'qabah jaweyah]

controversial [,kɒntrə'vɜːʃəl] adj جَدَلي [ʒadalij]

convenient [kən'viːnɪənt] adj مناسب [muna:sib]

convent ['kɒnvənt] n دَيْر الراهبات [Deer al-rahebat]

conventional [kən'vɛnʃənəl] adj تقليدي [taqli:dij]

conversation [,kɒnvə'seɪʃən] n محادثة [muḥa:daθa]

convert [kən'vɜːt] v يتحوّل [jataḥawwalu]; **catalytic converter** n منظم الضارة [monaḍhem al-ḍarah]

convertible [kən'vɜːtəbəl] adj قابل للتحويل [ʔqabel lel-taḥweel] ▷ n سيارة كوبيه [Sayarah kobeeh]

convict [kən'vɪkt] v يُجَرِّم [juʒarrimu]

convince [kən'vɪns] v يُقْنِع بـ [Yo'qn'a be]

convincing [kən'vɪnsɪŋ; con'vincing] adj مقنع [muqniʕ]

convoy ['kɒnvɔɪ] n موكب [mawkib]

cook [kʊk] n طَبّاخ [tˤabba:x] ▷ v يطهو [jatˤhu:]

cookbook ['kʊk,bʊk] n كتاب طهي [Ketab ṭahey]

cooker ['kʊkə] n مَوْقِد [mu:qid]; **gas cooker** n موقد يعمل بالغاز [Maw'qed ya'amal bel-ghaz]

cookery ['kʊkərɪ] n فن الطبخ [Fan al-ṭabkh]; **cookery book** n كتاب فن الطهي [Ketab fan alṭahey]

cooking ['kʊkɪŋ] n طَهْي [tˤahj]

cool [kuːl] adj (cold) مائل للبرودة [Mael lel-brodah], (stylish) متبلد الحس [Motabled al-ḥes]

cooperation [kəʊˌɒpə'reɪʃən] n تعاون [taʕa:w]

cop [kɒp] n شرطي [ʃartˤij]

cope [kəʊp] v; **cope (with)** v يتَغْلَب على [Yatghalab 'ala]

copper ['kɒpə] n نحاس [nuḥa:s]

copy ['kɒpɪ] n (reproduction) نُسخ [nasx], (written text) نسخة [nusxa] ▷ v ينسخ [jansixu]

copyright ['kɒpɪˌraɪt] n حقوق الطبع والنشر [Ho'qoo'q al-ṭab'a wal-nashr]

coral ['kɒrəl] n مُرجان [marʒa:n]

cord [kɔːd] n; **spinal cord** n الحبل الشوكي

[Al-ḥabl alshawkey]

cordless ['kɔːdlɪs] adj لا سلكى
[La-selkey]

corduroy ['kɔːdərɔɪ; ˌkɔːdə'rɔɪ] n
قماش قطنى متين ['qomash 'qoṭ ney
mateen]

core [kɔː] n لُبّ [lubb]

coriander [ˌkɒrɪ'ændə] n كزبرة
[kuzbara]

cork [kɔːk] n فلين [filli:n]

corkscrew ['kɔːkˌskruː] n نازعة
السدادات [na:ziʕatu assada:ti]

corn [kɔːn] n ذرة [ðura]

corner ['kɔːnə] n زاوية [za:wija]

cornet ['kɔːnɪt] n بوق [bu:q]

cornflakes ['kɔːnˌfleɪks] npl رقائق الذرة
[Ra'qae'a al-dorrah]

cornflour ['kɔːnˌflaʊə] n نشا الذرة
[Nesha al-zorah]

corporal ['kɔːpərəl; -prəl] n عَرِيف
[ʕari:f]

corpse [kɔːps] n جثة [ʒuθθa]

correct [kə'rɛkt] adj صحيح [sˤaħi:ħ] ▷ v
يُصحِح [jusˤaħħiħu]

correction [kə'rɛkʃən] n تصحيح
[tasˤħi:ħ]

correctly [kə'rɛktlɪ] adv بشكل صحيح
[Beshakl ṣaheeh]

correspondence [ˌkɒrɪ'spɒndəns] n
مراسلة [mura:salatu]

correspondent [ˌkɒrɪ'spɒndənt] n
مُراسِل [mura:sil]

corridor ['kɒrɪˌdɔː] n رواق [riwa:q]

corrupt [kə'rʌpt] adj فاسد [fa:sid]

corruption [kə'rʌpʃən] n فساد [fasa:d]

cosmetics [kɒz'mɛtɪks] npl
مستحضرات تزيين [Mostaḥdarat tazyeen]

cost [kɒst] n تكلفة [taklufa] ▷ v يُكَلِف
[jukallifu]; **cost of living** n تكلفة المعيشة
[Taklefat al-ma'aeeshah]; **How much
does it cost?** كم تبلغ تكلفة هذا؟ [kam
tablugh taklifat hadha?]; **How much
will the repairs cost?** كم تكلفة التصليح
[kam taklifat al-taṣleeh?]

Costa Rica ['kɒstə 'riːkə] n كوستاريكا
[ku:sta:ri:ka:]

costume ['kɒstjuːm] n زي [zajj];
swimming costume n زي السباحة [Zey
sebaḥah]

cosy ['kəʊzɪ] adj دافئ ومريح [Dafea wa
moreeḥ]

cot [kɒt] n مهد [mahd]

cottage ['kɒtɪdʒ] n كوخ لقضاء العطلة
[Kookh le-'qadaa al-'aotlah]; **cottage
cheese** n جبن قريش [Jobn 'qareesh]

cotton ['kɒtən] n قطن [quṭʕn]; **cotton
bud** n رأس البرعم القطنى [Raas
al-bor'aom al-'qataney]; **cotton wool** n
قطن طبى ['qotn ṭebey]

couch [kaʊtʃ] n مَضْجَع [maḍʒaʕ]

couchette [kuː'ʃɛt] n مضجع صغير
[Madja'a ṣagheer]

cough [kɒf] n سعال [suʕa:l] ▷ v يَسْعُل
[jasʕulu]; **cough mixture** n مُركّب لعلاج السعال
[Morakab le'alaaj also'aal]

council ['kaʊnsəl] n مجلس [maʒlis];
council house n دار المجلس التشريعى
[Dar al-majles al-tashre'aey]

councillor ['kaʊnsələ] n عضو مجلس
['aodw majles]

count [kaʊnt] v يَحسَب [jaħsibu]

counter ['kaʊntə] n طاولة بيع [Ṭawelat
bey'a]

count on [kaʊnt ɒn] v يعتمد على
[jaʕtamidu ʕala:]

country ['kʌntrɪ] n بَلَد [balad];
developing country n بَلَد نامٍ [Baladen
namen]

countryside ['kʌntrɪˌsaɪd] n ريف [ri:f]

couple ['kʌpəl] n زوجان [zawʒa:ni]

courage ['kʌrɪdʒ] n إقدام [ʔiqda:m]

courageous [kə'reɪdʒəs] adj مِقدام
[miqda:m]

courgette [kʊə'ʒɛt] n كوسة [ku:sa]

courier ['kʊərɪə] n ساعي [sa:ʕi:]; **I want
to send this by courier**
أريد إرسال ذلك لتوصيل ساعي [areed ersaal sa'ay
le-tawṣeel hadha]

course [kɔːs] n دَوْرَة تعليمية [Dawrah
ta'aleemyah]; **golf course** n ملعب
الجولف [Mal'aab al-jolf]; **main course** n
طبق رئيسى [Ṭaba'q raeesey]; **refresher**

course n دورة تنشيطية [Dawrah tansheeṭeyah]; **training course** n دورة تدريبية [Dawrah tadreebeyah]

court [kɔːt] n بلاط القصر [Balaṭ al-'qaṣr]; **tennis court** n ملعب تنس [Mal'aab tenes]

courtyard ['kɔːt‚jɑːd] n ساحة الدار [Sahat al-dar]

cousin ['kʌzªn] n ابن العم [Ebn al-'aam]

cover ['kʌvə] n غطاء [ɣiťaːʔ] ▷ v يُغَطي [juɣatˤiˤiː]; **cover charge** n المصاريف المدفوعة مقدما [Al-maṣaareef al-madfoo'ah mo'qadaman]

cow [kaʊ] n بقرة [baqara]

coward ['kaʊəd] n جبان [ʒabaːn]

cowardly ['kaʊədlɪ] adj جبان [ʒabaːn]

cowboy ['kaʊ‚bɔɪ] n راعى البقر [Ra'aey al-ba'qar]

crab [kræb] n حيوان السرطان [Ḥayawan al-saraṭan]

crack [kræk] n (cocaine) مُخَدِّر [muxaddir], (fracture) صَدْع [sˤadʕ] ▷ v يَصْدع [jasˤdaʕu]; **crack down on** v يَتخذ اجراءات صارمة ضد [yatakhedh ejraat ṣaremah ḍed]

cracked [krækt] adj متصدع [mutasˤaddiʕ]

cracker ['krækə] n كسارة الجوز [Kasarat al-jooz]

cradle ['kreɪdªl] n مَهْد [mahd]

craft [krɑːft] n حرفة [ħirfa]

craftsman ['krɑːftsmən] n حِرَفي [ħirafij]

cram [kræm] v يحشو [jaħʃuː]

crammed [kræmd] adj محشو [maħʃuww]

cranberry ['krænbərɪ; -brɪ] n توت بري [Toot barrey]

crane [kreɪn] n (bird) رافعة [ra:fiʕa], (for lifting) وِنْش [winʃ]

crash [kræʃ] n تَحَطم [taħaťˤum] ▷ vi يتَحَطم [jataħatˤˤamu] ▷ vt يَتَحَطم [jataħatˤˤamu]

crawl [krɔːl] v يَزْحف [jazħafu]

crayfish ['kreɪ‚fɪʃ] n جراد البحر [Jarad al-bahr]

crayon ['kreɪən; -ɒn] n أقلام ملونة [A'qlaam molawanah]

crazy ['kreɪzɪ] adj ضعيف [dˤaʕiːf]

cream [kriːm] adj كريمي [kriːmiː] ▷ n قشدة [qiʃda]; **ice cream** n آيس كريم [aayes kreem]; **shaving cream** n كريم الحلاقة [Kereem al-helaka]; **whipped cream** n كريمة مخفوقة [Keremah makhfoo'qah]

crease [kriːs] n ثنية [θanja]

creased [kriːst] adj متغضن [mutaɣadˤˤin]

create [kriːˈeɪt] v يُبْدع [jubdiʕu]

creation [kriːˈeɪʃən] n إبداع [ʔibdaːʕ]

creative [kriːˈeɪtɪv] adj خلاق [xalla:q]

creature ['kriːtʃə] n مخلوق [maxlu:q]

crèche [krɛʃ] n حضانة أطفال [Haḍanat atfal]

credentials [krɪˈdɛnʃəlz] npl أوراق اعتماد [Awra'q e'atemaad]

credible ['krɛdɪbªl] adj موثوق فيه [Mawthoo'q beh]

credit ['krɛdɪt] n ائتمان [iʔtimaːn]; **credit card** n كارت ائتمان [Kart eateman]; **Can I pay by credit card?** هل يمكنني الدفع ببطاقة الائتمان؟ [hal yamken -any al-daf'a be- beṭa-'qat al-etemaan?]; **Do you take credit cards?** هل يتم قبول بطاقات الائتمان؟ [hal yatum 'qubool be-ṭa'qaat al-eetiman?]

crematorium, crematoria [‚krɛməˈtɔːrɪəm, ‚krɛməˈtɔːrɪə] n مَحْرَقة [maħraqa]

cress [krɛs] n نبات رشاد [Nabat rashad]

crew [kruː] n طاقم [tˤaːqam]; **crew cut** n قصة شعر قصيرة ['qaṣat sha'ar]

cricket ['krɪkɪt] n (game) لعبة الكريكيت [Lo'abat al-kreeket], (insect) حشرة صرار الليل [Hashrat ṣarar al-layl]

crime [kraɪm] n جريمة [ʒariːma]

criminal ['krɪmɪnªl] adj جنائي [ʒina:ʔij] ▷ n مجرم [muʒrim]

crisis ['kraɪsɪs] n أزمة [ʔazma]

crisp [krɪsp] adj هش [haʃʃ]

crisps [krɪsps] npl شرائح البطاطس [Sharaeh al- baṭaṭes]

crispy ['krɪspɪ] adj هش [haʃ]

criterion, criteria [kraɪ'tɪərɪən, kraɪ'tɪərɪə] n معيار [miʕjir]

critic ['krɪtɪk] n ناقد [na:qid]

critical ['krɪtɪkəl] adj انتقادي [intiqa:dij]

criticism ['krɪtɪˌsɪzəm] n نَقْد [naqd]

criticize ['krɪtɪˌsaɪz] v ينتقد [jantaqidu]

Croatia [krəʊ'eɪʃə] n كرواتيا [karwa:tja:]

Croatian [krəʊ'eɪʃən] adj كرواتي [kruwa:tijjat] ▷ n (language) اللغة الكرواتية [Al-loghah al-korwateyah], (person) كرواتي [kruwa:tijja]

crochet ['krəʊʃeɪ; -ʃɪ] v يُحْبِك [juħbiku]

crockery ['krɒkərɪ] n; **We need more crockery** نحن في حاجة إلى المزيد من أواني الطهي [naħno fee ħaja ela al-mazeed min awany al-ṭahy]

crocodile ['krɒkəˌdaɪl] n تمساح [timsa:ħ]

crocus ['krəʊkəs] n زعفران [zaʕfara:n]

crook [krʊk] n خُطّاف [xutˤa:f], (swindler) خُطّاف [xutˤa:f]

crop [krɒp] n محصول [maħsˤu:l]

cross [krɒs] adj مُتَقاطع [mutaqa:tˤʕ] ▷ n صليب [sˤali:b] ▷ v يَعْبُر [juʕabbiru]; **Red Cross** n الصليب الأحمر [Al-Ṣaleeb al-aħmar]

cross-country ['krɒs'kʌntrɪ] n سباق الضاحية [Seba'q al-ḍaheyah]

crossing ['krɒsɪŋ] n عبور [ʕubu:r]; **level crossing** n مزلقان [mizlaqa:nun]; **pedestrian crossing** n ممر خاص لعبور المشاه [Mamar khaṣ leaboor al-moshah]; **pelican crossing** n عبور المشاه سيراً على الأقدام ['aobor al-moshah sayran ala al-a'qdam]; **zebra crossing** n ممر للمشاة ملون بالأبيض والأسود [Mamar lel-moshah molawan bel-abyaḍ wal-aswad]; **How long does the crossing take?** ما هي المدة التي يستغرقها العبور؟ [ma heya al-mudda al-laty yasta-ghri'q-uha al-'auboor?]; **How much is the crossing for a car and four people?** ما هي تكلفة عبور سيارة وأربعة أشخاص؟ [ma heya taklifat 'auboor sayara wa arba'aat ash-khaṣ?]; **The**

crossing was rough كان العبور صعبا [kan il-'aobor ṣa'aban]

cross out [krɒs aʊt] v يَشطُب [jaʃtˤubu]

crossroads ['krɒsˌrəʊdz] n طرق متقاطعة [Ṭaree'q mot'qat'ah]

crossword ['krɒsˌwɜːd] n كلمات متقاطعة [Kalemat mota'qat'aa]

crouch down [kraʊtʃ daʊn] v يَرْبِض [jarbidˤu]

crow [krəʊ] n غراب [ɣura:b]

crowd [kraʊd] n حشد [ħaʃd]

crowded [kraʊdɪd] adj مزدحم [muzdaħim]

crown [kraʊn] n تاج [ta:ʒ]

crucial ['kruːʃəl] adj عصيب [ʕasˤi:b]

crucifix ['kruːsɪfɪks] n صليب [sˤali:b]

crude [kruːd] adj فج [faʒʒ]

cruel ['kruːəl] adj قاسي [qa:si:]

cruelty ['kruːəltɪ] n قسوة [qaswa]

cruise [kruːz] n رحلة بحرية [Reħalh bahreyah]

crumb [krʌm] n كِسرة خبز [Kesrat khobz]

crush [krʌʃ] v يسحق [jasħaqu]

crutch [krʌtʃ] n عكاز [ʕukka:z]

cry [kraɪ] n بُكاء [buka:ʔ] ▷ v يصرخ [jasˤruxu]

crystal ['krɪstəl] n بُلّور [billawr]

cub [kʌb] n شِبْل [ʃibl]

Cuba ['kjuːbə] n كوبا [ku:ba:]

Cuban ['kjuːbən] adj كوبي [ku:bij] ▷ n كوبي [ku:bij]

cube [kjuːb] n مكعب [mukaʕʕab]; **ice cube** n مكعب ثلج [Moka'aab thalj]; **stock cube** n مكعب حساء [Moka'aab ħasaa]

cubic ['kjuːbɪk] adj مكعب [mukaʕʕab]

cuckoo ['kʊkuː] n طائر الوقواق [Ṭaer al-wa'qwa'q]

cucumber ['kjuːˌkʌmbə] n خِيار [xija:r]

cuddle ['kʌdəl] v يُعانِق [juʕa:niqu] ▷ n عناق [ʕina:q]

cue [kjuː] n (billiards) إلماع [ʔilma:ʕ]

cufflinks ['kʌflɪŋks] npl أزرار كم القميص [Azrar kom al'qamees]

culprit ['kʌlprɪt] n مُذنِب [muðnib]

cultural ['kʌltʃərəl] *adj* ثقافي [θaqa:fij]

culture ['kʌltʃə] *n* ثقافة [θaqa:fa]

cumin ['kʌmɪn] *n* كَمّون [kammu:n]

cunning ['kʌnɪŋ] *adj* ماكر [ma:kir]

cup [kʌp] *n* فنجان [finʒa:n]; **World Cup** *n* كأس العالم [Kaas al-'aalam]

cupboard ['kʌbəd] *n* خزانة للأطباق والكؤوس [Khezanah lel atba'q wal-koos]

curb [kɜːb] *n* شكيمة [ʃaki:ma]

cure [kjʊə] *n* شفاء [ʃifa:ʔ] ▷ *v* يُعالِج [juʃa:liʒu]

curfew ['kɜːfjuː] *n* حضر التجول [ħaðr al-tajawol]

curious ['kjʊərɪəs] *adj* محب للاستطلاع [Moħeb lel-estetlaa'a]

curl [kɜːl] *n* يَعقِص الشعر [Ya'aqes al-sha'ar]

curler ['kɜːlə] *n* ماكينة تجعيد الشعر [Makeenat taj'aeed sha'ar]

curly ['kɜːlɪ] *adj* معقوص [maʃquːsˤ]

currant ['kʌrənt] *n* زبيب [zabiːb]

currency ['kʌrənsɪ] *n* عملة متداولة [A'omlah motadawlah]

current ['kʌrənt] *adj* حالي [ħaːlij] ▷ *n* (electricity) تيار [tajja:r], (flow) تدفق [tadaffuq]; **current account** *n* حساب جاري [Hesab tejarey]; **current affairs** *npl* شؤون الساعة [Sheoon al-saa'ah]; **Are there currents?** هل يوجد تيارات مائية في هذه الشواطئ؟ [hal yujad taya-raat maiya fee hadhy al-shawaty]

currently ['kʌrəntlɪ] *adv* حالياً [ħa:lijjan]

curriculum [kə'rɪkjʊləm] *n* منهج دراسي [Manhaj derasey]; **curriculum vitae** *n* سيرة ذاتية [Seerah dhateyah]

curry ['kʌrɪ] *n* كاري [ka:ri:]; **curry powder** *n* مسحوق الكاري [Mashoo'q alkaarey]

curse [kɜːs] *n* لعنة [laʃna]

cursor ['kɜːsə] *n* مؤشر [muʔaʃʃir]

curtain ['kɜːtən] *n* ستارة [sita:ra]

cushion ['kʊʃən] *n* مخفف الصدمات [Mokhafef al-sadamat]

custard ['kʌstəd] *n* كسترد [kustard]

custody ['kʌstədɪ] *n* وصاية [wisˤa:ja]

custom ['kʌstəm] *n* عرف [ʃurf]

customer ['kʌstəmə] *n* عميل [ʃami:l]

customized ['kʌstə,maɪzd] *adj* مَصْنُوع وفقاً لطلب الزبون [masˤnu:ʃun wafqan lit'alabi azzabu:ni]

customs ['kʌstəmz] *npl* رسوم جمركية [Rosoom jomrekeyah]; **customs officer** *n* مسئول الجمرك [Masool al-jomrok]

cut [kʌt] *n* جرح [ʒurħ] ▷ *v* يَقطّع [jaqtˤaʃu]; **crew cut** *n* قصة شعر قصيرة ['qasat sha'ar]; **power cut** *n* انقطاع التيار الكهربي [En'qetaa'a al-tayar alkahrabey]; **He has cut himself** لقد جرح نفسه [la'qad jara-ha naf-sehe]

cutback ['kʌt,bæk] *n* تخفيض الانتاج [Takhfeed al-entaj]

cut down [kʌt daʊn] *v* يَقطّع شجرة [juqat'a'ʃu ʃaʒaratan]

cute [kjuːt] *adj* حَذِق [ħaðiq]

cutlery ['kʌtlərɪ] *n* سكاكين المائدة [Skakeen al-maeadah]

cutlet ['kʌtlɪt] *n* شَريحة لحم مشوية [Shareehat lahm mashweyah]

cut off [kʌt ɒf] *v* يتوقف عن العمل [jatawaqqafu ʃan alʃamali]

cutting ['kʌtɪŋ] *n* قطع [qitˤʃ]

cut up [kʌt ʌp] *v* يَقطّع بالسكين [Ya'qta'a bel-sekeen]

CV [siː viː] *abbr* سيرة ذاتية [Seerah dhateyah]

cybercafé ['saɪbə,kæfeɪ; -,kæfɪ] *n* مقهى الانترنت [Ma'qha al-enternet]

cybercrime ['saɪbə,kraɪm] *n* جرائم الكمبيوتر والانترنت [Jraem al-kmobyoter wal-enternet]

cycle ['saɪkəl] *n* (bike) دراجة بخارية [Darrajah bokhareyah], (recurring period) دورة [dawra] ▷ *v* يُدَوِّر [jadu:ru]; **cycle lane** *n* زُقاق دائري [Zo'qa'q daerey]; **cycle path** *n* ممر الدراجات [Mamar al-darajat]

cycling ['saɪklɪŋ] *n* تدوير [tadwi:ru]

cyclist ['saɪklɪst] *n* راكب الدراجة [Rakeb al-darrajah]

cyclone ['saɪkləʊn] *n* زَوْبَعة [zawbaʃa]

cylinder ['sɪlɪndə] *n* اسطوانة

[ustˤuwaːna]

cymbals [ˈsɪmbᵊlz] *npl* آلة الصنج [Alat al-ṣanj al-moseˈqeyah] آلة الصنج الموسيقية

Cypriot [ˈsɪprɪət] *adj* قبرصي [qubrusˤij]
▷ *n* (person) قبرصي [qubrusˤij]

Cyprus [ˈsaɪprəs] *n* قبرص [qubrusˤ]

cyst [sɪst] *n* مَثانة [maθaːna]

cystitis [sɪˈstaɪtɪs] *n* التهاب المثانة [El-tehab al-mathanah]

Czech [tʃɛk] *adj* تشيكي [tʃiːkij] ▷ *n* (language) اللغة التشيكية [Al-loghah al-teshekeyah], (person) شخص تشيكي [Shakhṣ tesheekey]; **Czech Republic** *n* جمهورية التشيك [Jomhoreyat al-tesheek]

dad [dæd] *n* أب [ʔab]

daddy [ˈdædɪ] *n* بابا [baːbaː]

daffodil [ˈdæfədɪl] *n* نرجس [narʒis]

daft [dɑːft] *adj* أحمَق [ʔaħmaq]

daily [ˈdeɪlɪ] *adj* يَوْمي [jawmij] ▷ *adv* يومياً [jawmijjaan]

dairy [ˈdɛərɪ] *n* مصنع منتجات الألبان [maṣnaʿa montajat al-alban]; **dairy produce** *n* منتج ألبان [Montej albaan]; **dairy products** *npl* منتجات الألبان [Montajat al-baan]

daisy [ˈdeɪzɪ] *n* زهرة الأقحُوان [Thamrat al-oˈqḥowan]

dam [dæm] *n* سد [sadd]

damage [ˈdæmɪdʒ] *n* ضرر [dˤarar] ▷ *v* يَضُر [jadˤurru]

damaged [ˈdæmɪdʒd] *adj*; **My luggage has been damaged** لقد تعرضت حقائبي للضرر [laˈqad ta-ʿaaraḍat ḥaˈqa-eby lel-ḍarar]; **My suitcase has arrived damaged** لقد تعرضت حقيبة السفر الخاصة بي للضرر [laˈqad ta-ʿaaraḍat ḥaˈq-ebat al-safar al-khaṣa bee lel-ḍarar]

damn [dæm] *adj* لعين [laʕiːnu]

damp [dæmp] *adj* ندي [nadij]

dance [dɑːns] *n* رَقصة [raqsˤa] ▷ *v* يرقص

[jarqusʕu]

dancer ['dɑːnsə] n راقص [ra:qis'u]

dancing ['dɑːnsɪŋ] n رَقَص [raqs'];
ballroom dancing رقص ثنائي [Ra'qs thonaaey]

dandelion ['dændɪˌlaɪən] n نبات الهندباء البرية [Nabat al-hendbaa al-bareyah]

dandruff ['dændrəf] n قشرة الرأس ['qeshart al-raas]

Dane [deɪn] n دانماركي [da:nma:rkij]

danger ['deɪndʒə] n خطر [xat'ar]; **Is there a danger of avalanches?** هل يوجد خطر من وجود الكتلة الجليدية المنحدرة؟ [hal yujad khatar min wijood al-kutla al-jalee-diya al-muhadera?]

dangerous ['deɪndʒərəs] adj خطير [xat'iːr]

Danish ['deɪnɪʃ] adj دانماركي [da:nma:rkij] ▷ n (language) اللغة الدانمركية [Al-loghah al-danmarkeyah]

dare [dɛə] v يَجرُؤ [jaʒruʔu]

daring ['dɛərɪŋ] adj جرئ [ʒariʔ]

dark [dɑːk] adj مظلم [muz'lim] ▷ n ظلام [z'ala:m]

darkness ['dɑːknɪs] n ظُلْمَة [z'ulma]

darling ['dɑːlɪŋ] n حبيب [ħabi:b]

dart [dɑːt] n سَهْم [sahm]

darts [dɑːts] npl لعبة رمي السهام [Lo'abat ramey al-seham]

dash [dæʃ] v يندفع [jandafiʕu]

dashboard ['dæʃˌbɔːd] n حجاب واقى [Hejab wara'qey]

data ['deɪtə; 'dɑːtə] npl بيانات [baja:na:tun]

database ['deɪtəˌbeɪs] n قاعدة بيانات ['qaedat bayanat]

date [deɪt] n تاريخ [ta:ri:x]; **best-before date** n يُفضل استخدامه قبل التاريخ المُحَدد [Yofaḍḍal estekhdamoh 'qabl al-tareekh al-mohaddad]; **expiry date** n تاريخ الانتهاء [Tareekh al-entehaa]; **sell-by date** n تاريخ انتهاء الصلاحية [Tareekh enthaa al-ṣalaḥeyah]; **What is the date?** ما هو التاريخ؟ [ma howa al-tareekh?]; **What is today's date?** ما هو تاريخ اليوم؟ [ma howa tareekh

al-yawm?]

daughter ['dɔːtə] n ابنة [ibna]

daughter-in-law ['dɔːtə ɪn lɔː] (pl **daughters-in-law**) n زوجة الابن [Zawj al-ebn]

dawn [dɔːn] n فَجْر [faʒr]

day [deɪ] n يوم [jawm]; **day return** n تذكرة ذهاب وعودة في نفس اليوم [tadhkarat dhehab we-'awdah fee nafs al-yawm]; **Valentine's Day** n عيد الحب ['aeed al-ḥob]; **Do you run day trips to…?** هل تنظمون رحلات يومية إلى...؟ [hal tunaḍh-emoon rehlaat yaw-miya ela...?]; **What a lovely day!** يا له من يوم جميل! [ya laho min yawm jameel]; **What are your rates per day?** ما هو الإيجار اليومي؟ [ma howa al-ejaar al-yawmi?]; **What day is it today?** أي الأيام تكون اليوم؟ [ay al-ayaam howa al- yawm?]; **What is the dish of the day?** ما هو طبق اليوم [ma howa ṭaba'q al-yawm?]

daytime ['deɪˌtaɪm] n فترة النهار [Fatrat al-nehaar]

dead [dɛd] adj متوفى [mutawaffin] ▷ adv تماماً [tama:man]; **dead end** n طريق مسدود [Taree'q masdood]

deadline ['dɛdˌlaɪn] n موعد الانتهاء [Maw'aed al-entehaa]

deaf [dɛf] adj أصم [ʔasˤamm]

deafening ['dɛfnɪŋ] adj مسبب الصمم [Mosabeb lel-ṣamam]

deal [diːl] n صفقة [sˤafqa]

dealer ['diːlə] n تاجر [ta:ʒir]; **drug dealer** n تاجر مخدرات [Tajer mokhaddrat]

deal with [diːl wɪð] v يُعالِج [juʕa:liʒu]

dear [dɪə] adj (expensive) عزيزي [ʕazi:zi:], (loved) عزيز [ʕazi:z]

death [dɛθ] n مَوْت [mawt]

debate [dɪˈbeɪt] n مناقشة [muna:qaʃa] ▷ v يناقش [juna:qiʃu]

debit ['dɛbɪt] n مَدين [madi:n] ▷ v يُسجل [jusʒilu 'ala: ħisa:bin]; **debit card** n كارت سحب [Kart sahb]; **direct debit** n يخصم مباشرةً من حساب العميل [Yokhṣam mobasharatan men hesab al'ameel]

debt [dɛt] n دَيْن [dajn]

decade ['dɛkeɪd; dɪˈkeɪd] n عقد من الزمن ['aaˈqd men al-zaman]

decaffeinated [dɪˈkæfɪˌneɪtɪd] adj منزوع منه الكافيين [Manzoo'a menh al-kafayeen]; **decaffeinated coffee** n قهوة منزوعة الكافيين ['qahwa manzo'aat al-kafayen]

decay [dɪˈkeɪ] v يَتعفن [jataʕaffanu]

deceive [dɪˈsiːv] v يَغش [jaɣiʃʃu]

December [dɪˈsɛmbə] n ديسمبر [diːsambar]; **on Friday the thirty first of December** يوم الجمعة الموافق الحادي والثلاثين من ديسمبر [yawm al-jum.aa al- muwa-fi'q al-ḥady waal-thalatheen min desambar]

decent ['diːsᵊnt] adj مهذب [muhaððab]

decide [dɪˈsaɪd] v يُقَرر [juqarriru]

decimal ['dɛsɪməl] adj عشري [ʕuʃarij]

decision [dɪˈsɪʒən] n قرار [qara:r]

decisive [dɪˈsaɪsɪv] adj حاسم [ħa:sim]

deck [dɛk] n ظهر المركب [ḍhahr al-mrkeb]; **How do I get to the car deck?** كيف يمكن الوصول إلى السيارة على ظهر المركب؟ [kayfa yamkin al-wiṣool ela al-sayarah 'ala ḍhahr al-markab?]

deckchair [ˈdɛkˌtʃɛə] n كرسي طويل قابل لظهر المركب [kursijjun tˤawiːlun qa:bilun liẓᵃahri almarkabi]

declare [dɪˈklɛə] v يُعْلن [juʕlinu]

decorate [ˈdɛkəˌreɪt] v يُزخرف [juzaxrifu]

decorator [ˈdɛkəˌreɪtə] n مُزخرَف [muza-xraf]

decrease n النقص [an-naqsˤu] ▷ v [dɪˈkriːs] ينقص [janqusˤu]

dedicated [ˈdɛdɪˌkeɪtɪd] adj متفرغ [mutafarriɣ]

dedication [ˌdɛdɪˈkeɪʃən] n تكريس [takriːs]

deduct [dɪˈdʌkt] v يَقْتطع [jaqtatˤiʕu]

deep [diːp] adj عميق [ʕami:q]

deep-fry [diːpfraɪ] v يَقلي [jaqli:]

deeply [ˈdiːplɪ] adv بعمق [biʕumqin]

deer [dɪə] (pl **deer**) n أيّل [ʔajl]

defeat [dɪˈfiːt] n هزيمة [hazi:munt] ▷ v [jahzimu] يهزم

defect [dɪˈfɛkt] n عيب [ʕajb]

defence [dɪˈfɛns] n دفاع [difa:ʕ]

defend [dɪˈfɛnd] v يُدافع [juda:fiʕu]

defendant [dɪˈfɛndənt] n مُدَعى عليه [Moda.aa 'aalayh]

defender [dɪˈfɛndə] n مُدافع [muda:fiʕ]

deficit [ˈdɛfɪsɪt; dɪˈfɪsɪt] n عجز فى الميزانية ['ajz fee- almezaneyah]

define [dɪˈfaɪn] v يُعَرف [juʕarrifu]

definite [ˈdɛfɪnɪt] adj واضح [wa:dˤiħ]

definitely [ˈdɛfɪnɪtlɪ] adv بكل تأكيد [Bekol taakeed]

definition [ˌdɛfɪˈnɪʃən] n تعريف [taʕri:f]

degree [dɪˈgriː] n درجة [daraʒa]; **degree centigrade** n درجة حرارة مئوية [Draajat ḥaraarah meaweyah]; **degree Celsius** n درجة حرارة سلزيوس [Darajat ḥararah selezyos]; **degree Fahrenheit** n درجة حرارة فهرنهايتي [Darjat hararh ferhrenhaytey]

dehydrated [diːˈhaɪdreɪtɪd] adj مُجَفَف [muʒaffif]

de-icer [diːˈaɪsə] n ماكينة إزالة الثلوج [Makenat ezalat al-tholo'j]

delay [dɪˈleɪ] n تأخير [taʔxi:r] ▷ v يتأخر [jataʔxxaru]

delayed [dɪˈleɪd] adj متأخر [mutaʔxxir]

delegate n [ˈdɛlɪˌgeɪt] انتداب [intida:b] ▷ v [ˈdɛlɪˌgeɪt] ينتدب [jantadibu]

delete [dɪˈliːt] v يَحذف [jaħðifu]

deliberate [dɪˈlɪbərɪt] adj مُتَعمد [mutaʕammad]

deliberately [dɪˈlɪbərətlɪ] adv بشكل متعمد [Be-shakl mota'amad]

delicate [ˈdɛlɪkɪt] adj رقيق [raqi:q]

delicatessen [ˌdɛlɪkəˈtɛsᵊn] n أطعمة معلبة [a tˤaemah mo'aalabah]

delicious [dɪˈlɪʃəs] adj شهي [ʃahij]; **The meal was delicious** كانت الوجبة شهية [kanat il-wajba sha-heyah]

delight [dɪˈlaɪt] n بهجة [bahʒa]

delighted [dɪˈlaɪtɪd] adj مسرور جداً [Masroor jedan]

delightful [dɪˈlaɪtfʊl] adj سار جداً [Sar jedan]

deliver [dɪˈlɪvə] v يُسَلِم [jusallimu]

delivery [dɪ'lɪvərɪ] n تسليم [tasli:m]; **recorded delivery** n بعلم الوصول [Be-'aelm al-woşool]

demand [dɪ'mɑːnd] n حاجة ملحة [Hajah molehah] ▷ v يُطالب ب [Yoṭaleb be]

demanding [dɪ'mɑːndɪŋ] adj كثير المطالب [Katheer almaṭaleb]

demo, demos ['dɛməʊ, 'dɪːməs] n تجربة إيضاحية [Tajrebah eeḍaheyah]

democracy [dɪ'mɒkrəsɪ] n ديمقراطية [di:muqra:tˤijja]

democratic [ˌdɛmə'krætɪk] adj ديمقراطي [di:muqra:tˤij]

demolish [dɪ'mɒlɪʃ] v يَهْدِم [jahdimu]

demonstrate ['dɛmənˌstreɪt] v يُبَرْهن [jubarhinu]

demonstration [ˌdɛmən'streɪʃən] n مُظاهَرة [muzˤaːhara]

demonstrator ['dɛmənˌstreɪtə] n معيد [muʕiːd]

denim ['dɛnɪm] n قماش الدنيم القطني ['qomash al-deneem al-'qotney]

denims ['dɛnɪmz] npl سروال من قماش الدنيم القطني [Serwal men 'qomash al-deneem al-'qotney]

Denmark ['dɛnmɑːk] n الدانمارك [ad-da:nma:rk]

dense [dɛns] adj كثيف [kaθiːf]

density ['dɛnsɪtɪ] n كثافة [kaθaːfa]

dent [dɛnt] n أسنان [ʔasnaːnu] ▷ v يَنْبَعِج [janbaʕiʒu]

dental ['dɛntəl] adj متعلق بطب الأسنان [Mota'ale'q be-ṭeb al-asnan]; **dental floss** n خَيْط تنظيف الأسنان [Khayṭ tandheef al-asnan]

dentist ['dɛntɪst] n طبيب أسنان [Ṭabeeb asnan]; **I need a dentist** أحتاج إلى الذهاب إلى طبيب أسنان [aḥtaaj ela al-dhehaab ela ṭabeeb asnaan]

dentures ['dɛntʃəz] npl أطقم أسنان صناعية [Aṭ'qom asnan sena'aeyah]

deny [dɪ'naɪ] v يُنْكِر [junkiru]

deodorant [diː'əʊdərənt] n مزيل رائحة العرق [Mozeel raaehat al-'aara'q]

depart [dɪ'pɑːt] v يَرحل [jarḥalu]

department [dɪ'pɑːtmənt] n قِسم [qism]; **accident & emergency department** n إدارة الحوادث والطوارئ [Edarat al-hawadeth wa-al-tawarea]; **department store** n محل مكون من أقسام [Maḥal mokawan men a'qsaam]

departure [dɪ'pɑːtʃə] n مغادرة [muɣaːdara]; **departure lounge** n صالة المغادرة [Ṣalat al-moghadarah]

depend [dɪ'pɛnd] v يعتمد على [jaʕtamidu ʕala:]

deport [dɪ'pɔːt] v ينفي [janfi:]

deposit [dɪ'pɒzɪt] n يُودِع [judiʕu]

depressed [dɪ'prɛst] adj محبط [muħbatˤ]

depressing [dɪ'prɛsɪŋ] adj محزن [muħzin]

depression [dɪ'prɛʃən] n إحباط [ʔiħbaːtˤ]

depth [dɛpθ] n عمق [ʕumq]

descend [dɪ'sɛnd] v ينحدر [janħadiru]

describe [dɪ'skraɪb] v يَصِف [jasˤifu]

description [dɪ'skrɪpʃən] n وَصف [wasˤf]

desert ['dɛzət] n صحراء [sˤaħraːʔu]; **desert island** n جزيرة استوائية غير مأهولة [Jozor ghayr maahoolah]

deserve [dɪ'zɜːv] v يَستحِق [jastaħiqqu]

design [dɪ'zaɪn] n تصميم [tasˤmiːm] ▷ v يُصمِم [jusˤammimu]

designer [dɪ'zaɪnə] n مُصَمِم [musˤammim]; **interior designer** n مُصمم داخلي [Moṣamem dakheley]

desire [dɪ'zaɪə] n رغبة [raɣba] ▷ v يَرغب [jarɣabu]

desk [dɛsk] n مكتب [maktab]; **enquiry desk** n مكتب الاستعلامات [Maktab al-este'alaamat]; **May I use your desk?** هل لي أن أستخدم المكتب الخاص بك؟ [hal lee an astakhdim al-maktab al-khaaṣ bik?]

despair [dɪ'spɛə] n يأس [jaʔs]

desperate ['dɛspərɪt; -prɪt] adj يئوس [jaʔuːs]

desperately ['dɛspərɪtlɪ] adv بيأس [bijaʔsin]

despise [dɪ'spaɪz] v يحتقر [jaħtaqiru]

despite [dɪ'spaɪt] *prep* بالرغم [Bel-raghm]

dessert [dɪ'zɜ:t] *n* تحلية [taḥlija]; **dessert spoon** *n* ملعقة الحلويات [Mel'a'qat al-ḥalaweyat]

destination [ˌdɛstɪ'neɪʃən] *n* مَقصد [maqsˤid]

destiny ['dɛstɪnɪ] *n* قَدَر [qadar]

destroy [dɪ'strɔɪ] *v* يُدمر [judammiru]

destruction [dɪ'strʌkʃən] *n* تدمير [tadmi:r]

detail ['di:teɪl] *n* تفصيل [tafsˤi:l]

detailed ['di:teɪld] *adj* مُفَصَّل [mufasˤsˤal]

detective [dɪ'tɛktɪv] *n* شرطة سرية [Shorṭah serryah]

detention [dɪ'tɛnʃən] *n* احتجاز [iḥtiza:z]

detergent [dɪ'tɜ:dʒənt] *n* مادة منظفة [Madah monaḍhefah]

deteriorate [dɪ'tɪərɪəˌreɪt] *v* يَفْسد [jafsadu]

determined [dɪ'tɜ:mɪnd] *adj* عاقد العزم ['aaa'qed al-'aazm]

detour ['di:tʊə] *n* تَحَوُّل [taḥawwul]

devaluation [di:ˌvæljuː'eɪʃən; deˌvaluˈation] *n* تخفيض قيمة العملة [Takhfeeḍ 'qeemat al'aomlah]

devastated ['dɛvəˌsteɪtɪd] *adj* مدمر [mudammar]

devastating ['dɛvəˌsteɪtɪŋ] *adj* مسبب لدمار هائل [Mosabeb ledamar haael]

develop [dɪ'vɛləp] *vi* يتطور [jataṭˤawwaru] ▷ *vt* يُطوِّر [juṭˤawwiru]; **developing country** *n* بَلَد نام [Baladen namen]

development [dɪ'vɛləpmənt] *n* تطور [taṭˤawwur]

device [dɪ'vaɪs] *n* مُعَدَّة [muʕadda]

devil ['dɛvəl] *n* شيطان [ʃajtˤaːn]

devise [dɪ'vaɪz] *v* يَبتكِر [jabtakiru]

devoted [dɪ'vəʊtɪd] *adj* مكرس [mukarras]

diabetes [ˌdaɪə'bi:tɪs; -ti:z] *n* مرض السكر [Maraḍ al-sokar]

diabetic [ˌdaɪə'bɛtɪk] *adj* مصاب بالسكري [Moṣab bel sokkarey] ▷ *n* شخص مصاب بالبول السكري [Shakhṣ moṣaab bel-bol al-sokarey]

diagnosis [ˌdaɪəg'nəʊsɪs] *n* تشخيص [taʃxiːsˤ]

diagonal [daɪ'ægənəl] *adj* قطري [qutˤrij]

diagram ['daɪəˌgræm] *n* رسم بياني [Rasm bayany]

dial ['daɪəl; daɪl] *v* يَتصل [jattasˤilu]; **dialling code** *n* كود الاتصال بمنطقة أو بلد [Kod al-eteṣal bemanṭe'qah aw balad]; **dialling tone** *n* نغمة الاتصال [Naghamat al-eteṣal]

dialect ['daɪəˌlɛkt] *n* لهجة [lahʒa]

dialogue ['daɪəˌlɒg] *n* حوار [ḥiwa:ru]

diameter [daɪ'æmɪtə] *n* قُطر [qutˤr]

diamond ['daɪəmənd] *n* ماس [ma:s]

diarrhoea [ˌdaɪə'rɪə] *n* إسهال [ʔisha:l]; **I have diarrhoea** أعاني من الإصابة بالإسهال [o-'aany min al-eṣaaba bel-es-haal]

diary ['daɪərɪ] *n* يوميات [jawmijja:t]

dice, die [daɪs, daɪ] *npl* نَرْد [nardun]

dictation [dɪk'teɪʃən] *n* إملاء [ʔimla:ʔ]

dictator [dɪk'teɪtə] *n* ديكتاتور [di:kta:tu:r]

dictionary ['dɪkʃənərɪ; -ʃənrɪ] *n* قاموس [qa:mu:s]

die [daɪ] *v* يموت [jamu:tu]

diesel ['di:zˀl] *n* وقود الديزيل [Wa'qood al-deezel]

diet ['daɪət] *n* نظام غذائي [Neḍhaam ghedhey] ▷ *v* يلتزم بحمية غذائية معينة [Yalazem beḥemyah ghedhaeyah mo'ayanah]; **I'm on a diet** أتبع نظام غذائي خاص [atba'a neḍham ghedha-ee khaaṣ], أنا أتبع نظام غذائي خاص [ana atb'a neḍham ghedhaey khaaṣ]

difference ['dɪfərəns; 'dɪfrəns] *n* اختلاف [ixtila:f]

different ['dɪfərənt; 'dɪfrənt] *adj* مختلف [muxtalif]; **I would like something different** أريد شيئا مختلفا [areed shyan mukh-talefan]

difficult ['dɪfɪkˀlt] *adj* صَعْب [sˤaʕb]

difficulty ['dɪfɪkˀltɪ] *n* صعوبة [sˤuʕuːba]

dig [dɪg] *v* يَحفُر [jaḥfuru]

digest [dɪ'dʒɛst; daɪ-] *v* يَهضِم [jahdˤimu]

digestion [dɪ'dʒɛstʃən; daɪ-] *n* هضم [hadˤm]

[had ͯm]

digger ['dɪɡə] n حفار [ħaffa:r]

digital ['dɪdʒɪtᵊl] adj رقمي [raqmij];
digital camera n كاميرا رقمية [Kameera ra'qmeyah]; **digital radio** n راديو رقمي [Radyo ra'qamey]; **digital television** n تليفزيون رقمي [telefezyoon ra'qamey]; **digital watch** n ساعة رقمية [Sa'aah ra'qameyah]

dignity ['dɪgnɪtɪ] n كرامة [kara:ma]

dilemma [dɪ'lɛmə; daɪ-] n معضلة [muʕdˤila]

dilute [daɪ'luːt] v يُخفف [juxafiffu]

diluted [daɪ'luːtɪd] adj مخفف [muxaffaf]

dim [dɪm] adj باهت [ba:hit]

dimension [dɪ'mɛnʃən] n بُعْد [buʕd]

diminish [dɪ'mɪnɪʃ] v يُقَلِل [juqallilu]

din [dɪn] n ضجيج [dˤaʒiːʒ]

diner ['daɪnə] n متناول العشاء [Motanawal al-'aashaa]

dinghy ['dɪŋɪ] n زورق تجديف [Zawra'q]

dinner ['dɪnə] n وَجْبَة الطعام [Wajbat al-ta'aam]; **dinner jacket** n جاكت العشاء [Jaket al-'aashaa]; **dinner party** n حفلة عشاء [Haflat 'aashaa]; **dinner time** n وَقْت العشاء [Wa'qt al-'aashaa]

dinosaur ['daɪnəˌsɔː] n ديناصور [di:na:sˤu:r]

dip [dɪp] n (food/sauce) غَمس [ɣams] ▷ v يَغْمِس [jaɣmisu]

diploma [dɪ'pləʊmə] n دبلوما [diblu:ma:]

diplomat ['dɪpləˌmæt] n دبلوماسي [diblu:ma:sij]

diplomatic [ˌdɪplə'mætɪk] adj دبلوماسي [diblu:ma:sij]

dipstick ['dɪpˌstɪk] n قضيب قياس العمق ['qaḍeeb 'qeyas al-'aom'q]

direct [dɪ'rɛkt; daɪ-] adj مباشر [muba:ʃir] ▷ v يُوَجِه [juwaʒʒihu]; **direct debit** n يخصم مباشرة من حساب العميل [Yokhṣam mobasharatan men hesab al'ameel]; **I'd prefer to go direct** أفضل الذهاب مباشرة [ofaḍel al-dhehaab muba-sharatan]; **Is it a direct train?** هل يتجه هذا القطار مباشرة إلى...؟ [hal

yata-jih hadha al-'qeṭaar muba-sha-ratan ela...?]

direction [dɪ'rɛkʃən; daɪ-] n توجيه [tawʒi:h]

directions [dɪ'rɛkʃənz; daɪ-] npl توجيهات [tawʒi:ha:tun]

directly [dɪ'rɛktlɪ; daɪ-] adv مباشرة [muba:ʃaratan]

director [dɪ'rɛktə; daɪ-] n مُدير [mudi:r]; **managing director** n عضو مُنتدب ['aḍow montadab]

directory [dɪ'rɛktərɪ; -trɪ; daɪ-] n دليل [dali:l]; **directory enquiries** npl استعلامات دليل الهاتف [Este'alamat daleel al-hatef]; **telephone directory** n دليل الهاتف [Daleel al-hatef]

dirt [dɜːt] n قذارة [qaðˤa:ra]

dirty ['dɜːtɪ] adj ملوث [mulawwaθ]

disability [ˌdɪsə'bɪlɪtɪ] n عجز [ʕaʒz]

disabled [dɪ'seɪbᵊld] adj عاجز [ʕa:ʒiz] ▷ npl مُعاق [muʕa:qun]

disadvantage [ˌdɪsəd'vɑːntɪdʒ] n عَيْب [ʕajb]

disagree [ˌdɪsə'griː] v يتعارَض [jataʕa:radˤu]

disagreement [ˌdɪsə'griːmənt] n اختلاف الرأي [Ekhtelaf al-raaey]

disappear [ˌdɪsə'pɪə] v يَخْتَفي [jaxtafi:]

disappearance [ˌdɪsə'pɪərəns] n اختفاء [ixtifa:ʔ]

disappoint [ˌdɪsə'pɔɪnt] v يُخيب [juxajjibu]

disappointed [ˌdɪsə'pɔɪntɪd] adj مُحبَط [muħbatˤ]

disappointing [ˌdɪsə'pɔɪntɪŋ] adj مُحبط [muħbitˤ]

disappointment [ˌdɪsə'pɔɪntmənt] n خيبة الأمل [Khaybat al-amal]

disaster [dɪ'zɑːstə] n كارثة [ka:riθa]

disastrous [dɪ'zɑːstrəs] adj كارثي [ka:riθij]

disc [dɪsk] n قرص [qursˤ]; **compact disc** n قرص مضغوط ['qorṣ maḍghoot]; **disc jockey** n مشغل الأغنيات المسجلة [Moshaghel al-oghneyat al-mosajalah]; **slipped disc** n إنزلاق غضروفي [Enzela'q] ghodrofey]

discharge [dɪsˈtʃɑːdʒ] v; **When will I be discharged?** متى سأخرج من المستشفى؟ [mata sa-akhruj min al-mus-tashfa?]

discipline [ˈdɪsɪplɪn] n تأديب [ta?di:b]

disclose [dɪsˈkləʊz] v يُفْشي [juffi:]

disco [ˈdɪskəʊ] n ديسكو [di:sku:]

disconnect [ˌdɪskəˈnɛkt] v يَفْصِل [jafsʕilu]

discount [ˈdɪskaʊnt] n خصم [xasʕm]; **student discount** n خصم للطلاب [Khaṣm lel-ṭolab]

discourage [dɪsˈkʌrɪdʒ] v يُثبط من الهمة [yothabeṭ men al-hemah]

discover [dɪsˈkʌvə] v يَكْتَشِف [jaktaʃifu]

discretion [dɪˈskrɛʃən] n تعقل [taʕaqqul]

discrimination [dɪˌskrɪmɪˈneɪʃən] n تمييز [tamji:z]

discuss [dɪˈskʌs] v يُناقِش [juna:qiʃu]

discussion [dɪˈskʌʃən] n مناقشة [muna:qaʃa]

disease [dɪˈziːz] n مرض [maradʕ]; **Alzheimer's disease** n مرض الزهايمر [Maraḍ al-zehaymar]

disgraceful [dɪsˈgreɪsfʊl] adj شائن [ʃa:?in]

disguise [dɪsˈgaɪz] v يَتنكر [jatanakkaru]

disgusted [dɪsˈgʌstɪd] adj مشمئز [muʃma?izz]

disgusting [dɪsˈgʌstɪŋ] adj مثير للاشمئزاز [Mother lel-sheazaz]

dish [dɪʃ] n (food) أكْل (plate) طبق [tʕabaq]; **dish towel** n فوطة تجفيف الأطباق [Fotah tajfeef al-aṭbaa'q]; **satellite dish** n طبق قمر صناعي [Ṭaba'q ṣena'aey]; **soap dish** n طبق صابون [Ṭaba'q ṣaboon]; **How do you cook this dish?** كيف يطهي هذا الطبق؟ [Kayfa yothaa hadha altaba'q]; **How is this dish served?** كيف يقدم هذا الطبق؟ [kayfa yu'qadam hatha al-ṭaba'q?]; **What is in this dish?** ما الذي في هذا الطبق؟ [ma al-lathy fee hatha al-ṭaba'q?]; **What is the dish of the day?** ما هو طبق اليوم [ma howa

taba'q al-yawm?]

dishcloth [ˈdɪʃˌklɒθ] n قماشة لغسل الأطباق [qomash le-ghseel al-aṭbaa'q]

dishonest [dɪsˈɒnɪst] adj غير أمين [Gheyr amen]

dishwasher [ˈdɪʃˌwɒʃə] n غسالة أطباق [ghasalat aṭba'q]

disinfectant [ˌdɪsɪnˈfɛktənt] n مبيد الجراثيم [Mobeed al-jaratheem]

disk [dɪsk] n مكتب [maktab]; **disk drive** n سواقة أقراص [Sowa'qat a'qraṣ]

diskette [dɪsˈkɛt] n قرص صغير ['qorṣ ṣagheyr]

dislike [dɪsˈlaɪk] v يكرهه [jakrahu]

dismal [ˈdɪzməl] adj موحش [mu:ħiʃ]

dismiss [dɪsˈmɪs] v يَصْرِف [jasʕrifu]

disobedient [ˌdɪsəˈbiːdɪənt] adj عاصي [ʕa:sʕi:]

disobey [ˌdɪsəˈbeɪ] v يَعْصي [jaʕsʕi:]

dispenser [dɪˈspɛnsə] n صُنبور توزيع [Ṣonboor twzea'a]; **cash dispenser** n ماكينة صرافة [Makenat ṣerafah]

display [dɪˈspleɪ] n إبداء [ibda:?] ▷ v يَعْرِض [jaʕriḍʕu]

disposable [dɪˈspəʊzəbəl] adj ممكن التخلص منه [Momken al-takhalos menh]

disqualify [dɪsˈkwɒlɪˌfaɪ] v يجرده من الأهلية [juʒarriduhu min al?ahlijati]

disrupt [dɪsˈrʌpt] v يُمَزق [jumazziqu]

dissatisfied [dɪsˈsætɪsˌfaɪd] adj غير راض [Ghayr raḍ]

dissolve [dɪˈzɒlv] v يُذيب [juði:bu]

distance [ˈdɪstəns] n مسافة [masa:fa]

distant [ˈdɪstənt] adj بعيد [baʕi:d]

distillery [dɪˈstɪlərɪ] n معمل التقطير [Ma'amal alta'qteer]

distinction [dɪˈstɪŋkʃən] n فارق [fa:riq]

distinctive [dɪˈstɪŋktɪv] adj مميز [mumajjaz]

distinguish [dɪˈstɪŋgwɪʃ] v يُمَيز [jumajjizu]

distract [dɪˈstrækt] v يَصْرِف الانتباه [jasʕrifu ali:ntiba:hu]

distribute [dɪˈstrɪbjuːt] v يوزع [juwazziʕu]

distributor [dɪˈstrɪbjʊtə] n موزع

[muwazziʕ]

district ['dɪstrɪkt] *n* منطقة [mintˤaqa]

disturb [dɪ'stɜːb] *v* يُزعج [juzʕizu]

ditch [dɪtʃ] مَصْرَف [masˤrif] ⊳ *v* يَحفُر خندقاً [Yaḥfor khanda'qan]

dive [daɪv] *n* غطس [ɣatˤasa] ⊳ *v* يغطس [jaɣtˤisu]

diver ['daɪvə] *n* غطاس [ɣatˤˤaːs]

diversion [daɪ'vɜːʃən] *n* انحراف [inhiraːf]

divide [dɪ'vaɪd] *v* يُقَسِم [juqassimu]

diving ['daɪvɪŋ] *n* الغوص [al-ɣawsˤu]; **diving board** *n* غطس لوح [Looh ghats]; **scuba diving** *n* غوص بأجهزة التنفس [ghawṣ beajhezat altanafos]

division [dɪ'vɪʒən] *n* تقسيم [taqsiːm]

divorce [dɪ'vɔːs] طلاق [tˤˤalaːq] ⊳ *v* طلاق [tˤˤala:qun]

divorced [dɪ'vɔːst] *adj* مُطلَق [mutˤˤallaq]

DIY [diː aɪ waɪ] *abbr* افعلها بنفسك [Ef'alhaa be-nafsek]

dizzy ['dɪzɪ] *adj* دُوار [duwaːr]

DJ [diː dʒeɪ] *abbr* دي جيه [D J]

DNA [diː ɛn eɪ] الحمض النووي [alhamdˤu annawawijju]

do [duː] *v* يَفْعَل [jafʕalu]

dock [dɒk] *n* حوض السفن [Hawḍ al-sofon]

doctor ['dɒktə] *n* طبيب [tˤabiːb]; **Call a doctor!** اتصل بالطبيب [itaṣel bil-ṭabeeb]; **I need a doctor** أحتاج إلى طبيب [ahtaaj ela ṭabeeb]; **Is there a doctor who speaks English?** هل يوجد طبيب هنا يتحدث الإنجليزية؟ [hal yujad ṭabeeb huna yata-ḥadath al-injile-ziya?]; **Please call the emergency doctor** اتصل من فضلك بطبيب الطوارئ [min faḍlak itaṣil beta-beeb al-tawaree]

document ['dɒkjʊmənt] *n* مستند [mustanad]; **I want to copy this document** أريد نسخ هذا المستند [areed naskh hadha al-mustanad]

documentary [ˌdɒkjʊ'mɛntərɪ; -trɪ] *n* فيلم وثائقي [Feel wathaae'qey]

documentation [ˌdɒkjʊmɛn'teɪʃən] *n* توثيق [tawθiːq]

documents [ˌdɒkjʊmɛnts] *npl*

dodge [dɒdʒ] *v* يراوغ [jura:wiɣu]

dog [dɒɡ] *n* كلب [kalb]; **guide dog** *n* كلب هادي مدرب للمكفوفين [Kalb hadey modarab lel-makfoofeen]; **hot dog** *n* نقانق ساخنة [Na'qane'q sakhenah]

dole [dəʊl] *n* إعانة بَطالة [E'anat baṭalah]

doll [dɒl] *n* دُمْيَة [dumja]

dollar ['dɒlə] *n* دُولار [du:la:r]

dolphin ['dɒlfɪn] *n* دولفين [du:lfi:n]

domestic [də'mɛstɪk] *adj* داخلي [da:xilij]

Dominican Republic [də'mɪnɪkən rɪ'pʌblɪk] *n* جمهورية الدومنيكان [Jomhoreyat al-domenekan]

domino ['dɒmɪˌnəʊ] *n* لعبة الدومينو [Loabat al-domeno]

dominoes ['dɒmɪˌnəʊz] *npl* أحجار الدومينو [Ahjar al-domino]

donate [dəʊ'neɪt] *v* يَتَبَرع [jatabarraʕu]

done [dʌn] *adj* مُستكمَل [mustakmal]

donkey ['dɒŋkɪ] *n* حمار [ḥimaːr]

donor ['dəʊnə] *n* مَانِح [ma:niħ]

door [dɔː] *n* بَاب [ba:b]; **door handle** *n* مقبض الباب [Me'qbaḍ al-bab]

doorbell [ˌdɔː'bɛl] *n* جرس الباب [Jaras al-bab]

doorman, doormen ['dɔː,mæn; -mən, 'dɔːˌmɛn] *n* بواب [bawwa:b]

doorstep ['dɔːˌstɛp] *n* درجة الباب [Darajat al-bab]

dorm [dɔːm] *n*; **Do you have any single sex dorms?** هل يوجد لديكم أسرة فردية بدورين؟ [Hal yoojad ladaykom aserah fardeyah bedoorayen?]

dormitory ['dɔːˌmɪtərɪ; -trɪ] *n* دَار إيواء [Dar eewaa]

dose [dəʊs] *n* جرعة [ʒurʕa]

dot [dɒt] *n* نقطة [nuqtˤa]

double ['dʌbªl] *adj* مضاعف [mudˤaːʕaf] ⊳ *v* يُضاعف [judˤaːʕifu]; **double bass** *n* الدُبلَبَس وهي أكبر آله في الأسرة الكمانية [addubalbas wa hija ʔakbaru a:latu fi: alʔusrati alkama:nijjati]; **double bed** *n* سَرير مُزدوج [Sareer mozdawaj]; **double glazing** *n* طبقتين من الزجاج

[Ṭaba'qatayen men al-zojaj]; **double room** n غرفة مزدوجة [Ghorfah mozdawajah]

doubt [daʊt] n شكّ [ʃak] ▷ v يَرتاب [jarta:bu]

doubtful ['daʊtfʊl] adj مشكوك فيه [Mashkook feeh]

dough [dəʊ] n عجينة [ʕaʒiːna]

doughnut ['dəʊnʌt] n كعكات محلاة مقلية [Ka'akat mohallah ma'qleyah]

do up [du ʌp] v يُثبّت [juθabbitu]

dove [dʌv] n يمامة [jama:ma]

do without [du wɪ'ðaʊt] v يَستغني عن [Yastaghney 'aan]

down [daʊn] adv نحو الأرض [naħwa al?ard?i]

download ['daʊn,ləʊd] n تحميل [taħmiːl] ▷ v يحمل [juħammalu]

downpour ['daʊn,pɔː] n سَيْل [sajl]

downstairs ['daʊn'stɛəz] adj سُفلى [sufla:] ▷ adv سفليا [suflijjan]

downtown ['daʊn'taʊn] adv واقع في قلب المدينة [Wa'qe'a fee 'qalb al-madeenah]

doze [dəʊz] v ينعس [janʕasu]

dozen ['dʌz²n] n دستة [dasta]

doze off [dəʊz ɒf] v يَبْدأ بالنوم الخفيف [jabda?u binnawmi alxafiːfi]

drab [dræb] adj رتيب [rati:b]

draft [drɑːft] n مسودة [muswadda]

drag [dræg] v يَنسحب [jansaħibu]

dragon ['drægən] n تنين [tinni:n]

dragonfly ['drægən,flaɪ] n يَعْسُوب [jaʕsu:b]

drain [dreɪn] n مصرف للمياه [Maşraf lel-meyah] ▷ v يُصرّف ماءً [Yoşşaref maae]; **draining board** n لوحة تجفيف [Lawhat tajfeef]

drainpipe ['dreɪn,paɪp] n أنبوب التصريف [Anboob altaşreef]

drama ['drɑːmə] n دراما [dra:ma:]

dramatic [drə'mætɪk] adj درامي [dra:mij]

drastic ['dræstɪk] adj عنيف [ʕani:f]

draught [drɑːft] n مسودة [muswadda]

draughts [drɑːfts] npl شطرنج [ʃaṭranʒun]

draw [drɔː] n (lottery) سَحُب [saħb], (tie) يتعادل مع [Yata'aaadal ma'a], (sketch) يَرسم [jarsumu]

drawback ['drɔː,bæk] n مال يرد بعد دفعه [Maal yorad daf'ah]

drawer ['drɔːə] n دُرْج [durʒ]

drawers [drɔːz] n; **chest of drawers** n خزانة ملابس بأدراج [Khezanat malabes be-adraj]

drawing ['drɔːɪŋ] n رسم [rasm]

drawing pin ['drɔːɪŋ pɪn] n دبوس تثبيت اللوائح [Daboos tathbeet al-lawaeh]

dreadful ['drɛdfʊl] adj مفزع [mufziʕ]

dream [driːm] n حلم [ħulm] ▷ v يَحلُم [jaħlumu]

drench [drɛntʃ] v يُبَلِل [jubalilu]

dress [drɛs] n فستان [fusta:n] ▷ v يلبس [jalbasu]; **evening dress** n ملابس السهرة [Malabes al-sahrah]; **wedding dress** n فستان الزفاف [Fostaan al-zefaf]; **Can I try on this dress?** هل يمكن أن أجرب هذا الفستان؟ [hal yamken an ajar-reb hadha al-fustaan?]

dressed [drɛst] adj متأنق [muta?anniq]

dresser ['drɛsə] n مساعد اللبس [Mosa'aed al-lebs]

dressing ['drɛsɪŋ] n; **salad dressing** n صلصة السلطة [Şalşat al-salata]

dressing gown ['drɛsɪŋ gaʊn] n رُوب الحَمّام [Roob al-hamam]

dressing table ['drɛsɪŋ 'teɪb²l] n طاوِلَة زينة [Ṭawlat zeenah]

dress up [drɛs ʌp] v يتأنق [jata?annaqu]

dried [draɪd] adj مجفف [muʒaffif]

drift [drɪft] n جرف [ʒurf] ▷ v يَنْجَرِف [janʒarifu]

drill [drɪl] n مِثْقَاب [miθqa:b] ▷ v يَثْقُب بمثقاب [Yath'qob bemeth'qaab]; **pneumatic drill** n مثقاب هوائي [Meth'qaab hawaey]

drink [drɪŋk] n مَشروب [maʃru:b] ▷ v يَشرب [jaʃrabu]; **binge drinking** n الإفراط في تناول الشراب [Al-efraaṭ fee tanawol alsharab]; **drinking water** n مياه الشرب

[Meyah al-shorb]; **soft drink** n مشروب
غازي [Mashroob ghazey]

drink-driving ['drɪŋk'draɪvɪŋ] n القيادة
تحت تأثير الكحول [Al-'qeyadh taht
taatheer al-kohool]

drip [drɪp] n سائل متقطّر [Sael
mota'qater] ⊳ v يَقْطِر [jaqt'iru]

drive [draɪv] n نزهة في سيارة [Nozhah
fee sayarah] ⊳ v يقود [jaqu:du]; **driving
instructor** n معلم القيادة [Mo'alem
al-'qeyadh]; **four-wheel drive** n الدَفْع
الرباعي [Al-daf'a al-roba'aey]; **left-hand
drive** n سيارة مقودها على الجانب الأيسر
[Sayarh me'qwadoha ala al-janeb
al-aysar]; **right-hand drive** n عجلة
القيادة اليمنى ['aajalat al-'qeyadah
al-yomna]

driver ['draɪvə] n سائق [sa:ʔiq]; **learner
driver** n سائق مبتدئ [Sae'q mobtadea];
lorry driver n سائق لوري [Sae'q lorey];
racing driver n سائق سيارة سباق [Sae'q
sayarah seba'q]; **truck driver** n سائق
شاحنة [Sae'q shahenah]

driveway ['draɪˌweɪ] n درب [darb]

driving lesson ['draɪvɪŋ 'lɛsᵊn] n دَرْس
القيادة [Dars al-'qeyadah]

driving licence ['draɪvɪŋ 'laɪsəns] n
رُخْصَة القيادة [Rokhṣat al-'qeyadah];
Here is my driving licence ها هي
رخصة القيادة الخاصة بي [ha heya rikhṣat
al-'qiyada al-khaṣa bee]; **I don't have
my driving licence on me** أحمل رخصة
قيادة، لكنها ليست معي الآن [Aḥmel
rokhṣat 'qeyadah, lakenaha laysat
ma'aey al-aan]; **My driving licence
number is...** رقم رخصة قيادتي هو... ...
[ra'qim rikhṣat 'qeyad-aty howa...]

driving test ['draɪvɪŋ 'tɛst] n اختبار
القيادة [Ekhtebar al-'qeyadah]

drizzle ['drɪzᵊl] n رذاذ [raðа:ð]

drop [drɒp] n قطرة [qat'ra] ⊳ v يَسقُط
[jasqut'u]; **eye drops** npl قطرة للعين
['qatrah lel-'ayn]

drought [draʊt] n جفاف [ʒafa:f]

drown [draʊn] v يَغْرَق [jaɣraqu]

drowsy ['draʊzɪ] adj نعسان [naʕsa:n]

drug [drʌg] n مخدرات [muxaddira:t];
drug addict n مدمن مخدرات [Modmen
mokhadarat]; **drug dealer** n تاجر مخدرات
[Tajer mokhaddrat]

drum [drʌm] n طبلة [t'abla]

drummer ['drʌmə] n طبال [t'abba:l]

drunk [drʌŋk] adj ثَمِل [θamil] ⊳ n سكران
[sakra:n]

dry [draɪ] adj جاف [ʒa:ff] ⊳ v يُجَفِّف
[juʒaffifu]; **bone dry** adj جاف تماماً [Jaf
tamaman]; **A dry sherry, please** كأس
من مشروب الشيري الجاف من فضلك [Kaas
mashroob al-sheery al-jaf men faḍlek]; **I
have dry hair** أنا شعري جاف [ana
sha'ary jaaf]

dry-cleaner's ['draɪˈkliːnəz] n محل
التنظيف الجاف [Mahal al- tanḍheef al-jaf]

dry-cleaning ['draɪˈkliːnɪŋ] n تنظيف
جاف [tanḍheef jaf]

dryer ['draɪə] n مُجَفِّف [muʒaffif]; **spin
dryer** n مُجَفِّف دوار [Mojafef dwar];
tumble dryer n مجفف ملابس [Mojafef
malabes]

dual ['dju:əl] adj; **dual carriageway** n
طريق مزدوج الاتجاه للسيارات [Taree'q
mozdawaj al-etejah lel-sayarat]

dubbed [dʌbt] adj يسمى بعضهم بالكنية
[jusma: baʕd'uhum bilkanijjati]

dubious ['dju:bɪəs] adj مريب [muri:b]

duck [dʌk] n بطة [bat't'a]

due [dju:] adj مستحق الدفع [Mostaḥa'q
al-daf'a]

due to [dju: tʊ] prep ل نتيجة [Nateejah
le]

dull [dʌl] adj فاتر [fa:tir]

dumb [dʌm] adj أبكم [ʔabkam]

dummy ['dʌmɪ] n أبكم [ʔabkam]

dump [dʌmp] n نفاية [nufa:ja] ⊳ v يُلْقِي
النفايات [Yol'qy al-nefayat]; **rubbish
dump** n مقلب النفايات [Ma'qlab
al-nefayat]

dumpling ['dʌmplɪŋ] n زلابية [zala:bijja]

dune [dju:n] n; **sand dune** n كثبان رملية
[Kothban ramleyah]

dungarees [ˌdʌŋgəˈriːz] npl ملابس
قطنية خشنة [Malabes 'qotneyah

khashenah]

dungeon ['dʌndʒən] n برج محصن [Borj mohaṣṣan]

duration [djuˈreɪʃən] n مُدَّة [mudda]

during ['djʊərɪŋ] prep أثناء

dusk [dʌsk] n غَسَق [ɣasaq]

dust [dʌst] n غبار [ɣuba:r] ▷ v ينفض [janfudˤu]

dustbin ['dʌstˌbɪn] n صندوق القمامة [Ṣondok al-'qemamah]

dustman, dustmen ['dʌstmən, 'dʌstmɛn] n الزَّبال [az-zabba:lu]

dustpan ['dʌstˌpæn] n جاروف الكناسة [Jaroof al-kannasah]

dusty ['dʌstɪ] adj مغبر [muɣbarr]

Dutch [dʌtʃ] adj هولندي [hu:landij] ▷ n هولندي [hu:landij]

Dutchman, Dutchmen ['dʌtʃmən, 'dʌtʃmɛn] n رَجل هولندي [Rajol holandey]

Dutchwoman, Dutchwomen [,dʌtʃwʊmən, 'dʌtʃˌwɪmɪn] n هولندية [hu:landijja]

duty ['djuːtɪ] n واجب [wa:ʒib]; **(customs) duty** n رسوم جمركية [Rosoom jomrekeyah]

duty-free ['djuːtɪˈfriː] adj معفى من الرسوم الضريبية [Ma'afee men al-rosoom al-dareebeyah] ▷ n مَعْفِي من الضرائب [Ma'afey men al-ḍaraaeb]

duvet ['duːveɪ] n غطاء مخملي [Gheṭa'a makhmaley]

DVD [diː viː diː] n اسطوانة دى في دي [Eṣtwanah DVD]; **DVD burner** n ناسخ لاسطوانات دى في دي [Nasekh le-ṣtewanat D V D]; **DVD player** n مشغل اسطوانات دى في دي [Moshaghel eṣtwanat D V D]

dwarf, dwarves [dwɔːf, dwɔːvz] n قزم [qazam]

dye [daɪ] n صبغة [sˤibɣa] ▷ v يَصبغ [jasˤbiɣu]

dynamic [daɪˈnæmɪk] adj ديناميكي [di:na:mi:kajj]

dyslexia [dɪsˈlɛksɪə] n عسر التكلم ['aosr al-takalom]

dyslexic [dɪsˈlɛksɪk] adj متعسر النطق [Mota'aer alnoṭ'q] ▷ n شخص متعسر [Shakhṣ mota'aser al-noṭ'q]

e

each [iːtʃ] *adj* كل [kulla] ▷ *pron* كل امرئ
[Kol emrea]

eagle ['iːgəl] *n* عُقاب [ʕuqaːb]

ear [ɪə] *n* أذن [ʔuð]

earache ['ɪərˌeɪk] *n* ألم الأذن [Alam al
odhon]

eardrum ['ɪəˌdrʌm] *n* طبلة الأذن [Tablat
alozon]

earlier ['ɜːlɪə] *adv* أقدم [aqdam]

early ['ɜːlɪ] *adj* مبكر [mubakkir] ▷ *adv* باكراً
[baːkiran]; **We arrived early/late** لقد
وصلنا مبكراً [laʼqad waṣalna mu-bakiran]

earn [ɜːn] *v* يَكْتَسِب [jaktasibu]

earnings ['ɜːnɪŋz] *npl* مكاسب
[makaːsibun]

earphones ['ɪəˌfəʊnz] *npl* سماعات الأذن
[Sama'at al-odhon]

earplugs ['ɪəˌplʌgz] *npl* سدادات الأذن
[Sedadat alodhon]

earring ['ɪəˌrɪŋ] *n* قرط [qirtˤ]

earth [ɜːθ] *n* الأرض [al-ʔardˤi]

earthquake ['ɜːθˌkweɪk] *n* زلزال
[zilzaːl]

easily ['iːzɪlɪ] *adv* بسهولة [bisuhuːlatin]

east [iːst] *adj* شرقي [ʃarqij] ▷ *adv* شرقاً
[ʃarqan] ▷ *n* شرق [ʃarq]; **Far East** *n*
الشرق الأقصى [Al-shar'q al-a'qsa];

Middle East *n* الشرق الأوسط [Al-shar'q
al-awṣat]

eastbound ['iːstˌbaʊnd] *adj* متجه شرقاً
[Motajeh sharqan]

Easter ['iːstə] *n* عيد الفصح ['aeed
al-feṣḥ]; **Easter egg** *n* بيض عيد الفصح
[Bayḍ 'aeed al-feṣḥ]

eastern ['iːstən] *adj* شرقي [ʃarqij]

easy ['iːzɪ] *adj* سهل [sahl]; **easy chair** *n*
كرسي مريح [Korsey moreeh]

easy-going ['iːzɪˌgəʊɪŋ] *adj* سهل
الانقياد [Sahl al-en'qyad]

eat [iːt] *v* يأكل [jaʔkulu]

e-book ['iːˌbʊk] *n* كتاب الكتروني [Ketab
elektrooney]

eccentric [ɪkˈsɛntrɪk] *adj* لا متراكز [La
motrakez]

echo ['ɛkəʊ] *n* صَدَى [sˤadaː]

ecofriendly ['iːkəʊˌfrɛndlɪ] *adj* صديق
للبيئة [Sadeek al-beeaah]

ecological [ˌiːkəˈlɒdʒɪkəl] *adj* بيئي
[biːʔij]

ecology [ɪˈkɒlədʒɪ] *n* علم البيئة ['aelm
al-beeah]

e-commerce ['iːkɒmɜːs] *n* تجارة
الكترونية [Tejarah elektroneyah]

economic [ˌiːkəˈnɒmɪk; ˌɛkə-] *adj*
اقتصادي [iqtisˤaːdij]

economical [ˌiːkəˈnɒmɪkəl; ˌɛkə-] *adj*
مُقتصد [muqtasˤid]

economics [ˌiːkəˈnɒmɪks; ˌɛkə-] *npl*
علم الاقتصاد ['aelm al-e'qtesad]

economist [ɪˈkɒnəmɪst] *n* عالم
اقتصادي ['aaalem e'qtesaadey]

economize [ɪˈkɒnəˌmaɪz] *v* يَقْتَصِد
[jaqtasˤidu]

economy [ɪˈkɒnəmɪ] *n* اقتصاد
[iqtisˤaːd]; **economy class** *n* درجة
سياحية [Darjah seyaheyah]

ecstasy ['ɛkstəsɪ] *n* نشوي [naʃawij]

Ecuador ['ɛkwəˌdɔː] *n* الاكوادور
[al-ikwaːduːr]

eczema ['ɛksɪmə; ɪgˈziːmə] *n* اكزيما
[ikziːmaː]

edge [ɛdʒ] *n* حافة [ħaːffa]

edgy ['ɛdʒɪ] *adj* قاطع [qaːtˤiʕ]

edible [ˈɛdɪbˀl] adj صالح للأكل [Ṣaleḥ lel-aakl]

edition [ɪˈdɪʃən] n طبعة [ṭ'ab'a]

editor [ˈɛdɪtə] n مُحرر [muḥarrir]

educated [ˈɛdjuˌkeɪtɪd] adj متعلم [mutaʕallim]

education [ˌɛdjʊˈkeɪʃən] n تعليم [taʕli:m]; **adult education** n تعليم الكبار [Ta'aleem al-kebar]; **higher education** n تعليم عالي [Ta'aleem 'aaaly]

educational [ˌɛdjʊˈkeɪʃənˀl] adj تربوي [tarbawij]

eel [iːl] n سمكة الأنقليس [Samakat al-anfalees]

effect [ɪˈfɛkt] n أثر [ʔaθar]; **side effect** n آثار جانبية [Aathar janeebyah]

effective [ɪˈfɛktɪv] adj فعال [faʕaːl]

effectively [ɪˈfɛktɪvlɪ] adv بفعالية [bifaʕaːlijjatin]

efficient [ɪˈfɪʃənt] adj كاف [ka:fin]

efficiently [ɪˈfɪʃəntlɪ] adv بكفاءة [bikafa:ʔatin]

effort [ˈɛfət] n جهد [ʒuhd]

e.g. [iː dʒiː] abbr على سبيل المثال ['ala sabeel al-methal]

egg [ɛg] n بيضة [bajdˀa]; **boiled egg** n بيضة مسلوقة [Baydah maslo'qah]; **egg white** n بياض البيض [Bayaḍ al-bayḍ]; **egg yolk** n صفار البيض [Ṣafar al-bayḍ]; **Easter egg** n بيض عيد الفصح [Bayḍ 'aeed al-feṣḥ]; **scrambled eggs** npl بيض مخفوق [Bayḍ makhfou'q]

eggcup [ˈɛgˌkʌp] n كأس البيضة [Kaas al-bayḍah]

Egypt [ˈiːdʒɪpt] n مصر [misˀru]

Egyptian [ɪˈdʒɪpʃən] adj مصري [misˀrij] ▷ n مِصْري [misˀrij]

eight [eɪt] number ثمانية [θama:nijatun]

eighteen [ˈeɪˈtiːn] number ثمانية عشر [θama:nijata ʕaʃara]

eighteenth [ˈeɪˈtiːnθ; ˈeighˈteenth] adj الثامن عشر [aθ-θa:min ʕaʃar]

eighth [eɪtθ] adj الثامن [aθθa:min] ▷ n ثُمن [θum]

eighty [ˈeɪtɪ] number ثمانون [θama:nu:na]

Eire [ˈɛərə] n أيرلندا [ʔajrlanda:]

either [ˈaɪðə; ˈiːðə] adv (with negative) فوق ذلك [Faw'q dhalek] ▷ conj إما (ro ..) ▷ pron أي من [Ay men]; **either... or** conj إما... أو [Emma...aw]

elastic [ɪˈlæstɪk] n مطاط [matˀ·tˀaːtˀ]; **elastic band** n رباط مطاطي [rebat matatey]

Elastoplast® [ɪˈlæstəˌplɑːst] n لاصق من نوع إلاستوبلاست ® [la:ṣiq min nawʕi ʔila:stu:bla:st]

elbow [ˈɛlbəʊ] n مرفق [mirfaq]

elder [ˈɛldə] adj أكبر سناً [Akbar senan]

elderly [ˈɛldəlɪ] adj كهولي [kuhu:lij]

eldest [ˈɛldɪst] adj الأكبر سناً [Al-akbar senan]

elect [ɪˈlɛkt] v يَنتخب [jantaxibu]

election [ɪˈlɛkʃən] n انتخاب [intixa:b]; **general election** n انتخابات عامة [Entekhabat 'aamah]

electorate [ɪˈlɛktərɪt] n جمهور الناخبين [Jomhoor al-nakhebeen]

electric [ɪˈlɛktrɪk] adj مكهرب [mukahrab]; **electric blanket** n بطانية كهربائية [Baṭaneyah kahrobaeyah]; **electric shock** n صَدْمة كهربائية [Ṣadmah kahrbaeyah]

electrical [ɪˈlɛktrɪkˀl] adj كهربائي [kahraba:ʔij]

electrician [ɪlɛkˈtrɪʃən; ˌiːlɛk-] n مشتغل بالكهرباء [Moshtaghel bel-kahrabaa]

electricity [ɪlɛkˈtrɪsɪtɪ; ˌiːlɛk-] n كهرباء [kahraba:ʔ]; **Do we have to pay extra for electricity?** هل يجب علينا دفع مصاريف إضافية للكهرباء؟ [hal yajib 'aala-yna dafa maṣa-reef eḍafiya lel-kah-rabaa?]; **Is the cost of electricity included?** هل يشمل ذلك تكلفة الكهرباء؟ [hal yash-mil dhalik tak-lifat al-kah-rabaa?]; **There is no electricity** لا توجد كهرباء [la tojad kah-rabaa]; **Where is the electricity meter?** أين يوجد عداد الكهرباء؟ [ayna yujad 'aadad al-kah-raba?]

electronic [ɪlɛkˈtrɒnɪk; ˌiːlɛk-] adj

الكتروني [iliktru:nijjat]

electronics [ɪlɛk'trɒnɪks; ˌiːlɛk-] npl
الكترونيات [iliktru:nijja:tun]

elegant [ˈɛlɪgənt] adj أنيق [ʔani:q]

element [ˈɛlɪmənt] n عنصر [ʕunsˤur]

elephant [ˈɛlɪfənt] n فيل [fi:l]

eleven [ɪˈlɛvªn] number أحد عشر
[ʔaħada ʕaʃar]

eleventh [ɪˈlɛvªnθ; eˈleventh] adj
الحادي عشر [al-ħa:di: ʕaʃar]

eliminate [ɪˈlɪmɪˌneɪt] v يحذف [juħðafu]

elm [ɛlm] n شجر الدردار [Shajar
al-dardaar]

else [ɛls] adj أيضا [ʔajdˤan]

elsewhere [ˌɛlsˈwɛə] adv فى مكان آخر
[Fee makaan aakhar]

email [ˈiːmeɪl] n بريد الكتروني [Bareed
elektrooney] ▷ vt (a person) يُرسل بريدا
إلكترونيا [Yorsel bareedan electroneyan];
email address n عنوان البريد الإلكتروني
[ˈaonwan al-bareed al-electrooney]

embankment [ɪmˈbæŋkmənt] n جسر
[ʒisr]

embarrassed [ˌɪmˈbærəst] adj مُحرَج
[muħraʒ]

embarrassing [ɪmˈbærəsɪŋ;
emˈbarrassing] adj مُحرِج [muħriʒ]

embassy [ˈɛmbəsɪ] n سفارة [sifa:ra]

embroider [ɪmˈbrɔɪdə] v يُزَين [juzajjinu]

embroidery [ɪmˈbrɔɪdərɪ] n تطريز
[tatˤri:z]

emergency [ɪˈmɜːdʒənsɪ] n حالة طارئة
[Ḥalah ṭareaa]; **accident &
emergency department** n إدارة
الحوادث والطوارئ [Edarat al-hawadeth
wa-al-tawarea]; **emergency exit** n
مخرج طوارئ [Makhraj ṭawarea];
emergency landing n هبوط اضطراري
[Hoboot eḍterary]; **It's an emergency!**
إنها حالة طارئة [inaha ḥala ṭareaa]

emigrate [ˈɛmɪˌgreɪt] v يهاجر [juha:ʒiru]

emotion [ɪˈməʊʃən] n عاطفة [ʕa:tˤifa]

emotional [ɪˈməʊʃənªl] adj عاطفي
[ʕa:tˤifij]

emperor, empress [ˈɛmpərə,
ˈɛmprɪs] n إمبراطور [ʔimbara:tˤu:r]

emphasize [ˈɛmfəˌsaɪz] v يُؤكد
[juakiddu]

empire [ˈɛmpaɪə] n إمبراطورية
[ʔimbara:tˤu:rijja]

employ [ɪmˈplɔɪ] v يُوظف [juwazˤzˤifu]

employee [ɛmˈplɔɪiː; ˌɛmplɔɪˈiː] n
موظف [muwazˤzˤaf]

employer [ɪmˈplɔɪə] n صاحب العمل
[Ṣaheb 'aamal]

employment [ɪmˈplɔɪmənt] n وظيفة
[wazˤi:fa]

empty [ˈɛmptɪ] adj خال [xa:lin] ▷ v يُفْرغ
[jufriɣu]

enamel [ɪˈnæməl] n طلاء المينا [Ṭelaa
al-meena]

encourage [ɪnˈkʌrɪdʒ] v يُشجع
[juʃaʒʒiʕu]

encouragement [ɪnˈkʌrɪdʒmənt] n
تشجيع [taʃʒi:ʕ]

encouraging [ɪnˈkʌrɪdʒɪŋ] adj مشجع
[muʃaʒʒiʕ]

encyclopaedia [ɛnˌsaɪkləʊˈpiːdɪə] n
موسوعة [mawsu:ʕa]

end [ɛnd] n نهاية [niha:ja] ▷ v يَنْتهي
[jantahi:]; **dead end** n طريق مسدود
[Taree'q masdood]; **at the end of June**
في نهاية شهر يونيو [fee nehayat shahr
yon-yo]

endanger [ɪnˈdeɪndʒə] v يُعَرِض للخطر
[Yo'ared lel-khaṭar]

ending [ˈɛndɪŋ] n انتهاء [intiha:ʔ]

endless [ˈɛndlɪs] adj لا نهائي [La
nehaaey]

enemy [ˈɛnəmɪ] n عدو [ʕaduww]

energetic [ˌɛnəˈdʒɛtɪk] adj ملئ بالطاقة
[Maleea bel-ṭa'qah]

energy [ˈɛnədʒɪ] n طاقة [tˤa:qa]

engaged [ɪnˈgeɪdʒd] adj مشغول
[maʃɣu:l]; **engaged tone** n رنين انشغال
الخط [Raneen ensheghal al-khat]; **It's
engaged** إنه مشغول [inaho mash-ghool]

engagement [ɪnˈgeɪdʒmənt] n ارتباط
[irtiba:tˤ]; **engagement ring** n خاتم
الخطوبة [Khatem al-khotobah]

engine [ˈɛndʒɪn] n محرك [muħarrik];
search engine n محرك البحث [moḥarek

al-baḥth]; **The engine is overheating** المحرك حرارته مرتفعه [al-muḥar-ik ḥarara-tuho murtafe'aa]

engineer [ˌɛndʒɪ'nɪə] n مهندس [muhandis]

engineering [ˌɛndʒɪ'nɪərɪŋ] n هندسة [handasa]

England ['ɪŋglənd] n إنجلترا [ʔinʒiltira:]

English ['ɪŋglɪʃ] adj إنجليزي [ʔinʒili:zij] ⊳ n إنجليزي [ʔinʒili:zij]; **Do you speak English?** هل تتحدث الإنجليزية [hal tata- ḥadath al-injleez-iya?]; **Does anyone speak English?** أيوجد هنا من يتحدث الإنجليزية؟ [ayujad huna min yata-ḥadath al-injile-ziya?]; **I don't speak English** أنا لا أتحدث الإنجليزية [ana la ata-ḥadath al-injile-ziya]; **I speak very little English** أنا أتحدث الإنجليزية قليلا جدا [ana ata-ḥadath al-injile-ziya 'qaleelan jedan]

Englishman, Englishmen ['ɪŋglɪʃmən, 'ɪŋglɪʃmɛn] n مواطن انجليزي [mowaṭen enjeleezey]

Englishwoman, Englishwomen ['ɪŋglɪʃwʊmən, 'ɪŋglɪʃwɪmɪn] n مواطنة إنجليزية [Mowaṭenah enjleezeyah]

engrave [ɪn'greɪv] v يَنْقُش [janquʃu]

enjoy [ɪn'dʒɔɪ] v يَستمتِع ب [jastamtiʕu bi]

enjoyable [ɪn'dʒɔɪəbəl] adj ممتع [mumtiʕ]

enlargement [ɪn'lɑːdʒmənt; en'largement] n تكبير [takbi:r]

enormous [ɪ'nɔːməs] adj ضخم [dˤaxm]

enough [ɪ'nʌf] adj كاف [ka:fin] ⊳ pron مقدار كاف [Me'qdaar kaaf]

enquire [ɪn'kwaɪə] v يَستعلِم عن [jastaʕlimu ʕan]

enquiry [ɪn'kwaɪərɪ] n استعلام [istiʕla:m]; **enquiry desk** n مكتب الاستعلامات [Maktab al-este'alamaat]; **What is the number for directory enquiries?** ما هو رقم استعلامات دليل التليفون؟ [ma howa ra'qim esti'a-lamaat daleel al-talefon?]

ensure [ɛn'ʃʊə; -'ʃɔː] v يَكْفُل [jakfulu]

enter ['ɛntə] v يُدخِل [judxilu]

entertain [ˌɛntə'teɪn] v يَستضيف (يسلّي) [jastadˤiːfu]

entertainer [ˌɛntə'teɪnə] n فنان (فنان) مشترك في حفلة عامة [Fanan moshtarek fe ḥaflah 'aama]

entertaining [ˌɛntə'teɪnɪŋ] adj مسل [musallin]

entertainment [ˌɛntə'teɪnmənt] n; **What entertainment is there?** ما وسائل التسلية المتاحة؟ [ma wasa-el al-tas-leya al-mutaa-ḥa?]

enthusiasm [ɪn'θjuːzɪˌæzəm] n حماسة [hama:sa]

enthusiastic [ɪnˌθjuːzɪ'æstɪk; enˌthusi'astic] adj متحمس [mutaḥammis]

entire [ɪn'taɪə] adj صحيح [sˤaħiːħ]

entirely [ɪn'taɪəlɪ] adv بشكل كامل [Beshakl kaamel]

entrance ['ɛntrəns] n مدخل [madxal]; **entrance fee** n رَسْم الدخول [Rasm al-dokhool]; **Where is the wheelchair-accessible entrance?** أين يوجد المدخل المخصص للكراسي المتحركة؟ [ayna yujad al-madkhal al-mukhaṣaṣ lel-karasy al-muta-ḥareka?]

entry ['ɛntrɪ] n دخول (مادة) [duxuːl]; **entry phone** n تليفون المدخل [Telefoon al-madkhal]

envelope ['ɛnvəˌləʊp; 'ɒn-] n مغلف [muɣallaf]

envious ['ɛnvɪəs] adj حسود [ħasuːd]

environment [ɪn'vaɪrənmənt] n بيئة [biːʔit]

environmental [ɪnˌvaɪrən'mɛntəl] adj بيئي [biːʔij]; **environmentally friendly** adj صديق للبيئة [Ṣadeek al-beeaah]

envy ['ɛnvɪ] n حسد [ħasad] ⊳ v يَحْسُد [jaħsudu]

epidemic [ˌɛpɪ'dɛmɪk] n وباء [waba:ʔ]

epileptic [ˌɛpɪ'lɛptɪk] n مريض بالصَرْعُ [Mareeḍ bel-ṣara'a]; **epileptic fit** n نوبة صرع [Nawbat ṣar'a]

episode ['ɛpɪˌsəʊd] n سلسلة متتابعة

[Selselah motatabe'ah]

equal ['i:kwəl] adj مساو [musa:win] ▷ v يُساوي [jusa:wi:]

equality [ɪ'kwɒlɪtɪ] n مساواة [musa:wa:t]

equalize ['i:kwəˌlaɪz] v يُساوي بين [Yosawey bayn]

equation [ɪ'kweɪʒən; -ʃən] n مُعادلة [muʃa:dala]

equator [ɪ'kweɪtə] n خط الاستواء [Khaṭ al-estwaa]

Equatorial Guinea [ˌɛkwə'tɔːrɪəl 'gɪnɪ] n غينيا الاستوائية [ɣi:nja: al-istiwa:ʔijjatu]

equipment [ɪ'kwɪpmənt] n مُعدات [muʃadda:t]

equipped [ɪ'kwɪpt] adj مجهز [muʒahhaz]

equivalent [ɪ'kwɪvələnt] n مُساوي [musa:wi:]

erase [ɪ'reɪz] v يمحو [jamħu:]

Eritrea [ˌɛrɪ'treɪə] n إريتريا [ʔiri:tirja:]

erotic [ɪ'rɒtɪk] adj مُثير للشهوة الجنسية [Motheer lel shahwah al-jenseyah]

error ['ɛrə] n غلطة [ɣaltˤa]

escalator ['ɛskəˌleɪtə] n سلم متحرك [Solam motaḥarek]

escape [ɪ'skeɪp] v يَفِرُّ [jafirru] ▷ n هروب [huru:b]; **fire escape** n سُلَّم النجاة من الحريق [Solam al-najah men al-ḥaree'q]

escort [ɪs'kɔːt] n يُصاحب [jusˤa:ħibu], يرافق [jura:fiqu]

especially [ɪ'spɛʃəlɪ] adv خصوصاً [xusˤwusˤˤan]

espionage ['ɛspɪəˌnɑːʒ; ˌɛspɪə'nɑːʒ; 'ɛspɪənɪdʒ] n جاسوسية [ʒa:su:sijja]

essay ['ɛseɪ] n مقال [maqa:l]

essential [ɪ'sɛnʃəl] adj جوهري [ʒawharij]

estate [ɪ'steɪt] n عِزبة [ʔizba]; **estate agent** n سمسار عقارات [Semsaar a'qarat]; **estate car** n سيارة بصالون [Sayarah be-ṣalon motaḥarek al-ma'qaed] متحرك المقاعد

estimate n تقدير [taqdi:r] ▷ v ['ɛstɪmɪt] يُقَيِّم [juqajjimu] ['ɛstɪˌmeɪt]

Estonia [ɛ'stəʊnɪə] n إستونيا [ʔistu:nja:]

Estonian [ɛ'stəʊnɪən] adj إستوني [ʔistu:nij] ▷ n (language) اللغة الإستوانية [Al-loghah al-estwaneyah], (person) إستوني [ʔistu:nij]

etc [ɪt 'sɛtrə] abbr إلخ [ʔilax]

eternal [ɪ'tɜːnəl] adj خالد [xa:lid]

eternity [ɪ'tɜːnɪtɪ] n خُلود [xulu:d]

ethical ['ɛθɪkəl] adj أخلاقي مهني [Akhla'qy mehany]

Ethiopia [ˌiːθɪ'əʊpɪə] n إثيوبيا [ʔiθju:bja:]

Ethiopian [ˌiːθɪ'əʊpɪən] adj إثيوبي [ʔiθju:bij] ▷ n مواطن إثيوبي [Mowaṭen ethyobey]

ethnic ['ɛθnɪk] adj عرقي [ʕirqij]

e-ticket ['iː'tɪkɪt] n تذكرة إلكترونية [Tadhkarah elektroneyah]

EU [iː juː] abbr الاتحاد الأوروبي [Al-tehad al-orobey]

euro ['jʊərəʊ] n يورو [ju:ru:]

Europe ['jʊərəp] n أوروبا [ʔu:ru:bba:]

European [ˌjʊərə'pɪən] adj أوروبي [ʔu:ru:bij] ▷ n شخص أوروبي [Shakhs orobby]; **European Union** n الاتحاد الأوروبي [Al-tehad al-orobey]

evacuate [ɪ'vækjʊˌeɪt] v يُخلي [juxli:]

eve [iːv] n عشية [ʕaʃijja]

even ['iːvən] adj مستو [mustawin] ▷ adv حتى [ħatta:]

evening ['iːvnɪn] n مساء [masa:ʔ]; **evening class** n صف مسائي [Ṣaf masaaey]; **evening dress** n ملابس السهرة [Malabes al-sahrah]; **Good evening** مساء الخير [masaa al-khayer]; **in the evening** في المساء [fee al-masaa]; **The table is booked for nine o'clock this evening** هذه المائدة محجوزة للساعة التاسعة من هذا المساء [hathy al-ma-eda mahjoza lel-sa'aa al-tase'aa min hatha al-masaa]; **What are you doing this evening?** ما الذي ستفعله هذا المساء [ma al-lathy sataf-'aalaho hatha al-masaa?]; **What is there to do in the evenings?** ماذا يمكن أن نفعله في المساء [madha yamken an naf-'aalaho fee al-masaa?]

event [ɪ'vɛnt] *n* حدث [ħadaθ]

eventful [ɪ'vɛntfʊl] *adj* زاخر بالأحداث (خطير) [Zakher bel-aḥdath]

eventually [ɪ'vɛntʃʊəlɪ] *adv* لاحقاً [la:ħiqan]

ever ['ɛvə] *adv* في أي وقت [Fee ay wa'qt]

every ['ɛvrɪ] *adj* تام [ta:mm]

everybody ['ɛvrɪ,bɒdɪ] *pron* الجميع [Aljamee'a]

everyone ['ɛvrɪ,wʌn; -wən] *pron* كل شخص [Kol shakhṣ]

everything ['ɛvrɪθɪŋ] *pron* كل شيء [Kol shayea]

everywhere ['ɛvrɪ,wɛə] *adv* حيثما [ħajθuma:]

evidence ['ɛvɪdəns] *n* دليل [dali:l]

evil ['iːvəl] *adj* شرير [ʃirri:r]

evolution [,iːvə'luːʃən] *n* نشوء [nuʃwuʔ]

ewe [juː] *n* شاة [ʃa:t]

exact [ɪg'zækt] *adj* مضبوط [madˤbuːtˤ]

exactly [ɪg'zæktlɪ] *adv* تماماً [tama:man]

exaggerate [ɪg'zædʒə,reɪt] *v* يُبالِغ [juba:liɣu]

exaggeration [ɪg'zædʒə,reɪʃən] *n* مبالغة [muba:laɣa]

exam [ɪg'zæm] *n* امتحان [imtiħa:n]

examination [ɪg,zæmɪ'neɪʃən] *n* (medical) فحص [faħsˤ], (school) فحص [faħsˤ]

examine [ɪg'zæmɪn] *v* يَتَفَحَّص (يستجوب) [jatafaħħasˤu]

examiner [ɪg'zæmɪnə] *n* الفاحص [al-fa:ħisˤu]

example [ɪg'zɑːmpəl] *n* مثال [miθa:l]

excellent ['ɛksələnt] *adj* ممتاز [mumta:z]

except [ɪk'sɛpt] *prep* ما عدا [Ma 'aada]

exception [ɪk'sɛpʃən] *n* استثناء [istiθna:ʔ]

exceptional [ɪk'sɛpʃənəl] *adj* استثنائي [istiθna:ʔij]

excessive [ɪk'sɛsɪv] *adj* مفرط [mufritˤ]

exchange [ɪks'tʃeɪndʒ] *v* يَتَبادَل [jataba:dalu]; **exchange rate** *n* سعر الصرف [Se'ar al-ṣ arf]; **rate of exchange** *n* سعر الصرف [Se'ar al-ṣ arf];

stock exchange *n* سوق الأوراق المالية [Soo'q al-awra'q al-maleyah]

excited [ɪk'saɪtɪd] *adj* مُثار [muθa:r]

exciting [ɪk'saɪtɪŋ] *adj* مُثير [muθi:r]

exclude [ɪk'skluːd] *v* يَستبعد [justabʕadu]

excluding [ɪk'skluːdɪŋ] *prep* باستثناء [bistiθna:ʔ]

exclusively [ɪk'skluːsɪvlɪ] *adv* على وجه الحصر ['ala wajh al-ḥaṣr]

excuse *n* [ɪk'skjuːs] عذر [ʕuðran] ▷ *v* [ɪk'skjuːz] يَعْذُر [jaʕðuru]; **Excuse me** معذرة [maʕðiratun]; **Excuse me, that's my seat?** معذرة، هذا هو مقعدي [ma-a-dhera, hadha howa ma'q'aady]

execute ['ɛksɪ,kjuːt] *v* يعدم [juʕdimu]

execution [,ɛksɪ'kjuːʃən] *n* تنفيذ [tanfi:ð]

executive [ɪg'zɛkjʊtɪv] *n* سلطة تنفيذية (مدير) [Soltah tanfeedheyah]

exercise ['ɛksə,saɪz] *n* تمرين [tamri:n]

exhaust [ɪg'zɔːst] *n*; **The exhaust is broken** لقد انكسرت ماسورة العادم [Le'aad enkasarat masoorat al-'adem]

exhausted [ɪg'zɔːstɪd] *adj* مرهق [murhiq]

exhibition [,ɛksɪ'bɪʃən] *n* معرض [maʕridˤ]

ex-husband [ɛks'hʌzbənd] *n* زوج سابق [Zawj sabe'q]

exile ['ɛgzaɪl; 'ɛksaɪl] *n* منفى [manfa:]

exist [ɪg'zɪst] *v* يوجد [juːʒadu]

exit ['ɛgzɪt; 'ɛksɪt] *n* مخرج [maxraʒ]; **emergency exit** *n* مخرج طوارئ [Makhraj ṭawarea]

exotic [ɪg'zɒtɪk] *adj* دخيل [daxi:l]

expect [ɪk'spɛkt] *v* يَتَوَقَّع [jatawaqqaʕu]

expedition [,ɛkspɪ'dɪʃən] *n* بِعْثة [biʕθa]

expel [ɪk'spɛl] *v* يَطْرُد [jatˤrudu]

expenditure [ɪk'spɛndɪtʃə] *n* نَفَقة [nafaqa]

expenses [ɪk'spɛnsɪz] *npl* نفقات [nafaqa:tun]

expensive [ɪk'spɛnsɪv] *adj* مرتفع الثمن [mortafe'a al-thaman]

experience [ɪk'spɪərɪəns] *n* خبرة [xibra]; **work experience** *n* خبرة العمل

[Khebrat al'aamal]

experienced [ɪkˈspɪərɪənst] *adj* مُجَرَّب [muʒarrib]

experiment [ɪkˈspɛrɪmənt] *n* تجربة [taʒriba]

expert [ˈɛkspɜːt] *n* خبير [xabiːr]

expire [ɪkˈspaɪə] *v* ينتهي [janqadˤiː]

explain [ɪkˈspleɪn] *v* يَشرَحُ [jaʃraħu]

explanation [ˌɛkspləˈneɪʃən] *n* شَرح [ʃarħ]

explode [ɪkˈspləʊd] *v* يُفَجِّر [jufaʒʒiru]

exploit [ɪkˈsplɔɪt] *v* يَستَغِلُّ [jastayillu]

exploitation [ˌɛksplɔɪˈteɪʃən] *n* استغلال [istiɣlaːl]

explore [ɪkˈsplɔː] *v* يَستَكشِف [jastakʃifu]

explorer [ɪkˈsplɔːrə] *n* (مسبار) مستكشف [mustakʃif]

explosion [ɪkˈspləʊʒən] *n* انفجار [infiʒaːr]

explosive [ɪkˈspləʊsɪv] *n* مادة متفجرة [Madah motafajerah]

export *n* [ˈɛkspɔːt] (تصدير) صادر [sˤaːdir] ▷ *v* [ɪkˈspɔːt] يُصَدِّر [jusˤaddiru]

express [ɪkˈsprɛs] *v* يُعَبِر عن [Yo'aber 'an]

expression [ɪkˈsprɛʃən] *n* تعبير [taʕbiːr]

extension [ɪkˈstɛnʃən] *n* (توسع) امتداد [imtidaːd]; **extension cable** *n* وَصلة تمديد [Waṣlat tamdeed]

extensive [ɪkˈstɛnsɪv] *adj* ممتد [mumtadd]

extensively [ɪkˈstɛnsɪvlɪ] *adv* بشكل مُوَسَّع [Beshakl mowasa'a]

extent [ɪkˈstɛnt] *n* مدى [mada:]

exterior [ɪkˈstɪərɪə] *adj* خارجي [xaːriʒij]

external [ɪkˈstɜːnəl] *adj* سطحي [satˤħij]

extinct [ɪkˈstɪŋkt] *adj* منقرض [munqaridˤ]

extinguisher [ɪkˈstɪŋgwɪʃə] *n* طفاية الحريق [Tafayat haree'q]

extortionate [ɪkˈstɔːʃənɪt] *adj* مُستَغِل [mustayill]

extra [ˈɛkstrə] *adj* زائِد [zaːʔid] ▷ *adv* إلى درجة فائقة [Ela darajah fae'qah]

extraordinary [ɪkˈstrɔːdᵊnrɪ; -dᵊnərɪ] *adj* استثنائي [istiθnaːʔij]

extravagant [ɪkˈstrævɪgənt] *adj* مسرف [musrif]

extreme [ɪkˈstriːm] *adj* شديد [ʃadiːd]

extremely [ɪkˈstriːmlɪ] *adv* بدرجة شديدة [Bedarajah shadeedah]

extremism [ɪkˈstriːmɪzəm] *n* تطرف [tatˤarruf]

extremist [ɪkˈstriːmɪst] *n* متطرف [mutatˤarrif]

ex-wife [ɛksˈwaɪf] *n* زوجة سابقة [Zawjah sabe'qah]

eye [aɪ] *n* عين [ʕajn]; **eye drops** *npl* قطرة للعين ['qatrah lel-'ayn]; **eye shadow** *n* ظل العيون [ḍhel al-'aoyoon]; **I have something in my eye** يوجد شيء ما في عيني [yujad shay-un ma fee 'aynee]; **My eyes are sore** إن عيناي ملتهبتان [enna 'aynaya multa-hebatan]

eyebrow [ˈaɪˌbraʊ] *n* حاجب [ħaːʒib]

eyelash [ˈaɪˌlæʃ] *n* رمش العين [Remsh al'ayn]

eyelid [ˈaɪˌlɪd] *n* جفن [ʒafn]

eyeliner [ˈaɪˌlaɪnə] *n* قلم تحديد العينين ['qalam taḥdeed al-'ayn]

eyesight [ˈaɪˌsaɪt] *n* مجال البصر [Majal al-baṣar]

f

fabric ['fæbrɪk] n قماش [qma:ʃ]
fabulous ['fæbjʊləs] adj غير قابل للتصديق [Ghayr 'qabel leltaṣdee'q]
face [feɪs] n وجه [waʒh] ▷ v يواجه [juwa:ʒihu]; **face cloth** n منشفة الوجه [Menshafat al-wajh]
facial ['feɪʃəl] adj وجهي [waʒhij] ▷ n تدليك الوجه [Tadleek al-wajh]
facilities [fə'sɪlɪtɪz] npl منشآت (تسهيلات) [munʃaʔa:tun]
fact [fækt] n حقيقة [ħaqi:qa]
factory ['fæktərɪ] n مصنع [masˤnaʕ]
fade [feɪd] v يذوي [jaðawwiː]
fag [fæg] n كدح [kadaħ]
fail [feɪl] v يَفْشَل [jafʃalu]
failure ['feɪljə] n فشل [faʃal]
faint [feɪnt] adj خائر القوى [Khaaer al-'qowa] ▷ v يُصاب بإغماء [yoṣab be-eghmaa]
fair [feə] adj (light colour) فَاتِح [fa:tiħ], (reasonable) عادل [ʕa:dil] ▷ n سوق خيرية [Soo'q khayreyah]
fairground ['feəˌgraʊnd] n أرض المعارض [Arḍ al ma'arid]
fairly ['feəlɪ] adv بإنْصَاف [bi-ʔinsˤa:fin]
fairness ['feənɪs] n عَدل [ʕadl]
fairy ['feərɪ] n جنية [ʒinnija]

fairytale ['feərɪˌteɪl] n أحد حكايات الجان [Aḥad ḥekayat al-jan]
faith [feɪθ] n إيمان (إخلاص) [ʔiːmaːn]
faithful ['feɪθfʊl] adj مخلص [muxlisˤ]
faithfully ['feɪθfʊlɪ] adv بصِدْق [bisˤidqin]
fake [feɪk] adj مُزَيَّف [muzajjaf] ▷ n زائف (مدع) [zaːʔif]
fall [fɔːl] n سُقوط [suquːtˤ] ▷ v يَقَع [jaqaʕu]
fall down [fɔːl daʊn] v يَسْقُط (يخر ساجدا) [jasqutˤu]
fall for [fɔːl fɔː] v يقع في غرامها [Ya'qah fee ghrameha]
fall out [fɔːl aʊt] v يَتَشَاجر (يتفرق) [jataʃaːʒaru]
false [fɔːls] adj زائف [zaːʔif]; **false alarm** n إنذار كاذب [endhar kadheb]
fame [feɪm] n شمْعَة [sumʕa]
familiar [fə'mɪlɪə] adj مألوف [maʔluːf]
family ['fæmɪlɪ; 'fæmlɪ] n عائلة [ʕaːʔila]
famine ['fæmɪn] n مجاعة [maʒaːʕa]
famous ['feɪməs] adj مَشهور [maʃhuːr]
fan [fæn] n مروحة [mirwaħa]; **fan belt** n سير المروحة [Seer almarwaha]; **Does the room have a fan?** هل يوجد مروحة بالغرفة؟ [hal yujad mirwa-ha bil-ghurfa?]
fanatic [fə'nætɪk] n شخص متعصب [Shakhṣ motaṣeb]
fancy ['fænsɪ] v يتخيل [jataxajjalu]; **fancy dress** n زي تَنكري [Zey tanakorey]
fantastic [fæn'tæstɪk] adj خَيالي [xajaːlij]
FAQ [ɛf eɪ kjuː] abbr سؤال مُتكرر [Soaal motakarer]
far [fɑː] adj بعيد [baʕiːd] ▷ adv على مسافة بعيدة [Ala masafah ba'aedah]; **Far East** n الشرق الأقصى [Al-shar'q al-a'qsa]; **Is it far?** هل المسافة بعيدة؟ [hal al-masafa ba'aeda?]; **It's not far** المسافة ليست بعيدة [al-masaafa laysat ba'aeeda]; **It's quite far** المسافة ليست بعيدة جدا [al-masaafa laysat ba'aeedah jedan]
fare [feə] n أجرة السفر [Ojrat al-safar]
farm [fɑːm] n مزرعة [mazraʕa]
farmer ['fɑːmə] n مزارع [mazaːriʕ]

farmhouse ['fɑːm,haʊs] n منزل ريفي [Mazel reefey]

farming ['fɑːmɪŋ] n زراعة [ziraːʕa]

Faroe Islands ['fɛərəʊ 'aɪləndz] npl جزر فارو [Jozor faaw]

fascinating ['fæsɪˌneɪtɪŋ] adj فاتِن [faːtin]

fashion ['fæʃən] n موضة (نمط) [muːdʕa]

fashionable ['fæʃənəbəl] adj مواكب للموضة [Mowakeb lel-moḍah]

fast [fɑːst] adj سريع [sariːʕ] ▷ adv بسرعة [Besorʕah]; **He was driving too fast** كان يقود السيارة بسرعة كبيرة [kaːna jaquːdu assajːaːrata bisurʕatin kabiːratin]

fat [fæt] adj سمين [samiːn] ▷ n بَدين [badiːn]

fatal ['feɪtəl] adj مميت (مقدر) [mumiːt]

fate [feɪt] n قَدَر [qadar]

father ['fɑːðə] n والِد [waːlid]

father-in-law ['fɑːðə ɪn ˌlɔː] n (pl **fathers-in-law**) الحمو [alħamuː]

fault [fɔːlt] n (defect) عيب [ʕajb], (mistake) عيب [ʕajb]

faulty ['fɔːltɪ] adj معيوب [maʕjuːb]

fauna ['fɔːnə] npl حيوانات [ħajwaːnaːt]

favour ['feɪvə] n معروف [maʕruːf]

favourite ['feɪvərɪt; 'feɪvrɪt] adj مفضل [mufadʕdʕal] ▷ n شخص مُقَرَّب [Shakhs mo'qarab]

fax [fæks] n فاكس [faːks] ▷ v يُرسِل رسالة بالفاكس [Yorsel resalah bel-fax]; **Do you have a fax?** هل يوجد فاكس [hal yujad fax?]; **How much is it to send a fax?** كم تبلغ تكلفة إرسال رسالة بالفاكس [Kam tablogh taklefat ersal resalah bel-faks?]; **I want to send a fax** أريد إرسال فاكس [areed ersaal fax]; **Is there a fax machine I can use?** هل توجد ماكينة فاكس يمكن استخدامها؟ [hal tojad makenat fax yamken istekh-damuha?]; **Please resend your fax** رجاء إعادة إرسال الفاكس [rejaa e-'aadat ersaal al-fax]; **There is a problem with your fax** هناك مشكلة ما في الفاكس [Honak moshkelah ma fel-faks]; **What is the fax number?** ما هو رقم الفاكس؟ [ma

howa ra'qim al-fax?]

fear [fɪə] n خَوف [xawf] ▷ v يخاف [jaxaːfu]

feasible ['fiːzəbəl] adj عملي [ʕamaliː]

feather ['fɛðə] n ريشة [riːʃa]

feature ['fiːtʃə] n سمة [sima]

February ['fɛbrʊərɪ] n فبراير [fabraːjir]

fed up [fɛd ʌp] adj سَئِم [saʔima]

fee [fiː] n (رسم) أجر [ʔaʒr]; **entrance fee** n رَسْم الدخول [Rasm al-dokhool]; **tuition fees** npl رسوم التعليم [Rasm al-ta'aleem]

feed [fiːd] v يُطعِم [jutʕʕimu]

feedback ['fiːd,bæk] n الإفادة بالرأي [Al-efadah bel-raay]

feel [fiːl] v يَشعُر [jaʃʕuru]

feeling ['fiːlɪŋ] n شُعُور [ʃuʕuːr]

feet [fiːt] npl أقدام [ʔaqdaːmun]

felt [fɛlt] n لباد [libaːd]

female ['fiːmeɪl] adj مُؤنث [muʔannaθ] ▷ n أنثى [ʔunθaː]

feminine ['fɛmɪnɪn] adj مؤنث [muʔannaθ]

feminist ['fɛmɪnɪst; 'feminist] n شخص موال لمساواة المرأة بالرجل [Shakhṣ mowal le-mosawat al-maraah bel-rojol]

fence [fɛns] n سياج [sijaːʒ]

fennel ['fɛnəl] n نبات الشمر [Nabat al-shamar]

fern [fɜːn] n نبات السراخس [Nabat al-sarakhes]

ferret ['fɛrɪt] n النِّمْس [an-nimsu]

ferry ['fɛrɪ] n معدية [muʕdija]

fertile ['fɜːtaɪl] adj خِصب [xisʕb]

fertilizer ['fɜːtɪˌlaɪzə] n سماد [samaːd]

festival ['fɛstɪvəl] n مهرجان [mihraʒaːn]

fetch [fɛtʃ] v يجلب [jaʒlibu]

fever ['fiːvə] n حمى [ħumma]; **hay fever** n مرض حمى القش [Maraḍ homma al-'qash]; **He has a fever** أنه يعاني من الحمى [inaho yo-'aany min al-homma]

few [fjuː] adj بعض [baʕdʕ] ▷ pron قليل [qaliːlun]

fewer ['fjuːə] adj أقل [ʔaqallu]

fiancé [fɪ'ɒnseɪ] n خطيب [xatʕiːb]

fiancée [fɪ'ɒnseɪ] n خطيبة [xatʕiːba]

fibre ['faɪbə] n ألياف [ʔaljaːf]

fibreglass ['faɪbəglɑːs] *n* مادة ألياف الزجاج [Madat alyaf alzojaj]

fiction ['fɪkʃən] *n* قصة خيالية ['qeṣah khayaleyah]; **science fiction** *n* خيال علمي [Khayal ʿaelmey]

field [fiːld] *n* حقل [ḥaql]; **playing field** *n* ملعب رياضي [Malʿaab reyady]

fierce [fɪəs] *adj* مفترس [muftaris]

fifteen ['fɪf'tiːn] *number* خَمْسة عشر [xamsata ʃaʃar]

fifteenth ['fɪf'tiːnθ; 'fifteenth] *adj* الخامس عشر [al-xaːmis ʃaʃar]

fifth [fɪfθ] *adj* خامس [xaːmis]

fifty ['fɪftɪ] *number* خَمْسون [xamsuːna]

fifty-fifty ['fɪftɪ'fɪftɪ] *adj* مقسم مناصفة [Moʾqassam monaṣafah] ▷ *adv* مناصفة [munaːsˁafatan]

fig [fɪg] *n* تين [tiːn]

fight [faɪt] *n* قتال [qitaːl] ▷ *v* يُحَارِب [juhaːribu]

fighting [faɪtɪŋ] *n* قتال [qitaːl]

figure ['fɪgə; 'figjər] *n* رقم [raqm]

figure out ['fɪgə aʊt] *v* يَتبين [jatabajjanu]

Fiji ['fiːdʒiː; fiː'dʒiː] *n* فيجي [fiːʒiː]

file [faɪl] *n* (folder) ملف [milaff], (tool) ملف [milaff] ▷ *v* (folder) يَحفظ في ملف [yahfaḍh fee malaf], (smoothing) يبرد بمبرد [Yobared bemabared]

Filipino, Filipina [ˌfɪlɪ'piːnəʊ, ˌfɪlɪ'piːna] *adj* فلبيني [filibbiːnij] ▷ *n* مواطن فلبيني [Mowaṭen felebeeney]

fill [fɪl] *v* يَمْلأ [jamlʔu]

fillet ['fɪlɪt] *n* شريحة لحم مخلية من العظام (عصابة رأس) [Shreeḥat laḥm makhleyah men al-eḍham] ▷ *v* يُقَطِّع إلى شرائح [Yoʾqateʿa ela shraeḥ]

fill in [fɪl ɪn] *v* يَمْلأ الفراغ [Yamlaa al-faragh]

filling ['fɪlɪŋ] *n*; **A filling has fallen out** لقد تأكل الحشو [laʾqad ta-aa-kala al-ḥasho]; **Can you do a temporary filling?** هل يمكنك عمل حشو مؤقت؟ [hal yamken -aka ʿaamal ḥasho mo-aʾqat?]

fill up [fɪl ʌp] *v* يَملأ ب [Yamlaa be]

film [fɪlm] *n* فيلم [fiːlm]; **film star** *n* نجم

سينمائي [Najm senemaaey]; **horror film** *n* فيلم رعب [Feelm roʿab]; **A colour film, please** فيلم ملون من فضلك [filim mola-wan min faḍlak]; **Can you develop this film, please?** هل يمكنك تحميض هذا الفيلم من فضلك؟ [hal yamken -aka taḥmeeḍ hadha al-filim min faḍlak?]; **The film has jammed** لقد توقف الفيلم بداخل الكاميرا [laʾqad tiwa-ʾqaf al-filim bedakhil al-kamera]; **When does the film start?** متى يبدأ عرض الفيلم؟ [mata yabda ʿarḍ al-filim?]; **Where can we go to see a film?** متى يمكننا أن نذهب لمشاهدة فيلمًا سينمائيا؟ [Mata yomkenona an nadhab le-moshahadat feelman senemaayan]; **Which film is on at the cinema?** أي فيلم يعرض الآن على شاشة السينما؟ [ay filim yaʿaruḍ al-aan ʿala sha-shat al-senama?]

filter ['fɪltə] *n* جهاز ترشيح [Jehaz tarsheeh] ▷ *v* يُصَفي [jusˁaffiː]

filthy ['fɪlθɪ] *adj* قذر [qaðir]

final ['faɪnˁl] *adj* نهائي [nihaːʔij] ▷ *n* نهائي [nihaːʔij]

finalize ['faɪnəˌlaɪz] *v* يُنْهي [junhiː]

finally ['faɪnəlɪ] *adv* أخيرا [ʔaxiːran]

finance [fɪ'næns; 'faɪnæns] *n* تمويل [tamwiːl] ▷ *v* يُمَوِل [jumawwilu]

financial [fɪ'nænʃəl; faɪ-] *adj* مالي [maːlij]; **financial year** *n* سَنة مالية [Sanah maleyah]

find [faɪnd] *v* يَجد [jaʒidu]

find out [faɪnd aʊt] *v* يَكْتَشف [jaktaʃifu]

fine [faɪn] *adj* (رقيق) رائع [raːʔiʕ] ▷ *adv* على نحو رائع [Ala nahw raeʿa] ▷ *n* غرامة [ɣaraːma]; **How much is the fine?** كم تبلغ الغرامة؟ [kam tablugh al-gharama?]; **Where do I pay the fine?** أين تدفع الغرامة؟ [ayna tudfaʿa al-gharama?]

finger ['fɪŋgə] *n* إصبع [ʔisˁbaʕ]; **index finger** *n* اصبع السبابة [Esbeʿa al-sababah]

fingernail ['fɪŋgəˌneɪl] *n* ظُفر [zˁufr]

fingerprint ['fɪŋgəˌprɪnt] *n* بصمة الإصبع [Baṣmat al-eṣbaʿa]

finish ['fɪnɪʃ] n نهاية [niha:ja] ▷ v يَخْتَتِم [jaxtatimu]

finished ['fɪnɪʃt] adj مُنجَز [munʒaz]

Finland ['fɪnlənd] n فنلندا [finlanda:]

Finn ['fɪn] n مواطن فنلندي [Mowaṭen fenlandey]

Finnish ['fɪnɪʃ] adj فنلندي [fanlandij] ▷ n اللغة الفنلندية [Al-loghah al-fenlandeyah]

fir [fɜː] n; **fir (tree)** n شجر التنوب [Shajar al-tanob]

fire [faɪə] n نار [na:ru]; **fire alarm** n إنذار حريق [endhar Haree'q]; **fire brigade** n فرقة مطافيء [Fer'qat maṭafeya]; **fire escape** n سُلَم النجاة من الحريق [Solam al-najah men al-ḥaree'q]; **fire extinguisher** n طفاية الحريق [Ṭafayat ḥaree'q]

fireman, firemen ['faɪəmən, 'faɪəmɛn] n رَجُل المطافئ [Rajol al-maṭafeya]

fireplace ['faɪəˌpleɪs] n مستوقد [mustawqid]

firewall ['faɪəˌwɔːl] n الجدار الواقي [Al-jedar al-wa'qey]

fireworks ['faɪəˌwɜːks] npl ألعاب نارية [Al-'aab nareyah]

firm [fɜːm] adj راسخ [ra:six] ▷ n مؤسسة [mu?assasa]

first [fɜːst] adj أول [?awwal] ▷ adv أولًا [?awwala:] ▷ n أول [?awwal]; **first aid** n إسعافات أولية [Es'aafat awaleyah]; **first name** n الاسم الأول [Al-esm al-awal]; **This is my first trip to…** هذه هي أول رحلة لي إلى… [Hadheh hey awal reḥla lee ela]; **When does the first chair-lift go?** متى يتحرك أول ناقل للمتزلجين؟ [mata yata-ḥarak awal na'qil lel-muta-zali-jeen?]; **When is the first bus to…?** ما هو موعد أول أتوبيس متجه إلى…؟ [ma howa maw-'aid awal baas mutajih ela…?]

first-class ['fɜːstˈklɑːs] adj درجة أولى [Darajah aula]

firstly ['fɜːstlɪ] adv أولًا [?awwala:]

fiscal ['fɪskəl] adj أميري [?ami:rij]; **fiscal year** n سنة ضريبية [Sanah ḍareebeyah]

fish [fɪʃ] n سَمكة [samaka] ▷ v يَصطاد [jas'at'du]; **freshwater fish** n سمكة مياه عذبة [Samakat meyah adhbah]

fisherman, fishermen ['fɪʃəmən, 'fɪʃəmɛn] n صياد السمك [Ṣayad al-samak]

fishing ['fɪʃɪŋ] n صيد السمك [Ṣayd al-samak]; **fishing boat** n قارب صيد ['qareb ṣayd]; **fishing rod** n سِنارة [s'anna:ratun]; **fishing tackle** n معدات صيد السمك [Mo'aedat ṣayed al-samak]

fishmonger ['fɪʃˌmʌŋɡə] n تاجر الأسماك [Tajer al-asmak]

fist [fɪst] n قبضة [qabd'a]

fit [fɪt] adj جيد [ʒabad] ▷ n نوبة [nawba] ▷ v يُناسِب [junasibu]; **epileptic fit** n نوبة صرع [Nawbat ṣar'a]; **fitted kitchen** n مطبخ مجهز [Maṭbakh mojahaz]; **fitted sheet** n ملاءة مثبتة [Melaah mothabatah]; **fitting room** n غرفة القياس [ghorfat al-'qeyas]

fit in [fɪt ɪn] v يَتلاَئم مع [Yatalaam ma'a]

five [faɪv] number خَمْسة [xamsatun]

fix [fɪks] v يُثَبِت [juθabbitu]

fixed [fɪkst] adj ثابت [θa:bit]

fizzy ['fɪzɪ] adj فوار [fuwa:r]

flabby ['flæbɪ] adj رَخْو [raxw]

flag [flæɡ] n عَلَم ['alam]

flame [fleɪm] n لهب [lahab]

flamingo [fləˈmɪŋɡəʊ] n طائر الفلامنجو [Taaer al-flamenjo]

flammable ['flæməbəl] adj قابل للاشتعال ['qabel lel-eshte'aal]

flan [flæn] n فطيرة فْلان [Faṭerat folan]

flannel ['flænəl] n صوف فانيلة [Ṣoof faneelah]

flap [flæp] v يُرفرف [jurafrifu]

flash [flæʃ] n وميض [wami:d'] ▷ v يُومِض [ju:mid'u]

flashlight ['flæʃˌlaɪt] n وميض [wami:d']

flask [flɑːsk] n دَورَق [dawraq]

flat [flæt] adj منبسط [munbasit] ▷ n شقة مُسطّح [musat't'aħ]; **studio flat** n شقة ستديو [Sha'qah stedeyo]

flat-screen ['flætˌskriːn] adj شاشة مسطحة [Shasha mostahah]

flatter ['flætə] v يُطري [jut'ri:]

flattered ['flætəd] *adj* شاعر بالإطراء [Shaa'aer bel-etraa]

flavour ['fleɪvə] *n* نكهة [nakha]

flavouring ['fleɪvərɪŋ] *n* مادة منكهة [Madah monakahah]

flaw [flɔː] *n* نقص [naqs']

flea [fliː] *n* برغوث [barɣu:θ]; **flea market** *n* سوق للسلع الرخيصة [Soo'q lel-sealaa al-sgheerah]

flee [fliː] *v* يتفادى [jatafa:da:]

fleece [fliːs] *n* صوف الخروف [Şoof al-kharoof]

fleet [fliːt] *n* قافلة [qa:fila]

flex [flɛks] *n* سلك كهربائي (لي) [Selk kahrabaey]

flexible ['flɛksɪbəl] *adj* مرن [marin]

flexitime ['flɛksɪˌtaɪm] *n* ساعات عمل مرنة [Sa'aat 'aamal marenah]

flight [flaɪt] *n* رحلة جوية [Rehalah jaweyah]; **charter flight** *n* رحلة جوية مُؤَجرة [Rehalh jaweyah moajarah]; **flight attendant** *n* مضيف الطائرة [modeef al-ṭaaerah]; **scheduled flight** *n* رحلة منتظمة [Reḥlah montaḍhemah]

fling [flɪŋ] *v* يطرح جانبا [Yaṭraḥ janeban]

flip-flops ['flɪpˌflɒpz] *npl* شبشب [ʃubʃubun]

flippers ['flɪpəz] *npl* زعانف الغطس [Za'aanef al-ghaṭs]

flirt [flɜːt] *n* غزل (حركة خاطفة) [ɣazl] ▷ *v* يُغازل [juɣa:zilu]

float [fləʊt] *n* عوامة [ʕawa:ma] ▷ *v* يطفو [jatʕfu:]

flock [flɒk] *n* سرب [sirb]

flood [flʌd] *n* طوفان [tˁu:fa:n] ▷ *vi* يفيض [jafi:dˁu] ▷ *vt* يَغْمُر [jaɣmuru]

flooding ['flʌdɪŋ] *n* فيضان [fajadˁa:n]

floodlight ['flʌdˌlaɪt] *n* وحدة إضاءة كشافة [Weḥdah edafeyah kashafah]

floor [flɔː] *n* أرضية [ard'ijja]; **ground floor** *n* الدور الأرضي [Aldoor al-ardey]

flop [flɒp] *n* فشل [faʃal]

floppy ['flɒpɪ] *adj*; **floppy disk** *n* قرص مرن [qorș maren]

flora ['flɔːrə] *npl* نباتات [naba:ta:t]

florist ['flɒrɪst] *n* بائع زهور [Bae'a zohor]

flour ['flaʊə] *n* دقيق طحين [Da'qeeq taheen]

flow [fləʊ] *v* يتدفق [jatadaffaqu]

flower ['flaʊə] *n* زهرة [zahra] ▷ *v* يُزهر [juzhiru]

flu [fluː] *n* الإنفلونزا [Alenfolwanza]; **bird flu** *n* إنفلونزا الطيور [Enfelwanza al-ṭeyor]

fluent ['fluːənt] *adj* سلس (فصيح) [salis]

fluorescent [ˌflʊəˈrɛsənt; ˌfluoˈrescent] *adj* فلوري [flu:rij]

flush [flʌʃ] *n* نضارة [nadˁˁaːra] ▷ *v* يَتَورد (يتدفق) [jatawarradu]

flute [fluːt] *n* آلة الفلوت [Aalat al-felot]

fly [flaɪ] *n* ذُبَابة [ðuba:ba] ▷ *v* يطير [jatˁˁiːru]

fly away [flaɪ əˈweɪ] *v* يَهْرُب مسرعا [Yahrab mosre'aan]

foal [fəʊl] *n* مهر [mahr]

foam [fəʊm] *n*; **shaving foam** *n* رغوة الحلاقة [Raghwat hela'qah]

focus ['fəʊkəs] *n* بُؤْرة [bu'ra] ▷ *v* يتركز [jatarakkazu]

foetus ['fiːtəs] *n* جنين [ʒani:n]

fog [fɒg] *n* ضباب [dˁaba:b]; **fog light** *n* مصباح الضباب [Mesbah al-ḍabab]

foggy ['fɒgɪ] *adj* غائم [ɣa:ʔim]

foil [fɔɪl] *n* رقاقة معدنية [Re'qaeq ma'adaneyah]

fold [fəʊld] *n* طي (حظيرة خراف) [tˁajj] ▷ *v* يَطوي [jatˁwi:]

folder ['fəʊldə] *n* حافظة [ha:fizˁa]

folding [fəʊldɪŋ] *adj* قابل للطي [qabel lel-tay]

folklore ['fəʊkˌlɔː] *n* فولكلور [fu:lklu:r]

follow ['fɒləʊ] *v* يَتبع [jatbaʕu]

following ['fɒləʊɪŋ] *adj* لاحق [la:ħiq]

food [fuːd] *n* طعام [tˁaʕa:m]; **food poisoning** *n* التسمم الغذائي [Al-tasmom al-ghedhaaey]; **food processor** *n* محضر الطعام [Moḥder al-ṭa'aam]; **Do you have food?** هل يوجد لديكم طعام؟ [hal yujad laday-kum ṭa'aam?]; **The food is too hot** إن الطعام ساخن أكثر من اللازم [enna al-ṭa'aam sakhen akthar min al-laazim]; **The food is very greasy** الطعام كثير الدسم [al-ṭa'aam katheer al-dasim]

fool [fuːl] n مُغَفّل [muɣaffl] ⊳ v يُضلّل [jund'allilu]

foot, feet [fʊt, fiːt] n قدم [qadam]; **My feet are a size six** مقاس قدمي ستة [ma'qas 'qadamy sit-a]

football ['fʊtˌbɔːl] n كرة القدم [Korat al-'qadam]; **American football** n كرة القدم الأمريكية [Korat al-qadam al-amreekeyah]; **football match** n مباراة كرة قدم [Mobarat korat al-'qadam]; **football player** n لاعب كرة القدم [La'aeb korat al-'qadam]; **Let's play football** هلم نلعب كرة القدم؟ [haloma nal'aab kurat al-'qadam]

footballer ['fʊtˌbɔːlə] n لاعب كرة قدم [La'eb korat 'qadam]

footpath ['fʊtˌpɑːθ] n ممر المشاة [mamar al-moshah]

footprint ['fʊtˌprɪnt] n أثر القدم [Athar al'qadam]

footstep ['fʊtˌstɛp] n أثر القدم [Athar al-'qadam]

for [fɔː; fə] prep لأجل [li?aʒli]

forbid [fə'bɪd] v يُحرِّم [juħarrimu]

forbidden [fə'bɪdªn] adj ممنوع [mamnu:ʕ]

force [fɔːs] n قوة عسكرية ['qowah askareyah] ⊳ v يُجْبِر [juʒbiru]; **Air Force** n سلاح الطيران [Ŝelah al-ṭayaran]

forecast ['fɔːˌkɑːst] n تنبؤ [tanabu?]

foreground ['fɔːˌgraʊnd] n أمامي [?ama:mij]

forehead ['fɒrɪd; 'fɔːˌhɛd] n جبهة [ʒabha]

foreign ['fɒrɪn] adj أجنبي [?aʒnabij]

foreigner ['fɒrɪnə] n أجنبي [?aʒnabij]

foresee [fɔː'siː] v يتنبأ بـ [Yatanabaa be]

forest ['fɒrɪst] n غابة [ɣa:ba]

forever [fɔː'rɛvə; fə-] adv إلى الأبد [Ela alabad]

forge [fɔːdʒ] v يُزَوِّر [juzawwiru]

forgery ['fɔːdʒərɪ] n تزوير [tazwi:r]

forget [fə'gɛt] v ينسى [jansa:]

forgive [fə'gɪv] v يَغْفِر [jaɣfiru]

forgotten [fə'gɒtªn] adj منسي

[mansijju]

fork [fɔːk] n شوكة طعام [Shawkat ṭa'aaam]

form [fɔːm] n شَكل [ʃakl]; **application form** n نموذج الطلب [Namozaj al-ṭalab]; **order form** n نموذج طلبية [Namodhaj ṭalabeyah]

formal ['fɔːməl] adj عُرفي [ʕurafij]

formality [fɔː'mælɪtɪ] n شكل رسمي [Shakl rasmey]

format ['fɔːmæt] n تنسيق [tansi:q] ⊳ v يُعُيِد تهيئة [Yo'aeed taheyaah]

former ['fɔːmə] adj سابق [sa:biq]

formerly ['fɔːməlɪ] adv سابقاً [sa:biqan]

formula ['fɔːmjʊlə] n صيغة [sˤi:ɣa]

fort [fɔːt] n حصن [ħisˤn]

fortnight ['fɔːtˌnaɪt] n يومان [jawma:ni]

fortunate ['fɔːtʃənɪt] adj سعيد [saʕi:d]

fortunately ['fɔːtʃənɪtlɪ] adv لحسن الحظ [Le-hosn al-hadh]

fortune ['fɔːtʃən] n حظ سعيد [hadh sa'aeed]

forty ['fɔːtɪ] number أربعون [?arbaʕu:na]

forward ['fɔːwəd] adv إلى الأمام [Ela al amam] ⊳ v يرسل [jursilu]; **forward slash** n شرطة مائلة للأمام [Sharṭah maelah lel-amam]; **lean forward** v يَتَّكئ للأمام [Yatakea lel-amam]

foster ['fɒstə] v يُعزز (يتبنى) [ju'azzizu]; **foster child** n طفل متبنى [Tefl matabanna]

foul [faʊl] adj غادِر [ɣa:dir] ⊳ n مخالفة [muxa:lafa]

foundations [faʊn'deɪʃənz] npl أساسات [?asa:sa:tun]

fountain ['faʊntɪn] n نافورة [na:fu:ra]; **fountain pen** n قلم حبر ['qalam ħebr]

four [fɔː] number أربعة [?arbaʕatun]

fourteen ['fɔː'tiːn] number أربعة عشر [?arbaʕata ʕaʃr]

fourteenth ['fɔː'tiːnθ] adj الرابع عشر [ar-ra:biʕu ʕaʃari]

fourth [fɔːθ] adj رابع [ra:biʕu]

fox [fɒks] n ثعلب [θaʕlab]

fracture ['fræktʃə] n كَسْر [kasr]

fragile ['frædʒaɪl] adj قابل للكسر ['qabel lel-kasr]

lel-kassr]

frail [freɪl] adj واهِن [wa:hin]

frame [freɪm] n إطار [ʔiˤtˤaːr]; **picture frame** n إطار الصورة [Eṭar al ṣorah]; **Zimmer® frame** n هيكل زيمر المساعد على المشي [hajkalun zajmiri almusaːˤidi ˤala: almaʃji]

France [frɑːns] n فرنسا [faransa:]

frankly ['fræŋklɪ] adv بصراحة [Beṣarahah]

frantic ['fræntɪk] adj شديد الاهتياج [Shdeed al-ehteyaj]

fraud [frɔːd] n احتيال [iħtija:l]

freckles ['frɛkʰlz] npl نمش [namʃun]

free [friː] adj (no cost) مجاني [maʒʒaːnij], (no restraint) حر [ħurr] ▷ v يُحَرر [juħarriru]; **free kick** n ضربة حرة [Ḍarba ħorra]

freedom ['friːdəm] n حرية [ħurrijja]

freelance ['friːlɑːns] adj يعمل بشكل حر [Yaˤamal beshakl ħor] ▷ adv بشكل مُستقل [Beshakl mosta'qel]

freeze [friːz] v يَتَجمد [jataʒammadu]

freezer ['friːzə] n فريزر [friːzar]

freezing ['friːzɪŋ] adj شديد البرودة [Shadeedat al-broodah]; **It's freezing cold** الجو شديد البرودة [al-jaw shaded al-boroda]

freight [freɪt] n شحنة [ʃuħna]

French [frɛntʃ] adj فرنسي [faransij] ▷ n اللغة الفرنسية [All-loghah al-franseyah]; **French beans** npl فاصوليا خضراء [Faṣoleya khadraa]; **French horn** n بوق فرنسي [Booʼq faransey]

Frenchman, Frenchmen ['frɛntʃmən, 'frɛntʃmɛn] n مواطن فرنسي [Mowaṭen faransey]

Frenchwoman, Frenchwomen ['frɛntʃwʊmən, 'frɛntʃwɪmɪn] n مواطنة فرنسية [Mowaṭenah faranseyah]

frequency ['friːkwənsɪ] n تردد [taraddud]

frequent ['friːkwənt] adj متكرر [mutakarrir]

fresh [frɛʃ] adj طازج [tˤaːzaʒ]

freshen up ['frɛʃən ʌp] v يُنعش [junˤiʃu]

fret [frɛt] v يَغِيظ [jaɣiːzˤu]

Friday ['fraɪdɪ] n الجمعة [al-ʒumˤatu]; **Good Friday** n الجمعة العظيمة [Al-jom'ah al-'aadheemah]; **on Friday the thirty first of December** يوم الجمعة الموافق الحادي والثلاثين من ديسمبر [yawm al-jum.aa al- muwa-fiʼq al-ḥady waal-thalatheen min desambar]; **on Friday** في يوم الجمعة [fee yawm al-jum'aa]

fridge [frɪdʒ] n ثلاجة [θalla:ʒa]

fried [fraɪd] adj مقلي [maqlij]

friend [frɛnd] n صديق [sˤadiːq]

friendly ['frɛndlɪ] adj ودود [wadu:d]

friendship ['frɛndʃɪp] n صداقة [sˤada:qa]

fright [fraɪt] n رُعب [ruˤb]

frighten ['fraɪtʰn] v يُرعِب [jurˤibu]

frightened ['fraɪtənd] adj مرعوب [marˤu:b]

frightening ['fraɪtʰnɪŋ] adj مرعب [murˤib]

fringe [frɪndʒ] n هُداب [huda:b]

frog [frɒg] n ضفدع [dˤifdaˤ]

from [frɒm; frəm] prep مِنْ [min]

front [frʌnt] adj أمامي [ʔama:jij] ▷ n واجهة [wa:ʒiha]

frontier ['frʌntɪə; frʌn'tɪə] n تخم [tuxm]

frost [frɒst] n صقيع [sˤaqi:ʕ]

frosting ['frɒstɪŋ] n تغطية الكيك [taghṭeyat al-keek]

frosty ['frɒstɪ] adj تكَوُّن الصقيع [Takawon al-sa'qee'a]

frown [fraʊn] v يَعْبِس [jaˤbasu]

frozen ['frəʊzʰn] adj متجمد [mutaʒammid]

fruit [fruːt] n (botany) فاكهة [fa:kiha], (collectively) فاكهة [fa:kiha]; **fruit juice** n عصير فاكهة ['aṣeer fakehah]; **fruit machine** n آلة كشف الشذوذ الجنسي [aalat kashf al shedhodh al jensy]; **fruit salad** n سلاطة فواكه [Salaṭat fawakeh]; **passion fruit** n فاكهة العشق [Fakehat al-'aesh'q]

frustrated [frʌ'streɪtɪd] adj مخيب [muxajjib]

fry [fraɪ] v يَقلي [jaqli:]; **frying pan** n قلاية

[qala:jjatun]

fuel ['fjʊəl] n وقود [waqunwdu]

fulfil [fʊl'fɪl] v يُنْجِز [junʒizu]

full [fʊl] adj ممتلیء [mumtali:??]; **full moon** n بَدر [badrun]; **full stop** n نُقْطة [nuqtˤatun]

full-time ['fʊl,taɪm] adj دوام كامل [Dawam kamel] ▷ adv بدوام كامل [Bedawam kaamel]

fully ['fʊlɪ] adv تماما [tama:man]

fumes [fju:mz] npl أبْخِرَة [ʔabxiratun]; **exhaust fumes** npl أدخنة العادم [Adghenat al-'aadem]

fun [fʌn] adj مزحي [mazħij] ▷ n لهو [lahw]

funds [fʌndz] npl موارد مالية [Mawared maleyah]

funeral ['fju:nərəl] n جنازة [ʒana:za]; **funeral parlour** n قاعة إعداد الموتى ['qaat e'adad al-mawta]

funfair ['fʌn,fɛə] n ملاهى [mala:hijju]

funnel ['fʌnˀl] n قمع [qamsˤ]

funny ['fʌnɪ] adj مضحك [mudˤħik]

fur [fɜ:] n فرو [farw]; **fur coat** n معطف فرو [Me'ataf farw]

furious ['fjʊərɪəs] adj مهتاج [muhta:ʒ]

furnished ['fɜ:nɪʃt] adj مفروش [mafru:ʃ]

furniture ['fɜ:nɪtʃə] n أثاث [ʔaθa:θ]

further ['fɜ:ðə] adj تالي [ta:li:] ▷ adv علاوة على ذلك ['aelawah ala ðalek]; **further education** n نظام التعليم الإضافي [neḍham al-ta'aleem al-eḍafey]

fuse [fju:z] n صمام كهربائي [Ṣamam kahrabaey]; **fuse box** n علبة الفيوز ['aolbat al-feyoz]

fusebox ['fju:z,bɒks] n; **Where is the fusebox?** أين توجد علبة المفاتيح الكهربية [ayna tojad 'ailbat al-mafateeḥ al-kahraba-eya?]

fuss [fʌs] n جَلَبة [ʒalaba]

fussy ['fʌsɪ] adj ضَعْب الإرضاء (منمق) [Ṣa'ab al-erḍaa]

future ['fju:tʃə] adj مستقبلي [mustaqbalij] ▷ n مستقبل [mustaqbal]

g

Gabon [gə'bɒn] n الجابون [al-ʒa:bu:n]

gain [geɪn] n مَكْسب [maksab] ▷ v يربَح [jarbaħu]

gale [geɪl] n ريح هوجاء [Reyḥ hawjaa]

gallery ['gælərɪ] n جاليري [ʒa:li:ri:]; **art gallery** n جاليري فني [Jalery faney]

gallop ['gæləp] n عدو الفرس (جري) [adow al-faras] ▷ v يَجُري بالفرس [Yajree bel-faras]

gallstone ['gɔ:l,stəʊn] n حصاة المرارة [Ḥaṣat al-mararah]

Gambia ['gæmbɪə] n جامبيا [ʒa:mbija:]

gamble ['gæmbˀl] v يقَامِر [juqa:miru]

gambler ['gæmblə] n مقامر [muqa:mir]

gambling ['gæmblɪŋ] n مقامرة [muqa:mara]

game [geɪm] n مباراة [muba:ra:t]; **board game** n لعبة طاولة [Lo'abat ṭawlah]; **games console** n وحدة التحكم في ألعاب الفيديو [Wehdat al-tahakom fee al'aab al-vedyoo]

gang [gæŋ] n عصابة [ʕiʃˤa:ba]

gangster ['gæŋstə] n عضو في عصابة ['aoḍw fee eṣabah]

gap [gæp] n فجوة [faʒwa]

garage ['gærɑ:ʒ; -rɪdʒ] n جراج [ʒara:ʒ]; **Which is the key for the garage?** أين

يوجد مفتاح الجراج؟ [ayna yujad muftaaḥ al-jaraj?]

garbage ['gɑːbɪdʒ] n نفاية [nufa:ja]

garden ['gɑːd*n] n حديقة [ħadi:qa]; **garden centre** n مشتل [maʃtulun]

gardener ['gɑːdnə; 'gardener] n بُستاني [busta:nij]

gardening ['gɑːd*nɪŋ; 'gardening] n بَسْتَنة [bastana]

garlic ['gɑːlɪk] n ثوم [θu:m]; **Is there any garlic in it?** هل به ثوم؟ [hal behe thoom?]

garment ['gɑːmənt] n ثوب [θawb]

gas [gæs] n غاز [ɣaːz]; **gas cooker** n موقد يعمل بالغاز [Maw'qed ya'amal bel-ghaz]; **natural gas** n غاز طبيعي [ghaz ṭabeeaey]; **I can smell gas** أنني أشم رائحة غاز [ina-ny ashum ra-e-hat ghaaz]; **Where is the gas meter?** أين يوجد عداد الغاز؟ [ayna yujad 'aadad al-ghaz?]

gasket ['gæskɪt] n سِدادة (مرسة شراع) [sadda:da]

gate [geɪt] n بوابة [bawwa:ba]; **Please go to gate...** توجه من فضلك إلى البوابة رقم... [tawa-jah min faḍlak ela al-bawa-ba ra'qum...]; **Which gate for the flight to...?** ما هي البوابة الخاصة بالرحلة المتجهة إلى...؟ [ma heya al-baw-aba al-khaṣa bel-reḥla al-mutajiha ela...?]

gateau, gateaux ['gætəʊ, 'gætəʊz] n جاتوه [ʒa:tu:]

gather ['gæðə] v يَجتمِع [jaʒtamiʕu]

gauge [geɪdʒ] n مقياس [miqja:s] ▷ v يُعاير [juʕa:jiru]

gaze [geɪz] v يُحدِق [juħaddiqu]

gear [gɪə] n (equipment) جهاز [ʒiha:z], (mechanism) تعشيقة [taʕʃi:qa]; **gear box** n علبة التروس [ˈaolbat al-teroos]; **gear lever** n ذراع الفتيس [dhera'a al-fetees]; **gear stick** n ذراع نقل السرعة [Dhera'a na'ql al-sor'aah]

gearbox ['gɪəbɒks] n; **The gearbox is broken** لقد انكسرت علبة التروس [la'qad inkasarat ˈailbat al-tiroos]

gearshift ['gɪəʃɪft] n مُغيِّر السرعة [Moghaey al-sor'aah]

gel [dʒɛl] n جِل [ʒil]; **hair gel** n جل الشعر [Jel al-sha'ar]

gem [dʒɛm] n حجر كريم [Ajar kareem]

Gemini ['dʒɛmɪˌnaɪ; -ˌniː] n الجوزاء [al-ʒawza:ʔu]

gender ['dʒɛndə] n النَّوع [an-nawʕu]

gene [dʒiːn] n جين وراثي [Jeen werathey]

general ['dʒɛnərəl; 'dʒɛnrəl] adj عام [ˈa:m] ▷ n فكرة عامة [Fekrah 'aamah]; **general anaesthetic** n مُخدِّر كلي [Mo-khader koley]; **general election** n انتخابات عامة [Entekhabat 'aamah]; **general knowledge** n معلومات عامة [Ma'aloomaat 'aamah]

generalize ['dʒɛnrəˌlaɪz] v يُعَمِّم [juʕammimu]

generally ['dʒɛnrəlɪ] adv عادةً [ʕa:datun]

generation [ˌdʒɛnəˈreɪʃən] n جيل [ʒiːl]

generator ['dʒɛnəˌreɪtə] n مولد [muwalid]

generosity [ˌdʒɛnəˈrɒsɪtɪ] n كَرَم [karam]

generous ['dʒɛnərəs; 'dʒɛnrəs] adj سخي [saxij]

genetic [dʒɪˈnɛtɪk] adj جيني [ʒiːnnij]

genetically-modified [dʒɪˈnɛtɪklɪˈmɒdɪˌfaɪd] adj معدل وراثيا [Mo'aaddal weratheyan]

genetics [dʒɪˈnɛtɪks] n علم الوراثة [A'elm al-weratha]

genius ['dʒiːnɪəs; -njəs] n شخص عبقري [Shakhs'ab'qarey]

gentle ['dʒɛnt*l] adj نبيل المحتد [Nabeel al-mohtad]

gentleman, gentlemen ['dʒɛnt*lmən, 'dʒɛnt*lmɛn] n رَجُل نبيل [Rajol nabeel]

gently ['dʒɛntlɪ] adv بلطف [bilutˤfin]

gents' [dʒɛnts] n دَوْرة مياه للرجال [Dawrat meyah lel-rejal]

genuine ['dʒɛnjuɪn] adj أصلي [ʔasˤlij]

geography [dʒɪˈɒɡrəfɪ] n جغرافيا [ʒuɣra:fja:]

geology [dʒɪˈɒlədʒɪ] n جيولوجيا

[ʒjuːluːʒjaː]

Georgia ['dʒɔːdʒjə] n جورجيا (country) [ʒuːrʒjaː], ولاية جورجيا (US state) [Welayat jorjeya]

Georgian ['dʒɔːdʒjən] adj جورجي [ʒuːrʒij] ▷ n (person) مواطن جورجي [Mowaten jorjey]

geranium [dʒɪˈreɪnɪəm] n نبات الجيرانيوم [Nabat al-jeranyom]

gerbil ['dʒɜːbɪl] n يربوع [ʔarbuːʕ]

geriatric [ˌdʒɛrɪˈætrɪk] adj شيخوخي [ʃajxuːxij] ▷ n طب الشيخوخة [Teb al-shaykhokhah]

germ [dʒɜːm] n جرثومة [ʒurθuːma]

German ['dʒɜːmən] adj ألماني [ʔalmaːnij] ▷ n (language) اللغة الألمانية [Al loghah al almaniyah], (person) ألماني [ʔalmaːnij]; **German measles** n حصبة ألمانية [Haşbah al-maneyah]

Germany ['dʒɜːmənɪ] n ألمانيا [ʔalmaːnijja]

gesture ['dʒɛstʃə] n إيماءة [ʔiːmaːʕa]

get [gɛt] v يحصل على (to a place) [Taḥşol 'ala], يحصل على [Taḥşol 'ala]

get away [gɛt əˈweɪ] v ينصرف [janşʕarifu]

get back [gɛt bæk] v يسترد [jastariddu]

get in [gɛt ɪn] v يركب [jarrkabu]

get into [gɛt 'ɪntə] v يتورط في [Yatawarat fee]

get off [gɛt ɒf] v ينزل [janzilu]

get on [gɛt ɒn] v يركب [jarrkabu]

get out [gɛt aʊt] v يخرج [jaxruʒu]

get over [gɛt 'əʊvə] v يتغلب على [Yatghalab 'ala]

get through [gɛt θruː] v; **I can't get through** لا يمكنني الوصول إليه yam-kinuni al-wişool e-lay-he]

get together [gɛt təˈgɛðə] v يجتمع [jaʒtamiʕu]

get up [gɛt ʌp] v ينهض [janhadʕu]

Ghana ['gɑːnə] n غانا [ɣaːnaː]

Ghanaian [gɑːˈneɪən] adj غاني [ɣaːnij] ▷ n مواطن غاني [Mowaten ghaney]

ghost [gəʊst] n شبح [ʃabaħ]

giant ['dʒaɪənt] adj عملاق [ʕimlaːq] ▷ n

مارد [maːrid]

gift [gɪft] n هبة [hiba]; **gift shop** n متجر هدايا [Matjar hadaya]; **gift voucher** n قسيمة هدية [qaseemat hadeyah]

gifted ['gɪftɪd] adj موهوب [mawhuːb]

gigantic [dʒaɪˈgæntɪk] adj عملاق [ʕimlaːq]

giggle ['gɪgəl] v يقهقه [juqahqihu]

gin [dʒɪn] n شراب الجين المُسكر (محلج القطن) [Sharaab al-jobn al-mosaker]

ginger ['dʒɪndʒə] adj بني مائل إلى الحُمرة [banni: maːʔilun ʔila alħumrati] ▷ n زنجبيل [zanʒabiːl]

giraffe [dʒɪˈrɑːf; -ˈræf] n زرافة [zaraːfa]

girl [gɜːl] n بنت [bint]

girlfriend ['gɜːlˌfrɛnd] n صديقة [sʕadiːqa]

give [gɪv] v يعطي [juʕtʕiː]

give back [gɪv bæk] v يرد [jaruddu]

give in [gɪv ɪn] v يستسلم [jastaslimu]

give out [gɪv aʊt] v يوزع [juwazziʕu]

give up [gɪv ʌp] v يقلع عن [Yo'qle'a an]

glacier ['glæsɪə; 'gleɪs-] n نهر جليدي [Nahr jaleedey]

glad [glæd] adj سعيد [saʕiːd]

glamorous ['glæmərəs] adj فاتن [faːtin]

glance [glɑːns] n لمحة [lamħa] ▷ v يلمح [jalmaħu]

gland [glænd] n غدة [ɣuda]

glare [glɛə] v يحملق (يسطع) [juħamliqu]

glaring ['glɛərɪŋ] adj ساطع [saːtʕiʕ]

glass [glɑːs] n زجاج [zuʒaːʒ], (vessel) زجاج [zuʒaːʒ]; **magnifying glass** n عدسة مكبرة ['adasat takbeer]; **stained glass** n زجاج مُعشق [Zojaj moasha'q]

glasses ['glɑːsɪz] npl نظارة [nazʕzʕaːratun]

glazing ['gleɪzɪŋ] n; **double glazing** n طبقتين من الزجاج [Ţaba'qatayen men al-zojaj]

glider ['glaɪdə] n طائرة شراعية [Taayearah ehraeyah]

gliding ['glaɪdɪŋ] n التحليق في الجو [Al-tahlee'q fee al-jaw]

global ['gləʊbəl] adj عالمي [ʕaːlimij]; **global warming** n ظاهرة الاحتباس

الحراري [dhaherat al-ehtebas al-hararey]

globalization [ˌgləʊbəlaɪˈzeɪʃən] n
عَوْلَمَة [ʕawlama]

globe [gləʊb] n الكرة الأرضية [Al-korah al-ardheyah]

gloomy [ˈgluːmɪ] adj كئيب [kaʔijb]

glorious [ˈglɔːrɪəs] adj جليل [ʒaliːl]

glory [ˈglɔːrɪ] n مجد [maʒd]

glove [glʌv] n قفاز [quffaːz]; **glove compartment** n درج العربة [Dorj al-'aarabah]; **oven glove** n قفاز فرن ['qoffaz forn]; **rubber gloves** npl قفازات مطاطية ['qoffazat mataṭeyah]

glucose [ˈgluːkəʊz; -kəʊs] n جلوكوز [ʒluːkuːz]

glue [gluː] n غراء [ɣiraːʔ] ▷ v يُغَرِّي [juɣarriː]

gluten [ˈgluːtən] n جلوتين [ʒluːtiːn]; **Could you prepare a meal without gluten?** هل يمكن إعداد وجبة خالية من الجلوتين؟ [hal yamken e'adad wajba khaliya min al-jilo-teen?]; **Do you have gluten-free dishes?** هل توجد أطباق خالية من الجلوتين؟ [hal tojad aṭba'q khaleya min al-jiloteen?]

go [gəʊ] v يَذهَبُ [jaðhabu]

go after [gəʊ ˈɑːftə] v يَسعَى وراء [Yas'aa waraa]

go ahead [gəʊ əˈhɛd] v ينطلق [jantˤaliqu]

goal [gəʊl] n هدف [hadaf]

goalkeeper [ˈgəʊlˌkiːpə] n حارس المرمى [Hares al-marma]

goat [gəʊt] n ماعز [maːʕiz]

go away [gəʊ əˈweɪ] v يُغادر مكانا [Yoghader makanan]

go back [gəʊ bæk] v يَرْجِع [jarʒiʕu]

go by [gəʊ baɪ] v يَمُرّ [jamurru]

god [gɒd] n إله [ʔilah]

godchild, godchildren [ˈgɒdˌtʃaɪld, ˈgɒdˌtʃɪldrən] n ربيب [rabiːb]

goddaughter [ˈgɒdˌdɔːtə] n ربيبة [rabiːba]

godfather [ˈgɒdˌfɑːðə] n (baptism) أب روحي [Af roohey], (criminal leader) رئيس عصابة [Raees esabah]

godmother [ˈgɒdˌmʌðə] n الأم المُربية [al om almorabeyah]

go down [gəʊ daʊn] v ينزل [janzilu]

godson [ˈgɒdˌsʌn] n ربيب [rabiːb]

goggles [ˈgɒgəlz] npl نظارة واقية [naḍharah wa'qeyah]

go in [gəʊ ɪn] v يَتدخل [jatadaxxalu]

gold [gəʊld] n ذَهَب [ðahab]

golden [ˈgəʊldən] adj ذَهَبِي [ðahabiy]

goldfish [ˈgəʊldˌfɪʃ] n سمك ذهبي [Samak dhahabey]

gold-plated [ˈgəʊldˈpleɪtɪd] adj مطلي بالذهب [Maṭley beldhahab]

golf [gɒlf] n رياضة الجولف [Reyadat al-jolf]; **golf club** n نادي الجولف [Nady al-jolf]; **golf course** n ملعب الجولف [Mal'aab al-jolf]

gone [gɒn] adj راحل [raːhil]

good [gʊd] adj جَيِّد [ʒajjid]

goodbye [ˌgʊdˈbaɪ] excl وداعا! [wadaːʕan]

good-looking [ˈgʊdˈlʊkɪŋ] adj حسن المظهر [Hosn al-maḍhar]

good-natured [ˈgʊdˈneɪtʃəd] adj دمث الأخلاق [Dameth al-akhla'q]

goods [gʊdz] npl بضائع [badˤaːʔiʕun]

go off [gəʊ ɒf] v ينقطع [janqaṭiʕu]

Google® [ˈguːgəl] v يبحث على موقع ®جوجل [jabħaθu ʕala: mawqiʕi ʒuːʒl]

go on [gəʊ ɒn] v يستمر [jastamirru]

goose, geese [guːs, giːs] n إوزة [ʔiwazza]; **goose pimples** npl قشعريرة الجلد ['qash'aarerat al-jeld]

gooseberry [ˈgʊzbərɪ; -brɪ] n كشمش [kuʃmuʃ]

go out [gəʊ aʊt] v يُغادر المكان [Yoghader al-makanan]

go past [gəʊ pɑːst] v يَتَجاوز [jataʒaːwazu]

gorgeous [ˈgɔːdʒəs] adj فائق الجمال [Faae'q al-jamal]

gorilla [gəˈrɪlə] n غوريلا [ɣuːriːla:]

go round [gəʊ raʊnd] v يَلُف [jalifu]

gospel [ˈgɒspəl] n إنجيل [ʔinʒiːl]

gossip [ˈgɒsɪp] n نميمة [namiːma] ▷ v

Yanhamek fee] يَنْهَمك في القيل والقال [al-'qeel wa al-'qaal

go through [gəʊ θruː] v يَجْتاز [jaʒta:zu]

go up [gəʊ ʌp] v يَرتَفِع [jartafiʕu]

government ['gʌvənmənt; 'gʌvəmənt] n حكومة [ħukuwamt]

gown [gaʊn] n; **dressing gown** n روب الحَمَّام [Roob al-hamam]

GP [dʒiː piː] abbr طبيب باطني [Tabeeb batney]

GPS [dʒiː piː ɛs] abbr نظام تحديد المواقع العالمي [niz'ʕa:mun taħdi:du almuwa:qiʕi alʕa:lamijji]

grab [græb] v يَتَلَقَّف [jatalaqqafu]

graceful ['greɪsfʊl] adj لبِق [labiq]

grade [greɪd] n مَنْزِلة [manzila]

gradual ['grædjʊəl] adj تدريجي [tadri:ʒij]

gradually ['grædjʊəlɪ] adv بالتدريج [bi-at-tadri:ʒi]

graduate ['grædjʊɪt] n خريج [xirri:ʒ]

graduation [ˌgrædjʊ'eɪʃən] n تخرج [taxarruʒ]

graffiti, graffito [græ'fiːtiː, græ'fiːtəʊ] npl نقوش أثرية [No'qoosh athareyah]

grain [greɪn] n حبة [ħabba]

grammar ['græmə] n علم النحو والصرف ['aelm al-naḥw wal-ṣarf]

grammatical [grə'mætɪkˀl] adj نحوي [naħwij]

gramme [græm] n جرام [ʒra:m]

grand [grænd] adj عظيم [ʕazˤiːm]

grandchild ['græn,tʃaɪld] n حفيد [ħafiːd]; **grandchildren** npl أحفاد [ʔaħfa:dun]

granddad ['græn,dæd] n جد [ʒadd]

granddaughter ['græn,dɔːtə] n حفيدة [ħafiːda]

grandfather ['græn,fɑːðə] n جد [ʒadd]

grandma ['græn,mɑː] n جدة [ʒadda]

grandmother ['græn,mʌðə] n أم الأب أو الأم [Om al-ab aw al-om]

grandpa ['græn,pɑː] n جد [ʒadd]

grandparents ['græn,pɛərəntz] npl الجدين [al-ʒaddajni]

grandson ['grænsʌn; 'grænd-] n ابن

Ebn el-ebn] الإبن]

granite ['grænɪt] n حجر الجرانيت [Hajar al-jraneet]

granny ['grænɪ] n جدة [ʒadda]

grant [grɑːnt] n منحة [minħa]

grape [greɪp] n عنب [ʕinab]

grapefruit ['greɪp,fruːt] n جريب فروت [ʒriːb fruːt]

graph [grɑːf; græf] n تخطيط بياني [Takhteet bayany]

graphics ['græfɪks] npl رسوم جرافيك [Rasm jrafek]

grasp [grɑːsp] v يَقْبِض على [jaqbudˤu ʕala:]

grass [grɑːs] n (informer) واشي [wa:ʃi:], (marijuana) حشيش مخدر [Hashesh mokhader], (plant) عشب [ʕuʃb]

grasshopper ['grɑːs,hɒpə] n جراد الجندب [Jarad al-jandab]

grate [greɪt] v يَبْشُر (يحك بسطح خشن) [jabʃuru]

grateful ['greɪtfʊl] adj ممتن [mumtann]

grave [greɪv] n قبر [qabr]

gravel ['grævˀl] n حصى [ħasˤa:]

gravestone ['greɪv,stəʊn] n شاهد القبر [Shahed al-'qabr]

graveyard ['greɪv,jɑːd] n مدفن [madfan]

gravy ['greɪvɪ] n مرقة اللحم [Mara'qat al-laḥm]

grease [griːs] n شحم [ʃaḥm]

greasy ['griːzɪ; -sɪ] adj دُهْني [duhnij]

great [greɪt] adj عظيم [ʕazˤiːm]

Great Britain ['greɪt 'brɪtˀn] n بريطانيا العظمى [Beretanyah al-'aodhma]

great-grandfather ['greɪt'græn,fɑːðə] n الجَدّ الأكبر [Al-jad al-akbar]

great-grandmother ['greɪt'græn,mʌðə] n الجدة الأكبر [Al-jaddah al-akbar]

Greece [griːs] n اليونان [al-ju:na:ni]

greedy ['griːdɪ] adj جشع [ʒaʃiʕ]

Greek [griːk] adj يوناني [ju:na:nij] ▷ n (language) اللغة اليونانية [Al-loghah al-yonaneyah], (person) يوناني [ju:na:nij]

green [gri:n] adj (colour) أخضر [ʔaxdˤar], (inexperienced) مغفّل [muɣaffal] ▷ n أخضر [ʔaxdˤar]; **green salad** n سلاطة خضراء [Salaṭat khadraa]

greengrocer's ['gri:n,grəʊsəz] n متجر الخضر والفاكهة [Matjar al-khoḍar wal-fakehah]

greenhouse ['gri:n,haʊs] n صوبة زراعية [Ṣobah zera'aeyah]

Greenland ['gri:nlənd] n جرينلاند [ʒri:nala:ndi]

greet [gri:t] v يُرحب بـ [Yoraheb bee]

greeting ['gri:tɪŋ] n تحية [taḥijja]; **greetings card** n بطاقة تهنئة [Beṭaqat tahneaa]

grey [greɪ] adj رمادي [rama:dij]

grey-haired [,greɪ'heəd] adj رمادي الشعر [Ramadey al-sha'ar]

grid [grɪd] n شبكة قضبان مُتصالبة [Shabakat 'qodban motaṣalebah]

grief [gri:f] n أسى [ʔasa:]

grill [grɪl] n شواية [ʃawwa:ja] ▷ v يَشوي [jaʃwi:]

grilled [grɪld; grilled] adj مشوي [maʃwij]

grim [grɪm] adj مروع [murawwiʕ]

grin [grɪn] n ابتسامة عريضة [Ebtesamah areeḍah] ▷ v يكشّر [jukaʃʃiru]

grind [graɪnd] v يَطحَن [jatˤħanu]

grip [grɪp] v يمسك بإحكام [Yamsek be-ehkam]

gripping ['grɪpɪŋ] adj مُثير [muθi:r]

grit [grɪt] n حبيبات خشنة [Hobaybat khashabeyah]

groan [grəʊn] v يئنّ [jaʔinnu]

grocer ['grəʊsə] n بَقّال [baqqa:l]

groceries ['grəʊsərɪz] npl بقالة [baqa:latun]

grocer's ['grəʊsəz] n متجر البقالة [Matjar al-be'qalah]

groom [gru:m; grʊm] n سائس خيل [Saaes kheel], (bridegroom) عريس [ʕari:s]

grope [grəʊp] v يَتلمس طريقه في الظلام [Yatalamas ṭaree'qah fee al-dhalam]

gross [grəʊs] adj (fat) هائل [ha:ʔil], (income etc.) هائل [ha:ʔil]

grossly [grəʊsli] adv بفظاظة [bifazˤa:zˤatin]

ground [graʊnd] n سطح الأرض [Saṭh alarḍ] ▷ v يَضع على الأرض [Yaḍa'a ala al-arḍ]; **ground floor** n الدور الأرضي [Aldoor al-arḍey]

group [gru:p] n جماعة [ʒama:ʕa]

grouse [graʊs] n (complaint) شكوى [ʃakwa:], (game bird) طائر الطيهوج [Ṭaaer al-ṭayhooj]

grow [grəʊ] vi ينمو [janmu:] ▷ vt ينمو [janmu:]

growl [graʊl] v يُهدر [juhdiru]

grown-up [grəʊnʌp] n بالغ [ba:liɣ]

growth [grəʊθ] n نمو [numuww]

grow up [grəʊ ʌp] v ينضج [jandˤuʒu]

grub [grʌb] n يَرَقة دودية [Yara'qah doodeyah]

grudge [grʌdʒ] n ضغينة [dˤaɣi:na]

gruesome ['gru:səm] adj رهيب [rahi:b]

grumpy ['grʌmpɪ] adj سيّئ الطبع [Sayea al-ṭabe'a]

guarantee [,gærən'ti:] n ضمان [dˤama:n] ▷ v يَضمن [jadˤmanu]; **It's still under guarantee** إنها لا تزال داخل فترة الضمان [inaha la tazaal dakhel fatrat al-ḍaman]

guard [gɑ:d] n حارس [ħa:ris] ▷ v يَحرُس [jaħrusu]; **security guard** n حارس الأمن [Ḥares al-amn]

Guatemala [,gwɑ:tə'mɑ:lə] n جواتيمالا [ʒwa:ti:ma:la:]

guess [gɛs] n تخمين [taxmi:n] ▷ v يُخمن [juxamminu]

guest [gɛst] n ضيف [dˤajf]

guesthouse ['gɛst,haʊs] n دار ضيافة [Dar eḍafeyah]

guide [gaɪd] n مرشد [murʃid] ▷ v مرشد [murʃidun]; **guide dog** n كلب هادي مدرب للمكفوفين [Kalb hadey modarab lel-makfoofeen]; **guided tour** n جولة إرشادية [Jawlah ershadeyah]; **tour guide** n مرشد سياحي [Morshed seyahey]; **Do you have a guide to local walks?** هل يوجد لديكم مرشد لجولات السير المحلية؟ [hal yujad

laday-kum murshid le-jaw-laat al-sayr
al-maḥal-iya?]; **Is there a guide who
speaks English?** هل يوجد مرشد سياحي
[hal yujad يتحدث باللغة الإنجليزية؟
murshid seyaḥy yata-ḥadath bil-lugha
al-injile-ziya]

guidebook ['gaɪdˌbʊk] n كُتَيِّب الإرشادات
[Kotayeb al-ershadat]

guilt [gɪlt] n ذَنْب [ðanab]

guilty ['gɪltɪ] adj مذنب [muðnib]

Guinea ['gɪnɪ] n غينيا [ɣiːnjaː]; **guinea
pig** n (for experiment) حقل للتجارب [Ḥa'ql
lel-tajareb], (rodent) خنزير غينيا [Khnzeer
ghemyah]

guitar [gɪ'tɑː] n جيتار [ʒiːtaːr]

gum [gʌm] n لثة [laθatt]; **chewing gum**
n علكة [ʕilkatun]

gun [gʌn] n بندقية [bunduqijja];
machine gun n رشاش [raʃʃaʃun]

gust [gʌst] n انفجار عاطفي [Enfejar
'aatefy]

gut [gʌt] n معي [maʕjj]

guy [gaɪ] n فتى [fataː]

Guyana [gaɪ'ænə] n جيانا [ʒujaːnaː]

gym [dʒɪm] n جمنازيوم [ʒimnaːzjuːmi]

gymnast ['dʒɪmnæst] n أخصائي
الجمنازيوم [akheṣaaey al-jemnazyom]

gymnastics [dʒɪm'næstɪks] npl
تدريبات الجمنازيوم [Tadreebat
al-jemnazyoom]

gynaecologist [ˌgaɪnɪ'kɒlədʒɪst] n
طبيب أمراض نساء [Ṭabeeb amraḍ nesaa]

gypsy ['dʒɪpsɪ] n غَجَرِيّ [ɣaʒarij]

habit ['hæbɪt] n عادة سلوكية ['aadah
selokeyah]

hack [hæk] v يَتَسلل (كمبيوتر)
[jatasallalu]

hacker ['hækə] n قراصنة الكمبيوتر
(كمبيوتر) ['qaraṣenat al-kombyotar]

haddock ['hædək] n سمك الحدوق
[Samak al-ḥadoo'q]

haemorrhoids ['hɛməˌrɔɪdz] npl داء
البواسير [Daa al-bawaseer]

haggle ['hægəl] v يُساوم [jusaːwimu]

hail [heɪl] n بَرَد (مطر) [bard] ▷ v يَنْزِلُ البَرَد
[Yanzel al-barad]

hair [hɛə] n شَعْر [ʃaʕr]; **hair gel** n جل
الشعر [Jel al-sha'ar]; **hair spray** n
شبراي الشعر [Sbray al-sha'ar]

hairband ['hɛəˌbænd] n عصابة الرأس
['eṣabat al-raas]

hairbrush ['hɛəˌbrʌʃ] n فرشاة الشعر
[Forshat al-sha'ar]

haircut ['hɛəˌkʌt] n قصة الشعر ['qaṣat
al-sha'ar]

hairdo ['hɛəˌduː] n تسريحة الشعر
[Tasreehat al-sha'ar]

hairdresser ['hɛəˌdrɛsə] n مُصفف
الشعر [Moṣafef al-sha'ar]

hairdresser's ['hɛəˌdrɛsəz] n صالون

حلاقة [Şalon ḥelaqah]

hairdryer [ˈhɛədraɪə] n مُجفِف الشعر
[Mojafef al-sha'ar]

hairgrip [ˈhɛəgrɪp] n دبوس شعر
[Daboos sha'ar]

hairstyle [ˈhɛəstaɪl] n تصفيف الشعر
[taşfeef al-sha'ar]

hairy [ˈhɛərɪ] adj كثير الشعر [Katheer
sha'ar]

Haiti [ˈheɪtɪ; hɑːˈiːtɪ] n هايتي [ha:jti:]

half [hɑːf] adj نصفي [nis'faj] ⊳ adv نصفي
[nis'fijja:] ⊳ n نصف [nis'f]; **half board** n
إقامة نصف [Neşf e'qamah]; **It's half
past two** الساعة الثانية والنصف [al-sa:aa
al-thaneya wal-nuşf]

half-hour [ˈhɑːfˌaʊə] n نصف ساعة [Neşf
saa'aah]

half-price [ˈhɑːfˌpraɪs] adj نصف السعر
[Neşf al-se'ar] ⊳ adv بنصف السعر
[Be-nesf al-se'ar]

half-term [ˈhɑːfˌtɜːm] n عطلة نصف
الفصل الدراسي ['aotlah neşf al-faşl
al-derasey]

half-time [ˈhɑːfˌtaɪm] n نِصْف الوقت
[Nesf al-wa'qt]

halfway [ˌhɑːfˈweɪ] adv إلى منتصف
المسافة [Ela montaşaf al-masafah]

hall [hɔːl] n قاعة [qa:ʕa]; **town hall** n دار
البلدية [Dar al-baladeyah]

hallway [ˈhɔːlˌweɪ] n رُدهَة [radha]

halt [hɔːlt] n وقوف [wuqu:f]

ham [hæm] n فخذ الخنزير المدخن
[Fakhdh al-khenzeer al-modakhan]

hamburger [ˈhæmˌbɜːgə] n هامبرجر
[ha:mbarʒar]

hammer [ˈhæmə] n شاكوش [ʃa:ku:ʃ]

hammock [ˈhæmək] n الأرجوحة الشبكية
[Al orjoha al shabakiya]

hamster [ˈhæmstə] n حيوان الهمستر
[Heywaan al-hemester]

hand [hænd] n يد [jadd] ⊳ v يُسلِم
[jusallimu]; **hand luggage** n أمتعة
محمولة في اليد [Amte'aah maḥmoolah
fee al-yad]; **Where can I wash my
hands?** أين يمكن أن أغسل يدي؟ [ayna
yamken an aghsil yady?]

handbag [ˈhændˌbæg] n حقيبة يد
[Ha'qeebat yad]

handball [ˈhændˌbɔːl] n كرة اليد [Korat
al-yad]

handbook [ˈhændˌbʊk] n دليل [dali:l]

handbrake [ˈhændˌbreɪk] n فرملة يَد
[Farmalat yad]

handcuffs [ˈhændˌkʌfs] npl القيود
[al-quju:du]

handicap [ˈhændɪˌkæp] n; **My
handicap is…** ...إعاقتي هي [...e'aa'qaty
heya]; **What's your handicap?** ما
إعاقتك؟ [ma e-'aa'qa-taka?]

handicapped [ˈhændɪˌkæpt] adj معاق
[muʕa:q]

handkerchief [ˈhæŋkətʃɪf; -tʃiːf] n
منديل قماش [Mandeel 'qomash]

handle [ˈhændᵊl] n مقبض [miqbad] ⊳ v
يُعَامل [juʕa:malu]; **The door handle
has come off** لقد سقط مقبض الباب
[la'qad sa'qaṭa me-'qbaḍ al-baab]

handlebars [ˈhændᵊlˌbɑːz] npl مقود
[miqwadun]

handmade [ˌhændˈmeɪd] adj يَدوي
[jadawij]

hands-free [ˈhændzˌfriː] adj غير يدوي
[Ghayr yadawey]; **hands-free kit** n
سماعات [samma:ʕa:tun]

handsome [ˈhændsəm] adj وسيم
[wasi:m]

handwriting [ˈhændˌraɪtɪŋ] n خط اليد
[Khaṭ al-yad]

handy [ˈhændɪ] adj في المتناول [Fee
almotanawal]

hang [hæŋ] vi يُشنِق [jaʃniqu] ⊳ vt يُعَلِق
[juʕalliqu]

hanger [ˈhæŋə] n حمالة ثياب [Hammalt
theyab]

hang-gliding [ˈhæŋˈglaɪdɪŋ] n رياضة
الطائرة الشراعية الصغيرة [Reyadar
al-Taayearah al-ehraeyah al-şagherah]

hang on [hæŋ ɒn] v ينتظر [jantazˤiru]

hangover [ˈhæŋˌəʊvə] n عادة من الماضي
['aadah men al-maḍey]

hang up [hæŋ ʌp] v يَضَع سَمَّاعَة التلفون
[jadˤaʕu samma:ʕata attilfu:n]

hankie ['hæŋkɪ] n منديل [mindi:l]

happen ['hæpⁿn] v يَحْدُث [jaħduθu]

happily ['hæpɪlɪ] adv بسعادة [Besa'aaadah]

happiness ['hæpɪnɪs] n سَعادة [saʕa:da]

happy ['hæpɪ] adj سعيد [saʕi:d];
Happy birthday! عيد ميلاد سعيد ['aeed meelad sa'aeed]

harassment ['hærəsmənt] n مُضايقة [mudʕa:jaqa]

harbour ['ha:bə] n ميناء [mi:na:ʔ]

hard [ha:d] adj (difficult) صَعْب [sʕaʕb], (firm, rigid) صَلْب [sʕalb] ⊳ adv بقوة [Be-'qowah]; hard disk قرص صلب ['qorṣ ṣalb]; hard shoulder n كتف طريق صلب [Katef ṭaree'q ṣalb]

hardboard ['ha:d,bɔ:d] n لوح صلب [Looħ ṣolb]

hardly ['ha:dlɪ] adv بالكاد [bil-ka:di]

hard up [ha:d ʌp] adj معسر [muʕassir]

hardware ['ha:d,wɛə] n مكونات مادية [Mokawenat madeyah]

hare [hɛə] n أرنب [ʔarnab]

harm [ha:m] n يَضُر [jadʕurru]

harmful ['ha:mfʊl] adj مؤذي [muʔði:]

harmless ['ha:mlɪs] adj غير مؤذ [Ghayer modh]

harp [ha:p] n قيثار [qi:θa:ra]

harsh [ha:ʃ] adj خشن [xaʃin]

harvest ['ha:vɪst] n حصاد [ħasʕa:d] ⊳ v يحصد [jaħsʕudu]

hastily [heɪstɪlɪ] adv في عُجالة [Fee 'aojalah]

hat [hæt] n قبعة [qubaʕa]

hatchback ['hætʃ,bæk] n سيارة بباب خلفي [Sayarah be-bab khalfey]

hate [heɪt] v يَبْغَض [jabɣadʕu]

hatred ['heɪtrɪd] n بغض [buɣd]

haunted ['hɔ:ntɪd] adj مُطارَد [mutʕa:rad]

have [hæv] v يَمْلِك [jamliku]

have to [hæv tʊ] v يَجِب عليه [Yajeb alayh]

hawthorn ['hɔ:,θɔ:n] n زعرور بلدي [Za'aroor baladey]

hay [heɪ] n تبن [tibn]; hay fever n مرض حمى القش [Maraḍ ḥomma al-'qash]

haystack ['heɪ,stæk] n كومة مضغوطة من القش [Kawmah maḍghoṭah men al-'qash]

hazelnut ['heɪzˌl,nʌt] n البندق [al-bunduqi]

he [hi:] pron هو

head [hɛd] n (body part) رأس [raʔs], (principal) قائد [qa:ʔid] ⊳ v يَرْأُس [jarʔasu]; deputy head n نائب الرئيس [Naeb al-raaes]; head office n مكتب رئيسي [Maktab a'ala]

headache ['hɛd,eɪk] n صُداع [sʕuda:ʕ]

headlamp ['hɛd,læmp] n مصباح علوي [Mesbaḥ 'aolwey]

headlight ['hɛd,laɪt] n مصباح أمامي [Mesbaḥ amamey]

headline ['hɛd,laɪn] n عُنوان رئيسي ['aonwan raaesey]

headphones ['hɛd,fəʊnz] npl سماعات الرأس [Samaat al-raas]

headquarters [,hɛd'kwɔ:təz] npl مراكز رئيسية [Marakez raeaseyah]

headroom ['hɛd,rʊm; -,ru:m] n فتحة سقف السيارة [fatḥ at saa'qf al-sayaarah]

headscarf, headscarves ['hɛd,ska:f, 'hɛd,ska:vz] n وشاح غطاء الرأس [Weshaḥ ghetaa al-raas]

headteacher ['hɛd,ti:tʃə] n مدرس أول [Modares awal]

heal [hi:l] v يشفى [juʃfa:]

health [hɛlθ] n صحة [sʕiħħa]

healthy ['hɛlθɪ] adj صحي [sʕiħij]

heap [hi:p] n كومة [ku:ma]

hear [hɪə] v يَسمَع [jasmaʕu]

hearing ['hɪərɪŋ] n سَمْع [samʕ]; hearing aid n وسائل المساعدة السمعية [Wasael al-mosa'adah al-sam'aeyah]

heart [ha:t] n قلب [qalb]; heart attack n أزمة قلبية [Azmah 'qalbeyah]; I have a heart condition أعاني من حالة مرضية في القلب [o-'aany min ḥala maraḍiya fee al-'qalb]

heartbroken ['ha:t,brəʊkən] adj مكسور القلب من شدة الحزن [Maksoor al-'qalb men shedat al-ḥozn]

heartburn [ˈhɑːtˌbɜːn] n حرقة في فم المعدة [Hor'qah fee fom al-ma'adah]

heat [hiːt] n حرارة [ħaraːra] ▷ v يُسخِّن [jusaxxinu]; **I can't sleep for the heat** لا يمكنني النوم بسبب حرارة الغرفة [la yam-kinuni al-nawm be-sabab ḥararat al-ghurfa]

heater [ˈhiːtə] n سخان [saxxaːn]; **How does the water heater work?** كيف يعمل سخان المياه؟ [kayfa ya'amal sikhaan al-meaah?]

heather [ˈhɛðə] n نبات الخَلَنْج [Nabat al-khalnaj]

heating [ˈhiːtɪŋ] n تسخين [tasxiːn]; **central heating** n تدفئة مركزية [Tadfeah markazeyah]

heat up [hiːt ʌp] v يُسخِّن [junsaxxinu]

heaven [ˈhɛvən] n جَنَّة [ʒanna]

heavily [ˈhɛvɪlɪ] adv بصورة مُكَثفة [Beṣorah mokathafah]

heavy [ˈhɛvɪ] adj ثقيل [θaqiːl]; **This is too heavy** إنه ثقيل جدا [inaho tha'qeel jedan]

hedge [hɛdʒ] n سياج من الشجيرات [Seyaj men al-shojayrat]

hedgehog [ˈhɛdʒˌhɒɡ] n قنفذ [qunfuð]

heel [hiːl] n كعب [kaʕb]; **high heels** npl كعوب عالية [Ko'aoob 'aleyah]

height [haɪt] n ارتفاع [irtifaːʕ]

heir [ɛə] n وريث [wariːθ]

heiress [ˈɛərɪs] n وريثة [wariːθa]

helicopter [ˈhɛlɪˌkɒptə] n هيليكوبتر [hiːliːkuːbtir]

hell [hɛl] n جحيم [ʒaħiːm]

hello [hɛˈləʊ] excl أهلاً [ʔahlan]

helmet [ˈhɛlmɪt] n خوذة [xuwða]; **Can I have a helmet?** هل يمكن أن أحصل على خوذة؟ [hal yamken an ahṣal 'aala khoo-dha?]

help [hɛlp] n مساعدة [musaːʕada] ▷ v يُساعد [jusaːʕidu]; **Fetch help quickly!** سرعة طلب المساعدة [isri'a be-ṭalab al-musa-'aada]; **Help!** مساعدة [musaːʕadatun]

helpful [ˈhɛlpfʊl] adj مفيد [mufiːd]

helpline [ˈhɛlpˌlaɪn] n حبل الإنقاذ [Habl elen'qadh]

hen [hɛn] n دجاجة [daʒaːʒa]; **hen night** n ليلة خروج الزوجات فقط [Laylat khorooj alzawjaat fa'qat]

hepatitis [ˌhɛpəˈtaɪtɪs] n التهاب الكبد [El-tehab al-kabed]

her [hɜː; hə; ə] pron ضمير الغائبة المتصل، خاص بالمفردة الغائبة

herbs [hɜːbz] npl أعشاب [ʔaʕʃaːbun]

herd [hɜːd] n سرب [sirb]

here [hɪə] adv هنا [hunaː]; **I'm here for work** أنا هنا للعمل [ana huna lel-'aamal]; **I'm here on my own** أنا هنا بمفردي [ana huna be-mufrady]

hereditary [hɪˈrɛdɪtərɪ; -trɪ] adj وراثي [wiraːθij]

heritage [ˈhɛrɪtɪdʒ] n موروث [mawruːθ]

hernia [ˈhɜːnɪə] n فتق [fatq]

hero [ˈhɪərəʊ] n (novel) بطل [batˤal]

heroin [ˈhɛrəʊɪn] n هيرويين [hiːrwiːn]

heroine [ˈhɛrəʊɪn] n بطلة [batˤala]

heron [ˈhɛrən] n مالك الحزين [Malek al ḥazeen]

herring [ˈhɛrɪŋ] n سمك الرنجة [Samakat al-renjah]

hers [hɜːz] pron خاصتها

herself [həˈsɛlf] pron نفسها; **She has hurt herself** لقد جرحت نفسها [la'qad jara-ḥat naf-saha]

hesitate [ˈhɛzɪˌteɪt] v يَتَردد [jataraddadu]

heterosexual [ˌhɛtərəʊˈsɛksjʊəl] adj مشته للجنس الآخر [Mashtah lel-jens al-aakahar]

HGV [eɪtʃ dʒiː viː] abbr مركبات البضائع الثقيلة [Markabat albaḍaaea altha'qeelah]

hi [haɪ] excl مرحبا! [marḥaban]

hiccups [ˈhɪkʌps] npl زُغْطة [zuɣˤatun]

hidden [ˈhɪdən] adj خفي [xafij]

hide [haɪd] vi يَختَبئ [jaxtabiʔ] ▷ vt يُخْفِي [juxfiː]

hide-and-seek [ˌhaɪdænˈdsiːk] n لعبة الاستغمايه [Lo'abat al-estoghomayah]

hideous [ˈhɪdɪəs] adj بَشِع [baʃiʕ]

hifi ['haɪ'faɪ] *n* هاي فاي [Hay fay]

high [haɪ] *adj* عالي [ʕaːlijju] ▷ *adv* مرتفع [murtafiʕun]; **high heels** *npl* كعوب عالية [Koʻaoob 'aleyah]; **high jump** *n* قفزة عالية ['qafzah 'aaleyah]; **high season** *n* موسم ازدهار [Mawsem ezdehar]

highchair ['haɪˌtʃɛə] *n* كُرسي مُرتفِع [Korsey mortafe'a]

high-heeled ['haɪˌhiːld] *adj* كعب عال [Ka'ab 'aaley]

highlight ['haɪˌlaɪt] *n* جزء ذو أهمية خاصة [Joza dho ahammeyah khasah] ▷ *v* يُلْقي الضوء على [Yol'qy al-dawa 'aala]

highlighter ['haɪˌlaɪtə] *n* مادة تجميلية تبرز الملامح [Madah tajmeeleyah tobrez al-malameḥ]

high-rise ['haɪˌraɪz] *n* بِنَاية عالية [Benayah 'aaleyah]

hijack ['haɪˌdʒæk] *v* يَختطِف [jaxtatˤifu]

hijacker ['haɪˌdʒækə] *n* مُختطِف [muxtatˤif]

hike [haɪk] *n* نزهة طويلة سيرا على الأقدام [nazhatun tˤawiːlatun sajran ʕalaː al-ʔaqdaːmi]

hiking [haɪkɪŋ] *n* تنزه [tanazzuh]

hilarious [hɪ'lɛərɪəs] *adj* مرح [maraḥ]

hill [hɪl] *n* تل [tall]; **I'd like to go hill walking** أريد صعود التل سيرا على الأقدام [areed ṣi'aood al-tal sayran 'aala al-a'qdaam]

hill-walking ['hɪlˌwɔːkɪŋ] *n* التنزه بين المرتفعات [Altanazoh bayn al-mortaf'aat]

him [hɪm; ɪm] *pron* ضمير المفرد الغائب

himself [hɪm'sɛlf; ɪm'sɛlf] *pron* نفسه; **He has cut himself** لقد جرح نفسه [la'qad jara-ha naf-sehe]

Hindu ['hɪnduː; hɪn'duː] *adj* هندوسي [hindu:sij] ▷ *n* هندوسي [hindu:sij]

Hinduism ['hɪnduˌɪzəm] *n* هندوسية [hindu:sijja]

hinge [hɪndʒ] *n* مفصلة [mifsˤala]

hint [hɪnt] *n* تلميح [talmiːħ] ▷ *v* يَرْمُز إلى [Yarmoz ela]

hip [hɪp] *n* ردف الجسم [Radf al-jesm]

hippie ['hɪpɪ] *n* هيبز [hi:biz]

hippo ['hɪpəʊ] *n* فرس النهر [Faras al-nahr]

hippopotamus, hippopotami [ˌhɪpə'pɒtəməs, ˌhɪpə'pɒtəmaɪ] *n* فرس النهر [Faras al-nahr]

hire ['haɪə] *n* أُجَر [ʔaʒʒara] ▷ *v* يستأجر [jastaʔʒiru]; **car hire** *n* إيجار سيارة [Ejar sayarah]; **hire car** *n* استئجار سيارة [isti-jar sayara]

his [hɪz; ɪz] *adj* خاصته ▷ *pron* ضمير الغائب المتصل

historian [hɪ'stɔːrɪən] *n* مُؤرِّخ [muʔarrix]

historical [hɪ'stɒrɪkəl] *adj* تاريخي [taːriːxij]

history ['hɪstərɪ; 'hɪstrɪ] *n* تاريخ [taːriːx]

hit [hɪt] *n* ضربة [dˤarba] ▷ *v* يُصِيب [jusˤiːbu]

hitch [hɪtʃ] *n* حركة مفاجئة [Ḥarakah mofajeah]

hitchhike ['hɪtʃˌhaɪk] *v* يُسافر متطفلًا [Yosaafer motaṭafelan]

hitchhiker ['hɪtʃˌhaɪkə] *n* مسافر يوقف السيارات ليركبها مجانا [Mosafer yo'qef al-sayarat le-yarkabha majanan]

hitchhiking ['hɪtʃˌhaɪkɪŋ] *n* طلب التوصيل [Ṭalab al-tawseel]

HIV *abbr* إصابة بالإيدز - إيجابية [Eṣabah bel-eedz – ejabeyah!]

HIV-negative [eɪtʃ aɪ viː 'nɛgətɪv] *adj* إصابة بالإيدز - سلبية [Eṣaba bel edz – sal-beyah]

HIV-positive [eɪtʃ aɪ viː 'pɒzɪtɪv] *adj* إصابة بالإيدز - إيجابية [Eṣaba bel edz – eja-beyah]

hobby ['hɒbɪ] *n* هواية [hiwa:ja]

hockey ['hɒkɪ] *n* لعبة الهوكي [Lo'abat alhookey]; **ice hockey** *n* لعبة الهوكي على الجليد [Lo'abat alhookey 'ala aljaleed]

hold [həʊld] *v* يَحتَفِظ ب [taḥtafeḍh be]

holdall ['həʊldˌɔːl] *n* جراب [ʒira:b]

hold on [həʊld ɒn] *v* ينتظر قليلا [yantdher 'qaleelan]

hold up [həʊld ʌp] *v* يُعَطِل [junatˤtˤilu]

hold-up [həʊldʌp] *n* سطو مُسلح [Saṭw mosalah]

hole [həʊl] *n* حفرة [ḥufra]

holiday ['hɒlɪ,deɪ; -dɪ] *n* أجازة [?aӡa:za];
activity holiday *n* أجازة لممارسة الأنشطة [ajaaza lemomarsat al 'anshe ṭah]; **bank holiday** *n* عطلة شعبية [A'otalh sha'abeyah]; **holiday home** *n* منزل صيفي [Manzel ṣayfey]; **holiday job** *n* وظيفة فى فترة الأجازة [waḍheefah fee fatrat al-ajaazah]; **package holiday** *n* خطة عطلة شاملة الإقامة والانتقال [Khoṭ at 'aoṭlah shamelat al-e'qamah wal-ente'qal]; **public holiday** *n* أجازة عامة [ajaaza a'mah]; **Enjoy your holiday!** أجازة سعيدة [ejaaza sa'aeeda]; **I'm here on holiday** أنا هنا في أجازة [ana huna fee ejasa]

Holland ['hɒlənd] *n* هولندا [hu:landa:]
hollow ['hɒləʊ] *adj* أجوف [?aӡwaf]
holly ['hɒlɪ] *n* نبات شائك الأطراف [Nabat shaek al-aṭraf]
holy ['həʊlɪ] *adj* مقدس [muqadas]
home [həʊm] *adv* بالبَيْت [bi-al-bajti] ▷ *n* منزل [manzil]; **home address** *n* عنوان المنزل ['aonwan al-manzel]; **home match** *n* مباراة الإياب في ملعب المضيف [Mobarat al-eyab fee mal'aab al-moḍeef]; **home page** *n* صفحة رئيسية [Ṣafḥah raeseyah]; **mobile home** *n* منزل متحرك [Mazel motaḥarek]; **nursing home** *n* دار التمريض [Dar al-tamreeḍ]; **stately home** *n* منزل فخم [Mazel fakhm]; **Would you like to phone home?** هل لديك رغبة في الاتصال بالمنزل؟ [hal ladyka raghba fee al-itiṣal bil-manzil?]
homeland ['həʊm,lænd] *n* موطن أصلي [Mawṭen aṣley]
homeless ['həʊmlɪs] *adj* شريد [ʃari:d]
home-made ['həʊm'meɪd] *adj* مصنع منزلياً [Maṣna'a manzeleyan]
homeopathic [,həʊmɪ'ɒpæθɪk] *adj* معالج مثلي [Moalej methley]
homeopathy [,həʊmɪ'ɒpəθɪ] *n* العلاج المِثْلي [Al-a'elaj al-methley]
homesick ['həʊm,sɪk] *adj* حنين إلى الوطن [Haneem ela al-waṭan]
homework ['həʊm,wɜ:k] *n* واجب منزلي [Wajeb manzeley]

Honduras [hɒn'djʊərəs] *n* الهندوراس [al-handu:ra:si]
honest ['ɒnɪst] *adj* أمين [ami:n]
honestly ['ɒnɪstlɪ] *adv* بأمانة [bi?ama:nati]
honesty ['ɒnɪstɪ] *n* أمانة [?ama:na]
honey ['hʌnɪ] *n* عسل [ʕasal]
honeymoon ['hʌnɪ,mu:n] *n* شَهْر العسل [Shahr al-'asal]
honeysuckle ['hʌnɪ,sʌk°l] *n* شُجيرة غنية بالرحيق [Shojayrah ghaneyah bel-rahee'q]
honour ['ɒnə] *n* شَرَف [ʃaraf]
hood [hʊd] *n* غطاء للرأس والعنق [Gheṭa'a lel-raas wal-a'ono'q]
hook [hʊk] *n* عقيفة [ʕaqi:fa]
Hoover® ['hu:və] *n* مكنسة كهربائية [Meknasah kahrobaeyah]; **hoover** *v* يَكْنِس بالمكنسة الكهربائية [Yaknes bel-maknasah al-kahrabaeyah]
hope [həʊp] *n* أمَل [?amal] ▷ *v* يأمُل [ja?malu]
hopeful ['həʊpfʊl] *adj* واعِد [bi?wa:?id]
hopefully ['həʊpfʊlɪ] *adv* مفعم بالأمل [Mof-'am bel-amal]
hopeless ['həʊplɪs] *adj* يائس [ja:?is]
horizon [hə'raɪz°n] *n* الأفق [al-?ufuqi]
horizontal [,hɒrɪ'zɒnt°l] *adj* أُفُقِي [?ufuqij]
hormone ['hɔ:məʊn] *n* هرمون [hurmu:n]
horn [hɔ:n] *n* بوق [bu:q]; **French horn** *n* بوق فرنسي [Boo'q faransey]
horoscope ['hɒrə,skəʊp] *n* خريطة البروج [khareeṭat al-brooj]
horrendous [hɒ'rɛndəs] *adj* رهيب [rahi:b]
horrible ['hɒrəb°l] *adj* رهيب [rahi:b]
horrifying ['hɒrɪ,faɪɪŋ] *adj* مرعب [murʕib]
horror ['hɒrə] *n* فزَع [fazaʕ]; **horror film** *n* فيلم رعب [Feelm ro'ab]
horse [hɔ:s] *n* حصان [hiṣˤa:n]; **horse racing** *n* سباق الخيول [Seba'q al-kheyol]; **horse riding** *n* ركوب الخيل [Rekoob

al-khayl]; **rocking horse** n حصان خشبي هزاز [Heṣan khashabey hazaz]

horseradish [ˈhɔːsˌrædɪʃ] n فجل حار [Fejl ḥar]

horseshoe [ˈhɔːsˌʃuː] n حدوة الحصان [Hedawat heṣan]

hose [həʊz] n خُرطوم [xurtʕawm]

hosepipe [ˈhəʊzˌpaɪp] n خرطوم المياه [Khartoom al-meyah]

hospital [ˈhɒspɪtᵊl] n مستشفى [mustaffaː]; **maternity hospital** n مستشفى توليد [Mostashfa tawleed]; **mental hospital** n مستشفى أمراض عقلية [Mostashfa amraḍ 'aa'qleyah]; **How do I get to the hospital?** كيف يمكن أن أذهب إلى المستشفى؟ [kayfa yamkin an athhab ela al-mustashfa?]; **We must get him to hospital** علينا أن ننقله إلى المستشفى ['alayna an nan-'quloho ela al-mustashfa]; **Where is the hospital?** أين توجد المستشفى؟ [ayna tojad al-mustashfa?]; **Will he have to go to hospital?** هل سيجب عليه الذهاب إلى المستشفى؟ [hal sayajib 'aalyhe al-dehaab ela al-mustashfa?]

hospitality [ˌhɒspɪˈtælɪtɪ] n حُسن الضيافة [Ḥosn al-ḍeyafah]

host [həʊst] n (entertains) مُضيف [mudʕiːf], (multitude) حَشْد [ħaʃd]

hostage [ˈhɒstɪdʒ] n رهينة [rahiːna]

hostel [ˈhɒstᵊl] n بيت الشباب [Bayt al-shabab]

hostess [ˈhəʊstɪs] n; **air hostess** n مضيفة جوية [Moḍeefah jaweyah]

hostile [ˈhɒstaɪl] adj عدائي [ʕidaːʔij]

hot [hɒt] adj حار [ħaːrr]; **hot dog** n نقانق ساخنة [Na'qane'q sakhenah]; **The room is too hot** هذه الغرفة حارة أكثر من اللازم [hathy al-ghurfa hara ak-thar min al-laazim]

hotel [həʊˈtɛl] n فندق [funduq]; **Can you book me into a hotel?** أيمكنك أن تحجز لي بالفندق؟ [a-yamkun-ika an tahjuz lee bil-finda'q?]; **He runs the hotel** إنه يدير الفندق [inaho yodeer al-finda'q]; **I'm staying at a hotel** أنا مقيم في فندق [ana mu'qeem fee finda'q]; **Is your hotel accessible to wheelchairs?** هل يمكن الوصول إلى الفندق بكراسي المقعدين المتحركة؟ [hal yamken al-wiṣool ela al-finda'q be-karasi al-mu'qa'aadeen al-mutaharika?]; **What's the best way to get to this hotel?** ما هو أفضل طريق للذهاب إلى هذا الفندق [Ma howa afḍal taree'q lel-dehab ela al-fondo'q]

hour [aʊə] n ساعة [saːʕa]; **office hours** npl ساعات العمل [Sa'aat al-'amal]; **opening hours** npl ساعات العمل al-'amal]; **peak hours** npl ساعات الذروة [Sa'aat al-dhorwah]; **rush hour** n وَقْت الذروة [Wa'qt al-dhorwah]; **visiting hours** npl ساعات الزيارة [Sa'at al-zeyadah]; **How much is it per hour?** كم يبلغ الثمن لكل ساعة؟ [kam yablugh al-thaman le-kul sa'a a?]

hourly [ˈaʊəlɪ] adj محسوب بالساعة [Mahsoob bel-saa'ah] ▷ adv كل ساعة [Kol al-saa'ah]

house [haʊs] n بيت [bajt]; **council house** n دار المجلس التشريعي [Dar al-majles al-tashre'aey]; **detached house** n منزل منفصل [Manzel monfaṣelah]; **semi-detached house** n منزل نصف متصل [Mazel neṣf motaṣel]

household [ˈhaʊsˌhəʊld] n أهل البيت [Ahl al-bayt]

housewife, housewives [ˈhaʊsˌwaɪf, ˈhaʊsˌwaɪvz] n رَبَّة المنزل [Rabat al-manzel]

housework [ˈhaʊsˌwɜːk] n أعمال منزلية [A'amaal manzelyah]

hovercraft [ˈhɒvəˌkrɑːft] n حَوّامَة [ħawwaːma]

how [haʊ] adv كيف [kajfa]; **How are you?** كيف حالك؟ [kayfa ḥaluka?]; **How do I get to...?** كيف يمكن أن أصل إلى...؟ [kayfa yamkin an aṣal ela...?]; **How does this work?** كيف يعمل هذا؟ [Kayfa ya'amal hatha?]

however [haʊˈɛvə] adv ومع ذلك

howl [haʊl] v يعوي [jaʕwiː]

HQ [eɪtʃ kjuː] abbr مركز رئيسي [markazun

raʔi:sijjun]

hubcap [ˈhʌbˌkæp] n غطاء للوقاية أو الزينة [Gheṭa'a lel-we'qayah aw lel-zeenah]

hug [hʌg] n تشبث [taʃabbuθ] ▷ v يُعَانِق [juʕa:niqu]

huge [hjuːdʒ] adj هائل [ha:ʔil]

hull [hʌl] n جسم السفينة [Jesm al-safeenah]

hum [hʌm] v يَتَرَنم [jatarannamu]

human [ˈhjuːmən] adj بَشَري [baʃari]; **human being** n إنسان [ʔinsa:nun]; **human rights** npl حقوق الإنسان [Ho'qoo'q al-ensan]

humanitarian [hjuːˌmænɪˈtɛərɪən] adj مُحسن [muħsin]

humble [ˈhʌmbˀl] adj متواضع [mutawaːdˤiʕ]

humid [ˈhjuːmɪd] adj رَطِب [ratˤb]

humidity [hjuːˈmɪdɪtɪ] n رطوبة [rutˤuːba]

humorous [ˈhjuːmərəs] adj فكاهي [fuka:hij]

humour [ˈhjuːmə] n دُعَابة [duʕa:ba]; **sense of humour** n حس الفكاهة [Hes al-fokahah]

hundred [ˈhʌndrəd] number مائة [ma:ʔitun]; **I'd like five hundred...** أرغب في الحصول على خمسمائة... [Arghab fee al-ḥoṣol alaa khomsamah...]

Hungarian [hʌŋˈgɛərɪən] adj مجري [maʒrij] ▷ n (person) مَجَري الجنسية [Majra al-jenseyah]

Hungary [ˈhʌŋgərɪ] n المجر [al-maʒari]

hunger [ˈhʌŋgə] n جوع [ʒuːʕ]

hungry [ˈhʌŋgrɪ] adj جوعان [ʒawʕa:n]

hunt [hʌnt] n يَصيد [jasˤiːdu] ▷ v يَصيد [jasˤiːdu]

hunter [ˈhʌntə] n صياد [sˤajjaːd]

hunting [ˈhʌntɪŋ] n صيد [sˤajd]

hurdle [ˈhɜːdˀl] n سياج نقال [Seyaj na'qall]

hurricane [ˈhʌrɪkˀn; -keɪn] n إعصار [ʔisˤʕaːr]

hurry [ˈhʌrɪ] n استعجال [istiʕʒa:l] ▷ v يُسرِع [jusriʕu]

hurry up v يَستعجِل [jastaʕʒilu]

hurt [hɜːt] adj مستاء [musta:ʔ] ▷ v يؤذي [juði:]

husband [ˈhʌzbənd] n زَوج [zawʒ]

hut [hʌt] n كوخ [ku:x]; **Where is the nearest mountain hut?** أين يوجد أقرب كوخ بالجبل؟ [ayna yujad a'qrab kookh bil-jabal?]

hyacinth [ˈhaɪəsɪnθ] n هياسنت [haja:sint]

hydrogen [ˈhaɪdrɪdʒən] n هيدروجين [hi:dru:ʒi:n]

hygiene [ˈhaɪdʒiːn] n نظافة [nazˤa:fa]

hymn [hɪm] n ترنيمة [tarni:ma]

hypermarket [ˈhaɪpəˌmɑːkɪt] n متجر كبير جداً [Matjar kabeer jedan]

hyphen [ˈhaɪfˀn] n شرطة قصيرة [Sharṭah 'qaseerah]

I

I [aɪ] *pron* أنا [ʔana]; **I don't like...** أنا لا أحب... [ana la oḥibo...]; **I like...** أنا أفضل... [ana ofaḍel...]; **I love...** أنا أحب... [ana aḥib]

ice [aɪs] *n* جليد [ʒaliːd]; **black ice** *n* ثلج أسود [thalj aswad]; **ice cube** *n* مكعب ثلج [Moka'aab thalj]; **ice hockey** *n* لعبة الهوكي على الجليد [Lo'abat alhookey 'ala aljaleed]; **ice lolly** *n* ستيك الآيس كريم [Steek al-aayes kreem]; **ice rink** *n* حلبة من الجليد الصناعي [Halabah men aljaleed alsena'aey]

iceberg ['aɪsbɜːɡ] *n* جبل جليدي [Jabal jaleedey]

icebox ['aɪsˌbɒks] *n* صندوق الثلج [Şondoo'q al-thalj]

ice cream ['aɪs 'kriːm] *n* آيس كريم [aayes kreem]; **I'd like an ice cream** أريد تناول آيس كريم [areed tanawil ice kreem]

Iceland ['aɪslənd] *n* أيسلندا [ʔajslanda:]

Icelandic [aɪs'lændɪk] *adj* أيسلاندي [ʔajsla:ndiː] ▷ *n* الأيسلندي [Alayeslandey]

ice-skating ['aɪsˌskeɪtɪŋ] *n* تزلّج على الجليد [Tazaloj 'ala al-jaleed]

icing ['aɪsɪŋ] *n* تزيين الحلوى [Tazyeen al-ḥalwa]; **icing sugar** *n* سكر ناعم [Sokar na'aem]

icon ['aɪkɒn] *n* أيقونة [ʔajqu:na]

icy ['aɪsɪ] *adj* جليدي [ʒaliːdij]

idea [aɪ'dɪə] *n* فكرة [fikra]

ideal [aɪ'dɪəl] *adj* مثالي [miθa:lij]

ideally [aɪ'dɪəlɪ] *adv* بشكل مثالي [Be-shakl methaley]

identical [aɪ'dɛntɪkᵊl] *adj* متطابق [mutaṭaːbiq]

identification [aɪˌdɛntɪfɪ'keɪʃən] *n* تعريف الهوية [Ta'areef al-haweyah]

identify [aɪ'dɛntɪˌfaɪ] *v* يُعَيِّن الهويّة [Yo'aeyen al-haweyah]

identity [aɪ'dɛntɪtɪ] *n* هَويّة [huwijja]; **identity card** *n* بطاقة شخصية [beṭa:qah shakhṣeyah]; **identity theft** *n* سرقة الهوية [Sare'qat al-hawyiah]

ideology [ˌaɪdɪ'ɒlədʒɪ] *n* أيدولوجية [ʔajdu:lu:ʒijja]

idiot ['ɪdɪət] *n* أبْلَه [ʔablah]

idiotic [ˌɪdɪ'ɒtɪk] *adj* أحمق [ʔaḥmaq]

idle ['aɪdᵊl] *adj* عَاطِل [ʕaːtᵊil]

i.e. [aɪ iː] *abbr* أي أن [Ay an]

if [ɪf] *conj* إذا [ʔiða:]

ignition [ɪg'nɪʃən] *n* اشتعال [iʃtiʕa:l]

ignorance ['ɪgnərəns] *n* جهل [ʒahl]

ignorant ['ɪgnərənt] *adj* جاهل [ʒa:hil]

ignore [ɪg'nɔː] *v* يتَجاهل [jataʒa:halu]

ill [ɪl] *adj* سقيم [saqi:m]

illegal [ɪ'liːgᵊl] *adj* غير قانوني [Ghayer 'qanooney]

illegible [ɪ'lɛdʒɪbᵊl] *adj* غير مقروء [Ghayr ma'qrooa]

illiterate [ɪ'lɪtərɪt] *adj* أمي [ʔumijju]

illness ['ɪlnɪs] *n* داء [da:ʔ]

ill-treat [ɪl'triːt] *v* يُعَامِل معاملة سيئة [Yo'aamal mo'aamalh sayeah]

illusion [ɪ'luːʒən] *n* وهم [wahm]

illustration [ˌɪlə'streɪʃən] *n* توضيح [tawḍiːħ]

image ['ɪmɪdʒ] *n* صورة [ṣuːra]

imaginary [ɪ'mædʒɪnərɪ; -dʒɪnrɪ] *adj* تَخَيُّلي [taxajjulij]

imagination [ɪˌmædʒɪ'neɪʃən] *n* خيال [xaja:l]

imagine [ɪ'mædʒɪn] *v* يتَخَيَل [jataxajjalu]

imitate [ˈɪmɪteɪt] v يُقَلِّدُ [juqallidu]

imitation [ˌɪmɪˈteɪʃən] n محاكاة [muħa:ka:t]

immature [ˌɪməˈtjʊə; -ˈtʃʊə] adj غير ناضج [Ghayr naḍej]

immediate [ɪˈmiːdɪət] adj فوري [fawrij]

immediately [ɪˈmiːdɪətlɪ] adv فى الحال [Fee al-hal]

immigrant [ˈɪmɪɡrənt] n وَافِد [wa:fid]

immigration [ˌɪmɪˈɡreɪʃən] n هِجْرَة [hiʒra]

immoral [ɪˈmɒrəl] adj لا أخلاقي [La Akhla'qy]

impact [ˈɪmpækt] n تأثير [ta:θi:r]

impaired [ɪmˈpɛəd] adj; **I'm visually impaired** أعاني من ضعف البصر [o-'aany min ḍu'auf al-baṣar]

impartial [ɪmˈpɑːʃəl] adj غير متحيز [Ghayer motaḥeyz]

impatience [ɪmˈpeɪʃəns] n نفاذ الصبر [nafadh al-ṣabr]

impatient [ɪmˈpeɪʃənt] adj غير صبور [Ghaeyr ṣaboor]

impatiently [ɪmˈpeɪʃəntlɪ] adv بدون صبر [Bedon ṣabr]

impersonal [ɪmˈpɜːsənl] adj موضوعي [mawḍuːʕij]

import n [ˈɪmpɔːt] استيراد [istijra:d] ▷ v [ɪmˈpɔːt] يَستورد [jastawridu]

importance [ɪmˈpɔːtəns] n أهمية [ʔahamijja]

important [ɪmˈpɔːtənt] adj هام [ha:mm]

impossible [ɪmˈpɒsəbl] adj مستحيل [mustaħiːl]

impractical [ɪmˈpræktɪkl] adj غير عملي [Ghayer 'aamaley]

impress [ɪmˈprɛs] v يُؤثر فى [Yoather fee]

impressed [ɪmˈprɛst] adj متأثر [mutaʔaθirr]

impression [ɪmˈprɛʃən] n انطباع [intˁibba:ʕ]

impressive [ɪmˈprɛsɪv] adj مؤثر [muʔaθir]

improve [ɪmˈpruːv] v يُحْسِن [juħsinu]

improvement [ɪmˈpruːvmənt] n تحسين [taħsiːn]

in [ɪn] prep فى [fiː]; **in a month's time** فى غضون شهر [fee ghoḍon shahr]; **in summer** فى الصيف [fee al-ṣayf]; **in the evening** فى المساء [fee al-masaa]; **I live in...** أسكن في.. [askun fee..]; **Is the museum open in the morning?** هل المتحف مفتوح في الصباح؟ [hal al-mat-haf maf-tooh fee al-ṣabaḥ]; **We'll be in bed when you get back** سوف نكون في الفراش عند العودة [ˈaenda al-'aoda sawfa nakoon fee al-feraash]

inaccurate [ɪnˈækjʊrɪt; ɪnˈaccurate] adj غير دقيق [Ghayer da'qee'q]

inadequate [ɪnˈædɪkwɪt] adj غير ملائم [Ghayr molaem]

inadvertently [ˌɪnədˈvɜːtəntlɪ] adv بدون قَصْد [Bedoon 'qaṣd]

inbox [ˈɪnbɒks] n صندوق الوارد [Ṣondok alwared]

incentive [ɪnˈsɛntɪv] n باعث [ba:ʕiθ]

inch [ɪntʃ] n بوصة [bawsˁa]

incident [ˈɪnsɪdənt] n حدث عرضي [Hadth 'aradey]

include [ɪnˈkluːd] v يَتَضمن [jatadˁammanu]

included [ɪnˈkluːdɪd] adj مُرفق [murfiq]

including [ɪnˈkluːdɪŋ] prep بما فى ذلك [Bema fee dhalek]

inclusive [ɪnˈkluːsɪv] adj جامع [ʒa:miʕ]

income [ˈɪnkʌm; ˈɪnkəm] n دَخْل [daxala]; **income tax** n ضريبة دخل [Ḍareebat dakhl]

incompetent [ɪnˈkɒmpɪtənt] adj غير كفؤ [Ghayr kofa]

incomplete [ˌɪnkəmˈpliːt] adj ناقص [na:qisˁ]

inconsistent [ˌɪnkənˈsɪstənt] adj متضارب [mutadˁa:rib]

inconvenience [ˌɪnkənˈviːnjəns; -ˈviːnɪəns] n عدم المُلاءمة [ˈadam al-molaamah]

inconvenient [ˌɪnkənˈviːnjənt; -ˈviːnɪənt] adj غير ملائم [Ghayr molaem]

incorrect [ˌɪnkəˈrɛkt] adj خاطئ [xa:tˁiʔ]

increase n [ˈɪnkriːs] زيادة [zija:da] ▷ v

[ɪnˈkriːs] يَزيد [jazi:du]

increasingly [ɪnˈkriːsɪŋlɪ] adv بشكل متزايد [Beshakl motazayed]

incredible [ɪnˈkrɛdəbᵊl] adj لا يصدق [La yoşda'q]

indecisive [ˌɪndɪˈsaɪsɪv] adj غير حاسم [Gahyr hasem]

indeed [ɪnˈdiːd] adv حقاً [ħaqqan]

independence [ˌɪndɪˈpɛndəns] n استقلال [istiqla:lu]

independent [ˌɪndɪˈpɛndənt] adj مستقل [mustaqil]

index [ˈɪndɛks] n (list) فهرس [fahras], (numerical scale) فهرس [fahras]; **index finger** n أصبع السبابة [Eşbeˈa al-sababah]

India [ˈɪndɪə] n الهند [al-hindi]

Indian [ˈɪndɪən] adj هندي [hindij] ▷ n هندي [hindij]; **Indian Ocean** n المحيط الهندي [Almoheeṭ alhendey]

indicate [ˈɪndɪˌkeɪt] v يشير إلى [Yosheer ela]

indicator [ˈɪndɪˌkeɪtə] n مُؤَشِّر [muʔaʃʃir]

indigestion [ˌɪndɪˈdʒɛstʃən] n عسر الهضم [ˈaosr al-haḍm]

indirect [ˌɪndɪˈrɛkt] adj غير مباشر [Ghayer mobasher]

indispensable [ˌɪndɪˈspɛnsəbᵊl] adj لا مفر منه [La mafar menh]

individual [ˌɪndɪˈvɪdjʊəl] adj فردي [fardijjat]

Indonesia [ˌɪndəʊˈniːzɪə] n أندونيسيا [ʔandu:ni:sjja:]

Indonesian [ˌɪndəʊˈniːzɪən] adj أندونيسي [ʔandu:ni:sij] ▷ n (person) أندونيسي [ʔandu:ni:sij]

indoor [ˈɪnˌdɔː] adj داخلي [da:xilij]; **What indoor activities are there?** ما الأنشطة الرياضية الداخلية المتاحة؟ [ma al-anshiṭa al-reyaḍya al-dakhiliya al-mutaḥa?]

indoors [ˌɪnˈdɔːz] adv داخلياً [da:xilijjan]

industrial [ɪnˈdʌstrɪəl] adj صناعي [şˤina:ʕij]; **industrial estate** n عقارات صناعية [ˈaaˈqarat şenaeayah]

industry [ˈɪndəstrɪ] n صناعة [şˤina:ʕa]

inefficient [ˌɪnɪˈfɪʃənt] adj غير فعال [Ghayer faˈaal]

inevitable [ɪnˈɛvɪtəbᵊl] adj محتوم [maħtu:m]

inexpensive [ˌɪnɪkˈspɛnsɪv] adj بَخْس [baxs]

inexperienced [ˌɪnɪkˈspɪərɪənst] adj قليل الخبرة [ˈqaleel al-khebrah]

infantry [ˈɪnfəntrɪ] n سلاح المُشاة [Selah al-moshah]

infection [ɪnˈfɛkʃən] n عدوى [ˈadwa:]

infectious [ɪnˈfɛkʃəs] adj مُعْد [muʕdin]

inferior [ɪnˈfɪərɪə] adj أدنى درجة [Adna darajah] ▷ n مرؤوس [marʔu:s]

infertile [ɪnˈfɜːtaɪl] adj قاحل [qa:ħil]

infinitive [ɪnˈfɪnɪtɪv] n مَصْدَر [masˤdar]

infirmary [ɪnˈfɜːmərɪ] n مَشْفى [maʃfa:]

inflamed [ɪnˈfleɪmd] adj مشتعل [muʃtaʕil]

inflammation [ˌɪnfləˈmeɪʃən] n التهاب [ʔiltiha:b]

inflatable [ɪnˈfleɪtəbᵊl] adj قابل للنفخ [ˈqabel lel-nafkh]

inflation [ɪnˈfleɪʃən] n تَضَخُّم [tadˤaxxum]

inflexible [ɪnˈflɛksəbᵊl] adj غير مَرِن [Ghayer maren]

influence [ˈɪnflʊəns] n أثَر [ʔaθar] ▷ v يُؤْثِر في [Yoather fee]

influenza [ˌɪnflʊˈɛnzə] n أنفلونزا [ʔanfulwanza:]

inform [ɪnˈfɔːm] v يُبْلِغ عن [Yoballegh an]

informal [ɪnˈfɔːməl] adj غير رسمي [Ghayer rasmey]

information [ˌɪnfəˈmeɪʃən] n معلومات [amaʕlu:ma:t]; **information office** n مكتب الاستعلامات [Maktab al-esteˈalamaat]; **Here's some information about my company** تفضل بعض المعلومات المتعلقة بشركتي [tafaḍal baʕaḍ al-maˈa-lomaat al-muta-aˈle-qa be-share-katy]; **I'd like some information about...** أريد الحصول على بعض المعلومات عن... [areed al-ḥuşool ˈaala baʕaḍ al-maˈaloomat] 'an...]

informative [ɪnˈfɔːmətɪv] adj تثقيفي [taθqi:fij]

infrastructure [ˈɪnfrəˌstrʌktʃə] n بِنْيَة أساسية [Benyah asaseyah]

infuriating [ɪnˈfjʊərɪeɪtɪŋ] adj مثير للغضب [Mother lel-ghadab]

ingenious [ɪnˈdʒiːnjəs; -nɪəs] adj مبدع [mubdiʕ]

ingredient [ɪnˈɡriːdɪənt] n مُكَوّن [mukawwan]

inhabitant [ɪnˈhæbɪtənt] n ساكن [sa:kin]

inhaler [ɪnˈheɪlə] n بَخّاخ [baxxa:x]

inherit [ɪnˈhɛrɪt] v يَرث [jariθu]

inheritance [ɪnˈhɛrɪtəns] n ميراث [mi:jra:θ]

inhibition [ˌɪnɪˈbɪʃən; ˌɪnhɪ-] n كَبْح [kabħ]

initial [ɪˈnɪʃəl] adj ابتدائي [ibtida:ʔij] ▷ v يُوقّع بالحرف الأول من اسمه [Yowa'qe'a bel-harf alawal men esmeh]

initially [ɪˈnɪʃəlɪ] adv مبدئياً [mabda?ijjan]

initials [ɪˈnɪʃəlz] npl الأحرف الأولى [Al-ahrof al-ola]

initiative [ɪˈnɪʃɪətɪv; -ˈnɪʃətɪv] n مبادرة [muba:dara]

inject [ɪnˈdʒɛkt] v يَحقِن [jaħqinu]

injection [ɪnˈdʒɛkʃən] n حقن [ħaqn]; **I want an injection for the pain** أريد أخذ حقنة لتخفيف الألم [areed akhdh ħu'qna le-takhfeef al-alam]; **Please give me an injection** من فضلك أعطني حقنة [min faḍlak i'a-ṭiny ħi'qna]

injure [ˈɪndʒə] v يجرح [jaʒraħu]

injured [ˈɪndʒəd] adj مجروح [maʒru:ħ]

injury [ˈɪndʒərɪ] n إصابة [ʔisˤa:ba]; **injury time** n وَقْت بدل الضائع [Wa'qt badal ḍaye'a]

injustice [ɪnˈdʒʌstɪs] n ظلم [zˤʕulm]

ink [ɪŋk] n جبر [ħibr]

in-laws [ɪnlɔːz] npl أصهار [ʔasˤha:run]

inmate [ˈɪnˌmeɪt] n شريك السكن [Shareek al-sakan]

inn [ɪn] n خان [xa:na]

inner [ˈɪnə] adj باطني [ba:tˤinij]; **inner tube** n أنبوب داخلي [Anboob dakheley]

innocent [ˈɪnəsənt] adj بريئ [bari:ʔ]

innovation [ˌɪnəˈveɪʃən] n ابتكار [ibtika:r]

innovative [ˈɪnəˌveɪtɪv] adj ابتكاري [ibtika:rij]

inquest [ˈɪnˌkwɛst] n استجواب [istiʒwa:b]

inquire [ɪnˈkwaɪə] v يَسأل عن [Yasaal 'an]

inquiry [ɪnˈkwaɪərɪ] n استعلام [istiʕla:m]; **inquiries office** n مكتب الاستعلامات [Maktab al-este'alamaat]

inquisitive [ɪnˈkwɪzɪtɪv] adj محب للبحث والتحقيق [moheb lel-baħth wal-taḥ'qeeq]

insane [ɪnˈseɪn] adj مجنون [maʒnu:n]

inscription [ɪnˈskrɪpʃən] n نقش [naqʃ]

insect [ˈɪnsɛkt] n حشرة [ħaʃara]; **insect repellent** n طارد للحشرات [Ṭared lel-hasharat]; **stick insect** n الحشرة العضوية [Al-hasherah al-'aodweia]

insecure [ˌɪnsɪˈkjʊə] adj غير آمن [Ghayr aamen]

insensitive [ɪnˈsɛnsɪtɪv] adj غير حساس [Ghayr hasas]

inside adv داخلاً [ˌɪnˈsaɪd] [da:xila:] ▷ n ضمن [ˈɪnˈsaɪd] داخل [da:xila] ▷ prep [Demn]

insincere [ˌɪnsɪnˈsɪə] adj منافق [muna:fiq]

insist [ɪnˈsɪst] v يُصِر على [Yoṣer 'aala]

insomnia [ɪnˈsɒmnɪə] n أرق [ʔaraq]

inspect [ɪnˈspɛkt] v يَفْحص [jafħasˤu]

inspector [ɪnˈspɛktə] n مفتش [mufattiʃ]; **ticket inspector** n مفتش التذاكر [Mofatesh taḍhaker]

instability [ˌɪnstəˈbɪlɪtɪ] n عدم الثبات ['adam al-thabat]

instalment [ɪnˈstɔːlmənt] n تركيب [tarki:b]

instance [ˈɪnstəns] n مرحلة [marħala]

instant [ˈɪnstənt] adj ملح [milħ]

instantly [ˈɪnstəntlɪ] adv بالحاح [bi-ilħaːħin]

instead [ɪnˈstɛd] adv بدلًا من ذلك [Badalan men ḏhalek]; **instead of** prep بدلًا من [badalan men]

instinct [ˈɪnstɪŋkt] n غريزة [ɣari:za]

institute [ˈɪnstɪˌtjuːt] n معهد [baʃham]

institution [ˌɪnstɪˈtjuːʃən] n مؤسسة [muʔassasa]

instruct [ɪnˈstrʌkt] v يُعلِم [juʃallimu]

instructions [ɪnˈstrʌkʃənz] npl تعليمات [taʃliːmaːtun]

instructor [ɪnˈstrʌktə] n مُعلم [muʃallim]; **driving instructor** n معلم القيادة [Moʻalem al-ʻqeyadh]

instrument [ˈɪnstrəmənt] n أداة [ʔada:t]; **musical instrument** n آلة موسيقية [Aala moseʻqeyah]

insufficient [ˌɪnsəˈfɪʃənt] adj غير كافي [Ghayr kafey]

insulation [ˌɪnsjʊˈleɪʃən] n عازل [ʕa:zil]

insulin [ˈɪnsjʊlɪn] n أنسولين [ʔansu:li:n]

insult n [ˈɪnsʌlt] إهانة [ʔiha:na] ▷ v [ɪnˈsʌlt] يُهين [juhi:nu]

insurance [ɪnˈʃʊərəns; -ˈʃɔː-] n تأمين [taʔmi:n]; **accident insurance** n تأمين ضد الحوادث [Taameen ḍed al-hawaadeth]; **car insurance** n تأمين سيارة [Taameen sayarah]; **insurance policy** n بوليصة تأمين [Booleeṣat taameen]; **life insurance** n تأمين على الحياة [Taameen ʻala al-hayah]; **third-party insurance** n تأمين عن الطرف الثالث [Tameen lada algheer]; **travel insurance** n تأمين السفر [Taameen al-safar]; **Do you have insurance?** هل لديك تأمين؟ [hal ladyka ta-meen?]; **Give me your insurance details, please** من فضلك أعطني بيانات التأمين الخاصة بك [min faḍlak i'a-ṭiny baya-naat al-ta-meen al-khaṣa bik]; **Here are my insurance details** تفضل هذه هي بيانات التأمين الخاص بي [Tafaḍal hadheh heya beyanaat altaameen alkhaṣ bee]; **How much extra is comprehensive insurance cover?** ما هو المبلغ الإضافي لتغطية التأمينية الشاملة؟ [ma: huwa almablaɣu alʔidˤˤa:fijju

litaɣtˤijjati attaʔmi:nijjati aʃʃa:milati]; **I don't have dental insurance** ليس لدي تأمين صحي لأسناني [laysa la-daya ta-meen ṣiḥee le-asnany]; **I'd like to arrange personal accident insurance** أريد عمل الترتيبات الخاصة بالتأمين ضد الحوادث الشخصية [areed 'aamal al-tar-tebaat al-khaṣa bil-taameen ḍid al-hawadith al-shakhṣiya]; **Is fully comprehensive insurance included in the price?** هل يشمل السعر التأمين الشامل والكامل؟ [hal yash-mil al-si'ar al-taameen al-shamil wal-kamil?]; **Will the insurance pay for it?** هل ستدفع لك شركة التأمين مقابل ذلك [hal sa-tadfaa laka share-kat al-tameen ma'qabil dhalik?]

insure [ɪnˈʃʊə; -ˈʃɔː-] v يُؤَمِّن [juamminu]

insured [ɪnˈʃʊəd; -ˈʃɔːd] adj مؤمن عليه [Moaman 'aalayh]

intact [ɪnˈtækt] adj سليم [sali:m]

intellectual [ˌɪntɪˈlɛktʃʊəl] adj فِكْري [fikrij] ▷ n فِكْري [fikrij]

intelligence [ɪnˈtɛlɪdʒəns] n ذكاء [ðaka:ʔ]

intelligent [ɪnˈtɛlɪdʒənt] adj ذكي [ðakij]

intend [ɪnˈtɛnd] v; **intend to** v يَعْتَزِم [jaʃtazimu]

intense [ɪnˈtɛns] adj مجهد [muʒhid]

intensive [ɪnˈtɛnsɪv] adj شديد [ʃadi:d]; **intensive care unit** n وحدة العناية المركزة [Weḥdat al-'aenayah al-morkazah]

intention [ɪnˈtɛnʃən] n نية [nijja]

intentional [ɪnˈtɛnʃənˀl] adj مقصود [maqsˤuːd]

intercom [ˈɪntəˌkɒm] n نظام الاتصال الداخلي [nedhaam aleteṣaal aldakheley]

interest [ˈɪntrɪst; -tərɪst] n (curiosity) اهتمام [ihtima:m], (income) مصلحة [masˤlaħa] ▷ v يُثير اهتمام [yotheer ehtemam]; **interest rate** n معدل الفائدة [Moaadal al-faaedah]

interested [ˈɪntrɪstɪd; -tərɪs-] adj مهتم [muhttam]; **Sorry, I'm not interested**

معذرة، أنا غير مهتم بهذا الأمر [maʕðaratun ʔana: yajru muhtammin biha:ða: alʔamri]

interesting [ˈɪntrɪstɪŋ; -tərɪs-] *adj* مُشوق [muʃawwiq]

interior [ɪnˈtɪərɪə] *n* داخِل [da:xil]; **interior designer** *n* مُصمِم داخلي [Moṣamem dakheley]

intermediate [ˌɪntəˈmiːdɪɪt] *adj* أوسط [ʔawsatˤ]

internal [ɪnˈtɜːnəl] *adj* داخلي [da:xilij]

international [ˌɪntəˈnæʃənəl] *adj* دَولي [dawlij]

Internet [ˈɪntəˌnɛt] *n* الانترنت [al-intirnit]; **Internet café** *n* مقهى الانترنت [Ma'qha al-enternet]; **Internet user** *n* مُستخدِم الانترنت [Mostakhdem al-enternet]

interpret [ɪnˈtɜːprɪt] *v* يُفَسِر [jufassiru]

interpreter [ɪnˈtɜːprɪtə] *n* مُفَسِر [mufassir]

interrogate [ɪnˈtɛrəˌɡeɪp] *v* يَستجوب [jastaʒwibu]

interrupt [ˌɪntəˈrʌpt] *v* يُقَاطِعُ [juqa:tˤiʕu]

interruption [ˌɪntəˈrʌpʃən] *n* مقاطعة [muqa:tˤaʕa]

interval [ˈɪntəvəl] *n* فاصل [fa:sˤil]

interview [ˈɪntəˌvjuː] *n* مقابلة [muqa:bala] ▷ *v* يُقابِل [juqa:bilu]

interviewer [ˈɪntəˌvjuːə] *n* محاور [muħa:wir]

intimate [ˈɪntɪmɪt] *adj* حميم [ħami:m]

intimidate [ɪnˈtɪmɪˌdeɪt] *v* يُخوِّف [juxawwifu]

into [ˈɪntuː; ˈɪntə] *prep* بداخِل [bida:xili]; **bump into** *v* يتصادف مع [Yataṣaadaf ma'a]

intolerant [ɪnˈtɒlərənt] *adj* مُتَعصِب [mutaʕasˤibb]

intranet [ˈɪntrəˌnɛt] *n* شبكة داخلية [Shabakah dakheleyah]

introduce [ˌɪntrəˈdjuːs] *v* يُقَدِم [juqaddimu]

introduction [ˌɪntrəˈdʌkʃən] *n* مقدمة [muqadima]

intruder [ɪnˈtruːdə; ɪnˈtruːder] *n*

متطفل [mutatˤʕafil]

intuition [ˌɪntjʊˈɪʃən] *n* حَدَس [ħads]

invade [ɪnˈveɪd] *v* يغزو [jayzu:]

invalid [ˈɪnvəˌliːd] *n* مريض [mari:dˤ]

invent [ɪnˈvɛnt] *v* يَخترع [jaxtariʕu]

invention [ɪnˈvɛnʃən] *n* اختراع [ixtira:ʕ]

inventor [ɪnˈvɛntə] *n* مُخترع [muxtariʕ]

inventory [ˈɪnvəntərɪ; -trɪ] *n* مخزون [maxzu:n]

invest [ɪnˈvɛst] *v* يَستثمِر [jastaθmiru]

investigation [ɪnˌvɛstɪˈɡeɪʃən] *n* تحقيق [taħqi:qu]

investment [ɪnˈvɛstmənt] *n* استثمار [istiθma:r]

investor [ɪnˈvɛstə] *n* مُستثمِر [mustaθmir]

invigilator [ɪnˈvɪdʒɪˌleɪtə] *n* مُراقِب [mura:qib]

invisible [ɪnˈvɪzəbəl] *adj* غير منظور [Ghayr monaḍhoor]

invitation [ˌɪnvɪˈteɪʃən] *n* دعوة [daʕwa]

invite [ɪnˈvaɪt] *v* يَدعو [jadʕu:]

invoice [ˈɪnvɔɪs] *n* فاتورة تجارية [Fatoorah tejareyah] ▷ *v* يُعد فاتورة [Yo'aed al-fatoorah]

involve [ɪnˈvɒlv] *v* يَشمَل [jaʃmalu]

iPod® [ˈaɪˌpɒd] *n* ® الآي بود [alʔa:j bu:d]

IQ [aɪ kjuː] *abbr* معامل الذكاء [Mo'aamel aldhakaa]

Iran [ɪˈrɑːn] *n* إيران [ʔi:ra:n]

Iranian [ɪˈreɪnɪən] *adj* إيراني [ʔi:ra:nij] ▷ *n* (person) إيراني [ʔi:ra:nij]

Iraq [ɪˈrɑːk] *n* العراق [al-ʕira:qi]

Iraqi [ɪˈrɑːkɪ] *adj* عراقي [ʕira:qij] ▷ *n* عراقي [ʕira:qij]

Ireland [ˈaɪələnd] *n* أيرلندا [ʔajrlanda:]; **Northern Ireland** *n* أيرلندة الشمالية [Ayarlanda al-shamaleyah]

iris [ˈaɪrɪs] *n* قزحية العين [qazeḥeyat al-'ayn]

Irish [ˈaɪrɪʃ] *adj* أيرلندي [jralandij] ▷ *n* الأيرلندي [Alayarlandey]

Irishman, Irishmen [ˈaɪrɪʃmən, ˈaɪrɪʃmɛn] *n* رَجُل إيرلندي [Rajol ayarlandey]

Irishwoman, Irishwomen

['aɪrɪʃwʊmən, 'aɪrɪʃwɪmɪn] n ايرلندية [ijrlandijja]

iron ['aɪən] v يَكْوي ▷ n حديد [ħadi:d] [jakwi:]

ironic [aɪ'rɒnɪk] adj تهكمي [tahakumij]

ironing ['aɪənɪŋ] n كيّ الملابس [Kay almalabes]; **ironing board** n لوح الكي [Looħ alkay]

ironmonger's ['aɪən,mʌŋɡəz] n محل تاجر الحديد والأدوات المعدنية [Maħal tajer alhadeed wal-adwat al-ma'adaneyah]

irony ['aɪrənɪ] n سُخرية [suxrijja]

irregular [ɪ'rɛɡjʊlə] adj غير منتظم [Ghayr montaḍhem]

irrelevant [ɪ'rɛləvənt] adj غير متصل بالموضوع [Ghayr motaṣel bel-maeḍo'a]

irresponsible [,ɪrɪ'spɒnsəb°l] adj غير مسئول [Ghayr maswool]

irritable ['ɪrɪtəb°l] adj سريع الغضب [Saree'a al-ghaḍab]

irritating ['ɪrɪ,teɪtɪŋ] adj مثير للغضب [Mother lel-ghaḍab]

Islam ['ɪzlɑːm] n الإسلام [al-ʔisla:mu]

Islamic ['ɪzləmɪk] adj إسلامي [ʔisla:mij]

island ['aɪlənd] n جزيرة [ʒazi:ra]; **desert island** n جزيرة استوائية غير مأهولة [Jozor ghayr maahoolah]

isolated ['aɪsə,leɪtɪd] adj معزول [maʕzu:l]

ISP [aɪ ɛs piː] abbr مزود بخدمة الإنترنت [Mozawadah be-khedmat al-enternet]

Israel ['ɪzreɪəl; -rɪəl] n إسرائيل [ʔisra:ʔijl]

Israeli [ɪz'reɪlɪ] adj إسرائيلي [ʔisra:ʔi:lij] ▷ n إسرائيلي [ʔisra:ʔi:lij]

issue ['ɪʃjuː] n إصدار [ʔisˁda:r] ▷ v يَصْدُر [jasˁduru]

it [ɪt] pron ضمير غائب مفرد لغير العاقل [dˁami:ru ɣa:ʔibun mufrad liɣajri alʕa:quli]

IT [aɪ tiː] abbr تكنولوجيا المعلومات [tiknu:lu:ʒija: almaʕlu:ma:t]

Italian [ɪ'tæljən] adj إيطالي [ʔi:tˁa:lij] ▷ n (language) اللغة الإيطالية [alloghah al etˁaleyah], (person) إيطالي [ʔi:tˁa:lij]

Italy ['ɪtəlɪ] n إيطاليا [ʔi:tˁa:ljja:]

itch [ɪtʃ] v يستحكه جلده [yastaḥekah jaldah]

itchy [ɪtʃɪ] adj يَتَطلب الحك [yataṭalab al-hak]

item ['aɪtəm] n بُنْد [bund]

itinerary [aɪ'tɪnərərɪ; -ɪ] n دليل السائح [Daleel al-saaeh]

its [ɪts] adj مِلْك

itself [ɪt'sɛlf] pron نفسه

ivory ['aɪvərɪ; -vrɪ] n عاج [ʕaːʒ]

ivy ['aɪvɪ] n لِبْلاب [labla:b]

j

jab [dʒæb] n وخز [waxz]

jack [dʒæk] n رافعة [raːfiʕa]

jacket ['dʒækɪt] n سُترة [sutra]; **dinner jacket** n جاكت العشاء [Jaket al-ʿaashaa]; **jacket potato** n بطاطس مشوية بقشرها [Baṭaṭes mashweiah beʿqshreha]; **life jacket** n سُترة النجاة [Sotrat al-najah]

jackpot ['dʒæk,pɒt] n مجموع مراهنات [Majmooʿa morahnaat]

jail [dʒeɪl] n سجن [siʒn] ▷ v يَسجن [jasʒinu]

jam [dʒæm] n مربّى [murabbaː]; **jam jar** n وعاء المربّى [Weʿaaa almorabey]; **traffic jam** n ازدحام المرور [Ezdeḥam al-moror]

Jamaican [dʒəˈmeɪkən] adj جامايكي [ʒaːmaːjkij] ▷ n جامايكي [ʒaːmaːjkij]

jammed [dʒæmd] adj مضغوط [madˤʕuːtˤ]

janitor ['dʒænɪtə] n حاجب [ħaːʒib]

January ['dʒænjʊərɪ] n يناير [jana:jiru]

Japan [dʒəˈpæn] n اليابان [al-jaːba:nu]

Japanese [,dʒæpəˈniːz] adj ياباني [ja:ba:ni:] ▷ n (language) اللغة اليابانية [Al-lghah al-yabaneyah], (person) ياباني [ja:ba:ni:]

jar [dʒɑː] n برطمان [barˤʕama:n]; **jam jar**

jaundice ['dʒɔːndɪs] n يرقان [jaraqa:n]

javelin ['dʒævlɪn] n رُمْح [rumħ]

jaw [dʒɔː] n فك [fakk]

jazz [dʒæz] n موسيقى الجاز [Mosey'qa al-jaz]

jealous ['dʒɛləs] adj غيور [ɣaju:r]

jeans [dʒiːnz] npl ملابس الجينز [Malabes al-jeenz]

jelly ['dʒɛlɪ] n جيلي [ʒi:li:]

jellyfish ['dʒɛlɪ,fɪʃ] n قنديل البحر ['qandeel al-baḥr]

jersey ['dʒɜːzɪ] n قميص من الصوف ['qameeṣ men al-ṣoof]

Jesus ['dʒiːzəs] n يسوع [jasu:ʕ]

jet [dʒɛt] n أنبوب [ʔunbu:b]; **jet lag** n تعب بعد السفر بالطائرة [Taʿaeb baʿad al-safar bel-ṭaerah]; **jumbo jet** n طائرة نفاثة [Ṭaayeara nafathah]

jetty ['dʒɛtɪ] n حاجز الماء [Hajez al-maa]

Jew [dʒuː] n يهودي [jahu:di:]

jewel ['dʒuːəl] n جوهرة [ʒawhara]

jeweller ['dʒuːələ] n جواهرجي [ʒawa:hirʒi:]

jeweller's ['dʒuːələz] n محل جواهرجي [Maḥal jawaherjey]

jewellery ['dʒuːəlrɪ] n مجوهرات [muʒawhara:t]; **I would like to put my jewellery in the safe** أريد أن أضع مجوهراتي في الخزينة [areed an aḍaʿa mujaw-haraty fee al-khazeena]

Jewish ['dʒuːɪʃ] adj عبري [ʕibri:]

jigsaw ['dʒɪg,sɔː] n منشار المنحنيات [Menshar al-monḥanayat]

job [dʒɒb] n وظيفة [waziːfa]; **job centre** n مركز العمل [markaz al-ʿaamal]

jobless ['dʒɒblɪs; 'jobless] adj عاطل [ʕaːtˤil]

jog [dʒɒg] v يُمارس رياضة العدو [Yomares reyaḍat al-ʿadw]

jogging ['dʒɒgɪŋ] n هَرْوَلة [harwala]

join [dʒɔɪn] v يَربط [jarbitˤu]

joiner ['dʒɔɪnə] n شخص اجتماعي [Shakhṣ ejtema-ay]

joint [dʒɔɪnt] adj مشترك [muʃtarak] ▷ n

(junction) وَصْلَة [wasˤla], (meat) مُفصَل [mafsˤal]; **joint account** n حساب مشترك [Hesab moshtarak]

joke [dʒəʊk] n نكتة [nukta] ▷ v يمزح [jamzaħu]

jolly ['dʒɒlɪ] adj بهيج [bahiːʒ]

Jordan ['dʒɔːdᵊn] n الأردن [al-ʔurd]

Jordanian [dʒɔːˈdeɪnɪən] adj أردني [unrdunij] ▷ n أردني [unrdunij]

jot down [dʒɒt daʊn] v كتب بسرعة [Katab besor'aah]

jotter ['dʒɒtə] n دفتر صغير [Daftar ṣagheer]

journalism ['dʒɜːnᵊˌlɪzəm] n صحافة [sˤaħaːfa]

journalist ['dʒɜːnᵊlɪst] n صحفي [sˤaħafij]

journey ['dʒɜːnɪ] n رحلة [riħla]; **How long is the journey?** ما الفترة التي ستستغرقها الرحلة؟ [ma al-fatra al-laty sa-tasta-ghru'qiha al-reħla?]; **The journey takes two hours** الرحلة تستغرق ساعتين [al-reħla tasta-ghriˈq sa'aatyin]

joy [dʒɔɪ] n بهجة [bahʒa]

joystick ['dʒɔɪˌstɪk] n عصا القيادة ['aaṣa al-'qeyadh]

judge [dʒʌdʒ] n قاضي [qaːdˤiː] ▷ v يُحاكِم [juħaːkamu]

judo ['dʒuːdəʊ] n جودو [ʒuːduː]

jug [dʒʌɡ] n إبريق [ibriːq]; **a jug of water** إبريق من الماء [ebreeˈq min al-maa-i]

juggler ['dʒʌɡlə; 'juggler] n مُشَعْوِذ [muʃaʕwið]

juice [dʒuːs] n عصير [ʕasˤiːru]; **orange juice** n عصير برتقال [Aṣeer borto'qaal]

July [dʒuːˈlaɪ; dʒə-; dʒʊ-] n يوليو [juːljuː]

jump [dʒʌmp] n قفزة طويلة ['qafzah ṭaweelah] ▷ v يَقْفِز [jaqfizu]; **high jump** n قفزة عالية ['qafzah 'aaleyah]; **jump leads** npl وصلة بطارية السيارة [Waṣlat baṭareyah al-sayarah]; **long jump** n قفزة طويلة ['qafzah ṭaweelah]

jumper ['dʒʌmpə] n مُوصِل (مِعْطف) [muːsˤil]

jumping [dʒʌmpɪŋ] n; **show-jumping**

n استعراضات القفز [Este'araḍat al-'qafz]

junction ['dʒʌŋkʃən] n وصلة [wasˤla]

June [dʒuːn] n يونيو [juːnjuː]; **at the beginning of June** في بداية شهر يونيو [fee bedayat shaher yon-yo]; **at the end of June** في نهاية شهر يونيو [fee nehayat shahr yon-yo]; **for the whole of June** طوال شهر يونيو [ṭewal shahr yon-yo]; **It's Monday fifteenth June** يوم الاثنين الموافق 51 يونيو [yawm al-ithnain al-muwa-fi'q 15 yon-yo]

jungle ['dʒʌŋgᵊl] n دغل [daɣl]

junior ['dʒuːnjə] adj أصغر [ʔasˤɣaru]

junk [dʒʌŋk] n خُرْدة [xurda]; **junk mail** n بريد غير مرغوب [Bareed gheer marghoob]

jury ['dʒʊərɪ] n هيئة المحلفين [Hayaat mohalefeen]

just [dʒəst] adv على وجه الضبط [Ala wajh al-dabt]

justice ['dʒʌstɪs] n عَدَالة ['ada:la]

justify ['dʒʌstɪˌfaɪ] v يُعَلِل [juʕallilu]

K

kangaroo [ˌkæŋɡəˈruː] n كُنْغُر [kanγur]

karaoke [ˌkɑːrəˈəʊkɪ] n غِنَاء مع الموسيقى [Ghenaa ma'a al-mose'qa]

karate [kəˈrɑːtɪ] n كراتيه [kara:ti:h]

Kazakhstan [ˌkɑːzɑːkˈstæn; -ˈstɑːn] n كازاخستان [ka:za:xista:n]

kebab [kəˈbæb] n كباب [kaba:b]

keen [kiːn] adj قاطع [qa:tˤiʕ]

keep [kiːp] v يَحفَظ [jaħfazˤu]

keep-fit [ˈkiːpˌfɪt] n المُحافظة على الرشاقة [Al-mohafadh ala al-rasha'qa]

keep out [kiːp aʊt] v يبتعد عن [Yabta'aed 'an]

keep up [kiːp ʌp] v يلاحق خطوة بخطوة [Yolaḥek khoṭwa bekhoṭwah]; **keep up with** v يبقى في حالة جيدة [Yab'qaa fee halah jayedah]

kennel [ˈkɛnˀl] n وجار الكلب [Wejaar alkalb]

Kenya [ˈkɛnjə; ˈkiːnjə] n كينيا [ki:nja:]

Kenyan [ˈkɛnjən; ˈkiːnjən] adj كيني [ki:nij] ▷ n شخص كيني [Shakhs keeny]

kerb [kɜːb] n حاجز حجري [Hajez hajarey]

kerosene [ˈkɛrəˌsiːn] n كيروسين [ki:runwsi:n]

ketchup [ˈkɛtʃəp] n كاتشب [ka:tʃub]

kettle [ˈkɛtˀl] n غلاية [γalla:ja]

key [kiː] n (for lock) مفتاح [mifta:ħ], (music/computer) نغمة مميزة [Naghamaah momayazah]; **car keys** npl مفاتيح السيارة [Meftaḥ al-sayarah]; **Can I have a key?** هل يمكنني الاحتفاظ بمفتاح؟ [hal yamken-any al-eḥtefaaḍh be-muftaaḥ?]; **I've forgotten the key** لقد نسيت المفتاح [la'qad nasyto al-muftaaḥ]; **the key for room number two hundred and two** مفتاح الغرفة رقم مائتين وائنين [muftaaḥ al-ghurfa ra'qim ma-atyn wa ithnayn]; **The key doesn't work** المفتاح لا يعمل [al-muftaaḥ la ya'amal]; **We need a second key** إننا في حاجة إلى مفتاح آخر [ena-na fee ḥaja ela muftaaḥ aakhar]; **What's this key for?** أين يوجد مفتاح... [le-ay ghurfa hadha al-muftaaḥ?]; **Where do we get the key...?** أين يمكن...؟ [ayna yamken an naḥsal 'ala al-muftaah...?]; **Where do we hand in the key when we're leaving?** أين نترك المفتاح عندما نغادر؟ [ayna natruk al-muftaaḥ 'aendama nughader?]; **Which is the key for this door?** أين يوجد مفتاح هذا الباب؟ [ayna yujad muftaaḥ hadha al-baab?]

keyboard [ˈkiːˌbɔːd] n لوحة مفاتيح [Loohat mafateeh]

keyring [ˈkiːˌrɪŋ] n عَلَاقة مفاتيح ['aalaqat mafateeh]

kick [kɪk] n ركلة [rakla] ▷ v يَركُل [jarkulu]

kick off [kɪk ɒf] v يَستأنف لعب كرة القدم [Yastaanef lo'ab korat al'qadam]

kick-off [kɪkɒf] n الركلة الأولى [Al-raklah al-ola]

kid [kɪd] n غلام [γula:m] ▷ v يَخدَع [jaxda'u]

kidnap [ˈkɪdnæp] v يَختطف [jaxtatˤifu]

kidney [ˈkɪdnɪ] n كُلْية [kilja]

kill [kɪl] v يقتل [jaqtulu]

killer [ˈkɪlə] n سفاح [saffa:ħ]

kilo [ˈkiːləʊ] n كيلو [ki:lu:]

kilometre [kɪˈlɒmɪtə; ˈkɪləˌmiːtə] n كيلومتر [ki:lu:mitr]

kilt [kɪlt] n تنورة قصيرة بها ثنيات واسعة [Tannorah 'qaseerah beha thanayat wase'aah]

kind [kaɪnd] adj حنون [ħanu:n] ▷ n نوع [naw۴]; **What kind of sandwiches do you have?** ما نوع الساندويتشات الموجودة؟ [ma naw'a al-sandweshaat al-maw-jooda?]

kindly ['kaɪndlɪ] adv لطفا [lutˤfan]

kindness ['kaɪndnɪs] n لطف [lutˤf]

king [kɪŋ] n ملك [milk]

kingdom ['kɪŋdəm] n مملكة [mamlaka]

kingfisher ['kɪŋˌfɪʃə] n طائر الرفراف [Ţaayer alrafraf]

kiosk ['kiːɒsk] n كشك [kiʃk]

kipper ['kɪpə] n ذكَر سمك السلمون [Dhakar samak al-salamon]

kiss [kɪs] n قبلة [qibla] ▷ v يُقَبِل [juqabbilu]

kit [kɪt] n صندوق العدة [Şondok al-'aedah]; **hands-free kit** n سماعات [samma:ʕa:tun]; **repair kit** n عدة التصليح [ʕaodat altaşleeh]

kitchen ['kɪtʃɪn] n مطبخ [matˤbax]; **fitted kitchen** n مطبخ مجهز [Maţbakh mojahaz]

kite [kəɪt] n طائرة ورقية [Ţaayeara wara'qyah]

kitten ['kɪtʰn] n هرة صغيرة [Herah şagheerah]

kiwi ['kiːwiː] n طائر الكيوي [Ţaarr alkewey]

knee [niː] n رَكَبة [rukba]

kneecap ['niːˌkæp] n الرضفة [aradˤfatu]

kneel [niːl] v يَركَع [jarkaʕu]

kneel down [niːl daʊn] v يَسجُد [jasʒudu]

knickers ['nɪkəz] npl سروال قصير [Serwal 'qaşeer]

knife [naɪf] n سكينة [saki:na]

knit [nɪt] v يَعْقِد [jaʕqidu]

knitting ['nɪtɪŋ] n حَبك [ħibk]; **knitting needle** n إبرة خياطة [Ebrat khayt]

knob [nɒb] n مقبض [miqbadˤ]

knock [nɒk] n ضربة عنيفة [Darba 'aneefa] ▷ v يَقْرَع [jaqraʕu], (on the door etc.) يَقْرَع [jaqraʕu]

knock down [nɒk daʊn] v يَضْرَع [jasˤraʕu]

knock out [nɒk aʊt] v يَعمَل بعجلة من

[jaʕmalu biʕajlatin min ɣajrin ?itqa:ni] غير اتقان

knot [nɒt] n عقدة [ʕuqda]

know [nəʊ] v يعرف [jaʕrifu]

know-all ['nəʊˌɔːl] n مدعي العلم بكل شيء [Moda'aey al'aelm bel-shaya]

know-how ['nəʊˌhaʊ] n القدرة الفنية [Al'qodarh al-faneyah]

knowledge ['nɒlɪdʒ] n معرفة [maʕrifa]

knowledgeable ['nɒlɪdʒəbʰl] adj حسن الاطلاع [Hosn al-etela'a]

known [nəʊn] adj مشهور [maʃhu:r]

Koran [kɔːˈrɑːn] n القُرآن [al-qurʔa:nu]

Korea [kəˈrɪə] n كوريا [Koreya]; **North Korea** n كوريا الشمالية [Koreya al-shamaleyah]; **South Korea** n كوريا الجنوبية [Korya al-janoobeyah]

Korean [kəˈriːən] adj كوري [ku:rijjat] ▷ n (language) اللغة الكورية [Al-loghah al-koreyah], (person) كوري [ku:rijja]

kosher ['kəʊʃə] adj شَرْعيّ [ʃarʕij]

Kosovo ['kɒsɒvɒ; 'kɒsəvəʊ] كوسوفو [ku:su:fu:]

Kuwait [kʊˈweɪt] n الكويت [al-kuwi:tu]

Kuwaiti [kʊˈweɪtɪ] adj كويتي [kuwajtij] ▷ n كويتي [kuwajtij]

Kyrgyzstan ['kɪəgɪzˌstɑːn; -ˌstæn] n كيرجستان [ki:raʒista:n]

l

lab [læb] n معمل [maʕmal]

label ['leɪbᵊl] n ملصق بيانات [Molsa'q bayanat]

laboratory [ləˈbɒrətəri; -trɪ; ˈlæbrəˌtɔːrɪ] n مُختَبَر [muxtabar]; **language laboratory** n مُختَبَر اللغة [Mokhtabar al-loghah]

labour ['leɪbə] n عمال [ʕumma:l]

labourer ['leɪbərə] n عَامِل [ʕa:mil]

lace [leɪs] n شريط الحذاء [Shreeṭ al-hedhaa]

lack [læk] n نقص [naqsˤ]

lacquer ['lækə] n ورنيش اللَك [Warneesh al-llak]

lad [læd] n صبي [sˤabij]

ladder ['lædə] n سُلم [sullam]

ladies ['leɪdɪz] n; **ladies'** سيدات [sajjida:tun]; **Where is the ladies?** أين يوجد حمام السيدات؟ [Ayn yojad ḥamam al-saydat]

ladle ['leɪdᵊl] n مغرفة [miɣrafa]

lady ['leɪdɪ] n سيدة [sajjida]

ladybird ['leɪdɪˌbɜːd] n خُنْفِسَاء الدَّعْسُوقَة [Khonfesaa al-da'aso'qah]

lag [læg] n; **jet lag** تعب بعد السفر بالطائرة [Ta'aeb ba'ad al-safar bel-ṭaearah]; **I'm suffering from jet lag**

[ana o-'aany min al-dawaar 'aenda rukoob al-ṭa-era] أنا أعاني من الدوار عند ركوب الطائرة

lager ['lɑːɡə] n جعة معتقة [Jo'aah mo'ata'qah]

lagoon [ləˈɡuːn] n بُحَيْرَة [buħajra]

laid-back ['leɪdbæk] adj مسترخي [mustarxi:]

lake [leɪk] n بُحَيْرة [buħajra]

lamb [læm] n حَمَل [ħiml]

lame [leɪm] adj كسيح [kasi:ħ]

lamp [læmp] n مصباح [misˤba:ħ]; **bedside lamp** n مِصْبَاح بِسَرِيرٍ [Meṣbaah besareer]

lamppost ['læmpˌpəʊst] n عمود النور ['amood al-noor]

lampshade ['læmpˌʃeɪd] n غطاء المصباح [Gheṭaa almeṣbah]

land [lænd] n أرض [ʔardˤ] ▷ v يَهْبِط [jahbitˤu]

landing ['lændɪŋ] n هبوط [hubu:tˤ]

landlady ['lændˌleɪdɪ] n مالكة الأرض [Malekat al-arḍ]

landlord ['lændˌlɔːd] n صاحب الأرض [Ṣaheb ardh]

landmark ['lændˌmɑːk] n مَعلَم [maʕlam]

landowner ['lændˌəʊnə] n مالك الأرض [Malek al-ard]

landscape ['lændˌskeɪp] n منظر طبيعي [mandhar ṭabe'aey]

landslide ['lændˌslaɪd] n انهيار أرضي [Enheyar ardey]

lane [leɪn] n زُقَاق [zuqa:q], (driving) زُقَاق [zuqa:q]; **cycle lane** n زُقاق دائري [Zo'qa'q daerey]

language ['læŋɡwɪdʒ] n لغة [luɣa]; **language laboratory** n مُختَبَر اللغة [Mokhtabar al-loghah]; **language school** n مدرسة لغات [Madrasah lo-ghaat]; **sign language** n لغة الإشارة [Loghat al-esharah]

lanky ['læŋkɪ] adj طويل مع هزال [Ṭaweel ma'aa hozal]

Laos [laʊz; laʊs] n جمهورية لاووس [Jomhoreyat lawoos]

lap [læp] n حضن [ħud'n]

laptop [ˈlæpˌtɒp] n كمبيوتر محمول [Kombeyotar mahmool]

larder [ˈlɑːdə] n موضع لحفظ الأطعمة [Mawde'a lehafdh al-at'aemah]

large [lɑːdʒ] adj عريض ['ari:d']

largely [ˈlɑːdʒlɪ] adv بدرجة كبيرة [Be-darajah kabeerah]

laryngitis [ˌlærɪnˈdʒaɪtɪs] n التهاب الحنجرة [Eltehab al-hanjara]

laser [ˈleɪzə] n ليزر [lajzar]

lass [læs] n فتاة [fata:t]

last [lɑːst] adj أخير [ʔaxiːr] ▷ adv آخراً [ʔaːxiran] ▷ v يَستمر [jastamirru]; **I'm delighted to meet you at last** يسعدني أن التقي بك أخيراً [yas-'aedny an al-ta'qy beka akheran]

lastly [ˈlɑːstlɪ] adv أخيراً [ʔaxiːran]

late [leɪt] adj (dead) فقيد [faqiːd], (delayed) مُبطئ [mubt'ˈiʔ] ▷ adv متأخراً [mutaʔaxiran]

lately [ˈleɪtlɪ] adv منذ عهد قريب [mondh 'aahd 'qareeb]

later [ˈleɪtə] adv فيما بعد [Feema baad]

Latin [ˈlætɪn] n لاتيني [la:ti:ni:]

Latin America [ˈlætɪn əˈmɛrɪkə] n أمريكا اللاتينية [Amreeka al-lateeneyah]

Latin American [ˈlætɪn əˈmɛrɪkən] adj من أمريكا اللاتينية [men Amrika al-lateniyah]

latitude [ˈlætɪˌtjuːd] n خط العرض [Khat al-'ard]

Latvia [ˈlætvɪə] n لاتيفيا [la:ti:fja:]

Latvian [ˈlætvɪən] adj لاتيفي [la:ti:fi:] ▷ n (language) اللغة الاتيفية [Al-loghah al-atefeyah], (person) شخص لاتيفي [Shakhs lateefey]

laugh [lɑːf] n ضحك [d'aħka] ▷ v يَضحَك [jad'ˈħaku]

laughter [ˈlɑːftə] n ضحك [d'aħik]

launch [lɔːntʃ] v يُطلق [jut'liqu]

Launderette® [ˌlɔːndəˈrɛt; lɔːnˈdrɛt] n لاندريت® [Landreet®]

laundry [ˈlɔːndrɪ] n مغسلة [miɣsala]

lava [ˈlɑːvə] n الحمم البركانية [Al-ḥemam al-borkaneyah]

lavatory [ˈlævətərɪ; -trɪ] n مرحاض [mirħa:d']

lavender [ˈlævəndə] n لافندر [la:fandar]

law [lɔː] n قانون [qa:nu:n]; **law school** n كلية الحقوق [Kolayt al-ho'qooq]

lawn [lɔːn] n مرج [marʒ]

lawnmower [ˈlɔːnˌməʊə] n جزازة العشب [Jazazt al-'aoshb]

lawyer [ˈlɔːjə; ˈlɔɪə] n محامي [muħa:mij]

laxative [ˈlæksətɪv] n ملين الأمعاء [Molayen al-am'aa]

lay [leɪ] v يَطرَحُ [jat'raħu]

layby [ˈleɪˌbaɪ] n مكان انتظار [Makan entedhar]

layer [ˈleɪə] n طَبَقة [t'abaqa]; **ozone layer** n طبقة الأوزون [Taba'qat al-odhoon]

lay off [leɪ ɒf] v يُسرح [jusarriħu]

layout [ˈleɪˌaʊt] n مُخطط [muxat'at']

lazy [ˈleɪzɪ] adj كسول [kasu:l]

lead¹ [liːd] n (in play/film) دَور رئيسي [Dawr raaesey], (position) مقال رئيسي في صحيفة [Ma'qal raaeaey fee saheefah] ▷ v يَتَزَعَم [jatzaʕʕamu]; **jump leads** npl وصلة بطارية السيارة [Waṣlat baṭareyah al-sayarah]; **lead singer** n مُغَنّي حفلات [Moghaney hafalat]

lead² [lɛd] n (metal) قيادة [qija:da]

leader [ˈliːdə] n قائد [qa:ʔid]

lead-free [ˌlɛdˈfriː] adj خالي من الرصاص [Khaley men al-raṣaṣ]

leaf [liːf] n ورقة نبات [Wara'qat nabat]; **bay leaf** n ورق الغار [Wara'q alghaar]

leaflet [ˈliːflɪt] n نشرة [naʃra]

league [liːg] n جَمَاعَة [ʒama:ʕa]

leak [liːk] n تَسَرب [tasarrub] ▷ v يسرب [jusarribu]

lean [liːn] v يَتَكئ [jattakiʔ]; **lean forward** v يَتَكئ للأمام [Yatakea lel-amam]

lean on [liːn ɒn] v يَستند على [Yastaned 'ala]

lean out [liːn aʊt] v يَتَكئ على [Yatakea ala]

leap [liːp] v يَثِب [jaθibu]; **leap year** n سنة كبيسة [Sanah kabeesah]

learn [lɜːn] v يَتعلم [jataʕallamu]

learner ['lɜːnə; 'learner] n مُتَعَلِّم
[mutaʕallinm]; **learner driver** n سائق
مبتدئ [Sae'q mobtadea]

lease [liːs] n عقد إيجار [ʕa'aqd eejar] ▷ v
يُؤَجِّر منقولات [Yoajer man'qolat]

least [liːst] adj الأقل [Al'aqal]; **at least**
adv على الأقل ['ala ala'qal]

leather ['lɛðə] n جلد مدبوغ [Jeld
madbooogh]

leave [liːv] n إجازة [ʔiʒaːza] ▷ v يَتْرُك
[jatruku]; **maternity leave** n أجازة وضع
[Ajazat wad'a]; **paternity leave** n أجازة
رعاية طفل [ajaazat re'aaty al ṭefl]; **sick
leave** n أجازة مَرَضِيَّة [Ajaza maraḍeyah]

leave out [liːv aʊt] v يَستبعِد
[justabʕadu]

leaves [liːvz] npl أوراق الشجر [Awra'q
al-shajar]

Lebanese [ˌlɛbə'niːz] adj لبناني
[lubnaːnij] ▷ n لبناني [lubnaːnij]

Lebanon ['lɛbənən] n لبنان [lubnaːn]

lecture ['lɛktʃə] n محاضرة [muħaːdʕara]
▷ v يُحاضِر [juħaːdʕiru]

lecturer ['lɛktʃərə; 'lecturer] n محاضر
[muħaːdʕir]

leek [liːk] n بَصَل أخضر [Başal akhdar]

left [lɛft] adj يساري [jasaːrij] ▷ adv يسارا
[jasaːran] ▷ n يسار [jasaːr]; **Go left at
the next junction** اتجه نحو اليسار عند
التقاطع الثاني [Etajh naħw al-yasar 'aend
al-ta'qato'a al-thaney]; **Turn left** اتجه نحو
اليسار [Etajeh naħw al-yasaar]

left-hand [ˌlɛft'hænd] adj أعسر
[ʔaʕsar]; **left-hand drive** n سيارة
مقودها على الجانب الأيسر [Sayarh
me'qwadoha ala al-janeb al-aysar]

left-handed [ˌlɛft'hændɪd] adj أعسر
[ʔaʕsar]

left-luggage [ˌlɛft'lʌgɪdʒ] n أمتعة
مُخَزَّنة [Amte'aah mokhazzanah];
left-luggage locker n خزانة الأمتعة
المتروكة [Khezanat al-amte'ah
al-matrookah]; **left-luggage office** n
مكتب الأمتعة [Makatb al amte'aah]

leftovers ['lɛftˌəʊvəz] npl بقايا الطعام
[Ba'qaya ṭa'aam]

left-wing [ˌlɛft'wɪŋ] adj جناح أيسر
[Janah aysar]

leg [lɛg] n رجل [riʒl]

legal ['liːgəl] adj قانوني [qaːnuːnij]

legend ['lɛdʒənd] n اسطورة [ʔustʕuːra]

leggings ['lɛgɪŋz] npl بنطلون ضيق
[Banṭaloon ṣaye'q]

legible ['lɛdʒəbəl] adj مقروء [maqruːʔ]

legislation [ˌlɛdʒɪs'leɪʃən] n تشريع
[taʃriːʕ]

leisure ['lɛʒə; 'liːʒər] n راحة [raːħa];
leisure centre n مركز ترفيهي [Markaz
tarfehy]

lemon ['lɛmən] n ليمون [lajmuːn]; **with
lemon** بالليمون [bil-laymoon]

lemonade [ˌlɛmə'neɪd] n عصير الليمون
المحلى ['aaseer al-laymoon al-mohala]

lend [lɛnd] v يُقرِض مالا [Yo'qred malan]

length [lɛŋkθ; lɛŋθ] n طول [tʕuːl]

lens [lɛnz] n عدسة [ʕadasa]; **contact
lenses** npl عدسات لاصقة ['adasaat
laṣe'qah]; **zoom lens** n عدسة تكبير
['adasah mokaberah]

Lent [lɛnt] n الصَّوم الكبير [Al-ṣawm
al-kabeer]

lentils ['lɛntɪlz] npl نبات العدس [Nabat
al-'aads]

Leo ['liːəʊ] n ليو [liju]

leopard ['lɛpəd] n نمر منقط [Nemr
men'qaṭ]

leotard ['liːəˌtɑːd] n ثوب الراقص أو
البهلوان [Thawb al-ra'qes aw
al-bahlawan]

less [lɛs] adv بدرجة أقل [Be-darajah a'qal]
▷ pron أقل [ʔaqallu]

lesson ['lɛsən] n دَرْس [dars]; **driving
lesson** n دَرْس القيادة [Dars al-'qeyadah]

let [lɛt] v يَدَع [jadaʕu]

let down [lɛt daʊn] v يَتخلى عن
[Yatkhala an]

let in [lɛt ɪn] v يَسْمَح بالدُّخول [Yasmah
bel-dokhool]

letter ['lɛtə] n (a, b, c) حرف [ħarf],
(message) خطاب [xitʕaːb]; **I'd like to send
this letter** أريد أن أرسل هذا الخطاب
[areed an arsil hadha al-kheṭab]

letterbox ['lɛtə,bɒks] n صندوق الخطابات [Ṣondok al-khetabat]

lettuce ['lɛtɪs] n خَس [xussu]

leukaemia [luːˈkiːmɪə] n لوكيميا [luːkiːmjaː]

level ['lɛvʲl] adj منبسط [munbasiṭ] ▷ n منبسط [munbasiṭ]; **level crossing** n مزلقان [mizlaqa:nun]; **sea level** n مستوى سطح البحر [Mostawa saṭh al-bahr]

lever ['liːvə] n عتلة [ʕatla]

liar ['laɪə] n كذاب [kaða:b]

liberal ['lɪbərəl; 'lɪbrəl] adj تحرري [taḥarurij]

liberation [,lɪbəˈreɪʃən] n تحرير [taḥri:r]

Liberia [laɪˈbɪərɪə] n ليبيريا [liːbiːrjaː]

Liberian [laɪˈbɪərɪən] adj ليبيري [liːbiːrij] ▷ n ليبيري [liːbiːrij]

Libra ['liːbrə] n الميزان [al-miːzaːnu]

librarian [laɪˈbrɛərɪən] n أمين المكتبة [Ameen al maktabah]

library ['laɪbrərɪ] n مكتبة [maktaba]

Libya ['lɪbɪə] n ليبيا [liːbjaː]

Libyan ['lɪbɪən] adj ليبي [liːbij] ▷ n ليبي [liːbij]

lice [laɪs] npl قمل [qamlun]

licence ['laɪsəns] n رُخْصَة [ruxsˤa]; **driving licence** n رُخْصَة القيادة [Rokhṣat al-'qeyadah]

lick [lɪk] v يَلْعَق [jalʕaqu]

lid [lɪd] n غطاء [yitˤa:ʔ]

lie [laɪ] n كذبة [kiðba] ▷ v يُكْذِب [jakðð̩ibu]

Liechtenstein ['lɪktən,staɪn; 'lɪçtənʃtaɪn] n لختنشتاين [lixtunʃta:jan]

lie down [laɪ daʊn] v يَكْذِب [jakðð̩ibu]

lie in [laɪ ɪn] v الرقود في السرير [Alro'qood fel-sareer]

lie-in [laɪɪn] n; **have a lie-in** v الرقود في السرير [Alro'qood fel-sareer]

lieutenant [lɛfˈtɛnənt; luːˈtɛnənt] n ملازم أول [Molazem awal]

life [laɪf] n حياة [ḥajaːt]; **life insurance** n تأمين على الحياة [Taameen 'ala al-hayah]; **life jacket** n سُترة النجاة [Sotrat al-najah]

lifebelt ['laɪf,bɛlt] n حزام النجاة من الغرق [Hezam al-najah men al-ghar'q]

lifeboat ['laɪf,bəʊt] n قارب نجاة ['qareb najah]

lifeguard ['laɪf,gɑːd] n عامل الإنقاذ ['aamel alen'qadh]; **Get the lifeguard!** اتصل بعامل الإنقاذ [itaṣel be-'aamil al-en'qaadh]

life-saving ['life-,saving] adj مُنقذ للحياة [Mon'qedh lel-hayah]

lifestyle ['laɪf,staɪl] n نمط حياة [Namaṭ hayah]

lift [lɪft] n (free ride) توصيلة مجانية [tawseelah majaneyah], (up/down) مصعد [misˤʕad] ▷ v يَرفَع [jarfaʕu]; **ski lift** n مِصْعَد التَّزَلُّج [Meṣ'aad al-tazalog]; **Do you have a lift for wheelchairs?** هل لديك مصعد لكراسي المقعدين المتحركة؟ [hal ladyka maṣ'aad le-karasi al-mu'q'aadeen al-mutaharika?]; **Is there a lift in the building?** هل يوجد مصعد في المبنى؟ [hal yujad maṣ'aad fee al-mabna?]; **Where is the lift?** أين يوجد المصعد؟ [ayna yujad al-maṣ'aad?]

light [laɪt] adj (not dark) خفيف [xafiːf], (not heavy) خفيف [xafiːf] ▷ n ضوء [dˤawʔ] ▷ v يُضِئ [judˤiʔ]; **brake light** n مصباح الفرامل [Mesbah al-faramel]; **hazard warning lights** npl أضواء التحذير من الخطر [Adwaa al-tahdheer men al-khaṭar]; **light bulb** n مصباح إضاءة [Mesbah eḍaah]; **pilot light** n شُعلة الاحتراق [Sho'alat al-ehtera'q]; **traffic lights** npl إشارات المرور [Esharaat al-moroor]; **May I take it over to the light?** هل يمكن أن أشاهدها في الضوء؟ [hal yamken an osha-heduha fee al-doe?]

lighter ['laɪtə] n قداحة [qadda:ḥa]

lighthouse ['laɪt,haʊs] n منارة [mana:ra]

lighting ['laɪtɪŋ] n إضاءة [idˤaːʔa]

lightning ['laɪtnɪŋ] n بَرْق [barq]

like [laɪk] prep مثل [miθl] ▷ v يُحِب [juḥibbu]

likely ['laɪklɪ] adj محتمل [muḥtamal]

lilac ['laɪlək] adj الليلك [allajlak] ▷ n لأيْلاك [la:jla:k]

Lilo® ['laɪləʊ] n® ليلو [Leelo®]

lily ['lɪlɪ] n زنبقة [zanbaqa]; **lily of the valley** n زَنْبق الوادي [Zanba'q al-wadey]

lime [laɪm] n (compound) جير [ʒiːr], (fruit)

ليمون [lajmu:n]

limestone [ˈlaɪmˌstəʊn] n حجر الجير [Hajar al-jeer]

limit [ˈlɪmɪt] n قيد [qajd]; **age limit** n حد السّن [Had alssan]; **speed limit** n حد السرعة [Ḥad alsorʕaah]

limousine [ˈlɪməˌziːn; ˌlɪməˈziːn] n ليموزين [li:mu:zi:n]

limp [lɪmp] v يعرُج [jaʕruʒu]

line [laɪn] n خط [xatˤtˤu]; **washing line** n خط الغسيل [Khat al-ghaseel]; **I want to make an outside call, can I have a line?** أريد إجراء مكالمة خارجية، هل يمكن أن تحول لي أحد الخطوط؟ [areed ejraa mukalama kharij-iya, hal yamkin an it-hawil le ahad al-khiṭooṭ?]; **It's a bad line** هذا الخط مشوش [hatha al-khat musha-wash]; **Which line should I take for...?** ما هو الخط الذي يجب أن أستقله؟ [ma howa al-khat al-lathy yajeb an astaʕil-uho?]

linen [ˈlɪnɪn] n كتان [katta:n]; **bed linen** n بياضات الأسّرة [Bayaḍat al-aserah]

liner [ˈlaɪnə] n باخرة ركاب [Bakherat rokkab]

lingerie [ˈlænʒərɪ] n ملابس داخلية [Malabes dakheleyah]

linguist [ˈlɪŋɡwɪst] n عالم لغويات [ʕaalem laghaweyat]

linguistic [lɪŋˈɡwɪstɪk] adj لغوي [luɣawij]

lining [ˈlaɪnɪŋ] n بطانة [batˤʕa:na]

link [lɪŋk] n رابط [ra:bitˤ]; **link (up)** v يَصل بين [yaṣel bayn]

lino [ˈlaɪnəʊ] n مشمع الأرضية [Meshama'a al-ardeyah]

lion [ˈlaɪən] n أسد [ʔasad]

lioness [ˈlaɪənɪs] n لبؤة [labuʔa]

lip [lɪp] n شفاه [ʃifa:h]; **lip salve** n كريم للشفاه [Kereem lel shefah]

lip-read [ˈlɪpˌriːd] v يَقْرأ الشفاه [Ya'qraa al-shefaa]

lipstick [ˈlɪpˌstɪk] n أحمر شفاه [Ahmar shefah]

liqueur [lɪˈkjʊə; likœr] n مُسكِر [muskir]

liquid [ˈlɪkwɪd] n مادة سائلة [madah saaelah]; **washing-up liquid** n سائل غسيل الأطباق [Saael ghaseel al-atba'q]

liquidizer [ˈlɪkwɪˌdaɪzə] n مادة مسيلة [Madah moseelah]

list [lɪst] n قائمة [qa:ʔima] ▷ v يُعد قائمة [Yo'aed 'qaemah]; **mailing list** n قائمة بريد ['qaemat bareed]; **price list** n قائمة أسعار ['qaemat as'aar]; **waiting list** n قائمة انتظار ['qaemat entedhar]; **wine list** n قائمة خمور ['qaemat khomor]; **The wine list, please** قائمة النبيذ من فضلك ['qaemat al-nabeedh min faḍlak]

listen [ˈlɪsən] v يَستمع [jastamiʕu]; **listen to** v يَستمع إلى [Yastame'a ela]

listener [ˈlɪsnə] n مستمع [mustamiʕ]

literally [ˈlɪtərəlɪ] adv حرفياً [ḥarfijjan]

literature [ˈlɪtərɪtʃə; ˈlɪtrɪ-] n أدب [dab]

Lithuania [ˌlɪθjʊˈeɪnɪə] n ليتوانيا [li:twa:nja:]

Lithuanian [ˌlɪθjʊˈeɪnɪən] adj ليتواني [li:twa:nij] ▷ n (language) اللغة الليتوانية [Al-loghah al-letwaneyah], (person) شخص ليتواني [shakhṣ letwaneyah]

litre [ˈliːtə] n لتر [litr]

litter [ˈlɪtə] n ركام مُبَعثَر [Rokaam moba'athar], (offspring) ولادة الحيوان [Weladat al-ḥayawaan]; **litter bin** n سلة المهملات [Salat al-mohmalat]

little [ˈlɪtəl] adj صغير [sˤaɣi:r]

live¹ [lɪv] v يعيش [jaʕi:ʃu]

live² [laɪv] adj حي [ḥajj]; **Where can we hear live music?** أين يمكننا الاستماع إلى موسيقى حية؟ [ayna yamken-ana al-istima'a ela mose'qa hay-a?]

lively [ˈlaɪvlɪ] adj بحيوية [biḥajawijjatin]

live on [lɪv ɒn] v يعيش على [Ya'aeesh ala]

liver [ˈlɪvə] n كَبِد [kabid]

live together [lɪv] v يعيش سوياً [Ya'aeesh saweyan]

living [ˈlɪvɪŋ] n رزق [rizq]; **cost of living** n تكلفة المعيشة [Taklefat al-ma'aeeshah]; **living room** n حجرة المعيشة [Hojrat al-ma'aeshah]; **standard of living** n مستوى المعيشة [Mostawa al-ma'aeeshah]

lizard [ˈlɪzəd] n السِحلية [as-siḥlijjatu]

load [ləʊd] n حِمل [ħiml] ▷ v يتلقى حملا [Yatala'qa ħemlan]

loaf, loaves [ləʊf, ləʊvz] n رغيف [raɣi:f]

loan [ləʊn] n قرض [qardˤ] ▷ v يُقْرِض [juqridˤu]

loathe [ləʊð] v يَشمئز من [Yashmaaez 'an]

lobby [ˈlɒbɪ] n; **I'll meet you in the lobby** سوف أقابلك في الردهة الرئيسية للفندق [sawfa o'qabe-loka fee al-radha al-raee-sya lel-finda'q]

lobster [ˈlɒbstə] n جَرَاد البحر [Garad al-baħr]

local [ˈləʊkəl] adj محلي [maħalij]; **local anaesthetic** n عقار مخدر موضعي ['aa'qar mokhader mawde'aey]; **I'd like to try something local, please** أريد أن أجرب أحد الأشياء المحلية من فضلك [areed an ajar-rub aħad al-ashyaa al-maħal-lya min faḍlak]; **We'd like to see local plants and trees** نريد أن نرى النباتات والأشجار المحلية [nureed an nara al-naba-taat wa al-ash-jaar al-maħali-ya]; **What's the local speciality?** ما هو الطبق المحلي المميز؟ [ma howa al-ṭaba'q al-maħa-ly al-muma-yaz?]

location [ləʊˈkeɪʃən] n مكان [maka:n]; **My location is...** أنا في المكان.... [ana fee al-makaan...]

lock [lɒk] n (door) هويس [huwajs], (hair) خُصلة شعر [Khoṣlat sha'ar] ▷ v يَقْفِل [jaqfilu]

locker [ˈlɒkə] n خزانة بقفل [Khezanah be-'qefl]; **left-luggage locker** n خزانة الأمتعة المتروكة [Khezanat al-amte'ah al-matrookah]

locket [ˈlɒkɪt] n دَلَاية [dala:ja]

lock out [lɒk aʊt] v يُحرِم شخصاً من الدخول [Yoħrem shakhṣan men al-dokhool]

locksmith [ˈlɒkˌsmɪθ] n صانع المفاتيح [Ṣaane'a al-mafateeħ]

lodger [ˈlɒdʒə] n نزيل [nazi:l]

loft [lɒft] n علية [ʕilja]

log [lɒg] n كتلة خشبية [kutlatun xaʃabijja]

logical [ˈlɒdʒɪkəl] adj منطقي [mantˤiqij]

log in [lɒg ɪn] v يُسجل الدخول [Yosajel al-dokhool]

logo [ˈləʊgəʊ; ˈlɒg-] n شعار [ʃiʕa:r]

log off [lɒg ɒf] v يُسجل الخروج [Yosajel al-khoroj]

log on [lɒg ɒn] v يَدخُل على شبكة المعلومات [Yadkhol 'ala shabakat alma'aloomat]

log out [lɒg aʊt] v يَخرُج من برنامج الكمبيوتر [Yakhroj men bernamej kombyotar]

lollipop [ˈlɒlɪˌpɒp] n مَصَّاصه [masˤsˤasˤa]

lolly [ˈlɒlɪ] n مَصَّاصة [masˤsˤaːsˤa]

London [ˈlʌndən] n لندن [lund]

loneliness [ˈləʊnlɪnɪs] n وَحْدة [waħda]

lonely [ˈləʊnlɪ] adj متوحد [mutawaħħid]

lonesome [ˈləʊnsəm] adj مهجور [mahʒuːr]

long [lɒŋ] adj طويل [tˤawiːl] ▷ adv طويلًا [tˤawiːlan] ▷ v يَتُوق إلى [Yatoo'q ela]; **long jump** n قفزة طويلة ['qafzah ṭaweelah]

longer [lɒŋə] adv أطول [ʔatˤwalu]

longitude [ˈlɒndʒɪˌtjuːd; ˈlɒŋg-] n خط طول [Khaṭ ṭool]

loo [luː] n مِرْحَاض [mirħaːdˤ]

look [lʊk] n نظرة [naẓˤra] ▷ v ينظر [janẓuru]; **look at** v ينظر إلى [yanḏhor ela]

look after [lʊk ɑːftə] v يعتني بـ [Ya'ataney be]

look for [lʊk fɔː] v يَبْحَث عن [Yabħath an]

look round [lʊk raʊnd] v يَدْرِس الاحتمالات قبل وضع خطة [Yadros aleħtemalaat 'qabl waḍ'a alkhoṭah]

look up [lʊk ʌp] v يَرفَع بصره [Yarfa'a baṣarah]

loose [luːs] adj فضفاض [fadˤfaːdˤ]

lorry [ˈlɒrɪ] n شاحنة لوري [Shaħenah loorey]; **lorry driver** n سائق لوري [Sae'q lorey]

lose [luːz] vi يَضِيع [judˤajjiʕu] ▷ vt يخسر [jaxsaru]

loser ['luːzə] n الخاسر [al-xaːsiru]

loss [lɒs] n خسارة [xasaːra]

lost [lɒst] adj تائه [taːʔih]; **lost-property office** n مكتب المفقودات [Maktab al-mafqodat]

lost-and-found ['lɒstænd'faʊnd] n مفقودات وموجودات [mafqodat wa- maw-joodat]

lot [lɒt] n; **a lot** n نصيب [nasˤiːbun]

lotion ['ləʊʃən] n مُستحضر سائل [Mosthdar saael]; **after sun lotion** n لوشن بعد التعرض للشمس [Loshan b'ad al-t'arod lel shams]; **cleansing lotion** n سائل تنظيف [Sael tandheef]; **suntan lotion** n غسول سمرة الشمس [ghasool somrat al-shams]

lottery ['lɒtərɪ] n يانصيب [jaːnasˤiːb]

loud [laʊd] adj مدو [mudawwin]

loudly ['laʊdlɪ] adv بصوت عال [Besot 'aaley]

loudspeaker [,laʊd'spiːkə] n مكبر صوت [makbar sˤawt]

lounge [laʊndʒ] n حجرة الجلوس [Hojrat al-joloos]; **departure lounge** n صالة المغادرة [Ṣalat al-moghadarah]; **transit lounge** n صالة العبور [Ṣalat al'aoboor]

lousy ['laʊzɪ] adj خسيس [xasiːs]

love [lʌv] n حب [ħubb] ▷ v يُتَيَم بـ [Yotayam be]; **I love...** أنا أحب [ana aḥib]; **I love you** أحبك [aḥibak]; **Yes, I'd love to** نعم، أحب القيام بذلك [na'aam, aḥib al-'qiyam be-dhalik]

lovely ['lʌvlɪ] adj مُحبب [muħabbab]

lover ['lʌvə] n مُحِب [muħibَ]

low [ləʊ] adj منخفض [munxafidˤ] ▷ adv منخفضاً [munxafadˤan]; **low season** n فترة ركود [Fatrat rekood]

low-alcohol ['ləʊˌælkəˌhɒl] adj قليلة الكحول ['qaleelat al-kohool]

lower ['ləʊə] adj أدنى [ʔadnaː] ▷ v ينخفض [janxafidˤu]

low-fat ['ləʊˌfæt] adj قليل الدسم ['qaleel al-dasam]

loyalty ['lɔɪəltɪ] n إخلاص [ʔixlaːsˤ]

luck [lʌk] n حظ [ħazˤzˤ]

luckily ['lʌkɪlɪ] adv لحسن الطالع [Le-hosn alṭale'a]

lucky ['lʌkɪ] adj محظوظ [maħzˤuːzˤ]

lucrative ['luːkrətɪv] adj مربح [murbiħ]

luggage ['lʌgɪdʒ] n حقائب السفر [ḥaˈqaeb al-safar]; **hand luggage** n أمتعة محمولة في اليد [Amte'aah maḥmoolah fee al-yad]; **luggage rack** n حامل حقائب السفر [Hamel haˈqaeb al-safar]; **luggage trolley** n عربة حقائب السفر ['arabat haˈqaaeb al-safar]; **Can I insure my luggage?** هل يمكنني التأمين على حقائب السفر الخاصة بي؟ [hal yamken -any al-tameen 'aala ḥaˈqa-eb al-safar al-khaṣa bee?]; **My luggage hasn't arrived** لم تصل حقائب السفر الخاصة بي بعد [Lam taṣel haˈqaeb al-safar al-khaṣah bee ba'ad]; **Where is the luggage for the flight from...?** أين حقائب السفر للرحلة القادمة من...؟ [ayna haˈqaeb al-safar lel-reḥla al-'qadema min...?]

lukewarm [,luːk'wɔːm] adj فاتر [faːtir]

lullaby ['lʌləˌbaɪ] n تهويدة [tahwiːda]

lump [lʌmp] n ورم [waram]

lunatic ['luːnətɪk] n مجذوب [maʒðuːb]

lunch [lʌntʃ] n غداء [yadaːʔ]; **lunch break** n استراحة غداء [Estrahet ghadaa]; **packed lunch** n وجبة الغذاء المعبأة [Wajbat al-ghezaa al-mo'abaah]; **Can we meet for lunch?** هل يمكننا الاجتماع على الغداء؟ [hal yamken -ana al-ejte-maa'a 'aala al-ghadaa?]

lunchtime ['lʌntʃˌtaɪm] n وَقْت الغداء [Wa'qt al-ghadhaa]

lung [lʌŋ] n رئة [riʔit]

lush [lʌʃ] adj مزدهر [muzdahir]

lust [lʌst] n شهوة [ʃahwa]

Luxembourg ['lʌksəmˌbɜːg] n لكسمبورغ [luksambuːrɣ]

luxurious [lʌg'zjʊərɪəs] adj مترف [mutraf]

luxury ['lʌkʃərɪ] n رفاهية [rafaːhijja]

lyrics ['lɪrɪks] npl قصائد غنائية ['qaṣaaed ghenaaeah]

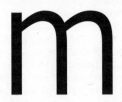

m

mac [mæk] *abbr* معطف واق من المطر
[Me'ataf wa'qen men al-maartar]

macaroni [,mækə'rəʊnɪ] *npl* مكرونة
[makaru:natun]

machine [mə'ʃi:n] *n* ماكينة [ma:ki:na];
answering machine *n* جهاز الرد الآلي
[Jehaz al-rad al-aaly]; **machine gun** *n*
رشاش [raʃaːʃun]; **machine washable**
adj قابل للغسل في الغسالة ['qabel
lel-ghaseel fee al-ghassaalah]; **sewing
machine** *n* ماكينة خياطة [Makenat
kheyaṭah]; **slot machine** *n* ماكينة
الشقبية [Makenat al-sha'qabeyah];
ticket machine *n* ماكينة التذاكر
[Makenat al-taḍhaker]; **vending
machine** *n* ماكينة بيع [Makenat bay'a];
washing machine *n* غسّالة
[yassa:latun]; **Can I use my card with
this cash machine?** هل يمكنني استخدام
بطاقتي في ماكينة الصرف الآلي هذه؟ [hal
yamken -any esti-khdaam beṭa-'qatee
fee makenat al-ṣarf al-aaly hadhy?]; **Is
there a cash machine here?** هل توجد
ماكينة صرف آلي هنا؟ [hal tojad makenat
ṣarf aaly huna?]; **Is there a fax
machine I can use?** هل توجد ماكينة
فاكس يمكن استخدامها؟ [hal tojad

makenat fax yamken istekh-damuha?];
**The cash machine swallowed my
card** لقد ابتلعت ماكينة الصرف الآلي بطاقتي
[la'qad ibtal-'aat makenat al-ṣarf al-aaly
be-ṭa'qaty]; **Where is the nearest
cash machine?** أين توجد أقرب ماكينة
لصرف النقود؟ [ayna tojad a'qrab makena
le-ṣarf al-no'good?]

machinery [mə'ʃi:nərɪ] *n* الآلية
[al-ajjatu]

mackerel ['mækrəl] *n* سمك الماكريل
[Samak al-makreel]

mad [mæd] *adj (angry)* مجنون [maʒnu:n],
(insane) خبل [xabil]

Madagascar [,mædə'gæskə] *n*
مدغشقر [madaɣaʃqar]

madam ['mædəm] *n* زوجة [zawʒa]

madly ['mædlɪ] *adv* بجنون [biʒunu:nin]

madman ['mædmən] *n* مجنون
[maʒnu:n]

madness ['mædnɪs] *n* جنون [ʒunu:n]

magazine [,mægə'zi:n] *n (ammunition)*
ذخيرة حربية [dhakheerah ḥarbeyah],
(periodical) مجلة [maʒalla]

maggot ['mægət] *n* يَرَقة [jaraqa]

magic ['mædʒɪk] *adj* سَاحِر [sa:ħir] ▷ *n*
سِحْر [siħr]

magical ['mædʒɪkəl] *adj* سحري [siħrij]

magician [mə'dʒɪʃən] *n* ساحر [sa:ħir]

magistrate ['mædʒɪˌstreɪt; -strɪt] *n*
قاضٍ [qa:dˁiː]

magnet ['mægnɪt] *n* مغناطيس
[miɣna:tˁiːs]

magnetic [mæg'nɛtɪk] *adj* مغناطيسي
[miɣna:tˁiːsij]

magnificent [mæg'nɪfɪsˁnt] *adj* بديع
[badi:ʕ]

magpie ['mæg,paɪ] *n* طائر العَقْعَق
[Ṭaaer al-a'qa'q]

mahogany [mə'hɒgənɪ] *n* خشب
الماهوجني [Khashab al-mahojney]

maid [meɪd] *n* خادمة [xa:dima]

maiden ['meɪdᵊn] *n*; **maiden name** *n*
اسم المرأة قبل الزواج [Esm al-marah
'qabl alzawaj]

mail [meɪl] *n* بريد [bari:d] ▷ *v* يُرسِل بالبريد

بريد غير [Yorsel bel-bareed]; **junk mail** *n* مرغوب [Bareed gheer marghoob]; **Is there any mail for me?** هل تلقيت أي رسائل بالبريد الإلكتروني؟ [hal tala-'qyto ay rasa-el bil-bareed al-alekitrony?]

mailbox ['meɪlˌbɒks] *n* صندوق البريد [Şondo'q bareed]

mailing list ['meɪlɪŋ 'lɪst] *n* قائمة بريد ['qaemat bareed]

main [meɪn] *adj* أساسي [?asa:sij]; **main course** *n* طبق رئيسي [Ťaba'q raeesey]; **main road** *n* طريق رئيسي [ţaree'q raeysey]

mainland ['meɪnlənd] *n* اليابسة [al-ja:bisatu]

mainly ['meɪnlɪ] *adv* في الدرجة الأولى [Fee al darajah al ola]

maintain [meɪn'teɪn] *v* يصون [jas'u:nu]

maintenance ['meɪntɪnəns] *n* صيانة [s'ija:na]

maize [meɪz] *n* ذُرَة [ðura]

majesty ['mædʒɪstɪ] *n* جلالة [ʒala:la]

major ['meɪdʒə] *adj* أساسي [?asa:sij]

majority [mə'dʒɒrɪtɪ] *n* الأغلبية [al-?aɣlabijjatu]

make [meɪk] *v* يَصْنَع [jas'naʕu]

makeover ['meɪkˌəʊvə] *n* تحول في المظهر [tahawol fee almadhhar]

maker ['meɪkə] *n* صانع [s'a:niʕ]

make up [meɪk ʌp] *v* يَخْتَلِق [jaxtaliqu]

make-up [meɪkʌp] *n* مستحضرات التجميل [Mostahdraat al-tajmeel]

malaria [mə'lɛərɪə] *n* ملاريا [mala:rja:]

Malawi [mə'lɑːwɪ] *n* ملاوي [mala:wi:]

Malaysia [mə'leɪzɪə] *n* ماليزيا [ma:li:zja:]

Malaysian [mə'leɪzɪən] *adj* ماليزي [ma:li:zij] ▷ *n* شخص ماليزي [shakhṣ maleezey]

male [meɪl] *adj* ذَكَري [ðakarij] ▷ *n* ذَكَر [ðakar]

malicious [mə'lɪʃəs] *adj* خبيث [xabi:θ]

malignant [mə'lɪgnənt] *adj* خَبِيث [xabi:θ]

malnutrition [ˌmælnjuː'trɪʃən] *n* سوء التغذية [Sooa al taghdheyah]

Malta ['mɔːltə] *n* مالطة [ma:lt'a]

Maltese [mɔːl'tiːz] *adj* مالطي [ma:lt'ij] ▷ *n (language)* اللغة المالطية [Al-loghah al-malţeyah], *(person)* مالطي [ma:lt'ij]

mammal ['mæməl] *n* لبون [labu:n]

mammoth ['mæməθ] *adj* ضخم [d'axm] ▷ *n* ماموث [ma:mu:θ]

man, men [mæn, mɛn] *n* رَجُل [raʒul]; **best man** *n* إشبين العريس [Eshbeen al-aroos]

manage ['mænɪdʒ] *v* يُدِير [judi:ru]

manageable ['mænɪdʒəbʰl] *adj* سهل القيادة [Sahl al-'qeyadah]

management ['mænɪdʒmənt] *n* إدارة [?ida:ra]

manager ['mænɪdʒə] *n* مدير [mudi:r]; **I'd like to speak to the manager, please** من فضلك أرغب في التحدث إلى المدير [min faḍlak arghab fee al-tahaduth ela al-mudeer]

manageress [ˌmænɪdʒə'rɛs; 'mænɪdʒəˌrɛs] *n* مديرة [mudi:ra]

mandarin ['mændərɪn] *n (fruit)* يوسفي [ju:sufij], *(official)* اللغة الصينية الرئيسية [Al-loghah al-Şeneyah alraeseyah]

mangetout ['mɑ̃ʒ'tuː] *n* بِسِلَّة [bisallatin]

mango ['mæŋgəʊ] *n* مَنجا [manʒa:]

mania ['meɪnɪə] *n* هَوَس [hawas]

maniac ['meɪnɪˌæk] *n* مَجذوب [maʒðu:b]

manicure ['mænɪˌkjʊə] *n* تدريم الأظافر [Tadreem al-aḍhaafe] ▷ *v* يدَرِم [judarrimu]

manipulate [mə'nɪpjʊˌleɪt] *v* يُعالج باليد [Yo'aalej bel-yad]

mankind [ˌmæn'kaɪnd] *n* بشرية [baʃarijja]

man-made ['mæn,meɪd] *adj* من صنع الإنسان [Men şon'a al-ensan]

manner ['mænə] *n* سلوك [sulu:k]

manners ['mænəz] *npl* سلوكيات [sulu:kijja:tun]

manpower ['mæn,paʊə] *n* قوة بشرية ['qowah basrareyah]

mansion ['mænʃən] *n* قصر ريفي ['qaşr]

reefey]

mantelpiece ['mænt^əl,piːs] n رف المستوقد [Raf al-mostaw'qed]

manual ['mænjʊəl] n دليل التشغيل [Daleel al-tashgheel]

manufacture [,mænjʊ'fæktʃə] v يُصنع [jusˤ'sˤaniʃu]

manufacturer [,mænjʊ'fæktʃərə] n صاحب المصنع [Ṣaheb al-maṣna'a]

manure [mə'njʊə] n سماد عضوي [Semad 'aodwey]

manuscript ['mænjʊ,skrɪpt] n مخطوطة [maxtˤuːtˤa]

many ['mɛnɪ] adj كثير [kaθiːr] ▷ pron عديد [ʕadiːdun]

Maori ['maʊrɪ] adj ماوري [maːwrij] ▷ n (language) اللغة الماورية [Al-loghah al-mawreyah], (person) شخص ماوري [Shakhṣ mawrey]

map [mæp] n خريطة [xariːtˤa]; **road map** n خريطة الطريق [Khareeṭat al-ṭaree'q]; **street map** n خارطة الشارع [kharetat al-share'a]; **Can I have a map?** هل يمكن أن أحصل على خريطة؟ [hal yamken an aḥṣal 'aala khareeṭa?]; **Can you draw me a map with directions?** هل يمكن أن ترسم لي خريطة للاتجاهات؟ [Hal yomken an tarsem li khareeṭah lel-etejahaat?]; **Can you show me where it is on the map?** هل يمكن أن أري مكانه على الخريطة [Hal yomken an ara makanah ala al-khareeṭah]; **Do you have a map of the tube?** هل لديكم خريطة لمحطات المترو؟ [hal ladykum khareeṭa le-muhaṭ-aat al-metro?]; **I need a road map of...** أريد خريطة الطريق لـ... [areed khareeṭat al-ṭaree'q le...]; **Is there a cycle map of this area?** هل يوجد خريطة لهذه المنطقة؟ [hal yujad khareeṭa le-hadhy al-manṭa'qa?]; **Where can I buy a map of the area?** أي يمكن أن أشتري خريطة للمكان؟ [ayna yamkun an ash-tary khareeṭa lel-man-ṭa'qa?]

maple ['meɪp^əl] n أشجار القيقب [Ashjaar al-'qay'qab]

marathon ['mærəθən] n سباق المارثون [Seba'q al-marathon]

marble ['mɑːb^əl] n رُخام [ruxaːm]

march [mɑːtʃ] n سَيْر [sajr] ▷ v يَسير [jasiːru]

March [mɑːtʃ] n مارس [maːris]

mare [mɛə] n فرس [faras]

margarine [,mɑːdʒə'riːn; ,mɑːgə-] n سَمْن نباتي [Samn nabatey]

margin ['mɑːdʒɪn] n هامش [haːmiʃ]

marigold ['mærɪ,gəʊld] n الأقحوان [al-ʔuqhuwaːnu]

marijuana [,mærɪ'hwɑːnə] n ماريجوانا [maːriːʒwaːnaː]

marina [mə'riːnə] n حوض مرسى السفن [Hawḍ marsa al-sofon]

marinade n [,mærɪ'neɪd] ماء مالح [Maa maleḥ] ▷ v ['mærɪ,neɪd] يُخلل [juxallilu]

marital ['mærɪt^əl] adj; **marital status** n الحالة الاجتماعية [Al-halah al-ejtemaayah]

maritime ['mærɪ,taɪm] adj بحري [baḥrij]

marjoram ['mɑːdʒərəm] n عُشب البَرْدَقُوش [ʕaoshb al-barda'qoosh]

mark [mɑːk] n علامة [ʕalaːma] ▷ v (grade) يُعْطِي علامة مدرسية [Yo'atey a'alaamah madraseyah], (make sign) يُوَسِم [juːsimu]; **exclamation mark** n علامة تعجب ['alamah ta'ajob]; **question mark** n علامة استفهام ['alamat estefham]; **quotation marks** npl علامات الاقتباس ['aalamat al-e'qtebas]

market ['mɑːkɪt] n سُوق [suːq]; **market research** n دراسة السوق [Derasat al-soo'q]; **stock market** n البورصة [al-buˤrsˤatu]

marketing ['mɑːkɪtɪŋ] n تسويق [taswiːqu]

marketplace ['mɑːkɪt,pleɪs] n السوق [as-suːqi]

marmalade ['mɑːmə,leɪd] n هلام الفاكهة [Holam al-fakehah]

maroon [mə'ruːn] adj منبود [manbuːð]

marriage ['mærɪdʒ] n زواج [zawaːʒ]; **marriage certificate** n عقد زواج

['aa'qd zawaj]

married ['mærɪd] adj متزوج
[mutazawwiʒ]

marrow ['mærəʊ] n نخاع العظم
[Nokhaa'a al-'aḍhm]

marry ['mærɪ] v يَتَزوج [jatazawwaʒu]

marsh [mɑːʃ] n سبخة [sabxa]

martyr ['mɑːtə] n شهيد [ʃahi:d]

marvellous ['mɑːvələs] adj مدهش
[mudhiʃ]

Marxism ['mɑːksɪzəm] n الماركسية
[al-maːrkisijjatu]

marzipan ['mɑːzɪˌpæn] n مَرزيبان
[marziːbaːn]

mascara [mæ'skɑːrə] n ماسكارا
[ma:ska:ra:]

masculine ['mæskjʊlɪn] adj مذكر
[muðakkar]

mask [mɑːsk] n قناع [qina:ʕ]

masked [mɑːskt; masked] adj متنكر
[mutanakkir]

mass [mæs] n (amount) مقدار كبير
[Me'qdaar kabeer], (church) قُدّاس
[qudda:s]

massacre ['mæsəkə] n مذبحة
[maðbaħa]

massage ['mæsɑːʒ; -sɑːdʒ] n تدليك
[tadli:k]

massive ['mæsɪv] adj ضخم [dˤaxm]

mast [mɑːst] n صاري [sˤaːriː]

master ['mɑːstə] n مدرس [mudarris] ▷ v
يُتقن [jutqinu]

masterpiece ['mɑːstəˌpiːs] n رائعة
[raːʔiʕa]

mat [mæt] n ممسحة أرجل [Memsahat
arjol]; **mouse mat** n لوحة الفأرة [Looḥat
al-faarah]

match [mætʃ] n (partnership) شريك حياة
[Shareek al-ḥayah], (sport) مباراة
[muba:ra:t] ▷ v يُضاهي [judˤaːhiː]; **away
match** n مباراة الذهاب [Mobarat
al-dhehab]; **home match** n مباراة الإياب
في ملعب المضيف [Mobarat al-eyab fee
mal'aab al-moḍeef]; **I'd like to see a
football match** أود أن أشاهد مباراة كرة
قدم؟ [awid an oshahed mubaraat korat

'qadam]

matching [mætʃɪŋ] adj مكافئ [muka:fiʔ]

mate [meɪt] n رفيق [rafi:q]

material [mə'tɪərɪəl] n مادة [ma:dda]

maternal [mə'tɜːnˀl] adj متعلق بالأم
[Mota'ale'q bel om]

mathematical [ˌmæθə'mætɪkˀl;
ˌmæθ'mæt-] adj متعلق بالرياضيات)رياضي(
[(ria:dˤij)(muta'ale'q belreyadˤeyat)]

mathematics [ˌmæθə'mætɪks;
ˌmæθ'mæt-] npl رياضيات [rija:dˤijja:tun]

maths [mæθs] npl علم الرياضيات ['aelm
al-reyaḍeyat]

matter ['mætə] n مسألة [mas?ala] ▷ v
يَهُم [jahummu]

mattress ['mætrɪs] n حشية [ħiʃja]

mature [mə'tjʊə; -'tʃʊə] adj ناضج
[na:dˤiʒ]; **mature student** n طالب راشد
[Ṭaleb rashed]

Mauritania [ˌmɒrɪ'teɪnɪə] n موريتانيا
[mu:ri:ta:nja:]

Mauritius [mə'rɪʃəs] n موريتاني
[mu:ri:ta:nij]

mauve [məʊv] adj بنفسجي [banafsaʒij]

maximum ['mæksɪməm] adj أقصى
[?aqsˤaː] ▷ n حد أقصى [Had a'qsa]

may [meɪ] v; **May I call you
tomorrow?** هل يمكن أن أتصل بك غداً؟
[hal yamken an ataṣel beka ghadan?];
May I open the window? هل يمكن أن
أفتح النافذة؟ [hal yamken an aftaḥ
al-nafidha?]

May [meɪ] n مايو [ma:ju:]

maybe ['meɪˌbiː] adv ربما [rubbama:]

mayonnaise [ˌmeɪə'neɪz] n مايونيز
[maju:ni:z]

mayor, mayoress [mɛə, 'mɛərɪs] n
مُحافظ [muħa:fizˤ]

maze [meɪz] n متاهة [mata:ha]

me [miː] pron إليّ [ʔilajja]

meadow ['mɛdəʊ] n أرض خضراء [Arḍ
khaḍraa]

meal [miːl] n وجبة [waʒba]; **Could you
prepare a meal without eggs?** هل
يمكن إعداد وجبة خالية من البيض؟ [hal
yamken e'adad wajba khaliya min
al-bayḍ?]; **Could you prepare a meal**

without gluten? هل يمكن إعداد وجبة خالية من الجلوتين؟ [hal yamken e'adad wajba khaliya min al-jilo-teen?]; **The meal was delicious** كانت الوجبة شهية [kanat il-wajba sha-heyah]

mealtime ['miːlˌtaɪm] n وَقْت الطعام [Wa'qt al-ta'aaam]

mean [miːn] adj حقير [ħaqiːr] ▷ v يَقْصِد [jaqsˁidu]

meaning ['miːnɪŋ] n معنى [maʕnaː]

means [miːnz] npl وَسائِل [wasaːʔilun]

meantime ['miːnˌtaɪm] adv في غضون ذلك [Fee ghodoon dhalek]

meanwhile ['miːnˌwaɪl] adv خلال ذلك [Khelal dhalek]

measles ['miːzəlz] npl حصبة [ħasˁabatun]; **German measles** n حصبة ألمانية [Hasbah al-maneyah]; **I had measles recently** أصبت مؤخراً بمرض الحصبة [osebtu mu-akharan be-marad al- hasba]

measure ['mɛʒə] v يَقْيِس [jaqisu]; **tape measure** n شريط قياس [Shreet 'qeyas]

measurements ['mɛʒəmənts] npl قياسات [qija:sa:tun]

meat [miːt] n لحم [laħm]; **red meat** n لحم أحمر [Lahm ahmar]; **I don't eat red meat** لا أتناول اللحوم الحمراء [la ata- nawal al-lihoom al-hamraa]; **The meat is cold** إن اللحم باردة [En al-lahm baredah]; **This meat is off** هذه اللحم ليست طازجة [Hadheh al-lahm laysat tazejah]

meatball ['miːtˌbɔːl] n كرة لحم [Korat lahm]

Mecca ['mɛkə] n مكة [makkatu]

mechanic [mɪˈkænɪk] n ميكانيكي [miːkaːniːkij]; **Can you send a mechanic?** هل يمكن أن ترسل لي ميكانيكي؟ [hal yamken an tarsil lee meka-neeky?]

mechanical [mɪˈkænɪkˀl] adj ميكانيكي [miːkaːniːkij]

mechanism ['mɛkəˌnɪzəm] n تقنية [tiqnija]

medal ['mɛdˀl] n ميدالية [miːdaːlijja]

medallion [mɪˈdæljən] n مدالية كبيرة [Medaleyah kabeerah]

media ['miːdɪə] npl وَسائِل الإعلام [Wasaael al-e'alaam]

mediaeval [ˌmɛdɪˈiːvˀl] adj متعلق بالقرون الوسطى [Mot'aale'q bel-'qroon al-wosta]

medical ['mɛdɪkˀl] adj طبي [tˁibbij] ▷ n فحص طبي شامل [Fahs tebey shamel]; **medical certificate** n شهادة طبية [Shehadah tebeyah]

medication [ˌmɛdɪˈkeɪʃən] n; **I'm on this medication** أنني أتبع هذا العلاج [ina-ny atba'a hadha al-'aelaaj]

medicine ['mɛdɪsɪn; 'mɛdsɪn] n دَواء [dawa:ʔ]

meditation [ˌmɛdɪˈteɪʃən] n تأمُّل [ta?ammul]

Mediterranean [ˌmɛdɪtəˈreɪnɪən] adj متوسطي [mutawassitˁij] ▷ n البحر المتوسط [Al-bahr al-motawaset]

medium ['miːdɪəm] adj (between extremes) معتدل [muʕtadil]

medium-sized ['miːdɪəmˌsaɪzd] adj متوسط الحجم [Motawaset al-hajm]

meet [miːt] vi يَجْتَمِع [jaʒtamiʕu] ▷ tv يُقابِل [juqa:bilu]

meeting ['miːtɪŋ] n اجتماع [ʔiʒtimaːʕ]; **I'd like to arrange a meeting with…** أرغب في ترتيب إجراء اجتماع مع......؟ [arghab fee tar-teeb ejraa ejtemaa ma'aa...]

meet up [miːt ʌp] v يَلْتَقي ب [Yalta'qey be]

mega ['mɛgə] adj كبير [kabi:r]

melody ['mɛlədɪ] n لحن [laħn]

melon ['mɛlən] n شَمّام [ʃamma:m]

melt [mɛlt] vi يَذوب [jaðuːbu] ▷ vt يُذيب [juði:bu]

member ['mɛmbə] n عضو [ʕudˁwj]; **Do I have to be a member?** هل يجب علي أن أكون عضوا؟ [hal yajib 'aala-ya an akoon 'audwan?]

membership ['mɛmbəˌʃɪp] n عضوية [ʕudˁwijja]; **membership card** n بطاقة عضوية [Betaqat 'aodweiah]

memento [mɪˈmɛntəʊ] n التذكرة [at-taðkiratu]

memo [ˈmɛməʊ; ˈmiːməʊ] n مذكرة [muðakkira]

memorial [mɪˈmɔːrɪəl] n نُصُب تذكاري [Noṣob tedhkarey]

memorize [ˈmɛməˌraɪz] v يَحفظ [jaħfaz'u]

memory [ˈmɛmərɪ] n ذاكرة [ðaːkira]; **memory card** n كارت ذاكرة [Kart dhakerah]

mend [mɛnd] v يُصلح [jus'liħu]

meningitis [ˌmɛnɪnˈdʒaɪtɪs] n التهاب السحايا [Eltehab al-sahaya]

menopause [ˈmɛnəʊˌpɔːz] n سِن اليأس [Sen al-yaas]

menstruation [ˌmɛnstrʊˈeɪʃən] n طَمْث [t'amθ]

mental [ˈmɛntᵊl] adj عقلي [ʕaqlij]; **mental hospital** n مستشفى أمراض عقلية [Mostashfa amraḍ 'aaˈqleyah]

mentality [mɛnˈtælɪtɪ] n عقلية [ʕaqlijja]

mention [ˈmɛnʃən] v يذكُر [jaðkuru]

menu [ˈmɛnjuː] n قائمة طعام ['qaemat ta'aam]; **set menu** n قائمة مجموعات الأغذية ['qaemat majmo'aat al-oghneyah]

mercury [ˈmɜːkjʊrɪ] n زئبق [ziʔbaq]

mercy [ˈmɜːsɪ] n رحمة [raħma]

mere [mɪə] adj مجرد [muʒarrad]

merge [mɜːdʒ] v يَدمج [judmiʒu]

merger [ˈmɜːdʒə] n دَمج [damʒ]

meringue [məˈræŋ] n ميرينجو [miːrinʒuː]

mermaid [ˈmɜːˌmeɪd] n حورية الماء [Ḥooreyat al-maa]

merry [ˈmɛrɪ] adj بهيج [bahiːʒ]

merry-go-round [ˈmɛrɪɡəʊˈraʊnd] n دوامة الخيل [Dawamat al-kheel]

mess [mɛs] n فوضى [fawḍaːʔ]

mess about [mɛs əˈbaʊt] v يَتلخبط [jatalaxbat'u]

message [ˈmɛsɪdʒ] n رسالة [risaːla]; **text message** n رسالة نصية [Resalah naṣeyah]; **Can I leave a message with his secretary?** هل يمكنني ترك [hal yamken]

-any tark resala ma'aa al-sikertair al-khaṣ behe?]; **Can I leave a message?** هل يمكن أن أترك رسالة؟ [hal yamken an atruk resala?]

messenger [ˈmɛsɪndʒə] n رسول [rasuːl]

mess up [mɛs ʌp] v يُخطئ [juxt'iʔ]

messy [ˈmɛsɪ] adj فوضوي [fawd'awij]

metabolism [mɪˈtæbəˌlɪzəm] n عملية الأيض ['amaleyah al-abyaḍ]

metal [ˈmɛtᵊl] n معدن [maʕdin]

meteorite [ˈmiːtɪəˌraɪt] n حُطام النيزك [Ḥotaam al-nayzak]

meter [ˈmiːtə] n عداد [ʕaddaːd]; **parking meter** n عداد وقوف السيارة ['adaad wo'qoof al-sayarah]; **Do you have change for the parking meter?** هل معك نقود فكه لعداد الانتظار؟ [Hal ma'ak ne'qood fakah le'adad maw'qaf al-ente dhar?]; **Where is the electricity meter?** أين يوجد عداد الكهرباء؟ [ayna yujad 'aadad al-kah-raba?]; **Where is the gas meter?** أين يوجد عداد الغاز؟ [ayna yujad 'aadad al-ghaz?]

method [ˈmɛθəd] n طريقة [t'ari:qa]

Methodist [ˈmɛθədɪst] adj منهجي [manhaʒij]

metre [ˈmiːtə] n متر [mitr]

metric [ˈmɛtrɪk] adj متري [mitrij]

Mexican [ˈmɛksɪkən] adj مكسيكي [miksiːkij] ▷ n مكسيكي [miksiːkij]

Mexico [ˈmɛksɪˌkəʊ] n المكسيك [al-miksiːku]

microchip [ˈmaɪkrəʊˌtʃɪp] n شريحة صغيرة [Shareehat ṣagheerah]

microphone [ˈmaɪkrəˌfəʊn] n ميكروفون [miːkuruːfuːn]; **Does it have a microphone?** هل يوجد ميكروفون؟ [hal yujad mekro-fon?]

microscope [ˈmaɪkrəˌskəʊp] n ميكروسكوب [miːkuruːskuːb]

mid [mɪd] adj أوسط [ʔawsat']

midday [ˈmɪdˈdeɪ] n منتصف اليوم [Montaṣaf al-yawm]; **at midday** عند منتصف اليوم ['aenda muntaṣaf al-yawm]

middle ['mɪdəl] n وَسَط [wasat¹];
Middle Ages npl العصور الوسطى
[Al-'aoşoor al-wosta]; **Middle East** n
الشرق الأوسط [Al-shar'q al-awşat]

middle-aged ['mɪdəl,eɪdʒɪd] adj كهل
[kahl]

middle-class ['mɪdəl,klɑ:s] adj من
الطبقة الوسطى [men al-Ţaba'qah
al-wosta]

midge [mɪdʒ] n ذُبَابَة صغيرة [Dhobabah
şagheerah]

midnight ['mɪd,naɪt] n منتصف الليل
[montaşaf al-layl]; **at midnight** عند
منتصف الليل ['aenda muntaşaf al-layl]

midwife, midwives ['mɪd,waɪf,
'mɪd,waɪvz] n قابلة [qa:bila]

migraine ['mi:greɪn; 'maɪ-] n صداع
النصفي [Şoda'a al-naşfey]

migrant ['maɪgrənt] adj مهاجر
[muha:ʒir] ▷ n مُهاجر [muha:ʒir]

migration [maɪ'greɪʃən] n هجرة [hiʒra]

mike [maɪk] n ميكروفون [mi:kuru:fu:n]

mild [maɪld] adj لطيف [lat¹i:f]

mile [maɪl] n ميل [mi:l]

mileage ['maɪlɪdʒ] n مسافة بالميل
[Masafah bel-meel]

mileometer [maɪ'lɒmɪtə] n عداد
الأميال المقطوعة ['adaad al-amyal
al-ma'qto'aah]

military ['mɪlɪtərɪ; -trɪ] adj عسكري
[¹askarij]

milk [mɪlk] n حليب [ħali:b] ▷ v يَحلب
[jaħlibu]; **baby milk** n لبن أطفال [Laban
atfaal]; **milk chocolate** n شيكولاتة باللبن
[Shekolata bel-laban]; **semi-skimmed
milk** n حليب نصف دسم [Haleeb nesf
dasam]; **skimmed milk** n حليب منزوع
الدسم [Haleeb manzoo'a al-dasam];
UHT milk n لبن مبستر [Laban
mobaster]; **with the milk separate**
بالحليب دون خلطه [bil ħaleeb doon
khal-ţuho]

milkshake ['mɪlk,ʃeɪk] n مخفوق الحليب
[Makhfoo'q al-ħaleeb]

mill [mɪl] n طاحونة [t¹a:ħu:na]

millennium [mɪ'lɛnɪəm] n الألفية
[al-?alfijjatu]

millimetre ['mɪlɪ,mi:tə] n مليمتر
[mili:mitr]

million ['mɪljən] n مليون [milju:n]

millionaire [,mɪljə'nɛə] n مليونير
[milju:ni:ru]

mimic ['mɪmɪk] v يُحاكي [juħa:ki:]

mince [mɪns] v لحم مفروم [Laħm
mafroom]

mind [maɪnd] n عقل [¹aqil] ▷ v يهتم
[jahtammu]

mine [maɪn] n منجم [manʒam] ▷ pron
ملكي

miner ['maɪnə] n عامل مناجم ['aaamel
manajem]

mineral ['mɪnərəl; 'mɪnrəl] adj غير
عضوي [Gayer 'aodwey] ▷ n مادة غير
عضوية [Madah ghayer 'aodweyah];
mineral water n مياه معدنية [Meyah
ma'adaneyah]

miniature ['mɪnɪtʃə] adj مُصَغَر
[mus¹aɣɣar] ▷ n شكل مُصَغّر [Shakl
moşaghar]

minibar ['mɪnɪ,bɑ:] n ثلاجة صغيرة
[Thallaja şagheerah]

minibus ['mɪnɪ,bʌs] n ميني باص [Meny
baas]

minicab ['mɪnɪ,kæb] n سيارة أجرة
صغيرة [Sayarah ojrah şagherah]

minimal ['mɪnɪməl; 'minimal] adj أدنى
[?adna:]

minimize ['mɪnɪ,maɪz] v يُخفِض إلى الحد
الأدنى [juxfid¹u ?ila: alħaddi al?adna:]

minimum ['mɪnɪməm] adj أدنى
[?adna:] ▷ n حد أدنى [Had adna]

mining ['maɪnɪŋ] n تعدين [ta¹di:n]

miniskirt ['mɪnɪ,skɜ:t] n جونلة قصيرة
[Jonelah 'qaşeerah]

minister ['mɪnɪstə] n (clergy) كاهن
[ka:hin], (government) وزير [wazi:r]; **prime
minister** n رئيس الوزراء [Raees
al-wezaraa]

ministry ['mɪnɪstrɪ] n (government) وزارة
[wiza:ra], (religion) كهنوت [kahnu:t]

mink [mɪŋk] n حيوان المِنْك [Ħayawaan
almenk]

minor ['maɪnə] adj ثانوي [θa:nawij] ▷ n
شخص قاصر [Shakhş 'qaşer]

minority [maɪ'nɒrɪtɪ; mɪ-] n أقلية
[ʔaqallija]

mint [mɪnt] n (coins) دار سك العملة
[Daar şaak al'aomlah], (herb/sweet) نعناع
[naʕna:ʕ]

minus ['maɪnəs] prep طرح

minute adj دقيق الحجم [Da'qee'e
al-hajm] ▷ n ['mɪnɪt] دقيقة
[daqi:qa]; **Could you watch my bag
for a minute, please?** هل ، فضلك من
يمكن أن أترك حقيبتي معك لدقيقة واحدة؟
[min faḍlak, hal yamkin an atrik
ha'qebaty ma'aak le-da'qe'qa waheda?]

miracle ['mɪrək³l] n معجزة [muʕziza]

mirror ['mɪrə] n مرآة [mir?a:t];
rear-view mirror n مرآة الرؤية الخلفية
[Meraah al-roayah al-khalfeyah]; **wing
mirror** n مرآة جانبية [Meraah janebeyah]

misbehave [ˌmɪsbɪ'heɪv] v يسيء
التصرف [Yoseea altaşarof]

miscarriage [mɪs'kærɪdʒ] n إجهاض
تلقائي [Ejhaḍ tel'qaaey]

miscellaneous [ˌmɪsə'leɪnɪəs] adj
متنوع [mutanawwaʕ]

mischief ['mɪstʃɪf] n إزعاج [ʔizʕa:ʒ]

mischievous ['mɪstʃɪvəs] adj مؤذ
[mu?ðin]

miser ['maɪzə] n بخيل [baxi:l]

miserable ['mɪzərəb³l; 'mɪzrə-] adj
تعيس [taʕi:s]

misery ['mɪzərɪ] n بؤس [bu?s]

misfortune [mɪs'fɔːtʃən] n سوء الحظ
[Soa al-haḍh]

mishap ['mɪshæp] n حظ عاثر [Ḥadh
'aaer]

misjudge [ˌmɪs'dʒʌdʒ] v يخطئ في الحكم
على [yokhṭea fee al-hokm ala]

mislay [mɪs'leɪ] v يضيع [jud^rajjiʕu]

misleading [mɪs'liːdɪŋ; mɪs'leading]
adj مُضَلِّل [mud^rallil]

misprint ['mɪsˌprɪnt] n خطأ مطبعي
[Khata matba'aey]

miss [mɪs] v يفتقد [jaftaqidu]

Miss [mɪs] n آنسة [ʔa:nisa]

missile ['mɪsaɪl] n قذيفة صاروخية
['qadheefah şarookheyah]

missing ['mɪsɪŋ] adj مفقود [mafqu:d]

missionary ['mɪʃənərɪ] n مُبشِّر
[mubaʃʃir]

mist [mɪst] n شبُّورة [ʃabuwra]

mistake [mɪ'steɪk] n غلط [ɣalat^r] ▷ v
يُخطِّئ [juxt^riju]

mistaken [mɪ'steɪkən] adj مخطئ
[muxt^ri?]

mistakenly [mɪ'steɪkənlɪ] adv عن
طريق الخطأ [Aan ṭaree'q al-khataa]

mistletoe ['mɪsˌltəʊ] n نبات الهُدال
[Nabat al-hoddal]

mistress ['mɪstrɪs] n خليلة [xali:la]

misty ['mɪstɪ] adj ضبابي [d^raba:bij]

misunderstand [ˌmɪsʌndə'stænd] v
يُسِئ فهم [Yoseea fahm]

misunderstanding
[ˌmɪsʌndə'stændɪŋ] n سوء فهم [Soa
fahm]

mitten ['mɪt³n] n قفاز يغطي الرسغ
['qoffaz yoghaṭey al-rasgh]

mix [mɪks] n مزيج [mazi:ʒ] ▷ v يمزج
[jamziʒu]

mixed [mɪkst] adj مخلوط [maxlu:t^r];
mixed salad n سلاطة مخلوطة [Salata
makhloṭa]

mixer ['mɪksə] n خلاط [xala:t^r]

mixture ['mɪkstʃə] n خليط [xali:t^r]

mix up [mɪks ʌp] v يَخلِط [jaxlit^ru]

mix-up [mɪksʌp] n تشوش [taʃawwuʃ]

MMS [ɛm ɛm ɛs] abbr خدمة رسائل
الوسائط المتعددة [Khedmat rasael
al-wasaaet almota'aadedah]

moan [məʊn] v يَندُب [jandubu]

moat [məʊt] n خَنْدق مائي [Khanda'q
maaey]

mobile ['məʊbaɪl] adj مُتَحرِّك
[mutaħarrik]; **mobile home** n منزل
متحرك [Mazel motaharek]; **mobile
number** n رقم المحمول [Ra'qm
almahmool]; **mobile phone** n هاتف جوال
[Hatef jawal]

mock [mɒk] adj مُزَوَّر [muzawwir] ▷ v يَهزأ
ب [Yah-zaa be]

mod cons ['mɒd kɒnz] npl وسائل الراحة الحديثة [Wasael al-rahah al-hadethah]

model ['mɒdᵊl] adj مثالي [miθa:lij] ▷ n طراز [tˤira:z] ▷ v يُشَكِّل [jufakkilu]

modem ['məʊdɛm] n مودم [mu:dim]

moderate ['mɒdərɪt] adj متوسط [mutawassitˤ]

moderation [,mɒdə'reɪʃən] n اعتدال [iʕtida:l]

modern ['mɒdən] adj عصري [ʕasˤrij]; **modern languages** npl لغات حديثة [Loghat hadethah]

modernize ['mɒdə,naɪz] v يُحَدِّث [juħaddiθu]

modest ['mɒdɪst] adj معتدل [muʕtadil]

modification [,mɒdɪfɪ'keɪʃən] n تعديل [taʕdi:l]

modify ['mɒdɪ,faɪ] v يُعَدِّل [juʕadilu]

module ['mɒdju:l] n وحدة قياس [Wehdat 'qeyas]

moist [mɔɪst] adj مُبْتَل [mubtall]

moisture ['mɔɪstʃə] n نداوة [nada:wa]

moisturizer ['mɔɪstʃə,raɪzə; 'moistu,rizer; 'moistu,riser] n مرطب [muratˤtˤib]

Moldova [mɒl'dəʊvə] n مولدافيا [mu:lda:fja:]

Moldovan [mɒl'dəʊvən] adj مولدافي [mu:lda:fij] ▷ n مولدافي [mu:lda:fij]

mole [məʊl] n (infiltrator) حاجز الأمواج [Hajez al-amwaj], (mammal) الخُلْد [al-xuldu], (skin) خال [xa:l]

molecule ['mɒlɪ,kju:l] n جزيء [ʒuzaj?]

moment ['məʊmənt] n لحظة [laħzˤa]; **Just a moment, please** لحظة واحدة من فضلك [laħdha waheda min fadlak]

momentarily ['məʊməntərəlɪ; -trɪlɪ] adv كل لحظة [Kol lahdhah]

momentary ['məʊməntərɪ; -trɪ] adj خاطف [xa:tˤif]

momentous [məʊ'mɛntəs] adj هام جداً [Ham jedan]

Monaco ['mɒnə,kəʊ; mə'nɑ:kəʊ; mɒnako] n موناكو [mu:na:ku:]

monarch ['mɒnək] n ملك [milk]

monarchy ['mɒnəkɪ] n أسرة حاكمة [Osrah hakemah]

monastery ['mɒnəstərɪ; -strɪ] n دَيْر [dajr]

Monday ['mʌndɪ] n الإثنين [al-?iθnajni]

monetary ['mʌnɪtərɪ; -trɪ] adj متعلق بالعملة [Mota'ale'q bel-'omlah]

money ['mʌnɪ] n مال [ma:l]; **money belt** n حزام لحفظ المال [Hezam lehefdh almal]; **pocket money** n مصروف الجيب [Masrof al-jeeb]; **Could you lend me some money?** هل يمكن تسليفي بعض المال؟ [hal yamken tas-leefy ba'ad al-maal?]; **I have no money** ليس معي مال [laysa ma'ay maal]; **I have run out of money** لقد نفذ مالي [la'qad nafatha malee]

Mongolia [mɒŋ'gəʊlɪə] n منغوليا [manɣu:lja:]

Mongolian [mɒŋ'gəʊlɪən] adj منغولي [manɣu:lij] ▷ n (language) اللغة المنغولية [Al-koghah al-manghooleyah], (person) منغولي [manɣu:lij]

mongrel ['mʌŋgrəl] n هجين [haʒi:n]

monitor ['mɒnɪtə] n شاشة [ʃa:ʃa]

monk [mʌŋk] n راهب [ra:hib]

monkey ['mʌŋkɪ] n قرد [qird]

monopoly [mə'nɒpəlɪ] n احتكار [iħtika:r]

monotonous [mə'nɒtənəs] adj مُمِل [mumill]

monsoon [mɒn'su:n] n ريح موسمية [Reeh mawsemeyah]

monster ['mɒnstə] n مسخ [masx]

month [mʌnθ] n شَهْر [ʃahr]

monthly ['mʌnθlɪ] adj شهري [ʃahrij]

monument ['mɒnjʊmənt] n مبنى نُصْب تذكاري [Mabna nosob tedhkarey]

mood [mu:d] n حالة مزاجية [Halah mazajeyah]

moody ['mu:dɪ] adj متقلب المزاج [Mota'qaleb al-mazaj]

moon [mu:n] n قمر [qamar]; **full moon** n بَدْر [badrun]

moor [mʊə; mɔ:] n أرض سبخة [Arḍ sabkha] ▷ v يُوثِق [ju:θiqu]

mop [mɒp] n ممسحة تنظيف [Mamsahat

tandheef]

moped ['məʊpɛd] n دراجة آلية [darrajah aaleyah]

mop up [mɒp ʌp] v يمسح [jamsaħu]

moral ['mɒrəl] adj (معنوي) أخلاقي [ʔaxla:qij] ▷ n مغزى [maɣzan]

morale [mɒ'rɑːl] n معنويات [maʕnawijja:t]

morals ['mɒrəlz] npl أخلاقيات [ʔaxla:qijja:tun]

more [mɔː] adj أكثر [ʔakθaru] ▷ adv بدرجة أكبر [Be-darajah akbar] ▷ pron أكثر [ʔakθaru]; **Could you speak more slowly, please?** هل يمكن أن تتحدث ببطء أكثر إذا سمحت؟ [hal yamken an tata-ħadath be-buti akthar edha samaħt?]

morgue [mɔːg] n مشرحة [maʃraħa]

morning ['mɔːnɪŋ] n صباح [sˤaba:ħ]; **morning sickness** n غثيان الصباح [Ghathayan al-sabaħ]; **Good morning** صباح الخير [sˤabaħ al-khyer]; **in the morning** في الصباح [fee al-sabaħ]; **I will be leaving tomorrow morning at ten a.m.** سوف أغادر غدا في الساعة العاشرة صباحا [sawfa oghader ghadan fee al-sa'aa al-'aashera sˤaba-han]; **I've been sick since this morning** منذ الصباح وأنا أعاني من المرض [mundho al-sabaah wa ana o'aany min al-maraɖ]; **Is the museum open in the morning?** هل المتحف مفتوح في الصباح؟ [hal al-mat-haf maf-tooħ fee al-sabaħ]; **this morning** هذا الصباح [hatha al-sabaħ]; **tomorrow morning** غدًا في الصباح [ghadan fee al-sabaħ]

Moroccan [mə'rɒkən] adj مغربي [maɣribij] ▷ n مغربي [maɣribij]

Morocco [mə'rɒkəʊ] n المغرب [almaɣribu]

morphine ['mɔːfiːn] n مورفين [mu:rfi:n]

Morse [mɔːs] n مورس [mu:ris]

mortar ['mɔːtə] n (military) مدفع الهاون [Madafa'a al-hawon], (plaster) ملاط [mala:tˤ]

mortgage ['mɔːgɪdʒ] n رَهْن [rahn] ▷ v

يَرْهن [jarhanu]

mosaic [mə'zeɪɪk] n فسيفساء [fusajfisa:ʔ]

Moslem ['mɒzləm] adj مُسلِم [muslim] ▷ n مُسلِم [muslim]

mosque [mɒsk] n جامع [ʒa:miʕ]

mosquito [mə'skiːtəʊ] n بعوضة [baʕu:dˤa]

moss [mɒs] n طُحْلُب [tˤuħlub]

most [məʊst] adj أقصى [ʔaqsˤa:] ▷ adv (superlative) إلى جد بعيد [Ela jad ba'aeed] ▷ n (majority) مُعظم [muʕzˤam]

mostly ['məʊstlɪ] adv في الأغلب [Fee al-aghlab]

MOT [ɛm əʊ tiː] abbr وزارة النقل [wiza:ratu annaqli]

motel [məʊ'tɛl] n استراحة [istira:ħa]

moth [mɒθ] n عثة [ʕaθθa]

mother ['mʌðə] n أم [ʔumm]; **mother tongue** n اللغة الأم [Al loghah al om]; **surrogate mother** n الأم البديلة [al om al badeelah]

mother-in-law ['mʌðə ɪn lɔː] (pl **mothers-in-law**) n الحماة [al-ħama:tu]

motionless ['məʊʃənlɪs] adj ساكن [sa:kin]

motivated ['məʊtɪˌveɪtɪd] adj محفز [muħaffiz]

motivation [ˌməʊtɪ'veɪʃən; ˌmoti'vation] n تحفيز [taħfi:z]

motive ['məʊtɪv] n حافز [ħa:fiz]

motor ['məʊtə] n موتور [mawtu:r]; **motor mechanic** n ميكانيكي السيارات [Mekaneekey al-sayarat]; **motor racing** n سباق سيارات [Seba'q sayarat]

motorbike ['məʊtəˌbaɪk] n دراجة بمحرك [Darrajah be-moharrek]

motorboat ['məʊtəˌbəʊt] n زورق بمحرك [Zawra'q be-moħ arek]

motorcycle ['məʊtəˌsaɪkᵊl] n دراجة نارية [Darrajah narreyah]

motorcyclist ['məʊtəˌsaɪklɪst] n سائق دراجة بخارية [Sae'q drajah bokhareyah]

motorist ['məʊtərɪst] n سائق سيارة [Saae'q sayarah]

motorway ['məʊtəweɪ] n طريق [ţaree'q alsayaraat] السيارات

mould [məʊld] n (fungus) عفن [ʕafan], (shape) قالب [qa:lab]

mouldy ['məʊldɪ] adj متعفن [mutaʕaffin]

mount [maʊnt] v يرتفع [jartafiʕu]

mountain ['maʊntɪn] n جبل [ʒabal]; **mountain bike** n دراجة الجبال [Darrajah al-jebal]; **Where is the nearest mountain rescue service post?** أين يوجد أقرب مركز لخدمة الإنقاذ بالجبل؟ [ayna yujad a'qrab markaz le-khedmat al-en-'qaadh bil-jabal?]

mountaineer [ˌmaʊntɪ'nɪə] n متسلق [Motasale'q al-jebaal] الجبال

mountaineering [ˌmaʊntɪ'nɪərɪŋ] n تسلق الجبال [Tasalo'q al-jebal]

mountainous ['maʊntɪnəs] adj جبلي [ʒabalij]

mount up [maʊnt ʌp] v يزيد من [Yazeed men]

mourning ['mɔːnɪŋ] n حداد [ħida:d]

mouse, mice [maʊs, maɪs] n فأر [faʔr]; **mouse mat** n لوحة الفأرة [Looħat al-faarah]

mousse [muːs] n كريمة شيكولاتة [Kareemat shekolatah]

moustache [məˈstɑːʃ] n شارب [ʃaːrib]

mouth [maʊθ] n فم [fam]; **mouth organ** n آلة الهرمونيكا الموسيقية [Alat al-harmoneeka al-mose'qeyah]

mouthwash ['maʊθˌwɒʃ] n غسول الفم [Ghasool al-fam]

move [muːv] n انتقال [intiqa:l] ▷ vi يَتَحرك [jataħarraku] ▷ vt يُحرك [jaħarrik]

move back [muːv bæk] v يتَحرك للخلف [Yatħarak lel-khalf]

move forward [muːv fɔːwəd] v يتَحرك إلى الأمام [Yatħarak lel-amam]

move in [muːv ɪn] v ينتقل [jantaqilu]

movement ['muːvmənt] n حركة [ħaraka]

movie ['muːvɪ] n فيلم [fiːlm]

moving ['muːvɪŋ] adj متحرك [mutaħarriki]

mow [məʊ] v يُجزُّ [jaʒuzzu]

mower ['məʊə] n جَزّازَة [ʒazza:za]

Mozambique [ˌməʊzəmˈbiːk] n موزمبيق [mu:zambi:q]

mph [maɪlz pə aʊə] abbr ميل لكل ساعة [Meel lekol sa'aah]

Mr ['mɪstə] n السيد [asajjidu]

Mrs ['mɪsɪz] n السيدة [asajjidatu]

Ms [mɪz; məs] n لَقَب للسيِّدَه أو الآنسه [laqaba lissajjidati ?aw al?a:nisati]

MS [mɪz; məs] abbr مرض تصلب الأنسجة المتعددة [Maraḍ taṣalob al-ansejah al-mota'adedah]

much [mʌtʃ] adj كثير [kaθiːr] ▷ adv كثير [kaθiːrun], [kaθiːran]; **There's too much... in it** يوجد به الكثير من... [yujad behe al-kather min...]

mud [mʌd] n طين [tˤiːn]

muddle ['mʌdˀl] n تشوش [taʃawwuʃ]

muddy ['mʌdɪ] adj موحل [mu:ħil]

mudguard ['mʌdˌgɑːd] n رفرف العجلة [Rafraf al-ajalah]

muesli ['mjuːzlɪ] n حبوب الميوسلي [Hoboob al-meyosley]

muffler ['mʌflə] n لفاع [lifa:ʕ]

mug [mʌg] n مَج [maʒʒ] ▷ v يهاجم بقصد السرقة [Yohajem be'qaṣd al-sare'qah]

mugger ['mʌgə] n تمساح نهري أسيوي [Temsaah nahrey asyawey]

mugging [mʌgɪŋ] n هجوم للسرقة [Hojoom lel-sare'qah]

muggy ['mʌgɪ] adj; **It's muggy** الجو رطب [al-jaw raṭb]

mule [mjuːl] n بَغْل [baγl]

multinational [ˌmʌltɪˈnæʃənˀl] adj متعدد الجنسيات [Mota'aded al-jenseyat] ▷ n شركة متعددة الجنسيات [Shreakah mota'adedat al-jenseyat]

multiple ['mʌltɪpˀl] adj; **multiple sclerosis** n تَلَيُّف عصبي متعدد [Talayof 'aaṣabey mota'aded]

multiplication [ˌmʌltɪplɪˈkeɪʃən] n مضاعفة [mud'a:ʕafa]

multiply ['mʌltɪˌplaɪ] v يُكثِر [jukθiru]

mum [mʌm] n ماما [ma:ma:]

mummy ['mʌmɪ] n (body) مومياء [mu:mja:ʔ]

[mu:mja:ʔ], (mother) ماما [ma:ma:]
mumps [mʌmps] n التهاب الغدة النكفية [Eltehab alghda alnokafeyah]
murder ['mɜːdə] n جريمة قتل [Jareemat 'qatl] ▷ v يقتل عمداً [Ya'qtol 'aamdan]
murderer ['mɜːdərə] n قاتل [qa:til]
muscle ['mʌsᵊl] n عضلة [ʕadˤˤala]
muscular ['mʌskjʊlə] adj عضلي [ʕadˤˤalij]
museum [mjuː'zɪəm] n متحف [mathaf];
Is the museum open every day? هل المتحف مفتوح طوال الأسبوع؟ [hal al-mat-haf maf-tooh tiwaal al-isboo'a?];
When is the museum open? متى يُفتح المتحف؟ [mata yoftah al-mathaf?]
mushroom ['mʌʃruːm; -rʊm] n عيش الغراب ['aaysh al-ghorab]
music ['mjuːzɪk] n موسيقى [mu:si:qa:];
folk music n موسيقى شعبية [Mose'qa sha'abeyah]; **music centre** n مركز موسيقى [Markaz mose'qa]; **Where can we hear live music?** أين يمكننا الاستماع إلى موسيقى حية؟ [ayna yamken-ana al-istima'a ela mose'qa hay-a?]
musical ['mjuːzɪkᵊl] adj موسيقي [mu:si:qij] ▷ n مسرحية موسيقية [Masraheyah mose'qeya]; **musical instrument** n آلة موسيقية [Aala mose'qeyah]
musician [mjuː'zɪʃən] n عازف موسيقى ['aazef mose'qaa]
Muslim ['mʊzlɪm; 'mʌz-] adj مُسلِم [muslim] ▷ n مُسْلِم [muslim]
mussel ['mʌsᵊl] n أم الخُلُول [Om al-kholool]
must [mʌst] v يَجِب [jaɟibu]
mustard ['mʌstəd] n خردل [xardal]
mutter ['mʌtə] v يُغَمْغِم [juɣamɣimu]
mutton ['mʌtᵊn] n لحم ضأن [Lahm daan]
mutual ['mjuːtʃʊəl] adj متبادل [mutaba:dal]
my [maɪ] pron ي: ضمير المتكلم المضاف إليه
Myanmar ['maɪænmɑː; 'mjænmɑː] n ميانمار [mija:nma:r]

myself [maɪ'sɛlf] pron نفسي [nafsijjun]
mysterious [mɪ'stɪərɪəs] adj غامض [ɣa:midˤ]
mystery ['mɪstərɪ] n غموض [ɣumu:dˤ]
myth [mɪθ] n أسطورة [ʔustˤu:ra]
mythology [mɪ'θɒlədʒɪ] n علم الأساطير ['aelm al asateer]

n

naff [næf] *adj* قديم الطراز [qadeem al-ṭeraz]

nag [næg] *v* ينق [janiqqu]

nail [neɪl] *n* مسمار [misma:r]; **nail polish** *n* طلاء أظافر [Telaa aḍhafer]; **nail scissors** *npl* مقص أظافر [Ma'qaṣ aḍhafer]; **nail varnish** *n* طلاء أظافر [Telaa aḍhafer]; **nail-polish remover** *n* مزيل طلاء الأظافر [Mozeel ṭalaa al-aḍhafer]

nailbrush ['neɪlˌbrʌʃ] *n* فرشاة أظافر [Forshat aḍhafer]

nailfile ['neɪlˌfaɪl] *n* مبرد أظافر [Mabrad aḍhafer]

naive [nɑːˈiːv; naɪˈiːv] *adj* ساذج [sa:ðaӡ]

naked ['neɪkɪd] *adj* عار [ʕa:r]

name [neɪm] *n* اسم [ism]; **brand name** *n* العلامة التجارية [Al-'alamah al-tejareyah]; **first name** *n* الاسم الأول [Al-esm al-awal]; **maiden name** *n* اسم المرأة قبل الزواج [Esm al-marah 'qabl alzawaj]; **I booked a room in the name of....** لقد قمت بحجز غرفة باسم... [La'qad 'qomt behajz ghorfah besm...]; **My name is....** اسمي [ismee..]; **What's your name?** ما اسمك؟ [ma ismak?]

nanny ['nænɪ] *n* مربية [murabbija]

nap [næp] *n* غفوة [ɣafwa]

napkin ['næpkɪn] *n* منديل المائدة [Mandeel al-maaedah]

nappy ['næpɪ] *n* شراب مُسكِر [Sharaab mosker]

narrow ['nærəʊ] *adj* ضيق [dˤajjiq]

narrow-minded ['nærəʊ'maɪndɪd] *adj* ضَيِّق الأُفْق [Ḍaye'q al-ofo'q]

nasty ['nɑːstɪ] *adj* كريه [kari:h]

nation ['neɪʃən] *n* أمة [ʔumma]; **United Nations** *n* الأمم المتحدة [Al-omam al-motahedah]

national ['næʃənᵊl] *adj* قومي [qawmijju]; **national anthem** *n* نشيد وطني [Nasheed waṭney]; **national park** *n* حديقة وطنية [Hadee'qah waṭaneyah]

nationalism ['næʃənəˌlɪzəm; 'næʃnə-] *n* قَوْمِيّة [qawmijja]

nationalist ['næʃənəlɪst] *n* مُناصر للقومية [Monaṣer lel-'qawmeyah]

nationality [ˌnæʃəˈnælɪtɪ] *n* جنسية [ӡinsijja]

nationalize ['næʃənəˌlaɪz; 'næʃnə-] *v* يؤمّم [juʔammimu]

native ['neɪtɪv] *adj* بلدي [baladij]; **native speaker** *n* متحدث باللغة الأم [motaḥdeth bel-loghah al-om]

NATO ['neɪtəʊ] *abbr* منظمة حلف الشمال الأطلنطي [munaẓˤẓˤamatun ħalfa aʃʃima:li alʔatˤlantˤijji]

natural ['nætʃrəl; -tʃərəl] *adj* طبيعي [tˤabiːʕij]; **natural gas** *n* غاز طبيعي [ghaz ṭabeeaey]; **natural resources** *npl* موارد طبيعية [Mawared ṭabe'aey]

naturalist ['nætʃrəlɪst; -tʃərəl-] *n* مُناصر للطبيعة [monaṣer lel-ṭabe'aah]

naturally ['nætʃrəlɪ; -tʃərə-] *adv* طبيعي [ṭabiːʕijun]

nature ['neɪtʃə] *n* طبيعة [tˤabiːʕa]

naughty ['nɔːtɪ] *adj* شقي [ʃaqij]

nausea ['nɔːzɪə; -sɪə] *n* غثيان [ɣaθaja:n]

naval ['neɪvᵊl] *adj* بحري [baħrij]

navel ['neɪvᵊl] *n* سُرّة [surra]

navy ['neɪvɪ] *n* أسطول [ʔustˤuːl]

navy-blue ['neɪvɪ'bluː] *adj* أزرق داكن

[Azra'q daken]

NB [ɛn biː] abbr (notabene) ملاحظة هامة [mula:ħazˤatun ha:matun]

near [nɪə] adj قريب [qari:b] ▷ adv قُرب [qurba] ▷ prep بالقُرب من [Bel-'qorb men]; **Are there any good beaches near here?** هل يوجد شواطئ جيدة قريبة من هنا؟ [hal yujad shawatee jayida 'qareeba min huna?]; **It's very near** قريبة المسافة [al-masafa 'qareeba jedan]

nearby adj مجاور ['nɪəˌbaɪ] [muʒa:wir] ▷ adv على نحو قريب [ˌnɪəˈbaɪ] [Ala nahw 'qareeb]

nearly ['nɪəlɪ] adv على نحو وثيق ['aala nahwen wathee'q]

near-sighted [ˌnɪəˈsaɪtɪd] adj قريب النظر ['qareeb al- nadhar]

neat [niːt] adj نظيف [naziːf]

neatly [niːtlɪ] adv بإتقان [bi?itqa:nin]

necessarily ['nɛsɪsərɪlɪ; ˌnɛsɪˈsɛrɪlɪ] adv بالضرورة [bi-ad°-d°aru:rati]

necessary ['nɛsɪsərɪ] adj ضروري [d°aru:rij]

necessity [nɪˈsɛsɪtɪ] n ضرورة [d°aru:ra]

neck [nɛk] n رَقَبة [raqaba]

necklace ['nɛklɪs] n قلادة [qila:da]

nectarine ['nɛktərɪn] n خُوخ [xu:x]

need [niːd] n حاجة إلى v ▷ يَحتاج إلى [ħa:ʒa] [Tahtaaj ela]

needle ['niːd°l] n إبرة [?ibra]; **knitting needle** n إبرة خياطة [Ebrat khayt]; **Do you have a needle and thread?** هل يوجد لديك إبرة وخيط؟ [hal yujad ladyka ebra wa khyt?]

negative ['nɛɡətɪv] adj سلبي [silbij] ▷ n إحجام [?iħʒa:mu]

neglect [nɪˈɡlɛkt] n إهمال [?ihma:l] ▷ v يُهمِل [juhmilu]

neglected [nɪˈɡlɛktɪd] adj مهمل [muhmil]

negligee ['nɛɡlɪˌʒeɪ] n ثوب فضفاض [Thawb fedead]

negotiate [nɪˈɡəʊʃɪˌeɪt] v يَتفاوض [jatafa:wad°u]

negotiations [nɪˌɡəʊʃɪˈeɪʃənz] npl مفاوضات [mufa:wad°a:tun]

negotiator [nɪˈɡəʊʃɪˌeɪtə] n مفاوض [mufa:wid°]

neighbour ['neɪbə] n جار [ʒa:r]

neighbourhood ['neɪbəˌhʊd] n مُجاوَرة [muʒa:wira]

neither ['naɪðə; 'niːðə] adv فوق ذلك [Faw'q dhalek] ▷ conj لا هذا ولا ذاك [La hadha wala dhaak]

neon ['niːɒn] n غاز النيون [Ghaz al-neywon]

Nepal [nɪˈpɔːl] n نيبال [ni:ba:l]

nephew ['nɛvjuː; 'nɛf-] n ابن الأخ [Ebn al-akh]

nerve [nɜːv] n (boldness) وقاحة [waqa:ħa], (to/from brain) عصب [ʕasˤab]

nerve-racking ['nɜːvˌrækɪŋ] adj مرهق الأعصاب [Morha'q al-a'asaab]

nervous ['nɜːvəs] adj عصبي المزاج ['asabey]; **nervous breakdown** n إنهيار عصبي [Enheyar aşabey]

nest [nɛst] n عش [ʕuʃ]

net [nɛt] n شبكة [ʃabaka]

Net [nɛt] n صافي [sˤa:fi:]

netball ['nɛtˌbɔːl] n كرة الشبكة [Korat al-shabakah]

Netherlands ['nɛðələndz] npl هولندا [hu:landa:]

nettle ['nɛt°l] n نبات ذو وبر شائك [Nabat dho wabar shaek]

network ['nɛtˌwɜːk] n شبكة [ʃabaka]; **I can't get a network** لا أستطيع الوصول إلى الشبكة [la asta-tee'a al-wisool ela al-shabaka]

neurotic [njʊˈrɒtɪk] adj عصابي [ʕisˤa:bij]

neutral ['njuːtrəl] adj حيادي [ħija:dij] ▷ n شخص محايد [Mohareb mohayed]

never ['nɛvə] adv أبداً [?abadan]

nevertheless [ˌnɛvəðəˈlɛs] adv وبرغم ذلك [Wa-be-raghm dhalek]

new [njuː] adj جديد [ʒadi:d]; **New Year** n رأس السنة [Raas alsanah]; **New Zealand** n نيوزلندا [nju:zilanda:]; **New Zealander** n نيوزلندي [nju:zilandi:]

newborn ['njuːˌbɔːn] adj طفل حديث الولادة [Tefl hadeeth alweladah]

newcomer ['njuːˌkʌmə] n وافد [wa:fid]

news [njuːz] *npl* أخبار [ʔaxbaːrun];
When is the news? متى تعرض الأخبار؟
[Tee taʕared alakhbaar]

newsagent ['njuːzˌeɪdʒənt] *n* وكيل
أخبار [Wakeel akhbaar]

newspaper ['njuːzˌpeɪpə] *n* صحيفة
[sˁaħiːfa]

newsreader ['njuːzˌriːdə] *n* قارئ الأخبار
['qarey al-akhbar]

newt [njuːt] *n* سمندل الماء [Samandal
al-maa]

next [nɛkst] *adj* تالي [taːliː] ▷ *adv* تال
[taːlin]; **next to** *prep* بجوار; **When do we
stop next?** متى سنتوقف في المرة التالية
[mata sa-natawa'qaf fee al-murra
al-taleya?]; **When is the next bus
to...?** ما هو الموعد التالي للأتوبيس المتجه
إلى...؟ [ma howa al-maw'aid al-taaly
lel-baaṣ al-mutajeh ela...?]

next-of-kin ['nɛkstɒvˈkɪn] *n* أقرب أفراد
العائلة [A'qrab afrad al-'aaleah]

Nicaragua [ˌnɪkəˈrægjʊə;
nikaˈraɣwa] *n* نيكاراجوا [niːkaːraːɣwaː]

Nicaraguan [ˌnɪkəˈrægjʊən; -gwən]
adj من نيكاراجوا [Men nekarajwa] ▷ *n*
نيكاراجاوي [niːkaːraːʒaːwiː]

nice [naɪs] *adj* لطيف [latˁiːf]

nickname ['nɪkˌneɪm] *n* كنية [kinja]

nicotine ['nɪkəˌtiːn] *n* نيكوتين [niːkuːtiːn]

niece [niːs] *n* بنت الأخت [Bent al-okht]

Niger ['naɪdʒɪər] *n* النيجر [an-niːʒar]

Nigeria [naɪˈdʒɪərɪə] *n* نيجيريا [niːʒiːrjaː]

Nigerian [naɪˈdʒɪərɪən] *adj* نيجيري
[niːʒiːrij] ▷ *n* نيجيري [niːʒiːrij]

night [naɪt] *n* ليل [lajl]; **hen night** *n* ليلة
خروج الزوجات فقط [Laylat khorooj
alzawjaat fa'qat]; **night school** *n* مدرسة
ليلية [Madrasah layleyah]; **stag night** *n*
(حفل توديع العزوبية) (للرجال) [ħafl
tawdee'a al'aozobayah) lel-rejaal]; **at
night** ليلاً [lajla:]; **Good night** ليلة
سعيدة [layla sa'aeeda]; **How much is
it per night?** كم تبلغ تكلفة الإقامة في
الليلة الواحدة؟ [kam tablugh taklifat
al-e'qama fee al-layla al-wahida?]; **I
want to stay an extra night** أريد البقاء

لليلة أخرى [areed al-ba'qaa le-layla
ukhra]; **I'd like to stay for two nights**
أريد الإقامة لليلتين [areed al-e'qama le
lay-la-tain]; **last night** الليلة الماضية
[al-laylah al-maaḍiya]; **tomorrow
night** غداً في الليل [ghadan fee al-layl]

nightclub ['naɪtˌklʌb] *n* نادي ليلي
[Nadey layley]

nightdress ['naɪtˌdrɛs] *n* ثياب النوم
[Theyab al-noom]

nightie ['naɪtɪ] *n* قميص نوم نسائي
['qamees noom nesaaey]

nightlife ['naɪtˌlaɪf] *n* الخدمات الترفيهية
الليلية [Alkhadmat al-tarfeeheyah
al-layleyah]

nightmare ['naɪtˌmɛə] *n* كابوس
[kaːbuːs]

nightshift ['naɪtˌʃɪft] *n* نوبة ليلية [Noba
layleyah]

nil [nɪl] *n* لا شيء [La shaya]

nine [naɪn] *number* تسعة [tisʕatun]

nineteen [ˌnaɪnˈtiːn] *number* تسعة
عشر [tisʕata ʕaʃara]

nineteenth [ˌnaɪnˈtiːnθ] *adj* التاسع
عشر [atta:siʕa ʕaʃara]

ninety ['naɪntɪ] *number* تسعين
[tisʕiːnun]

ninth [naɪnθ] *adj* تاسع [taːsiʕ] ▷ *n* تاسع
[ta:siʕ]

nitrogen ['naɪtrədʒən] *n* نيتروجين
[niːtruːʒiːn]

no [nəʊ] *pron* ليس كذا [Lays kadha]; **no
one** *pron* لا أحد [la ahad]

nobody ['nəʊbədɪ] *pron* لا أحد [la ahad]

nod [nɒd] *v* يومئ برأسه [Yomea
beraaseh]

noise [nɔɪz] *n* ضوضاء [dˁawdˁaːʔ]; **I
can't sleep for the noise** لا استطيع
النوم بسبب الضوضاء [la asta-tee'a
al-nawm besa-bab al-ḍawḍaa]

noisy ['nɔɪzɪ] *adj* ضوضاء [dˁawdˁaːʔ]; **It's
noisy** إنها غرفة بها ضوضاء [inaha ghurfa
beha ḍawḍaa]; **The room is too noisy**
هناك ضوضاء كثيرة جدا بالغرفة [hunaka
ḍaw-ḍaa kathera jedan bil-ghurfa]

nominate ['nɒmɪˌneɪt] *v* يُرَشِح

[juraʃʃihu]

nomination [ˌnɒmɪˈneɪʃən; ˌnomiˈnation] n ترشيح [tarʃiːħ]

none [nʌn] pron لا شيء [La shaya]

nonsense [ˈnɒnsəns] n هراء [hura:ʔ]

non-smoker [nɒnˈsməʊkə] n شخص غير مُدَخِن [Shakhṣ Ghayr modakhen]

non-smoking [nɒnˈsməʊkɪŋ] adj غير مُدَخِن [Ghayr modakhen]

non-stop [ˈnɒnˈstɒp] adv بدون توقف [Bedon tawaˈqof]

noodles [ˈnuːdəlz] npl مكرونة اسباجتي [Makaronah spajety]

noon [nuːn] n ظُهْر [zˁuhr]

nor [nɔː; nə] conj ولا

normal [ˈnɔːməl] adj طبيعي [tˁabiːʕij]

normally [ˈnɔːməlɪ] adv بصورة طبيعية [beṣoraten ṭabeˈaey]

north [nɔːθ] adj شمالي [ʃamaˈlij] ▷ adv شمالا [ʃamaˈlan] ▷ n شمال [ʃamaːl]; **North Africa** n شمال أفريقيا [Shamal afreekya]; **North African** n شخص من شمال إفريقيا [Shakhs men shamal afreeˈqya], من شمال إفريقيا [Men shamal afreeˈqya]; **North America** n أمريكا الشمالية [Amreeka al- Shamaleyah]; **North American** n شخص من أمريكا الشمالية [Shkhṣ men Amrika al shamalyiah], من أمريكا الشمالية [men Amrika al shamalyiah]; **North Korea** n كوريا الشمالية [Koreya al-shamaleyah]; **North Pole** n القطب الشمالي [Aˈqotb al-shamaley]; **North Sea** n البحر الشمالي [Al-baḥr al-Shamaley]

northbound [ˈnɔːθˌbaʊnd] adj متجه شمالًا [Motajeh shamalan]

northeast [ˌnɔːθˈiːst; ˌnɔːrˈiːst] n شمال شرقي [Shamal sharˈqey]

northern [ˈnɔːðən] adj شمالي [ʃamaˈlij]; **Northern Ireland** n أيرلندة الشمالية [Ayarlanda al-shamaleyah]

northwest [ˌnɔːθˈwɛst; ˌnɔːˈwɛst] n شمال غربي [Shamal gharbey]

Norway [ˈnɔːˌweɪ] n النرويج [ʔan-narwiːʒ]

Norwegian [nɔːˈwiːdʒən] adj نرويجي [narwiːʒij] ▷ n (language) اللغة النرويجية

[Al-loghah al-narwejeyah], (person) نرويجي [narwiːʒij]

nose [nəʊz] n أنْف [ʔanf]

nosebleed [ˈnəʊzˌbliːd] n نزيف الأنف [Nazeef al-anf]

nostril [ˈnɒstrɪl] n فتحة الأنف [Fathat al-anf]

nosy [ˈnəʊzɪ] adj فضولي [fudˁuːlij]

not [nɒt] adv لا [la:]; **I'm not drinking** أنا لا أشرب. [ana la ashrab]

note [nəʊt] n (banknote) عملة وَرَقية [ʕumlatun waraqiːja], (message) ملاحظة [mula:ħazˁa], (music) نغمة [naɣama]; **sick note** n إذن غياب مرضي [edhn gheyab maraḍey]

notebook [ˈnəʊtˌbʊk] n مفكرة [mufakkira]

note down [nəʊt daʊn] v يُدون [judawwinu]

notepad [ˈnəʊtˌpæd] n كتيب ملاحظات [Kotayeb molaḥaḍhat]

notepaper [ˈnəʊtˌpeɪpə] n ورقة ملاحظات [Waraˈqat molaḥadhaat]

nothing [ˈnʌθɪŋ] pron شيء غير موجود [Shaya ghayr mawjood]

notice [ˈnəʊtɪs] n (note) إشعار [ʔiʃʕaːr], (termination) إنذار [ʔinðaːr] ▷ v يُنذِر [junðiru]; **notice board** n لوحة الملاحظات [Looḥat al-molaḥḍhat]

noticeable [ˈnəʊtɪsəbəl] adj ملحوظ [malħuːzˁ]

notify [ˈnəʊtɪˌfaɪ] v يُعلِم [juʕallimu]

nought [nɔːt] n لا شيء [La shaya]

noun [naʊn] n اسم [ism]

novel [ˈnɒvəl] n رواية [riwaːja]

novelist [ˈnɒvəlɪst] n رِوَائي [riwaːʔij]

November [nəʊˈvɛmbə] n نوفمبر [nuːfumbar]

now [naʊ] adv الآن [ʔal-ʔaːn]; **Do I pay now or later?** هل يجب أن أدفع الآن أم لاحقًا؟ [hal yajib an adfaˈa al-aan am la-heˈqan?]; **I need to pack now** أنا في حاجة لحزم أمتعتي الآن [ana fee ḥaja le-ḥazem am-te-ˈaaty al-aan]

nowadays [ˈnaʊəˌdeɪz] adv في هذه الأيام [Fee hadheh alayaam]

nowhere ['nəʊˌwɛə] adv ليس في أي مكان [Lays fee ay makan]

nuclear ['njuːklɪə] adj نووي [nawawij]

nude [njuːd] adj ناقص ⊳ n [naːqis] صورة عارية [Ṣoorah 'aareyah]

nudist ['njuːdɪst] n مُناصر للعُرْي [Monaṣer lel'aory]

nuisance ['njuːsəns] n إزعاج [ʔizʕaːʒ]

numb [nʌm] adj خَدِر [xadir]

number ['nʌmbə] n رقم [raqm]; **account number** n رقم الحساب [Ra'qm al-hesab]; **mobile number** n رقم المحمول [Ra'qm almahmool]; **number plate** n لوحة الأرقام [Looḥ al-ar'qaam]; **phone number** n رقم التليفون [Ra'qm al-telefone]; **reference number** n رقم مرجعي [Ra'qm marje'ay]; **room number** n رقم الغرفة [Ra'qam al-ghorfah]; **wrong number** n رقم خطأ [Ra'qam khataa]; **Can I have your phone number?** هل يمكن أن أحصل على رقم تليفونك؟ [hal yamken an aḥṣal 'aala ra'qm talefonak?]; **My mobile number is...** ...رقم تليفوني المحمول هو [ra'qim talefony al-maḥmool howa...]; **What is the fax number?** ما هو رقم الفاكس؟ [ma howa ra'qim al-fax?]; **What is the number of your mobile?** ما هو رقم تليفونك المحمول؟ [ma howa ra'qim talefonak al-maḥmool?]; **What's the telephone number?** ما هو رقم التليفون؟ [ma howa ra'qim al-telefon?]; **You have the wrong number** هذا الرقم غير صحيح [hatha al-ra'qum ghayr ṣaḥeeḥ]

numerous ['njuːmərəs] adj متعدد [mutaʕaddid]

nun [nʌn] n راهبة [raːhiba]

nurse [nɜːs] n ممرضة [mumarridˁa]; **I'd like to speak to a nurse** أرغب في استشارة ممرضة [arghab fee es-ti-sharat mu-mareda]

nursery ['nɜːsrɪ] n حضانة [ḥadˁaːna]; **nursery rhyme** n أغنية أطفال [Aghzeyat aṭfaal]; **nursery school** n مدرسة الحضانة [Madrasah al-ḥadanah]

nursing home ['nɜːsɪŋ həʊm] n دار

التمريض [Dar al-tamreed]

nut [nʌt] n (device) صمولة [sˁamuːla], (food) جوزة [ʒawza]; **nut allergy** n حساسية الجوز [Hasaseyat al-joz]

nutmeg ['nʌtmɛg] n جوزة الطيب [Jozat al-ṭeeb]

nutrient ['njuːtrɪənt] n مادة مغذية [Madah moghadheyah]

nutrition [njuː'trɪʃən] n تغذية [taɣðija]

nutritious [njuː'trɪʃəs] adj مغذي [muɣaððij]

nutter ['nʌtə] n جامع الجوز [Jame'a al-jooz]

nylon ['naɪlɒn] n نايلون [naːjluːn]

O

oak [əʊk] n بَلُّوط [ballu:tˤ]

oar [ɔː] n مِجداف [miʒda:f]

oasis, oases [əʊ'eɪsɪs, əʊ'eɪsiːz] n واحة [wa:ħa]

oath [əʊθ] n قَسَم [qism]

oatmeal ['əʊt,miːl] n دقيق الشوفان [Da'qee'q al-shofaan]

oats [əʊts] npl شوفان [ʃu:fa:nun]

obedient [ə'biːdɪənt] adj مطيع [mutˤi:ʕ]

obese [əʊ'biːs] adj بَدين [badi:n]

obey [ə'beɪ] v يُطِيع [jutˤi:ʕu]

obituary [ə'bɪtjʊərɪ] n نَعْي [naʕj]

object ['ɒbdʒɪkt] n شيء [ʃaj]

objection [əb'dʒɛkʃən] n اعتراض [iʕtira:dˤ]

objective [əb'dʒɛktɪv] n موضوعي [mawdˤu:ʕij]

oblong ['ɒb,lɒŋ] adj مستطيل الشكل [Mostateel al-shakl]

obnoxious [əb'nɒkʃəs] adj بغيض [baɣi:dˤ]

oboe ['əʊbəʊ] n أوبوا [ʔu:bwa:]

obscene [əb'siːn] adj فاحش [fa:ħiʃ]

observant [əb'zɜːvənt] adj شديد الانتباه [shaded al-entebah]

observatory [əb'zɜːvətərɪ; -trɪ] n نقطة مراقبة [No'qtat mora'qabah]

observe [əb'zɜːv] v يُلاحِظ [jula:ħizˤu]

observer [əb'zɜːvə; ob'server] n مراقب [mura:qib]

obsessed [əb'sɛst] adj مهووس [mahwu:s]

obsession [əb'sɛʃən] n حِيازة [ħija:za]

obsolete ['ɒbsə,liːt; ,ɒbsə'liːt] adj مهجور [mahʒu:r]

obstacle ['ɒbstəkəl] n عقبة [ʕaqaba]

obstinate ['ɒbstɪnɪt] adj مستعص [mustaʕsˤin]

obstruct [əb'strʌkt] v يعوق [jaʕu:qu]

obtain [əb'teɪn] v يَكتَسِب [jaktasibu]

obvious ['ɒbvɪəs] adj جَلِّي [ʒalij]

obviously ['ɒbvɪəslɪ] adv بشكل واضح [Beshakl wadeh]

occasion [ə'keɪʒən] n مُنَاسَبة [muna:saba]

occasional [ə'keɪʒənəl] adj مناسبي [muna:sabij]

occasionally [ə'keɪʒənəlɪ] adv من وقت لآخر [Men wa'qt le-aakhar]

occupation [,ɒkjʊ'peɪʃən] n (invasion) احتلال [iħtila:l], (work) مهنة [mihna]

occupy ['ɒkjʊ,paɪ] v يَحتل [jaħtallu]

occur [ə'kɜː] v يَقَع [jaqaʕu]

occurrence [ə'kʌrəns] n حدوث [ħudu:θ]

ocean ['əʊʃən] n مُحيط [muħi:tˤ]; **Arctic Ocean** n المحيط القطبي الشمالي [Al-moheet al-'qotbey al-shamaley]; **Indian Ocean** n المحيط الهندي [Almoheet alhendey]

Oceania [,əʊsɪ'ɑːnɪə] n أوسيانيا [ʔu:sja:nja:]

o'clock [ə'klɒk] adv; **after eight o'clock** بعد الساعة الثامنة [ba'ad al-sa'aa al-thamena]; **at three o'clock** في تمام الساعة الثالثة [fee tamam al-sa'aa al-thaletha]; **I'd like to book a table for four people for tonight at eight o'clock** أريد حجز مائدة لأربعة أشخاص الليلة في تمام الساعة الثامنة [areed hajiz ma-e-da le-arba'at ashkhaas al-layla fee ta-mam al-sa'aa al-thamena]; **It's one o'clock** الساعة واحدة [al-sa'aa al-waheda]

October [ɒk'təubə] n أكتوبر [ʔuktu:bar]; **It's Sunday third October** يوم الأحد الموافق الثالث من أكتوبر [yawm al-ahad al- muwa-fi'q al-thalith min iktobar]

octopus ['ɒktəpəs] n أخطبوط [ʔuxtˤubuːtˤ]

odd [ɒd] adj شاذ [ʃaːðð]

odour ['əudə] n شذى [ʃaðaː]

of [ɒv; əv] prep حرف وصل [harfu wasˤli]

off [ɒf] adv بعيداً [baˤiːdan] ▷ prep بعيد [baˤiːdun]; **time off** n أجازة [ʔaʒaːzatun]

offence [ə'fɛns] n إساءة [ʔisaːʔa]

offend [ə'fɛnd] v يُسيء إلى [Yoseea ela]

offensive [ə'fɛnsɪv] adj مسيء [musiːʔ]

offer ['ɒfə] n اقتراح [iqtiraːħ] ▷ v يُقَدِم [juqaddimu]; **special offer** n عرض خاص ['aard khas]

office ['ɒfɪs] n مكتب [maktab]; **booking office** n مكتب الحجز [Maktab al-ḥjz]; **box office** n شباك التذاكر [Shobak al-taḏhaker]; **head office** n مكتب رئيسي [Maktab a'ala]; **information office** n مكتب الاستعلامات [Maktab al-este'alamaat]; **left-luggage office** n مكتب الأمتعة [Makatb al amte'aah]; **lost-property office** n مكتب المفقودات [Maktab al-maf'qodat]; **office hours** npl ساعات العمل [Sa'aat al-'amal]; **post office** n مكتب البريد [maktab al-bareed]; **registry office** n مكتب التسجيل [Maktab al-tasjeel]; **ticket office** n مكتب التذاكر [Maktab al-taḏhaker]; **tourist office** n مكتب سياحي [Maktab seayaḥey]; **Do you have a press office?** هل لديك مكتب إعلامي؟ [hal ladyka maktab e'a-laamy?]; **How do I get to your office?** كيف يمكن الوصول إلى مكتبك؟ [kayfa yamkin al-wiṣool ela mak-tabak?]; **When does the post office open?** متى يفتح مكتب البريد؟ [mata yaftaḥ maktab al-bareed?]

officer ['ɒfɪsə] n ضابط [dˤaːbitˤ]; **customs officer** n مسئول الجمرك [Masool al-jomrok]; **police officer** n ضابط شرطة [Dabeṭ shorṭah]; **prison officer** n ضابط سجن [Dabeṭ sejn]

official [ə'fɪʃəl] adj رسمي [rasmij]

off-licence ['ɒf,laɪsəns] n رُخصة بيع [Rokhṣat الخمور لتناولها خارج المحل baye'a al-khomor letnawolha kharej al-maḥal]

off-peak ['ɒf,piːk] adv في غير وقت الذروة [Fee ghaeyr wa'qt al-dhorwah]

off-season ['ɒf,siːzən] adj موسم راكد [Mawsem raked] ▷ adv ركود [Rokood]

offside ['ɒf'saɪd] adj خارج النطاق المُحَدد [Kharej al-neta'q al-mohadad]

often ['ɒfən; 'ɒftən] adv غالباً [ɣaːliban]

oil [ɔɪl] n نفط (زيت) [naftˤ] ▷ v يُزيت [juzajjitu]; **olive oil** n زيت الزيتون [Zayt al-zaytoon]

oil refinery [ɔɪl rɪ'faɪnərɪ] n معمل تكرير الزيت [Ma'amal takreer al-zayt]

oil rig [ɔɪl rɪg] n جهاز حفر آبار النفط [Gehaz ḥafr abar al-naft]

oil slick [ɔɪl slɪk] n طبقة زيت طافية على الماء [Taba'qat zayt ṭafeyah alaa alma]

oil well [ɔɪl wɛl] n بئر بترول [Beear betrol]

ointment ['ɔɪntmənt] n مرهم [marhamunS]

OK [,əu'keɪ] excl حسناً [ḥasanan]

okay [,əu'keɪ] adj مقبول [maqbuːl]; **okay!** excl حسناً [ḥasanan]

old [əuld] adj عجوز [ʕaʒuːz]; **old-age pensioner** n صاحب معاش كبير السن [Saheb ma'aash kabeer al-sen]

old-fashioned ['əuld'fæʃənd] adj دقة قديمة [Da'qah 'qadeemah]

olive ['ɒlɪv] n زيتون [zajtuːn]; **olive oil** n زيت الزيتون [Zayt al-zaytoon]; **olive tree** n شجرة الزيتون [Shajarat al-zaytoon]

Oman [əu'maːn] n عمان [ʕumaːn]

omelette ['ɒmlɪt] n الأومليت [ʔal-ʔuːmliːti]

on [ɒn] adv على [ʕalaː] ▷ prep على [ʕalaː]; **on behalf of** n نيابة عن [Neyabatan 'an]; **on time** adj في الموعد المحدد [Fee al-maw'aed al-mohadad]; **It's on the corner** على هذا الجانب ['ala hadha aljaneb]; **Take the first turning on your right** أتجه نحو أول منعطف على

'θɪetə] n غرفة عمليات [ghorfat 'amaleyat]

[ʔattaʒihu naħwa ʔawwali munʃaʕafi ʕala: aljami:ni]; **The drinks are on me** المشروبات على حسابي [al-mashro-baat 'ala hesaby]; **What's on tonight at the cinema?** ماذا يعرض الليلة على شاشة السينما؟ [madha yu'a-rad al-layla 'aala sha-shat al-senama?]; **Which film is on at the cinema?** أي فيلم يعرض الآن على شاشة السينما؟ [ay filim ya'aruḍ al-aan 'ala sha-shat al-senama?]

once [wʌns] adv مرّة [marratan]

one [wʌn] number واحد [wa:ħidun] ▷ pron شخص [ʃaxsˤun]; **no one** pron لا أحد [la ahad]

one-off [wʌnɒf] n مرة واحدة [Marah waḥedah]

onion [ˈʌnjən] n بصل [basˤal]; **spring onion** n بصل أخضر [Baṣal akhdar]

online [ˈɒnlaɪn] adj متصل بالإنترنت [motaṣel bel-enternet] ▷ adv متصلا بالإنترنت [Motaṣelan bel-enternet]

onlooker [ˈɒnlʊkə] n مُشَاهِد [muʃa:hid]

only [ˈəʊnlɪ] adj الأفضل [Alafḍal] ▷ adv فقط [faqatˤ]

open [ˈəʊpᵊn] adj مفتوح [maftu:ħ] ▷ v يفتح [jaftaħu]; **opening hours** npl ساعات العمل [Sa'aat al-'amal]; **Is it open today?** هل هو مفتوح اليوم؟ [hal how maftooḥ al-yawm?]; **Is the castle open to the public?** هل القلعة مفتوحة للجمهور؟ [hal al-'qal'aa maf-tooḥa lel-jamhoor?]; **Is the museum open in the afternoon?** هل المتحف مفتوح بعد الظهر؟ [hal al-mat-ḥaf maf-tooḥ ba'ad al-ḏhihir?]

opera [ˈɒpərə] n الأوبرا [ʔal-ʔu:bira:]; **soap opera** n مسلسل درامي [Mosalsal deramey]; **What's on tonight at the opera?** ماذا يعرض الآن في دار الأوبرا؟ [madha yu'a-raḍ al-aan fee daar al-obera?]

operate [ˈɒpəreɪt] v (to function) يُشَغِّل [juʃaɣɣilu], (to perform surgery) يُجرِي عملية جراحية [Yojrey 'amaleyah jeraheyah]

operating theatre [ˈɒpəreɪtɪŋ

operation [ˌɒpəˈreɪʃən] n (surgery) عملية جراحية ['amaleyah jeraheyah], (undertaking) عملية [ʕamalijja]

operator [ˈɒpəreɪtə] n مُشغِّل [muʃaɣɣil]

opinion [əˈpɪnjən] n رأي [raʔjj]; **opinion poll** n استطلاع الرأي [Eatela'a al-ray]; **public opinion** n الرأي العام [Al-raaey al-'aam]

opponent [əˈpəʊnənt] n خصم [xasˤm]

opportunity [ˌɒpəˈtjuːnɪtɪ] n فرصة [fursˤa]

oppose [əˈpəʊz] v يُعارِض [juˤa:ridˤu]

opposed [əˈpəʊzd] adj مقابل [muqa:bil]

opposing [əˈpəʊzɪŋ] adj معارض [muˤa:ridˤ]

opposite [ˈɒpəzɪt; -sɪt] adj مضاد [mudˤa:d] ▷ adv تجاه [tiʒa:ha] ▷ prep مواجه [Mowajeh]

opposition [ˌɒpəˈzɪʃən] n مُعارضة [muˤa:radˤa]

optician [ɒpˈtɪʃən] n نظاراتي [nazˤˤa:ra:ti:]

optimism [ˈɒptɪˌmɪzəm] n تفاؤل [tafa:ʔul]

optimist [ˈɒptɪˌmɪst] n مُتَفَائِل [mutafa:ʔil]

optimistic [ˌɒptɪˈmɪstɪk] adj متفائل [mutafa:ʔil]

option [ˈɒpʃən] n خيار [xija:r]

optional [ˈɒpʃənᵊl] adj اختياري [ixtija:rij]

opt out [ɒpt aʊt] v يقرر [juqarriru]

or [ɔː] conj أو; **either... or** conj إما... أو [Emma...aw]

oral [ˈɔːrəl; ˈɒrəl] adj شفهي [ʃafahij] ▷ n فحص شفهي [Faḥs shafahey]

orange [ˈɒrɪndʒ] adj برتقالي [burtuqa:lij] ▷ n برتقالة [burtuqa:la]; **orange juice** n عصير برتقال [Aṣeer borto'qaal]

orchard [ˈɔːtʃəd] n بستان [busta:n]

orchestra [ˈɔːkɪstrə] n الأوركسترا [ʔal-ʔurkistra:]

orchid [ˈɔːkɪd] n زهرة الأوركيد [Zahrat al-orkeed]

ordeal [ɔːˈdiːl] n مأزق [maʔziq]

order [ˈɔːdə] n طلب [tˤalab] ▷ v (command)

order form n نموذج طلبية [Namodhaj ṭalabeyah]; **postal order** n حوالة مالية [Hewala maleyah]; **standing order** n أمر دفع شهري [Amr dafʿa shahrey]

يأمر [jaʔmuru], (request) يطلب [jatˤlubu];

ordinary [ˈɔːdɪnrɪ] adj عادي [ʕaːdij]

oregano [ˌɒrɪˈɡɑːnəʊ] n زَعْتَر بَري [Zaʿatar barey]

organ [ˈɔːɡən] n (body part) عضو في الجسد [ʕaodw fee al-jasad], (music) آلة الأرغن الموسيقية [Aalat al-arghan al-moseeqeyah]; **mouth organ** n آلة الهرمونيكا الموسيقية [Alat al-harmoneeka al-moseeqyah]

organic [ɔːˈɡænɪk] adj عضوي [ʕudˤwij]

organism [ˈɔːɡəˌnɪzəm] n كائن حي [Kaaen ħay]

organization [ˌɔːɡənaɪˈzeɪʃən] n منظمة [munazˤˤama]

organize [ˈɔːɡəˌnaɪz] v يُنَظم [junazˤˤimu]

organizer [ˈɔːɡəˌnaɪzə; ˈɔːɡəˌnɪzər; ˈɔːɡəˌnɪser] n; **personal organizer** n منظم شخصي [monaḍhem shakhṣey]

orgasm [ˈɔːɡæzəm] n هزة الجماع [Hezat al-jemaaʿa]

Orient [ˈɔːrɪənt] n المَشْرِق [almaʃriqi]

oriental [ˌɔːrɪˈɛntəl] adj مَشْرِقي [maʃriqij]

origin [ˈɒrɪdʒɪn] n أصل (source) [asˤl]

original [əˈrɪdʒɪnəl] adj أصيل [asˤiːl]

originally [əˈrɪdʒɪnəlɪ] adv في الأصل [Fee al aṣl]

ornament [ˈɔːnəmənt] n حلية [ħilijja]

orphan [ˈɔːfən] n يَتِيم [jati:m]

ostrich [ˈɒstrɪtʃ] n نعامة [naʕaːma]

other [ˈʌðə] adj أخر [ʔaxar]

otherwise [ˈʌðəˌwaɪz] adv بطريقة أخرى [ṭareeʿqah okhra] ▷ conj وإلا [Waelaa]

otter [ˈɒtə] n ثعلب الماء [Thaʿalab al-maaa]

ounce [aʊns] n الأونس [al-ʔuːnsu]

our [aʊə] adj ملكنا

ours [aʊəz] pron مِلكُنا

ourselves [aʊəˈsɛlvz] pron أنفسنا

out [aʊt] adj بعيد [baʕiːd] ▷ adv خارجاً [xaːriʒan]

outbreak [ˈaʊtˌbreɪk] n نشوب [nuʃuːb]

outcome [ˈaʊtˌkʌm] n ناتج [naːtiʒ]

outdoor [ˈaʊtˌdɔː] adj خلوي [xalawij]

outdoors [ˌaʊtˈdɔːz] adv في العراء [Fee al-ʿaaraa]

outfit [ˈaʊtˌfɪt] n مُعدات [muʕadda:t]

outgoing [ˈaʊtˌɡəʊɪŋ] adj منصرف [munsˤarif]

outing [ˈaʊtɪŋ] n نزهة [nuzha]

outline [ˈaʊtˌlaɪn] n مخطط تمهيدي [Mokhaṭaṭ tamheedey]

outlook [ˈaʊtˌlʊk] n مطل [matall]

out-of-date [ˈaʊtɒvˈdeɪt] adj متخلف [mutaxaliff]

out-of-doors [ˈaʊtɒvˈdɔːz] adv في الهواء الطلق [Fe al-hawaa al-ṭalʿq]

outrageous [aʊtˈreɪdʒəs] adj شنيع [ʃaniːʕ]

outset [ˈaʊtˌsɛt] n مُسْتَهل [mustahall]

outside adj [ˈaʊtˌsaɪd] خارجي [xaːriʒij] ▷ adv [ˌaʊtˈsaɪd] خارجاً [xaːriʒan] ▷ n [ˈaʊtˌsaɪd] خارج [xaːriʒ] ▷ prep إلى خارج [Ela al-kharej]; **I want to make an outside call, can I have a line?** أريد إجراء مكالمة خارجية، هل يمكن أن تحول لي أحد الخطوط؟ [areed ejraa mukalama kharij-iya, hal yamkin an it-ḥawil le aḥad al-khiṭooṭ?]

outsize [ˈaʊtˌsaɪz] adj مقاس كبير [Maʿqaas kabeer]

outskirts [ˈaʊtˌskɜːts] npl ضواحي [dˤawaːħin]

outspoken [ˌaʊtˈspəʊkən] adj صريح [sˤariːħ]

outstanding [ˌaʊtˈstændɪŋ] adj معلق [muʕallaq]

oval [ˈəʊvəl] adj بيضوي [bajdˤawij]

ovary [ˈəʊvərɪ] n مِبيَض [mabiːdˤ]

oven [ˈʌvən] n فرن [furn]; **microwave oven** n فرن الميكروويف [Forn al-maykroweef]; **oven glove** n قفاز فرن [ˈqoffaz forn]

ovenproof [ˈʌvənˌpruːf] adj مقاوم لحرارة الفرن [Mo'qawem le-ḥarart al-forn]

over [ˈəʊvə] adj منتهي [muntahij] ▷ prep فوق [fawqa]

overall [ˌəʊvˈɔːl] adv عموماً [ʃumu:man]

overalls [ˌəʊvˈɔːlz] npl بدلة العمل [Badlat al-'aamal]

overcast [ˈəʊvəˌkɑːst] adj معتم [muʃtim]

overcharge [ˌəʊvˈtʃɑːdʒ] v يغالي في الثمن [Yoghaley fee al-thaman]

overcoat [ˈəʊvəˌkəʊt] n معطف [miʃʕaf]

overcome [ˌəʊvˈkʌm] v يَتَغْلَب على [Yatghalab 'ala]

overdone [ˌəʊvˈdʌn] adj زائد الطهو [Zaed al-ṭahw]

overdose [ˈəʊvəˌdəʊs] n جرعة زائدة [Jor'aah zaedah]

overdraft [ˈəʊvəˌdrɑːft] n افراط السحب على البنك [Efrat al-saḥb ala al-bank]

overdrawn [ˌəʊvˈdrɔːn] adj مبالغ فيه [mobalagh feeh]

overdue [ˌəʊvˈdjuː] adj فات موعد استحقاقه [Fat maw'aed esteḥ'qaqh]

overestimate [ˌəʊvˈɛstɪˌmeɪt] v يُغالي في التقدير [Yoghaley fee al-ta'qdeer]

overheads [ˈəʊvəˌhɛdz] npl مصاريف عامة [Maṣareef 'aamah]

overlook [ˌəʊvˈlʊk] v يَطُل على [Ya'aṣeb al-'aynayn]

overnight [ˈəʊvəˌnaɪt] adv; **Can I park here overnight?** هل يمكن أن أترك السيارة هنا إلى الصباح؟ [hal yamken an atruk al-sayara huna ela al-ṣabaḥ?]; **Can we camp here overnight?** هل يمكن أن نقوم بعمل مخيم للمبيت هنا؟ [hal yamken an na'qoom be-'aamal mukhyam lel-mabeet huna?]

overrule [ˌəʊvˈruːl] v يَتحكم ب [Yataḥkam be]

overseas [ˌəʊvəˈsiːz] adv عبر البحار ['abr al-behar]

oversight [ˈəʊvəˌsaɪt] n (mistake) سهو [sahw], (supervision) إشراف [ʔiʃraːf]

oversleep [ˌəʊvəˈsliːp] v يَستغرق في النوم [yastagh'q fel nawm]

overtake [ˌəʊvˈteɪk] v يتجاوز [jataʒa:wazu]

overtime [ˈmɪəˌtəʊˌtaɪm] n وَقت إضافي [Wa'qt eḍafey]

overweight [ˌəʊvˈweɪt] adj زائد الوزن [Zaed alwazn]

owe [əʊ] v يدين [judi:nu]

owing to [ˈəʊɪŋ tuː] prep بسبب

owl [aʊl] n بومة [bu:ma]

own [əʊn] adj ملكه [mulkahu] ▷ v يَمْتَلِك [jamtaliku]

owner [ˈəʊnə] n مالك [ma:lik]; **Could I speak to the owner, please?** من فضلك هل يمكنني التحدث إلى المالك؟ [min faḍlak hal yamkin-ani al-tahaduth ela al-maalik?]

own up [əʊn ʌp] v يُقر ب [Yo'qarreb]

oxygen [ˈɒksɪdʒən] n أكسجين [ʔuksiʒi:n]

oyster [ˈɔɪstə] n صَدَفة [sˤadafa]

ozone [ˈəʊzəʊn; əʊˈzəʊn] n الأوزون [ʔal-ʔu:zu:ni]; **ozone layer** n طبقة الأوزون [Taba'qat al-odhoon]

p

PA [pi: eɪ] *abbr* م.ش. [mi:m. ʃi:n.]

pace [peɪs] *n* سرعة السير [Sor'aat al-seer]

pacemaker ['peɪsˌmeɪkə] *n* منظم الخطوات [monadhem al-khatawat]

Pacific [pəˈsɪfɪk] *n* المحيط الهادي [Al-moheet al-haadey]

pack [pæk] *n* رزمة [ruzma] ▷ *v* يُحزِم [jahzimu]

package ['pækɪdʒ] *n* حُزمة [ḥuzma]; **package holiday** *n* خطة عطلة شاملة الإقامة والانتقال [Khoṭ at 'aoṭlah shamelat al-e'qamah wal-ente'qal]; **package tour** *n* خطة رحلة شاملة الإقامة والانتقالات [Khotah rehalah shamelah al-e'qamah wal-ente'qalat]

packaging ['pækɪdʒɪŋ] *n* تعبئة [taʕbiʔit]

packed [pækt] *adj* مغلف [muɣallaf]; **packed lunch** *n* وجبة الغذاء المعبأة [Wajbat al-ghezaa al-mo'abaah]

packet ['pækɪt] *n* رُزْمة [ruzma]

pad [pæd] *n* وسادة رقيقة [Wesadah ra'qee'qah]

paddle ['pædəl] *n* محراك [miḥra:k] ▷ *v* يُجَذِّف [juʒaððifu]

padlock ['pædˌlɒk] *n* قفل [qufl]

paedophile ['pi:dəʊˌfaɪl] *n* حب الأطفال [Hob al-atfaal]

page [peɪdʒ] *n* صفحة [sʕafħa] ▷ *v* يستدعي [jastadʕi:]; **home page** *n* صفحة رئيسية [Ṣafḥah raeseyah]; **Yellow Pages®** *npl* يلوبيدجز® [bloobeedjez®]

pager ['peɪdʒə] *n* جهاز النداء [Jehaaz al-nedaa]

paid [peɪd] *adj* مسدد [musaddad]

pail [peɪl] *n* دلو [dalw]

pain [peɪn] *n* أَلَمْ [ʔalam]; **back pain** *n* ألَمْ الظهر [Alam al-dhahr]

painful ['peɪnfʊl] *adj* مؤلم [mulim]

painkiller ['peɪnˌkɪlə] *n* مسكن آلام [Mosaken lel-alam]

paint [peɪnt] *n* دِهَان [diha:n] ▷ *v* يَطْلي [jatʕli:]

paintbrush ['peɪntˌbrʌʃ] *n* فرشاة الدهان [Forshat al-dahaan]

painter ['peɪntə] *n* رسام [rassa:m]

painting ['peɪntɪŋ] *n* لَوْحَة [lawħa]

pair [peə] *n* زوجان [zawʒa:ni]

Pakistan [ˌpɑːkɪˈstɑːn] *n* باكستان [ba:kista:n]

Pakistani [ˌpɑːkɪˈstɑːnɪ] *adj* باكستاني [ba:kista:nij] ▷ *n* باكستاني [ba:kista:nij]

pal [pæl] *n* صديق [sʕadi:q]

palace ['pælɪs] *n* قصر [qasʕr]; **Is the palace open to the public?** هل القصر مفتوح للجمهور؟ [hal al-'qasir maf-tooh lel-jamhoor?]; **When is the palace open?** متى يُفتَح القصر؟ [mata yoftah al-'qasir?]

pale [peɪl] *adj* شاحب [ʃa:ħib]

Palestine ['pælɪˌstaɪn] *n* فلسطين [filastʕi:nu]

Palestinian [ˌpælɪˈstɪnɪən] *adj* فلسطيني [filastʕi:nij] ▷ *n* فلسطيني [filastʕi:nij]

palm [pɑːm] *n* (part of hand) راحة اليد [Rahat al-yad], (tree) نخلة [naxla]

pamphlet ['pæmflɪt] *n* كتيب [kutajjib]

pan [pæn] *n* مقلاة [miqla:t]; **frying pan** *n* قلاية [qala:jjatun]

Panama [ˌpænəˈmɑː; ˈpænəˌmɑː] *n* بنما [banama:]

pancake ['pænˌkeɪk] *n* فطيرة محلاة [Fateerah mohalah]

[Faṭerah moḥallah]

panda ['pændə] n بَنْدَا [banda:]

panic ['pænɪk] n ذُعْر [ðʊʕr] ▷ v يُذْعَر [juðʕaru]

panther ['pænθə] n نَمِر [namir]

panties ['pæntɪz] npl لباس داخلي [Lebas dakhely]

pantomime ['pæntəmaɪm] n التمثيل الصامت [altamtheel al-ṣamet]

pants [pænts] npl بَنطلون [banṭ'alu:nun]

paper ['peɪpə] n ورقة [waraqa]; **paper round** n طريق توزيع الصحف [ṭaree'q tawze'a al-ṣohof]; **scrap paper** n ورق مسودة [Wara'q mosawadah]; **toilet paper** n ورق المرحاض [Wara'q al-merḥaḍ]; **tracing paper** n ورق شفاف [Wara'q shafaf]; **wrapping paper** n ورق التغليف [Wara'q al-taghleef]; **writing paper** n ورقة كتابة [Wara'qat ketabah]

paperback ['peɪpəˌbæk] n كتاب ورقي الغلاف [Ketab wara'qey al-gholaf]

paperclip ['peɪpəˌklɪp] n مشبك ورق [Mashbak wara'q]

paperweight ['peɪpəˌweɪt] n ثقالة الورق [Na'qalat al-wara'q]

paperwork ['peɪpəˌwɜːk] n أعمال مكتبية [A'amaal maktabeyah]

paprika ['pæprɪkə; pæˈpriː-] n فُلْفُل مطحون [Felfel maṭhoon]

paracetamol [ˌpærəˈsiːtəmɒl; -ˈsɛtə-] n; **I'd like some paracetamol** أريد باراسيتامول [areed barasetamol]

parachute ['pærəˌʃuːt] n مِظلة [miẓ'alla]

parade [pəˈreɪd] n استعراض [istiʕra:d']

paradise ['pærəˌdaɪs] n جنة [ʒanna]

paraffin ['pærəfɪn] n بارافين [ba:ra:fi:n]

paragraph ['pærəˌgrɑːf; -ˌgræf] n فقرة [faqra]

Paraguay ['pærəˌgwaɪ] n باراجواي [ba:ra:ʒwa:j]

Paraguayan [ˌpærəˈgwaɪən] adj من باراجواي [Men barajway] ▷ n شخص من باراجواي [Shakhṣ men barajway]

parallel ['pærəˌlɛl] adj متوازي [mutawa:zi:]

paralysed ['pærəˌlaɪzd] adj مشلول [maʃlu:l]

paramedic [ˌpærəˈmɛdɪk] n طبيب مساعد [Ṭabeeb mosaa'aed]

parcel ['pɑːsəl] n علبة [ʕulba]

pardon ['pɑːdən] n عذر [ʕuðran]

parent ['pɛərənt] n والد أو والدة [Waled aw waledah]; **parents** npl والدين [wa:lidajni]; **single parent** n أحد الوالدين [Aḥad al-waledayn]

parish ['pærɪʃ] n أبرشية [ʔabraʃijja]

park [pɑːk] n متنزه [mutanazzah] ▷ v يَركن سيارة [jarkinu sajja:ratan]; **car park** n موقف انتظار [Maw'qaf enteḍhar]; **national park** n حديقة وطنية [Hadee'qah waṭaneyah]; **theme park** n حديقة ألعاب [Hadee'qat al'aab]

parking [pɑːkɪŋ] n موقف سيارات [Maw'qaf sayarat]; **parking meter** n عداد وقوف السيارة ['adaad wo'qoof al-sayarah]; **parking ticket** n تذكرة الركن [tadhkarat al-rokn]

parliament ['pɑːləmənt] n برلمان [barlama:n]

parole [pəˈrəʊl] n إطلاق سراح مشروط [Eṭla'q ṣarah mashroot]

parrot ['pærət] n بغاء [babbaɣa:ʔ]

parsley ['pɑːslɪ] n بَقدونس [baqdu:nis]

parsnip ['pɑːsnɪp] n جزر أبيض [Jazar abyad]

part [pɑːt] n جزء [ʒuzʔ]; **spare part** n قطع غيار ['qaṭa'a gheyar]

partial ['pɑːʃəl] adj جزئي [ʒuzʔij]

participate [pɑːˈtɪsɪˌpeɪt] v يَشتَرك في [Yashtarek fee]

particular [pəˈtɪkjʊlə] adj جدير بالذكر [Jadeer bel-dhekr]

particularly [pəˈtɪkjʊləlɪ] adv على وجه الخصوص [Ala wajh al-khoṣoṣ]

parting ['pɑːtɪŋ] n رحيل [raḥi:l]

partly ['pɑːtlɪ] adv جزئياً [ʒuzʔijan]

partner ['pɑːtnə] n شريك [ʃari:k]; **I have a partner** أنا مرتبط بشريك [Ana mortabeṭ beshareek]

partridge ['pɑːtrɪdʒ] n طائر الحجل [Ṭaayer al-hajal]

part-time ['pɑːt‚taɪm] adj غِير مُتَفَرِّغ [Ghayr motafaregh] ▷ adv بدوام جزئي [Bedwam jozay]

part with [pɑːt wɪð] v يَتَخَلَّى عن [Yatkhala 'an]

party ['pɑːtɪ] n (group) حزب [ħizb], (social gathering) حفلة [ħafla] ▷ v يَحضر حفل [Taħdar ħafl]; **dinner party** n حفلة عشاء [Haflat 'aashaa]; **search party** n فريق البحث [Faree'q al-bahth]

pass [pɑːs] n (in mountains) مجاز [maʒaːz], (meets standard) متوافق مع المعايير [Motawaf'q fee al-m'aayeer], (permit) جواز مرور [Jawaz moror] ▷ v (an exam) يجتاز [jaʒtaːzu] ▷ vi يَمُرّ [jamurru] ▷ vt يَجتاز [jaʒtaːzu]; **boarding pass** n تصريح الركوب [Taşreeh al-rokob]; **ski pass** n ممر التزحلق [Mamar al-tazahlo'q]

passage ['pæsɪdʒ] n (musical) رحلة [riħla], (route) ممر [mamarr]

passenger ['pæsɪndʒə] n راكب [ra:kib]

passion ['pæʃən] n وَلَع [walaʕ]; **passion fruit** n فاكهة العشق [Fakehat al-'aesh'q]

passive ['pæsɪv] adj سلبي [silbij]

pass out [pɑːs aʊt] v يُغمَى عليه [Yoghma alayh]

Passover ['pɑːs‚əʊvə] n تصريح خروج [Taşreeh khoroj]

passport ['pɑːspɔːt] n جواز سفر [Jawaz al-safar]; **passport control** n الرقابة على جوازات السفر [Al-re'qabah ala jawazat al-safar]; **I've forgotten my passport** لقد نسيت جواز سفري [la'qad nasyto jawaz safary]; **I've lost my passport** لقد ضاع جواز سفري [la'qad da'aa jawaz safary]; **My passport has been stolen** لقد سرق جواز سفري [la'qad sure'qa jawaz safary]; **Please give me my passport back** من فضلك، أريد أن أسترد جواز سفري [min faḍlak, areed an asta-rid jawaz safary]

password ['pɑːs‚wɜːd] n كلمة السر [Kelmat al-ser]

past [pɑːst] adj منصرم [munsʕarim] ▷ n ماضي [ma:dˤiː] ▷ prep بَعْد [baʕda]

pasta ['pæstə] n باستا [ba:sta:]

paste [peɪst] n معجون [maʕʒuːn]

pasteurized ['pæstə‚raɪzd] adj مبستر [mubastar]

pastime ['pɑːs‚taɪm] n تسلية [taslija]

pastry ['peɪstrɪ] n معجنات [muʕaʒʒanaːt]; **puff pastry** n عجينة الألياف باستري ['ajeenah aleyaf bastrey]; **shortcrust pastry** n فطيرة هَشّة [Faţerah hashah]

patch [pætʃ] n رقعة [ruqʕa]

patched [pætʃt] adj مرقع [muraqqaʕ]

path [pɑːθ] n سبيل [sabiːl]; **cycle path** n ممر الدراجات [Mamar al-darajat]

pathetic [pə'θetɪk] adj مثير للحزن [Mother lel-hozn]

patience ['peɪʃəns] n صبر [sˤabr]

patient ['peɪʃənt] adj صبور [sˤabuːr] ▷ n مريض [mari:dˤ]

patio ['pætɪ‚əʊ] n فناء مرصوف [Fenaa marşoof]

patriotic ['pætrɪətɪk] adj وطني [watˤanij]

patrol [pə'trəʊl] n دَورية [dawrijja]; **patrol car** n سيارة الدورية [Sayarah al-dawreyah]

pattern ['pætən] n نمط [namatˤ]

pause [pɔːz] n وَقْفَة [waqfa]

pavement ['peɪvmənt] n رصيف [rasˤiːfu]

pavilion [pə'vɪljən] n سرادق [sara:diq]

paw [pɔː] n كف الحيوان [Kaf al-hayawaan]

pawnbroker ['pɔːn‚brəʊkə] n مُرهِن [murhin]

pay [peɪ] n دفع [dafʕ] ▷ v يَدفع [jadfaʕu]; **sick pay** n الأجر المدفوع خلال الأجازة المرضية [Al-'ajr al-madfoo'a khelal al-'ajaza al-maraḍeyah]; **Can I pay by cheque?** هل يمكنني الدفع بشيك؟ [hal yamken -any al-daf'a be- shaik?]; **Do I have to pay duty on this?** هل يجب علىّ دفع رسوم على هذا الشيء؟ [hal jaʒibu ʕala: daffin rusu:min ʕala: ha:ða: aʃʃaj'i]; **Do I pay in advance?** هل يجب الدفع مقدماً؟ [hal yajib al-dafi'a mu'qad-aman?]; **Do I pay now or later?** هل يجب أن أدفع الآن أم لاحقاً؟ [hal

yajib an adfa'a al-aan am la-ḥe'qan?];
Do we have to pay extra for electricity? هل يجب علينا دفع مصاريف إضافية للكهرباء؟ [hal yajib 'aala-yna dafa'a maṣa-reef eḍafiya lel-kah-rabaa?]; **When do I pay?** متى أدفع؟ [mata adfa'a?]; **Where do I pay?** أين يتم الدفع؟ [ayna yatim al-daf'a?]; **Will I have to pay?** هل سيكون الدفع واجباً علي؟ [hal sayakon al-dafi'a wajeban 'aalya?]; **Will the insurance pay for it?** هل ستدفع لك شركة التأمين مقابل ذلك [hal sa-tadfaa laka share-kat al-tameen ma'qabil dhalik?]

payable ['peɪəbᵊl] adj واجب دفعه [Wajeb daf'aaho]

pay back [peɪ bæk] v يُسدد [jusaddidu]

payment ['peɪmənt] n دَفْع [daf]

payphone ['peɪ,fəʊn] n هاتف عمومي [Hatef 'aomoomy]

PC [piː siː] n جهاز الكمبيوتر الشخصي [ʒiha:zu alkumbju:tr aʃʃaxsˤijji]

PDF [piː diː ɛf] n FDP ملف [Malaf PDF]

peace [piːs] n سلام [sala:m]

peaceful ['piːsfʊl] adj مسالم [musa:lim]

peach [piːtʃ] n خُوخ [xu:x]

peacock ['piː,kɒk] n طاووس [tˤa:wu:s]

peak [piːk] n قمة [qima]; **peak hours** npl ساعات الذروة [Sa'aat al-dhorwah]

peanut ['piː,nʌt] n حبة فول سوداني [Ḥabat fool sodaney]; **peanut allergy** n حساسية تجاه الفول السوداني [Hasaseyah tejah al-fool alsodaney]; **peanut butter** n زُبْدة الفستق [Zobdat al-fosto'q]

pear [pɛə] n كُمَّثرى [kummiθra:]

pearl [pɜːl] n لؤلؤة [lu?lu?a]

peas [piːs] npl بِسلة [bisalati]

peat [piːt] n سَمَاد طبيعي [Semad tabe'ay]

pebble ['pɛbᵊl] n حصاة [ḥasˤa:t]

peculiar [pɪ'kjuːlɪə] adj فريد [fari:d]

pedal ['pɛdᵊl] n دوّاسة [dawwa:sa]

pedestrian [pɪ'dɛstrɪən] n مُرتَجِل [murtaʒil]; **pedestrian crossing** n ممر خاص لعبور المشاه [Mamar khaṣ leaboor al-moshah]; **pedestrian precinct** n منطقة مشاه [Menta'qat moshah]

pedestrianized [pɪ'dɛstrɪə,naɪzd] adj محول إلى منطقة مشاه [Meḥawel ela mante'qat moshah]

pedigree ['pɛdɪ,griː] adj أصل ['asˤl?]

peel [piːl] v يُقَشِّر [juqaʃʃiru]

peg [pɛg] n وتد [watad]

Pekinese [,piːkɪŋˈiːz] n كلب بِكيني [Kalb bekkeeney]

pelican ['pɛlɪkən] n بَجَعة [baʒaʕa]; **pelican crossing** n عبور المشاه سيراً على الأقدام ['aobor al-moshah sayran ala al-a'qdam]

pellet ['pɛlɪt] n كرة صغيرة [Korat ṣagheerah]

pelvis ['pɛlvɪs] n الحوض [alħawdˤi]

pen [pɛn] n قلم [qalam]; **ballpoint pen** n قلم حبر جاف ['qalam ħebr jaf]; **felt-tip pen** n قلم ذو سن من اللباد ['qalam dho sen men al-lebad]; **fountain pen** n قلم حبر ['qalam ħebr]

penalize ['piːnə,laɪz] v يُجَرِّم [juʒarrimu]

penalty ['pɛnᵊltɪ] n جزاء [ʒaza:?]

pencil ['pɛnsᵊl] n قلم رصاص ['qalam raṣaṣ]; **pencil case** n مقلمة [miqlamatun]; **pencil sharpener** n مبراة [mibra:tun]

pendant ['pɛndənt] n حلية متدلية [Halabh motadaleyah]

penfriend ['pɛn,frɛnd] n صديق بالمراسلة [Ṣadeek belmoraslah]

penguin ['pɛŋgwɪn] n بطريق [bitˤˤri:q]

penicillin [,pɛnɪ'sɪlɪn] n بنسلين [binisili:n]

peninsula [pɪ'nɪnsjʊlə] n شبه الجزيرة [Shebh al-jazeerah]

penknife ['pɛn,naɪf] n سكين القلم [Sekeen al-'qalam]

penny ['pɛnɪ] n سِنت [sint]

pension ['pɛnʃən] n معاش [maʕa:ʃ]

pensioner ['pɛnʃənə; 'pensioner] n صاحب المعاش [Ṣaheb al-ma'aash]; **old-age pensioner** n صاحب معاش كبير السن [Ṣaheb ma'aash kabeer al-sen]

pentathlon [pɛn'tæθlən] n مباراة خماسية [Mobarah khomaseyah]

penultimate [prɪ'nʌltɪmɪt] adj قبل
الأخير [ʼqabl al akheer]

people ['piːp²l] npl ناس [na:s]

pepper ['pɛpə] n فُلْفُل [fulful]

peppermill ['pɛpə¸mɪl] n مطحنة الفلفل
[maṭḥanat al-felfel]

peppermint ['pɛpə¸mɪnt] n نِعْنَاع
[naʕnaʕ]

per [pɜː; pə] prep لكل [likulli]; **per cent**
adv بالمائة [biʼalmiʼtia]; **How much is it**
per hour? ساعة كم يبلغ الثمن لكل [kam
yablugh al-thaman le-kul sa'a a?]; **How**
much is it per night? الثمن لكل كم يبلغ
ساعة [kam yablugh al-thaman le-kul
layla?]

percentage [pə'sɛntɪdʒ] n نسبة مئوية
[Nesbah meaweyah]

percussion [pə'kʌʃən] n نَقْر [naqr]

perfect ['pɜːfɪkt] adj تام [ta:mm]

perfection [pə'fɛkʃən] n مثالِيّة
[miθa:lijja]

perfectly ['pɜːfɪktlɪ] adv على نحو كامل
[Ala naḥw kaamel]

perform [pə'fɔːm] v يؤدي [juʔaddi:]

performance [pə'fɔːməns] n (artistic)
تمثيل [tamθi:l], (functioning) أداء [ʔada:ʔ]

perfume ['pɜːfjuːm] n عطر [ʕiˈtˤr]

perhaps [pə'hæps; præps] adv لَعَّل
[laʕalla]

period ['pɪərɪəd] n مدة [mudda]; **trial**
period n فترة المحاكمة [Fatrat
al-moḥkamah]

perjury ['pɜːdʒərɪ] n الحنث باليمين
[Al-ḥanth bel-yameen]

perm [pɜːm] n تمويج الشعر [Tamweej
al-sha'ar]

permanent ['pɜːmənənt] adj دائم
[da:ʔim]

permanently ['pɜːmənəntlɪ] adv
بشكل دائم [Beshakl daaem]

permission [pə'mɪʃən] n إذْن [ʔiðn]

permit n ['pɜːmɪt] تصريح [tasˤri:ħ] ▷ v
[pə'mɪt] يسمح ب [jasmaħu bi]; **work**
permit n تصريح عمل [Taṣreeḥ 'amal];
Do you need a fishing permit? هل
أنت في احتياج إلى تصريح بالصيد؟ [hal anta

fee iḥti-yaj ela taṣreeḥ bil-ṣayd?]

persecute ['pɜːsɪ¸kjuːt] v يَضطهد
[jadˤʕtˤahidu]

persevere [¸pɜːsɪ'vɪə] v يُثَابِر [juθa:biru]

Persian ['pɜːʃən] adj فَارِسي [fa:risij]

persistent [pə'sɪstənt] adj مُصِر
[musˤirru]

person ['pɜːs³n] n فَرد [fard]

personal ['pɜːsən³l] adj شخصي [ʃaxsˤij];
personal assistant n مساعد شخصي
[Mosa'aed shakhṣey]; **personal**
organizer n منظم شخصي [monaḍhem
shakhṣey]; **personal stereo** n جهاز
الصوت المجسم الشخصي [Jehaz al-ṣawt
al-mojasam al-shakhṣey]

personality [¸pɜːsə'nælɪtɪ] n هَوية
[hawijja]

personally ['pɜːsənəlɪ] adv شخصياً
[ʃaxsˤiˈan]

personnel [¸pɜːsə'nɛl] n الموظفين
[almuwazˤˈzˤafi:na]

perspective [pə'spɛktɪv] n منظور
[manzˤuːr]

perspiration [¸pɜːspə'reɪʃən] n تَعَرُّق
[taʕarruq]

persuade [pə'sweɪd] v يَحُثْ [jaħuθθu]

persuasive [pə'sweɪsɪv] adj مقنع
[muqniʕ]

Peru [pə'ruː] n بيرو [bi:ru:]

Peruvian [pə'ruːvɪən] adj بيروفي
[bi:ru:fij] ▷ n بيروفي [bi:ru:fij]

pessimist ['pɛsɪ¸mɪst] n مُتَشائم
[mutaʃaːʔim]

pessimistic ['pɛsɪ¸mɪstɪk] adj متشائم
[mutaʃaːʔim]

pest [pɛst] n وباء [wabaːʔ]

pester ['pɛstə] v يضايق [judˤaːjiqu]

pesticide ['pɛstɪ¸saɪd] n مبيد حشرات
[Mobeed hasharat]

pet [pɛt] n حيوان أليف [Ḥayawaan aleef]

petition [pɪ'tɪʃən] n التماس [iltima:s]

petrified ['pɛtrɪ¸faɪd] adj متحجر
[mutaħaʒʒir]

petrol ['pɛtrəl] n بنزين [binzi:n]; **petrol**
station n محطة بنزين [Maḥaṭat
benzene]; **petrol tank** n خزان بنزين

[Khazan benzeen]; **unleaded petrol** n بنزين خالي من الرصاص [Benzene khaly men al-raṣaṣ]; **I've run out of petrol** لقد نفذ البنزين من السيارة [la'qad nafatha al-banzeen min al-sayara]; **Is there a petrol station near here?** هل يوجد محطة بنزين قريبة من هنا؟ [hal yujad muḥaṭat banzeen 'qareeba min huna?]; **The petrol has run out** نفذ البنزين من السيارة [nafadh al-banzeen min al-sayara]

pewter ['pjuːtə] n سبيكة البيوتر [Sabeekat al-beyooter]

pharmacist ['fɑːməsɪst] n صيدلي [sˤajdalij]

pharmacy ['fɑːməsɪ] n صيدلية [sˤajdalijja]

PhD [piː eɪtʃ diː] n درجة الدكتوراه في الفلسفة [daraʒatu addukturaːti fi: alfalsafati]

pheasant ['fezənt] n طائر التدرج [Ṭaear al-tadraj]

philosophy [fɪ'lɒsəfɪ] n فلسفة [falsafa]

phobia ['fəʊbɪə] n خوف مرضي [Khawf maraḍey]

phone [fəʊn] n هاتف [ha:tif] ▷ v يَتَّصِل تليفونيا [jattasˤilu tili:fu:nijjan]; **camera phone** n تليفون بكاميرا [Telefoon bekamerah]; **entry phone** n تليفون المدخل [Telefoon al-madkhal]; **mobile phone** n هاتف جوال [Hatef jawal]; **phone bill** n فاتورة تليفون [Fatoorat telefon]; **phone number** n رقم التليفون [Ra'qm al-telefone]; **smart phone** n هاتف ذكي [Hatef zaky]; **I'd like some coins for the phone, please** أريد بعض العملات المعدنية من أجل الهاتف من فضلك [areed ba'aḍ al-'aimlaat al-ma'a-danya min ajil al-haatif min faḍlak]; **I'm having trouble with the phone** هناك مشكلة في الهاتف [hunaka mushkila fee al-haatif]; **May I use your phone?** هل يمكن أن أستخدم هاتفك؟ [hal yamken an asta-khdim ha-tifak?]

phonebook ['fəʊn,bʊk] n دفتر الهاتف [Daftar al-hatef]

phonebox ['fəʊn,bɒks] n كابينة تليفون [Kabeenat telefoon]

phonecall ['fəʊn,kɔːl] n اتصال هاتفي [Eteṣal hatefey]

phonecard ['fəʊn,kɑːd] n كارت تليفون [Kart telefone]; **A phonecard, please** أريد كارت تليفون من فضلك [areed kart talefon min faḍlak]

photo ['fəʊtəʊ] n صورة فوتوغرافية [Ṣorah fotoghrafeyah]; **photo album** n ألبوم الصور [Albom al ṣewar]

photocopier ['fəʊtəʊ,kɒpɪə] n ماكينة تصوير [Makenat taṣweer]

photocopy ['fəʊtəʊ,kɒpɪ] n نسخة ضوئية [niskha ḍaw-iyaa] ▷ v يستخرج نسخة [Yastakhrej noskhah]; **I'd like a photocopy of this, please** أرجو عمل نسخة ضوئية من هذا المستند [arjo 'amal nuskha ḍaw-eya min hadha al-mustanad min faḍlak]

photograph ['fəʊtə,grɑːf; -,græf] n صورة فوتوغرافية [Ṣorah fotoghrafeyah] ▷ v يُصور فوتوغرافيا [Yoṣawer fotoghrafeyah]

photographer [fə'tɒgrəfə; pho'tographer] n مصور فوتوغرافي [moṣawer fotoghrafey]

photography [fə'tɒgrəfɪ] n التصوير الفوتوغرافي [Al-taṣweer al-fotoghrafey]

phrase [freɪz] n عبارة [ʕiba:ra]

phrasebook ['freɪz,bʊk] n كتاب العبارات [Ketab al-'aebarat]

physical ['fɪzɪkəl] adj بدني [badanij] ▷ n متعلق بالبدن [Mota'ale'q bel-badan]

physicist ['fɪzɪsɪst] n فيزيائي [fi:zja:ʔij]

physics ['fɪzɪks] npl فيزياء [fi:zja:ʔun]

physiotherapist [,fɪzɪəʊ'θerəpɪst] n أخصائي العلاج الطبيعي [Akeṣaaey al-elaj al-tabeaey]

physiotherapy [,fɪzɪəʊ'θerəpɪ] n علاج طبيعي ['aelaj ṭabeye]

pianist ['pɪənɪst] n لاعب البيانو [La'aeb al-beyano]

piano [pɪ'ænəʊ] n بيانو [bija:nu:]

pick [pɪk] n انتقاء [intiqa:ʔ] ▷ v يختار [jaxta:ru]

pick on [pɪk ɒn] v يُسئ معاملة شخص [Yosee mo'amalat shakhş]

pick out [pɪk aʊt] v يَنتقي [jantaqi:]

pickpocket ['pɪkˌpɒkɪt] n نَشّال [naʃʃa:l]

pick up [pɪk ʌp] v يَجْلِب [jaʒlibu]

picnic ['pɪknɪk] n نزهة في الهواء الطلق [Nozhah fee al-hawaa al-tal'q]

picture ['pɪktʃə] n صورة [şˤu:ra]; **picture frame** n إطار الصورة [Eṭar al şorah]; **Would you take a picture of us, please?** هل يمكن أن تلتقط لنا صورة هنا من فضلك؟ [hal yamken an talta-'qiṭ lana şoora min faḍlak?]

picturesque [ˌpɪktʃəˈrɛsk] adj رائع [ra:ʔiʕ]

pie [paɪ] n فطيرة [faˈtˤi:ra]; **apple pie** n فطيرة التفاح [Faṭeerat al-tofaah]; **pie chart** n رسم بياني دائري [Rasm bayany daery]

piece [piːs] n قطعة [qiṭˤʕa]

pier [pɪə] n دعامة [daˈʕa:ma]

pierce [pɪəs] v يَخْرِق [jaxriqu]

pierced [pɪəst] adj مثقوب [maθqu:b]

piercing ['pɪəsɪŋ] n ثَقْب [θqb]

pig [pɪg] n خنزير [xinzi:r]; **guinea pig** n (for experiment) حقل للتجارب [Ha'ql lel-tajareb], (rodent) خنزير غينيا [Khnzeer ghemyah]

pigeon ['pɪdʒɪn] n حمامة [ħama:ma]

piggybank ['pɪɡɪˌbæŋk] n حصالة على شكل خنزير [Ḥaşalah ala shakl khenzeer]

pigtail ['pɪɡˌteɪl] n ضفيرة [dˤafi:ra]

pile [paɪl] n خازوق [xa:zu:q]

piles [paɪlz] npl دعائم [daˈʕa:ʔimun]

pile-up [paɪlʌp] n تكدس [takaddus]

pilgrim ['pɪlɡrɪm] n حاج [ħa:ʒʒ]

pilgrimage ['pɪlɡrɪmɪdʒ] n الحج [al-ħaʒʒu]

pill [pɪl] n حبة دواء [Habbat dawaa]; **sleeping pill** n حبة نوم [Habit nawm]

pillar ['pɪlə] n دعامة [daˈʕa:ma]

pillow ['pɪləʊ] n وسادة [wisa:da]

pillowcase ['pɪləʊˌkeɪs] n غطاء الوسادة [gheṭaa al-wesadah]

pilot ['paɪlət] n ربان الطائرة [Roban al-ṭaaerah]; **pilot light** n شُعلة الاحتراق [Sho'alat al-ehtera'q]

pimple ['pɪmpəl] n دُمّل [dumul]

pin [pɪn] n دبوس [dabbu:s]; **drawing pin** n دبوس تثبيت اللوائح [Daboos tathbeet al-lawaeh]; **rolling pin** n نشّابة [naʃʃa:batun]; **safety pin** n دبوس أمان [Daboos aman]; **I need a safety pin** أحتاج إلى دبوس آمن [aḥtaaj ela dub-boos aamin]

PIN [pɪn] npl رقم التعريف الشخصي [Ra'qam alta'areef alshakhşey]

pinafore ['pɪnəˌfɔː] n مئزر [miʔzar]

pinch [pɪntʃ] v يَقرُص [jaqruşˤu]

pine [paɪn] n شجرة الصنوبر [Shajarat al-şonobar]

pineapple ['paɪnˌæpəl] n أناناس [ʔana:na:s]

pink [pɪŋk] adj وردي [wardij]

pint [paɪnt] n باينت [ba:jant]

pip [pɪp] n حَبّة [ħabba]

pipe [paɪp] n ماسورة [ma:su:ra]; **exhaust pipe** n ماسورة العادم [Masorat al-'aadem]

pipeline ['paɪpˌlaɪn] n خط أنابيب [Khaṭ anabeeb]

pirate ['paɪrɪt] n قُرصان [qursˤaːn]

Pisces ['paɪsiːz; 'pɪ-] n الحوت [al-ħu:tu]

pistol ['pɪstəl] n مسدس [musaddas]

piston ['pɪstən] n مكبَس [mikbas]

pitch [pɪtʃ] n (sound) طبقة صوت [Tabaqat şawt], (sport) رَمْية [ramja] ▷ v يَرْمي [jarmi:]

pity ['pɪtɪ] n شفقة [ʃafaqa] ▷ v يُشفق على [Yoshfe'q 'aala]

pixel ['pɪksəl] n بكسل [biksil]

pizza ['piːtsə] n بيتزا [bi:tza:]

place [pleɪs] n مكان [maka:n] ▷ v يَضع في [Yaḍa'a fee]; **place of birth** n مكان الميلاد [Makan al-meelad]; **Do you know a good place to go?** أتعرف مكاناً جيداً يمكن أن أذهب إليه؟ [a-ta'aruf makanan jayidan yamkin an adhhab e-lay-he?]

placement ['pleɪsmənt] n وَضْع [wadˤʕ]

plain [pleɪn] adj بسيط [basiːtˤ] ▷ n أرض منبسطة [ard̩u munbasaṭˤatin]; **plain chocolate** n شيكولاتة سادة [Shekolatah sada]

plait [plæt] n طية [ʕajja]

plan [plæn] n خطة [xutˤa] ⊳ v يُخطط [juxatˤitˤitˤu]; **street plan** n خريطة الشارع [Khareetat al-share'a]

plane [pleɪn] n (aeroplane) طائرة [tˤaːʔira], (surface) سطح مستوي [Satˤ mostawey], (tool) طائرة [tˤaːʔira]

planet [ˈplænɪt] n كوكب [kawkab]

planning [ˈplænɪŋ] n تخطيط [taxtˤiːtˤ]

plant [plɑːnt] n نبات [nabaːt], (site/equipment) مباني وتجهيزات [Mabaney watajheezaat] ⊳ v يزرع [jazraʕu]; **plant pot** n حوض نباتات [Hawdˤ nabatat]; **pot plant** n نبات يزرع في حاوية [Nabat yozra'a fee haweyah]; **We'd like to see local plants and trees** نريد أن نرى النباتات والأشجار المحلية [nureed an nara al-naba-taat wa al-ash-jaar al-maḥali-ya]

plaque [plæk; plɑːk] n قلادة [qilaːda]

plaster [ˈplɑːstə] n (for wall) جص [ʒibsˤ], (for wound) مادة لاصقة [Madah laṣe'qah]

plastic [ˈplæstɪk; ˈplɑːs-] adj بلاستيكي [bla:sti:kij] ⊳ n بلاستيك [bla:sti:k]; **plastic bag** n كيس بلاستيكي [Kees belasteekey]; **plastic surgery** n جراحة تجميلية [Jerahah tajmeeleyah]

plate [pleɪt] n صحيفة [sˤaˤhiːfa]; **number plate** n لوحة الأرقام [Looh al-ar'qaam]

platform [ˈplætfɔːm] n منصة [minasˤsˤa]

platinum [ˈplætɪnəm] n بلاتين [bla:ti:n]

play [pleɪ] n لعب [laʕib] ⊳ v (in sport) يلعب [jalʕabu], (music) يَعْزف [jaʕzifu]; **play truant** v يتغيب [jataʁajjabu]; **playing card** n بطاقة لعب [Betaqat la'aeb]; **playing field** n ملعب رياضي [Mal'aab reyady]; **We'd like to play tennis** نود أن نلعب التنس [nawid an nal'aab al-tanis]; **Where can I play golf?** أين يمكنني أن ألعب الجولف؟ [ayna yamken-any an al-'aab al-jolf?]

player [ˈpleɪə] n (instrumentalist) آلة عَزْف [Aalat 'aazf], (of sport) لاعب [la:ʕib]; **CD player** n مشغل الاسطوانات [Moshaghel al-estewanat]; **MP3 player** n مشغل

3PM ملفات [Moshaghel malafat MP3]; **MP4 player** n 4PM مشغل ملفات [Moshaghel malafat MP4]

playful [ˈpleɪfʊl] adj لعوب [laʕuːb]

playground [ˈpleɪˌɡraʊnd] n ملعب [malʕab]

playgroup [ˈpleɪˌɡruːp] n مجموعة لعب [Majmo'aat le'aab]

PlayStation® [ˈpleɪˌsteɪʃən] n بلايستيشن® [bla:jsiti:ʃn]

playtime [ˈpleɪˌtaɪm] n وَقْت اللعب [Wa'qt al-la'aeb]

playwright [ˈpleɪˌraɪt] n كاتب مسرحي [Kateb masrhey]

pleasant [ˈplɛzənt] adj سار [saːrr]

please [pliːz] excl ot ekil d'I ?# أرجوك [araʒwk] esaelp ,ni kcehc = أريد التسجيل في الرحلة من فضلك

pleased [pliːzd] adj مسرور [masruːr]

pleasure [ˈplɛʒə] n سرور [suruːr]; **It was a pleasure to meet you** من دواعي سروري أن التقي بك [min dawa-'ay siro-ry an al-ta'qy bik]; **It's been a pleasure working with you** من دواعي سروري العمل معك [min dawa-'ay siro-ry al-'aamal ma'aak]; **With pleasure!** بكل سرور [bekul siroor]

plenty [ˈplɛntɪ] n وَفرة [wafra]

pliers [ˈplaɪəz] npl كمّاشة [kammaːʃatun]

plot [plɒt] n (piece of land) قطعة أرض ['qet'aat ard], (secret plan) حبكة [ħabka] ⊳ v يتآمر [jata:ʔa:maru]

plough [plaʊ] n محراث [miħra:θ] ⊳ v يَحْرُث [jaħruθu]

plug [plʌɡ] n قابس [qa:bis]; **spark plug** n شمعة إشعال [Sham'aat esh'aal]

plughole [ˈplʌɡˌhəʊl] n فتحة التوصيل [Fathat al-tawseel]

plug in [plʌɡ ɪn] v يُوصِل بالقابس الكهربائي [ju:sˤilu bilqa:busi alkahraba:ʔijji]

plum [plʌm] n برقوق [barqu:q]

plumber [ˈplʌmə] n سباك [sabba:k]

plumbing [ˈplʌmɪŋ] n سِباكة [siba:ka]

plump [plʌmp] adj ممتلئ الجسم [Momtaleya al-jesm]

plunge [plʌndʒ] v يَغْطَس [jaʁtˤusu]

plural ['plʊərəl] n جمع [ʒamʕ]

plus [plʌs] prep زائد [za:ʔidun]

plywood ['plaɪˌwʊd] n خشب أبلكاج [Khashab ablakaj]

p.m. [pi: ɛm] abbr مساءً [masa:ʔun];
Please come home by 11p.m. رجاءً العودة بحلول الساعة الحادية عشر مساءً [rejaa al-'aawda beḥilool al-sa'aa al-ḥade-a 'aashar masa-an]

pneumonia [njuːˈməʊnɪə] n مرض ذات الرئة [Maraḍ dhat al-re'aa]

poached [pəʊtʃt] adj (caught illegally) مُتَلَبِّس بالجَريمَه [Motalabes bel-jareemah], (simmered gently) مسلوق [maslu:q]

pocket ['pɒkɪt] n جيب [ʒajb]; **pocket calculator** n آلة حاسبة للجيب [Alah haseba lel-jeeb]; **pocket money** n مصروف الجيب [Maṣroof al-jeeb]

podcast ['pɒdˌkɑːst] n بودكاست [bu:dka:st]

poem ['pəʊɪm] n قصيدة [qasˁi:da]

poet ['pəʊɪt] n شاعر [ʃa:ʕir]

poetry ['pəʊɪtrɪ] n شِعْر [ʃiʕr]

point [pɔɪnt] n نقطة [nuqtˁa] ▷ v يُشير [juʃi:ru]

pointless ['pɔɪntlɪs] adj بلا مغزى [Bela maghdha]

point out [pɔɪnt aʊt] v يُوضح [ju:dˁiħu]

poison ['pɔɪzən] n سُمّ [summ] ▷ v يُسمِّم [jusammimu]

poisonous ['pɔɪzənəs] adj سام [sa:mm]

poke [pəʊk] v يَلْكُم [jalkumu]

poker ['pəʊkə] n لَعِبَة البوكر [Lo'abat al-bookar]

Poland ['pəʊlənd] n بولندة [bu:landat]

polar ['pəʊlə] adj قطبي [qutˁbij]; **polar bear** n الدب القطبي [Al-dob al-shamaley]

pole [pəʊl] n قطب [qutˁb]; **North Pole** n القطب الشمالي [A'qotb al-shamaley]; **pole vault** n قفز بالزانة ['qafz bel-zanah]; **South Pole** n القطب الجنوبي [Al-k'qotb al-janoobey]; **tent pole** n عمود الخيمة ['amood al-kheemah]

Pole [pəʊl] n بولندي [bu:landij]

police [pəˈliːs] n شُرْطَة [ʃurtˁa]; **police officer** n ضابط شرطة [Ḍabeṭ shorṭah]; **police station** n قسم شرطة ['qesm shorṭah]

policeman, policemen [pəˈliːsmən, pəˈliːsmɛn] n ضابط شرطة [Ḍabeṭ shorṭah]

policewoman, policewomen [pəˈliːswʊmən, pəˈliːswɪmɪn] n ضابطة شرطة [Ḍaabeṭ shorṭah]

policy ['pɒlɪsɪ] n; **insurance policy** n بوليصة تأمين [Booleeṣat taameen]

polio ['pəʊlɪəʊ] n شلل أطفال [Shalal aṭfaal]

polish ['pɒlɪʃ] n مادة تلميع [Madah talmee'a] ▷ v يجلو [jaʒlu:]; **nail polish** n طلاء أظافر [Ṭelaa aḍhafer]; **shoe polish** n ورنيش الأحذية [Warneesh al-aḥdheyah]

Polish ['pəʊlɪʃ] adj بولندي [bu:landij] ▷ n بولندي [bu:landij]

polite [pəˈlaɪt] adj مؤدب [muʔaddab]

politely [pəˈlaɪtlɪ] adv بأدَب [Beadab]

politeness [pəˈlaɪtnɪs] n الكياسة [al-kija:satu]

political [pəˈlɪtɪkəl] adj سياسي [sija:sij]

politician [ˌpɒlɪˈtɪʃən] n رجل سياسة [Rajol seyasah]

politics ['pɒlɪtɪks] npl سياسة [sija:sa]

poll [pəʊl] n اقتراع [iqtira:ʕ]; **opinion poll** n استطلاع الرأي [Eateṭla'a al-ray]

pollen ['pɒlən] n لقاح [liqa:ħ]

pollute [pəˈluːt] v يُلوث [julawwiθu]

polluted [pəˈluːtɪd] adj مُلوَث [mulawwaθ]

pollution [pəˈluːʃən] n تلوث [talawwuθ]

Polynesia [ˌpɒlɪˈniːʒə; -ʒɪə] n بولينسيا [bu:li:nisja:]

Polynesian [ˌpɒlɪˈniːʒən; -ʒɪən] adj بولينسي [bu:linisij] ▷ n (language) اللغة البولينيسية [Al- loghah al-bolenseyah], (person) بولينيزي [bu:li:ni:sij]

pomegranate ['pɒmɪˌɡrænɪt; 'pɒmˌɡrænɪt] n رُمّان [rumma:n]

pond [pɒnd] n بِرْكة [birka]

pony ['pəʊnɪ] n فَرَس قزم [Faras 'qezm]; **pony trekking** n رحلة على الجياد [Rehalah ala al-jeyad]

ponytail ['pəʊnɪˌteɪl] n ضفيرة [dˤafi:ra]
poodle ['puːdˤl] n كلب البودل [Kalb al-boodel]
pool [puːl] n (resources) حوض منتج للنفط [Hawḍ montej lel-naft], (water) حوض [ḥawḍ]; **paddling pool** n حوض سباحة للأطفال [Haeḍ sebaha lel-atfaal]; **swimming pool** n حمام سباحة [Hammam sebaḥah]
poor [pʊə; pɔː] adj فقير [faqi:r]
poorly ['pʊəlɪ; 'pɔː-] adj بشكل سيء [Be-shakl sayea]
popcorn ['pɒpˌkɔːn] n فشار [fuʃa:r]
pope [pəʊp] n البابا [al-ba:ba:]
poplar ['pɒplə] n خشب الحور [Khashab al-hoor]
poppy ['pɒpɪ] n خشخاش [xaʃxaʃ]
popular ['pɒpjʊlə] adj شعبي [ʃaʕbij]
popularity ['pɒpjʊlærɪtɪ] n شعبية [ʃaʕbijjit]
population [ˌpɒpjʊ'leɪʃən] n سكان [sukka:n]
pop-up [pɒpʌp] n قفز [qafaza]
porch [pɔːtʃ] n رواق [riwa:q]
pork [pɔːk] n لحم خنزير [Lahm al-khenzeer]; **pork chop** n شَريحة لحم خنزير [Shareehat laḥm khenzeer]
porn [pɔːn] n (informal) الإباحية [al-ʔiba:hijatu]
pornographic [pɔːnɒɡræfɪk] adj إباحي [ʔiba:ħij]
pornography [pɔː'nɒɡrəfɪ] n فن إباحي [Fan ebahey]
porridge ['pɒrɪdʒ] n عصيدة [ʕasˤi:da]
port [pɔːt] n (ships) منفذ جوي أو بحري [manfaḍ jawey aw baḥrey], (wine) نبيذ برتغالي [nabi:ðun burtuʁa:lij]
portable ['pɔːtəbˤl] adj محمول [maħmu:l]
porter ['pɔːtə] n شَيّال [ʃajja:l]
portfolio [pɔːt'fəʊlɪəʊ] n حقيبة أوراق [Ḥa'qeebat awra'q]
portion ['pɔːʃən] n حصة [ħisˤsˤa]
portrait ['pɔːtrɪt; -treɪt] n صورة للوجه [Ṣorah lel-wajh]
Portugal ['pɔːtjʊɡˤl] n البرتغال [al-burtuʁa:l]

Portuguese [ˌpɔːtjʊ'ɡiːz] adj برتغالي [burtuʁa:lij] ▷ n (language) اللغة البرتغالية [Al-loghah al-bortoghaleyah], (person) برتغالي [burtuʁa:lij]
position [pə'zɪʃən] n مكانة [maka:na]
positive ['pɒzɪtɪv] adj إيجابي [ʔiːʒa:bij]
possess [pə'zɛs] v يمتلك [jamtaliku]
possession [pə'zɛʃən] n حيازة [ħija:za]
possibility [ˌpɒsɪ'bɪlɪtɪ] n إمكانية [ʔimka:nijja]
possible ['pɒsɪbˤl] adj ممكن [mumkin]; **as soon as possible** في أقرب وقت ممكن [fee a'qrab wa'qt mumkin]
possibly ['pɒsɪblɪ] adv من الممكن [Men al-momken]
post [pəʊst] n (mail) نظام بريدي [neḍham bareedey], (position) موضع [mawdˤiʕ], (stake) عمود [ʕamu:d] ▷ v يُرسل بالبريد [Yorsel bel-bareed]; **post office** n مكتب البريد [maktab al-bareed]
postage ['pəʊstɪdʒ] n أجرة البريد [ojrat al bareed]
postbox ['pəʊstˌbɒks] n صندوق البريد [Ṣondo'q bareed]
postcard ['pəʊstˌkɑːd] n بطاقة بريدية [Beṭaqah bareedyah]
postcode ['pəʊstˌkəʊd] n رمز بريدي [Ramz bareedey]
poster ['pəʊstə] n إعلان ملصق [E'alan Molṣa'q]
postgraduate [pəʊst'ɡrædjʊit] n دراسات عليا [dira:sa:t ʕaljan]
postman, postmen ['pəʊstmən, 'pəʊstmɛn] n ساعي البريد [Sa'aey al-bareed]
postmark ['pəʊstˌmɑːk] n خاتم البريد [Khatem al-bareed]
postpone [pəʊst'pəʊn; pə'spəʊn] v يؤجل [juaʒʒilu]
postwoman, postwomen ['pəʊstwʊmən, 'pəʊstwɪmɪn] n ساعية البريد [Sa'aeyat al-bareed]
pot [pɒt] n إناء [ʔina:ʔ]; **plant pot** n حوض نبات [Hawḍ nabatat]; **pot plant** n نبات يزرع في حاوية [Nabat yozra'a fee ḥaweyah]

ḥaweyah]

potato, potatoes [pəˈteɪtəʊ, pəˈteɪtəʊz] n بطاطس [batˤaːtˤis]; **baked potato** n بطاطس بالفرن [Baṭaṭes bel-forn]; **jacket potato** n بطاطس مشوية بقشرها [Baṭaṭes mashweiah be'qshreha]; **mashed potatoes** npl بطاطس مهروسة [Baṭaṭes mahrosah]; **potato peeler** n جهاز تقشير البطاطس [Jehaz ta'qsheer al-baṭaṭes]

potential [pəˈtɛnʃəl] adj ممكن [mumkin] ▷ n إمكانية [ʔimkaːnijja]

pothole [ˈpɒtˌhəʊl] n أُخْدود [ʔuxduːd]

pottery [ˈpɒtərɪ] n مصنع الفخار [Maṣna'a al-fakhaar]

potty [ˈpɒtɪ] n نونية للأطفال [Noneyah lel-atfaal]; **Do you have a potty?** هل توجد نونية للأطفال؟ [hal tojad non-iya lil-atfaal?]

pound [paʊnd] n رطل [ratˤl]; **pound sterling** n جنيه استرليني [Jeneh esterleeney]

pour [pɔ:] v يَسْكُب [jaskubu]

poverty [ˈpɒvətɪ] n فَقْر [faqr]

powder [ˈpaʊdə] n بودرة [buːdra]; **baking powder** n مسحوق خبز [Mashoo'q khobz]; **soap powder** n مسحوق الصابون [Mashoo'q ṣaboon]; **talcum powder** n مَسْحوقُ الطَّلْق [Mashoo'q al-ṭal'q]; **washing powder** n مسحوق الغسيل [Mashoo'q alghaseel]

power [ˈpaʊə] n قوة [quwwa]; **power cut** n انقطاع التيار الكهربي [En'qetaa'a al-tayar alkahrabey]; **solar power** n طاقة شمسية [Ta'qah shamseyah]

powerful [ˈpaʊəfʊl] adj قوي [qawij]

practical [ˈpræktɪkəl] adj عملي [ʕamalij]

practically [ˈpræktɪkəlɪ; -klɪ] adv عمليا [ʕamalijan]

practice [ˈpræktɪs] n ممارسة [mumaːrasa]

practise [ˈpræktɪs] v يُمارس [jumaːrisu]

praise [preɪz] v يُثْني على [Yothney 'aala]

pram [præm] n زورق صغير [Zawra'q ṣagheer]

prank [præŋk] n مزحة [mazħa]

prawn [prɔːn] n رُوبيان [ruːbjaːn]

pray [preɪ] v يُصلّي [jusˤaliː]

prayer [preə] n صلاة [sˤalaːt]

precaution [prɪˈkɔːʃən] n حيطة [ħiːtˤa]

preceding [prɪˈsiːdɪŋ] adj سالف [saːlif]

precinct [ˈpriːsɪŋkt] n دائرة انتخابية [Daaera entekhabeyah]; **pedestrian precinct** n منطقة مشاه [Menta'qat moshah]

precious [ˈprɛʃəs] adj نفيس [nafiːs]

precise [prɪˈsaɪs] adj مُحْكَم [muħkam]

precisely [prɪˈsaɪslɪ] adv بالتحديد [bi-at-taħdiːdi]

predecessor [ˈpriːdɪˌsɛsə] n سلف [salaf]

predict [prɪˈdɪkt] v يتنبأ [jatanabbaʔu]

predictable [prɪˈdɪktəbəl] adj مُتوَقَّع [mutawaqqaʕ]

prefect [ˈpriːfɛkt] n تلميذ مُفوَّض [telmeedh mofawaḍ]

prefer [prɪˈfɜː] v يُفضِّل [jufadˤdˤilu]

preferably [ˈprɛfərəblɪ; ˈprɛfrəblɪ] adv من الأفضل [Men al-'afḍal]

preference [ˈprɛfərəns; ˈprɛfrəns] n تفضيل [tafdˤiːl]

pregnancy [ˈprɛgnənsɪ] n حَمْل [ħaml]

pregnant [ˈprɛgnənt] adj حَبلى [ħublaː]

prehistoric [ˌpriːhɪˈstɒrɪk] adj متعلق بما قبل التاريخ [Mota'ale'q bema 'qabl al-tareekh]

prejudice [ˈprɛdʒʊdɪs] n إجْحاف [ʔiʒħaːf]

prejudiced [ˈprɛdʒʊdɪst] adj متحامل [mutaħaːmil]

premature [ˌprɛməˈtjʊə; ˈprɛmətjʊə] adj مبتسر [mubatasir]

premiere [ˈprɛmɪˌɛə; ˈprɛmɪə] n بارز [baːriz]

premises [ˈprɛmɪsɪz] npl المبنى والأراضي التابعه له [Al-mabna wal-aradey al-taabe'ah laho]

premonition [ˌprɛməˈnɪʃən] n هاجس داخلي [Hajes dakheley]

preoccupied [priːˈɒkjʊˌpaɪd] adj مشغول البال [Mashghool al-bal]

prepaid [priːˈpeɪd] adj مدفوع مسبقا [Madfo'a mosba'qan]

preparation [ˌprepəˈreɪʃən] n إعداد [ʔiʕdaːd]

prepare [prɪˈpeə] v يُعد [juʕidu]

prepared [prɪˈpeəd] adj مُعَد [muʕadd]

Presbyterian [ˌprezbɪˈtɪərɪən] adj مَشْيخِيّ مشيخي [mashyakheyah] ⊳ n كنيسة مَشْيَخِيَّة [Kaneesah mashyakheyah]

prescribe [prɪˈskraɪb] v يصف علاجا [Yaṣef 'aelagan]

prescription [prɪˈskrɪpʃən] n وصفة طبية [Waṣfah ṭebeyah]

presence [ˈprezəns] n حضور [ḥudˁuːr]

present adj [ˈprez] حاضر [ḥaːdˁir] ⊳ n [ˈprez] (gift) هدية [hadijja], (time being) حاضر [ḥaːdˁir] ⊳ v [prɪˈzent] يُبْدي [jubdiː]; **I'm looking for a present for my husband** أنا أبحث عن هدية لزوجي [ana abhath 'aan hadiya le-zawjee]

presentation [ˌprezənˈteɪʃən] n تقديم [taqdiːm]

presenter [prɪˈzentə] n مقدم [muqaddim]

presently [ˈprezəntlɪ] adv توًا [tawwan]

preservative [prɪˈzɜːvətɪv] n مادة حافظة [Madah ḥafeḍhah]

president [ˈprezɪdənt] n رئيس [raʔijs]

press [pres] n نَشر [naʃr] ⊳ v يَضغط [jadˁʕatˁu]; **press conference** n مؤتمر صحفي [Moatamar ṣaḥafey]

press-up [ˈpresʌp] n تمرين الضغط [Tamreen al- Ḍaght]

pressure [ˈpreʃə] n ضَغْط [dˁaɣtˁ] ⊳ v يُلقي بضغط [Yol'qy be-daght]; **blood pressure** n ضغط الدم [ḍaght al-dam]

prestige [preˈstiːʒ] n هيبة [hajba]

prestigious [preˈstɪdʒəs] adj مَهيب [mahiːb]

presumably [prɪˈzjuːməblɪ] adv بصورة محتملة [be ṣorah mohtamalah]

presume [prɪˈzjuːm] v يُسلِم ب [Yosalem be]

pretend [prɪˈtend] v يَتظاهر [jataẓaːharu]

pretext [ˈpriːtekst] n حجة [ḥuʒʒa]

prettily [ˈprɪtɪlɪ] adv على نحو جميل [Ala nahw jameel]

pretty [ˈprɪtɪ] adj وَسيم [wasiːm] ⊳ adv إلى حد معقول [Ela ḥad ma'a.qool]

prevent [prɪˈvent] v يمنع [jumnaʕu]

prevention [prɪˈvenʃən] n وقاية [wiqaːja]

previous [ˈpriːvɪəs] adj مُنصرم [munsˁarim]

previously [ˈpriːvɪəslɪ] adv من قبل [Men 'qabl]

prey [preɪ] n فريسة [fariːsa]

price [praɪs] n سعر [siʕr]; **price list** n قائمة أسعار [qaemat as'aar]; **retail price** n سعر التجزئة [Se'ar al-tajzeah]; **selling price** n سعر البيع [Se'ar al-bay'a]

prick [prɪk] v يَثْقُب [jaθqubu]

pride [praɪd] n فخر [faxr]

priest [priːst] n قسيس [qasiːs]

primarily [ˈpraɪmərəlɪ] adv بصورة أساسية [Beṣorah asasiyah]

primary [ˈpraɪmərɪ] adj أولى [ʔawwalij]; **primary school** n مدرسة إبتدائية [Madrasah ebtedaeyah]

primitive [ˈprɪmɪtɪv] adj بدائي [bidaːʔij]

primrose [ˈprɪmˌrəʊz] n زهرة الربيع [Zahrat al-rabee'a]

prince [prɪns] n أمير [ʔamiːr]

princess [prɪnˈses] n أميرة [ʔamiːra]

principal [ˈprɪnsɪpəl] adj أصلي [ʔasˁlij] ⊳ n مدير مدرسة [Madeer madrasah]

principle [ˈprɪnsɪpəl] n مبدأ [mabdau]

print [prɪnt] n نشرة مطبوعة [Nashrah matbo'aah] ⊳ v يَطبَع [jatˁbaʕu]

printer [ˈprɪntə] n (machine) طابعة [tˁaːbiʕa], (person) طابعة [tˁaːbiʕa]; **Is there a colour printer?** هل توجد طابعة ملونة؟ [hal tojad ṭabe-'aa mulawa-na?]

printing [ˈprɪntɪŋ] n; **How much is printing?** كم تكلفة الطباعة؟ [kam taklafati atˁ-tˁibaːʕati]

printout [ˈprɪntaʊt] n مطبوعات [matˁbuːʕaːt]

priority [praɪˈdrɪtɪ] n أولوية [ʔawlawijja]

prison [ˈprɪzən] n حَبْس [ḥabs]; **prison officer** n ضابط سجن [Dabeṭ sejn]

prisoner [ˈprɪzənə] n سجين [saʒiːn]

privacy ['praɪvəsɪ; 'prɪvəsɪ] n سرية [sirrija]

private ['praɪvɪt] adj خصوصي [xusˤuːsˤij]; **private property** n مِلكية خاصة [Melkeyah khasah]

privatize ['praɪvɪˌtaɪz] v يُخصِص [juxasˤsˤisˤu]

privilege ['prɪvɪlɪdʒ] n امتياز [imtija:z]

prize [praɪz] n جائزة [ʒaːʔiza]

prize-giving ['praɪzˌgɪvɪŋ] n تقديم الهدايا [Ta'qdeem al-hadayah]

prizewinner ['praɪzˌwɪnə] n الفائز بالجائزة [Al-faez bel-jaaezah]

probability [ˌprɒbə'bɪlɪtɪ] n احتمالية [iħtima:lijja]

probable ['prɒbəbᵊl] adj محتمل [muħtamal]

probably ['prɒbəblɪ] adv على الأرجح [Ala al-arjah]

problem ['prɒbləm] n مشكلة [muʃkila]; **There's a problem with the room** هناك مشكلة ما في الغرفة [Honak moshkelatan ma fel-ghorfah]

proceedings [prə'siːdɪŋz] npl دعوى قضائية [Da'awa 'qadaeyah]

proceeds ['prəʊsiːdz] npl عائدات [ʕaːʔida:tun]

process ['prəʊsɛs] n عملية [ʕamalijja]

procession [prə'sɛʃən] n موكب [mawkib]

produce [prə'djuːs] v ينتج [juntiʒu]

producer [prə'djuːsə] n مُنتج [muntiʒ]

product ['prɒdʌkt] n منتج [mantuːʒ]

production [prə'dʌkʃən] n إنتاج [ʔinta:ʒ]

productivity [ˌprɒdʌk'tɪvɪtɪ] n إنتاجية [ʔinta:ʒijja]

profession [prə'fɛʃən] n وظيفة [wazˤiːfa]

professional [prə'fɛʃənᵊl] adj مُحترِف [muħtarif] ▷ n محترف [muħtarif]

professionally [prə'fɛʃənəlɪ] adv باحتراف [Beħteraaf]

professor [prə'fɛsə] n أستاذ جامعي [Ostaz jame'aey]

profit ['prɒfɪt] n رِبح [ribħ]

profitable ['prɒfɪtəbᵊl] adj مربح [murbiħ]

program ['prəʊgræm] n برنامج [barna:maʒ] ▷ v يُبرمِج [jubarmiʒu]

programme ['prəʊgræm] n برنامج (computer) [barna:maʒ]

programmer ['prəʊgræmə; 'programmer] n مُبرمِج [mubarmiʒ]

programming ['prəʊgræmɪŋ] n برمجة [barmaʒa]

progress ['prəʊgrɛs] n تقدُم [taqaddum]

prohibit [prə'hɪbɪt] v يَحظُر [jaħðˤuru]

prohibited [prə'hɪbɪtɪd] adj محظور [maħðˤuːr]

project ['prɒdʒɛkt] n مشروع [maʃruːʕ]

projector [prə'dʒɛktə] n جهاز عرض [Jehaz 'ard]; **overhead projector** n جهاز العرض العلوي [Jehaz al-'ard al-'aolwey]

promenade [ˌprɒmə'nɑːd] n نزهة [nuzha]

promise ['prɒmɪs] n عهد [ʕahd] ▷ v يُواعِد [juwa:ʕidu]

promising ['prɒmɪsɪŋ] adj واعِد [wa:ʕada]

promote [prə'məʊt] v يُروِج [jurawwiʒu]

promotion [prə'məʊʃən] n ترويج [tarwiːʒ]

prompt [prɒmpt] adj يُحَفِز [juħaffizu]

promptly ['prɒmptlɪ] adv فوراً [fawran]

pronoun ['prəʊˌnaʊn] n ضمير [dˤamiːr]

pronounce [prə'naʊns] v ينطق [jantˤiqu]

pronunciation [prəˌnʌnsɪ'eɪʃən] n نُطق [nutˤq]

proof [pruːf] n (evidence) دليل [dali:l], (for checking) إثبات [ʔiθba:t]

propaganda [ˌprɒpə'gændə] n دِعاية [diʕaːjat]

proper ['prɒpə] adj مناسب [muna:sib]

properly ['prɒpəlɪ] adv بشكل مناسب [Be-shakl monaseb]

property ['prɒpətɪ] n مِلكية [milkijja]; **private property** n مِلكية خاصة [Melkeyah khasah]

proportion [prə'pɔːʃən] n نسبة [nisba]

proportional [prə'pɔːʃən²l] *adj* نسبي [nisbij]

proposal [prə'pəʊz²l] *n* عرض [ˤardˤ]

propose [prə'pəʊz] *v* يقترح [jaqtariħu]

prosecute ['prɒsɪˌkjuːt] *v* يضطهد [jadˤtˤahidu]

prospect ['prɒspekt] *n* تَوَقَّع [tawaqqaˤa]

prospectus [prə'spektəs] *n* نشرة دعائية [Nashrah de'aeyah]

prosperity [prɒ'sperɪtɪ] *n* إزدهار [ʔizdiha:r]

prostitute ['prɒstɪˌtjuːt] *n* عاهرة [ˤa:hira]

protect [prə'tɛkt] *v* يَحمي [jaħmi:]

protection [prə'tɛkʃən] *n* حماية [ħima:ja]

protein ['prəʊtiːn] *n* بروتين [bru:ti:n]

protest *n* ['prəʊtɛst] احتجاج [iħtiza:ʒ] ▷ *v* [prə'tɛst] يَعترض [jaˤtaridˤu]

Protestant ['prɒtɪstənt] *adj* بروتستانتي [bru:tista:ntij] ▷ *n* بروتستانتي [bru:tista:ntij]

proud [praʊd] *adj* فخور [faxu:r]

prove [pruːv] *v* يُثبِت [juθbitu]

proverb ['prɒvɜːb] *n* مَثَل [maθal]

provide [prə'vaɪd] *v* يزود [juzawwidu]; **provide for** *v* يُعِيل [juˤi:lu]

provided [prə'vaɪdɪd] *conj* شريطة أن [Shareeṭat an]

providing [prə'vaɪdɪŋ] *conj* شريطة أن [Shareeṭat an]

provisional [prə'vɪʒən²l] *adj* شرطي [ʃartˤij]

proximity [prɒk'sɪmɪtɪ] *n* قرابة [qura:ba]

prune [pruːn] *n* برقوق [barqu:q]

pry [praɪ] *v* يُحَدِق بإمعان [Yoħadeʻq be-em'aan]

pseudonym ['sjuːdəˌnɪm] *n* اسم مُستعار [Esm mostˤaar]

psychiatric [ˌsaɪkɪ'ætrɪk; ˌpsychi'atric] *adj* نفسي [nafsij]

psychiatrist [saɪ'kaɪətrɪst] *n* طبيب نفساني [Ṭabeeb nafsaaney]

psychological [ˌsaɪkə'lɒdʒɪk²l] *adj* سيكولوجي [sajku:lu:ʒij]

psychologist [saɪ'kɒlədʒɪst] *n* عالم نفسي ['aaalem nafsey]

psychology [saɪ'kɒlədʒɪ] *n* علم النفس ['aelm al-nafs]

psychotherapy [ˌsaɪkəʊ'θɛrəpɪ] *n* علاج نفسي [ʔaelaj nafsey]

PTO [piː tiː əʊ] *abbr* اقلب الصفحة من فضلك [E'qleb alṣafḥah men faḍlek]

pub [pʌb] *n* حانة [ħa:na]

public ['pʌblɪk] *adj* شعبي [ʃaˤbij] ▷ *n* شعب [ʃaˤb]; **public holiday** *n* أجازة عامة [ajaaza a'mah]; **public opinion** *n* الرأي العام [Al-raaey al-'aam]; **public relations** *npl* علاقات عامة ['ala'qat 'aamah]; **public school** *n* مدرسة عامة [Madrasah 'aamah]; **public transport** *n* نقل عام [Na'ql 'aam]

publican ['pʌblɪkən] *n* صاحب حانة [Ṣaheb hanah]

publication [ˌpʌblɪ'keɪʃən] *n* منشور [manʃu:r]

publish ['pʌblɪʃ] *v* ينشر [janʃuru]

publisher ['pʌblɪʃə] *n* ناشر [na:ʃir]

pudding ['pʊdɪŋ] *n* حلوى البودينج [Ḥalwa al-boodenj]

puddle ['pʌd²l] *n* بِركة [birka]

Puerto Rico ['pwɜːtəʊ 'riːkəʊ; 'pwɛə-] *n* برتو ريكو [burtu: ri:ku:]

pull [pʊl] *v* يَجذِب [jaʒðibu]

pull down [pʊl daʊn] *v* يَهْدِم [jahdimu]

pull out [pʊl aʊt] *vi* يَتحرك بالسيارة ▷ *vt* يَقْتَلِع [jaqtaliˤu]

pullover ['pʊlˌəʊvə] *n* يُوْقِف السيارة [Yo'qef sayarah]

pull up [pʊl ʌp] *v* يَسْحَب [jasħabu]

pulse [pʌls] *n* نبضة [nabdˤa]

pulses [pʌlsɪz] *npl* نبضات [nabdˤa:tun]

pump [pʌmp] *n* مضخة [midˤaxxa] ▷ *v* يَضْخ [jadˤuxxu]; **bicycle pump** *n* منفاخ دراجة [Monfakh draajah]; **Pump number three, please** المضخة رقم ثلاثة من فضلك [al-maḍakha ra'qum thalath min faḍlak]

pumpkin ['pʌmpkɪn] *n* قَرْع [qarˤ]

pump up [pʌmp ʌp] *v* ينفخ [junfaxu]

punch [pʌntʃ] *n* (blow) مِثقب [miθqab],

(hot drink) شراب البَنْش المُسكِر [Sharaab al-bensh al-mosker] ▷ v يخرّم [juxarrimu]

punctual ['pʌŋktjʊəl] adj مُنضَبِط [mundˤabitˤ]

punctuation [ˌpʌŋktjʊ'eɪʃən] n وضع علامات الترقيم [Wad'a 'alamaat al-tar'qeem]

puncture ['pʌŋktʃə] n ثقب [θuqb]

punish ['pʌnɪʃ] v يُعاقِب [juʕa:qibu]

punishment ['pʌnɪʃmənt] n عقاب [ʕiqa:b]; **capital punishment** n أقصى عقوبة [A'qsa 'aoqobah]; **corporal punishment** n عقوبة بدنية ['ao'qoba badaneyah]

punk [pʌŋk] n غلام الصوفاني [ɣula:mu asˤˤsˤu:fa:ni]

pupil ['pju:pəl] n (eye) بُؤبُؤ العَيْن [Boaboa al-'ayn], (learner) تلميذ [tilmi:ð]

puppet ['pʌpɪt] n دمية متحركة [Domeyah motaharekah]

puppy ['pʌpɪ] n جرو [ʒarw]

purchase ['pɜːtʃɪs] v يَبتاع [jabta:ʕu]

pure [pjʊə] adj نقي [naqij]

purple ['pɜːpəl] adj أرجواني [urʒuwa:nij]

purpose ['pɜːpəs] n غرض [ɣaradˤ]

purr [pɜː] v يخرخر [juxarxiru]

purse [pɜːs] n حافظة نقود [ḥafedhat ne'qood]

pursue [pə'sju:] v يُلاحِق [jula:ħiqu]

pursuit [pə'sju:t] n ملاحقة [mula:ħaqa]

pus [pʌs] n قيح [qajħ]

push [pʊʃ] v يَدفَع [jadfaʕu]

pushchair ['pʊʃtʃeə] n عربة طفل ['arabat ṭefl]

push-up [pʊʃʌp] n تمرين الضغط [Tamreen al- Daght]

put [pʊt] v يَضع [jadˤaʕu]

put aside [pʊt ə'saɪd] v يَدخِر [jaddaxiru]

put away [pʊt ə'weɪ] v يَدخِر مالًا [juddaxiru ma:la:]

put back [pʊt bæk] v يُرْجِع [jurʒiʕu]

put forward [pʊt fɔːwəd] v يُقَدِم [juqaddimu]

put in [pʊt ɪn] v يركب [jarrkabu]

put off [pʊt ɒf] v يؤخِر [juʔaxiru]

put up [pʊt ʌp] v يَنْزِل في مكان [Yanzel fee makaan]

puzzle ['pʌzəl] n لغز [luɣz]

puzzled ['pʌzld] adj مرتبك [murtabik]

puzzling ['pʌzlɪŋ] adj مُحير [muħajjir]

pyjamas [pə'dʒɑːməz] npl بيجامة [bi:ʒa:matun]

pylon ['paɪlən] n بُرج كهرباء [Borj kahrbaa]

pyramid ['pɪrəmɪd] n هرم [haram]

q

Qatar [ˈkætɑː] n قطر [qaṭˤar]

quail [kweɪl] n طائر السُمَّان [Ṭaaer al-saman]

quaint [kweɪnt] adj طريف [tˤariːf]

Quaker [ˈkweɪkə] n منتسب لجماعة الأصحاب [Montaseb le-jama'at al-aṣhaab]

qualification [ˌkwɒlɪfɪˈkeɪʃən] n مُؤهِل [muahhil]

qualified [ˈkwɒlɪˌfaɪd] adj مُؤهَل [muahhal]

qualify [ˈkwɒlɪˌfaɪ] v يؤهِل [juʔahilu]

quality [ˈkwɒlɪtɪ] n جودة [ʒawda]

quantify [ˈkwɒntɪˌfaɪ] v يَقْيس مقدار [Ya'qees me'qdaar]

quantity [ˈkwɒntɪtɪ] n كمية [kammija]

quarantine [ˈkwɒrənˌtiːn] n حَجْر صحي [Ḥajar ṣeḥey]

quarrel [ˈkwɒrəl] n شجار [ʃiʒaːr] ⊳ v يتشاجر مع [Yatashajar ma'a]

quarry [ˈkwɒrɪ] n طريدة [tˤariːda]

quarter [ˈkwɔːtə] n رُبْع [rubʕ]; **quarter final** n سباق الدور رُبع النهائي [Seba'q al-door roba'a al-nehaaey]

quartet [kwɔːˈtɛt] n رباعية [ruba:ʔijjatu]

quay [kiː] n رصيف الميناء [Raṣeef al-meenaa]

queen [kwiːn] n ملكة [malika]

query [ˈkwɪərɪ] n تساؤُل [tasa:ʔul] ⊳ v يَستفهِم [jastafhimu]

question [ˈkwɛstʃən] n سُؤال [sua:l] ⊳ v يَستَجوب [jastaʒwibu]; **question mark** n علامة استفهام [ˈalamat estefham]

questionnaire [ˌkwɛstʃəˈnɛə; ˌkɛs-] n استبيان [istibja:n]

queue [kjuː] n صَف [sˤaf] ⊳ v يَصْطَف [jasˤˤaffu]

quick [kwɪk] adj سريع [sariːʕ]

quickly [ˈkwɪklɪ] adv سريعاً [sariːʕan]

quiet [ˈkwaɪət] adj هادئ [ha:diʔ]; **I'd like a quiet room** أفضل أن تكون الغرفة هادئة [ofaḍal an takoon al-ghurfa hade-a]; **Is there a quiet beach near here?** هل يوجد شواطئ هادئ قريب من هنا؟ [hal ju:ʒadu ʃawa:tˤiʔa ha:diʔi qari:bun min huna:]

quietly [ˈkwaɪətlɪ] adv بهدوء [bihudu:ʔin]

quilt [kwɪlt] n لحاف [liḥa:f]

quit [kwɪt] v يُقْلع عن [Yo'qle'a 'aan]

quite [kwaɪt] adv فِعلاً [fiʕlan]

quiz, quizzes [kwɪz, ˈkwɪzɪz] n اختبار موجز [ekhtebar mojaz]

quota [ˈkwəʊtə] n نصيب [nasˤiːb]

quotation [kwəʊˈteɪʃən] n عرض أسعار [ˈaard as'aar]; **quotation marks** npl علامات الاقتباس [ˈaalamat al-e'qtebas]

quote [kwəʊt] n اقتباس [iqtiba:s] ⊳ v يَقْتَبِس [jaqtabisu]

r

rabbi ['ræbaɪ] n حاخام [ħa:xa:m]
rabbit ['ræbɪt] n أرنب [ʔarnab]
rabies ['reɪbiːz] n داء الكلب [Daa al-kalb]
race [reɪs] n (contest) سباق [siba:q], (origin) سلالة [sula:la] ▷ v يتسابق [jatasa:baqu]; **I'd like to see a horse race** أود أن أشاهد سباقا للخيول [awid an oshahed seba'qan lil-khiyool]
racecourse ['reɪs,kɔːs] n حلبة السباق [ħalabat seba'q]
racehorse ['reɪs,hɔːs] n جواد السباق [Jawad al-seba'q]
racer ['reɪsə] n مُسابق [musa:biq]
racetrack ['reɪs,træk] n حلبة السباق [ħalabat seba'q]
racial ['reɪʃəl] adj عنصري [ʕunsˤurij]
racing ['reɪsɪŋ] n; **horse racing** n سباق الخيول [Seba'q al-kheyol]; **motor racing** n سباق سيارات [Seba'q sayarat]; **racing car** n سيارة السباق [Sayarah al-seba'q]; **racing driver** n سائق سيارة سباق [Sae'q sayarah seba'q]
racism ['reɪsɪzəm] n تمييز عنصري [Tamyeez 'aonory]
racist ['reɪsɪst] adj متحيز عنصريا [Motaheyz 'aonsoreyan] ▷ n عنصري [ʕunsˤurij]

rack [ræk] n حامل [ħa:mil]; **luggage rack** n حامل حقائب السفر [Hamel ha'qaeb al-safar]
racket ['rækɪt] n (racquet) مضرب الراكيت [Madrab alrakeet]; **tennis racket** n مضرب تنس [Madrab tenes]
racoon [rə'kuːn] n حيوان الراكون [Hayawaan al-rakoon]
racquet ['rækɪt] n مضرب كرة الطاولة [Madrab korat al-tawlah]
radar ['reɪdɑː] n رادار [ra:da:r]
radiation [,reɪdɪ'eɪʃən] n إشعاع [ʔiʃʕa:ʕ]
radiator ['reɪdɪ,eɪtə] n جهاز إرسال الإشعاع [Jehaz esrsaal al-esh'aaa'a]
radio ['reɪdɪəʊ] n راديو [ra:dju:]; **digital radio** n راديو رقمي [Radyo ra'qamey]; **radio station** n محطة راديو [Mahatat radyo]; **Can I switch the radio off?** هل يمكن أن أطفئ الراديو؟ [hal yamken an atfee al-radio?]; **Can I switch the radio on?** هل يمكن أن أشغل الراديو؟ [hal yamken an osha-ghel al-radio?]
radioactive [,reɪdɪəʊ'æktɪv] adj مشع [muʃiʕʕ]
radio-controlled ['reɪdɪəʊ'kən'trəʊld] adj متحكم به عن بعد [Motahkam beh an bo'ad]
radish ['rædɪʃ] n فجل [fiʒl]
raffle ['ræf°l] n بيع باليانصيب [Bay'a bel-yanaseeb]
raft [rɑːft] n طَوْف [tˤawf]
rag [ræg] n خرقة [xirqa]
rage [reɪdʒ] n غضب شديد [ghadab shaded]; **road rage** n مشاحنات على الطريق [Moshahanaat ala al-taree'q]
raid [reɪd] n غارة [ɣa:ra] ▷ v يَشُن غارة [Yashen gharah]
rail [reɪl] n قضبان السكة الحديدية [qodban al-sekah al-hadeedeyah]
railcard ['reɪl,kɑːd] n بطاقة للسفر بالقطار [Beta'qah lel-safar bel-kharej]
railings ['reɪlɪŋz] npl درابزينات [dara:bzi:na:tun]
railway ['reɪl,weɪ] n سكة حديدية [Sekah haedeedyah]; **railway station** n محطة سكك حديدية [Mahatat sekak

hadeedeyah]

rain [reɪn] n مطر [maţˤar] ▷ v يُمْطِر [jumtˤiru]; **acid rain** n أمطار حمضية [Amţar ħemdeyah]; **Do you think it's going to rain?** هل تظن أن المطر سوف يسقط؟ [hal taḍhun ana al-maţar sawfa yas'qiţ?]; **It's raining** إنها تمطر [Enha tomţer]

rainbow ['reɪnˌbəʊ] n قوس قزح ['qaws 'qazh]

raincoat ['reɪnˌkəʊt] n معطف واق من المطر [Me'ataf wa'qen men al-maarţar]

rainforest ['reɪnˌfɒrɪst] n غابات المطر بخط الاستواء [Ghabat al-maţar be-khaţ al-estwaa]

rainy ['reɪnɪ] adj مُمطِر [mumtˤir]

raise [reɪz] v يُعْلِي [juˤli:]

raisin ['reɪzˀn] n زبيب [zabi:b]

rake [reɪk] n آلة جمع الأعشاب [a:latun ʒamˤu alˀaʕʃaːbi]

rally ['rælɪ] n سباق الراليات [Seba'q al-raleyat]

ram [ræm] n كبش [kabʃ] ▷ v يَصْدِم بقوة [Yaşdem be'qowah]

Ramadan [ˌræməˈdɑːn] n رَمَضَان [ramadˤˤa:n]

rambler ['ræmblə] n مُتَجوّل [mutaʒawwil]

ramp [ræmp] n طريق منحدر [Taree'q monhadar]

random ['rændəm] adj عشوائي [ʕaʃwa:ʔij]

range [reɪndʒ] n (limits) مَدَى [mada:], (mountains) سلسلة جبال [Selselat jebal] ▷ v يَتَراوح [jatara:waħu]

rank [ræŋk] n (line) صف [sˤaff], (status) مكانة [maka:na] ▷ v يُرَتِّب [jurattibu]

ransom ['rænsəm] n فدية [fidja]

rape [reɪp] n (plant) نبات اللفت [Nabat al-left], (sexual attack) اغتصاب [iɣtisˤa:b] ▷ v يغتصب (يسلب) [jaɣtasˤibu]; **I've been raped** لقد تعرضت للاغتصاب [la'qad ta-'aaradto lel-ighti-saab]

rapids ['ræpɪdz] npl منحدر النهر [Monhadar al-nahr]

rapist ['reɪpɪst; 'rapist] n مُغتَصِب

[muɣtasˤib]

rare [reə] adj (uncommon) نادر [na:dir], (undercooked) نادر [na:dir]

rarely ['reəlɪ] adv نادرا [na:diran]

rash [ræʃ] n طفح جلدي [Tafħ jeldey]; **I have a rash** أعاني من طفح جلدي [O'aaney men ţafħ jeldey]

raspberry ['ra:zbərɪ; -brɪ] n توت [tu:t]

rat [ræt] n جرذ [ʒurð]

rate [reɪt] n معدل [muˤaddal] ▷ v يُثَمِّن [juθamminu]; **interest rate** n معدل الفائدة [Moaadal al-faaedah]; **rate of exchange** n سعر الصرف [Se'ar al-ş arf]

rather ['rɑːðə] adv إلى حد ما [ʔila ħaddin ma:]

ratio ['reɪʃɪˌəʊ] n نسبة [nisba]

rational ['ræʃənˀl] adj عقلاني [ʕaqla:nij]

rattle ['rætˀl] n خشخيشة الأطفال [Khashkheeshat al-aţfaal]

rattlesnake ['rætˀlˌsneɪk] n الأفعى ذات الأجراس [Al-afaa dhat al-ajraas]

rave [reɪv] n هذيان [haðaja:n] ▷ v يُربك [jurbiku]

raven ['reɪvˀn] n غراب أسود [Ghorab aswad]

ravenous ['rævənəs] adj مفترس [muftaris]

ravine [rəˈviːn] n واد عميق وضيق [Wad 'amee'q wa-daye'q]

raw [rɔː] adj خام [xa:m]

razor ['reɪzə] n موسى الحلاقة [Mosa alhela'qah]; **razor blade** n شفرة حلاقة [Shafrat hela'qah]

reach [riːtʃ] v يَبْلُغ [jabluɣu]

react [rɪˈækt] v يَتفاعَل [jatafaaʕalu]

reaction [rɪˈækʃən] n تَفَاعُل [tafa:ʕul]

reactor [rɪˈæktə] n مُفاعِل [mufa:ʕil]

read [riːd] v يَقْرَأ [jaqraʔu]

reader ['riːdə] n قارئ [qa:riʔ]

readily ['rɛdɪlɪ; 'readily] adv حالاً [ħa:la:]

reading ['riːdɪŋ] n قراءة [qira:ʔa]

read out [riːd] يَقْرَأ بصوت مرتفع [Ya'qraa beşawt mortafe'a]

ready ['rɛdɪ] adj متأهب [mutaʔahib]

ready-cooked ['rɛdɪˈkʊkt] adj مطهو

[matˤħuww]

real [ˈrɪəl] adj واقعي [wa:qiˤij]

realistic [ˌrɪəˈlɪstɪk] adj واقعي [wa:qiˤij]

reality [rɪˈælɪtɪ] n واقع [wa:qiˤ]; **reality TV** n تلفزيون الواقع [Telefezyon al-wa'qe'a]; **virtual reality** n واقع افتراضي [Wa'qe'a eftradey]

realize [ˈrɪəˌlaɪz] v يُدرك [judriku]

really [ˈrɪəlɪ] adv أحقّاً [ħaqqan]

rear [rɪə] adj خلفي [xalfij] ▷ n مؤخرة الجيش [Mowakherat al-jaysh]; **rear-view mirror** n مرآة الرؤية الخلفية [Meraah al-roayah al-khalfeyah]

reason [ˈriːzən] n مُبّرر [mubbarir]

reasonable [ˈriːzənəbəl] adj معقول [maˤqu:lin]

reasonably [ˈriːzənəblɪ] adv على نحو معقول [Ala naħw ma'a'qool]

reassure [ˌriːəˈʃʊə] v يُعْيد طمْأنته [Yo'aeed ṭomaanath]

reassuring [ˌriːəˈʃʊərɪŋ] adj مُطمئِن [mutˤmaʔin]

rebate [ˈriːbeɪt] n خَصم [ħasm]

rebellious [rɪˈbɛljəs] adj متمرد [mutamarrid]

rebuild [riːˈbɪld] v يُعْيد بناء [Yo'aeed benaa]

receipt [rɪˈsiːt] n وَصل [wasˤl]

receive [rɪˈsiːv] v يَستلم [jastalimu]

receiver [rɪˈsiːvə] n (electronic) جهاز الاستقبال [Jehaz alest'qbal], (person) مُستلِم [mustalim]

recent [ˈriːsənt] adj حديث [ħadi:θ]

recently [ˈriːsəntlɪ] adv حديثاً [ħadi:θan]

reception [rɪˈsɛpʃən] n استقبال [istiqba:l]

receptionist [rɪˈsɛpʃənɪst] n موظف الاستقبال [mowadhaf al-este'qbal]

recession [rɪˈsɛʃən] n انسحاب [insiħa:b]

recharge [riːˈtʃɑːdʒ] v يُعْيد شحن بطارية [Yo'aeed shaḥn baṭareyah]

recipe [ˈrɛsɪpɪ] n وصفة طهي [Waṣfat ṭahey]

recipient [rɪˈsɪpɪənt] n مُتلقّ [mutalaqi]

reckon [ˈrɛkən] v يحسب [jaħsubu]

reclining [rɪˈklaɪnɪŋ] adj منحني

[munħanij]

recognizable [ˈrɛkəɡˌnaɪzəbəl] adj ممكن تمييزه [Momken tamyezoh]

recognize [ˈrɛkəɡˌnaɪz] v يَتَعَرف على [Yata'araf 'ala]

recommend [ˌrɛkəˈmɛnd] v يُوصي [ju:sˤi:]

recommendation [ˌrɛkəmɛnˈdeɪʃən] n توصية [tawsˤijja]

reconsider [ˌriːkənˈsɪdə] v يُعْيد النظر في [Yo'aeed al-nadhar fee]

record n [ˈrɛkɔːd] مَحضَر [maħdˤar] ▷ v [rɪˈkɔːd] يُسجل [jusaʒʒilu]

recorded delivery [rɪˈkɔːdɪd dɪˈlɪvərɪ] n بعلم الوصول [Be-'aelm al-woṣool]

recorder [rɪˈkɔːdə] n (music) جهاز التسجيل [Jehaz al-tasjeel], (scribe) مُسجِّل [musaʒʒal]

recording [rɪˈkɔːdɪŋ] n عملية التسجيل ['amalyat al-tasjeel]

recover [rɪˈkʌvə] v يَشفى [juʃfa:]

recovery [rɪˈkʌvərɪ] n شفاء [ʃifa:ʔ]

recruitment [rɪˈkruːtmənt] n توظيف [tawzˤi:f]

rectangle [ˈrɛkˌtæŋɡəl] n مستطيل [mustatˤi:l]

rectangular [rɛkˈtæŋɡjʊlə] adj مستطيل الشكل [Mostateel al-shakl]

rectify [ˈrɛktɪˌfaɪ] v يُعدل [juˤaddilu]

recurring [rɪˈkʌrɪŋ] adj متكرر [mutakarrir]

recycle [riːˈsaɪkəl] v يُعْيد استخدام [Yo'aeed estekhdam]

recycling [riːˈsaɪklɪŋ] n إعادة تصنيع [E'aadat taṣnee'a]

red [rɛd] adj أحمر [ʔaħmar]; **red meat** n لحم أحمر [Laḥm aḥmar]; **red wine** n نبيذ أحمر [nabeedh aḥmar]; **Red Cross** n الصليب الأحمر [Al-Ṣaleeb al-aḥmar]; **Red Sea** n البحر الأحمر [Al-bahr al-ahmar]; **a bottle of red wine** زجاجة من النبيذ الأحمر [zujaja min al-nabeedh al-aḥmar]

redcurrant [rɛdˈkʌrənt] n عنب أحمر ['aenab aḥmar]

redecorate [ri:'dɛkəˌreɪt] v تزيين يُعيد [Yo'aeed tazyeen]

red-haired [ˌrɛdˈhɛəd] adj الشعر أحمر [Ahmar al-sha'ar]

redhead [ˈrɛdˌhɛd] n أحمر شَعُر [Sha'ar ahmar]

redo [riːˈduː] v الشيء عمل يُعيد [Yo'aeed 'aamal al-shaya]

reduce [rɪˈdjuːs] v يُخَفِّض [juxaffidˤu]

reduction [rɪˈdʌkʃən] n تقليل [taqliːl]

redundancy [rɪˈdʌndənsɪ] n إسهاب (حشو) [ʔishaːb]

redundant [rɪˈdʌndənt] adj مطنب [mutˤanabb]

reed [riːd] n قصبة [qasˤaba]

reel [riːl; rɪəl] n بَكَرة [bakara]

refer [rɪˈfɜː] v إلى يُشير [Yosheer ela]

referee [ˌrɛfəˈriː] n رياضية مباريات حَكَم [Hosn almadhar]

reference [ˈrɛfərəns; ˈrɛfrəns] n مرجع [marʒaʕiːn]; **reference number** n رقم مرجعي [Ra'qm marje'ay]

refill [riːˈfɪl] v مَلءُ يُعيد [Yo'aeed mela]

refinery [rɪˈfaɪnərɪ] n معمل مصفاة [Meʂfaah ma'amal al-takreer]; **oil refinery** n الزيت تكرير معمل [Ma'amal takreer al-zayt]

reflect [rɪˈflɛkt] v يَعْكِس [jaʕkisu]

reflection [rɪˈflɛkʃən] n انعكاس [inʕikaːs]

reflex [ˈriːflɛks] n انعكاسي رد [Rad en'ekasey]

refreshing [rɪˈfrɛʃɪŋ; reˈfreshing] adj للنشاط مُجدد [Mojaded lel-nashat]

refreshments [rɪˈfrɛʃmənts] npl وجبة خفيفة طعام [Wajbat ţ a'aam khafeefah]

refrigerator [rɪˈfrɪdʒəˌreɪtə] n ثلاجة [θallaːʒa]

refuel [riːˈfjuːəl] v إضافي بوقود يُزود [juzawwadu biwuquːdin ʔidˤaːfijjin]

refuge [ˈrɛfjuːdʒ] n ملجأ [malʒaʔ]

refugee [ˌrɛfjʊˈdʒiː] n لاجئ [laːʒiʔ]

refund n [ˈriːˌfʌnd] دفع إعادة [E'aadat dafa] ▷ v [rɪˈfʌnd] مبلغ يُعيد [juʕjidu mablaɣan]

refusal [rɪˈfjuːzəl] n رَفْض [rafdˤ]

refuse[1] [rɪˈfjuːz] v يَرفُض [jarfudˤu]

refuse[2] [ˈrɛfjuːs] n حثالة [ħuθaːla]

regain [rɪˈɡeɪn] v يَستعيد [jastaʕiːdu]

regard [rɪˈɡɑːd] n اهتمام [ihtimaːm] ▷ v يَعتبر [jaʕtabiru]

regarding [rɪˈɡɑːdɪŋ] prep بـ يتعلق فيما (بشأن) [Feema yat'ala'q be]

regiment [ˈrɛdʒɪmənt] n فوج [fawʒu]

region [ˈriːdʒən] n إقليم [iqliːm]

regional [ˈriːdʒənəl] adj إقليمي [iqliːmij]

register [ˈrɛdʒɪstə] n سجل [siʒʒil] ▷ v يُسجل [jusaʒʒilu]; **cash register** n ماكينة الكاش تسجيل [Makenat tasjeel al-kaash]

registered [ˈrɛdʒɪstəd] adj مُسَجل [musaʒʒal]

registration [ˌrɛdʒɪˈstreɪʃən] n تسجيل [tasʒiːlu]; **Registration number...** رقم ...هو التسجيل [ra'qim al-tasjeel howa...]

regret [rɪˈɡrɛt] n نَدَم [nadima] ▷ v يأسف [jaʔsafu]

regular [ˈrɛɡjʊlə] adj مُعتاد [muʕtaːd]

regularly [ˈrɛɡjʊləlɪ] adv بانتظام [bentedham]

regulation [ˌrɛɡjʊˈleɪʃən] n تنظيم لائحة [tanzˤiːm]

rehearsal [rɪˈhɜːsəl] n بروفة [bruːfa]

rehearse [rɪˈhɜːs] v يُكرر [jukariru]

reimburse [ˌriːɪmˈbɜːs] v عن يُعوّض [Yo'aweḑ 'an]

reindeer [ˈreɪnˌdɪə] n الرنة حيوان [ħajawaːnu arrannati]

reins [reɪnz] npl لِجام [liʒaːmun]

reject [rɪˈdʒɛkt] v يأبَى [jaʔbaː]

relapse [ˈriːˌlæps] n انتكاسة [intikaːsa]

related [rɪˈleɪtɪd] adj مرتبط [murtabitˤ]

relation [rɪˈleɪʃən] n علاقة [ʕalaːqa]; **public relations** npl عامة علاقات ['ala'qat 'aamah]

relationship [rɪˈleɪʃənʃɪp] n علاقة [ʕalaːqa]; **Sorry, I'm in a relationship** الأشخاص بأحد علاقة على أنا ،آسف [ʔaːsifun ʔana ʕala ʕilaːqatin biʔaħadin alʔaʃxaːsˤi]

relative [ˈrɛlətɪv] n قريب [qariːb]

relatively [ˈrɛlətɪvlɪ] adv نسبيًا [nisbijan]

relax [rɪˈlæks] v يَسترخِي [jastarxi:]

relaxation [ˌriːlækˈseɪʃən] n استرخاء [istirxa:ʔ]

relaxed [rɪˈlækst] adj مستريح [mustriːħ]

relaxing [rɪˈlæksɪŋ] adj يساعد على الراحة [Yosaed ala al-rahah]

relay [ˈriːleɪ] n تناوب [tana:wub]

release [rɪˈliːs] n إطلاق [ʔitˤ'la:q] ▷ v يُطلق سراح [Yotle'q sarah]

relegate [ˈrɛlɪˌgeɪt] v يُبْعِد [jubʕidu]

relevant [ˈrɛlɪvənt] adj وثيق الصلة [Wathee'q al-selah]

reliable [rɪˈlaɪəbəl] adj موثوق به [Mawthoo'q beh]

relief [rɪˈliːf] n راحة [ra:ħa]

relieve [rɪˈliːv] v يُخفف [juxafiffu]

relieved [rɪˈliːvd] adj مرتاح [murta:ħ]

religion [rɪˈlɪdʒən] n دِين [dajn]

religious [rɪˈlɪdʒəs] adj ديني [di:nij]

reluctant [rɪˈlʌktənt] adj ممانع [muma:niʕ]

reluctantly [rɪˈlʌktəntlɪ] adv على مضض [ʕala madˤadˤ]

rely [rɪˈlaɪ] v; **rely on** v يُعَوِل على [yoʕawel ʕala]

remain [rɪˈmeɪn] v يبقى [jabqa:]

remaining [rɪˈmeɪnɪŋ] adj متبقي [muta-baqij]

remains [rɪˈmeɪnz] npl بقايا [baqa:ja:]

remake [ˈriːˌmeɪk] n إعادة صُنْع [Eˈaadat taṣnea'a]

remark [rɪˈmɑːk] n ملاحظة [mula:ħazˤʕa]

remarkable [rɪˈmɑːkəbəl] adj جدير بالملاحظة [Jadeer bel-molahadhah]

remarkably [rɪˈmɑːkəblɪ] adv رائعاً [ra:ʔiʕan]

remarry [riːˈmærɪ] v يتَزوج ثانية [Yatazawaj thaneyah]

remedy [ˈrɛmɪdɪ] n دواء [dawa:ʔ]

remember [rɪˈmɛmbə] v يَتَذكر [jataðakkaru]

remind [rɪˈmaɪnd] v يُذكّر [juðakkiru]

reminder [rɪˈmaɪndə; reˈminder] n رسالة تذكير [Resalat tadhkeer]

remorse [rɪˈmɔːs] n ندم [nadam]

remote [rɪˈməʊt] adj ضئيل [dˤaʔi:jl];

remote control n التحكم عن بعد [Al-tahakom an bo'ad]

remotely [rɪˈməʊtlɪ] adv عن بُعْد ['an bo'ad]

removable [rɪˈmuːvəbəl] adj قابل للنقل ['qabel lel-na'ql]

removal [rɪˈmuːvəl] n إزالة [ʔiza:la]; **removal van** n شاحِنة نقل [Shahenat na'ql]

remove [rɪˈmuːv] v يُزيل [juzi:lu]

remover [rɪˈmuːvə] n; **nail-polish remover** n مزيل طلاء الأظافر [Mozeel talaa al-adhafer]

rendezvous [ˈrɒndɪˌvuː] n مَوْعِد [mawʕid]

renew [rɪˈnjuː] v يُجدد [juʒaddidu]

renewable [rɪˈnjuːəbəl] adj ممكن تجديده [Momken tajdedoh]

renovate [ˈrɛnəˌveɪt] v يُرمم [jurammimu]

renowned [rɪˈnaʊnd] adj شهير [ʃahi:r]

rent [rɛnt] n إيجار [ʔiʒa:r] ▷ v يُؤَجر [juʔaʒʒiru]; **I'd like to rent a room** أريد غرفة للإيجار [areed ghurfa lil-eejar]

rental [ˈrɛntəl] n الأجرة [al?uʒrati]; **car rental** n تأجير سيارة [Taajeer sayarah]; **rental car** n سيارة إيجار [Sayarah eejar]

reorganize [riːˈɔːgəˌnaɪz] v يُعيد تنظيم [Yo'aeed tandheem]

rep [rɛp] n نسيج مضلع [Naseej modala'a]

repair [rɪˈpɛə] n تصليح [tasˤˈliːħ] ▷ v يُصلح [jusˤliħu]; **repair kit** n عدة التصليح ['aodat altaṣleeh]; **Can you repair it?** هل يمكن تصليحها؟ [hal yamken taṣleeḥ-aha?]; **Can you repair my watch?** هل يمكن تصليح ساعتي؟ [hal yamken taṣleeh sa'aaty?]; **Can you repair this?** هل يمكن تصليح هذه؟ [hal yamken taṣleeh hadhy?]; **How long will it take to repair?** كم من الوقت يستغرق تصليحها؟ [kam min al-wa'qt yast-aghri'q taṣle-ḥaha?]; **How much will the repairs cost?** كم تكلفة التصليح؟ [kam taklifat al-taṣleeh?]; **Where can I get this repaired?** أين يمكنني تصليح هذه الحقيبة [ayna yamken-any taṣleeh hadhe al-ḥaʼqeba?]

repay [rɪˈpeɪ] v يَفِي [jafi:]

repayment [rɪˈpeɪmənt] n سَداد [sadda:d]

repeat [rɪˈpiːt] n تِكرار [tikra:r] ▷ v يُعيد [juʕi:du]

repeatedly [rɪˈpiːtɪdlɪ] adv على نحو متكرر [ʕaala nahw motakarer]

repellent [rɪˈpɛlənt] adj طارِد [tˤaːrid]; **insect repellent** n طارد للحشرات [Tared lel-ḥasharat]

repercussions [ˌriːpəˈkʌʃənz] npl تبعيّات [tabaʕijja:tun]

repetitive [rɪˈpɛtɪtɪv] adj تكراري [tikra:rij]

replace [rɪˈpleɪs] v يَستبدل [jastabdilu]

replacement [rɪˈpleɪsmənt] n استبدال [istibda:l]

replay n إعادة تشغيل [Eʼaadat tashgheel] ▷ v يُعيد تشغيل [Yoʼaeed tashgheel]

replica [ˈrɛplɪkə] n نسخة مطابقة [Noskhah moṭeʼqah]

reply [rɪˈplaɪ] n رَد [radd] ▷ v يُجيب [juʒi:bu]

report [rɪˈpɔːt] n تقرير [taqri:r] ▷ v يُبْلغ [juballiɣu]; **report card** n تقرير مدرسي [Taʼqreer madrasey]

reporter [rɪˈpɔːtə] n مُحَقّق [muḥaqqiq]

represent [ˌrɛprɪˈzɛnt] v يُمَثل [jumaθθilu]

representative [ˌrɛprɪˈzɛntətɪv] adj نائب [na:ʔibb]

reproduction [ˌriːprəˈdʌkʃən] n إعادة إنتاج [Eʼadat entaj]

reptile [ˈrɛptaɪl] n زواحف [zawa:ħif]

republic [rɪˈpʌblɪk] n جمهورية [ʒunmhu:rijjati]

repulsive [rɪˈpʌlsɪv] adj مثير للاشمئزاز [Mother lel-sheazaz]

reputable [ˈrɛpjʊtəbˀl] adj حسن السمعة [Ḥasen al-somʼaah]

reputation [ˌrɛpjʊˈteɪʃən] n سُمعة [sumʕa]

request [rɪˈkwɛst] n مطلب [matˤlab] ▷ v يَلْتَمِس [jaltamisu]

require [rɪˈkwaɪə] v يَتَطَلَّب [jatatˤallabu]

requirement [rɪˈkwaɪəmənt] n مَطلَب [matˤlab]

rescue [ˈrɛskjuː] n إنقاذ [ʔinqa:ð] ▷ v يُنْقِذ [junqiðu]; **Where is the nearest mountain rescue service post?** أين يوجد أقرب مركز لخدمة الإنقاذ بالجبل؟ [ayna yujad aʼqrab markaz le-khedmat al-enʼqaadh bil-jabal?]

research [rɪˈsɜːtʃ; ˈriːsɜːtʃ] n بَحْث دراسي [Bahth derasy]; **market research** n دراسة السوق [Derasat al-soo'q]

resemblance [rɪˈzɛmbləns] n شبه [ʃibhu]

resemble [rɪˈzɛmbˀl] v يُشْبه [juʃabbihu]

resent [rɪˈzɛnt] v يَمْتَعِض [jamtaʕidˤu]

resentful [rɪˈzɛntfʊl; reˈsentful] adj مُستاء [musta:ʔ]

reservation [ˌrɛzəˈveɪʃən] n تحَفُظ [taḥafuzˤin]

reserve [rɪˈzɜːv] n (land) مَحْمِيّة [maḥmijja], (retention) احتياطي [ʔiħtijja:tˤij] ▷ v يَحْتَفِظ [jaħtafizˤu]

reserved [rɪˈzɜːvd] adj محجوز [maḥʒu:z]

reservoir [ˈrɛzəˌvwɑː] n خزان [xazza:nu]

resident [ˈrɛzɪdənt] n مُقيم [muqi:m]

residential [ˌrɛzɪˈdɛnʃəl] adj سكني [sakanij]

resign [rɪˈzaɪn] v يَستقيل [jastaqi:l]

resin [ˈrɛzɪn] n مادة الراتينج [Madat al-ratenj]

resist [rɪˈzɪst] v يُقاوِم [juqa:wimu]

resistance [rɪˈzɪstəns] n مقاومة [muqa:wama]

resit [riːˈsɪt] v يَجْلِس مرة أخرى [Yajles marrah okhra]

resolution [ˌrɛzəˈluːʃən] n تصميم [tasˤmi:m]

resort [rɪˈzɔːt] n مُنتجع [muntaʒaʕ]; **resort to** v لجأ إلى [Lajaa ela]

resource [rɪˈzɔːs; -ˈsɔːs] n مَورِد [mu:rad]; **natural resources** npl موارد طبيعية [Mawared ṭabeʼaey]

respect [rɪˈspɛkt] n احترام [iħtira:m] ▷ v يَحْتَرِم [jaħatarimu]

respectable [rɪˈspɛktəbˀl] adj محترم

respectively [rɪ'spɛktɪvlɪ] *adv* على
الترتيب [Ala altarteeb]

respond [rɪ'spɒnd] *v* يَستجيب
[jastaʒi:bu]

response [rɪ'spɒns] *n* إستجابة [istiʒa:ba]

responsibility [rɪˌspɒnsə'bɪlɪtɪ] *n*
مسؤولية [masʔuwlijja]

responsible [rɪ'spɒnsəbəl] *adj* مسؤول
[masʔu:l]

rest [rɛst] *n* راحة [ra:ħa] ▷ *v* يَستريح
[jastari:ħu]; **the rest** *n* راحة [ra:ħatun]

restaurant [ˈrɛstərɒn; ˈrɛstrɒn;
-ˌrɒn] *n* مطعم [matˤʕam]

restful [ˈrɛstfʊl] *adj* مُريح [muri:ħ]

restless [ˈrɛstlɪs] *adj* قلق [qalaq]

restore [rɪ'stɔː] *v* يَسترد [jastariddu]

restrict [rɪ'strɪkt] *v* يُقَيِّد [juqajjidu]

restructure [riː'strʌktʃə] *v* يُعيد إنشاء
[juʕidu ʔinʃaːʔa]

result [rɪ'zʌlt] *n* نتيجة [nati:ʒa]; **result in**
v يَنْجم عن [Yanjam 'an]

resume [rɪ'zjuːm] *v* يَستعيد [jastaʕi:du]

retail [ˈriːteɪl] *n* بيع بالتجزئة
[Bay'a bel- tajzeaah] ▷ *v* يَبيع بالتجزئة
[Yabea'a bel-tajzeaah]; **retail price** *n*
سعر التجزئة [Se'ar al-tajzeah]

retailer [ˈriːteɪlə] *n* بائع تجزئة [Bae'a
tajzeah]

retire [rɪ'taɪə] *v* يَتَقاعَد [jataqaːʕidu]

retired [rɪ'taɪəd; re'tired] *adj* متقاعد
[mutaqaːʕid]

retirement [rɪ'taɪəmənt] *n* تقاعد
[taqaːʕud]

retrace [rɪ'treɪs] *v* يعود من حيث أتى
[jaʕuːdu min ħajθu ʔata]

return [rɪ'tɜːn] *n (coming back)* عَوْدة
[ʕawda], *(yield)* عائد [ʕaːʔid] ▷ *vi* يُعيد
[juʕiːdu]; **day return** *n* تذكرة ذهاب وعودة في نفس اليوم [tadhkarat dhehab
we-'awdah fee nafs al-yawm]; **return
ticket** *n* تذكرة إياب [tadhkarat eyab]; **tax
return** *n* إقرار ضريبي [E'qrar ḍareeby]

reunion [riː'juːnjən] *n* اجتماع الشمل
[Ejtem'a alshaml]

reuse [riː'juːz] *v* يُعيد استخدام [Yo'aeed
estekhdam]

reveal [rɪ'viːl] *v* يبوح ب [Yabooḥ be]

revenge [rɪ'vɛndʒ] *n* انتقام [intiqa:m]

revenue [ˈrɛvɪˌnjuː] *n* إيراد [ʔiːraːd]

reverse [rɪ'vɜːs] *n* النقيض [anaqiːdˤu] ▷ *v* يَقْلب
[jaqlibu]

review [rɪ'vjuː] *n* اطلاع [itˤtˤilaːʕ]

revise [rɪ'vaɪz] *v* يُراجع [jura:ʒiʕu]

revision [rɪ'vɪʒən] *n* مراجعة [mura:ʒaʕa]

revive [rɪ'vaɪv] *v* يُنَشِّط [junaʃʃitˤ]

revolting [rɪ'vəʊltɪŋ] *adj* ثائر [θaːʔir]

revolution [ˌrɛvə'luːʃən] *n* ثورة [θawra]

revolutionary [ˌrɛvə'luːʃənərɪ] *adj*
ثوري [θawrij]

revolver [rɪ'vɒlvə] *n* سلاح ناري [Selaḥ
narey]

reward [rɪ'wɔːd] *n* مكافأة [muka:faʔa]

rewarding [rɪ'wɔːdɪŋ] *adj* مُجزي
[muʒzi:]

rewind [riː'waɪnd] *v* يُعيد اللف [juʕiːdu
allaf]

rheumatism [ˈruːməˌtɪzəm] *n* روماتيزم
[ru:ma:ti:zmu]

rhubarb [ˈruːbɑːb] *n* عشب الراوند
[ʕaoshb al-rewend]

rhyme [raɪm] *n*; **nursery rhyme** *n*
أغنية أطفال [Aghzeyat aṭfaal]

rhythm [ˈrɪðəm] *n* الإيقاع [ʔal-ʔiːqaːʕu]

rib [rɪb] *n* ضِلع [dˤilʕ]

ribbon [ˈrɪbən] *n* وشاح [wiʃaːħ]

rice [raɪs] *n* أُرْز [ʔurz]; **brown rice** *n* أرز
أسمر [Orz asmar]

rich [rɪtʃ] *adj* غني [ɣanij]

ride [raɪd] *n* رَكْبة [runkbatu] ▷ *v* يَركَب
[jarkabu]

rider [ˈraɪdə] *n* راكب [ra:kib]

ridiculous [rɪ'dɪkjʊləs] *adj* تافه [ta:fih]

riding [ˈraɪdɪŋ] *n* ركوب [ruku:b]; **horse
riding** *n* ركوب الخيل [Rekoob al-khayl]

rifle [ˈraɪfəl] *n* بندقية [bunduqijja]

rig [rɪg] *n* جهاز حفر [Jehaz hafr]; **oil rig** *n*
جهاز حفر آبار النفط [Gehaz ḥafr abar
al-naft]

right [raɪt] *adj (correct)* صحيح [sˤaːħiħ],
(not left) يمين [jamiːn] ▷ *adv* بطريقة
صحيحة [Be- ṭaree'qah ṣaheeḥah] ▷ *n* حق

[ħaq]; **civil rights** npl حقوق مدنية [Ho'qoo'q madaneyah]; **human rights** npl حقوق الإنسان [Ho'qoo'q al-ensan]; **right angle** n زاوية يُمنى [Zaweyah yomna]; **right of way** n حق المرور [Ha'q al-moror]; **Go right at the next junction** اتجه نحو اليمين عند التقاطع الثاني [Etajeh naħw al-yameen]; **It wasn't your right of way** لم تكن تسير في الطريق الصحيح [lam takun ta-seer fee al-ṭaree'q al-ṣaħeeħ]; **Turn right** اتجه نحو اليمين [Etajeh anħw al-yameen]

right-hand ['raɪtˌhænd] adj على اليمين [Ala al-yameen]; **right-hand drive** n عجلة القيادة اليمنى [a'ajalat al-'qeyadah al-yomna]

right-handed ['raɪtˌhændɪd] adj أيمن [ʔajman]

rightly ['raɪtlɪ] adv بشكل صحيح [Beshakl ṣaheeh]

right-wing ['raɪtˌwɪŋ] adj جناح أيمن [Janah ayman]

rim [rɪm] n إطار [ʔitˤaːr]

ring [rɪŋ] n خاتم [xaːtam] ▷ v يَدُق [jaduqu]; **engagement ring** n خاتم الخطوبة [Khatem al-khotobah]; **ring binder** n ملف له حلقات معدنية لتثبيت الورق [Malaf lah ħalaqaat ma'adaneyah letathbeet al-wara'q]; **ring road** n طريق دائري [Ṭaree'q dayery]; **wedding ring** n خاتم الزواج [Khatem al-zawaj]

ring back [rɪŋ bæk] v يَتّصل ثانية [Yataṣel thaneyatan]

ringtone ['rɪŋˌtəʊn] n نغمة الرنين [Naghamat al-raneen]

ring up [rɪŋ ʌp] v يَتّصِل هاتفيّا [Yataṣel hatefeyan]

rink [rɪŋk] n حلبة [ħalaba]; **ice rink** n حلبة من الجليد الصناعي [Halabah men aljaleed alṣena'aey]; **skating rink** n حلبة تَزَلّج [Halabat tazaloj]

rinse [rɪns] n شَطف [ʃatˤf] ▷ v يَشطُف [jaʃtˤufu]

riot ['raɪət] n شَغُب [ʃaɣab] ▷ v يُشاغِب [juʃaːɣibu]

rip [rɪp] v يَشق [jaʃuqqu]

ripe [raɪp] adj ناضج [naːdˤiʒ]

rip off [rɪp ɒf] v يَسرق عَلانية [Yasre'q 'alaneytan]

rip-off [rɪpɒf] n سرقة [sariqa]

rip up [rɪp ʌp] v يمزق [jumazziqu]

rise [raɪz] n صعود [sˤuʕuːd] ▷ v يَرتَفع [jartafiʕu]

risk [rɪsk] n مخاطرة [muxaːtˤara] ▷ vt يُجازف [juʒazifu]

risky ['rɪskɪ] adj محفوف بالمخاطر [Mahfoof bel-makhaater]

ritual ['rɪtjʊəl] adj شعائري [ʃaʕaːʔiriː] ▷ n شعيرة [ʃaʕiːra]

rival ['raɪvəl] adj منافس [munaːfis] ▷ n خِصْم [xasˤm]

rivalry ['raɪvəlrɪ] n تنافس [tanaːfus]

river ['rɪvə] n نهر [nahr]; **Can one swim in the river?** أيمكن السباحة في النهر؟ [a-yamkun al-sebaha fee al-naher?]

road [rəʊd] n طريق [tˤariːq]; **main road** n طريق رئيسي [ṭaree'q raeysey]; **ring road** n طريق دائري [Ṭaree'q dayery]; **road map** n خريطة الطريق [Khareeṭat al-ṭaree'q]; **road rage** n مشاحنات على الطريق [Moshahanaat ala al-ṭaree'q]; **road sign** n لافتة طريق [Lafeat ṭaree'q]; **road tax** n ضريبة طُرُق [Dareebat ṭoro'q]; **slip road** n طريق متصل بطريق سريع للسيارات أو منفصل عنه [ṭaree'q mataṣel be- ṭaree'q sarea'a lel-sayaraat aw monfaṣel 'anho]; **Are the roads icy?** هل توجد ثلوج على الطريق؟ [hal tojad thilooj 'ala al- ṭaree'q?]; **Do you have a road map of this area?** هل يوجد خريطة طريق لهذه المنطقة؟ [hal yujad khareeṭat ṭaree'q le-hadhy al-manṭa'qa?]; **I need a road map of...** أريد خريطة الطريق لـ... [areed khareeṭat al-ṭaree'q le...]; **Is the road to... snowed up?** هل توجد ثلوج على الطريق المؤدي إلى...؟ [hal tojad thilooj 'ala al- ṭaree'q al-muad-dy ela...?]; **What is the speed limit on this road?** ما هي أقصى سرعة مسموح بها على هذا الطريق؟ [ma heya a'qsa sur'aa masmooh beha 'aala hatha al- ṭaree'q?]; **Which road do I take for...?**

ما هو الطريق الذي يؤدي إلى... ؟ [ma howa al-ṭaree'q al-lathy yo-aady ela...?]

roadblock ['rəʊd,blɒk] *n* متراس [mutara:sin]

roadworks ['rəʊd,wɜːks] *npl* أعمال الطريق [a'amal alṭ aree'q]

roast [rəʊst] *adj* محمص [muḥamasˤsˤ]

rob [rɒb] *v* يَسْلُبُ [jaslubu]

robber [rɒbə] *n* سارق [sa:riq]

robbery ['rɒbəri] *n* سطو [satˤw]

robin ['rɒbin] *n* طائر أبو الحناء [ṭaaer abo elhnaa]

robot ['rəʊbɒt] *n* إنسان آلي [Ensan aly]

rock [rɒk] *n* صخرة [sˤaxra] ⊳ *v* يَتَأرجح [jata?arʒaħu]; **rock climbing** *n* تسلق الصخور [Tasalo'q alṣkhoor]

rocket ['rɒkɪt] *n* صاروخ [sˤa:ru:xin]

rod [rɒd] *n* قضيب [qadˤi:b]

rodent ['rəʊdənt] *n* القارض [al-qa:ridˤi]

role [rəʊl] *n* دَور [dawr]

roll [rəʊl] *n* لَفّة [laffa] ⊳ *v* يَلِف [jalifu]; **bread roll** *n* خبز ملفوف [Khobz malfoof]; **roll call** *n* تَفَقُّد الحضور [Tafa'qod al-hoḍor]

roller ['rəʊlə] *n* اسطوانة [ustˤuwa:na]

rollercoaster ['rəʊlə,kəʊstə] *n* سكة حديد بالملاهي [Sekat ḥadeed bel-malahey]

rollerskates ['rəʊlə,skeits] *npl* مزلجة بعجل [Mazlajah be-'aajal]

rollerskating ['rəʊlə,skeitɪŋ] *n* تَزَلُّج على العجل [Tazaloj 'ala al-'ajal]

Roman ['rəʊmən] *adj* روماني [ru:ma:nij]; **Roman Catholic** *n* روماني كاثوليكي [Romaney katholeykey] شخص روماني , كاثوليكي [shakhṣ romaney katholeekey]

romance ['rəʊmæns] *n* رومانسية [ru:ma:nsijja]

Romanesque [,rəʊmə'nɛsk] *adj* طراز رومانسيكي [Teraz romanseekey]

Romania [rəʊ'meɪnɪə] *n* رومانيا [ru:ma:njja:]

Romanian [rəʊ'meɪnɪən] *adj* روماني [ru:ma:nij] ⊳ *n* (language) اللغة الرومانية [Al-loghah al-romanyah], (person) روماني الجنسية [Romaney al-jenseyah]

romantic [rəʊ'mæntɪk] *adj* رومانسي [ru:ma:nsij]

roof [ruːf] *n* سطح المبنى [Saṭh al-mabna]

roof rack ['ruːf,ræk] *n* رف السقف [Raf alsa'qf]

room [ruːm, rʊm] *n* غرفة [ɣurfa]; **changing room** *n* غرفة تبديل الملابس [Ghorfat tabdeel al-malabes]; **dining room** *n* غرفة طعام [ghorat ṭa'aam]; **double room** *n* غرفة مزدوجة [Ghorfah mozdawajah]; **fitting room** *n* غرفة القياس [ghorfat al-'qeyas]; **living room** *n* حجرة المعيشة [Hojrat al-ma'aeshah]; **room number** *n* رقم الغرفة [Ra'qam al-ghorfah]; **room service** *n* خدمة الغرف [Khedmat al-ghoraf]; **single room** *n* غرفة لشخص واحد [ghorfah le-shakhṣ wahed]; **sitting room** *n* غرفة المعيشة [ghorfat al-ma'aeshah]; **spare room** *n* غرفة إضافية [ghorfah eḍafeyah]; **twin room** *n* غرفة مزدوجة [Ghorfah mozdawajah]; **twin-bedded room** *n* غرفة مزودة بأسرة مزدوجة [Ghorfah mozawadah be-aserah mozdawajah]; **utility room** *n* غرفة خدمات [ghorfat khadamat]; **waiting room** *n* غرفة انتظار [Ghorfat enteḍhar]; **Can I see the room?** هل يمكن أن أرى الغرفة؟ [hal yamken an ara al-ghurfa?]; **Do you have a room for tonight?** هل لديكم غرفة شاغرة الليلة؟ [hal ladykum ghurfa shaghera al-layla?]; **Does the room have air conditioning?** هل هناك تكييف هواء بالغرفة؟ [hal hunaka takyeef hawaa bil-ghurfa?]; **How much is the room?** كم تبلغ تكلفة الإقامة بالغرفة؟ [kam tablugh taklifat al-e'qama bil-ghurfa?]; **I need a room with wheelchair access** أحتاج إلى غرفة يمكن الوصول إليها بكرسي المقعدين المتحرك [aḥtaaj ela ghurfa yamkun al-wi-ṣool e-layha be-kursi al-mu'q'aadeen al-mutaḥarek]; **I want to reserve a double room** أريد حجز غرفة لشخصين [areed ḥajiz ghurfa le-shakhiṣ-yen]; **I'd like a no smoking room** أريد غرفة غير مسموح فيها بالتدخين

[areed ghurfa ghyer masmooh feeha bil-tadkheen]; **I'd like a room with a view of the sea** أريد غرفة تطل على البحر [areed ghurfa ta-tul 'aala al-bahir]; **I'd like to rent a room** أريد غرفة للإيجار [areed ghurfa lil-eejar]; **The room is dirty** الغرفة متسخة [al-ghurfa mutaskha]; **The room is too cold** هذه الغرفة باردة أكثر من اللازم [hathy al-ghurfa barda ak-thar min al-laazim]

roommate ['ruːmˌmeɪt; 'rʊm-] n رفيق الحجرة [Refee'q al-hohrah]

root [ruːt] n جذر [ʒiðr]

rope [rəʊp] n حَبْل [ħabl]

rope in [rəʊp ɪn] v يَستعين بمساعدة شخص ما [jastaʕi:nu bimusa:ʕadatin ʃaxs'in ma:]

rose [rəʊz] n وردة [warda]

rosé ['rəʊzeɪ] n نبيذ أحمر [nabeedh ahmar]

rosemary ['rəʊzmərɪ] n إكليل الجبل [Ekleel al-jabal]

rot [rɒt] v يَتَعفَّن [jataʕaffanu]

rotten ['rɒtᵊn] adj نتن [natin]

rough [rʌf] adj خشن [xaʃin]

roughly ['rʌflɪ; 'roughly] adv بقسوة [Be'qaswah]

roulette [ruːˈlɛt] n روليت [ru:li:t]

round [raʊnd] adj مستدير [mustadi:r] ⊳ n (circle) حلقة [ħalaqa], (series) دائرة [da:ʔira] ⊳ prep حول [ħawla]; **paper round** n طريق توزيع الصحف [ṭaree'q tawze'a al-ṣohof]; **round trip** n رحلة انكفائية [Reħlah enkefaeyah]

roundabout ['raʊndəˌbaʊt] n طريق ملتو [ṭaree'q moltawe]

round up [raʊnd ʌp] v يُجَمِع [juʒamiʕu]

route [ruːt] n مسلك [maslak]

routine [ruːˈtiːn] n روتين [ru:ti:n]

row¹ [rəʊ] n (line) رُتبة [rutba] ⊳ v (in boat) يُجدِف [juʒaddifu]

row² [raʊ] n (argument) مُشادَة [muʃa:da] ⊳ v (to argue) يُجادِل [juʒa:dilu]

rowing ['rəʊɪŋ] n تجديف [taʒdi:f]; **rowing boat** n قارب تجديف ['qareb tajdeef]

royal ['rɔɪəl] adj مَلَكي [milki:]

rub [rʌb] v يَحُكُ [jaħukku]

rubber ['rʌbə] n ممحاة [mimħa:t]; **rubber band** n شريط مطاطي [shareet mataṭey]; **rubber gloves** npl قفازات مطاطية ['qoffazat mataṭeyah]

rubbish ['rʌbɪʃ] adj تافه [ta:fih] ⊳ n هراء [hura:ʔ]; **rubbish dump** n مقلب النفايات [Ma'qlab al-nefayat]

rucksack ['rʌkˌsæk] n حقيبة ملابس تحمل على الظهر [Ha'qeebat malabes tohmal 'aala al-dhahr]

rude [ruːd] adj وقح [waqiħu]

rug [rʌg] n سجادة [saʒa:dda]

rugby ['rʌgbɪ] n رياضة الرُّكبي [Reyaḍat al-rakbey]

ruin ['ruːɪn] n خراب [xara:b] ⊳ v يُدَمِر [judammir]

rule [ruːl] n حُكم [ħukm]

rule out [ruːl aʊt] v يستبعد [justabʕadu]

ruler ['ruːlə] n (commander) حاكم [ħa:kim], (measure) مسطرة [mist'ara]

rum [rʌm] n شراب الرِّم [Sharab al-ram]

rumour ['ruːmə] n إشاعة [ʔiʃa:ʕa]

run [rʌn] n عَدْو [ʕaduww] ⊳ vi يَجري [jaʒri:] ⊳ vt يُدير [judi:ru]

run away [rʌn əˈweɪ] v يَهْرُب [jahrubu]

runner ['rʌnə] n عدّاء [ʕadda:ʔ]; **runner bean** n فاصوليا خضراء متعرشة [faṣoleya khadraa mota'aresha]

runner-up [ˈrʌnərʌp] n الحائز على المرتبة الثانية [Al-haez ala al-martabah al-thaneyah]

running ['rʌnɪŋ] n ادارة، مستمر [mustamirr]

run out [rʌn aʊt] v; **The towels have run out** لقد استهلكت المناشف [la'qad istuh-lekat al-mana-shif]

run out of [rʌn aʊt ɒv] v يَستنفِذ [jastanfiðu]

run over [rʌn ˈəʊvə] v يطفح [jaṭ'faħu]

runway ['rʌnˌweɪ] n مَدرَج [madraʒ]

rural ['rʊərəl] adj ريفي [ri:fij]

rush [rʌʃ] n اندفاع [indifa:ʕ] ⊳ v يَندْفع [jandafiʕu]; **rush hour** n وَقت الذروة

[Wa'qt al-dhorwah]

rusk [rʌsk] *n* بُقْسُماط [buqsuma:tˤin]

Russia [ˈrʌʃə] *n* روسيا [ru:sja:]

Russian [ˈrʌʃən] *adj* روسي [ru:sij] ▷ *n*
(*language*) اللّغة الروسية [Al-loghah
al-roseyah], (*person*) روسي الجنسية
[Rosey al-jenseyah]

rust [rʌst] *n* صدأ [sˤada]

rusty [ˈrʌstɪ] *adj* صدئ [sˤadiʔ]

ruthless [ˈruːθlɪs] *adj* قاس [qa:sin]

rye [raɪ] *n* نبات الجاودار [Nabat al-jawdar]

S

Sabbath [ˈsæbəθ] *n* يوم الراحة [Yawm
al-rahah]

sabotage [ˈsæbəˌtɑːʒ] *n* عمل تخريبي
[ˈamal takhreeby] ▷ *v* يُخّرب [juxxribu]

sachet [ˈsæʃeɪ] *n* ذرور معطر [Zaroor
mo'atar]

sack [sæk] *n* (*container*) كيس [ki:s],
(*dismissal*) كيس (فصل) [ki:s] ▷ *v* يَصْرف من
الخدمة [Yaşref men al-khedmah]

sacred [ˈseɪkrɪd] *adj* ديني [di:nij]

sacrifice [ˈsækrɪˌfaɪs] *n* يُضحي
[judˤaħħi:]

sad [sæd] *adj* حزين [ħazi:nu]

saddle [ˈsæd³l] *n* سرج [sarʒ]

saddlebag [ˈsæd³lˌbæg] *n* حقيبة سرج
الحصان [Ha'qeebat sarj al-hoşan]

sadly [sædlɪ] *adv* بحُزن [Behozn]

safari [səˈfɑːrɪ] *n* رحلة سفاري [Rehlat
safarey]

safe [seɪf] *adj* آمنْ [ʔa:mi] ▷ *n* خزينة
[xazi:na]; **I have some things in the
safe** لقد وضعت بعض الأشياء في الخزينة
[la'qad waḍa'ato ba'aḍ al-ash-ya fe
al-khazeena]; **I would like to put my
jewellery in the safe** أريد أن أضع
مجوهراتي في الخزينة [areed an aḍa'a
mujaw-haraty fee al-khazeena]; **Put**

that in the safe, please ضع هذا في الخزينة من فضلك [da'a hadha fee al-khazena, min fadlak]

safety ['seɪftɪ] n سلامة [sala:ma]; **safety belt** n حزام الأمان [Hezam al-aman]; **safety pin** n دبوس أمان [Daboos aman]

saffron ['sæfrən] n نبات الزعفران [Nabat al-za'afaran]

Sagittarius [ˌsædʒɪ'tɛərɪəs] n كوكبة القوس والرامي [Kawkabat al-'qaws wa alramey]

Sahara [sə'hɑːrə] n الصحراء الكبرى [Al-ṣahraa al-kobraa]

sail [seɪl] n شراع [ʃira:ʕ] ▷ v يُبحر [jubħiru]

sailing ['seɪlɪŋ] n الإبحار [al-ʔibħa:ri]; **sailing boat** n قارب ابحار ['qareb ebhar]

sailor ['seɪlə] n بحّار [baħħa:r]

saint [seɪnt; sənt] n قَدِّيس [qiddi:s]

salad ['sæləd] n سلاطة [sala:tˤa]; **mixed salad** n سلاطة مخلوطة [Salata makhlota]; **salad dressing** n صلصة السلطة [Ṣalṣat al-salata]

salami [sə'lɑːmɪ] n طعام السالامي [Ta'aam al-salamey]

salary ['sælərɪ] n راتب [ra:tib]

sale [seɪl] n بيع [bajʕ]; **sales assistant** n مساعد المبيعات [Mosa'aed al-mobee'aat]; **sales rep** n مندوب مبيعات [Mandoob mabee'aat]

salesman, salesmen ['seɪlzmən, 'seɪlzmɛn] n مندوب مبيعات [Mandoob mabee'aat]

salesperson ['seɪlzpɜːsən] n مندوب مبيعات [Mandoob mabee'aat]

saleswoman, saleswomen ['seɪlzwʊmən, 'seɪlzwɪmɪn] n مندوبة مبيعات [Mandoobat mabee'aat]

saliva [sə'laɪvə] n لُعاب [luʕa:b]

salmon ['sæmən] n سمك السلمون [Samak al-salmon]

salon ['sælɒn] n; **beauty salon** n صالون تجميل [Ṣalon hela'qa]

saloon [sə'luːn] n صالون [sˤa:lu:n]; **saloon car** n سيارة صالون [Sayarah ṣalon]

salt [sɔːlt] n ملح [milħ]

saltwater ['sɔːltˌwɔːtə] adj ماء ملحي [Maa mel'hey]

salty ['sɔːltɪ] adj مملح [mumallaħ]

salute [sə'luːt] v يُحَيِّي [juħajji:]

salve [sælv] n; **lip salve** n كريم للشفاه [Kereem lel shefah]

same [seɪm] adj عينه [ʕajinnat]

sample ['sɑːmpəl] n عينة [ʕajjina]

sand [sænd] n رمال [rima:l]; **sand dune** n كثبان رملية [Kothban ramleyah]

sandal ['sændəl] n صندل (حذاء) [sˤandal]

sandcastle [sændkɑːsəl] n قلعة من الرمال ['qal'aah men al-remal]

sandpaper ['sændˌpeɪpə] n ورق السنفرة [Wara'q al-sanfarah]

sandpit ['sændˌpɪt] n حفرة رملية [Hofrah ramleyah]

sandstone ['sændˌstəʊn] n حجر رملي [Hajar ramley]

sandwich ['sænwɪdʒ; -wɪtʃ] n سندويتش [sandiwi:tʃ]

San Marino [ˌsæn mə'riːnəʊ] n سان مارينو [sa:n ma:ri:nu:]

sapphire ['sæfaɪə] n ياقوت أزرق [Ya'qoot azra'q]

sarcastic [sɑː'kæstɪk] adj ساخر [sa:xir]

sardine [sɑː'diːn] n سردين [sardi:nu]

satchel ['sætʃəl] n حقيبة للكتب المدرسية [Ha'qeebah lel-kotob al-madraseyah]

satellite ['sætəˌlaɪt] n قمر صناعي ['qamar ṣenaaey]; **satellite dish** n طبق قمر صناعي [Taba'q ṣena'aey]

satisfaction [ˌsætɪs'fækʃən] n إشباع [ʔiʃba:ʕ]

satisfactory [ˌsætɪs'fæktərɪ; -trɪ] adj مرض [marad]

satisfied ['sætɪsˌfaɪd] adj راض [ra:dˤin]; **I'm not satisfied with this** أنا لست راضية عن هذا [ana lastu radˤy-ya 'aan hadha]

sat nav ['sæt næv] n الاستدلال على الاتجاهات من الأقمار الصناعية [Al-estedlal ala al-etejahat men al-'qmar alṣena'ayah]

Saturday ['sætədɪ] n السبت [?a-sabti];
last Saturday يوم السبت الماضي [yawm
al-sabit al-mady]; **next Saturday** يوم
السبت القادم [yawm al-sabit al-ʼqadem];
on Saturday في يوم السبت [fee yawm
al-sabit]; **on Saturdays** في أيام السبت
[fee ayaam al-sabit]; **this Saturday** يوم
السبت هذا [yawm al-sabit hadha]

sauce [sɔːs] n صلصة [sˁalsˁa]; **soy
sauce** n صوص الصويا [Ṣoṣ al-ṣoyah];
tomato sauce n صلصة طماطم [Ṣalṣat
ṭamaṭem]

saucepan ['sɔːspən] n (قدر) مِقلاة
[miqla:t]

saucer ['sɔːsə] n صحن الفنجان [Ṣaḥn
al-fenjaan]

Saudi ['sɔːdɪ; 'saʊ-] adj سعودي
[saˁuːdij] ⊳ n سعودي [saˁuːdij]

Saudi Arabia ['sɔːdɪ; 'saʊ-] n المملكة
العربية السعودية [Al-mamlakah
al-ʼaarabeyah al-soˁaodeyah]

Saudi Arabian ['sɔːdɪ əˈreɪbɪən] adj
السعودية [?a-saˁuːdijjatu] ⊳ n مواطن
سعودي [Mewaṭen saudey]

sauna ['sɔːnə] n حمام بخار [Hammam
bokhar]

sausage ['sɒsɪdʒ] n سجق [saʒq]

save [seɪv] v يُحافِظ على [Yoḥafez ʻaala]

save up [seɪv ʌp] v يُوَفِّر [juwaffiru]

savings ['seɪvɪŋz] npl مُدَّخَرات
[muddaxara:tin]

savoury ['seɪvərɪ] adj سار [sa:rr]

saw [sɔː] n منشار [minʃa:r]

sawdust ['sɔːˌdʌst] n نشارة [niʃa:ra]

saxophone ['sæksəˌfəʊn] n آلة
السكسية [Alat al-sekseyah]

say [seɪ] v يقول [jaqu:lu]

saying ['seɪɪŋ] n قَوْل [qawl]

scaffolding ['skæfəldɪŋ] n سقالات
[saqa:la:t]

scale [skeɪl] n (measure) ميزان [mi:za:n],
(tiny piece) ميزان [mi:za:n]

scales [skeɪlz] npl الميزان [Kafatay
al-meezan]

scallop ['skɒləp; 'skæl-] n محار
الاسقلوب [maḥar al-asʼqaloob]

scam [skæm] n خِدَاع [xida:ʕ]

scampi ['skæmpɪ] npl جمبري كبير
[Jambarey kabeer]

scan [skæn] n مسح ضوئي [Masḥ ḍawaey]
⊳ v يمسح الكترونياً [Yamsaḥ
elektroneyan]

scandal ['skændᵊl] n فضيحة [fadˁiːħa]

Scandinavia [ˌskændɪˈneɪvɪə] n
إسكندنافيا [?iskandina:fja:]

Scandinavian [ˌskændɪˈneɪvɪən] adj
اسكندينافي [?iskandina:fjj]

scanner ['skænə] n ماسح ضوئي [Maaseh
daweay]

scar [skɑː] n ندبة [nadba]

scarce [skɛəs] adj قليل [qaliːl]

scarcely ['skɛəslɪ] adv نادراً [na:diran]

scare [skɛə] n ذُعْر [ðuˁr] ⊳ v يُرَوِّع
[jurawwiˁu]

scarecrow ['skɛəˌkrəʊ] n خيال الظِل
[Khayal al-dhel]

scared [skɛəd] adj خائف [xa:?if]

scarf, scarves [skɑːf, skɑːvz] n وِشاح
[wiʃa:ħ]

scarlet ['skɑːlɪt] adj قرمزي [qurmuzij]

scary ['skɛərɪ] adj مخيف [muxiːf]

scene [siːn] n مشهد [maʃhad]

scenery ['siːnərɪ] n مَنْظَر [manzˁar]

scent [sɛnt] n عطر [ʕitˁr]

sceptical ['skɛptɪkᵊl; 'sceptical;
'skeptical] adj معتنق مذهب الشك
[Moʻataneʻq madhhab al-shak]

schedule ['ʃɛdjuːl; 'skɛdʒʊəl] n جدول
زمني [Jadwal zamaney]

scheme [skiːm] n مخطط [muxatˁatˁ]

schizophrenic [ˌskɪtsəʊˈfrɛnɪk;
ˌschizoˈphrenic] adj مريض بالفصام
[Mareed bel-feṣaam]

scholarship ['skɒləʃɪp] n منحة تعليمية
[Menḥah taʻaleemeyah]

school [skuːl] n مدرسة [madrasa]; **art
school** n كلية الفنون [Koleyat al-fonoon];
boarding school n مدرسة داخلية
[Madrasah dakheleyah]; **elementary
school** n مدرسة نوعية [Madrasah
nawʻaeyah]; **infant school** n مدرسة
أطفال [Madrasah aṭfaal]; **language**

school n لغات مدرسة [Madrasah lo-ghaat]; **law school** n كلية الحقوق [Kolayt al-ho'qooq]; **night school** n مدرسة ليلية [Madrasah layleyah]; **nursery school** n مدرسة الحضانة [Madrasah al-ḥaḍanah]; **primary school** n مدرسة إبتدائية [Madrasah ebtedaeyah]; **public school** n مدرسة عامة [Madrasah 'aamah]; **school uniform** n زي مدرسي موحد [Zey madrasey mowaḥad]; **secondary school** n مدرسة ثانوية [Madrasah thanaweyah]

schoolbag ['sku:l,bæg] n حقيبة مدرسية [Ha'qeebah madraseyah]

schoolbook ['sku:l,bʊk] n كتاب مدرسي [Ketab madrasey]

schoolboy ['sku:l,bɔɪ] n تلميذ [tilmi:ð]

schoolchildren ['sku:l,tʃɪldrən] n طلاب المدرسة [Tolab al-madrasah]

schoolgirl ['sku:l,gɜːl] n تلميذة [tilmi:ða]

schoolteacher ['sku:l,ti:tʃə] n مُدَرِّس [mudarris]

science ['saɪəns] n عِلْم (المعرفة) [ʕilmu]; **science fiction** n خيال علمي [Khayal 'aelmey]

scientific [,saɪən'tɪfɪk] adj علمي [ʕilmij]

scientist ['saɪəntɪst] n عَالِم [ʕa:lim]

scifi ['saɪ,faɪ] n خيال علمي [Khayal 'aelmey]

scissors ['sɪzəz] npl مقص [miqasˤun]; **nail scissors** npl مقص أظافر [Ma'qaṣ aḍhafer]

sclerosis [sklɪə'rəʊsɪs] n; **multiple sclerosis** n تَلَيُّف عصبي متعدد [Talayof 'aasˤabey mota'aded]

scoff [skɒf] v يَسخَر من [Yaskhar men]

scold [skəʊld] v يُعَنِّف [juʕannifu]

scooter ['sku:tə] n دراجة الرِجل [Darrajat al-rejl]

score [skɔː] n مجموع نقاط (game/match) [Majmo'aat ne'qaat], مجموع (of music) النقاط [Majmoo'a al-nekat] ▷ v يُحْرِز [juħrizu]

Scorpio ['skɔːpɪ,əʊ] n العقرب

[al-ʕaqrabi]

scorpion ['skɔːpɪən] n عقرب [ʕaqrab]

Scot [skɒt] n اسكتلاندي [iskutla:ndi:]

Scotland ['skɒtlənd] n اسكتلاندة [iskutla:ndatu]

Scots [skɒts] adj اسكتلانديون [iskutla:ndiju:na]

Scotsman, Scotsmen ['skɒtsmən, 'skɒtsmen] n اسكتلاندي [iskutla:ndi:]

Scotswoman, Scotswomen ['skɒts,wʊmən, 'skɒts,wɪmɪn] n اسكتلاندية [iskutla:ndijja]

Scottish ['skɒtɪʃ] adj اسكتلاندي [iskutla:ndi:]

scout [skaʊt] n كَشَّاف [kaʃʃa:f]

scrap [skræp] n عراك (dispute) [ʕira:k], فَضْلَة (small piece) [fadˤla] ▷ v يتشاجر [jataʃa:ʒaru]; **scrap paper** n ورق مسودة [Wara'q mosawadah]

scrapbook ['skræp,bʊk] n سجل القصاصات [Sejel al'qesaṣat]

scratch [skrætʃ] n خدش [xudʃu] ▷ v يَخدِش [jaxdiʃu]

scream [skriːm] n صراخ [sˤura:x] ▷ v يصيح [jasˤːħu]

screen [skriːn] n شاشة تليفزيون [Shashat telefezyoon]; **plasma screen** n شاشة بلازما [Shashah blazma]; **screen (off)** v يَحْجُب [jaħʒubu]

screen-saver ['skriːnˌseɪvər] n شاشة تَوَقُّف [Shashat taw'qof]

screw [skruː] n مسمار قلاووظ [Mesmar 'qalawoodh]

screwdriver ['skruːˌdraɪvə] n مفك [mifakk]

scribble ['skrɪbəl] v يخربش [juxarbiʃu]

scrub [skrʌb] v نَفْرُك [jafruku]

sculptor ['skʌlptə] n مَثَّال [maθθa:l]

sculpture ['skʌlptʃə] n فن النحت [Fan al-naht]

sea [siː] n بَحْر [baħr]; **North Sea** n البحر الشمالي [Al-baḥr al-Shamaley]; **Red Sea** n البحر الأحمر [Al-bahr al-ahmar]; **sea level** n مستوى سطح البحر [Mostawa sath al-bahr]; **sea water** n مياه البحر [Meyah al-baḥr]

seafood ['siːˌfuːd] n الأطعمة البحرية [Al-aṭʿaemah al-baḥareyh]

seagull ['siːˌɡʌl] n نورس البحر [Nawras al-baḥr]

seal [siːl] n (animal) حيوان الفقمة (حيوان) [Ḥayawaan al-faʿqmah], (mark) ختم [xitm] ▷ v يَختِم [jaxtimu]

seam [siːm] n ندبة [nadba]

seaman, seamen ['siːmən, 'siːmɛn] n جندي بحري [Jondey baharey]

search [sɜːtʃ] n بَحْث [baħθ] ▷ v يُفَتِش [jufattiʃu]; **search engine** n محرك البحث [moḥarek al-baḥth]; **search party** n فريق البحث [Fareeʿq al-baḥth]

seashore ['siːˌʃɔː] n شاطئ البحر [Shateya al-baḥr]

seasick ['siːˌsɪk] adj مصاب بدوار البحر [Moṣab be-dawar al-baḥr]

seaside ['siːˌsaɪd] n ساحل البحر [saḥel al-baḥr]

season ['siːzªn] n موسم [mawsim]; **high season** n موسم ازدهار [Mawsem ezdehar]; **low season** n فترة ركود [Fatrat rekood]; **season ticket** n التذاكر الموسمية [Al-tadhaker al-mawsemeyah]

seasonal ['siːzənªl] adj موسمي [mawsimijjat]

seasoning ['siːzənɪŋ] n توابل [tawaːbil]

seat [siːt] n (constituency) عضوية في مجلس تشريعي ['aoḍweyah fee majles tashreaey], (furniture) مقعد [maqʿad]; **aisle seat** n كرسي بجوار الممر [Korsey be-jewar al-mamar]; **window seat** n مقعد بجوار النافذة [Maʿq.aad bejwar al-nafedhah]; **Excuse me, that's my seat** معذرة، هذا هو مقعدي؟ [ma-a-dhera, hadha howa maʿq.aady]; **I have a seat reservation** لقد قمت بحجز المقعد [la'qad 'qimto be-ḥajis al-ma'q'aad]; **I'd like a non-smoking seat** أريد مقعد في العربة المخصصة لغير المدخنين [areed ma'q.aad fee al-'aaraba al-mukhaṣaṣa le-ghyr al-mudakheneen]; **I'd like a seat in the smoking area** أريد مقعد في المكان المخصص للمدخنين [areed ma'q.aad fee al-makan]

al-mukhaṣaṣ lel -mudakhineen]; **I'd like a window seat** أريد مقعد بجوار النافذة [areed ma'q.aad be-jewar al-nafedha]; **Is this seat free?** هل يمكن الجلوس في هذا المقعد؟ [hal yamken al-jiloos fee hadha al-ma'q-'aad?]; **Is this seat taken?** هل هذا المقعد محجوز؟ [hal hadha al-ma'q'ad maḥjooz?]; **The seat is too high** المقعد مرتفع جدا [al-ma'q'ad mur-tafʿa jedan]; **The seat is too low** المقعد منخفض جدا [al-ma'q'ad mun-khafiḍ jedan]; **We'd like to reserve two seats for tonight** نريد حجز مقعدين في هذه الليلة [nureed ḥajiz ma'q-'aad-ayn fee hadhy al-layla]

seatbelt ['siːtˌbɛlt] n حزام الأمان المثبت في المقعد [Ḥezam al-aman al-mothabat fee al-ma'q'aad]

seaweed ['siːˌwiːd] n طُحْلُب بحري [Ṭoḥleb baharey]

second ['sɛkənd] adj الثاني [aθ-θaːniː] ▷ n ثانية [θaːnija]; **second class** n درجة ثانية [Darajah thaneyah]

second-class ['sɛkəndˌklɑːs] adj مرتبة ثانية [Martabah thaneyah]

secondhand ['sɛkəndˌhænd] adj مستعمل [mustaʿmal]

secondly ['sɛkəndlɪ] adv ثانياً [θaːniːan]

second-rate ['sɛkəndˌreɪt] adj من الدرجة الثانية [Men al-darajah althaneyah]

secret ['siːkrɪt] adj سري [sirij] ▷ n سِرّ [sirr]; **secret service** n خدمة سرية [Khedmah serreyah]

secretary ['sɛkrətrɪ] n سكرتير [sikirtiːr]

secretly ['siːkrɪtlɪ] adv سراً [sirran]

sect [sɛkt] n طائفة [tˤaːʔifa]

section ['sɛkʃən] n قسم [qism]

sector ['sɛktə] n قطاع [qitˤaːʕ]

secure [sɪˈkjʊə] adj مُأَمَّن [muʔamman]

security [sɪˈkjʊərɪtɪ] n الأمن [alʔamnu]; **security guard** n حارس الأمن [Ḥares al-amn]; **social security** n ضمان اجتماعي [Ḍaman ejtemaʿay]

sedative ['sɛdətɪv] n عقار مسكن ['aaʿqaar mosaken]

see [siː] v يرى [jaraː]

seed [si:d] n بِذْرة [biðra]

seek [si:k] v يَبْحَث عن [Yabhath an]

seem [si:m] v يَبْدو [jabdu:]

seesaw ['si:,sɔ:] n أرجوحة [ʔurʒu:ħa]

see-through ['si:,θru:] adj شَفّافة [ʃaffa:fat]

seize [si:z] v يستَولي على [Yastwley 'ala]

seizure ['si:ʒə] n نوبة مرضية [Nawbah maradeyah]

seldom ['sɛldəm] adv نادرا ما [Naderan ma]

select [sɪ'lɛkt] v يَتخَير [jataxajjaru]

selection [sɪ'lɛkʃən] n اصطفاء [isˤtˤifa:ʔ]

self-assured ['sɛlfə'ʃʊəd] adj واثق بنفسه [Wathe'q benafseh]

self-catering ['sɛlf,keɪtərɪŋ] n خدمة ذاتية [Khedmah dateyah]

self-centred ['sɛlf,sɛntəd] adj مُحِب لنفسه [Moheb le-nafseh]

self-conscious ['sɛlf,kɒnʃəs] adj خجول [xaʒu:l]

self-contained ['sɛlf,kən'teɪnd] adj متميز بضبط النفس [Motameyez bedt al-nafs]

self-control ['sɛlf,kən'trəʊl] n ضبط النفس [Dabt al-nafs]

self-defence ['sɛlf,dɪ'fɛns] n الدفاع عن النفس [Al-defaa'a 'aan al-nafs]

self-discipline ['sɛlf,dɪsɪplɪn] n ضبط النفس [Dabt al-nafs]

self-employed ['sɛlɪm'plɔɪd] adj حُر المِهنة [Hor al-mehnah]

selfish ['sɛlfɪʃ] adj أناني [ʔana:nij]

self-service ['sɛlf,sɜ:vɪs] n خدمة ذاتية [Khedmah dateyah]

sell [sɛl] v يَبِيع [jabi:ʕu]; **sell-by date** n تاريخ انتهاء الصلاحية [Tareekh enthaa al-salaheyah]; **selling price** n سعر البيع [Se'ar al-bay'a]

sell off [sɛl ɒf] v يَبِيع بالتصفية [Yabea'a bel-tasfeyah]

Sellotape® ['sɛləteɪp] n شريط لاصق [Shreet lase'q]

sell out [sɛl aʊt] v يَبِيع المخزون [Yabea'a al-makhzoon]

semester [sɪ'mɛstə] n فصل دراسي [Fasl derasey]

semi ['sɛmɪ] n شبه [ʃibhu]

semicircle ['sɛmɪ,sɜ:kəl] n نصف دائرة [Nesf daaeyrah]

semicolon [,sɛmɪ'kəʊlən] n فصلة منقوطة [faselah man'qota]

semifinal [,sɛmɪ'faɪnəl] n مباراة شبه نهائية [Mobarah shebh nehaeyah]

send [sɛnd] v يَبْعَث به [Yab'ath be]

send back [sɛnd bæk] v يُرْجِع [jurʒiʕu]

sender ['sɛndə] n مُرسِل [mursil]

send off [sɛnd ɒf] v يَطلُب الإرسال بالبريد [jatˤlubu alʔirsa:la bilbari:di]

send out [sɛnd aʊt] v يبعث به [Tab'aath be]

Senegal [,sɛnɪ'gɔ:l] n السنغال [as-siniɣa:lu]

Senegalese [,sɛnɪgə'li:z] adj سِنغالي [siniɣa:lij] ▷ n سنغالي [siniɣa:lij]

senior ['si:njə] adj الأعلى مقاماً [Al a'ala ma'qaman]; **senior citizen** n شخص متقدم العمر [Shakhs mota'qadem al-'aomr]

sensational [sɛn'seɪʃənəl] adj مُثير [muθi:r]

sense [sɛns] n حاسة [ħa:ssa]; **sense of humour** n حس الفكاهة [Hes al-fokahah]

senseless ['sɛnslɪs] adj عديم الاحساس ['adeem al-ehsas]

sensible ['sɛnsɪbəl] adj محسوس [maħsu:s]

sensitive ['sɛnsɪtɪv] adj حساس [ħassa:s]

sensuous ['sɛnsjʊəs] adj حسي [ħissij]

sentence ['sɛntəns] n (punishment) حُكْم [ħukm], (words) جملة [ʒumla] ▷ v يَحْكُم على [Yahkom 'ala]

sentimental [,sɛntɪ'mɛntəl] adj حساس [ħassa:s]

separate adj ['sɛpərɪt] منفصل [munfasˤil] ▷ v ['sɛpəˌreɪt] يُفَرِق [jufarriqu]

separately ['sɛpərɪtlɪ] adv بصورة منفصلة [Besorah monfaselah]

separation [,sɛpə'reɪʃən] n انفصال [infisˤa:l]

September [sɛp'tɛmbə] n سبتمبر

[sibtumbar]

sequel ['si:kwəl] n نتيجة [nati:ʒa]

sequence ['si:kwəns] n تسلسل [tasalsul]

Serbia ['sɜːbɪə] n الصرب [as-ˤsˤirbu]

Serbian ['sɜːbɪən] adj صربي [sˤirbij] ▷ n (language) اللغة الصربية [Al-loghah al-ṣerbeyah], (person) صربي [sˤirbij]

sergeant ['saːdʒənt] n ضابط رَقيب [Ḍabeṭ ra'qeeb]

serial ['sɪərɪəl] n حلقة مسلسلة [Ḥala'qah mosalsalah]

series ['sɪəriːz; -rɪz] n متتالية [mutata:lijja]

serious ['sɪərɪəs] adj جاد [ʒaːdd]

seriously ['sɪərɪəslɪ] adv جديا [ʒiddiːan]

sermon ['sɜːmən] n موعظة [mawˤizˤa]

servant ['sɜːvənt] n موظف حكومي [mowaḍhaf ḥokomey]; **civil servant** n موظف حكومة [mowaḍhaf hokomah]

serve [sɜːv] n مدة خدمة [Modat khedmah] ▷ v يخدم [jaxdimu]

server ['sɜːvə] n (computer) جهاز السيرفر [Jehaz al-servo], (person) خادم [xaːdim]

service ['sɜːvɪs] n خدمة [xidma] ▷ v يُزَوِّد [juzawwidu]; **room service** n خدمة الغرف [Khedmat al-ghoraf]; **secret service** n خدمة سرية [Khedmah serreyah]; **service area** n منطقة تقديم الخدمات [Menṭa'qat ta'qdeem al- khadamat]; **service charge** n رَسْم الخدمة [Rasm al-khedmah]; **service station** n محطة الخدمة [Maḥaṭat al-khedmah]; **social services** npl خدمات اجتماعية [Khadamat ejtem'aeyah]; **I want to complain about the service** أريد في تقديم شكاوى بشأن الخدمة [areed ta'q-deem shakawee be-shan al-khedma]; **Is service included?** هل الفاتورة شاملة الخدمة؟ [hal al-fatoora shamelat al-khidma?]; **Is there a charge for the service?** هل هناك مصاريف للحصول على الخدمة؟ [Hal honak maṣareef lel-ḥoṣol ala al-khedmah]; **Is there room service?** هل هناك خدمة للغرفة؟ [hal hunaka khidma lil-ghurfa?];

The service was terrible كانت الخدمة سيئة للغاية [kanat il-khidma say-ia el-ghaya]

serviceman, servicemen ['sɜːvɪsˌmæn; -mən, 'sɜːvɪsˌmɛn] n جندي [ʒundij]

servicewoman, servicewomen ['sɜːvɪsˌwʊmən, 'sɜːvɪsˌwɪmɪn] n امرأة ملتحقة بالقوات المسلحة [Emraah moltaheˈqah bel-ˈqwat al-mosallaha]

serviette [ˌsɜːvɪˈɛt] n منديل المائدة [Mandeel al-maaedah]

session ['sɛʃən] n جلسة [ʒalsa]

set [sɛt] n مجموعة كتب [Majmoˈaat kotob] ▷ v يهيئ [juhajjiʔ]

setback ['sɛtbæk] n توقف [tawaqquf]

set menu [sɛt 'mɛnjuː] n قائمة مجموعات الأغذية [ˈqaemat majmoˈaat al-oghneyah]

set off [sɛt ɒf] v يَبْدَأُ الرِّحْلَه [jabdaʔu arriḥlata]

set out [sɛt aʊt] v يَعْرِض [jaˤriḍu]

settee [sɛˈtiː] n أريكة [ʔariːka]

settle ['sɛtəl] v يرسخ [jurassixu]

settle down ['sɛtəl daʊn] v يستقر [jastaqirru]

seven ['sɛvən] number سبعة [sabˤatun]

seventeen ['sɛvənˈtiːn] number سبعة عشر [sabˤata ʕaʃara]

seventeenth ['sɛvənˈtiːnθ; 'seventeen'th] adj سابع عشر [saːbiˤa ʕaʃara]

seventh ['sɛvənθ] adj سابع [saːbiˤu] ▷ n السابع [as-saːbiˤu]

seventy ['sɛvəntɪ] number سبعين [sabˤiːna]

several ['sɛvrəl] adj عديد [ʕadiːd] ▷ pron عِدَّة [ʕiddah]

sew [səʊ] v يُخيط [juxiːtˤu]

sewer ['suːə] n البلوعة [baluːˤa]

sewing ['səʊɪŋ] n خِياطة [xajaːtˤa]; **sewing machine** n ماكينة خياطة [Makenat kheyatah]

sew up [səʊ ʌp] v يُخيط تماما [Yokhayeṭ tamaman]

sex [sɛks] n جِنس [ʒins]

sexism ['sɛksɪzəm] n التفرقة العنصرية بحسب الجنس [Al-tafre'qa al'aonṣoreyah behasab al-jens]

sexist ['sɛksɪst] adj مؤيد للتفرقة العنصرية بحسب الجنس [Moaed lel-tare'qa al'aonṣeryah behasb aljens]

sexual ['sɛksjʊəl] adj جنسي [ʒinsij]; **sexual intercourse** n جماع [ʒimaʕun]

sexuality [ˌsɛksjʊˈælɪtɪ; ˌsexu'ality] n مَيْل جنسي [Mayl jensey]

sexy ['sɛksɪ] adj مثير جنسيا [Motheer jensyan]

shabby ['ʃæbɪ] adj بال [ba:lin]

shade [ʃeɪd] n ظل [ẓʕill]

shadow ['ʃædəʊ] n ظل [ẓʕill]; **eye shadow** n ظل العيون [ḏhel al-'aoyoon]

shake [ʃeɪk] vi يَهتّز [jahtazzu] ▷ vt يَهُزّ [jahuzzu]

shaken ['ʃeɪkən] adj مهزوز [mahzu:zz]

shaky ['ʃeɪkɪ] adj متقلقل [mutaqalqil]

shallow ['ʃæləʊ] adj ضحل [dʕaħl]

shambles ['ʃæmbʰlz] npl مجزر [maʒzarun]

shame [ʃeɪm] n خزي [xizj]

shampoo [ʃæmˈpuː] n شامبو [ʃaːmbuː]; **Do you sell shampoo?** هل تبيع شامبوهات؟ [hal tabee'a shambo-haat?]

shape [ʃeɪp] n مَظْهَر [maẓʕhar]

share [ʃɛə] n سهم مالي [Sahm maley] ▷ v يُشارك [juʃaːriku]

shareholder ['ʃɛəˌhəʊldə] n حامل أسهم [Hamel ashom]

share out [ʃɛə aʊt] v يُقَسِم [juqassimu]

shark [ʃɑːk] n سمك القرش (سمك) [Samak al-'qersh]

sharp [ʃɑːp] adj حاد [ħaːdd]

shave [ʃeɪv] v يَحْلِق [jaħliqu]; **shaving cream** n كريم الحلاقة [Kereem al-helaka]; **shaving foam** n رغوة الحلاقة [Raghwat ḥela'qah]

shaver ['ʃeɪvə] n ماكينة حِلاقة [Makenat ḥela'qa]

shawl [ʃɔːl] n شال [ʃaːl]

she [ʃiː] pron هي

shed [ʃɛd] n غُرفة خشبية [Ghorfah khashabeyah]

sheep [ʃiːp] n نعجة [naʕʒa]

sheepdog ['ʃiːpˌdɒg] n كلب الراعي [Kalb al-ra'aey]

sheepskin ['ʃiːpˌskɪn] n جلد الغنم [Jeld al-ghanam]

sheer [ʃɪə] adj مُطلَق [muˈtʕlaq]

sheet [ʃiːt] n ملاءة [malla:ʔa]; **balance sheet** n ميزانية [mi:za:nijjatun]; **fitted sheet** n ملاءة مثبتة [Melaah mothabatah]

shelf, shelves [ʃɛlf, ʃɛlvz] n رف [raff]

shell [ʃɛl] n محارة [maħa:ra]; **shell suit** n زي رياضي [Zey reyaḍey]

shellfish ['ʃɛlˌfɪʃ] n محار [maħa:r]; **I'm allergic to shellfish** عندي حساسية من المحار [a'endy ḥasas-eyah min al-maḥar]

shelter ['ʃɛltə] n ملتجأ [multaʒa]

shepherd ['ʃɛpəd] n راعي [ra:ʕi:]

sherry ['ʃɛrɪ] n خَمر الشري [Khamr alsherey]

shield [ʃiːld] n حجاب واق [Hejab wa'q]

shift [ʃɪft] n تَغَيُّر [taɣajjur] ▷ v يحول [juħawwilu]

shifty ['ʃɪftɪ] adj واسع الحيلة [Wase'a al-heelah]

Shiite ['ʃiːaɪt] adj شيعي [ʃiːʕij]

shin [ʃɪn] n قَصَبة الرِجل [qaṣabat al-rejl]

shine [ʃaɪn] v يَلْمَع [jalmaʕu]

shiny ['ʃaɪnɪ] adj لامع [la:miʕ]

ship [ʃɪp] n سفينة [safi:na]

shipbuilding ['ʃɪpˌbɪldɪŋ] n بناء السفن [Benaa al-sofon]

shipment ['ʃɪpmənt] n شَحنة [ʃaxna]

shipwreck ['ʃɪpˌrɛk] n حطام السفينة [Hoṭam al-safeenah]

shipwrecked ['ʃɪpˌrɛkt] adj سفينة محطمة [Safeenah mohaṭamah]

shipyard ['ʃɪpˌjɑːd] n تِرْسانة السُفن [Yarsanat al-sofon]

shirt [ʃɜːt] n قميص [qami:sʕ]; **polo shirt** n قميص بولو [Qamees bolo]

shiver ['ʃɪvə] v يَرتعش [jartaʕiʃu]

shock [ʃɒk] n صَدْمَة [sʕadma] ▷ v يَصدِم [jasʕdimu]; **electric shock** n صَدْمَة كهربائية [Sadmah kahrbaeyah]

shocking ['ʃɒkɪŋ] adj مصدم [musʕdim]

shoe [ʃuː] n حذاء [ħiðaːʔ]; **shoe polish** n ورنيش الأحذية [Warneesh al-aḥdheyah]; **shoe shop** n محل أحذية [Maḥal aḥdheyah]; **Can you re-heel these shoes?** هل يمكن إعادة تركيب كعب لهذا الحذاء؟ [hal yamken e'aa-dat tarkeeb ka'ab le-hadha al-ḥedhaa?]; **Can you repair these shoes?** هل يمكن تصليح هذا الحذاء؟ [hal yamken taṣleeḥ hadha al-ḥedhaa?]

shoelace [ʃuːleɪs] n رباط الحذاء [Rebaṭ al-hedhaa]

shoot [ʃuːt] v يُطْلِق [jutˤliqu]

shooting [ʃuːtɪŋ] n إطلاق النار [Eṭla'q al nar]

shop [ʃɒp] n محل [maḥall]; **antique shop** n متجر المقتنيات القديمة [Matjar al-mo'qtanayat al-'qadeemah]; **gift shop** n متجر هدايا [Matjar hadaya]; **shop assistant** n مساعد في متجر [Mosa'aed fee matjar]; **shop window** n واجهة العرض في المتجر [Wagehat al-'aarḍ fee al-matjar]; **What time do the shops close?** ما هو موعد إغلاق المحلات التجارية؟ [ma howa maw-'aid eghla'q al-maḥalat al-tejar-iya?]

shopkeeper [ʃɒpˌkiːpə] n صاحب المتجر [Ṣaheb al-matjar]

shoplifting [ʃɒpˌlɪftɪŋ; 'shopˌlifting] n سرقة السلع من المتاجر [Sare'qat al-sela'a men al-matajer]

shopping [ʃɒpɪŋ] n تسوق [tasawwuq]; **shopping bag** n كيس التسوق [Kees al-tasawo'q]; **shopping centre** n مركز تسوق [Markaz tasawe'q]; **shopping trolley** n ترولي التسوق [Trolley altasaw'q]

shore [ʃɔː] n ساحل [sa.ħil]

short [ʃɔːt] adj قصير [qasˤiːr]; **short story** n قصة قصيرة ['qeṣah 'qaṣeerah]

shortage [ʃɔːtɪdʒ] n عجز [ʕaʒz]

shortcoming [ʃɔːtˌkʌmɪŋ] n موطن ضعف [Mawṭen ḍa'af]

shortcut [ʃɔːtˌkʌt] n طريق مختصر [ṭaree'q mokhtaṣar]

shortfall [ʃɔːtˌfɔːl] n قلة [qilla]

shorthand [ʃɔːtˌhænd] n اختزال [ixtizaːl]

shortlist [ʃɔːtˌlɪst] n قائمة مرشحين ['qaemat morashaheen]

shortly [ʃɔːtlɪ] adv قريباً [qariːban]

shorts [ʃɔːts] npl شورت [ʃuːrt]

short-sighted [ʃɔːtˈsaɪtɪd] adj قصير النظر ['qaseer al-naḍhar]

short-sleeved [ʃɔːtˌsliːvd] adj قصير الأكمام ['qaseer al-akmam]

shot [ʃɒt] n حقنة [ħuqna]; **I need a tetanus shot** أحتاج إلى حقنة تيتانوس [aḥtaaj ela he'qnat tetanus]

shotgun [ʃɒtˌɡʌn] n بندقية رش [Bonde'qyat rash]

shoulder [ʃəʊldə] n كتف [katif]; **hard shoulder** n كتف طريق صلب [Katef ṭaree'q ṣalb]; **shoulder blade** n لَوْح الكِتِف [Looh al-katef]; **I've hurt my shoulder** لقد أصبت في كتفي [la'qad oṣibto fee katfee]

shout [ʃaʊt] n صيحة [sˤajħa] ⊳ v يصيح [jasˤiːħu]

shovel [ʃʌvəl] n جاروف [ʒaːruːf]

show [ʃəʊ] n معرض [maʕrid] ⊳ v يَعْرِض [jaʕridˤu]; **show business** n مجال الاستعراض [Majal al-este'araḍ]

shower [ʃaʊə] n دُش [duʃ]; **shower cap** n غطاء الشعر للاستحمام [ghetaa al-sha'ar lel-estehmam]; **shower gel** n جل الاستحمام [Jel al-estehmam]

showerproof [ʃaʊəˌpruːf] adj مقاوم للبلل [Mo'qawem lel-balal]

showing [ʃəʊɪŋ] n مظهر [maʒˤhar]

show off [ʃəʊ ɒf] v يسعى للفت الأنظار [Yas'aa lelaft alandhaar]

show-off [ʃəʊɒf] n المتفاخر [almutafaːxiru]

show up [ʃəʊ ʌp] v يَظْهَر [jaẓˤharu]

shriek [ʃriːk] v يصرخ [jasˤruxu]

shrimp [ʃrɪmp] n جمبري [ʒambarij]

shrine [ʃraɪn] n ضريح [dˤariːħ]

shrink [ʃrɪŋk] v يَتَقلص [jataqallasˤu]

shrub [ʃrʌb] n شُجَيرة [ʃuʒajra]

shrug [ʃrʌɡ] v يهز كتفيه [Yahoz katefayh]

shrunk [ʃrʌŋk] adj متقلص [mutaqallisˤ]

shudder [ˈʃʌdə] v يَنْتَفِض [jantafidˤu]

shuffle [ˈʃʌfᵊl] v يُلَخبِط [julaxbitˤu]

shut [ʃʌt] v يُغلِق [juɣliqu]

shut down [ʃʌt daʊn] v يَقْفِل [jaqfilu]

shutters [ˈʃʌtəz] n مصراع النافذة [meṣraa'a alnafedhah]

shuttle [ˈʃʌtᵊl] n مكوك [makku:k]

shuttlecock [ˈʃʌtᵊlˌkɒk] n كُرَة الريشة [Korat al-reeshaa]

shut up [ʃʌt ʌp] v يَسكُت [jaskutu]

shy [ʃaɪ] adj متحفظ [mutaḥaffizˤ]

Siberia [saɪˈbɪərɪə] n سيبيريا [si:bi:rja:]

siblings [ˈsɪblɪŋz] npl أشقاء [ʔaʃʃiqa:ʔun]

sick [sɪk] adj عليل [ʕali:l]; **sick leave** n أجازة مَرضيّة [Ajaza maraḍeyah]; **sick note** n إذن غياب مرضي [edhn gheyab maraḍey]; **sick pay** n الأجر المدفوع خلال الأجازة المرضية [Al-'ajr al-madfoo'a khelal al-'ajaza al-maraḍeyah]

sickening [ˈsɪkənɪŋ] adj مُمرِض [mumriḍ]

sickness [ˈsɪknɪs] n سقم [saqam]; **morning sickness** n غثيان الصباح [Ghathayan al-ṣabaḥ]; **travel sickness** n دُوار السفر [Dowar al-safar]

side [saɪd] n جانب [ʒa:nib]; **side effect** n آثار جانبية [Aathar janeebyah]; **side street** n شارع جانبي [Share'a janebey]

sideboard [ˈsaɪdˌbɔːd] n بُوفيه [bu:fi:h]

sidelight [ˈsaɪdˌlaɪt] n ضوء جانبي [Dowa janebey]

sideways [ˈsaɪdˌweɪz] adv من الجنب [Men al-janb]

sieve [sɪv] n منخُل [manxal]

sigh [saɪ] n تنهيدة [tanhi:da] ▷ v يَتَنهَد [jatanahhadu]

sight [saɪt] n رؤية [ruja]

sightseeing [ˈsaɪtˌsiːɪŋ] n زيارة المعالم السياحية [Zeyarat al-ma'aalem al-seyahyah]

sign [saɪn] n لافتة [la:fita] ▷ v يُوقِع [juwaqiʕu]; **road sign** n لافتة طريق [Lafetat taree'q]; **sign language** n لغة الإشارة [Loghat al-esharah]

signal [ˈsɪgnᵊl] n إشارة [ʔiʃa:ra] ▷ v يُومئ [ju:miʔu]; **busy signal** n إشارة إنشغال الخط [Esharat ensheghal al-khat]

signature [ˈsɪgnɪtʃə] n توقيع [tawqi:ʕ]

significance [sɪgˈnɪfɪkəns] n دِلالة [dala:la]

significant [sɪgˈnɪfɪkənt] adj هام [ha:mm]

sign on [saɪn ɒn] v يَبْدأ التسجيل [jabda?u attasʒi:la]

signpost [ˈsaɪnˌpəʊst] n عمود الإشارة ['amood al-esharah]

Sikh [siːk] adj تابع للديانة السيخية [Tabe'a lel-zobabah al-sekheyah] ▷ n السيخي [assi:xiju]

silence [ˈsaɪləns] n صَمْت [sˤamt]

silencer [ˈsaɪlənsə] n كاتم للصوت [Katem lel-ṣawt]

silent [ˈsaɪlənt] adj صامت [sˤa:mit]

silk [sɪlk] n حرير [ḥari:r]

silly [ˈsɪlɪ] adj أبْله [ʔablah]

silver [ˈsɪlvə] n فضة [fidˤdˤa]

similar [ˈsɪmɪlə] adj مماثل [muma:θil]

similarity [ˌsɪmɪˈlærɪtɪ] n تَشابُه [taʃa:buh]

simmer [ˈsɪmə] v يَغْلي برفق [Yaghley beref'q]

simple [ˈsɪmpᵊl] adj بسيط [basi:tˤ]

simplify [ˈsɪmplɪˌfaɪ] v يُبَسط [jubassitˤu]

simply [ˈsɪmplɪ] adv ببساطة [Bebasata]

simultaneous [ˌsɪmǝlˈteɪnɪǝs; ˌsaɪmǝlˈteɪnɪǝs] adj متزامن [mutaza:min]

simultaneously [ˌsɪmǝlˈteɪnɪǝslɪ] adv فوري [fawrijjun]

sin [sɪn] n خطيئة [xatˤiːʔa]

since [sɪns] adv قديماً [qadi:man] ▷ conj مُنذ [Monz] ▷ prep مُنْذُ; **I've been sick since Monday** منذ يوم الاثنين وأنا أعاني من المرض [mundho yawm al-ithnayn wa ana o'aany min al-maraḍ]

sincere [sɪnˈsɪə] adj مُخْلِص [muxlisˤ]

sincerely [sɪnˈsɪəlɪ] adv بإخلاص [bi?ixla:sˤin]

sing [sɪŋ] v يُغَنّي [juɣanni:]

singer [ˈsɪŋə] n مغني [muɣanni:]; **lead singer** n مُغَنّي حفلات [Moghaney ḥafalat]

singing ['sɪŋɪŋ] n غناء [yina:ʔ]

single ['sɪŋgºl] adj فرد ◁ [dabz] أعزب [fard]; **single bed** n سرير فردي [Sareer fardey]; **single parent** n أحد الوالدين [Aḥad al-waledayn]; **single room** n غرفة لشخص واحد [ghorfah le-shakhṣ wahed]; **single ticket** n تذكرة فردية [tadhkarat fardeyah]; **I want to reserve a single room** أريد حجز غرفة لفرد واحد [areed ḥajiz ghurfa le-fard waḥid]

singles ['sɪŋgºlz] npl مباراة فردية [Mobarah fardeyah]

singular ['sɪŋgjʊlə] n مفرد [mufrad]

sinister ['sɪnɪstə] adj مَشْؤُوم [maʃwm]

sink [sɪŋk] n بالوعة ◁ [ba:luːʕa] يغرق [jaɣraqu]

sinus ['saɪnəs] n تجويف [taʒwiːf]

sir [sɜː] n سيدي [sajjidiː]

siren ['saɪərən] n صَفَّارَة إِنْذَار [Ṣafarat endhar]

sister ['sɪstə] n أخت [ʔuxt]

sister-in-law ['sɪstə ɪn lɔː] n أخت الزوجة [Okht alzawjah]

sit [sɪt] v يَقْعُد [jaqʕudu]

sitcom ['sɪtˌkɒm] n كوميديا الموقف [Komedya al-maw'qf]

sit down [sɪt daʊn] n يَجْلِس [jaʒlisu]

site [saɪt] n موقع [mawqiʕ]; **building site** n موقع البناء [Maw'qe'a al-benaa]; **caravan site** n موقع المَقْطُورَة [Maw'qe'a al-ma'qtorah]

situated ['sɪtjʊeɪtɪd] adj كائن [ka:ʔin]

situation [ˌsɪtjʊ'eɪʃən] n وضع [wadʕ]

six [sɪks] number ستة [sittatun]

sixteen ['sɪks'tiːn] number ستة عشر [sittata ʕaʃara]

sixteenth ['sɪks'tiːnθ; 'sɪx'teenth] adj السادس عشر [assa:disa ʕaʃara]

sixth [sɪksθ] adj السادس [as-sa:disu]

sixty ['sɪkstɪ] number ستون [sittu:na]

size [saɪz] n حجم [ħaʒm]

skate [skeɪt] v يَتَزَلَّج [jatazallaʒu]

skateboard ['skeɪtˌbɔːd] n لوح التزلج [Lawh al-tazalloj]; **I'd like to go skateboarding** أريد ممارسة رياضة التزلج [areed mu-ma-rasat

reyaḍat al-tazal-oj 'aala lawh al-tazal-oj]

skateboarding ['skeɪtˌbɔːdɪŋ] n تزلّج [Tazaloj 'ala al-looh] على اللوح

skates [skeɪts] npl زلاجات [zala:ʒa:tun]

skating ['skeɪtɪŋ] n تَزَلُّج [tazaluʒ]; **skating rink** n حلبة تَزَلُّج [Ḥalabat tazaloj]

skeleton ['skɛlɪtən] n هيكل عظمي [Haykal aḍhmey]

sketch [skɛtʃ] n مُخَطَّط [muxatˤˤatˤ] ◁ v يُخَطِّط بدون تفاصيل [Yokhaṭeṭ bedon tafaseel]

skewer ['skjʊə] n سيخ [siːx]

ski [skiː] n زلاجة [zala:ʒa] ◁ v يَتَزحلق على [Yatazahal'q ala al-thalj]; **ski lift** n مَصْعَد التَّزَلُّج [Meṣ'aad al-tazalog]; **ski pass** n ممر التزحلق [Mamar al-tazahlo'q]; **I want to hire cross-country skis** أريد أن أوجر زلاجة لمسافات طويلة; **I want to hire downhill skis** أريد أن أوجر زلاجة لهبوط التل [areed an o-ajer zalaja le-hoboṭ al-tal]; **I want to hire skis** أريد أن أوجر زلاجة [areed an o-ajer zalaja]

skid [skɪd] v يَنْزَلِق [janzaliqu]

skier ['skiːə] n مُتَزَلِّج [mutazalliʒ]

skiing ['skiːɪŋ] n تَزَلُّج [tazzaluʒ]

skilful ['skɪlfʊl] adj بارع [ba:riʕ]

skill [skɪl] n مهارة [maha:ra]

skilled [skɪld] adj ماهر [ma:hir]

skimpy ['skɪmpɪ] adj هزيل [hazi:l]

skin [skɪn] n جلد [ʒildu]

skinhead ['skɪnˌhɛd] n حليق الرأس [Halee'q al-raas]

skinny ['skɪnɪ] adj هزيل الجسم [Hazeel al-jesm]

skin-tight ['skɪnˌtaɪt] adj ضيق جدا [Daye'q jedan]

skip [skɪp] v يَتخطى [jataxatˤtˤa:]

skirt [skɜːt] n جونلة [ʒawnala]

skive [skaɪv] v يَتكاسل [jataka:salu]

skull [skʌl] n جمجمة [ʒumʒuma]

sky [skaɪ] n سماء [sama:ʔ]

skyscraper ['skaɪˌskreɪpə] n ناطحة سحاب [Naṭehat sahab]

slack [slæk] adj متوان [mitwa:n]

slam [slæm] v يُغْلِق الباب [Yoghle'q albab]

slang [slæŋ] n عامِّية [ʕaːmmija]

slap [slæp] v يَضْفَعُ [juhi:nu] يُهين, [jasˤfaʕu]

slash [slæʃ] n; **forward slash** n شرطة مائلة للأمام [Shartah maelah lel-amam]

slate [sleɪt] n أردواز [ardwa:z]

slave [sleɪv] v يَستعبد ◁ عبد [ʕabd] [jastaʕbidu]

sledge [slɛdʒ] n مزلجة [mizlaʒa]

sledging ['slɛdʒɪŋ] n تَزَلُّج [tazaluʒ]

sleep [sli:p] n نوم v ◁ ينام [nawm] [jana:mu]; **sleeping bag** n كيس النوم [Kees al-nawm]; **sleeping car** n عربة النوم ['arabat al-nawm]; **sleeping pill** n حبة نوم [Habit nawm]; **I can't sleep** لا أستطيع النوم [la asta-tee'a al-nawm]; **I can't sleep for the heat** لا يمكنني النوم بسبب حرارة الغرفة [la yam-kinuni al-nawm be-sabab hararat al-ghurfa]; **I can't sleep for the noise** لا استطيع النوم بسبب الضوضاء [la asta-tee'a al-nawm besa-bab al-dawdaa]

sleeper ['sli:pə] n; **Can I reserve a sleeper?** هل يمكن أن أحجز عربة للنوم؟ [hal yamken an ahjiz 'aaraba lel-nawm?]; **I want to book a sleeper to...** أريد حجز عربة للنوم بالقطار المتجه إلى... [ʔuri:du ħaʒza ʕarabata linnawmi bilqitˤa:ri almuttaʒihi ʔila]

sleep in [sli:p ɪn] v يتأخر في النوم في الصباح [Yataakhar fee al-nawm fee al-sabah]

sleepwalk ['sli:p,wɔ:k] v يَمشي أثناء نومه [Yamshee athnaa nawmeh]

sleepy ['sli:pɪ] adj نعسان [naʕsa:n]

sleet [sli:t] n مطر متجمد [Matar motajamed] ◁ تمطر مطرا متجمدا v [Tomter matran motajamedan]

sleeve [sli:v] n كم [kumm]

sleeveless ['sli:vlɪs] adj بدون أكمام [Bedon akmaam]

slender ['slɛndə] adj رفيع [rafi:ʕ]

slice [slaɪs] n شريحة [ʃari:ħa] ◁ يُقَطّع إلى v شرائح [Yo'qate'a ela shraeh]

slick [slɪk] n; **oil slick** n طبقة زيت طافية على الماء [Taba'qat zayt tafeyah alaa alma]

slide [slaɪd] n زلاقَة [zalla:qa] ◁ ينزلق v [janzaliqu]

slight [slaɪt] adj طفيف [tˤafi:f]

slightly ['slaɪtlɪ] adv بدرجة طفيفة [Bedarajah tafeefah]

slim [slɪm] adj نحيف [naħi:f]

sling [slɪŋ] n حمّالة [ħamma:la]

slip [slɪp] n (mistake) هفوة [hafwa], (paper) قصاصة [qusˤa:sˤa], (underwear) قميص تحتي [qamees tahtey] ◁ يَزِلّ v [jazillu]; **slip road** n طريق متصل بطريق سريع للسيارات أو منفصل عنه [taree'q mataşel be- taree'q sarea'a lel-sayaraat aw monfaşel 'anho]; **slipped disc** n إنزلاق غضروفي [Enzela'q ghodrofey]

slipper ['slɪpə] n شبشب حمام [Shebsheb hamam]

slippery ['slɪpərɪ; -prɪ] adj زَلِق [zalaqa]

slip up [slɪp ʌp] v يَرْتَكبُ خطأ [Yartekab khataa]

slip-up [slɪpʌp] n خطأ [xatˤa]

slope [sləʊp] n منحدر [munħadir]; **nursery slope** n منحدر التزلج للمبتدئين [monhadar al-tazaloj lel-mobtadeen]; **How difficult is this slope?** ما مدى صعوبة هذا المنحدر؟ [ma mada şo'aobat hatha al-mun-hadar?]; **Where are the beginners' slopes?** أين توجد منحدرات المبتدئين؟ [Ayn tojad monhadrat al-mobtadean?]

sloppy ['slɒpɪ] adj قذر [qaðir]

slot [slɒt] n فَتْحة [fatha]; **slot machine** n ماكينة الشقبية [Makenat al-sha'qabeyah]

Slovak ['sləʊvæk] adj سلوفاكي [slu:fa:kij] ◁ n (language) اللغة السلوفاكية [Al-logha al-slofakeyah], (person) مواطن سلوفاكي [Mowaten slofakey]

Slovakia [sləʊ'vækɪə] n سلوفاكيا [slu:fa:kija:]

Slovenia [sləʊ'vi:nɪə] n سلوفانيا [sluvi:f:nija:]

Slovenian [sləʊ'vi:nɪən] adj سلوفاني

[slu:fa:ni:] ▷ n (language) اللغة السلوفانية [Al-logha al-slofaneyah], (person) مواطن سلوفاني [Mowaten slofaney]

slow [sləʊ] adj بَطِيءٌ [batˁiːʔ]

slow down [sləʊ daʊn] v يُبْطِئُ [jubtˁiʔ]

slowly [sləʊlɪ] adv ببطء [Bebota]; **Could you speak more slowly, please?** هل يمكن أن تتحدث ببطء أكثر إذا سمحت؟ [hal yamken an tata-hadath be-buti akthar edha samaht?]

slug [slʌg] n يرقانة [jaraqa:na]

slum [slʌm] n حي الفقراء [Hay al-fo'qraa]

slush [slʌʃ] n طين رقيق القوام [Teen ra'qee'q al'qawam]

sly [slaɪ] adj كتوم [katuːm]

smack [smæk] v يَصْفَعُ [jasˁfaʕu]

small [smɔːl] adj صغير [sˁaʁiːr]; **small ads** npl إعلانات صغيرة [E'alanat saghera]; **Do you have a small?** هل يوجد مقاسات صغيرة؟ [hal yujad ma'qaas-at saghera?]; **It's too small** إنه صغير جدا [inaho sagheer jedan]; **The room is too small** الغرفة صغيرة جدا [al-ghurfa sagherah jedan]

smart [smɑːt] adj ذكي [ðakij]; **smart phone** n هاتف ذكي [Hatef zaky]

smash [smæʃ] v يُهشم [juhaʃʃimu]

smashing [smæʃɪŋ] adj ساحق [sa:ħiq]

smell [smɛl] n رائحة [ra:ʔiħa] ▷ vi يَبْعَثُ رائحَةً [Yab'ath raehah] ▷ vt يَشم [jaʃummu]; **I can smell gas** أنني أشم رائحة غاز [ina-ny ashum ra-e-hat ghaaz]; **My room smells of smoke** هناك رائحة دخان في غرفتي [hunaka ra-eha dukhaan be-ghurfaty]; **There's a funny smell** توجد رائحة غريبة في الغرفة [toojad raeha ghareba fee al-ghurfa]

smelly [smɛlɪ] adj كريه الرائحة [Kareeh al-raaehah]

smile [smaɪl] n ابتسامة [ʔibtisa:ma] ▷ v يبتسم [jabtasimu]

smiley [smaɪlɪ] n (صورة الوجه المبتسم) سمايلي [(sˁuːratu alwaʒhi almubtasimi) sma:lijij]

smoke [sməʊk] n دخان [duxa:n] ▷ v يُدخِّن [juðaxinu]; **smoke alarm** n كاشف

الدُخان [Kashef al-dokhan]; **My room smells of smoke** هناك رائحة دخان بغرفتي [hunaka ra-eha dukhaan be-ghurfaty]

smoked [sməʊkt] adj مُدَخَّن [mudaxxin]

smoker [sməʊkə] n مُدَخِن [muðaxxin]

smoking [sməʊkɪŋ] n التدخين [Al-tadkheen]; **I'd like a no smoking room** أريد غرفة غير مسموح فيها بالتدخين [areed ghurfa ghyer masmooh feeha bil-tadkheen]; **I'd like a smoking room** أريد غرفة مسموح فيها بالتدخين [areed ghurfa masmooh feeha bil-tadkheen]

smoky [sməʊkɪ] adj It's too smoky here يوجد هنا الكثير من المدخنين [yujad huna al-kather min al-muda-khineen]

smooth [smuːð] adj نعومة [nuʕuːmat]

SMS [ɛs ɛm ɛs] n خدمة الرسائل القصيرة [xidmatu arrasa:ʔili alqasˁ:iːrati]

smudge [smʌdʒ] n لَطخَة [latˁxa]

smug [smʌg] adj مَزهُوٌ بِنَفسِه [Mazhowon benafseh]

smuggle [smʌgəl] v يُهَرِب [juharribu]

smuggler [smʌglə] n مهرب بضائع [Moharreb badae'a]

smuggling [smʌglɪŋ] n تهريب [tahri:bu]

snack [snæk] n وجبة خفيفة [Wajbah khafeefah]; **snack bar** n متجر الوجبات السريعة [Matjar al-wajabat al-sarey'aa]

snail [sneɪl] n حلزون [ħalazuːn]

snake [sneɪk] n ثعبان [θuʕba:n]

snap [snæp] v يَكسر [jaksiru]

snapshot [snæpˌʃɒt] n لقطة فوتوغرافية [La'qtah fotoghrafeyah]

snarl [snɑːl] v يُشابك [juʃa:biku]

snatch [snætʃ] v يَختَطِف [jixtatˁʔifu]

sneakers [sniːkəz] npl زوج أحذية رياضية [Zawj ahzeyah Reyadeyah]

sneeze [sniːz] v يَعطِس [jaʕˁtˁisu]

sniff [snɪf] v يَتنشَق [jatanaʃʃaqu]

snigger [snɪgə] v يَضحك ضحكا نصف مكبوت [Yadhak dehkan nesf makboot]

snob [snɒb] n متكبر [mutakabbir]

snooker [snuːkə] n لُعْبَة السُّنُوكِر [Lo'abat al-sonoker]

snooze [snuːz] n نومة خفيفة [Nomah

khafeefa] ▷ v يَغْفُو [jaɣfu]

snore [snɔː] v يَغُطُّ في النوم [yaghot fee al-nawm]

snorkel ['snɔːkəl] n ماء تحت الماء سباحة [Sebaḥah taḥt al-maa]

snow [snəʊ] n ثلج [θalʒ] ▷ v يتمطر ثلجا [Tomter thaljan]

snowball ['snəʊˌbɔːl] n كرة ثلج [Korat thalj]

snowboard ['snəʊˌbɔːd] n; **I want to hire a snowboard** أريد إيجار لوح تزلج [areed e-jar lawḥ tazaluj]

snowflake ['snəʊˌfleɪk] n كتلة ثلج رقيقة [Kotlat thalj ra'qee'qah]

snowman ['snəʊˌmæn] n رجل الثلج [Rajol al-thalj]

snowplough ['snəʊˌplaʊ] n محراث الثلج [Mehrath thalj]

snowstorm ['snəʊˌstɔːm] n عاصفة ثلجية ['aasefah thaljeyah]

so [səʊ] adv كذلك; **so (that)** conj وهكذا [wahakadha]

soak [səʊk] v ينقع [janqaʕu]

soaked [səʊkt] adj منقوع [manquːʕ]

soap [səʊp] n صابون [sˤaːbuːn]; **soap dish** n طبق صابون [Ṭaba'q ṣaboon]; **soap opera** n مسلسل درامي [Mosalsal deramey]; **soap powder** n مسحوق الصابون [Mashoo'q ṣaboon]; **There is no soap** لا يوجد صابون [la yujad ṣaboon]

sob [sɒb] v ينشج [janʃaʒʒu]

sober ['səʊbə] adj مقتصد [muqtasˤid]

sociable ['səʊʃəbəl] adj شخص اجتماعي [Shakhṣ ejtema'ay]

social ['səʊʃəl] adj اجتماعي [ʔiʒtimaːʕij]; **social security** n ضمان اجتماعي [Daman ejtema'ay]; **social services** npl خدمات اجتماعية [Khadamat ejtem'aeyah]; **social worker** n أخصائي اجتماعي [Akhṣey ejtema'ay]

socialism ['səʊʃəˌlɪzəm] n اشتراكية [ʔiʃtiraːkijja]

socialist ['səʊʃəlɪst] adj اشتراكي [ʔiʃtiraːkij] ▷ n اشتراكي [ʔiʃtiraːkij]

society [sə'saɪətɪ] n مجتمع [muʒtamaʕ]

sociology [ˌsəʊsɪ'ɒlədʒɪ] n علم الاجتماع ['aelm al-ejtema'a]

sock [sɒk] n جورب قصير [Jawrab 'qaṣeer]

socket ['sɒkɪt] n مقبس [miqbas]; **Where is the socket for my electric razor?** أين المقبس الخاص بماكينة الحلاقة؟ [ayna al-ma'qbas al-khaaṣ be-makenat al-ḥelaa'qa?]

sofa ['səʊfə] n كنبة [kanaba]; **sofa bed** n كنبة سرير [Kanabat sereer]

soft [sɒft] adj ناعم [naːʕim]; **soft drink** n مشروب غازي [Mashroob ghazey]

softener ['sɒfnə; 'softener] n; **Do you have softener?** هل لديك مسحوق منعم للملابس؟ [hal ladyka mas-hoo'q mun-'aim lel-malabis?]

software ['sɒftˌwɛə] n برامج [baraːmiʒ]

soggy ['sɒgɪ] adj نَدِي [nadij]

soil [sɔɪl] n تربة [turba]

solar ['səʊlə] adj شمسي [ʃamsij]; **solar power** n طاقة شمسية [Ta'qah shamseyah]; **solar system** n نظام شمسي [neḍham shamsey]

soldier ['səʊldʒə] n جندي [ʒundij]

sold out [səʊld aʊt] adj مُبَاع [mubaːʕ]

solicitor [sə'lɪsɪtə] n محامي ولاية [Mohamey welayah]

solid ['sɒlɪd] adj صُلْب [sˤalb]

solo ['səʊləʊ] n عمل منفرد ['amal monfared]

soloist ['səʊləʊɪst] n مغني أو عازف منفرد [Moghaney aw 'aazef monfared]

soluble ['sɒljʊbəl] adj قابل للذوبان ['qabel lel-dhawaban]

solution [sə'luːʃən] n حل [ħall]; **cleansing solution for contact lenses** محلول مطهر للعدسات اللاصقة [maḥlool muṭaher lil-'aada-saat al-laṣi'qa]

solve [sɒlv] v يحل مشكلة [Taḥel al-moshkelah]

solvent ['sɒlvənt] n مذيب [muðiːb]

Somali [səʊ'mɑːlɪ] adj صومالي [sˤsˤuːmaːlij] ▷ n (language) اللغة الصومالية [Al-loghah al-Ṣomaleyah], (person) صومالي [sˤsˤuːmaːlij]

Somalia [səʊ'mɑːlɪə] n الصومال [al-sˤuːmaːl]

[asˤ-sˤuːmaːlu]

some [sʌm; səm] *adj* بعض [baˤdˤ]
▷ *pron* البعض [Albaˤdˤ]; **Could you
lend me some money?** هل يمكن
تسليفي بعض المال؟ [hal yamken
tas-leefy baˤadˤ al-maal?]; **Here's some
information about my company**
تفضل بعض المعلومات المتعلقة بشركتي
[tafadˤal baˤadˤ al-maˤa-lomaat
al-muta-aˤle'qa be-share-katy]; **There
are some people injured** بعض هناك
الأشخاص المصابين [hunaka baˤadˤ
al-ash-khaaṣ al-muṣabeen]

somebody [ˈsʌmbədɪ] *pron* شخص ذو
شأن [shakhṣdho shaan]

somehow [ˈsʌmˌhaʊ] *adv* بطريقة ما
[ṭaree'qah ma]

someone [ˈsʌmˌwʌn; -wən] *pron*
شخص ما [Shakhṣ ma]

someplace [ˈsʌmˌpleɪs] *adv* مكان ما
[Makan ma]

something [ˈsʌmθɪŋ] *pron* شيء ما
[Shaya ma]

sometime [ˈsʌmˌtaɪm] *adv* يوماً ما
[Yawman ma]

sometimes [ˈsʌmˌtaɪmz] *adv* أحيانا
[Ahyanan]

somewhere [ˈsʌmˌwɛə] *adv* مكان ما
[Makan ma]

son [sʌn] *n* ابن [ʔibn]; **My son is lost**
فقد ابني [fo'qeda ibny]; **My son is missing**
إن ابني مفقود [enna ibny maf-'qood]

song [sɒŋ] *n* أُغْنِيّة [ʔuɣnijja]

son-in-law [sʌn ɪn lɔː] (*pl
sons-in-law*) *n* زوج الإبنة [Zawj
al-ebnah]

soon [suːn] *adv* قريباً [qari:ban]

sooner [ˈsuːnə] *adv* عاجلا [ˤaːʒila:]

soot [sʊt] *n* سخام [suxaːm]

sophisticated [səˈfɪstɪˌkeɪtɪd] *adj*
متكلف [mutakallif]

soppy [ˈsɒpɪ] *adj* مشبع بالماء [Moshaba'a
bel-maa]

soprano [səˈprɑːnəʊ] *n* صوت السوبرانو
[Ṣondok alsobrano]

sorbet [ˈsɔːbeɪ; -bɪt] *n* مثلجات الفاكهة
[Mothalajat al-fakehah]

sorcerer [ˈsɔːsərə] *n* مُشعوذ [muʃaʃuʃn]

sore [sɔː] *adj* محزن [muħzin] ▷ *n* حُزْن
[ħuzn]; **cold sore** *n* قرحة البرد حول الشفاة
['qorhat al-bard ħawl al-shefah]

sorry [ˈsɒrɪ] *interj*; **I'm sorry** أنا [ʔana];
I'm sorry to trouble you أنا أسف للإزعاج
[Ana asef lel-ez'aaj]; **I'm very sorry, I
didn't know the regulations** أنا أسف
لعدم معرفتي باللوائح [Ana aasef le'aadam
ma'arefatey bel-lawaeah]; **Sorry we're
late** أعتذر ، فالوقت متأخر [ʔaˤtaðiru
fa:lwaqtu muta?axxirun]; **Sorry, I didn't
catch that** أعتذر، لم ألاحظ ذلك
[A'atadher, lam olahedh dhalek]; **Sorry,
I'm not interested** معذرة، أنا غير مهتم
بهذا الأمر [maˤðaratun ʔana: yajru
muhtammin biha:ða: al?amri]

sort [sɔːt] *n* صنف [sˤinf]

sort out [sɔːt aʊt] *v* يَفْرِزُ [jufrizu]

SOS [ɛs əʊ ɛs] *n* إشارة استغاثة [ʔiʃa:ratun
istiɣa:θa]

so-so [səʊsəʊ] *adv* أقل من المقبول [A'qal
men alma'qbool]

soul [səʊl] *n* نَفْس [nafsin]

sound [saʊnd] *adj* سليم [sali:m] ▷ *n*
صوت [sˤawt]

soundtrack [ˈsaʊndˌtræk] *n* موسيقى
تصويرية [Mose'qa taṣweereyah]

soup [suːp] *n* حساء [ħasa:ʔ]; **What is
the soup of the day?** ما هو حساء اليوم؟
[ma howa ḥasaa al-yawm?]

sour [ˈsaʊə] *adj* حامض [ħa:midˤ]

south [saʊθ] *adj* جنوبي [ʒanu:bij] ▷ *adv*
جنوباً [ʒanu:ban] ▷ *n* جنوب [ʒanu:bu];
South Africa *n* جنوب أفريقيا [Janoob
afree'qya]; **South African** *n* جنوب أفريقي
، شخص من جنوب أفريقيا [Janoob afree'qy]
[Shkhṣ men janoob afree'qya]; **South
America** *n* أمريكا الجنوبية [Amrika al
janobeyiah]; **South American** *n* جنوب
، شخص من أمريكا أمريكي [Janoob amriky]
الجنوبية [Shakhṣ men amreeka
al-janoobeyah]; **South Korea** *n* كوريا
الجنوبية [Korya al-janoobeyah]; **South
Pole** *n* القطب الجنوبي [Al-k'qotb

al-janoobey]

southbound ['saʊθ,baʊnd] adj متجه
للجنوب [Motageh lel-janoob]

southeast [,saʊθ'iːst; ,saʊ'iːst] n جنوب
شرقي [Janoob shr'qey]

southern ['sʌðən] adj واقع نحو الجنوب
[Wa'qe'a nahw al-janoob]

southwest [,saʊθ'wɛst; ,saʊ'wɛst] n
غربي جنوب [Janoob gharbey]

souvenir [,suːvə'nɪə; 'suːvə,nɪə] n تذكار
[tiðka:r]; **Do you have souvenirs?** هل
يوجد لديكم هدايا تذكارية؟ [hal yujad
laday-kum hada-ya tedhka-reya?]

soya ['sɔɪə] n صويا [s'u:s'u]

spa [spɑː] n منتجع صحي [Montaja'a
sehey]

space [speɪs] n فضاء [fad'a:?]

spacecraft ['speɪs,krɑːft] n سفينة
الفضاء [Safenat al-fadaa]

spade [speɪd] n مجراف [mizra:f]

spaghetti [spə'gɛtɪ] n مكرونة سباجتي
[Makaronah spajety]

Spain [speɪn] n أسبانيا [?isba:njja:]

spam [spæm] n رسائل غير مرغوبة
[rasa:?ilu ɣajr marɣu:ba]

Spaniard ['spænjəd] n أسباني [?isba:nij]

spaniel ['spænjəl] n كلب السبنيلي [Kalb
al-sebneeley]

Spanish ['spænɪʃ] adj أسباني [?isba:nij]
▷ n أسباني [?isba:nij]

spank [spæŋk] v يُوبخ بقسوة [Yowabekh
be-'qaswah]

spanner ['spænə] n مفتاح ربط [Meftah
rabt]

spare [spɛə] adj احتياطي [?iħtijja:t'ij] ▷ v
قطع غيار [jaʒtanibu]; **spare part** n يَجْتنب
['qata'a gheyar]; **spare room** n غرفة
إضافية [ghorfah edafeyah]; **spare time**
n وَقت فراغ [Wa'qt faragh]; **spare tyre** n
إطار إضافي [Etar edafy]; **spare wheel** n
عجلة إضافية ['aagalh edafeyah]; **Is there
any spare bedding?** هل يوجد مرتبة
احتياطية؟ [hal yujad ferash ihte-yaty?]

spark [spɑːk] n شرارة [ʃara:ra]; **spark
plug** n شمعة إشعال [Sham'aat esh'aal]

sparrow ['spærəʊ] n عصفور [ʕus'fu:r]

spasm ['spæzəm] n تقلص عضلي
[Ta'qaloṣ 'aḍaley]

spatula ['spætjʊlə] n ملعقة البسط
[Mel'a'qat al-bast]

speak [spiːk] v يتكلم [jatakalamu]

speaker ['spiːkə] n مكبر الصوت
[Mokabber al-ṣawt]; **native speaker** n
متحدث باللغة الأم [motaḥdeth bel-loghah
al-om]

speak up [spiːk ʌp] v يتحدث بحرية وبدون
تحفظ [yathadath be-ḥorreyah wa-bedon
tahaffoḍh]

special ['spɛʃəl] adj خاص [xa:s's'];
special offer n عرض خاص ['aarḍ khaṣ]

specialist ['spɛʃəlɪst] n متخصص
[mutaxas's'is']

speciality [,spɛʃɪ'ælɪtɪ] n تَخَصُّص
[taxas'us's']

specialize ['spɛʃə,laɪz] v يَتَخصص
[jataxas's'as'u]

specially ['spɛʃəlɪ] adv خاصة [xa:s's'atu]

species ['spiːʃiːz; 'spiːʃɪ,iːz] n أنواع
[?anwa:ʕ]

specific [spɪ'sɪfɪk] adj محدد [muħadadd]

specifically [spɪ'sɪfɪklɪ] adv تحديداً
[taħdi:dan]

specify ['spɛsɪ,faɪ] v يحدد [juħaddidu]

specs [spɛks] npl نظارة [naz'z'a:ratun]

spectacles ['spɛktək*lz] npl نظارة
[naz'z'a:ratun]

spectacular [spɛk'tækjʊlə] adj
مشهدي [maʃhadij]

spectator [spɛk'teɪtə] n مُشاهِد
[muʃa:hid]

speculate ['spɛkjʊ,leɪt] v يتَأمل
[jata?ammalu]

speech [spiːtʃ] n خُطبة [xut'ba]

speechless ['spiːtʃlɪs] adj فاقد القدرة
على الكلام [Fa'qed al-'qodrah 'aala
al-kalam]

speed [spiːd] n سرعة [surʕa]; **speed
limit** n حد السرعة [Had alsor'aah];
**What is the speed limit on this
road?** ما هي أقصى سرعة مسموح بها على
هذا الطريق؟ [ma heya a'qsa sur'aa
masmooḥ beha 'aala hatha al- ṭaree'q?]

speedboat ['spi:d,bəʊt] n زورق بخاري سريع [Zawra'q bokharey sarea'a]

speeding ['spi:dɪŋ] n زيادة السرعة [Zeyadat alsor'aah]

speedometer [spɪ'dɒmɪtə] n عداد السرعة ['adaad al-sor'aah]

speed up [spi:d ʌp] v يُسرع [jusriʕu]

spell [spɛl] n (magic) نوبة [nawba], (time) سحر [siħr] ▷ v يسحر [jasħiru]

spellchecker ['spɛl,tʃɛkə] n مصحح التهجئة [Mosaheh altahjeaah]

spelling ['spɛlɪŋ] n تهجئة [tahʒiʔa]

spend [spɛnd] v يَقضي [jaqdˤiː]

sperm [spɜːm] n منيّ [manij]

spice [spaɪs] n توابل [tawaːbil]

spicy ['spaɪsɪ] adj متبل [mutabbal]; **The food is too spicy** الطعام متبل أكثر من اللازم [al-ṭaam mutabal akthar min al-laazim]

spider ['spaɪdə] n عنكبوت [ʕankabuːt]

spill [spɪl] v يُريق [juriːqu]

spinach ['spɪnɪdʒ; -ɪtʃ] n سبانخ [sabaːnix]

spine [spaɪn] n عمود فقري ['amood fa'qarey]

spinster ['spɪnstə] n عانس [ʕaːnis]

spire [spaɪə] n ورقة عشب [Wara'qat 'aoshb]

spirit ['spɪrɪt] n روح [ruːħ]

spirits ['spɪrɪts] npl مشروبات روحية [Mashroobat rooheyah]

spiritual ['spɪrɪtjʊəl] adj روحي [ruːħij]

spit [spɪt] n بُصاق [busˤaːq] ▷ v يبصق [jabsˤuqu]

spite [spaɪt] n ضغينة [dˤaɣiːna] ▷ v يَحْقد على [yaħ'qed 'alaa]

spiteful ['spaɪtfʊl; 'spiteful] adj حاقد [ħaːqid]

splash [splæʃ] v يَرُش [jaruʃʃu]

splendid ['splɛndɪd] adj مُدهِش [mudhiʃ]

splint [splɪnt] n شريحة [ʃariːħatt]

splinter ['splɪntə] n شظية [ʃaðˤijja]

split [splɪt] v يَنْقَسِم [janqasim]

split up [splɪt ʌp] v يَنْفَصِل [janfasˤilu]

spoil [spɔɪl] v يُفسِد [jufsidu]

spoilsport ['spɔɪl,spɔːt] n مفسد المتعة [Mofsed al-mot'aah]

spoilt [spɔɪlt] adj مدلل [mudallal]

spoke [spəʊk] n مكبح العربة [Makbaħ al-'arabah]

spokesman, spokesmen ['spəʊksmən, 'spəʊksmɛn] n مُتَحدِّث [Motaħadeth besm]

spokesperson ['spəʊks,pɜrsən] n مُتَحدث باسم [Motaħadeth besm]

spokeswoman, spokeswomen ['spəʊks,wʊmən, 'spəʊks,wɪmɪn] n مُتَحدِّثة باسم [Motaħadethah besm]

sponge [spʌndʒ] n (cake) إسفنج [ʔisfanʒ], (for washing) إسفنجة [ʔisfanʒa]; **sponge bag** n حقيبة مبطنة [Ha'qeebah mobatanah]

sponsor ['spɒnsə] n راعي [raːʕiː] ▷ v يَرعَى [jarʕaː]

sponsorship ['spɒnsəʃɪp] n رعاية [riʕaːja]

spontaneous [spɒn'teɪnɪəs] adj عفوي [ʕafawij]

spooky ['spuːkɪ; 'spooky] adj شَبحي [ʃabaħij]

spoon [spuːn] n ملعقة [milʕaqa]; **Could I have a clean spoon, please?** هل يمكنني الحصول على ملعقة نظيفة من فضلك؟ [hal yamken -any al-ḥuṣool 'aala mil-'aa'qa naḍheefa min faḍlak?]

spoonful ['spuːn,fʊl] n مقدار ملعقة صغيرة [Me'qdar mel'a'qah ṣagheerah]

sport [spɔːt] n رياضة [rija:dˤa]; **winter sports** npl رياضات شتوية [Reyḍat shetweyah]

sportsman, sportsmen ['spɔːtsmən, 'spɔːtsmɛn] n رجل رياضي [Rajol reyaḍey]

sportswear ['spɔːts,wɛə] n ملابس رياضية [Malabes reyaḍah]

sportswoman, sportswomen ['spɔːts,wʊmən, 'spɔːts,wɪmɪn] n سيدة رياضية [Sayedah reyaḍah]

sporty ['spɔːtɪ] adj (رياضي) متعلق بالألعاب الرياضية [(Reyaḍey) mota'ale'q bel-al'aab al-reyaḍah]

spot [spɒt] n (blemish) بُقْعَة [wasˤma], (place) مكان [maka:n] ▷ v يَستطلِع [jastatˤliʕu]

spotless ['spɒtlɪs; 'spotless] adj نظيف تماماً [naḍheef tamaman]

spotlight ['spɒtˌlaɪt] n ضوء مُسلَّط [Dawa mosalt]

spotty ['spɒtɪ] adj مرقط [muraqqatˤ]

spouse [spaʊs] n زوجة [zawʒa]

sprain [spreɪn] n التواء المفصل [El-tewaa al-mefsal] ▷ v يلوي المفصل [Yalwey al-mefsal]

spray [spreɪ] n رشاش [raʃʃaʃ] ▷ v يَنْثُر [janθuru]; **hair spray** n شيراي الشعر [Sbray al-sha'ar]

spread [sprɛd] n انتشار [intiʃa:r] ▷ v ينتشر [jantaʃiru]

spread out [sprɛd aʊt] v ينتشر [jantaʃiru]

spreadsheet ['sprɛdˌʃiːt] n ورقة عمل [Wara'qat 'aamal]

spring [sprɪŋ] n (coil) زُنْبُرك [zunburk], (season) الربيع [arrabiːʕu]; **spring onion** n بصل أخضر [Baṣal akhdar]

spring-cleaning ['sprɪŋˌkliːnɪŋ] n تنظيف شامل للمنزل بعد انتهاء الشتاء [tanḍheef shamel lel-manzel ba'ad entehaa al-shetaa]

springtime ['sprɪŋˌtaɪm] n فصل الربيع [Faṣl al-rabeya]

sprinkler ['sprɪŋklə; 'sprinkler] n مرشة [miraʃʃa]

sprint [sprɪnt] n سباق قصير سريع [Seba'q 'qaṣer sare'a] ▷ v يَرْكُض بِسُرْعَه [Yrkod besor'aah]

sprinter ['sprɪntə] n مُتَسابِق [mutasa:biq]

sprouts [spraʊts] npl براعم الورق [Bra'aem al-wara'q]; **Brussels sprouts** npl كرنب بروكسيل [Koronb brokseel]

spy [spaɪ] n جاسوس [ʒa:su:s] ▷ v يتَجسس [jataʒassasu]

spying ['spaɪɪŋ] n تجسس [taʒassus]

squabble ['skwɒbl] v يتَخاصم [jataxa:sˤamu]

squander ['skwɒndə] v يُبَدِد

square [skwɛə] adj مربع الشكل [Moraba'a al-shakl] ▷ n ميدان [majda:n]

squash [skwɒʃ] n نبات القَرع [Nabat al-'qar'a] ▷ v يهرس [juharrisu]

squeak [skwiːk] v يَزْعَق [jazˤʕaqu]

squeeze [skwiːz] v يَعْصِر [jaʕsˤiru]

squeeze in [skwiːz ɪn] v يَحْشو [Yahsho]

squid [skwɪd] n حبار [ħabba:r]

squint [skwɪnt] v يَحْوِل عَيْنَه [Yohawel aynah]

squirrel ['skwɪrəl; 'skwɜːrəl; 'skwʌr-] n سنجاب [sinʒa:b]

Sri Lanka [ˌsriː 'læŋkə] n سِري لانكا [sri: la:nka:]

stab [stæb] v يطعن [jatˤʕanu]

stability [stə'bɪlɪtɪ] n استقرار [istiqra:r]

stable ['steɪbl] adj مستقر [mustaqir] ▷ n أسطبل [istˤabl]

stack [stæk] n كومة منتظم [Komat montaḍhem]

stadium, stadia ['steɪdɪəm, 'steɪdɪə] n استاد [sta:d]

staff [stɑːf] n (stick or rod) عارضة [ʕa:ridˤa], (workers) عاملين [ʕa:mili:na]

staffroom ['stɑːfˌruːm] n غرفة العاملين [Ghorfat al'aameleen]

stage [steɪdʒ] n خشبة المسرح [Khashabat al-masrah]

stagger ['stægə] v يَتهادى [jataha:da:]

stain [steɪn] n لطخة [latˤxa] ▷ v يُلَطِخ [julatˤtˤixu]; **stain remover** n مزيل البقع [Mozeel al-bo'qa,a]

staircase ['stɛəˌkeɪs] n دَرَج [durʒ]

stairs [stɛəz] npl سلالم [sala:limun]

stale [steɪl] adj مبتذل [mubtaðal]

stalemate ['steɪlˌmeɪt] n ورطة [wartˤa]

stall [stɔːl] n مربط الجواد [Marbaṭ al-jawad]

stamina ['stæmɪnə] n قدرة على الاحتمال ['qodrah ala al-ehtemal]

stammer ['stæmə] v يَتلَعثم [jatalaʕθamu]

stamp [stæmp] n دمغة [damɣa] ▷ v يَدوس [jadu:su]

[jubaddidu]

stand [stænd] v يَقِفُ [jaqifu]

standard ['stændəd] adj قياسي [qija:sij] ▷ n مقياس [miqja:s]; **standard of living** n مستوى المعيشة [Mostawa al-ma'aeeshah]

stand for [stænd fɔː] v يَرْمُزُ [jarmuzu]

stand out [stænd aʊt] v يَتَمَيَز [jatamajjazu]

standpoint ['stænd.pɔɪnt] n نقطة الاستشراف [No'qtat al-esteshraf]

stands ['stændz] npl أجنحة عرض [Ajnehat 'ard]

stand up [stænd ʌp] v يَنْهَض [janhadʼu]

staple ['steɪpəl] n (commodity) إنتاج رئيسي [Entaj raaesey], (wire) رزّة سلكية [Rozzah selkeyah] ▷ v يُدَبِّس الأوراق [Yodabes al-wra'q]

stapler ['steɪplə; 'stapler] n دبّاسة [dabba:sa]

star [stɑː] n (person) نجم [naʒm], (sky) نجمة [naʒma] ▷ v يُزَين بالنجوم [Yozaeyen bel-nejoom]; **film star** n نجم سينمائي [Najm senemaaey]

starch [stɑːtʃ] n نشا [naʃaː]

stare [steə] v يُحملق [juħamliqu]

stark [stɑːk] adj صارم [sʼaːrim]

start [stɑːt] n بَدء [bad] ▷ vi يبدأ [jabda?u] ▷ vt يَبْدُأ [jabdau]; **When does the film start?** متى يبدأ عرض الفيلم؟ [mata yabda 'aard al-filim?]

starter ['stɑːtə] n بادئ [ba:di?]

startle ['stɑːtʼl] v يَرَوِّع فجأة [Yorawe'a fajaah]

start off [stɑːt ɒf] v يَبْدأ الحركة والنشاط [Yabdaa alharakah wal-nashat]

starve [stɑːv] v يجوع [jaʒuːʕu]

state [steɪt] n حالة [ħa:la] ▷ v يُصَرِح ب [Yoʂareh be]; **Gulf States** npl دُوَل الخليج العربي [Dowel al-khaleej al'arabey]

statement ['steɪtmənt] n بَيَان [baja:n]; **bank statement** n كشف بنكي [Kashf bankey]

station ['steɪʃən] n محطة [maħatʼˈa]; **bus station** n محطة أوتوبيس [Mahaṭat otobees]; **metro station** n محطة مترو [Mahaṭat metro]; **petrol station** n

محطة بنزين [Mahaṭat benzene]; **police station** n قسم شرطة [‘qesm shortah]; **radio station** n محطة راديو [Mahaṭat radyo]; **railway station** n محطة سكك حديدية [Mahaṭat sekak ḥadeedeyah]; **service station** n محطة الخدمة [Mahaṭat al-khedmah]; **tube station** n محطة أنفاق [Mahaṭat anfa'q]; **How far are we from the bus station?** ما هي المسافة بيننا وبين محطة الأتوبيس؟ [ma heya al-masafa bay-nana wa bayn muḥaṭat al- baas?]; **Is there a petrol station near here?** هل يوجد محطة بنزين قريبة من هنا؟ [hal yujad muḥaṭat banzeen 'qareeba min huna?]; **Where is the nearest tube station?** أين توجد أقرب محطة للمترو؟ [ayna tojad a'qrab muḥaṭa lel-metro?]

stationer's ['steɪʃənəz] n مكتبة لبيع الأدوات المكتبية [maktabatun libaj?i al?adawa:ti almaktabijjati]

stationery ['steɪʃənərɪ] n أدوات مكتبية [Adawat maktabeyah]

statistics [stəˈtɪstɪks] npl إحصائيات [?iħsʼa:?ijja:tun]

statue ['stætjuː] n تمثال [timθaːl]

status ['steɪtəs] n; **marital status** n الحالة الاجتماعية [Al-halah al-ejtemaayah]

status quo ['steɪtəs kwəʊ] n الوضع الراهن [Al-waḏʼa al-rahen]

stay [steɪ] n إقامة [?iqa:ma] ▷ v يُقِيم [juqimu]; **I want to stay from Monday till Wednesday** أريد الإقامة من يوم الاثنين إلى يوم الأربعاء [areed al-e'qama min yawm al-ithnayn ela yawm al-arbe'aa]; **I'd like to stay for two nights** أريد الإقامة لليلتين [areed al-e'qama le lay-la-tain]

stay in [steɪ ɪn] v يمْكُثُ [jamkuθu]

stay up [steɪ ʌp] v يَظَل [jaz̧allu]

steady ['stɛdɪ] adj مطرد [mutʼˈrad]

steak [steɪk] n شريحة لحم [Shareehat laḥm]; **rump steak** n شريحة من لحم البقر [Shreeḥa men laḥm al-ba'qar]

steal [stiːl] v يسرق [jasriqu]

steam [stiːm] n بُخار [buxa:r]

steel [stiːl] n صُلْب [sˤalb]; **stainless steel** n صلب غير قابل للصدأ [Salb ghayr 'qabel lel-sadaa]

steep [stiːp] adj شاهق [ʃaːhiq]

steeple [ˈstiːpəl] n بُرْج الكنيسة [Borj al-kaneesah]

steering [ˈstɪərɪŋ] n توجيه [tawʒiːh]; **steering wheel** n عجلة القيادة [ˈaagalat al-'qeyadh]

step [stɛp] n خطوة [xutˤwa]

stepbrother [ˈstɛpˌbrʌðə] n أخ من زوجة الأب أو زوج الأم [Akh men zawjat al ab]

stepdaughter [ˈstɛpˌdɔːtə] n رَبيبة [rabiːba]

stepfather [ˈstɛpˌfɑːðə] n زوج الأم [Zawj al-om]

stepladder [ˈstɛpˌlædə] n سُلَم نقال [Sollam na'q'qaal]

stepmother [ˈstɛpˌmʌðə] n زوجة الأب [Zawj al-aab]

stepsister [ˈstɛpˌsɪstə] n أخت من زوجة الأب أو زوج الأم [Okht men zawjat al ab aw zawj al om]

stepson [ˈstɛpˌsʌn] n رَبيب [rabiːb]

stereo [ˈstɛrɪəʊ; ˈstɪər-] n ستريو [stirjuː]; **personal stereo** n جهاز الصوت المجسام الشخصي [Jehaz al-sawt al-mojasam al-shakhsey]; **Is there a stereo in the car?** هل يوجد نظام ستريو بالسيارة؟ [hal yujad nedham stereo bil-sayara?]

stereotype [ˈstɛrɪəˌtaɪp; ˈstɪər-] n شكل نمطي [Shakl namatey]

sterile [ˈstɛraɪl] adj عقيم [ʕaqiːm]

sterilize [ˈstɛrɪˌlaɪz] v يُعَقِم [juʕaqqimu]

sterling [ˈstɜːlɪŋ] n الاسترليني [al-istirliːnijju]

steroid [ˈstɪərɔɪd; ˈstɛr-] n ستيرويدي [stirwudiːj]

stew [stjuː] n طعام مطهو بالغلي [ṭ a'aam mathoo bel-ghaley]

steward [ˈstjʊəd] n مُضيف [mudˤiːf]

stick [stɪk] n عصا [ʕasˤaː] ▷ v يَغْرُز [jaɣruzu]; **stick insect** n الحشرة العصوية [Al-hasherah al-'aodweia]; **walking stick** n عصا المشي [ʕasaa almashey]

sticker [ˈstɪkə] n ملصق [mulsˤaq]

stick out [stɪk aʊt] v يمكث [jamkuθu]

sticky [ˈstɪkɪ] adj لزج [laziʒ]

stiff [stɪf] adj قاسٍ [qaːsin]

stifling [ˈstaɪflɪŋ] adj خانق [xaːniq]

still [stɪl] adj ثابت [θaːbit] ▷ adv لا يزال [La yazaal]

sting [stɪŋ] n لدغة [ladɣa] ▷ v يلدغ [jaldaɣu]

stingy [ˈstɪndʒɪ] adj قارض [qaːrisˤ]

stink [stɪŋk] n رائحة كريهة [Raaehah kareehah] ▷ v يَنْتِن [jantinu]

stir [stɜː] v يُقَلِب [juqallibu]

stitch [stɪtʃ] n ألم مفاجئ [Alam Mofajea] ▷ v يَدرُز [jadruzu]

stock [stɒk] n مخزون [maxzuːn] ▷ v يَخْزِن [jaxzunu]; **stock cube** n مكعب حساء [Moka'ab hasaa]; **stock exchange** n سوق الأوراق المالية [Soo'q al-awra'q al-maleyah]; **stock market** n البورصة [al-buːrsˤatu]

stockbroker [ˈstɒkˌbrəʊkə] n سمسار البورصة [Semsar al-borsah]

stockholder [ˈstɒkˌhəʊldə] n مساهم [musaːhim]

stocking [ˈstɒkɪŋ] n جورب [ʒawrab]

stock up [stɒk ʌp] v; **stock up on** v يُجَهِّز بالسِّلَع [Yojahez bel-sela'a]

stomach [ˈstʌmək] n معدة [maʕida]

stomachache [ˈstʌməkˌeɪk] n ألم المَعدة [Alam alma'aedah]

stone [stəʊn] n حجر [ħaʒar]

stool [stuːl] n كرسي بلا ظهر أو ذراعين [Korsey bela dhahr aw dhera'aayn]

stop [stɒp] n توقف [tawaqquf] ▷ vi يَتوقف [jatawaqqafu] ▷ vt يوقف [juːqifu]; **bus stop** n موقف أوتوبيس [Maw'qaf otobees]; **full stop** n نُقْطة [nuqtˤatun]; **Do we stop at...?** هل سنتوقف في...؟ [hal sanata-wa'qaf fee...?]; **Does the train stop at...?** هل يتوقف القطار في...؟ [hal yata-wa'qaf al-'qetaar fee...?]; **My watch has stopped** لقد توقفت ساعتي [la'qad tawa-'qafat sa'aaty]; **When do we stop next?** متى سنتوقف في المرة التالية؟ [mata sa-nata-wa'qaf fee

al-murra al-taleya?]; **Where do we
stop for lunch?** متى سنتوقف لتناول الغذاء؟ [mata sa-nata-wa'qaf le-tanawil al-ghadaa?]

stopover ['stɒpˌəʊvə] n توقف في رحلة [Tawa'qof fee rehlah]

stopwatch ['stɒpˌwɒtʃ] n ساعة الإيقاف [Saa'ah al-e'qaaf]

storage ['stɔːrɪdʒ] n مخزن [maxzan]

store [stɔː] n محل تجاري [Mahal tejarey] ▷ v يُخزن [juxazzinu]; **department store** n محل مكون من أقسام [Mahal mokawan men a'qsaam]

storm [stɔːm] n عاصفة [ʕaːsˤifa]

stormy ['stɔːmɪ] adj عاصف [ʕaːsˤif]; **It's stormy** الجو عاصف [al-jaw 'aasuf]

story ['stɔːrɪ] n قصة [qisˤsˤa]; **short story** n قصة قصيرة ['qeşah 'qaşeerah]

stove [stəʊv] n موقد [mawqid]

straight [streɪt] adj مستقيم [mustaqiːm]; **straight on** adv في خط مستقيم [Fee khad mosta'qeem]

straighteners ['streɪtənəz] npl مواد أو أدوات الفرد [Mawaad aw adawaat alfard]

straightforward [ˌstreɪt'fɔːwəd] adj صريح [sˤariːħ]

strain [streɪn] n إرهاق [ʔirhaːq] ▷ v يُوَتِّرُ [juwattiru]

strained [streɪnd] adj مرهق [murhiq]

stranded ['strændɪd] adj مجدول [maʒduːl]

strange [streɪndʒ] adj غريب [ɣariːb]

stranger ['streɪndʒə] n شخص غريب [Shakhş ghareeb]

strangle ['stræŋɡəl] v يخنق [jaxniqu]

strap [stræp] n طوق [tˤawq]; **watch strap** n سوار الساعة [Sowar al-sa'aah]

strategic [strə'tiːdʒɪk] adj إستراتيجي [ʔistiraːtiːʒij]

strategy ['strætɪdʒɪ] n إستراتيجية [ʔistiraːtiːʒijja]

straw [strɔː] n قش [qaʃʃ]

strawberry ['strɔːbərɪ; -brɪ] n فراولة [faraːwla]

stray [streɪ] n ضال [dˤaːl]

stream [striːm] n جدول [ʒadwal]

street [striːt] n شارع [ʃaːriʕ]; **street map** n خارطة الشارع [khareţat al-share'a]; **street plan** n خريطة الشارع [Khareeţat al-share'a]

streetlamp ['striːtˌlæmp] n مصباح الشارع [Mesbah al-share'a]

streetwise ['striːtˌwaɪz] adj محنك [muħannak]

strength [strɛŋθ] n قوة [quwwa]

strengthen ['strɛŋθən] v يَقْوي [juqawwiː]

stress [strɛs] n ضغط [dˤaɣtˤ] ▷ v يُؤَكِّد [juʔakkidu]

stressed [strɛst] adj متوتر [mutawattir]

stressful ['strɛsfʊl] adj مسبب توتر [Mosabeb tawator]

stretch [strɛtʃ] v يمتد [jamtadu]

stretcher ['strɛtʃə] n نقالة [naqqaːla]

stretchy ['strɛtʃɪ] adj مطاطي [matˤaːtˤij]

strict [strɪkt] adj حازم [ħaːzim]

strictly [strɪktlɪ] adv بحزم [biħazmin]

strike [straɪk] n ضربة [dˤarba] ▷ vi يَرْتَطِم ب [Yartaţem be], (suspend work) يُضرب [judˤribu] ▷ vt يَضْرب [jadˤribu]

striker ['straɪkə] n ضارب [dˤaːrib]

striking ['straɪkɪŋ] adj لافت للنظر [Lafet lel-nadhar]

string [strɪŋ] n سِلك [silk]

strip [strɪp] n شريطة [ʃariːtˤa] ▷ v يُجَرِد [juʒarridu]

stripe [straɪp] n قماش مقلم ['qomash mo'qallem]

striped [straɪpt; striped] adj مقلم [muqallam]

stripper ['strɪpə] n راقصة تعري [Ra'qeşat ta'arey]

stripy ['straɪpɪ] adj مقلم [muqallam]

stroke [strəʊk] n (apoplexy) جلطة [ʒaltˤa], (hit) جلطة [ʒaltˤa] ▷ v يُلاطِف [julaːtˤifu]

stroll [strəʊl] n تَجَوُل [taʒawwul]

strong [strɒŋ] adj مركز [markazu]

strongly [strɒŋlɪ] adv بقوة [Be-'qowah]

structure ['strʌktʃə] n هيكل [hajkal]

struggle ['strʌɡəl] v يُكافِح [juka:fiħu]

stub [stʌb] n الجذل [al-ʒaðalu]

stubborn ['stʌbən] adj عنيد [ʕaniːd]
stub out [stʌb aʊt] v يَخمُد [jaxmudu]
stuck [stʌk] adj محبوس [maħbuːsa]
stuck-up [stʌkʌp] adj مغرور [maɣruːr]
stud [stʌd] n مزرعة خيل استيلاد [Mazra'at khayl esteelaad]
student ['stjuːdənt] n طالب [tˤaːlib]; **student discount** n خصم للطلاب [Khaṣm lel-ṭolab]
studio ['stjuːdɪˌəʊ] n استوديو [stuːdjuː]; **studio flat** n شقة ستديو [Sha'qah stedeyo]
study ['stʌdɪ] v يَدرُس [jadrusu]
stuff [stʌf] n حشوة [ħaʃwa]
stuffy ['stʌfɪ] adj غاضب [ɣaːdˤib]
stumble ['stʌmbᵊl] v يَتَعثر [jataʕaθθaru]
stunned [stʌnd] adj مذهول [maðhuːl]
stunning ['stʌnɪŋ] adj مذهل [muðhil]
stunt [stʌnt] n عمل مثير ['aamal Mother]
stuntman, stuntmen ['stʌntmən, 'stʌntmen] n رَجُل المخاطر [Rajol al-makhater]
stupid ['stjuːpɪd] adj غبي [ɣabijju]
stutter ['stʌtə] v يُتَمتِم [jutamtimu]
style [staɪl] n لباس [libaːs]
styling ['staɪlɪŋ] n; **Do you sell styling products?** هل تبيع مستحضرات لتسريح الشعر؟ [hal tabee'a musta-ḥḍaraat le-tasreeḥ al-sha'air?]
stylist ['staɪlɪst] n مُصَمِم أزياء [Moṣamem azyaa]
subject ['sʌbdʒɪkt] n موضوع [mawdˤuːʕ]
submarine ['sʌbməˌriːn; ˌsʌbmə'riːn] n غواصة [ɣawwaːsˤa]
subscription [səb'skrɪpʃən] n اشتراك [iʃtiraːk]
subsidiary [səb'sɪdɪərɪ] n شركة تابعة [Sharekah tabe'ah]
subsidize ['sʌbsɪˌdaɪz] v يُقَدِم العون المالي ل [juqadimu alʕawana almaːliː li]
subsidy ['sʌbsɪdɪ] n إعانة مالية [E'aanah maleyah]
substance ['sʌbstəns] n جوهر [ʒawhar]
substitute ['sʌbstɪˌtjuːt] n تَبْديل [tabdiːl] ▷ v يَحل محل [Taḥel maḥal]
subtitled ['sʌbˌtaɪtᵊld] adj مزود بعنوان [Mozawad be'aonwan far'aey]

subtitles ['sʌbˌtaɪtᵊlz] npl عناوين فرعية ['anaween far'aeyah]
subtle ['sʌtᵊl] adj مُهذّب [muhaðða b]
subtract [səb'trækt] v يُسقِط من [Yos'qeṭ men]
suburb ['sʌbɜːb] n ضاحية [dˤaːħija]
suburban [sə'bɜːbᵊn] adj ساكن الضاحية [Saken al-ḍaheyah]
subway ['sʌbˌweɪ] n نفق [nafaq]
succeed [sək'siːd] v ينجح [janʒaħu]
success [sək'sɛs] n نجاح [naʒaːħ]
successful [sək'sɛsfʊl] adj ناجح [naːʒiħ]
successfully [sək'sɛsfʊlɪ] adv بنجاح [binaʒaːħin]
successive [sək'sɛsɪv] adj مُتعاقِب [mutaʕaːqib]
successor [sək'sɛsə] n وريث [wariːθ]
such [sʌtʃ] adj كبير [kabiːr] ▷ adv جداً [ʒidan]
suck [sʌk] v يَرضع [jardˤaʕu]
Sudan [suː'dɑːn; -'dæn] n السودان [as-suːdaːnu]
Sudanese [ˌsuːdᵊ'niːz] adj سوداني [suːdaːnij] ▷ n سوداني [suːdaːnij]
sudden ['sʌdᵊn] adj مفاجئ [mufaːʒiʔ]
suddenly ['sʌdᵊnlɪ] adv فجأةً [faʒʔatun]
sue [sjuː; suː] v يُقاضي [juqaːdˤiː]
suede [sweɪd] n جلد مزأبر [Jeld mazaabar]
suffer ['sʌfə] v يُعاني [juʕaːniː]
sufficient [sə'fɪʃənt] adj غير كافي [Ghayr kafey]
suffocate ['sʌfəˌkeɪt] v يَخنق [jaxniqu]
sugar ['ʃʊgə] n سكر [sukar]; **icing sugar** n سكر ناعم [Sokar na'aem]; **no sugar** بدون سكر [bedoon suk-kar]
sugar-free ['ʃʊgəfriː] adj خالي من السكر [Khaley men al-oskar]
suggest [sə'dʒɛst; səg'dʒɛst] v يَقْتَرِح [jaqtariħu]
suggestion [sə'dʒɛstʃən] n اقتراح [iqtiraːħ]
suicide ['suːɪˌsaɪd; 'sjuː-] n ينتحر [jantaħiru]; **suicide bomber** n مفجر انتحاري [Mofajer enteḥaarey]

suit [su:t; sju:t] n دعوى [daʕwa:] ▷ v
يُلائِم [jula:ʔimu]; **bathing suit** n لباس
الاستحمام [Lebas al-estehmam]; **shell
suit** n زي رياضي [Zey reyaḍey]

suitable ['su:təbᵊl; 'sju:t-] adj ملائم
[mula:ʔim]

suitcase ['su:t,keɪs; 'sju:t-] n حقيبة
سفر [Ha'qeebat al-safar]

suite [swi:t] n جناح في فندق [Janaḥ fee
fond'q]

sulk [sʌlk] v يَحرد [jaḥridu]

sulky ['sʌlkɪ] adj مقطب الجبين [Mo'qṭ ab
al-jabeen]

sultana [sʌl'tɑːnə] n زَبيب سلطانة
[Zebeeb solṭanah]

sum [sʌm] n خلاصة [xula:sˤa]

summarize ['sʌmə,raɪz] v يُلخص
[julaxxisˤu]

summary ['sʌmərɪ] n ملخص
[mulaxxasˤ]

summer ['sʌmə] n الصيف [asˤ-sˤajfu];
summer holidays npl الأجازات الصيفية
[Al-ajazat al-ṣayfeyah]; **after summer**
بعد فصل الصيف [ba'ad faṣil al-ṣayf];
during the summer خلال فصل الصيف
[khelal faṣl al-ṣayf]; **in summer** في
الصيف [fee al-ṣayf]

summertime ['sʌmə,taɪm] n فصل
الصيف [Faṣl al-ṣayf]

summit ['sʌmɪt] n مؤتمر قمة
[Moatamar 'qemmah]

sum up [sʌm ʌp] v يجمع [juʒammiʕu]

sun [sʌn] n شَمْس [ʃams]

sunbathe ['sʌn,beɪð] v يَأخُذ حمام شمس
[yaakhoḏ hammam shams]

sunbed ['sʌn,bɛd] n حمام شمس
[Ḥamam shams]

sunblock ['sʌn,blɒk] n كريم للوقاية من
الشمس [Kreem lel-we'qayah men
al-shams]

sunburn ['sʌn,bɜːn] n سَفْعَة شمس
[Saf'aat ahams]

sunburnt ['sʌn,bɜːnt] adj مسفوع بأشعة
الشمس [Masfoo'a be-ashe'aat
al-shams]

suncream ['sʌn,kriːm] n كريم الشمس

[Kreem shams]

Sunday ['sʌndɪ] n الأحد [al-ʔaḥadu]; **on
Sunday** في يوم الأحد [fee yawm al-aḥad]

sunflower ['sʌn,flaʊə] n عباد الشمس
['aabaad al-shams]

sunglasses ['sʌn,glɑːsɪz] npl نظارات
شمسية [naḍharat shamseyah]

sunlight ['sʌnlaɪt] n ضوء الشمس
[Ḍawa al-shams]

sunny ['sʌnɪ] adj مشمس [muʃmis]; **It's
sunny** الجو مشمس [al-jaw mushmis]

sunrise ['sʌn,raɪz] n شروق الشمس
[Sheroo'q al-shams]

sunroof ['sʌn,ruːf] n فتحة سقف [Fathat
sa'qf]

sunscreen ['sʌn,skriːn] n واقي الشمس
[Wa'qey al-shams]

sunset ['sʌn,sɛt] n غُروب [ɣuru:b]

sunshine ['sʌn,ʃaɪn] n أشعة الشمس
[Ashe'aat al-shams]

sunstroke ['sʌn,strəʊk] n ضربة شمس
[Ḍarbat shams]

suntan ['sʌn,tæn] n سمرة الشمس
[Somrat al-shams]; **suntan lotion** n
غسول سمرة الشمس [ghasool somrat
al-shams]; **suntan oil** n زيت سمرة
الشمس [Zayt samarat al-shams]

super ['suːpə] adj ممتاز جدا [Momtaaz
jedan]

superb [sʊ'pɜːb; sjʊ-] adj فاتن [fa:tin]

superficial [,suːpə'fɪʃəl] adj سطحي
[satˤħij]

superior [suː'pɪərɪə] adj مكانة أعلى
[Makanah a'ala] ▷ n أعلى مكانة [A'ala
makanah]

supermarket ['suːpə,mɑːkɪt] n سوبر
ماركت [su:br ma:rkit]; **I need to find a
supermarket** أريد الذهاب إلى السوبر
ماركت [areed al-dhehaab ela al-subar
market]

supernatural [,suːpə'nætʃrəl;
-'nætʃərəl] adj خارق للطبيعة [Khare'q
lel-ṭabe'aah]

superstitious [,suːpə'stɪʃəs] adj خرافي
[xura:fij]

supervise ['suːpə,vaɪz] v يُشرف [juʃrifu]

supervisor ['su:pəˌvaɪzə] n مشرف [muʃrif]

supper ['sʌpə] n عَشَاء [ʕaʃaːʔ]

supplement ['sʌplɪmənt] n مُكَمِّل [mukammill]

supplier [sə'plaɪə] n مورد [muwarrid]

supplies [sə'plaɪz] npl توريدات [tawriːdatun]

supply [sə'plaɪ] n إمداد [?imdaːd] ▷ v يُزَوِّد [juzawwidu]; **supply teacher** n مُدَرِّس بديل [Modares badeel]

support [sə'pɔ:t] n دعم [daʕm] ▷ v يدعم [jadʕamu]

supporter [sə'pɔ:tə] n المؤيد [al-muajjidu]

suppose [sə'pəʊz] v يَظُن [jaz?unnu]

supposedly [sə'pəʊzɪdlɪ] adv على افتراض [Ala eftrad]

supposing [sə'pəʊzɪŋ] conj بافتراض [Be-efterad]

surcharge ['sɜ:ˌtʃɑ:dʒ] n ضريبة إضافية [Dareba edafeyah]

sure [ʃʊə; ʃɔ:] adj متأكد [muta?akkid]

surely ['ʃʊəlɪ; -ʃɔ:-] adv بالتأكيد [bi-at-ta?ki:di]

surf [sɜ:f] n ركوب الأمواج [Rokoob al-amwaj] ▷ v يَتَصَفح الانترنت [Yataṣafaħ al-enternet]; **Where can you go surfing?** أين يمكنك ممارسة رياضة ركوب الأمواج؟ [ayna yamken-ak muma-rasat riyaḍat rokob al-amwaj?]

surface ['sɜ:fɪs] n سطح [sat?ħ]

surfboard ['sɜ:fˌbɔ:d] n لوح الركمجة [Looħ al-rakmajah]

surfer ['sɜ:fə] n مُتَصَفِح الانترنت [Motaṣafeħ al-enternet]

surfing ['sɜ:fɪŋ] n الركمجة [ar-rakmaʒatu]

surge [sɜ:dʒ] n مَوْجَة [mawʒa]

surgeon ['sɜ:dʒən] n جراح [ʒarraːħ]

surgery ['sɜ:dʒərɪ] n (doctor's) جراحة [ʒiraːħa], (operation) عملية جراحية ['amaleyah jeraheyah]; **cosmetic surgery** n جراحة تجميل [Jerahat tajmeel]; **plastic surgery** n جراحة تجميلية [Jerahah tajmeeleyah]

surname ['sɜ:ˌneɪm] n لقب [laqab]

surplus ['sɜ:pləs] adj فائض [fa:?id?] ▷ n فائض [fa:?id?]

surprise [sə'praɪz] n مفاجئة [mufaːʒa?a]

surprised [sə'praɪzd] adj متفاجئ [mutafaːʒi?]

surprising [sə'praɪzɪŋ] adj مفاجئ [mufaːʒi?]

surprisingly [sə'praɪzɪŋlɪ] adv على نحو مفاجئ [Ala nahw mofaheya]

surrender [sə'rɛndə] v يُسَلم [jusallimu]

surround [sə'raʊnd] v يحيط [juħiːtʔu]

surroundings [sə'raʊndɪŋz] npl البيئة المُحيطة [Al- beeaah almoheeṭah]

survey ['sɜ:veɪ] n مسح [mash]

surveyor [sɜ:'veɪə] n ماسح الأراضي [Maseh al-araaḍey]

survival [sə'vaɪvəl] n بَقَاء [baqa:?]

survive [sə'vaɪv] v ينجو من [janʒu: min]

survivor [sə'vaɪvə; sur'vivor] n نَاج [na:ʒin]

suspect n مُشتبه به ['sʌspɛkt] [Moshtabah beh] ▷ v يَشتبه ب [sə'spɛkt] [Yashtabeh be]

suspend [sə'spɛnd] v يُرجئ [jurʒi?]

suspenders [sə'spɛndəz] npl حمالات البنطلون [Hammalaat al- banṭaloon]

suspense [sə'spɛns] n تشويق [taʃwiːq]

suspension [sə'spɛnʃən] n تعليق [taʕliːq]; **suspension bridge** n جسر معلق [Jesr mo'aala'q]

suspicious [sə'spɪʃəs] adj مشبوه [maʃbu:h]

swallow ['swɒləʊ] n طائر السنونو [Taaer al-sonono] ▷ vi يبتلع [jabtaliʕu] ▷ vt يَبْلع [jablaʕu]

swamp [swɒmp] n أرض وحلة [Arḍ waheɪah]

swan [swɒn] n أوزة [?iwazza]

swap [swɒp] v يُقَايض [juquːjid?u]

swat [swɒt] v يَضرِب ضربة عنيفة [Yaḍreb ḍarban 'aneefan]

sway [sweɪ] v يَتَمَايل [jatama:jalu]

Swaziland ['swɑ:zɪˌlænd] n سوازيلاند [swa:zi:la:nd]

swear [swɛə] v يَحلِف [jaħlifu]

swearword ['sweǝwɜːd] n شتيمة
[ʃati:ma]

sweat [swet] n عرق [ʕirq] ▷ v يَعْرَق
[jaʕraqu]

sweater ['swetǝ] n بلوفر [bulu:far];
polo-necked sweater n شترة بولو برقبة
[Sotrat bolo be-ra'qabah]

sweatshirt ['swet,ʃɜːt] n كنزة فضفاضة
يرتديها الرياضيون [Kanzah fedfadh
yartadeha al-reyadeyon]

sweaty ['swetɪ] adj مبلل بالعرق [Mobala
bel-ara'q]

swede [swiːd] n اللّفْت السويدي [Al-left
al-sweedey]

Swede [swiːd] n سويدي [swi:dij]

Sweden ['swiːdªn] n السويد
[as-suwi:du]

Swedish ['swiːdɪʃ] adj سويدي [swi:dij]
▷ n اللغة السويدية [Al-loghah
al-sweedeyah]

sweep [swiːp] v يَكْنِس [jaknisu]

sweet [swiːt] adj (pleasing) عذب [ʕðb],
(taste) حلو [ħulw] ▷ n حلوى [ħalwa:]

sweetcorn ['swiːt,kɔːn] n ذرة سكري
[dhorah sokarey]

sweetener ['swiːtªnǝ] n مواد تحلية
[mawa:dun taħlijja]

sweets [swiːts] npl حلويات
[ħalawija:tun]

sweltering ['sweltǝrɪŋ] adj شديد الحر
[Shadeed al-har]

swerve [swɜːv] v ينحرف [janħarifu]

swim [swɪm] v يَسبَح [jasbaħu]

swimmer ['swɪmǝ] n سابح [sa:biħ]

swimming ['swɪmɪŋ] n سباحة
[siba:ħa]; **swimming costume** n زي
السباحة [Zey sebaħah]; **swimming
pool** n حمام سباحة [Hammam sebahah];
swimming trunks npl سروال سباحة
[Serwl sebaħah]; **Where is the public
swimming pool?** أين يوجد حمام السباحة
العام؟ [ayna yujad ħamam al-sebaħa
al-'aam?]

swimsuit ['swɪm,suːt; -,sjuːt] n مايوه
[ma:ju:h]

swing [swɪŋ] n تأرجُح [taʔarʒuħ] ▷ v يتمايل

swearword [ʃatama:ʒalu]

Swiss [swɪs] adj سويسري [swi:srij] ▷ n
سويسري [swi:srij]

switch [swɪtʃ] n مفتاح كهربائي [Meftah
kahrabaey] ▷ v يُحَوِّل [juħawwilu]

switchboard ['swɪtʃ,bɔːd] n لوحة مفاتيح
تحكم [Loohat mafateeh tahakom]

switch off [swɪtʃ ɒf] v يُطْفِئ [juʈfiʔ]

switch on [swɪtʃ ɒn] v يُشَغِّل [juʃaɣɣilu]

Switzerland ['swɪtsǝlǝnd] n سويسرا
[swi:sra:]

swollen ['swǝulǝn] adj منتفخ
[muntafixx]

sword [sɔːd] n سيف [sajf]

swordfish ['sɔːd,fɪʃ] n سمك سياف البحر
[Samak aayaf al-bahr]

swot [swɒt] v يَدرُس بجد [Yadros bejed]

syllable ['sɪlǝbªl] n مقطع لفظي
[Ma'qʈa lafdhy]

syllabus ['sɪlǝbǝs] n خلاصة بحث أو منهج
دراسي [Kholaṣat bahth aw manhaj
derasey]

symbol ['sɪmbªl] n رمز [ramz]

symmetrical [sɪ'metrɪkªl] adj متماثل
[mutama:θil]

sympathetic [,sɪmpǝ'θetɪk] adj
متعاطف [mutaʕa:tʕif]

sympathize ['sɪmpǝ,θaɪz] v يتعاطف
[jataʕa:tʕafu]

sympathy ['sɪmpǝθɪ] n تعاطف
[taʕa:tʕuf]

symphony ['sɪmfǝnɪ] n سمفونية
[samfu:nijja]

symptom ['sɪmptǝm] n علامة [ʕala:ma]

synagogue ['sɪnǝ,gɒg] n معبد اليهود
[Ma'abad al-yahood]

syndrome ['sɪndrǝum] n; **Down's
syndrome** n متلازمة داون [Motalazemat
dawon]

Syria ['sɪrɪǝ] n سوريا [su:rja:]

Syrian ['sɪrɪǝn] adj سوري [su:rij] ▷ n
سوري [su:rij]

syringe ['sɪrɪndʒ; sɪ'rɪndʒ] n حقنة
[ħuqna]

syrup ['sɪrǝp] n شراب [ʃara:b]

system ['sɪstǝm] n نظام [niz^a:m];

immune system n جهاز المناعة [Jehaz al-mana'aa]; **solar system** n نظام شمسي [neḍham shamsey]; **systems analyst** n محلل نظم [Mohalel noḍhom]

systematic [ˌsɪstɪˈmætɪk] adj نظامي [nizˤaːmij]

table ['teɪbəl] n (chart) جدول [ʒadwal], (furniture) منضدة [mindˤada]; **bedside table** n كومودينو [kuːmuːdiːnuː]; **coffee table** n طاولة قهوة [Ṭawlat 'qahwa]; **dressing table** n طاولة زينة [Ṭawlat zeenah]; **table tennis** n كرة الطاولة [Korat al-ṭawlah]; **table wine** n خَمْر الطعام [Khamr al-ṭaʿaam]

tablecloth ['teɪbəlˌklɒθ] n غطاء مائدة [Gheṭa'a maydah]

tablespoon ['teɪbəlˌspuːn] n ملعقة مائدة [Melʿaʿqat maedah]

tablet ['tæblɪt] n لوحة [lawḥa]

taboo [təˈbuː] adj معزول بوصفه محرما [Maʿazool bewaṣfeh moharaman] ▷ n محرمات مقدسات [moḥaramat moʾqadasat]

tackle ['tækəl; 'teɪkəl] n عدة [ʿudda] ▷ v يُمْسك ب [Yomsek be]; **fishing tackle** n معدات صيد السمك [Moʾaedat ṣayed al-samak]

tact [tækt] n لباقة [labaːqa]

tactful ['tæktfʊl] adj لبق [labiq]

tactics ['tæktɪks] npl تكتيكات [tiktiːkaːtun]

tactless ['tæktlɪs] adj غير لبق [Ghaey labeʾq]

tadpole ['tæd,pəʊl] n فرخ الضفدع [Farkh al-dofda'a]

tag [tæg] n علامة [ʕala:ma]

Tahiti [tə'hiːtɪ] n تاهيتي [ta:hi:ti:]

tail [teɪl] n ذَيْل [ðajl]

tailor ['teɪlə] n خَيّاط [xajja:tˤ]

Taiwan ['taɪ'wɑːn] n تايوان [ta:jwa:n]

Taiwanese [,taɪwɑː'niːz] adj تايواني [ta:jwa:nij] ▷ n تايواني [ta:jwa:nij]

Tajikistan [tɑːˌdʒɪkɪ'stɑːn; -stæn] n طاجكستان [tˤa:ʒikista:n]

take [teɪk] v يَأخُذ [ja?xuðu], (time) يَأخُذ [ja?xuðu]

take after [teɪk 'ɑːftə] v يُشبِه [juʃbihu]

take apart [teɪk ə'pɑːt] v يُفَكّك إلى أجْزاء [Yo'fakek ela ajzaa]

take away [teɪk ə'weɪ] v ينقلل [junqalu]

takeaway ['teɪkəweɪ] n وجبات سريعة [Wajabat sarey'aa]

take back [teɪk bæk] v يَسحب كلامه [Yashab kalameh]

taken ['teɪkən] adj; **Is this seat taken?** هل هذا المقعد محجوز؟ [hal hadha al-ma'q'ad mahjooz?]

take off [teɪk ɒf] v يَخلع ملابسه [Yakhla'a malabesh]

takeoff ['teɪkˌɒf] n إقلاع [?iqla:ʕ]

take over [teɪk 'əʊvə] v يَتَوَلّى [jatawalla:]

takeover ['teɪkˌəʊvə] n استلام [?istila:m]

takings ['teɪkɪŋz] npl إيصالات [?i:sˤa:la:tun]

tale [teɪl] n حكاية [ħika:ja]

talent ['tælənt] n موهبة [mawhiba]

talented ['tæləntɪd] adj موهوب [mawhu:b]

talk [tɔːk] n كلام [kala:m] ▷ v يتحدث [jataħaddaθu]; **talk to** يتحدث إلى [yatahdath ela]

talkative ['tɔːkətɪv] adj ثرثار [θarθa:r]

tall [tɔːl] adj طويل القامة [Taweel al-qamah]

tame [teɪm] adj مُرَوّض [murawwidˤ]

tampon ['tæmpɒn] n سِدادة [sadda:da]

tan [tæn] n سُمرة [sumra]

tandem ['tændəm] n دراجة ترادفية [Darrajah tradofeyah]

tangerine [,tændʒə'riːn] n يوسفي [ju:sufij]

tank [tæŋk] n (combat vehicle) دبابة [dabba:ba], (large container) صهريج [sˤihri:ʒ]; **petrol tank** n خزان بنزين [Khazan benzeen]; **septic tank** n غُرفة تَفتيش [Ghorfat tafteesh]

tanker ['tæŋkə] n ناقلة بترول [Na'qelat berool]

tanned [tænd] adj له جلد برونزي اللون [lahu ʒildun bru:nzijji allawni]

tantrum ['tæntrəm] n نوبة غضب [Nawbat ghadab]

Tanzania [,tænzə'nɪə] n تنزانيا [tanza:nja:]

Tanzanian [,tænzə'nɪən] adj تانزاني [ta:nza:nij] ▷ n تانزاني [ta:nza:nij]

tap [tæp] n حنفية [ħanafijja]

tap-dancing ['tæp,dɑːnsɪŋ] n رقص الكلاكيت [Ra'qs al-kelakeet]

tape [teɪp] n شريط [ʃari:tˤ] ▷ v يُسَجّل على [Yosajel 'aala shereet]; **tape measure** n شريط قياس [Shreet 'qeyas]; **tape recorder** n مسجل شرائط [Mosajal sharayet]; **Can I have a tape for this video camera, please?** هل يمكن أن أحصل على شريط فيديو لهذه الكاميرا من فضلك؟ [hal yamken an ahsal 'aala shar-eet video le- hadhy al-kamera min fadlak?]

target ['tɑːgɪt] n هَدَف [hadaf]

tariff ['tærɪf] n تعريفة [taʕri:fa]

tarmac ['tɑːmæk] n طريق اسفلتي [Taree'q asfaltey]

tarpaulin [tɑː'pɔːlɪn] n قماش: تربولين مشمع [tarbawli:n: qumma:ʃun muʃmaʕ]

tarragon ['tærəgən] n عُشب الطرخون [aoshb al-tarkhoon]

tart [tɑːt] n فطيرة مَحشُوّة [Fateerah mahshowah]

tartan ['tɑːtən] adj زِيّ الطرطان الاسكلندي [zijju atˤtˤartˤa:n ala:skutlandijji]

task [tɑːsk] n مهمة [mahamma]

Tasmania [tæz'meɪnɪə] n تسمانيا

[tasma:nja:]

taste [teɪst] n ▷ v طعم [ṭaʕm] يَتَذَوَّق
[jataðawwaqu]

tasteful ['teɪstfʊl] adj حسن الذوق [Hosn aldhaw'q]

tasteless ['teɪstlɪs] adj عديم الذوق ['aadeem al-dhaw'q]

tasty ['teɪstɪ] adj لذيذ المذاق [Ladheedh al-madha'q]

tattoo [tæ'tu:] n وَشْم [waʃm]

Taurus ['tɔːrəs] n الثور [aθθawri]

tax [tæks] n ضريبة [ḍ'ari:ba]; **income tax** n ضريبة دخل [Ḍareebat dakhl]; **road tax** n ضريبة طُرُق [Ḍareebat ṭoro'q]; **tax payer** n دافع الضرائب [Daafe'a al-ḍarayeb]; **tax return** n إقرار ضريبي [E'qrar ḍareeby]

taxi ['tæksɪ] n تاكسي [ta:ksi:]; **taxi driver** n سائق تاكسي [Sae'q taksey]; **taxi rank** n موقف سيارات تاكسي [Maw'qaf sayarat taksy]; **How much is the taxi fare into town?** ما هي أجرة التاكسي داخل البلد؟ [ma heya ejrat al-taxi dakhil al-balad?]; **I left my bags in the taxi** لقد تركت حقائبي في التاكسي [la'qad ta-rakto ḥa'qa-eby fee al-taxi]; **I need a taxi** أنا في حاجة إلى تاكسي [ana fee ḥaja ela taxi]; **Please order me a taxi for 8 o'clock** من فضلك احجز لي تاكسي في الساعة الثامنة [min faḍlak ihjiz lee taxi fee al-sa'aa al-thamina]; **Where can I get a taxi?** أين يمكن استقلال التاكسي؟ [Ayn yomken este'qlal al-taksey?]; **Where is the taxi stand?** أين يوجد موقف التاكسي؟ [ayna maw'qif al-taxi?]

TB [ti: bi:] n سُل [sull]

tea [ti:] n شاي [ʃa:j]; **herbal tea** n شاي بالأعشاب [Shay bel-a'ashab]; **tea bag** n كيس شاي [Kees shaay]; **tea towel** n مناشف الصُحون [Manashef al-ṣohoon]; **A tea, please** شاي من فضلك [shaay min faḍlak]; **Could we have another cup of tea, please?** هل يمكن من فضلك الحصول على كوب آخر من الشاي؟ [hal yamken min faḍlak al-ḥusool 'aala koob aakhar min al-shay?]

teach [ti:tʃ] v يُدَرِّس [judarrisu]

teacher ['ti:tʃə] n مدرس [mudarris]; **supply teacher** n مُدرِّس بديل [Modares badeel]

teaching ['ti:tʃɪŋ] n تَعْليم [taʕli:m]

teacup ['ti:ˌkʌp] n فنجان شاي [Fenjan shay]

team [ti:m] n فريق [farjq]

teapot ['ti:ˌpɒt] n براد الشاي [Brad shaay]

tear¹ [tɪə] n (from eye) دَمْعَة [damʕa]

tear² [tɛə] n (split) تَمْزيق [tamzi:q] ▷ v يَتَمَزَّق [jumazziqu]; **tear up** v يُمَزِّق [jatamazzaqu]

teargas ['tɪəˌɡæs] n غاز مسيل للدموع [Ghaz moseel lel-domooa]

tease [ti:z] v يُضايِق [juḍa:jiqu]

teaspoon ['ti:ˌspu:n] n ملعقة شاي [Mel'a'qat shay]

teatime ['ti:ˌtaɪm] n ساعة تناول الشاي [Saa'ah tanawol al-shay]

technical ['tɛknɪkəl] adj تقني [tiqnij]

technician [tɛk'nɪʃən] n فَنّي [fannij]

technique [tɛk'ni:k] n أسلوب [ʔuslu:b]

techno ['tɛknəʊ] n تقني [tiqnij]

technological [tɛk'nɒlədʒɪkəl] adj تكنولوجي [tiknu:lu:ʒij]

technology [tɛk'nɒlədʒɪ] n تكنولوجيا [tiknu:lu:ʒja:]

tee [ti:] n الهدف في لعبة الجولف [Al-hadaf fy le'abat al-jolf]

teenager ['ti:nˌeɪdʒə] n بالغ [ba:liɣ]

teens [ti:nz] npl بالغون [baleghoon]

tee-shirt ['ti:ˌʃɜ:t] n تي شيرت [ti: ʃi:rt]

teethe [ti:ð] v يُسَنِّن [jusanninu]

teetotal [ti:'təʊtəl] adj لا يشرب الكحوليات [la: jaʃrabu alkuħu:lija:t]

telecommunications [ˌtɛlɪkəˌmju:nɪ'keɪʃənz] npl الاتصالات السلكية [Al-etṣalat al-selkeyah]

telegram ['tɛlɪˌɡræm] n تلغراف [tiliɣra:f]; **Can I send a telegram from here?** هل يمكن إرسال تلغراف من هنا؟ [hal yamken ersaal tal-ghraf min huna?]

telephone ['tɛlɪˌfəʊn] n تليفون [tili:fu:n]; **telephone directory** n دليل

الهاتف [Daleel al-hatef]; **How much is it to telephone…?** كم تبلغ تكلفة المكالمة التليفونية إلى... [kam tablugh taklifat al-mukalama al-talefoniya ela...?]; **I need to make an urgent telephone call** أنا في حاجة إلى إجراء مكالمة تليفونية عاجلة [ana fee haja ela ejraa mukalama talefoniya 'aajela]; **What's the telephone number?** ما هو رقم التليفون؟ [ma howa ra'qim al-telefon?]

telesales ['tɛlɪˌseɪlz] npl مبيعات بالتليفون [Mabee'aat bel-telefoon]

telescope ['tɛlɪˌskəʊp] n تليسكوب [tili:sku:b]

television ['tɛlɪˌvɪʒən] n تلفاز [tilfa:z]; **cable television** n وَصْلة تلفزيونية [Wṣlah telefezyoneyah]; **colour television** n تليفزيون ملون [Telefezyon molawan]; **digital television** n تليفزيون رقمي [telefezyoon ra'qamey]; **Where is the television?** أين أجد جهاز التلفاز؟ [ayna ajid jehaz al-tilfaz?]

tell [tɛl] v يخبر [juxbiru]

teller ['tɛlə] n راوي [ra:wi:]

tell off [tɛl ɒf] v يُوَبِّخ [juwabbixu]

telly ['tɛlɪ] n تلفاز [tilfa:z]

temp [tɛmp] n عامل مُؤَقَّت ['aamel mowa'qat]

temper ['tɛmpə] n مِزاج [miza:ʒ]

temperature ['tɛmprɪtʃə] n درجة الحرارة [Darajat al-haraarah]; **I'd like something for a temperature** أريد شيئًا للارتفاع درجة الحرارة [areed shyan le-irtifa'a darajat al-harara]; **She has a temperature** إنها مصابة بارتفاع في درجة الحرارة [inaha muṣa-ba be-irtefa'a fee darajat al-harara]

temple ['tɛmpəl] n معبد [muʕabbad]; **Is the temple open to the public?** هل المعبد مفتوح للجمهور؟ [hal al-ma'abad maf-tooha lel-jamhoor?]; **When is the temple open?** متى يُفتح المعبد؟ [mata yoftah al-ma'abad?]

temporary ['tɛmpərərɪ; 'tɛmprərɪ] adj مُؤَقَّت [mu?aqqat]

tempt [tɛmpt] v يُغْري [juɣri:]

temptation [tɛmp'teɪʃən] n إغراء [?iɣra:?]

tempting ['tɛmptɪŋ] adj مغر [muɣrin]

ten [tɛn] number عشرة [ʕaʃaratun]

tenant ['tɛnənt] n مستأجر [musta?ʒir]

tend [tɛnd] v يرعى [jarʕa:]

tendency ['tɛndənsɪ] n مَيل [majl]

tender ['tɛndə] adj لطيف [laṭˈiːf]

tendon ['tɛndən] n وتر [watar]

tennis ['tɛnɪs] n تنس [tinis]; **table tennis** n كرة الطاولة [Korat al-ṭawlah]; **tennis player** n لاعب تنس [La'aeb tenes]; **tennis racket** n مضرب تنس [Maḍrab tenes]; **How much is it to hire a tennis court?** كم يتكلف استئجار ملعب تنس؟ [kam yo-kalaf esti-jar mal'aab tanis?]; **Where can I play tennis?** أين يمكنني أن ألعب التنس؟ [ayna yamken-any an al-'aab al-tanis?]

tenor ['tɛnə] n آلة التينور الموسيقية [aalat al teenor al mose'qeiah]

tense [tɛns] adj متوتر [mutawattir] ▷ n صيغة الفعل [Ṣeghat al-fe'al]

tension ['tɛnʃən] n توتر [tawattur]

tent [tɛnt] n خَيْمة [xajma]; **tent peg** n وتد الخيمة [Watad al-kheemah]; **tent pole** n عمود الخيمة ['amood al-kheemah]

tenth [tɛnθ] adj العاشر [al-ʕaːʃiru] ▷ n العاشر [al-ʕaːʃiru]

term [tɜːm] n (description) أجل [?aʒal], (division of year) فصل من فصول السنة [Faṣl men foṣol al-sanah]

terminal ['tɜːmɪnəl] adj طرفي [ṭˈarafajj] ▷ n طرف [ṭˈaraf]

terminally ['tɜːmɪnəlɪ] adv إلى النهاية [Ela al-nehayah]

terrace ['tɛrəs] n شُرفة مكشوفة [Shorfah makshofah]

terraced ['tɛrəst] adj مزود بشرفة [Mozawad be-shorfah]

terrible ['tɛrəbəl] adj مريع [muriːʕ]

terribly ['tɛrəblɪ; 'terribly] adv بشكل مريع [Be-shakl moreeh]

terrier ['tɛrɪə] n كلب ترير [Kalb tereer]

terrific [təˈrɪfɪk] adj مُرَوِّع [murawwiʕ]

terrified ['tɛrɪ,faɪd] *adj* مرعوب [marʕu:b]

terrify ['tɛrɪ,faɪ] *v* يُخِيف [juxi:f]

territory ['tɛrɪtərɪ; -trɪ] *n* إقليم [iqli:m]

terrorism ['tɛrə,rɪzəm] *n* إرهاب [ʔirha:b]

terrorist ['tɛrərɪst] *n* إرهابي [ʔirha:bij]; **terrorist attack** *n* هجوم إرهابي [Hojoom 'erhaby]

test [tɛst] *n* اختبار [ixtiba:r] ▷ *v* يَخْتَبِر [jaxtabiru]; **driving test** *n* اختبار القيادة [Ekhtebar al-'qeyadah]; **smear test** *n* فحص عنق الرحم [Faḥṣ 'aono'q al-raḥem]; **test tube** *n* أنبوب اختبار [Anbob ekhtebar]

testicle ['tɛstɪkᵊl] *n* خصية [xiṣja]

tetanus ['tɛtənəs] *n* تيتانوس [ti:ta:nu:s]; **I need a tetanus shot** أحتاج إلى حقنة تيتانوس [aḥtaaj ela ḥe'qnat tetanus]

text [tɛkst] *n* نص [naṣˤsˤ] ▷ *v* يَضع نصا [Yaḍa'a naṣan]; **text message** *n* رسالة نصية [Resalah naṣeyah]

textbook ['tɛkst,bʊk] *n* كتاب دراسي [Ketab derasey]

textile ['tɛkstaɪl] *n* نسيج [nasi:ʒ]

Thai [taɪ] *adj* تايلاندي [ta:jla:ndij] ▷ *n* (language) اللغة التايلاندية [Al-logha al-taylandeiah], (person) تايلاندي [ta:jla:ndij]

Thailand ['taɪ,lænd] *n* تايلاند [ta:jla:nd]

than [ðæn; ðən] *conj* من [min]

thank [θæŋk] *v* يشكر [jaʃkuru]

thanks [θæŋks] *excl* شكرا! [Shokran!]

that [ðæt; ðət] *adj* هذا [haða:] ▷ *conj* جداً [ʒidan] ▷ *pron* ذلك, هذا [haða:]; **Does that contain alcohol?** هل يحتوي هذا على الكحول؟ [hal yaḥ-tawy hadha 'aala al-kihool?]

thatched [θætʃt] *adj* مسقوف بالقش [Mas'qoof bel-'qash]

thaw [θɔː] *v*; **It's thawing** بدأ الدفء في الجو [Badaa al-defaa fee al-jaw]

the [ðə] *art* لام التعريف [liummi attaʕri:fi]

theatre ['θɪətə] *n* مسرح [masraḥ]; **operating theatre** *n* غرفة عمليات [ghorfat 'amaleyat]; **What's on at the theatre?** ماذا يعرض الآن على خشبة المسرح؟ [madha yu'a-raḍ al-aan 'aala kha-shabat al-masraḥ?]

theft [θɛft] *n* سرقة [sariqa]; **identity theft** *n* سرقة الهوية [Sare'qat al-hawyiah]; **I want to report a theft** أريد التبليغ عن وقوع سرقة [areed al-tableegh 'an wi'qoo'a sare'qa]

their [ðɛə] *pron* ضمير الملكية للجمع

theirs [ðɛəz] *pron* ملكهم

them [ðɛm; ðəm] *pron* ضمير الغائب للجمع

theme [θiːm] *n* موضوع [mawdˤuːʕ]; **theme park** *n* حديقة ألعاب [Hadee'qat al'aab]

themselves [ðəm'sɛlvz] *pron* أنفسهم

then [ðɛn] *adv* آنذاك [ʔa:naða:ka] ▷ *conj* ثم

theology [θɪ'ɒlədʒɪ] *n* لاهوت [la:hu:t]

theory ['θɪərɪ] *n* نظرية [naẓˤarijja]

therapy ['θɛrəpɪ] *n* علاج [ʕila:ʒ]

there [ðɛə] *adv* هناك [huna:ka]; **How do I get there?** كيف يمكن أن أصل إلى هناك؟ [kayfa yamkin an aṣal ela hunaak?]; **It's over there** إنه هناك [inaho honaka]

therefore ['ðɛə,fɔː] *adv* لذلك [ledhalek]

thermometer [θə'mɒmɪtə] *n* ترمومتر [tirmu:mitir]

Thermos® ['θɜːməs] *n* ثيرموس® [θi:rmu:s]

thermostat ['θɜːmə,stæt] *n* ثرموستات [θirmu:sta:t]

these [ðiːz] *adj* هؤلاء ▷ *pron* هؤلاء

they [ðeɪ] *pron* هُم

thick [θɪk] *adj* سميك [sami:k]

thickness ['θɪknɪs] *n* سماكة [sama:ka]

thief [θiːf] *n* لص [lisˤsˤ]

thigh [θaɪ] *n* فخذ [faxð]

thin [θɪn] *adj* نحيف [naḥi:f]

thing [θɪŋ] *n* أمر [ʔamr]

think [θɪŋk] *v* يُفَكِر [jufakkiru]

third [θɜːd] *adj* ثالث [θa:liθ] ▷ *n* الثالث [aθ-θa:liθu]; **third-party insurance** *n* تأمين عن الطرف الثالث [Tameen lada algheer]; **Third World** *n* العالم الثالث [Al-'aalam al-thaleth]

thirdly [θɜːdlɪ] *adv* ثالثاً [θa:liθan]

thirst [θɜːst] n ظمأ [zˤama]

thirsty ['θɜːstɪ] adj ظمآن [zˤamʔa:n]

thirteen ['θɜːˈtiːn] number ثلاثة عشر [θala:θata ʕaʃara]

thirteenth ['θɜːˈtiːnθ; 'thir'teenth] adj ثالث عشر [θa:liθa ʕaʃara]

thirty ['θɜːtɪ] number ثلاثون [θala:θuːna]

this [ðɪs] adj هذا [haða:] ▷ pron هذا [haða:]; **I'll have this** سوف أتناول هذا [sawfa ata-nawal hadha]; **What is in this?** ماذا يوجد في هذا؟ [madha yujad fee hadha?]

thistle ['θɪsəl] n شوْك [ʃawk]

thorn [θɔːn] n شوْكة [ʃawka]

thorough ['θʌrə] adj شامِل [ʃa:mil]

thoroughly ['θʌrəlɪ] adv بشكل شامل [Be-shakl shamel]

those [ðəʊz] adj هذه ▷ pron هؤلاء

though [ðəʊ] adv رغم ذلك [Raghm dhalek] ▷ conj ولو أن [ولو أن]

thought [θɔːt] n تفكير [tafkiːr]

thoughtful ['θɔːtfʊl] adj مستغرق في التفكير [Mostaghre'q fee al-tafkeer]

thoughtless ['θɔːtlɪs] adj طائش [tˤa:ʔiʃ]

thousand ['θaʊzənd] number ألف [ʔalfun]

thousandth ['θaʊzənθ; 'thousandth'] adj الألف ▷ n جزء من ألف [al-ʔalfu] [Joza men al alf]

thread [θrɛd] n خيْط [xajtˤ]

threat [θrɛt] n تهديد [tahdiːd]

threaten ['θrɛtən] v يُهَدِد [juhaddidu]

threatening ['θrɛtənɪŋ] adj تهديدي [tahdiːdij]

three [θriː] number ثلاثة [θala:θatun]

three-dimensional [ˌθriːdɪˈmɛnʃənəl] adj ثلاثي الأبعاد [Tholathy al-ab'aaad]

thrifty ['θrɪftɪ] adj مزدهر [muzdahir]

thrill [θrɪl] n رعشة [raʕʃa]

thrilled [θrɪld] adj مُنتشي [muntaʃij]

thriller ['θrɪlə] n تشْويق [taʃwiːq]

thrilling ['θrɪlɪŋ; 'thrilling] adj مُفرِح [mufriħ]

throat [θrəʊt] n حنجرة [ħanʒura]

throb [θrɒb] v يَخفِق [jaxfiqu]

throne [θrəʊn] n عرش [ʕarʃ]

through [θruː] prep خلال [xila:la]

throughout [θruːˈaʊt] prep طوال [tˤiwa:la]

throw [θrəʊ] v يَرمي [jarmiː]

throw away [θrəʊ əˈweɪ] v يَتَخَلَّص [jataxallasˤu]

throw out [θrəʊ aʊt] v يَقذِف [jaqðifu]

throw up [θrəʊ ʌp] v يقيء [jaqiːʔu]

thrush [θrʌʃ] n دُج [duʒʒ]

thug [θʌg] n سفّاح [saffa:ħ]

thumb [θʌm] n إبهام اليد [Ebham al-yad]

thumb tack ['θʌmˌtæk] n مسمار صغير يدفع بالإبهام [Mesmar sagheer yodfa'a bel-ebham]

thump [θʌmp] v يجلد [juʒallidu]

thunder ['θʌndə] n رَعْد [raʕd]

thunderstorm ['θʌndəˌstɔːm] n عاصفة رعدية ['aasefah ra'adeyah]

thundery ['θʌndərɪ] adj مصحوب برعد [Mashoob bera'ad]

Thursday ['θɜːzdɪ] n يوم الخميس [jawmul xami:si]; **on Thursday** في يوم الخميس [fee yawm al-khamees]

thyme [taɪm] n الزعتر [az-zaʕtari]

Tibet [tɪˈbɛt] n تيبت [tiːbit]

Tibetan [tɪˈbɛtən] adj تيبيتي [tiːbiːtij] ▷ n (language) اللغة التيبتية [Al-loghah al-tebeteyah], (person) شخص تيبيتي [Shakhs tebetey]

tick [tɪk] n حشرة القرادة [Hashrat al-'qaradah] ▷ v يُتكْتِك [jutaktiku]

ticket ['tɪkɪt] n تذكرة [taðkira]; **bus ticket** n تذكرة أوتوبيس [tadhkarat otobees]; **one-way ticket** n تذكرة ذهاب [tadhkarat dehab]; **parking ticket** n تذكرة الركن [tadhkarat al-rokn]; **return ticket** n تذكرة إياب [tadhkarat eyab]; **season ticket** n التذاكر الموسمية [Al-tadhaker al-mawsemeyah]; **single ticket** n تذكرة فردية [tadhkarat fardeyah]; **stand-by ticket** n تذكرة انتظار [tadhkarat entedhar]; **ticket barrier** n حاجز وضع التذاكر [Hajez wad'a al-tadhaker]; **ticket collector** n جامع التذاكر [Jame'a al-tadhaker]; **ticket**

inspector *n* مفتش التذاكر [Mofatesh tadhaker]; **ticket machine** *n* ماكينة التذاكر [Makenat al-tadhaker]; **ticket office** *n* مكتب التذاكر [Maktab al-tadhaker]

tickle ['tɪkəl] *v* يُدَغدِغ [judaɣdiɣu]

ticklish ['tɪklɪʃ] *adj* سريع الغضب [Saree'a al-ghadab]

tick off [tɪk ɒf] *v* يَضَع عَلامَة صَح [Beḍa'a 'aalamat ṣah]

tide [taɪd] *n* مد وجزر [Mad wa-jazr]

tidy ['taɪdɪ] *adj* مرتب [murattab] ▷ *v* يُرَتِّب [jurattibu]

tidy up ['taɪdɪ ʌp] *v* يُهَنْدِم [juhandimu]

tie [taɪ] *n* رباط العنق [Rebaṭ al-'aono'q] ▷ *v* يُقَيِّد [juqajjidu]; **bow tie** *n* رباط عنق على شكل فراشة [Rebaṭ 'ala shakl frashah]

tie up [taɪ ʌp] *v* يَرْتَبِط مع [Yartabeṭ ma'aa]

tiger ['taɪgə] *n* نمر مخطط [Namer mokhaṭat]

tight [taɪt] *adj* مُحْكَم [muḥkam]

tighten ['taɪtən] *v* يُضَيِّق [jud'ajjiqu]

tights [taɪts] *npl* بنطلون ضيق [banṭaloon ḍaye'q]

tile [taɪl] *n* أنبوب فخاري [Onbob fokhary]

tiled ['taɪld] *adj* مكسو بالقرميد [Makso bel-'qarmeed]

till [tɪl] *conj* إلى أن [Dorj al-no'qood] ▷ *n* دُرج النقود

timber ['tɪmbə] *n* أشجار الغابات [Ashjaar al-ghabat]

time [taɪm] *n* وَقت [waqt]; **closing time** *n* وَقْت الإغلاق [Wa'qt al-eghlaa'q]; **dinner time** *n* وَقْت العشاء [Wa'qt al-'aashaa]; **on time** *adj* في الموعد المحدد [Fee al-maw'aed al-moḥadad]; **spare time** *n* وَقْت فراغ [Wa'qt faragh]; **time off** *n* أجازة [Ɂaʒa:zatun]; **time zone** *n* نطاق زمني [Neṭa'q zamaney]

time bomb ['taɪm,bɒm] *n* قنبلة موقوتة ['qonbolah maw'qota]

timer ['taɪmə] *n* ميقاتي [mi:qa:tij]

timeshare ['taɪm,ʃɛə] *n* مُشاركة في الوقت [Mosharakah fee al-wa'qt]

timetable ['taɪm,teɪbəl] *n* جدول زمني [Jadwal zamaney]

tin [tɪn] *n* صفيح [sˤafi:ħ]; **tin-opener** *n* فتاحة علب [fatta ḥat 'aolab]

tinfoil ['tɪn,fɔɪl] *n* ورق فضي [Wara'q feḍey]

tinned [tɪnd] *adj* معلب [muʕallab]

tinsel ['tɪnsəl] *n* أشرطة للزينة [Ashreṭah lel-zeena]

tinted ['tɪntɪd] *adj* ملون على نحو خفيف [Molawan ala naḥw khafeef]

tiny ['taɪnɪ] *adj* ضئيل [dˤaʔi:l]

tip [tɪp] *n* (*end of object*) طرف مستدق [Ṭaraf mostabe'q], (*reward*) إكرامية [ʔikra:mijja], (*suggestion*) فكرة مفيدة [Fekrah mofeedah] ▷ *v* (*incline*) يَميل [jami:lu], (*reward*) يمنح بقشيشاً [Yamnaḥ ba'qsheeshan]

tipsy ['tɪpsɪ] *adj* مترنح [mutaranniħ]

tiptoe ['tɪp,təʊ] *n* رأس إصبع القدم [Raas eṣbe'a al-'qadam]

tired ['taɪəd] *adj* متعب [mutʕab]

tiring ['taɪərɪŋ] *adj* منهك [munhak]

tissue ['tɪsjuː, 'tɪʃuː] *n* (*anatomy*) نسيج [Naseej al-jesm], (*paper*) منديل [Mandeel wara'qey]

title ['taɪtəl] *n* لَقَب [laqab]

to [tuː, tʊ, tə] *prep* إلى [ʔila:]; **Can I speak to Mr...?** هل يمكن أن أتحدث إلى السيد...؟ [hal yamken an ata-ḥadath ela al-sayid...?]; **I need someone to look after the children tonight** أحتاج إلى شخص يعتني بالأطفال ليلًا [aḥtaaj ela shakhiṣ y'atany be-al-aṭfaal laylan]; **I need to get to...** أريد أن أذهب إلى.... [Areed an adhhab ela...]; **I'm going to...** سوف أذهب إلى.... [Sawf adhhab ela]; **When is the first bus to...?** ما هو موعد أول أتوبيس متجه إلى...؟ [ma howa maw-'aid awal baas mutajih ela...?]

toad [təʊd] *n* ضفدع الطين [Ḍofda'a al-ṭeen]

toadstool ['təʊd,stuːl] *n* فطر الغاريقون [Feṭr al-gharekoon]

toast [təʊst] *n* (*grilled bread*) خبز محمص [Khobz mohammṣ], (*tribute*) مشروب

النُّخْب [Mashroob al-nnkhb]

toaster ['təʊstə] n محمصة خبز كهربائية [Mohamaṣat khobz kahrobaeyah]

tobacco [tə'bækəʊ] n تبغ [tibɣ]

tobacconist's [tə'bækənɪsts] n مَتجر السجائر [Matjar al-sajaaer]

tobogganing [tə'bɒɡənɪŋ] n تزلق [tazaluq]

today [tə'deɪ] adv اليَوْم [aljawma]

toddler ['tɒdlə] n طفل صغير عادة ما بين السنة الأولى والثانية [Tefl ṣagheer 'aaadatan ma bayn al-sanah wal-sana-tayen]

toe [təʊ] n إصبع القدم [Eṣbe'a al'qadam]

toffee ['tɒfɪ] n حلوى [ḥalwa:]

together [tə'ɡɛðə] adv سويا [sawijjan]

Togo ['təʊɡəʊ] n توجو [tu:ʒu:]

toilet ['tɔɪlɪt] n حمام [ḥamma:m]; **toilet bag** n حقيبة أدوات الاستحمام [Ha'qeebat adwat al-estehmam]; **toilet paper** n ورق المرحاض [Wara'q al-merḥaḍ]; **toilet roll** n لفة ورق المرحاض [Lafat wara'q al-merḥaḍ]; **Are there any toilets for the disabled?** هل توجد حمامات مناسبة للمعاقين؟ [hal tojad ḥama-maat muna-seba lel-mu'aa'qeen?]; **Can I use the toilet?** هل يمكن أن استعمل الحمام؟ [hal yamken an asta'a-mil al-ḥam-maam?]; **Is there a toilet on board?** هل هناك حمام في الأتوبيس؟ [hal hunaka ḥamaam fee al-oto-bees?]

toiletries ['tɔɪlɪtrɪːs] npl مستلزمات الحمام [Mostalzamat al-hammam]

token ['təʊkən] n علامة [ʕala:ma]

tolerant ['tɒlərənt] adj متسامح [mutasa:miḥ]

toll [təʊl] n رسوم [rusu:m]; **Is there a toll on this motorway?** هل هناك رسوم للمرور بهذا الطريق؟ [hal hunaka risoom yatim daf-'aaha lel-miroor be-hadha al- ṭaree'q?]; **Where can I pay the toll?** أين سأدفع رسوم المرور بالطريق؟ [ayna sa-adfa'a rosom al-miroor bil-ṭaree'q?]

tomato, tomatoes [tə'mɑːtəʊ, tə'mɑːtəʊz] n طماطم [ṭama:tim];

tomato sauce n صلصة طماطم [Ṣalṣat ṭamaṭem]

tomb [tuːm] n مقبرة [maqbara]

tomboy ['tɒmˌbɔɪ] n فتاة متشبهة بالصبيان [fata:tun mutaʃabbihatun bisˤsˤabja:ni]

tomorrow [tə'mɒrəʊ] adv غداً [ɣadan]

ton [tʌn] n طنْ [tˤunn]

tone [təʊn] n; **dialling tone** n نغمة الاتصال [Naghamat al-eteṣal]; **engaged tone** n رنين انشغال الخط [Raneen ensheghal al-khat]

Tonga ['tɒŋɡə] n مملكة تونجا [Mamlakat tonja]

tongue [tʌŋ] n لسان [lisa:n]; **mother tongue** n اللغة الأم [Al loghah al om]

tonic ['tɒnɪk] n دواء مُقَوِي [Dawaa mo'qawey]

tonight [tə'naɪt] adv في هذه الليلة [Fee hadheh al-laylah]

tonsillitis [ˌtɒnsɪ'laɪtɪs] n التهاب اللوزتين [Eltehab al-lawzateyn]

tonsils ['tɒnsəlz] npl لوزتين [lawzatajni]

too [tuː] adv أيضا [ʔajdˤan]

tool [tuːl] n أداة [ʔada:t]

tooth, teeth ['tuːθ, tiːθ] n سِن [sin]; **wisdom tooth** n ضرس العقل [Ḍers al-a'aql]

toothache ['tuːθˌeɪk] n وجع الأسنان [Waja'a al-asnaan]

toothbrush ['tuːθˌbrʌʃ] n فرشاة الأسنان [Forshat al-asnaan]

toothpaste ['tuːθˌpeɪst] n معجون الأسنان [ma'ajoon asnan]

toothpick ['tuːθˌpɪk] n عود الأسنان ['aood al-asnan]

top [tɒp] adj علوي [ʕulwij] ⊳ n قمة [qima]

topic ['tɒpɪk] n موضوع مقالة أو حديث [Mawḍoo'a ma'qaalah aw hadeeth]

topical ['tɒpɪkˡ] adj موضعي [mawdˤiʕij]

top-secret ['tɒp'siːkrɪt] adj سري للغاية [Serey lel-ghayah]

top up [tɒp ʌp] v; **Can you top up the windscreen washers?** هل يمكن أن تملئ خزان المياه لمساحات الزجاج؟ [hal yamken an tamlee khazaan al-meaah le-massa-ḥaat al-zujaaj?]; **Where can I buy a top-up card?** أين يمكن أن أشتري كارت إعادة شحن [ayna yamken an ash-tary kart e-'aadat shahin?]

torch [tɔːtʃ] n كشاف كهربائي [Kashaf kahrabaey]

tornado [tɔːˈneɪdəʊ] n إعصار قمعي [E'aṣar 'qam'ay]

tortoise [ˈtɔːtəs] n سلحفاة [sulḥufa:t]

torture [ˈtɔːtʃə] n تعذيب [taʕðiːb] ▷ v يُعَذِب [juʕaðibu]

toss [tɒs] v يقذف [jaqðifu]

total [ˈtəʊtᵊl] adj إجمالي [ʔiʒmaːlij] ▷ n إجمالي [ʔiʒmaːlij]

totally [ˈtəʊtᵊlɪ] adv بشكل كامل [Beshakl kaamel]

touch [tʌtʃ] v يَلمِس [jalmisu]

touchdown [ˈtʌtʃdaʊn] n هبوط الطائرة [Hoboot al-taerah]

touched [tʌtʃt] adj ممسوس [mamsu:s]

touching [ˈtʌtʃɪŋ] adj فيما يتعلق بـ [Feema yat'ala'q be]

touchline [ˈtʌtʃlaɪn] n خط التماس [Khaṭ al-tamas]

touchpad [ˈtʌtʃpæd] n لوحة اللمس [Lawhat al-lams]

touchy [ˈtʌtʃɪ] adj سريع الانفعال [Saree'a al-enfe'aal]

tough [tʌf] adj قوي [qawij]

toupee [ˈtuːpeɪ] n خصلة شعر مستعار [khoṣlat sha'ar mosta'aar]

tour [tʊə] n جولة [ʒawla] ▷ v يَتَجوَل [jataʒawwalu]; **guided tour** n جولة إرشادية [Jawlah ershadeyah]; **package tour** n خطة رحلة شاملة الإقامة والانتقالات [Khoṭah rehalah shamelah al-e'qamah wal-ente'qalat]; **tour guide** n مرشد سياحي [Morshed seyaḥey]; **tour operator** n منظم رحلات [monaḍhem raḥalat]

tourism [ˈtʊərɪzəm] n سياحة [sija:ħa]

tourist [ˈtʊərɪst] n سائح [sa:ʔiħ]; **tourist office** n مكتب سياحي [Maktab seayaḥey]

tournament [ˈtʊənəmənt; ˈtɔː-; ˈtɜː-] n سلسلة مباريات [Selselat mobarayat]

towards [təˈwɔːdz; tɔːdz] prep تجاه

tow away [təʊ əˈweɪ] v يَجُر سيارة [Yajor sayarah]

towel [ˈtaʊəl] n منشفة [minʃafa]; **bath towel** n منشفة الحمام [Manshafah alhammam]; **dish towel** n فوطة تجفيف الأطباق [Foṭah tajfeef al-aṭbaa'q]; **sanitary towel** n منشفة صحية [Manshafah ṣeḥeyah]; **tea towel** n مناشف الصُحون [Manashef al-ṣohoon]

tower [ˈtaʊə] n بُرْج [burʒ]

town [taʊn] n بلدة [balda]; **town centre** n وَسَط المدينة [Wasaṭ al-madeenah]; **town hall** n دار البلدية [Dar al-baladeyah]; **town planning** n تخطيط المدينة [Takhṭeeṭ almadeenah]

toxic [ˈtɒksɪk] adj سُمي [summij]

toy [tɔɪ] n لعبة [luʕba]

trace [treɪs] n أثر [ʔaθar]

tracing paper [ˈtreɪsɪŋ ˈpeɪpə] n ورق شفاف [Wara'q shafaf]

track [træk] n مسار [masa:r]

track down [træk daʊn] v يَتَتبع [jatatabbaʕu]

tracksuit [ˈtrækˌsuːt; -ˌsjuːt] n بدلة تدريب [Badlat tadreeb]

tractor [ˈtræktə] n جرار [ʒaraar]

trade [treɪd] n تجارة [tiʒa:ra]; **trade union** n نقابة العمال [Ne'qabat al-'aomal]; **trade unionist** n عضو نقابة عمالية ['aḍw ne'qabah a'omaleyah]

trademark [ˈtreɪdˌmɑːk] n علامة تجارية ['alamah tejareyah]

tradition [trəˈdɪʃən] n تقليد [taqli:d]

traditional [trəˈdɪʃənᵊl] adj تقليدي [taqli:dij]

traffic [ˈtræfɪk] n مُرور [muru:r]; **traffic jam** n ازدحام المرور [Ezdeḥam al-moror]; **traffic lights** npl إشارات المرور [Esharaat al-mooror]; **traffic warden** n شرطي المرور [Shrṭey al-moror]

tragedy [ˈtrædʒɪdɪ] n مأساة [ma?sa:t]

tragic [ˈtrædʒɪk] adj مأساوي [ma?sa:wij]

trailer [ˈtreɪlə] n عربة مقطورة ['arabat ma'qtoorah]

train [treɪn] n قطار [qiṭˤaːr] ▷ v يُدرِب

[judarribu]; **Does the train stop at...?** هل يتوقف القطار في....؟ [hal yata-wa'qaf al-'qeṭaar fee...?]; **How frequent are the trains to...?** ما هي المدة الفاصلة بين القطارات؟ [Ma heya almodah alfaselah bayn al'qeṭaraat]; **I've missed my train** لم أتمكن من اللحاق بالقطار [lam atamakan min al-leḥa'q bil-'qeṭaar]; **Is the train wheelchair-accessible?** هل يمكن الوصول إلى القطار بالكراسي المتحركة؟ [hal yamken al-wiṣool ela al-'qeṭaar bel-karasi al-mutaḥarika?]; **Is this the train for...?** هل هذا هو القطار المتجه إلى...؟ [hal hadha howa al-'qeṭaar al-mutajeh ela...?]; **The next available train, please** ما هو موعد القطار التالي من فضلك؟ [ma howa maw-'aid al-'qeṭaar al-taaly min faḍlak?]; **What time does the train arrive in...?** ما هو موعد وصول القطار إلى...؟ [ma howa maw-'aid wiṣool al-'qeṭaar ela...?]; **What time does the train leave?** ما هو موعد مغادرة القطار؟ [ma howa maw-'aid mughadarat al-'qeṭaar?]; **When is the first train to...?** ما هو موعد أول قطار متجه إلى...؟ [ma howa maw-'aid awal 'qeṭaar mutajih ela...?]; **When is the next train to...?** ما هو موعد القطار التالي المتجه إلى...؟ howa maw-'aid al-'qeṭaar al-taaly al-mutajih ela...?]; **Where can I get a train to...?** كيف يمكن أن أركب القطار المتجه إلى...؟ [kayfa yamkin an arkab al-'qeṭaar al-mutajih ela...?]; **Which platform does the train leave from?** على أي رصيف يغادر القطار؟ ['ala ay raṣeef yo-ghader al-'qeṭaar?]

trained ['treɪnd] *adj* مُدَرَّب [mudarrib]

trainee [treɪ'niː] *n* متدرب [mutadarrib]

trainer ['treɪnə] *n* مُدَرِّب [mudarrib]

trainers ['treɪnəz] *npl* مدربون [mudarribu:na]

training ['treɪnɪŋ] *n* تدريب [tadri:b]; **training course** *n* دورة تدريبية [Dawrah tadreebeyah]

tram [træm] *n* ترام [tra:m]

tramp [træmp] *n* (*beggar*) مُتَسَوِّل

[mutasawwil], (*long walk*) رحلة سيرًا على الأقدام [reḥalah sayran ala al-a'qdam]

trampoline ['træmpəlɪn; -,liːn] *n* منصة البهلوان [Manaṣat al-bahlawan]

tranquillizer ['træŋkwɪ,laɪzə] *n* مُهَدِّئ [muhaddi?]

transaction [træn'zækʃən] *n* مُعَاملة [muʕa:mala]

transcript ['trænskrɪpt] *n* سجل مدرسي [Sejel madrasey]

transfer *n* ['trænsfɜː] تحويل [taḥwi:l] ▷ *v* [træns'fɜː] تحويل [taḥwi:lun]; **How long will it take to transfer?** كم يستغرق التحويل؟ [kam yasta-ghri'q al-taḥweel?]; **I would like to transfer some money from my account** أريد تحويل بعض الأموال من حسابي [areed taḥweel ba'aḍ al-amwal min ḥesaaby]; **Is there a transfer charge?** هل يحتسب رسم تحويل؟ [hal yoḥ-tasab rasim taḥ-weel?]

transform [træns'fɔːm] *v* يُبَدِّل [jubaddilu]

transfusion [træns'fjuːʒən] *n* نقل الدم [Na'ql al-dam]; **blood transfusion** *n* نقل الدم [Na'ql al-dam]

transistor [træn'zɪstə] *n* ترانزستور [tra:nzistu:r]

transit ['trænsɪt; 'trænz-] *n* عبور [ʕubu:r]; **transit lounge** *n* صالة العبور [Ṣalat al'aoboor]

transition [træn'zɪʃən] *n* انتقال [intiqa:l]

translate [træns'leɪt; trænz-] *v* يُتَرجِم [jutarʒimu]

translation [træns'leɪʃən; trænz-] *n* ترجمة [tarʒama]

translator [træns'leɪtə; trænz-; trans'lator] *n* مترجم [muntarʒim]

transparent [træns'pærənt; -'pɛər-] *adj* شَفَّاف [ʃaffa:f]

transplant *n* ['træns,plɑːnt] *n* زرع الأعضاء [Zar'a al-a'aḍaa]

transport *n* ['træns,pɔːt] نقل [naql] ▷ *v* [træns'pɔːt] ينقل [junqalu]; **public transport** *n* نقل عام [Na'ql 'aam]

transvestite [trænz'vɛstaɪt] *n* المخنث [al-muxannaθu]

trap [træp] n مصيدة [misˤjada]

trash [træʃ] n قمامة [quma:ma]

traumatic ['trɔːməˌtɪk] adj جرحي [ʒarħij]

travel ['trævəl] n سِفر [safar] ▷ v يُسافر [jusaːfiru]; **travel agency** n وكالة سفريات [Wakalat safareyaat]; **travel agent's** n مكتب وكيل السفريات [Maktab wakeel al-safareyaat]; **travel sickness** n دُوار السفر [Dowar al-safar]

traveller ['trævələ; 'trævlə] n مسافر [musaːfir]; **traveller's cheque** n شيك سياحي [Sheek seyahey]

travelling ['trævəlɪŋ] n سَفَر [safar]

tray [treɪ] n صينية [sˤiːnijja]

treacle ['triːkəl] n دِبْس السكر [Debs al-sokor]

tread [trɛd] v يَدوس [jaduːsu]

treasure ['trɛʒə] n كنز [kanz]

treasurer ['trɛʒərə] n أمين الصندوق [Ameen alsondooʼq]

treat [triːt] n دعوة إلى طعام أو شراب [Dawah elaa tˤaʼaam aw sharaab] ▷ v يَستضيف [jastadˤiːfu]

treatment ['triːtmənt] n معاملة [muʕaːmala]

treaty ['triːtɪ] n معاهدة [muʕaːhada]

treble ['trɛbəl] v يَزداد ثلاثة أضعاف [Yazdad thalathat adˤʼaaf]

tree [triː] n شجرة [ʃaʒara]

trek [trɛk] n رحلة بعربة ثيران [Rehlah be-arabat theran] ▷ v يُسافر سَفْرة طويلة [jusaːfiru safratan tˤawiːlatan]

trekking ['trɛkɪŋ] n; **I'd like to go pony trekking** أود أن أقوم بنزهة على ظهر الخيول؟ [awid an aʼqoom be-nozha ʼaala dˤahir al-khiyool]

tremble ['trɛmbəl] v يَرتعد [jartaʕidu]

tremendous [trɪˈmɛndəs] adj هائل [haːʔil]

trench [trɛntʃ] n خَنْدَق [xandaq]

trend [trɛnd] n نزعة [nazʕa]

trendy ['trɛndɪ] adj مواكب للموضة [Mowakeb lel-modah]

trial ['traɪəl] n محاكمة [muħaːkama]; **trial period** n فترة المحاكمة [Fatrat al-mohakamah]

triangle ['traɪˌæŋgəl] n مثلث [muθallaθ]

tribe [traɪb] n قبيلة [qabiːla]

tribunal [traɪˈbjuːnəl; trɪ-] n محكمة [maħkama]

trick [trɪk] n خدعة [xudʕa] ▷ v يوهم [juhimu]

tricky ['trɪkɪ] adj مخادع [muxaːdiʕ]

tricycle ['traɪsɪkəl] n دراجة ثلاثية [Darrajah tholatheyah]

trifle ['traɪfəl] n تافه [taːfih]

trim [trɪm] v يُزَيّن [juzajjinu]

Trinidad and Tobago ['trɪnɪˌdæd ænd təˈbeɪɡəʊ] n جمهورية ترينيداد وتوباغو [ʒumhuːrijjatu triːniːdaːd wa tuːbaːɣuː]

trip [trɪp] n رحلة قصيرة [Rehalh ʼqaseerah]; **business trip** n رحلة عمل [Rehlat ʼaamal]; **round trip** n رحلة انكفائية [Rehlah enkefaeyah]; **trip (up)** v يَتَعثر [jataʕaθθaru]

triple ['trɪpəl] adj ثلاثي [θulaːθij]

triplets ['trɪplɪts] npl ثلاثي [θulaːθiːjjuːn]

triumph ['traɪəmf] n انتصار [intisˤaːr] ▷ v يَنْتَصر [jantasˤiru]

trivial ['trɪvɪəl] adj تافه [taːfih]

trolley ['trɒlɪ] n عربة الترولي [ʼarabat al-troley]; **luggage trolley** n عربة حقائب السفر [ʼarabat haʼqaaeb al-safar]; **shopping trolley** n ترولي التسوق [Trolley altasawʼq]

trombone [trɒmˈbəʊn] n ترومبون [truːmbuːn]

troops ['truːps] npl فرق كشافة [Fearʼq kashafah]

trophy ['trəʊfɪ] n تذكار انتصار [tedhkaar entesˤar]

tropical ['trɒpɪkəl] adj استوائي [istiwaːʔij]

trot [trɒt] v يَخبُ الفَرَس [Yakheb al-faras]

trouble ['trʌbəl] n قلق [qalaq]

troublemaker ['trʌbəlˌmeɪkə] n مثير المتاعب [Mother al-mataaʼaeb]

trough [trɒf] n جُرن [ʒurn]

trousers ['traʊzəz] npl بنطلون [bantˤaluːnun]

trout [traʊt] n سمك السَّلْمون المُرَقّط

[Samak al-salamon almora'qat]

trowel ['traʊəl] *n* مسطرين [mistʿarajni]

truant ['truːənt] *n*; **play truant** *v* يتغيب [jataɣajjabu]

truce [truːs] *n* هدنة [hudna]

truck [trʌk] *n* شاحنة [ʃaːħina]; **breakdown truck** *n* شاحنة قطر [Shahenat 'qatr]; **truck driver** *n* سائق شاحنة [Sae'q shahenah]

true [truː] *adj* حقيقي [ħaqiːqij]

truly ['truːlɪ] *adv* بحقّ [biħaqqin]

trumpet ['trʌmpɪt] *n* بوق [buːq]

trunk [trʌŋk] *n* جذع [ʒiðʕ]; **swimming trunks** *npl* سروال سباحة [Serwl sebaħah]

trunks [trʌŋks] *npl* بنطلون قصير [Banṭaloon 'qaseer]

trust [trʌst] *n* ائتمان [iʔtimaːn] ▷ *v* يَثِق ب [Yathe'q be]

trusting ['trʌstɪŋ] *adj* مؤتمن [muʔtaman]

truth [truːθ] *n* حقيقة [ħaqiːqa]

truthful ['truːθfʊl] *adj* صادق [sˤaːdiq]

try [traɪ] *n* تجربة [taʒriba] ▷ *v* يُجرِب [juʒarribu]

try on [traɪ ɒn] *v* يَقيس ثوباً [Ya'qees thawban]

try out [traɪ aʊt] *v* يضع تحت الاختبار [Yaḍa'a taht al-ekhtebar]

T-shirt ['tiːʃɜːt] *n* قميص قصير الكمين ['qamees 'qaseer al-kmayen]

tsunami [tsʊ'næmɪ] *n* تسونامي [tsu:na:mi:]

tube [tjuːb] *n* أنبوبة [ʔunbu:ba]; **inner tube** *n* أنبوب داخلي [Anboob dakheley]; **test tube** *n* أنبوب اختبار [Anbob ekhtebar]; **tube station** *n* محطة أنفاق [Mahaṭat anfa'q]

tuberculosis [tjʊ,bɜːkjʊ'ləʊsɪs] *n* سُل [sull]

Tuesday ['tjuːzdɪ] *n* يوم الثلاثاء [Yawm al-tholathaa]; **Shrove Tuesday** *n* ثلاثاء المرافع [Tholathaa almrafe'a]; **on Tuesday** في يوم الثلاثاء [fee yawm al-thalathaa]

tug-of-war ['tʌgɒv'wɔː] *n* صراع عنيف

[Ṣeraa 'aneef]

tuition [tjuː'ɪʃən] *n* تعليم [taʕliːm]; **tuition fees** *npl* رسوم التعليم [Rasm al-ta'aleem]

tulip ['tjuːlɪp] *n* توليب [tawliːbu]

tummy ['tʌmɪ] *n* بطن [batˤn]

tumour ['tjuːmə] *n* وَرَم [waram]

tuna ['tjuːnə] *n* سمك التونة [Samak al-tonah]

tune [tjuːn] *n* مقطوعة موسيقية [Ma'qtoo'aah moose'qeyah]

Tunisia [tjuː'nɪzɪə; -'nɪsɪə] *n* تونس [tu:nus]

Tunisian [tjuː'nɪzɪən; -'nɪsɪən] *adj* تونسي [tu:nusij] ▷ *n* تونسي [tu:nusij]

tunnel ['tʌn³l] *n* نفق [nafaq]

turbulence ['tɜːbjʊləns] *n* اضطراب [idˤtˤiraːb]

Turk [tɜːk] *n* تُركي [turkij]

turkey ['tɜːkɪ] *n* ديّك رومي [Deek roomey]

Turkey ['tɜːkɪ] *n* تركيا [turkija:]

Turkish ['tɜːkɪʃ] *adj* تركي [turkij] ▷ *n* تُركي [turkij]

turn [tɜːn] *n* دَوْرَة [dawra] ▷ *v* يَدُور [jadu:ru]

turn around [tɜːn ə'raʊnd] *v* يَبْرُم [jabrumu]

turn back [tɜːn bæk] *v* يَرجِع [jarʒiʕu]

turn down [tɜːn daʊn] *v* يُقَلِّل [juqallilu]

turning ['tɜːnɪŋ] *n* منعطف [munʕatˤaf]; **Is this the turning for…?** هل هذا هو المنعطف الذي يؤدي إلى…؟ [hal hadha howa al-mun'aa-ṭaf al-ladhy yo-addy ela…?]; **Take the first turning on your right** أتجه نحو أول منعطف على اليمين [ʔattajihu naħwa ʔawwali munʕatˤafi ʕala aljami:ni]; **Take the second turning on your left** اتجه نحو المنعطف الثاني على اليسار [Etajeh naḥw almon'ataf althaney ala alyasaar]

turnip ['tɜːnɪp] *n* نبات اللفت [Nabat al-left]

turn off [tɜːn ɒf] *v* يُطْفِئ [jutˤfiʔ]

turn on [tɜːn ɒn] *v* يُشْعِل [juʃʕilu]

turn out [tɜːn aʊt] *v* يوقف [ju:qifu]

turnover ['tɜːn,əʊvə] *n* انقلاب [inqila:b]

turn round [tɜːn raʊnd] v يَبْرُم [jabrumu]

turnstile ['tɜːnˌstaɪl] n بوابة متحركة [Bawabah motaharekah]

turn up [tɜːn ʌp] v يَظْهَر [jazˤharu]

turquoise ['tɜːkwɔɪz; -kwɑːz] adj فيروزي [fajruːzij]

turtle ['tɜːtᵊl] n سُلحفاة [sulħufaːt]

tutor ['tjuːtə] n مدرس خصوصي [Modares khoṣooṣey]

tutorial [tjuːˈtɔːrɪəl] n درس خصوصي [Dars khoṣoṣey]

tuxedo [tʌkˈsiːdəʊ] n بذلة غامقة اللون للرجال [Badlah ghame'qah al-loon lel-rejal]

TV [tiː viː] n تليفزيون [tili:fizju:n]; **plasma TV** n تليفزيون بلازما [Telefezyoon ra'qamey]; **reality TV** n تلفزيون الواقع [Telefezyon al-wa'qe'a]; **Does the room have a TV?** هل يوجد تليفزيون بالغرفة [hal yujad tali-fizyon bil-ghurfa?]

tweezers ['twiːzəz] npl ملاقط صغيرة [Mala'qeṭ ṣagheerah]

twelfth [twɛlfθ] adj ثاني عشر [θaːnija ʕaʃara]

twelve [twɛlv] number اثنا عشر [iθnata: ʕaʃara]

twentieth ['twɛntɪɪθ; 'twentieth] adj العشرون [al-ʕiʃruːna]

twenty ['twɛntɪ] number عشرون [ʕiʃruːna]

twice [twaɪs] adv مرتين [marratajni]

twin [twɪn] n توأم [tawʔam]; **twin beds** npl سريرين منفصلين [Sareerayn monfaṣ elayen]; **twin room** n غرفة مزدوجة [Ghorfah mozdawajah]; **twin-bedded room** n غرفة مزودة بأسرة مزدوجة [Ghorfah mozawadah be-aserah mozdawajah]

twinned ['twɪnd] adj مزدوج [muzdawaʒ]

twist [twɪst] v يلوي [jalwi:]

twit [twɪt] n يَسْخر من [Yaskhar men]

two [tuː] num اثنين [iθnajni]

type [taɪp] n نوع [nawʕ] ▷ v يُضَنِف [jusˤannifu]; **Have you cut my type of**

hair before? هل قمت من قبل بقص شعري من نوع شعري [hal 'qumt min 'qabil be-'qaṣ sha'ar min naw'a sha'ary?]

typewriter ['taɪpˌraɪtə] n آلة كاتبة [aala katebah]

typhoid ['taɪfɔɪd] n مرض التيفود [Maraḍ al-tayfood]

typical ['tɪpɪkᵊl] adj نموذجي [namuːðaʒij]

typist ['taɪpɪst] n تايبسْت [ta:jbist]

tyre ['taɪə] n إطار العجلة [Eṭar al ajalah]; **spare tyre** n إطار إضافي [Eṭar eḍafy]

u

UFO ['ju:fəʊ] *abbr* جسم غامض [ʒismun ɣa:midˤun]

Uganda [ju:'gændə] *n* أوغندا [ʔu:ɣanda:]

Ugandan [ju:'gændən] *adj* أوغندي [ʔu:ɣandij] ▷ *n* أوغندي [ʔu:ɣandij]

ugly ['ʌglɪ] *adj* قبيح [qabi:ħ]

UK [ju: keɪ] *n* المملكة المتحدة [Al-mamlakah al-motahedah]

Ukraine [ju:'kreɪn] *n* أوكرانيا [ʔu:kra:nja:]

Ukrainian [ju:'kreɪnɪən] *adj* أوكراني [ʔu:kra:nij] ▷ *n (language)* اللغة الأوكرانية [Al loghah al okraneiah], *(person)* أوكراني [ʔu:kra:nij]

ulcer ['ʌlsə] *n* قرحة [qurħa]

Ulster ['ʌlstə] *n* مقاطعة أولستر [muqa:tˤaʕatun ʔu:lstr]

ultimate ['ʌltɪmɪt] *adj* أقصى [ʔaqsˤa:]

ultimately ['ʌltɪmɪtlɪ] *adv* حتمياً [ħatmi:an]

ultimatum [ˌʌltɪ'meɪtəm] *n* إنذار [ʔinða:r]

ultrasound ['ʌltrəˌsaʊnd] *n* موجات فوق صوتية [mawʒa:tun fawqa sˤawtijjatin]

umbrella [ʌm'brɛlə] *n* مظلة [mizˤalla]

umpire ['ʌmpaɪə] *n* حَكَم [ħakam]

UN [ju: ɛn] *abbr* الأمم المتحدة [Al-omam al-motahedah]

unable [ʌn'eɪbəl] *adj*; **unable to** *adj* عاجز [ʕa:ʒizun]

unacceptable [ˌʌnək'sɛptəbəl] *adj* غير مقبول [Ghayr ma'qool]

unanimous [ju:'nænɪməs] *adj* إجماعي [ʔiʒma:ʕij]

unattended [ˌʌnə'bɪndəd] *adj* بدون مُرافق [Bedon morafe'q]

unavoidable [ˌʌnə'vɔɪdəbəl] *adj* متعذر تجنبه [Mota'adhar tajanobah]

unbearable [ʌn'bɛərəbəl] *adj* لا يحتمل [La yaħtamel]

unbeatable [ʌn'bi:təbəl] *adj* لا يقهر [La yo'qhar]

unbelievable [ˌʌnbɪ'li:vəbəl] *adj* لايصدق [la:jusˤaddaq]

unbreakable [ʌn'breɪkəbəl] *adj* غير قابل للكسر [Ghayr 'qabel lelkasr]

uncanny [ʌn'kænɪ] *adj* غريب [ɣari:b]

uncertain [ʌn'sɜ:tən] *adj* غير وائق [Ghayr wathe'q]

uncertainty [ʌn'sɜ:tɪntɪ] *n* عدم التأكد ['adam al-taakod]

unchanged [ʌn'tʃeɪndʒd] *adj* غير متغير [Ghayr motaghyer]

uncivilized [ʌn'sɪvɪˌlaɪzd] *adj* غير متحضر [ghayer motaħaḍer]

uncle ['ʌŋkəl] *n* عَمّ [ʕamm]

unclear [ʌn'klɪə] *adj* غير واضح [Ghayr waḍeḥ]

uncomfortable [ʌn'kʌmftəbəl] *adj* غير مريح [Ghaeyr moreeḥ]

unconditional [ˌʌnkən'dɪʃənəl] *adj* غير مشروط [Ghayr mashroot]

unconscious [ʌn'kɒnʃəs] *adj* فاقد الوعي [Fa'qed al-wa'aey]

uncontrollable [ˌʌnkən'trəʊləbəl] *adj* متعذر التحكم فيه [Mota'adher al-tahakom feeh]

unconventional [ˌʌnkən'vɛnʃənəl] *adj* غير تقليدي [Gheer ta'qleedey]

undecided [ˌʌndɪ'saɪdɪd] *adj* غير مفصول فيه [Ghaey mafsool feeh]

undeniable [ˌʌndɪ'naɪəbəl] *adj* لا يمكن

إنكاره [La yomken enkareh]

under ['ʌndə] prep تحت [taħta]

underage [ˌʌndər'eɪdʒ] adj قاصر [qaːsˤir]

underestimate [ˌʌndərestɪ'meɪt] v يَسْتَخِف [jastaxiffu]

undergo [ˌʌndə'gəʊ] v يَتحمل [jataħammalu]

undergraduate [ˌʌndə'grædjʊɪt] n طالب لم يتخرج بعد [ṭaleb lam yatakharaj ba'aad]

underground adj ['ʌndəgraʊnd] تحت سطح الأرض [Taht saṭh al arḍ] ▷ n ['ʌndəgraʊnd] سكة حديد تحت الأرض [Sekah hadeed taht al-arḍ]

underline [ˌʌndə'laɪn] v يَرسم خطا تحت [Yarsem khaṭan taht]

underneath [ˌʌndə'niːθ] adv في الأسفل [Fee al-asfal] ▷ prep أسفل [Malaboot be-a'qal men al-q'eemah]

underpaid [ˌʌndə'peɪd] adj مدفوع بأقل من القيمة [Madfoo'a be-a'qal men al-q'eemah]

underpants ['ʌndəˌpænts] npl سروال تحتي [Serwaal tahtey]

underpass ['ʌndəˌpɑːs] n مَمَر سُفْلي [Mamar sofley]

underskirt ['ʌndəˌskɜːt] n تنورة تحتية [Tanorah tahteyah]

understand [ˌʌndə'stænd] v يَفْهَم [jafhamu]

understandable [ˌʌndə'stændəbəl] adj مفهوم [mafhuːm]

understanding [ˌʌndə'stændɪŋ] adj متفهم [mutafahhim]

undertaker ['ʌndəˌteɪkə] n حانوتي [ħaːnuːtij]

underwater ['ʌndəˌwɔːtə] adv تحت الماء [Taht al-maa]

underwear ['ʌndəˌweə] n ملابس داخلية [Malabes dakheleyah]

undisputed [ˌʌndɪ'spjuːtɪd] adj مُسَلَّم به [Mosalam beh]

undo [ʌn'duː] v يَفُكّ [jafukku]

undoubtedly [ʌn'daʊtɪdlɪ; un'doubtedly] adv يَقِيناً [jaqiːnan]

undress [ʌn'dres] v يُعَرّي [juʕarriː]

unemployed [ˌʌnɪm'plɔɪd] adj عاطل عن العمل [ˈaatel 'aan al-'aamal]

unemployment [ˌʌnɪm'plɔɪmənt] n بطالة [biṭˈaːla]

unexpected [ˌʌnɪk'spektɪd] adj غير متوقع [Ghayer motwa'qa'a]

unexpectedly [ˌʌnɪk'spektɪdlɪ] adv على نحو غير متوقع [Ala naḥw motawa'qa'a]

unfair [ʌn'feə] adj جائر [ʒaːʔir]

unfaithful [ʌn'feɪθfʊl] adj خائن [xaːʔin]

unfamiliar [ˌʌnfə'mɪljə] adj غير مألوف [Ghayer maaloof]

unfashionable [ʌn'fæʃənəbəl] adj غير مواكب للموضة [Ghayr mowakeb lel-moḍah]

unfavourable [ʌn'feɪvərəbəl; -'feɪvrə-] adj معاد [muʕaːd]

unfit [ʌn'fɪt] adj غير صالح [Ghayer Ṣaleḥ]

unforgettable [ˌʌnfə'getəbəl] adj لا يمكن نسيانه [La yomken nesyanh]

unfortunately [ʌn'fɔːtʃənɪtlɪ] adv لسوء الحظ [Le-soa al-haḍh]

unfriendly [ʌn'frendlɪ] adj غير ودي [Ghayr wedey]

ungrateful [ʌn'greɪtfʊl] adj عاق [ʕaːqq]

unhappy [ʌn'hæpɪ] adj تعيس [taʕiːs]

unhealthy [ʌn'helθɪ] adj غير صحي [Ghayr sshey]

unhelpful [ʌn'helpfʊl] adj غير مفيد [Ghayr mofeed]

uni ['juːnɪ] n أحادي [ʔuħaːdij]

unidentified [ˌʌnaɪ'dentɪˌfaɪd] adj غير محدد الهوية [Ghayr mohadad al-haweyah]

uniform ['juːnɪˌfɔːm] n زي رسمي [Zey rasmey]; **school uniform** n زي مدرسي [Zey madrasey mowaḥad]

unimportant [ˌʌnɪm'pɔːtənt] adj غير هام [Ghayr ham]

uninhabited [ˌʌnɪn'hæbɪtɪd] adj غير مسكون [Ghayr maskoon]

unintentional [ˌʌnɪn'tenʃənəl] adj غير متعمد [Ghayr mota'amad]

union ['juːnjən] n اتحاد [ittiħaːd];

European Union n الاتحاد الأوروبي [Al-tehad al-orobey]; **trade union** n نقابة العمال [Ne'qabat al-'aomal]

unique [juːˈniːk] adj فريد [fariːd]

unit [ˈjuːnɪt] n وحدة [waħda]

unite [juːˈnaɪt] v يُوَحِّدُ [juwaħħidu]

United Kingdom [juːˈnaɪtɪd ˈkɪŋdəm] n المملكة المتحدة [Al-mamlakah al-motahedah]

United States [juːˈnaɪtɪd steɪts] n الولايات المتحدة [Al-welayat al-mothedah al-amreekeyah]

universe [ˈjuːnɪvɜːs] n كَوْن [kawn]

university [ˌjuːnɪˈvɜːsɪtɪ] n جامعة [ʒaːmiʕa]

unknown [ʌnˈnəʊn] adj غير معروف [Gheyr ma'aroof]

unleaded [ʌnˈlɛdɪd] adj خلو من الرصاص [Khelow men al-raṣaṣ]; **unleaded petrol** n بنزين خالي من الرصاص [Benzene khaly men al- raṣaṣ]

unless [ʌnˈlɛs] conj إلا إذا [Elaa edha]

unlike [ʌnˈlaɪk] prep مختلف عن [Mokhtalef an]

unlikely [ʌnˈlaɪklɪ] adj غير محتمل [Ghaeyr moḥtamal]

unlisted [ʌnˈlɪstɪd] adj غير مُدرّج [Ghayer modraj]

unload [ʌnˈləʊd] v يُفْرغ حمولة [Yofaregh ḥomolah]

unlock [ʌnˈlɒk] v يَفْتَح القفل [Yaftaḥ al-'qafl]

unlucky [ʌnˈlʌkɪ] adj غير محظوظ [Ghayer mahḏhoodh]

unmarried [ʌnˈmærɪd] adj غير متزوج [Ghayer motazawej]

unnecessary [ʌnˈnɛsɪsərɪ; -ɪsrɪ] adj غير ضروري [Ghayer ḍarorey]

unofficial [ˌʌnəˈfɪʃəl] adj غير رسمي [Ghayer rasmey]

unpack [ʌnˈpæk] v يَفُكّ [yafuku]

unpaid [ʌnˈpeɪd] adj غير مسدد [Ghayr mosadad]

unpleasant [ʌnˈplɛzᵊnt] adj غير سار [Ghayr sar]

unplug [ʌnˈplʌg] v ينزع القابس الكهربائي [janzaʕu alqaːbusi alkahrabaːʔijji]

unpopular [ʌnˈpɒpjʊlə] adj غير محبوب [Ghaey maḥboob]

unprecedented [ʌnˈprɛsɪˌdɛntɪd] adj جديد [ʒadiːd]

unpredictable [ˌʌnprɪˈdɪktəbᵊl] adj لا يمكن التنبؤ به [La yomken al-tanaboa beh]

unreal [ʌnˈrɪəl] adj غير حقيقي [Ghayer ha'qee'qey]

unrealistic [ˌʌnrɪəˈlɪstɪk] adj غير واقعي [Ghayer wa'qe'aey]

unreasonable [ʌnˈriːznəbᵊl] adj غير معقول [Ghear ma'a'qool]

unreliable [ˌʌnrɪˈlaɪəbᵊl] adj غير جدير بالثقة [Ghaayr jadeer bel-the'qa]

unroll [ʌnˈrəʊl] v يَبْسط [jabsitˁu]

unsatisfactory [ʌnsætɪsˈfæktərɪ; -trɪ] adj غير مرضي [Ghayr marḍa]

unscrew [ʌnˈskruː] v يَفُكّ اللولب [Yafek al-lawlab]

unshaven [ʌnˈʃeɪvᵊn] adj غير حليق [Ghayr ḥalee'q]

unskilled [ʌnˈskɪld] adj غير بارع [gheer bare'a]

unstable [ʌnˈsteɪbᵊl] adj غير مستقر [Ghayr mosta'qer]

unsteady [ʌnˈstɛdɪ] adj متقلب [mutaqalibb]

unsuccessful [ʌnsəkˈsɛsfʊl] adj غير ناجح [ghayr najeḥ]

unsuitable [ʌnˈsuːtəbᵊl; ʌnˈsjuːt-] adj غير مناسب [Ghayr monaseb]

unsure [ʌnˈʃʊə] adj غير متأكد [Ghayer moaakad]

untidy [ʌnˈtaɪdɪ] adj غير مُرتب [Ghayer moratb]

untie [ʌnˈtaɪ] v يحُل [jaħullu]

until [ʌnˈtɪl] conj حتى [ħatta:] ▷ prep إلى أن

unusual [ʌnˈjuːʒʊəl] adj غير معتاد [Ghayer mo'ataad]

unwell [ʌnˈwɛl] adj معتل [muʕtal]

unwind [ʌnˈwaɪnd] v يَفُكّ [jafukku]

unwise [ʌnˈwaɪz] adj غير حكيم [Ghayer hakeem]

unwrap [ʌn'ræp] v يَفُضّ [jafud'd'u]

unzip [ʌn'zɪp] v يفتح النشاط [Yaftah nashaṭ]

up [ʌp] adv عالياً [ʕaːlijan]

upbringing ['ʌp,brɪŋɪŋ] n تربية [tarbija]

update n ['ʌp,deɪt] يَجعله عصرياً [Tej'aalah 'aṣreyan] ▷ v ['ʌp'deɪt] يَجعَله عصرياً [Tej'aalah 'aṣreyan]

upgrade [ʌp'greɪd] n; **I want to upgrade my ticket** أريد تغيير تذكرتي إلى درجة أعلى [areed taghyeer tadhkeraty ela daraja a'ala]

uphill ['ʌp,hɪl] adv قائم على مرتفع ['qaem ala mortafa'a]

upper ['ʌpə] adj فوقي [fawqi:]

upright ['ʌp,raɪt] adv عمودياً [ʕamu:dijan]

upset adj [ʌp'sɛt] قَلِق [qalaq] ▷ v [ʌp'sɛt] يَنْقَلِب [janqalibu]

upside down ['ʌp,saɪd daʊn] adv مقلوب رأساً على عقب [Ma'qloob raasan 'ala 'aa'qab]

upstairs ['ʌp'stɛəz] adv بالأعلى [Bel'aala]

uptight [ʌp'taɪt] adj عصبي جداً ['aṣabey jedan]

up-to-date [ʌptʊdeɪt] adj مُحَدَّث [muhaddiθ]

upwards ['ʌpwədz] adv صاعداً [sˁaːʕidan]

uranium [jʊ'reɪnɪəm] n يورانيوم [ju:ra:nju:mi]

urgency ['ɜːdʒənsɪ] n أهمية مُلِحّة [Ahameiah molehah]

urgent ['ɜːdʒənt] adj مُلِحّ [milħ]

urine ['jʊərɪn] n بُوْل [bawl]

URL [juː ɑː ɛl] n محدد مكان الموارد الموحد [muħaddidun makaːn almuwaːrid almuwaħħad]

Uruguay ['jʊərə,gwaɪ] n أوروجواي [uwru:ʒwaːj]

Uruguayan [,jʊərə'gwaɪən] adj أوروجواياني [ʔuːruːʒwaːjaːniː] ▷ n الأوروجواياني [al-ʔuːruːʒwaːjaːniː]

us [ʌs] pron نا [naː]; **We'd like to see nobody but us all day!** لا نريد أن نرى أي شخص آخر غيرنا طوال اليوم! [la nureed an nara ay shakhṣ akhar ghyrana ṭewaal al-yawm!]

US [juː ɛs] n الولايات المتحدة [Al-welayat al-mothedah al-amreekeyah]

USA [juː ɛs eɪ] n الولايات المتحدة الأمريكية [Alwelayat almotahdah al amrikiyah]

use n [juːs] استخدام [istixdaːmu] ▷ v [juːz] يَستخدم [jastaxdimu]; **It is for my own personal use** إنه للاستخدام الشخصي [inaho lel-estikhdam al-shakhṣi]

used [juːzd] adj مُستخدَم [mustaxdamu]

useful ['juːsfʊl] adj نافع [naːfiʕ]

useless ['juːslɪs] adj عديم الجدوى ['aadam al-jadwa]

user ['juːzə] n مُستخْدِم [mustaxdim]; **Internet user** n مُستخدِم الانترنت [Mostakhdem al-enternet]

user-friendly ['juːzə,frɛndlɪ] adj سهل الاستخدام [Sahl al-estekhdam]

use up [juːz ʌp] v يَستهلك كلية [Yastahlek koleyatan]

usual ['juːʒʊəl] adj معتاد [muʕtaːd]; **Is it usual to give a tip?** هل من المعتاد إعطاء بقشيش؟ [hal min al-mu'a-taad e'aṭaa ba'q-sheesh?]

usually ['juːʒʊəlɪ] adv عادة [ʕaːdatun]

U-turn ['juː,tɜːn] n ملف على شكل حرف U [Malaf 'ala shakl ḥarf U]

Uzbekistan [,ʌzbɛkɪ'staːn] n أوزباكستان [ʔuːzbaːkistaːn]

vacancy ['veɪkənsɪ] n عطلة [ʃutˤla]
vacant ['veɪkənt] adj شاغِر [ʃaːɣir]
vacate [vəˈkeɪt] v يجلو عن مكان [Yajloo 'an al-makaan]
vaccinate ['væksɪˌneɪt] v يُلَقِح [julaqqiħu]
vaccination [ˌvæksɪˈneɪʃən] n تلقيح [talqiːħ]
vacuum ['vækjʊəm] v يُنَظِف بمكنسة كهربائية [junazˤzˤifu bimiknasatin kahraba:ʔijjatin]; **vacuum cleaner** n مكنسة كهربائية [Meknasah kahrobaeyah]
vague [veɪg] adj مبهم [mubham]
vain [veɪn] adj تافه [taːfih]
valid ['vælɪd] adj مَشروع [maʃruːʕ]
valley ['vælɪ] n وادي [wa:di:]
valuable ['væljʊəbᵊl] adj نفيس [nafi:s]
valuables ['væljʊəbᵊlz] npl نَفائِس [nafa:ʔisun]
value ['vælju:] n قيمة [qi:ma]
vampire ['væmpaɪə] n مصاص دماء [Maṣaṣ demaa]
van [væn] n جناح [ʒanaːħ]; **breakdown van** n عربة الأعطال ['arabat al-a'ataal]; **removal van** n شاحنة نقل [Shahenat na'ql]
vandal ['vændᵊl] n مخرب [muxarrib]

vandalism ['vændəˌlɪzəm] n تَخْريب [taxriːb]
vandalize ['vændəˌlaɪz] v يُخّرب الممتلكات العامة والخاصة عن عمد [Yokhareb al-momtalakat al-'aaamah 'an 'amd]
vanilla [vəˈnɪlə] n فانيليا [fa:ni:lja:]
vanish ['vænɪʃ] v يَغيب عن الأنظار [Yagheeb 'an al-anḍhaar]
variable ['vεərɪəbᵊl] adj قابل للتغيير ['qabel lel-tagheyer]
varied ['vεərɪd] adj معدل [muʕaddal]
variety [vəˈraɪɪtɪ] n تنوع [tanawwuʕ]
various ['vεərɪəs] adj مختلف [muxtalif]
varnish ['vɑːnɪʃ] n ورنيش [warni:ʃ] ▷ v يُصْقِل [jasˤqulu]; **nail varnish** n طلاء أظافر [Ṭelaa aḍhafer]
vary ['vεərɪ] v يُغَيْر [juɣajjiru]
vase [vɑːz] n زهرية [zahrijja]
VAT [væt] abbr ضريبة القيمة المضافة [dˤariːbatu alqiːmati almudˤaːfati]; **Is VAT included?** هل يكون شاملاً ضريبة القيمة المضافة؟ [hal yakoon sha-melan dare-bat al-'qema al-muḍafa?]
Vatican ['vætɪkən] n الفاتيكان [al-fa:ti:ka:ni]
vault [vɔːlt] n; **pole vault** n قفز بالزانة ['qafz bel-zanah]
veal [viːl] n لحم عجل [Laḥm 'aejl]
vegan ['viːgən] n نباتي [naba:tij]; **Do you have any vegan dishes?** هل يوجد أي أطباق نباتية؟ [hal yujad ay atbaa'q nabat-iya?]
vegetable ['vεdʒtəbᵊl] n خضار [xudˤaːr]
vegetarian [ˌvεdʒɪˈtεərɪən] adj نباتي [naba:tij] ▷ n نباتي [naba:tij]; **Do you have any vegetarian dishes?** هل يوجد أي أطباق نباتية؟ [hal yujad ay atbaa'q nabat-iya?]
vegetation [ˌvεdʒɪˈteɪʃən] n حياة نباتية [Hayah Nabateyah]
vehicle ['viːɪkᵊl] n عَرَبة [ʕaraba]
veil [veɪl] n خمار [xima:r]
vein [veɪn] n وريد [wari:d]
Velcro® ['vεlkrəʊ] n® فيلكرو [fi:lkru:]
velvet ['vεlvɪt] n نُعُومة [nuʕu:ma]

vendor ['vɛndɔː] n بائع [ba:ʕiʕ]

Venezuela [ˌvɛnɪˈzweɪlə] n فنزويلا [finzwi:la:]

Venezuelan [ˌvɛnɪˈzweɪlən] adj فنزويلي [finizwi:li:] ▷ n فنزويلي [finizwi:li:]

venison ['vɛnɪzʰn; -sʰn] n لحم غزال [Laḥm ghazal]

venom ['vɛnəm] n سُمّ [summ]

ventilation [ˌvɛntɪˈleɪʃən] n تهوية [tahwijatin]

venue ['vɛnjuː] n مكان الحوادث [Makan al-ḥawadeth]

verb [vɜːb] n فعل [fiʕl]

verdict ['vɜːdɪkt] n حُكم المحلفين [Hokm al-mohallefeen]

versatile ['vɜːsəˌtaɪl] adj متعدد الجوانب [Mota'aded al-jawaneb]

version ['vɜːʃən; -ʒən] n نسخة [nusxa]

versus ['vɜːsəs] prep ضد [dˁiddun]

vertical ['vɜːtɪkʰl] adj رأسي [raʔsij]

vertigo ['vɜːtɪˌɡəʊ] n دُوار [duwa:r]

very ['vɛrɪ] adv جداً [ʒidan]

vest [vɛst] n صدرة [sˁʕadra]

vet [vɛt] n طبيب بيطري [Ṭabeeb bayṭareey]

veteran ['vɛtərən; 'vɛtrən] adj محنك [muḥannak] ▷ n محارب قديم [Moḥareb 'qadeem]

veto ['viːtəʊ] n حق الرفض [Ha'q al-rafḍ]

via ['vaɪə] prep عن طريق [An ṭaree'q al-khaṭaa]

vicar ['vɪkə] n قس [qiss]

vice [vaɪs] n رذيلة [raðiːla]

vice versa ['vaɪsɪ 'vɜːsə] adv والعكس كذلك [Wal-'aaks kaḍalek]

vicinity [vɪˈsɪnɪtɪ] n منطقة مجاورة [Menta'qat mojawerah]

vicious ['vɪʃəs] adj أثيم [ʔaθiːm]

victim ['vɪktɪm] n ضحية [dˁaħijja]

victory ['vɪktərɪ] n نصر [nasˁr]

video ['vɪdɪˌəʊ] n فيديو [fiːdjuː]; **video camera** n كاميرا فيديو [Kamera fedyo]

videophone ['vɪdɪəˌfəʊn] n هاتف مرئي [Hatef mareay]

Vietnam [ˌvjɛtˈnæm] n فيتنام [fiːtnaːm]

Vietnamese [ˌvjɛtnəˈmiːz] adj فيتنامي [fiːtnaːmij] ▷ n (language) اللغة الفيتنامية [Al-loghah al-fetnameyah], (person) شخص فيتنامي [Shakhṣ fetnamey]

view [vjuː] n منظر [manzˁar]

viewer ['vjuːə] n مشاهد التلفزيون [Moshahadat al-telefezyon]

viewpoint ['vjuːˌpɔɪnt] n وجهة نظر [Wejhat naḍhar]

vile [vaɪl] adj وضيع [wadˁiːʕ]

villa ['vɪlə] n فيلا [fiːlaː]; **I'd like to rent a villa** أريد فيلا للإيجار [areed villa lil-eejar]

village ['vɪlɪdʒ] n قرية [qarja]

villain ['vɪlən] n شرّير [ʃirriːr]

vinaigrette [ˌvɪnɪˈɡrɛt] n صَلْصة السَّلَطَة [sˁalsˁatu assalatˁati]

vine [vaɪn] n كَرْمَة العنب [Karmat al'aenab]

vinegar ['vɪnɪɡə] n خل [xall]

vineyard ['vɪnjəd] n كَرْم [karam]

viola [vɪˈəʊlə] n آلة الفيولا الموسيقية [aalat al veiola al mose'qeiah]

violence ['vaɪələns] n عنف [ʕunf]

violent ['vaɪələnt] adj عنيف [ʕaniːf]

violin [ˌvaɪəˈlɪn] n آلة الكمان الموسيقية [Aalat al-kaman al-moose'qeyah]

violinist [ˌvaɪəˈlɪnɪst] n عازف الكمان ['aazef al-kaman]

virgin ['vɜːdʒɪn] n عذراء [ʕaðra:ʔ]

Virgo ['vɜːɡəʊ] n العذراء [al-ʕaðra:ʔ]

virtual ['vɜːtʃʊəl] adj واقعي [wa:qiʕij]; **virtual reality** n واقع افتراضي [Wa'qe'a eftraḍey]

virus ['vaɪrəs] n فيروس [fi:ru:s]

visa ['viːzə] n فيزا [fi:za:]

visibility [ˌvɪzɪˈbɪlɪtɪ] n وضوح [wudˁuːħ]

visible ['vɪzɪbʰl] adj مرئي [marʔij]

visit ['vɪzɪt] n زيارة [zija:ra] ▷ v يزور [jazu:ru]; **visiting hours** npl ساعات الزيارة [Sa'at al-zeyadah]; **Can we visit the castle?** أيمكننا زيارة القلعة؟ [a-yamkun-ana zeyarat al-'qal'aa?]; **Do we have time to visit the town?** هل الوقت متاح لزيارة المدينة؟ [hal al-wa'qt muaah le-ziyarat al-madeena?]; **I'm here visiting friends** أنا هنا لزيارة أحد الأصدقاء [ʔana: huna: lizija:ratin ʔaħada]

نريد نزور... [nureed ze-yarat...] ['qabel lel-jarh]

al?as'diqa:?a]; **We'd like to visit...**
زيارة... [nureed ze-yarat...]

vulture ['vʌltʃə] n نسر [nasr]

visitor ['vɪzɪtə] n زائر [za:?ir]; **visitor centre** n مركز زائري [Markaz zaerey]

visual ['vɪʒʊəl; -zjʊ-] adj بصري [bas'arij]

visualize ['vɪʒʊə,laɪz; -zjʊ-] v يَتَصور [jatas'awwaru]

vital ['vaɪtᵊl] adj حيوي [ħajawij]

vitamin ['vɪtəmɪn; 'vaɪ-] n فيتامين [fi:ta:mi:n]

vivid ['vɪvɪd] adj لامع [la:miʕ]

vocabulary [və'kæbjʊlərɪ] n مُفردات اللغة [Mofradat Al-loghah]

vocational [vəʊ'keɪʃənᵊl] adj مهني [mihanij]

vodka ['vɒdkə] n فودكا [fu:dka:]

voice [vɔɪs] n صوت [s'awt]

voicemail ['vɔɪs,meɪl] n بريد صوتي [Bareed sawtey]

void [vɔɪd] adj باطل [ba:t'il] ▷ n فَراغ [fara:ɣ]

volcano, volcanoes [vɒl'keɪnəʊ, vɒl'keɪnəʊz] n بركان [burka:n]

volleyball ['vɒlɪ,bɔːl] n كرة طائرة [Korah Taayeara]

volt [vəʊlt] n حركة دائرية [ħarakatun da:?irijja]

voltage ['vəʊltɪdʒ] n جهد كهربي [Jahd kahrabey]

volume ['vɒljuːm] n حَجْم [ħaʒm]

voluntarily ['vɒləntərɪlɪ] adv بشكل متعمد [Be-shakl mota'amad]

voluntary ['vɒləntərɪ; -trɪ] adj طَوْعي [t'awʕij]

volunteer [,vɒlən'tɪə] n متطوع [mutat'awwiʕ] ▷ v يتطوع [jatat'awwaʕu]

vomit ['vɒmɪt] v يَتقيأ [jataqajja?u]

vote [vəʊt] n تصويت [tas'wi:t] ▷ v يُصوت [jus'awwitu]

voucher ['vaʊtʃə] n إيصال [?i:s'a:l]; **gift voucher** n قسيمة هدية ['qaseemat hadeyah]

vowel ['vaʊəl] n حرف متحرك [ħurfun mutaħarrik]

vulgar ['vʌlgə] adj سُوقي [su:qij]

vulnerable ['vʌlnərəbᵊl] adj قابل للجرح

W

wafer ['weɪfə] n رقاقة [ruqa:qa]

waffle ['wɒfᵊl] n وَافِل [wa:fil] ▷ v يَرغي في الكلام [Yarghey fel kalaam]

wage [weɪdʒ] n أُجر [ʔaʒr]

waist [weɪst] n خَصر [xasˤr]

waistcoat ['weɪsˌkəʊt] n صدرية [sˤadrijja]

wait [weɪt] v يَتَوَقَّع [jatawaqqaʕu]; **wait for** v ينتظر [jantaz̧iru]; **waiting list** n قائمة انتظار [qaemat entedhar]; **waiting room** n غرفة انتظار [Ghorfat entedhar]

waiter ['weɪtə] n نادل [na:dil]

waitress ['weɪtrɪs] n نادلة [na:dila]

wait up [weɪt ʌp] v يُطيل السهر [Yoteel alsahar]

waive [weɪv] v يَتنازل عن [Tetnazel 'an]

wake up [weɪk ʌp] v يَستيقظ [jastajqiz̧u]

Wales [weɪlz] n ويلز [wi:lzu]

walk [wɔːk] n مُشوار [miʃwa:r] ▷ v يَمُشي [jamʃi:]

walkie-talkie [ˌwɔːkɪˈtɔːkɪ] n جهاز راديو للإرسال والاستقبال [ʒiha:zu ra:diju: lilʔirsa:li wa ali:stiqba:li]

walking ['wɔːkɪŋ] n مَشي [maʃj]; **walking stick** n عصا المشي ['asaa almashey]

walkway ['wɔːkˌweɪ] n ممشى [mamʃa:]

wall [wɔːl] n جدار [ʒida:r]

wallet ['wɒlɪt] n محفظة [miħfaz̧a]; **My wallet has been stolen** لقد سرقت محفظة نقودي [la'qad sore'qat meh-fadhat ni-'qoody]

wallpaper ['wɔːlˌpeɪpə] n ورق حائط [Wara'q haet]

walnut ['wɔːlˌnʌt] n جوز [ʒawz]

walrus ['wɔːlrəs; 'wɒl-] n حيوان الفَظ [Hayawan al-fadh]

waltz [wɔːls] n رقصة الفالس [Ra'qsat al-fales] ▷ v يَرقص الفالس [Yar'qos al-fales]

wander ['wɒndə] v يتجول [jataʒawwalu]

want [wɒnt] v يُريد [juri:du]

war [wɔː] n حرب [ħarb]; **civil war** n حرب أهلية [Harb ahleyah]

ward [wɔːd] n (area) دائرة من مدينة [Dayrah men madeenah], (hospital room) جناح من مستشفى [Janah men al-mostashfa]

warden ['wɔːdᵊn] n وَصِيّ [wasˤijj]; **traffic warden** n شرطي المرور [Shrtey al-mroor]

wardrobe ['wɔːdrəʊb] n خزانة الثياب [Khezanat al-theyab]

warehouse ['wɛəˌhaʊs] n مستودع [mustawdaʕu]

warm [wɔːm] adj دافئ [da:fiʔ]

warm up [wɔːm ʌp] v يُسخِّن [jusaxxinu]

warn [wɔːn] v يُحذر [juħaððiru]

warning ['wɔːnɪŋ] n تحذير [taħði:r]; **hazard warning lights** npl أضواء التحذير من الخطر [Adwaa al-tahdheer men al-khatar]

warranty ['wɒrəntɪ] n كفالة [kafa:la]

wart [wɔːt] n نتوء صغير [Netoa sagheer]

wash [wɒʃ] v يَغسل [jaɣsilu]; **car wash** n غسيل سيارة [ghaseel sayaarah]

washable ['wɒʃəbᵊl] adj; **machine washable** adj قابل للغسل في الغسالة ['qabel lel-ghaseel fee al-ghassaalah]; **Is it washable?** هل هذا يمكن غسله؟ [hal hadha yamken ghas-loho?]

washbasin ['wɒʃˌbeɪsᵊn] n حوض الغسل

[Hawd al-ghaseel]

washing ['wɒʃɪŋ] n غسيل [ɣassi:l];
washing line n خط الغسيل [Khat
al-ghaseel]; **washing machine** n غسّالة
[ɣassa:latun]; **washing powder**
n مسحوق الغسيل [Mashoo'q alghaseel];
Do you have washing powder? هل
لديك مسحوق غسيل [hal ladyka
mas-hoo'q ghaseel?]

washing-up ['wɒʃɪŋʌp] n غسيل الأطباق
[ghaseel el-atba'q]; **washing-up liquid**
n سائل غسيل الأطباق [Saael ghaseel
al-atba'q]

wash up [wɒʃ ʌp] v يَغسِل الأطباق [Yagh-
sel al-atbaa'q]

wasp [wɒsp] n دبور [dabu:r]

waste [weɪst] n فضلات [fadˤala:t] ▷ v
يُبَدِّد [jubaddidu]

watch [wɒtʃ] n ساعة يدوية [Saa'ah
yadaweyah] ▷ v يُشاهِد [juʃa:hidu];
digital watch n ساعة رقمية [Sa'aah
ra'qameyah]

watch out [wɒtʃ aʊt] v يَحتَرِس
[jaħtarisu]

water ['wɔːtə] n مياه [mijja:h] ▷ v يَروي
[jarwi:]; **drinking water** n مياه الشرب
[Meyah al-shorb]; **mineral water** n مياه
معدنية [Meyah ma'adaneyah]; **sea
water** n مياه البحر [Meyah al-bahr];
sparkling water n مياه فوارة [Meyah
fawarah]; **watering can** n رشاش مياه
[Rashah meyah]; **How deep is the
water?** كم يبلغ عمق المياه [kam
yablugh 'aom'q al-meah?]; **Is hot
water included in the price?** هل
يشمل السعر توفير المياه الساخنة [hal
yash-mil al-si'ar taw-feer al-me-yah
al-sakhina?]; **There is no hot water** لا
توجد مياه ساخنة [La tojad meyah
sakhena]

watercolour ['wɔːtəˌkʌlə] n لون مائي
[Lawn maaey]

watercress ['wɔːtəˌkrɛs] n قرة العين
['qorat al-'ayn]

waterfall ['wɔːtəˌfɔːl] n شلال [ʃalla:l]

watermelon ['wɔːtəˌmɛlən] n بطيخة

[batˤiːxa]

waterproof ['wɔːtəˌpruːf] adj مقاوم للمياه
[Mo'qawem lel-meyah]

water-skiing ['wɔːtəˌskiːɪŋ] n تَزَلُج على
المياه [Tazaloj 'ala al-meyah]

wave [weɪv] n موجة [mawʒa] ▷ v يُلَوِّح
[julawwiħu]

wavelength ['weɪvˌlɛŋθ] n طول الموجة
[Tool al-majah]

wavy ['weɪvɪ] adj متموج [mutamawwiʒ]

wax [wæks] n شمع [ʃamʕ]

way [weɪ] n سبيل [sabi:l]; **right of way**
n حق المرور [Ha'q al-moror]

way in [weɪ ɪn] n ممر دخول [Mamar
dokhool]

way out [weɪ aʊt] n منفذ خروج [Manfaz
khoroj]

we [wiː] pron نحن

weak [wiːk] adj ضعيف [dˤaʕiːf]

weakness ['wiːknɪs] n ضعف [dˤaʕf]

wealth [wɛlθ] n ثروة [θarwa]

wealthy ['wɛlθɪ] adj ثري [θarij]

weapon ['wɛpən] n سلاح [sila:ħ]

wear [wɛə] v يَرتدي [jartadi:]

weasel ['wiːzᵊl] n ابن عرسة [ibnu
ʕarusatin]

weather ['wɛðə] n طقس [tˤaqs];
weather forecast n توقعات حالة الطقس
[Tawa'qo'aat halat al-taqs]; **What
awful weather!** ما هذا الطقس السيئ
[Ma hadha al-ta'qs al-sayea]

web [wɛb] n شبكة عنكبوتية [Shabakah
'ankaboteyah]; **web address** n عنوان
الويب ['aonwan al-web]; **web browser** n
متصفح شبكة الإنترنت [Motasafeh
shabakat al-enternet]

webcam ['wɛbˌkæm] n كاميرا الانترنت
[Kamera al-enternet]

webmaster ['wɛbˌmɑːstə] n مُصَمِم موقع
[Mosamem maw'qe'a]

website ['wɛbˌsaɪt] n موقع الويب
[Maw'qe'a al-weeb]

webzine ['wɛbˌziːn] n منشور الكتروني
[Manshoor elektrooney]

wedding ['wɛdɪŋ] n زفاف [zifa:f];
wedding anniversary n عيد الزواج

['aeed al-zawaj]; **wedding dress** n
فستان الزفاف [Fostaan al-zefaf];
wedding ring n خاتم الزواج [Khatem
al-zawaj]

Wednesday ['wenzdɪ] n الأربعاء
[al-ʔarbiʕa:ʔi]; **Ash Wednesday** n أربعاء
الرماد [Arba.aa alramad]; **on
Wednesday** في يوم الأربعاء [fee yawm
al-arbe-'aa]

weed [wi:d] n عشبة ضارة ['aoshabah
ḍarah]

weedkiller ['wi:dˌkɪlə] n مبيد الأعشاب
الضارة [Mobeed al'ashaab al-darah]

week [wi:k] n أسبوع [ʔusbu:ʕ]; **a week
ago** منذ أسبوع [mundho isboo'a]; **How
much is it for a week?** كم تبلغ التكلفة
الأسبوعية؟ [kam tablugh al-taklifa
al-isboo-'aiya?]; **last week** الأسبوع
الماضي [al-esboo'a al-maady]; **next
week** الأسبوع التالي [al-esboo'a al-taaly]

weekday ['wi:kˌdeɪ] n يوم في الأسبوع
[Yawm fee al-osboo'a]

weekend [ˌwi:k'end] n عطلة أسبوعية
['aoṭlah osboo'ayeah]

weep [wi:p] v يَنْتَحِب [jantaħibu]

weigh [weɪ] v يَزِن [jazinu]

weight [weɪt] n وَزْن [wazn]

weightlifter ['weɪtˌlɪftə] n رافع الأثقال
[Rafe.a al-ath'qaal]

weightlifting ['weɪtˌlɪftɪŋ] n رفع الأثقال
[Raf.a al-th'qaal]

weird [wɪəd] adj عجيب [ʕaʒi:b]

welcome ['welkəm] n ترحيب [tarħi:b]
▷ v يَحْتَفي بـ [Yaħtafey be]; **welcome!**
excl مرحبا [marħaban]

well [wel] adj حَسَن [ħasan] ▷ adv كُلِيّة
[kulijjatun] ▷ n بئر [biʔr]; **oil well** n بئر
بترول [Beear betrol]

well-behaved ['welbɪ'heɪvd] adj حسن
السلوك [Ḥasen al-solook]

wellies ['welɪz] npl حذاء برقبة [Hedhaa
be-ra'qabah]

wellingtons ['welɪŋtənz] npl حذاء
برقبة [Hedhaa be-ra'qabah]

well-known ['wel'nəʊn] adj مشهور
[maʃhu:r]

well-off ['welˈɒf] adj حسن الأحوال [Hosn
al-ahwaal]

well-paid ['welˈpeɪd] adj حسن الدخل
[Hosn al-dakhl]

Welsh [welʃ] adj ويلزي [wi:lzij] ▷ n ويلزي
[wi:lzij]

west [west] adj غربي [ɣarbij] ▷ adv غرباً
[ɣarban] ▷ n غرْب [ɣarb]; **West Indian** n
ساكن الهند الغربية [Saken al-hend
al-gharbeyah]; **West Indies** npl جزر
الهند الغربية [Jozor al-hend
al-gharbeyah]

westbound ['westˌbaʊnd] adj متجه غرباً
[Motajeh gharban]

western ['westən] adj غربي [ɣarbij] ▷ n
وسترن [Western]

wet [wet] adj مبتل [mubtal]

wetsuit ['wetˌsu:t] n بدلة الغوص [Badlat
al-ghaws]

whale [weɪl] n حوت [ħu:t]

what [wɒt; wət] adj أيّ ▷ pron ما [ma:];
What do you do? ماذا تعمل [madha
ta'amal?]; **What is it?** ما هذا؟ [ma
hatha?]; **What is the word for...?** ما هي
الكلمة التي تعني... [ma heya al-kalema
al-laty ta'any...?]

wheat [wi:t] n قمح [qamħ]; **wheat
intolerance** n حساسية القمح
[Hasaseyah al-'qamh]

wheel [wi:l] n عجلة [ʕaʒala]; **spare
wheel** n عجلة إضافية ['aagalh eḍafeyah];
steering wheel n عجلة القيادة ['aagalat
al-'qeyadh]

wheelbarrow ['wi:lˌbærəʊ] n عجلة اليد
['aagalat al-yad]

wheelchair ['wi:lˌtʃeə] n كرسي بعجلات
[Korsey be-'ajalat]

when [wen] adv متى [mata:] ▷ conj عندما؛
When does it begin? متى يبدأ العمل
هنا؟ [mata yabda al-'aamal huna?];
When does it finish? متى ينتهي العمل
هنا؟ [mata yan-tahy al-'aamal huna?];
When is it due? متى سيحين الموعد؟
[mata sa-ya-heen al-maw'aid?]

where [weə] adv أين [ʔajna] ▷ conj حيث
[ħajθu]; **Where are we?** أين نحن الآن؟

[ayna naḥno al-aan?]; **Where are you from?** من أين أنت؟ [min ayna anta?]; **Where are you staying?** أين تقيم [Ayn to'qeem?]; **Where can we meet?** أين يمكن أن نتقابل؟ [ayna yamken an nata-'qabal?]; **Where can you go…?** أين يمكن الذهاب لـ…؟ [ayna yamken al-dhehaab le…?]; **Where do I pay?** أين يتم الدفع؟ [ayna yatim al-dafʿa?]; **Where do I sign?** أين مكان التوقيع؟ [ayna makan al-tawʿqeʿa?]; **Where is…?** أين يوجد… [ayna yujad…?]; **Where is the gents?** أين يوجد حمام الرجال؟ [Ayn yojad ḥamam al-rejal]

whether ['wɛðə] conj سواء

which [wɪtʃ] pron أيّ، أيّة [ayyat]

while [waɪls] conj حينما ⊳ n فترة وجيزة [Fatrah wajeezah]

whip [wɪp] n سوط [sawt]; **whipped cream** n كريمة مخفوقة [Keremah makhfooʿqah]

whisk [wɪsk] n مَضْرَب [midʿrabu]

whiskers ['wɪskəz] npl شَوَارِب [ʃawaːribun]

whisky ['wɪskɪ] n وسكي [wiski:]; **malt whisky** n ويسكي الشَّعير المجفف [Weskey al-sheʿaeer al-mojafaf]

whisper ['wɪspə] v يهمس [jahmisu]

whistle ['wɪsʿl] n صُفَّارة [sʿaffaːra] ⊳ v يُصَفِر [jusʿaffiru]

white [waɪt] adj أبيض [ʔabjadʿ]; **egg white** n بياض البيض [Bayaḍ al-bayḍ]; **a carafe of white wine** دورق من النبيذ الأبيض [dawraʿq min al-nabeedh al-abyaḍ]

whiteboard ['waɪtˌbɔːd] n لوحة بيضاء [Looḥ bayḍaa]

whitewash ['waɪtˌwɒʃ] v يبيض [jubajjidʿu]

whiting ['waɪtɪŋ] n سمك الأبيض [Samak al-abyaḍ]

who [huː] pron مَنْ [man]

whole [həʊl] adj سليم [sali:m] ⊳ n وحدة [Weḥdah kamelah]

wholefoods ['həʊlˌfuːdz] npl أغذية متكاملة [Aghzeyah motakamelah]

wholemeal ['həʊlˌmiːl] adj طحين الأسمر [tʿaḥiːnu ila sʿmari]

wholesale ['həʊlˌseɪl] adj جملي [ʒumalij] ⊳ n بيع بالجملة [Bayʿa bel-jomlah]

whom [huːm] pron مَنْ [man]

whose [huːz] adj خاص به [Khaṣ beh] ⊳ pron لمن

why [waɪ] adv لماذا [lemadha]

wicked ['wɪkɪd] adj كريه [kari:h]

wide [waɪd] adj عريض [ʿariːdʿ] ⊳ adv عريضا [ʿari:dʿun]

widespread ['waɪdˌsprɛd] adj منتشر [muntaʃir]

widow ['wɪdəʊ] n أرملة [ʔarmala]

widower ['wɪdəʊə] n أرمل [ʔarmal]

width [wɪdθ] n اتساع [ittisaːʿ]

wife, wives [waɪf, waɪvz] n زوجة [zawʒa]

WiFi [waɪ faɪ] n ماركة واي فاي خاصة بالتكنولوجيا التحتية للشبكات المحلية اللاسلكية [maːrikatun wa ajji faːj xaːsʿatin bittiknuːluːʒijaː attaḥtijjati liʃabakti almaḥallijjati alla:silkijjati]

wig [wɪg] n باروكة [baːruːka]

wild [waɪld] adj بري [barij]

wildlife ['waɪldˌlaɪf] n حياة برية [Hayah bareyah]

will [wɪl] n (document) وَصِيَّة [wasʿijja], (motivation) إرادة [ʔira:da]

willing ['wɪlɪŋ] adj مستعد [mustaʕidd]

willingly ['wɪlɪŋlɪ] adv عن طيب خاطر [An teeb khaṭer]

willow ['wɪləʊ] n شجرة الصِفْصَاف [Shajart al-ṣefṣaf]

willpower ['wɪlˌpaʊə] n قوة الإرادة ['qowat al-eradah]

wilt [wɪlt] v يذبُل [jaðbulu]

win [wɪn] v يفوز [jafuːzu]

wind¹ [wɪnd] n رياح [rijjaːħ] ⊳ vt (with a blow etc.) يُهوِي [juhawiː]

wind² [waɪnd] v (coil around) يُهوِي [juhawiː]

windmill ['wɪndˌmɪl; 'wɪnˌmɪl] n طاحونة هواء [taḥoonat hawaa]

window ['wɪndəʊ] n نافذة [naːfiða];

shop window n واجهة العرض في المتجر [Wagehat al-'aarḍ fee al-matjar]; **window pane** n لوح زجاجي [Loh zojajey]; **window seat** n مقعد بجوار النافذة [Ma'q'aad bejwar al-nafedhah]; **I can't open the window** لا يمكنني فتح النافذة [la yam-kunini faiḥ al-nafitha]; **I'd like a window seat** أريد مقعد بجوار النافذة [areed ma'q'aad be-jewar al-nafedha]; **May I close the window?** هل يمكن أن أغلق النافذة؟ [hal yamken an aghli'q al-nafidha?]; **May I open the window?** هل يمكن أن أفتح النافذة؟ [hal yamken an aftah al-nafidha?]

windowsill ['wɪndəʊˌsɪl] n عتبة النافذة ['aatabat al-nafedhah]

windscreen ['wɪndˌskriːn] n الزجاج الأمامي [Al-zojaj al-amamy]; **windscreen wiper** n ماسحة زجاج السيارة [Masehat zojaj sayarh]; **Could you clean the windscreen?** أيمكنك تنظيف الزجاج الأمامي من فضلك؟ [a-yamkun-ika tandheef al-zujaj al-ama-me min faḍlak?]; **The windscreen is broken** لقد تحطم الزجاج الأمامي [la'qad taha-ṭama al-zujaj al-amamy]

windsurfing ['wɪndˌsɜːfɪŋ] n تَزَلُّج شراعي [Tazaloj shera'aey]

windy ['wɪndɪ] adj مذرو بالرياح [Madhro bel-reyah]

wine [waɪn] n خمر [xamr]; **house wine** n خمر هاوس واين [Khamr hawees wayen]; **red wine** n نبيذ أحمر [nabeedh ahmar]; **table wine** n خَمْر الطعام [Khamr al-ṭa'aam]; **wine list** n قائمة خمور ['qaemat khomor]; **This stain is wine** هذه البقعة بقعة خمر [hathy al-bu'q-'aa bu'q-'aat khamur]; **This wine is not chilled** هذا الخمر ليس مثلج [hatha al-khamur lysa muthal-laj]

wineglass ['waɪnˌglɑːs] n زجاجة الخمر [Zojajat al-khamr]

wing [wɪŋ] n جناح [ӡana:ħ]; **wing mirror** n مرآة جانبية [Meraah janebeyah]

wink [wɪŋk] v يَغْمِز [jaɣmizu]

winner ['wɪnə] n شخص فائز [Shakhs faez]

winning ['wɪnɪŋ] adj فائز [fa:ʔiz]

winter ['wɪntə] n الشتاء [aʃ-ʃita:ʔi]; **winter sports** npl رياضات شتوية [Reyḍat shetweyah]

wipe [waɪp] v يَمْسح [jamsaħu]; **baby wipe** n منديل أطفال [Mandeel aṭfaal]

wipe up [waɪp ʌp] v يَمْسح [jamsaħu]

wire [waɪə] n سلك [silk]; **barbed wire** n سلك شائك [Selk shaaek]

wisdom ['wɪzdəm] n حكمة [ħikma]; **wisdom tooth** n ضرس العقل [Ders al-a'aql]

wise [waɪz] adj حكيم [ħaki:m]

wish [wɪʃ] n أمنية [ʔumnijja] ▷ v يَتَمَنى [jatamanna:]

wit [wɪt] n فِطْنة [fiṭˤna]

witch [wɪtʃ] n ساحرة [sa:ħira]

with [wɪð; wɪθ] prep مع [maʕa]; **Can I leave a message with his secretary?** هل يمكنني ترك رسالة مع السكرتير الخاص به؟ [hal yamken -any tark resala ma'aa al-sikertair al-khaṣ behe?]; **It's been a pleasure working with you** من دواعي سروري العمل معك [min dawa-'ay siro-ry al-'aamal ma'aak]

withdraw [wɪðˈdrɔː] v يَسحب [jasħabu]

withdrawal [wɪðˈdrɔːəl] n إنسحاب [ʔinsiħa:b]

within [wɪˈðɪn] prep (space) داخل [Dakhel], (term) داخل [Dakhel]

without [wɪˈðaʊt] prep بدون [bidu:ni]; **I'd like it without…, please** أحب تناوله بدون…من فضلك [aḥib tana-wilaho be-doon... min faḍlak]

witness ['wɪtnɪs] n شاهد [ʃa:hid]; **Jehovah's Witness** n طائفة شهود يهوه المسيحية [Ṭaaefat shehood yahwah al-maseyheyah]

witty ['wɪtɪ] adj فطن [faṭˤin]

wolf, wolves [wʊlf, wʊlvz] n ذئب [ðiʔb]

woman, women ['wʊmən, 'wɪmɪn] n امرأة [imraʔa]

wonder ['wʌndə] v يَتَعجب [jata'aӡӡabu]

wonderful ['wʌndəful] adj عجيب

[ʕaʒiːb]

wood [wʊd] n (forest) غابة [ɣaːbaʕ], (material) خشب [xaʃab]

wooden ['wʊdⁿn] adj خشبي [xaʃabij]

woodwind ['wʊdˌwɪnd] n آلة نفخ موسيقية [Aalat nafkh mose'qeyah]

woodwork ['wʊdˌwɜːk] n أعمال الخشب [A'amal al khashab]

wool [wʊl] n صوف [sˤuːf]; **cotton wool** n قطن طبي [qoṭn ṭebey]

woollen ['wʊlən] adj صوفي [sˤuːfij]

woollens ['wʊlənz] npl أنسجة صوفية [Ansejah ṣoofeyah]

word [wɜːd] n كلمة [kalima]; **all one word** كلمة واحدة فقط [kilema waḥeda fa'qaṭ]; **What is the word for...?** ما هي الكلمة التي تعني...؟ [ma heya al-kalema al-laty ta'any...?]

work [wɜːk] n عمل [ʕamal] ▷ v يعمَل [jaʕmalu]; **work experience** n خبرة العمل [Khebrat al'aamal]; **work of art** n عمل فني ['amal faney]; **work permit** n تصريح عمل [Taṣreeh 'amal]; **work station** n محطة عمل [Mahaṭat 'amal]; **How does the ticket machine work?** كيف تعمل ماكينة التذاكر؟ [kayfa ta'amal makenat al-tathaker?]; **How does this work?** كيف يعمل هذا؟ [Kayfa ya'amal hatha?]; **I hope we can work together again soon** أتمنى أن نستطيع معاودة العمل سويًا في وقت قريب [ata-mana an nasta-tee'a mo'aawadat al-'aamal sa-waian fee wa'qt 'qareeb]; **I work in a factory** أعمل في أحد المصانع [A'amal fee ahad al-maṣaane'a]; **I'm here for work** أنا هنا للعمل [ana huna lel-'aamal]; **The... doesn't work properly** إن... لا يعمل كما ينبغي [enna... la ya'amal kama yanbaghy]; **The air conditioning doesn't work** التكيف لا يعمل [al-tak-yeef la ya'amal]; **The brakes don't work** الفرامل لا تعمل [Al-faramel la ta'amal]; **The flash is not working** إن الفلاش لا يعمل [enna al-flaash la ya'amal]; **The gears are not working** ناقل السرعات لا يعمل

[na'qil al-sur'aat la ya'amal]; **This doesn't work** هذا لا يعمل كما ينبغي [hatha la-ya'amal kama yan-baghy]; **Where do you work?** أين تعمل؟ [ayna ta'amal?]

worker ['wɜːkə] n عامل [ʕaːmil]; **social worker** n أخصائي اجتماعي [Akhṣey ejtema'ay]

workforce ['wɜːkˌfɔːs] n قوة العاملة ['qowah al-'aamelah]

working-class ['wɜːkɪŋklɑːs] adj طبقة عاملة [Ṭaba'qah 'aaamelah]

workman, workmen ['wɜːkmən, 'wɜːkmɛn] n عامل [ʕaːmil]

work out [wɜːk aʊt] v يحُل [jaḥullu]

workplace ['wɜːkˌpleɪs] n محل العمل [Mahal al-'aamal]

workshop ['wɜːkˌʃɒp] n ورشة العمل [Warshat al-'aamal]

workspace ['wɜːkˌspeɪs] n مكان العمل [Makan al-'aamal]

workstation ['wɜːkˌsteɪʃən] n مكان عمل [Makan 'aamal]

world [wɜːld] n عالم [ʕaːlam]; **Third World** n العالم الثالث [Al-'aalam al-thaleth]; **World Cup** n كأس العالم [Kaas al-'aalam]

worm [wɜːm] n دودة [duːda]

worn [wɔːn] adj رث [raθθ]

worried ['wʌrɪd] adj قلق [qalaq]

worry ['wʌrɪ] v يَقْلَق [jaqlaqu]

worrying ['wʌrɪɪŋ] adj مقلق [muqliq]

worse [wɜːs] adj أسوأ [ʔaswʔ] ▷ adv على نحو أسوأ [Ala nahw aswaa]

worsen ['wɜːsⁿn] v يجعله أسوأ [Tej'aalah aswaa]

worship ['wɜːʃɪp] v يَعبُد [jaʕbudu]

worst [wɜːst] adj الأسوأ [Al-aswaa]

worth [wɜːθ] n قيمة مالية ['qeemah maleyah]

worthless ['wɜːθlɪs] adj عديم القيمة ['adeem al-'qeemah]

would [wʊd; wəd] v; **I would like to wash the car** أريد أن أغسل السيارة [areed an aghsil al-sayara]; **We would like to go cycling** أريد ممارسة رياضة

ركوب الدراجات [areed mu-ma-rasat reyaḍat rikoob al-darrajaat]

wound [wuːnd] n جرح [ʒurħ] ▷ v يجرح [jaʒraħu]

wrap [ræp] v يُغَلِف [juɣallifu]; **wrapping paper** n ورق التغليف [Wara'q al-taghleef]

wrap up [ræp ʌp] v يُغَلِف [juɣallifu]

wreck [rɛk] n خراب [xaraːb] ▷ v يُحطِم [juħatˤimu]

wreckage [ˈrɛkɪdʒ] n حطام [ħutˤaːm]

wren [rɛn] n طائر الغطاس [Ṭaayer al-ghaṭas]

wrench [rɛntʃ] n مفتاح ربط وفك الصواميل [Meftaħ rabṭ wafak al-ṣawameel] ▷ v يُحَرف [juħarrifu]

wrestler [ˈrɛslə] n مُصارع [musˤaːriʕ]

wrestling [ˈrɛslɪŋ] n مصارعة [musˤaːraʕa]

wrinkle [ˈrɪŋkəl] n تجعيد [taʒʕiːd]

wrinkled [ˈrɪŋkəld] adj متجعد [mutaʒaʕid]

wrist [rɪst] n معصم [miʕsˤam]

write [raɪt] v يَكتُب [jaktubu]

write down [raɪt daʊn] v يُدَون [judawwinu]

writer [ˈraɪtə] n الكاتب [Al-kateb]

writing [ˈraɪtɪŋ] n كتابة [kita:ba]; **writing paper** n ورقة كتابة [Wara'qat ketabah]

wrong [rɒŋ] adj خاطئ [xaːtˤiʔ] ▷ adv على نحو خاطئ [Ala nahwen khaṭea]; **wrong number** n رقم خطأ [Ra'qam khaṭaa]

Xmas [ˈɛksməs; ˈkrɪsməs] n كريسماس [kriːsmaːs]

X-ray [ɛksreɪ] n صورة شُعاعِيّة [Ṣewar sho'aeyah] ▷ v يصور بأشعة إكس [jasˤuːru biʔaʃʕati ʔiks]

xylophone [ˈzaɪləˌfəʊn] n آلة الإكسيليفون الموسيقية [aalat al ekseelefon al mose'qeiah]

y

yacht [jɒt] *n* يخت [jaxt]

yard [jɑːd] *n (enclosure)* حظيرة [ħazˤiːra], *(measurement)* ياردة [jaːrda]

yawn [jɔːn] *v* يَتَثَاءَب [jataθaːʔabu]

year [jɪə] *n* سَنَة [sana]; **academic year** *n* عام دراسي [ˈaam derasey]; **financial year** *n* سنة مالية [Sanah maleyah]; **leap year** *n* سنة كبيسة [Sanah kabeesah]; **New Year** *n* رَأْس السَنَة [Raas alsanah]

yearly [ˈjɪəlɪ] *adj* كل سنة [Kol sanah] ▷ *adv* سنوياً [sanawijan]

yeast [jiːst] *n* خَمِيرَة [xamiːra]

yell [jɛl] *v* يَهْتِف [jahtifu]

yellow [ˈjɛləʊ] *adj* أصفر [ʔasˤfar]; **Yellow Pages®** *npl* يلوبيدجز® [bloobeedjez®]

Yemen [ˈjɛmən] *n* اليَمَنْ [al-jamanu]

yes [jɛs] *excl* نعم [niʕma]

yesterday [ˈjɛstədɪ; -deɪ] *adv* أمس [ʔamsun]; **the day before yesterday** أمس الأول [ams al-a-wal]

yet [jɛt] *adv (interrogative)* حتى الآن [Ħata alaan], *(with negative)* حتى الآن [Ħata alaan] ▷ *conj (nevertheless)* حتى الآن [Ħata alaan]

yew [juː] *n* شجر الطقسوس [Shajar al-ṭaqsoos]

yield [jiːld] *v* يَهِبُ [jahibu]

yoga [ˈjəʊgə] *n* يُوجَا [juːʒaː]

yoghurt [ˈjəʊgət; ˈjɒg-] *n* زبادي [zabaːdij]

yolk [jəʊk] *n* صفار [sˤafaːr]

you [juː; jʊ] *pron (plural)* أنت [ʔanta], *(singular polite)* أنت [ʔanta], *(singular)* أنْت [ʔanta]; **Are you alright?** هل أنت على ما يرام [hal anta 'aala ma yoraam?]

young [jʌŋ] *adj* شَاب [ʃaːbb]

younger [jʌŋə] *adj* أصغر [ʔasˤɣaru]

youngest [jʌŋɪst] *adj* الأصغر [al-ʔasˤɣaru]

your [jɔː; jʊə; jə] *adj (plural)* الخاص بك [alxaːsˤ bik], *(singular polite)* الخاص بك [alxaːsˤ bik], *(singular)* الخاص بك [alxaːsˤ bik]

yours [jɔːz; jʊəz] *pron (plural)* لك [lak], *(singular polite)* لك [lak], *(singular)* لك [lak]

yourself [jɔːˈsɛlf; jʊə-] *pron* نفسك [Nafsek], *(intensifier)* نفسك [Nafsek], *(polite)* نفسك [Nafsek]

yourselves [jɔːˈsɛlvz] *pron (intensifier)* أنفسكم [Anfosokom], *(polite)* أنفسكم [Anfosokom], *(reflexive)* أنفسكم [Anfosokom]

youth [juːθ] *n* شباب [ʃaba:b]; **youth club** *n* نادي الشباب [Nadey shabab]; **youth hostel** *n* دار الشباب [Dar al-shabab]

Z

zoo [zuː] n حديقة الحيوان [Hadee'qat al-hayawan]
zoology [zəʊˈɒlədʒɪ; zuː-] n علم الحيوان ['aelm al-hayawan]
zoom [zuːm] n; **zoom lens** n عدسة تكبير ['adasah mokaberah]
zucchini [tsuːˈkiːnɪ; zuː-] n كوسة [kuːsa]

Zambia [ˈzæmbɪə] n زامبيا [zaːmbjaː]
Zambian [ˈzæmbɪən] adj زامبي [zaːmbij]
▷ n زامبي [zaːmbij]
zebra [ˈziːbrə; ˈzɛbrə] n الحمار الوحشي [Al-hemar al-wahshey]; **zebra crossing** n ممر للمشاة ملون بالأبيض والأسود [Mamar lel-moshah molawan bel-abyaḍ wal-aswad]
zero, zeroes [ˈzɪərəʊ, ˈzɪərəʊz] n صفر [sˤifr]
zest [zɛst] n (excitement) نَكْهة [nakha], (lemon-peel) نَكْهة [nakha]
Zimbabwe [zɪmˈbɑːbwɪ; -weɪ] n زيمبابوي [ziːmbaːbwij]
Zimbabwean [zɪmˈbɑːbwɪən; -weɪən] adj دولة زيمبابوي [Dawlat zembabway] ▷ n مواطن زيمبابوي [Mewaṭen zembabway]
zinc [zɪŋk] n زنك [zink]
zip [zɪp] n حيوية [hajawijja]; **zip (up)** v يُغْلِق زمام البنطلون [yoghle'q zemam albantaaloon]
zit [zɪt] n بثرة [baθra]
zodiac [ˈzəʊdɪˌæk] n دائرة البروج [Dayrat al-boroj]
zone [zəʊn] n منطقة [mintˤaqa]; **time zone** n نطاق زمني [Neṭaˈq zamaney]

Arabic Grammar

Contents

Arabic grammar is often found to be difficult and complicated. Like most languages, it adheres to grammatical rules. Below are some important features of Arabic grammar. In order to make things as clear as possible, Romanized transcriptions are given next to the Arabic characters throughout this grammar supplement.

Adjectives

In English there is only one type of adjective for masculine and feminine.

In Arabic there are two types of adjectives – one for masculine and one for feminine.

We form the feminine adjectives by adding ة **taa marboota** to the masculine adjectives.

ENGLISH	FEMININE ADJECTIVE		MASCULINE ADJECTIVE	
tall/long	taweela	طويلة	taweel	طويل
short	qaseera	قصيرة	qaseer	قصير
heavy	thaqeela	ثقيلة	thaqeel	ثقيل
light	khafeefa	خفيفة	khafeef	خفيف
new	jadeeda	جديدة	jadeed	جديد
old	qadeema	قديمة	qadeem	قديم
beautiful	jameela	جميلة	jameel	جميل
ugly	qabeeha	قبيحة	qabeeh	قبيح
big/large	kabeera	كبيرة	kabeer	كبير
small	sagheera	صغيرة	sagheer	صغير
rich	ghaneyya	غنية	ghaney	غني
poor	faqeera	فقيرة	faqeer	فقير

In English, adjectives are usually used before the nouns they describe. For example:

big garden

In Arabic, adjectives are usually used after the nouns they describe and must agree with the noun. This means if the noun is singular, masculine, feminine, indefinite or definite, then the adjective must be the same.

> **walad <u>waseem</u>**   ولد وسيم
> *a handsome boy*

> **madeena <u>kabeera</u>**   مدينة كبيرة
> *a big city*

> **alwalad <u>alwaseem</u>**   الولد الوسيم
> *the handsome boy*

Adjectives are also used as the predicate الخبر **alkhabar** of a nominative sentence: the predicate is the part of the sentence which tells you about the subject.

> **alwalad <u>waseem</u>**   الولد وسيم
> *The boy is handsome*

> **almadeena <u>kabeera</u>**   المدينة كبيرة
> *The city is big*

The adjectives here are used as predicates as they are indefinite and the subject is definite.

When a noun has a possessive ending, as in كتابي **ketabi** (*my book*), the adjective must be definite with ال **al**. Nouns with the possessive ending are considered definite since we know what is being referred to.

> **ketabi <u>aljadeed</u>**   كتابي الجديد
> *my new book*

> **haqeebati <u>alkabeera</u>**   حقيبتي الكبيرة
> *my big bag*

If there is more than one adjective, they all come after the noun they describe with و **wa** (*and*) between them.

walad waseem <u>wa</u> mo'addab   ولد وسيم ومؤدب
a handsome and polite boy

almadeena alkabeera <u>wa</u> aljameela
المدينة الكبيرة و الجميلة
the big and beautiful city

When we use the demonstratives هذا **hatha** / هذه **hathehe** we
use them like this.

walad waseem   ولد وسيم
a handsome boy

alwalad alwaseem   الولد الوسيم
the handsome boy

alwalad waseem   الولد وسيم
the boy is handsome

<u>hatha</u> walad waseem   هذا ولد وسيم
this is a handsome boy

<u>hatha</u> alwalad alwaseem mo'addab   هذا الولد الوسيم مؤدب
this handsome boy is polite

<u>hatha</u> alwalad waseem   هذا الولد وسيم
this boy is handsome

Plural adjectives are used only with people as non-human plural
nouns are described by feminine singular adjective.

mommaththeloon <u>mashhorroon</u>   ممثلون مشهورون
famous actors

mo'tamar <u>kabeer</u>   مؤتمر كبير
a big conference

mo'tamarat <u>kabeera</u>   مؤتمرات كبيرة
big conferences

alghassala <u>aljadeeda</u>   الغسالة الجديدة
the new washing machine

alghassalat <u>aljadeeda</u>   الغسالات الجديدة
the new washing machines

The plural adjectives which are used to describe people can often be formed using the sound masculine and the sound feminine plurals.

mudarrisoon <u>amrekeyyun</u> مدرسون أمريكيون
American male teachers

mudarrisat <u>britaneyyat</u> مدرسات بريطانيات
British female teachers

Some of the basic adjectives have broken (irregular) plurals which should be learned individually.

mudarrisoon <u>jodod</u> مُدَرِّسُونْ جُدُدْ
new teachers

mudarrisat <u>maherat</u> مُدَرِّسَاتْ مَاهِرَاتْ
clever female teachers

All the colours are considered adjectives. Basic colour feminine adjectives can be formed by moving the ﺀ **hamza** from the beginning to the end as follows:

ENGLISH	FEMININE		MASCULINE	
red	hamraa	حمراء	ahmar	أحمر
blue	zarqaa	زرقاء	azraq	أزرق
green	khadraa	خضراء	akhdar	أخضر
black	sawdaa	سوداء	aswad	أسود
white	baydaa	بيضاء	abyad	أبيض
yellow	safraa	صفراء	asfar	أصفر

ketab <u>akhdar</u> كتاب أخضر
a green book

sayyara <u>hamraa</u> سيارة حمراء
a red car

kotob <u>khadraa</u> كتب خضراء
green books

sayyarat <u>hamraa</u> سيارات حمراء
red cars

Note that we use singular feminine adjectives when we describe plural non-human nouns.

Definite Article

There is no indefinite article in the Arabic language for *a* or *an*. So a word without ال **al** is indefinite.

> **ketab** كتاب
> *a book*

> **bayda** بيضة
> *an egg*

The definite article in the Arabic language is ال **al** which means *the* and is always attached to the noun.

> **alketab** الكتاب
> *the book*

> **albayda** البيضة
> *the egg*

INDEFINITE ARTICLE			DEFINITE ARTICLE		
a chair	korsi	كرسي	the chair	alkorsi	الكرسي
a pen	qalam	قلم	the pen	alqalam	القلم
a house	bayt	بيت	the house	albayt	البيت
a train	qetar	قطار	the train	alqetar	القطار

Demonstratives

Demonstratives are those words which are used for *this* and *that* in English.

this	hatha	هذا
this	hathehe	هذه

that	**thalik**	ذلك
that	**tilka**	تلك

هذا **hatha** / ذلك **thalik** refer to masculine nouns.

هذه **hathehe** / تلك **tilka** refer to feminine nouns.

The demonstratives go before the nouns with the article ال **al**:

> **<u>hathehe</u> almar'a**   هذه المرأة
> *this woman/girl*

> **<u>thalika</u> aljabal**   ذلك الجبل
> *that mountain*

The demonstrative can also be used with an indefinite noun without ال **al** to form a sentence:

> **<u>hatha</u> modarris**   هذا مدرس
> *This is a teacher*

> **<u>tilka</u> madrasa**   تلك مدرسة
> *That is a school*

Remember that the Arabic language has no indefinite article *a* and *an* and no verb *to be* in the present tense.

This means that ال **al** indicates the difference between the two examples below

> **hatha rajol**   هذا رجل
> *This is a man*

> **hatha <u>al</u>rajol**   هذا الرجل
> *This man*

If we want to say *This is the man/woman*, we need to use هو **hoa** (masculine) or هي **heya** (feminine) after the demonstrative.

> **hatha <u>hoa</u> alrajol**   هذا هو الرجل
> *This is the man*

hathehe <u>heya</u> almara'a   هذه هي المرأة
This is the woman

If we want to say something about the person we follow that with an indefinite word.

hatha alrajal <u>amrekey</u>   هذا الرجل أمريكي
This man is American

hathehe almara'a <u>masreyya</u>   هذه المرأة مصرية
This woman is Egyptian

There is a big difference between human and non-human plurals. Human plurals are formed either by adding an ون **un** to the masculine noun or ات **at** to the feminine noun.

Non-human plurals are grammatically feminine singular. Therefore, the demonstratives will be the same as the feminine singular تلك **tilka** and هذه **hathehe**.

<u>hathehe</u> hayawanat   هذه حيوانات
These are animals

When we talk about people, we use the following plural demonstratives.

ha'ula'   هؤلاء
these

ula'ika   أولئك
those

<u>ha'ula'</u> alrejal   هؤلاء الرجال
These men

<u>ula'ika</u> hum alrejal   أولئك هم الرجال
Those are the men

Gender: Masculine and Feminine

In Arabic, nouns (words that name people, objects and ideas) are either masculine or feminine.

haqeeba (feminine) حقيبة
bag

ketab (masculine) كتاب
book

It is easy to tell if the word is masculine or feminine. Feminine words have two types:

1. Words with the feminine ending ة **taa marbuta**

    tawel<u>a</u> طاولة
    table

    sur<u>a</u> صورة
    picture

2. Words which refer to females but do not end in ة **taa marbuta**.

    <u>bint</u> بنت
    girl

    <u>umm</u> أم
    mother

However, there are a small number of words which are considered feminine and don't belong to either of the feminine types. Most are names of countries, natural features or parts of the body (which are one of a pair).

    <u>qatar</u> قطر
    Qatar

    <u>shams</u> شمس
    sun

    <u>yad</u> يد
    hand

Personal Pronouns

Pronouns are words such as *I, you, he, it* which replace names or nouns in a sentence.

Arabic has more pronouns than English as it has different versions for masculine and feminine, singular, dual (two people) and plural.

			MASCULINE		FEMININE	
SINGULAR	First Person	*I*	ana	أَنَا	ana	أَنَا
	Second Person	*you*	anta	أَنْتَ	anti	أَنْتِ
	Third Person	*he / she*	hoa	هُوَ	heya	هِيَ
DUAL	First Person	*we*	nahnu	نَحْنُ	nahnu	نَحْنُ
	Second Person	*you*	antoma	أَنْتُمَا	antoma	أَنْتُمَا
	Third Person	*they*	homa	هُمَا	homa	هُمَا
PLURAL	First Person	*we*	nahnu	نَحْنُ	nahnu	نَحْنُ
	Second Person	*you*	antom	أَنْتُمْ	antonna	أَنْتُنَّ
	Third Person	*they*	homm	هُمْ	honna	هُنَّ

Personal Pronouns (Object)

In English the object pronouns such as *me, him, us, them* are used separately and there are only singular and plural forms of personal pronouns.

In Arabic there are singular, dual (two people) and plural forms.

			MASCULINE		FEMININE	
SINGULAR	First Person	*me*	**- ni**	نِي	**- ni**	نِي
	Second Person	*you*	**- ka**	كَ	**- ki**	كِ
	Third Person	*him / her*	**- oh**	ه	**- ha**	هَا
	First Person	*us*	**- na**	نا	**- na**	نا
DUAL	Second Person	*you*	**- koma**	كُمَا	**- koma**	كُمَا
	Third Person	*them*	**- homa**	هما	**- homa**	هما
	First Person	*us*	**- na**	نا	**- na**	نا
PLURAL	Second Person	*you*	**- kom**	كُمْ	**- konna**	كُنَّ
	Third Person	*them*	**- hom**	هُمْ	**- honna**	هُنَّ

In Arabic the personal pronoun objects are attached to the verbs as shown in the examples.

> **hoa za<u>ra</u>ni ams**   هو زارني أمس
> *He visited me yesterday*

> **ana oqabel<u>ha</u> koll asoboo'a**   أنا اقابلها كل أسبوع
> *I meet her every week*

Plural Nouns

Arabic nouns are formed in three different ways:

1. If the singular noun is masculine, then the letters **un** ون are to be added to the singular noun.

> **modarris**   مدرس
> *male teacher*

mudarrisun مدرسون
male teachers

2. If the singular noun is feminine, then the letters ات **at** are to be added to the singular nouns after taking the ة **taa marboota** off.

modarrisa مدرسة
female teacher

mudarrisat مدرسات
female teachers

If the singular noun ends with ة **taa marboota** this should be removed before the ات **at** is added.

faranseyya فرنسية
French female

faranseyyat فرنسيات
French females

The sound feminine plural is usually used with a variety of masculine and feminine nouns which refer to objects and ideas.

ijtemaa' اجتماع
meeting

ijtemaa'at اجتماعات
meetings

hayawan حيوان
animal

hayawanat حيوانات
animals

3. The third type of plural in the Arabic language is called جمع تكسير **jamaa' takseer**. This is an irregular plural as it is formed in different ways, like some plurals in English. For example, the plural of *mouse* is *mice* and the plural of *woman* is *women*.

ketab كتاب
a book

kotob كتب
books

walad ولد
a boy

a'wlad أولاد
boys

You need to learn these plurals as there is no rule for forming them.

Plural pronouns such as هُمْ **hum** and هُنَّ **hunna** are only used when we refer to people.

hum amrekeyyiun هم أمريكيون
They are American males

hunna amrekeyyat هن أمريكيات
They are American females

When we refer to non-human plurals, we use the feminine singular pronoun.

assayyarat fi almera'b السيارات في المرآب
The cars in the garage

heya fi almera'b هي في المرآب
They are in the garage

Questions

In Arabic there are two types of questions.

1. Yes/No questions
2. Question words

Yes/No questions are formed by using هل **hal** or أ **a** at the beginning of a statement.

hal almodarris fi alfasl? هل المدرس في الفصل؟
Is the teacher in the class?

a hatha ketab? أهذا كتاب؟
Is this a book?

We can simply add a question mark at the end of a statement
with a change of intonation to make a yes/no question. This is
less formal.

hatha ketab Ahmed? هذا كتاب أحمد؟
Is this Ahmed's book?

Question Words

The other type of questions start with a question word such as:

What + verb?	matha	ماذا + فعل؟
What + noun?	ma	ما + اسم؟
Where?	ayna	أين؟
How?	kayfa	كيف؟
Why?	lematha	لماذا؟
Who?	man	مَنْ؟
When?	mata	متى؟
How many/much?	kam	كم؟
How much (price)?	bekam	بكم؟
From where?	min ayna	من أين؟
Which	ayy	أي؟

ayna alqalam? أين القلم؟
Where is the pen?

ma ismok? ما اسمك؟
What's your name?

Sun letters and Moon letters

The pronunciation of ال **al** (the definite article) usually changes when it is followed by some letters. The ل **lam** is not pronounced when the word starts with these letters and the first letter of the noun is stressed.

The letters which cause this pronunciation are called 'sun letters' (الحروف الشمسية **alhuroof ash-shamseyya**). As ش **shin** is one of these letters it is only the pronunciation which changes but the spelling remains the same.

> **ash**-shams الشمس
> *the sun*

> **as**-samaa السماء
> *the sky*

The rest of the letters are called the 'moon letters' (الحروف القمرية **alhuroof alqamareyya**) and the letter ق **qaf** is one of these letters.

> **al**qamar القمر
> *the moon*

> **al**ketab الكتاب
> *the book*

MOON LETTERS الحروف القمرية			SUN LETTERS الحروف الشمسية		
غ ع خ ح ج ب أ ى و ه م ك ق ف			ت ث ذ د ر ز س ش ص ض ط ظ ل ن		
the son	al-ibn	الإبن	the crown	at-taj	التاج
the door	al-bab	الباب	the price	ath-thaman	الثمن
the camel	al-jamal	الجمل	the lesson	ad-dars	الدرس
the war	al-harb	الحرب	the corn	adh-dhora	الذرة
the bread	al-khobz	الخبز	the message	ar-resala	الرسالة
the eye	al-ayn	العين	the time	az-zaman	الزمن
the west	al-gharb	الغرب	the peace	as-salam	السلام
the dawn	al-fajr	الفجر	the sun	ash-shams	الشمس
the pen	al-qalam	القلم	the morning	as-sabah	الصباح
the book	al-ketab	الكتاب	the fog	add-ddabab	الضباب
the money	al-mal	المال	the tomatoes	at-tamatem	الطماطم
the pyramid	al-haram	الهرم	the darkness	ath-thalam	الظلام
the weight	al-wazn	الوزن	the night	al-layl	الليل
the hand	al-yad	اليد	the people	an-nas	الناس

ARABIC-ENGLISH
عربي - إنجليزي

cheer v [ʔebtahiʒa] إبتهج
alphabet n [ʔabaʒadijja] أبجدية
n [ʔibħa:r] إبحار
ما هو موعد الإبحار؟
[ma howa maw-'aid al-ebhar?] When do we sail?
sail v [ʔabħara] أبحر
fumes npl [ʔabxiratun] أبخرة
always adv [ʔabadan] أبدا
أنا لا أشرب الخمر أبدا
[ana la ashrab al-khamr abadan] I never drink wine
display n [ibda:ʔ] إبداء
creation n [ʔibda:ʕ] إبداع
create v [ʔabdaʕa] أبدع
present v [ʔabda:] أبدي
n [ʔibar] إبر
وخز بالإبر
[Wakhz bel-ebar] n acupuncture
needle n [ʔibra] إبرة
إبرة خياطة
[Ebrat khayt] n knitting needle
هل يوجد لديك إبرة وخيط؟
[hal yujad ladyka ebra wa khyt?] Do you have a needle and thread?
parish n [ʔabraʃijja] أبرشية
turn round v [ʔabarama] أبرم
pitcher n [ʔibri:qu] أبريق
أبريق القهوة
[Abreeq al-'qahwah] n coffeepot
jug n [ʔibri:q] أبريق
April n [ʔabri:l] أبريل
يوم كذبة أبريل
[yawm kedhbat abreel] n April Fools' Day
buckle n [ʔibzi:m] إبزيم
armpit n [ʔibitˤ] أبط
slow down v [ʔabtˤaʔa] أبطأ
cancel vt [ʔabtˤala] أبطل
relegate v [ʔabʕada] أبعد
dummy n ◁ dumb adj [ʔabkam] أبكم
report v [ʔablaɣa] أبلغ
يُبلَغ عن
[Yoballegh an] v inform
silly adj ◁ idiot n [ʔablah] أبله
son n [ʔibn] ابن

credit, trust n [iʔtima:n] ائتمان
كارت ائتمان
[Kart eateman] n credit card
dad n [ʔab] أب
أب روحي
[Af roohey] n godfather (baptism)
زوجة الأب
[Zawj al-aab] n stepmother
pornographic adj [ʔiba:ħij] إباحي
فن إباحي
[Fan ebahey] n pornography
purchase v [ʔebta:ʕa] ابتاع
initial adj [ibtida:ʔij] ابتدائي
blackmail v [ʔebtazza] ابتز
blackmail n [ʔibtiza:z] ابتزاز
smile n [ʔibtisa:ma] ابتسامة
ابتسامة عريضة
[Ebtesamah areedah] n grin
smile v [ʔebtasama] ابتسم
v [ʔebtaʕida] ابتعد
يبتعد عن
[Yabta'aed 'an] v keep out
innovation n [ibtika:r] ابتكار
innovative adj [ibtika:rij] ابتكاري
devise v [ʔebtakara] ابتكر
swallow vi [ʔebtalaʕa] ابتلع
cheer n [ibtiha:ʒ] ابتهاج

ابن الإبن
[Ebn el-ebn] n grandson

ابن الأخ
[Ebn al-akh] n nephew

زوجة الابن
[Zawj al-ebn] n daughter-in-law

إن ابني مفقود
[enna ibny maf-'qood] My son is missing

فقد ابني
[fo'qeda ibny] My son is lost

اِبْنَت n [ʔibna]

فقدت ابنتي
[fo'qedat ibnaty] My daughter is lost

ابنة daughter n [ibna]

ابنة daughter n [ʔibna]

زوج الإبنة
[Zawj al-ebnah] n son-in-law

إبهام n [ʔibha:m]

إبهام اليد
[Ebham al-yad] n thumb

أبو ظبي Abu Dhabi n [ʔabu zˤabj]

أبى reject v [ʔaba:]

أبيض blank n ◁ white adj [ʔabjadˤ]

اتّبع follow vt [ʔetbaʕa]

اتجه v [ʔettaʒaha]

من فضلك، أي الأتوبيسات يتجه إلى...؟
[Men faḍlek, ay al-otobeesaat yatjeh ela...] Excuse me, which bus goes to...?

هل يتجه هذا الأتوبيس إلى...؟
[hal yata-jih hadha al-baaş ela...?] Does this bus go to...?

هل يوجد أتوبيس يتجه إلى المطار؟
[Hal yojad otobees yatjeh ela al-maṭaar?] Is there a bus to the airport?

اتحاد union n [ittiħa:d]

الاتحاد الأوروبي
[Al-tehad al-orobey] n European Union

اتساع width n [ittisa:ʕ]

اتصال communication, n [ittisˤa:l] contact

اتصال هاتفي
[Eteşal hatefey] n phonecall

كود الاتصال بمنطقة أو بلد
[Kod al-eteşal bemanţe'qah aw balad] n dialling code

نغمة الاتصال
[Naghamat al-eteşal] n dialling tone

نظام الاتصال الداخلي
[nedhaam aleteşaal aldakheley] n intercom

أين يمكنني الاتصال بك؟
[ayna yamken-any al-etişal beka?] Where can I contact you?

من الذي يمكن الاتصال به في حالة حدوث أي مشكلات؟
[man allaði: jumkinu alittis'a:lu bihi fi: ħa:latin ħudu:θin ʔajji muʃkila:tin] Who do we contact if there are problems?

إتصال connection n [ʔittis'sˤl]

الاتصالات السلكية
[Al-etşalat al-selkeyah] npl telecommunications

اتّصل contact, dial v [ʔettasˤala]

يَتّصل بـ
[Yataşel be] v communicate

سوف أتصل بك غدا
[sawfa ataşil beka ghadan] I'll call back tomorrow

من فضلك، اتصل بخدمة الأعطال
[min faḍlak, itaşil be-khidmat al-e'aṭaal] Call the breakdown service, please

هل لي أن اتصل بالمنزل؟
[hal lee an ataşil bil-manzil?] May I phone home?

إتّفاق agreement n [ʔittifa:q]

أتقن master v [ʔatqana]

اتّكأ lean v [ʔettakaʔa]

يَتّكئ على
[Yatakea ala] v lean out

يَتّكئ للأمام
[Yatakea lel-amam] v lean forward

أتمّ v [ʔatamma]

أن يتم تقديم الإفطار
[An yatem ta'qdeem al-eftaar] Where is breakfast served?

هل يتم أخذ الدولارات؟
[hal yatum akhidh al-dolar-aat?] Do you take dollars?

هل يتم قبول بطاقات الائتمان؟

[hal yatum 'qubool be-ṭa'qaat al-eeteman?] Do you take credit cards?

اتهام [ittiha:m] n accusation

اتهم [ʔettahama] v accuse ◁ vt charge (accuse)

أتوبيس [ʔatu:bi:s] n coach

أتوبيس المطار [Otobees al-maṭar] n airport bus

أين توجد أقرب محطة للأتوبيس؟ [Ayn tojad a'qrab maḥaṭah lel-otobees] Where is the nearest bus stop?

أين توجد محطة الأتوبيس؟ [ayna tojad muḥaṭat al-baaṣ?] Where is the bus station?

أين يمكن استقلال الأتوبيس إلى...؟ [Ayn yomken este'qlal al-otobees ela...?] Where do I get a bus for...?

ما هو موعد الأتوبيس المتجه إلى المدينة؟ [ma howa maw-'aid al-baaṣ al-mutajih ela al-madena?] When is the bus tour of the town?

ما هي المسافة بيننا وبين محطة الأتوبيس؟ [ma heya al-masafa bay-nana wa bayn muḥaṭat al- baaṣ?] How far are we from the bus station?

من فضلك، أي الأتوبيسات يتجه إلى...؟ [Men faḍlek, ay al-otobeesaat yatjeh ela...] Excuse me, which bus goes to...?

أتى [ʔata:] v come

يأتي من [Yaatey men] v come from

أثاث [ʔaθa:θ] n furniture

آثار [ʔa:θa:r] n

عالم آثار ['aalem aathar] n archaeologist

علم الآثار ['Aelm al-aathar] n archaeology

إثبات [ʔiθba:t] n proof (for checking)

أثبت [ʔaθbata] v prove

يُثبّط [ʔaθbatˤa] v

يُثبّط من الهمة [yothabet men al-hemah] v discourage

أثر [ʔa:θar] n

آثار جانبية [Aathar janeebyah] n side effect

أثر [ʔaθar] n effect, trace, influence

أثر القدم [Athar al'qadam] n footprint

أثّر [ʔaθθara] v affect

يُؤثّر فى [Yoather fee] v impress, influence

أثري [ʔaθarij] adj archaeological

نقوش أثرية [No'qoosh athareyah] npl graffiti

اثنا عشر [iθnata: ʕaʃara] number twelve

أثنى [ʔaθna:] v

يُثني على [Yothney 'aala] v praise

إثنين [iθnajni] two number

أثيم [ʔaθi:m] adj vicious

إثيوبي [ʔiθju:bij] adj Ethiopian

مواطن إثيوبي [Mowaṭen ethyobey] n Ethiopian

إثيوبيا [ʔiθju:bja:] n Ethiopia

أجاب [ʔajaʒaba] v must

يجب عليه [Yajeb alayh] v have to

ما الذي يجب أن ألبسه [ma al-lathy yajib an al-basaho?] What should I wear?

أجاب [ʔaʒa:ba] v answer, reply

إجابة [ʔiʒa:ba] n answer

هل يمكن أن ترسل لي الإجابة في رسالة؟ [hal yamken an tarsil lee al-ejaba fee resala?] Can you text me your answer?

أجازة [ʔaʒa:za] n time off, holiday

أجازة رعاية طفل [ajaazat re'aayat al ṭefl] n paternity leave

أجازة عامة [ajaaza a'mah] n public holiday

أجازة لممارسة الأنشطة [ajaaza lemomarsat al 'anshe ṭah] n activity holiday

أجازة مرضيّة [Ajaza maraḍeyah] n sick leave

أجازة وضع

[Ajazat wad'a] n maternity leave
أجازة وضع
[ejaaza sa'aeeda] Enjoy your holiday!
أجازة سعيدة
[ana a'q-dy ejaza huna] I'm on holiday here
أنا أقضي أجازة هنا
[ana huna fee ejasa] I'm here on holiday
أنا هنا في أجازة
leave n [ʔiʒaːza] إجازة
force v [ʔaʒbara] أخبر
pass, go through vt [ʔeʒtaːza] اجتاز
assembly, n [ʔiʒtimaːʕ] اجتماع
meeting
علم الاجتماع
['aelm al-ejtema'a] n sociology
اجتماع الشمل
[Ejtem'a alshaml] n reunion
social adj [ʔiʒtimaːʕij] اجتماعي
أخصائي اجتماعي
[Akhṣey ejtema'ay] n social worker
ضمان اجتماعي
[Ḍaman ejtema'ay] n social security
خدمات اجتماعية
[Khadamat ejtem'aeyah] npl social services
الحالة الاجتماعية
[Al-halah al-ejtemaayah] n marital status
شخص اجتماعي
[Shakhṣ ejtema'ay] adj sociable
شخص اجتماعي
[Shakhṣ ejtema'ay] adj joiner
get together, v [ʔeʒtamaʕa] اجتمع
gather, meet up
spare v [ʔeʒtanaba] اجْتنب
prejudice n [ʔiʒħaːf] إجْحاف
fee (رسم) n [ʔaʒr] أجْر
hire (rental) n [ʔaʒʒara] أجِّر
wage n [ʔaʒr] أجْر
rent v [ʔaʒʒara] وُجِر
يُؤجِر منقولات
[Yoajer man'qolat] v lease
هل يمكن أن نؤجر أدوت التزلج هنا؟
[hal yamken an no-ajer adawat al-tazal-oj huna?] Can we hire skis

here?
n [ʔiʒraːʔu] إجراء
أريد إجراء مكالمة تليفونية
[areed ejraa mukalama talefonia] I want to make a phonecall
هل يمكن أن أقوم بإجراء مكالمة تليفونية من هنا؟
[hal yamken an a'qoom be-ijraa mukalama talefonia min huna?] Can I phone from here?
rental, price n [ʔuʒra] أجْرة
سيارة أجرة صغيرة
[Sayarah ojrah ṣagherah] n minicab
أجرة السفر
[Ojrat al-safar] n fare
أجرة البريد
[ojrat al bareed] n postage
ما هي أجرة التاكسي للذهاب إلى المطار؟
[ma heya ejrat al-taxi lel-thehaab ela al-maṭaar?] How much is the taxi to the airport?
penalize, convict v [ʔaʒrama] أجرم
v [ʔaʒra:] أجْرى
يُجْري عملية جراحية
[Yojrey 'amaleyah jeraḥeyah] v operate (to perform surgery)
n [ʔaʒl] أجْل
ماذا يوجد هناك لأجل الأطفال؟
[madha yujad hunaka le-ajel al-aṭfaal?] What is there for children to do?
postpone v [aʒʒala] أجِّل
term (description) n [ʔaʒal] أجَل
polish v [ʔaʒla] أجْلى
يجلو عن مكان
[Yajloo 'an al-makaan] v vacate
consensus n [ʔiʒmaːʕ] إجْماع
unanimous adj [ʔiʒmaːʕij] إجْماعي
total n ◄ total adj [ʔiʒmaːlij] إجْمالي
collect, sum v [ʔeʒmmaʕa] أجْمع
up, add up
round up v [ʔaʒamaʕa] أجْمع
alien, foreign adj [ʔaʒnabij] أجْنبي
foreigner n ◄
npl [ʔaʒniħatu] أجْنحة
أجنحة عرض

[Ajnehat 'ard] n stands

إجهاض abortion n [ʔiʒha:dˤ]

إجهاض تلقائي [Ejhad tel'qaaey] n miscarriage

جوف hollow adj [ʔaʒwaf]

حادي university adj [ʔuћa:dij]

حاط surround v [ʔaћa:tˤa]

أحب v [ʔaћaba]

أحبك [ahibak] I love you

أنا أحب... [ana ahib] I love...

أنا لا أحب... [ana la ohibo...] I don't like...

أحبّ like v [ʔaћabba]

إحباط depression n [ʔiћba:tˤ]

أحبك crochet v [ʔaћabaka]

احتاج v [ʔeћta:ʒa]

يحتاج إلى [Taħtaaj ela] v need

احتاج إلى v [ʔiћta:ʒa ʔila]

أحتاج إلى الذهاب إلى طبيب أسنان [ahtaaj ela al-dhehaab ela tabeeb asnaan] I need a dentist

أحتاج إلى شخص يعتني بالأطفال ليلًا [ahtaaj ela shakhiş y'atany be-al-atfaal laylan] I need someone to look after the children tonight

هل تحتاج إلى أي شيء؟ [hal tahtaaj ela ay shay?] Do you need anything?

احتجاج protest n [iћtiʒa:ʒ]

احتجاز detention n [iћtiʒa:z]

احتراف n [iћtira:f]

باحتراف [Beħteraaf] adv professionally

احتراق five n [ʔiћtira:q]

شعلة الاحتراق [Sho'alat al-ehtera'q] n pilot light

احترام respect n [iћtira:m]

احترس watch out v [ʔeћtarasa]

احترق v [ʔeћtaraqa]

يحترق عن آخره [Yahtare'q 'an aakherh] vt burn down

احترم respect v [ʔeћtarama]

احتفاظ keeping, n [ʔiћtifa:zˤ]

guarding

هل يمكنني الاحتفاظ بمفتاح؟ [hal yamken -any al-eħtefaadh be-muftaah?] Can I have a key?

هل يمكنني الاحتفاظ بها؟ [hal yamken -any al-eħtefaadh beha?] May I keep it?

احتفال celebration n [iħtifa:l]

احتفظ reserve v [ʔiћtafizˤa]

يحتفظ ب [taħtafedh be] vt hold

احتفظ بالباقي [iħ-tafudh bil-ba'qy] Keep the change

لا تحتفظ بشحنها [la tahtafidh be-shaħ-neha] It's not holding its charge

هل يمكنك أن تحتفظ لي بذلك؟ [hal yamken -aka an taħ-tafedh lee be-dhalik?] Could you hold this for me?

احتفل celebrate v [ʔeћtafala]

اختفى v [ʔeћtafa:]

يختفي بـ [Yaħtafey be] n welcome

احتقار contempt n [iħtiqa:r]

احتقان congestion n [iħtiqa:n]

احتقر despise v [ʔeħtaqara]

احتكار monopoly n [iħtika:r]

احتل occupy v [ʔeħtalla]

احتلال occupation n [iħtila:l] (invasion)

احتمالية probability n [iħtima:lijja]

احتمل v [ʔiħtamala]

لا يحتمل [La yaħtamel] adj unbearable

احتوى contain v [ʔeħtawa:]

احتياطي n ◁ spare adj [ʔiħtijja:tˤij] reserve (retention)

احتيال fraud n [iħtija:l]

إحجام negative n [ʔiħʒa:mu]

أحد anyone n [ʔaħad]

أحدث modernize v [juħaddiθu]

أحد عشر number [ʔaħada ʕaʃar] eleven

أخرز score v [ʔaħraza]

إحسان charity n [ʔiħsa:n]

أحسن improve v [ʔaħsana]

إحصاء n [ʔiħsˤaːʔ]

إحصاء رسمي
[Ehsaa rasmey] n census

إحصائيات statistics n [ʔiħsˤaːʔijjaːt]

أحفاد grandchildren npl [ʔaħfaːdun]

حقًا really adv [ħaqqan]

إحكام precision, n [ʔiħkaːmu]
accuracy

هل يمكنك إحكام الأربطة لي من فضلك؟
[hal yamken -aka ehkaam al-arbe-ta lee min faḍlak?] Can you tighten my bindings, please?

أحل untie v [ʔaħalla]

أحل v [ʔaħala]

يَحِل مشكلة
[Taḥel al-moshkelah] v solve

أحمر red adj [ʔaħmar]

أحمر خدود
[Ahmar khodod] n blusher

أحمر شفاه
[Ahmar shefah] n lipstick

عنب أحمر
['aenab aḥmar] n redcurrant

الصليب الأحمر
[Al-Ṣaleeb al-aḥmar] n Red Cross

البحر الأحمر
[Al-bahr al-ahmar] n Red Sea

شَعْر أحمر
[Sha'ar ahmar] n redhead

لحم أحمر
[Laḥm aḥmar] n red meat

نبيذ أحمر
[nabeedh aḥmar] n rosé

هل يمكن أن ترشح لي نوع جيد من النبيذ الأحمر
[hal yamken an tura-shiḥ lee naw'a jayid min al-nabeedh al-aḥmar] Can you recommend a good red wine?

أحمق idiotic, daft adj [ʔaħmaq]

أحيا salute v [ʔaħjjaː]

أخ brother n [ʔax]

أخ من زوجة الأب أو زوج الأم
[Akh men zawjat al ab] n stepbrother

ابن الأخ
[Ebn al-akh] n nephew

أخاف terrify v [ʔaxaːfa]

أخبار news npl [ʔaxbaːrun]

تى تعرض الأخبار؟
[Tee ta'areḍ alakhbaar] When is the news?

أخبر tell vt [ʔaxbara]

أخت sister n [ʔuxt]

أخت الزوجة
[Okht alzawjah] n sister-in-law

أخت من زوجة الأب أو زوج الأم
[Okht men zawjat al ab aw zawj al om] n stepsister

بنْت الأخت
[Bent al-okht] n niece

اختار pick vt ◁ choose v [ʔextaːra]

اختبئ hide vi [ʔextabaʔ]

اختبار test n [ixtibaːr]

أنبوب اختبار
[Anbob ekhtebar] n test tube

اختبار الدم
[Ekhtebar al-dam] n blood test

اختبار القيادة
[Ekhtebar al-'qeyadah] n driving test

اختبار موجز
[ekhtebar mojaz] n quiz

اختبر test v [ʔextabara]

اختتم conclude, finish vt [ʔextatama]

اختراع invention n [ixtiraːʕ]

اخترع invent v [ʔextaraʕa]

اختزال shorthand n [ixtizaːl]

اختصار abbreviation n [ixtisˤaːr]

باختصار
[bekhteṣaar] adv briefly

اختطف hijack, kidnap v [ʔextatˤafa]

اختطف snatch v [ʔextatˤafa]

اختفاء disappearance n [ixtifaːʔ]

اختفى disappear v [ʔextafaː]

اختلاف difference n [ixtilaːf]

اختلاف الرأي
[Ekhtelaf al-raaey] n disagreement

اختلق make up v [ʔextalaqa]

اختنق choke vi [ʔextanaqa]

اختيار choice n [ixtijaːr]

اختياري optional adj [ixtijaːrij]

أخدود pothole n [ʔuxduːd]

أخذ take vt [ʔaxaða]

هل يمكن أن تأخذ مقاسي من فضلك؟
[hal yamken an takhudh ma'qa-see min faḍlak?] Can you measure me, please?

هل يمكنك أن تأخذ بيدي من فضلك؟
[hal yamken -aka an takhudh be-yady min faḍlak?] Can you guide me, please?

آخر adj [ʔa:xar]

فى مكان آخر
[Fee makaan aakhar] adv elsewhere

ما هو آخر موعد للمركب المتجه إلى...؟
[ma howa aakhir maw'aid lel-markab al-mutajeh ela...?] When is the last sailing to...?

ما هو موعد آخر قطار متجه إلى...؟
[ma howa maw-'aid aakhir 'qetaar mutajih ela...?] When is the last train to...?

هل لديكم أي شيء آخر؟
[hal ladykum ay shay aakhar?] Have you anything else?

آخر another n [ʔa:xaru]
آخر put off v [aʔaxara]
آخر other adj [ʔaxar]
آخراً last adv [ʔa:xiran]
أخرق clumsy, awkward adj [ʔaxraq]
أخرى other pron [ʔuxra:]

متى ستتحرك السيارات مرة أخرى؟
[mata satataḥarak al-saya-raat murra ukhra?] When will the road be clear?

هل لديك أي غرف أخرى؟
[hal ladyka ay 'quraf okhra?] Do you have any others?

أخصائي adj [ʔaxisˤa:ʔijju]

أخصائي العلاج الطبيعي
[Akeṣaaey al-elaj al-ṭabeaey] n physiotherapist

أخضر green (colour) adj [ʔaxdˤar]
green n [ʔaxdˤar]
أخطأ mistake v [ʔaxtˤʔa]

يُخطئ في الحكم على
[yokhṭea fee al-ḥokm ala] v misjudge

أخطأ mess up v [ʔaxtˤaʔa]
أخطبوط octopus n [ʔuxtˤubu:tˤ]
أخفى hide vt [ʔaxfa:]
إخلاص loyalty n [ʔixla:sˤ]
أخلاق character n [ʔaxla:q]

دَمِث الأخلاق
[Dameth al-akhla'q] adj good-natured
أخلاقي moral (معنوي) adj [ʔaxla:qij]

أخلاقي مِهَني
[Akhla'qy mehany] adj ethical

لا أخلاقي
[La Akhla'qy] adj immoral
أخلاقيات morals npl [ʔaxla:qijja:tun]
أخلى evacuate v [ʔaxla:]
أخير last adj [ʔaxi:r]

قبل الأخير
['qabl al akheer] adj penultimate
أخيراً lastly adv [ʔaxi:ran]
أداء performance n [ʔada:ʔ]
اداة tool, instrument n [ʔada:t]

أدوات الإسعافات الأولية
[Adawat al-es'aafaat al-awaleyah] n first-aid kit
أدار run vt ◄ manage v [ʔada:ra]
إدارة administration, n [ʔida:ra] management

إدارة الحوادث والطوارئ
[Edarat al-hawadeth wa-al-tawarea] n accident & emergency department

مدير الإدارة التنفيذية
[Modeer el-edarah al-tanfeedheyah] n CEO
إداري administrative adj [ʔida:rij]
أذاع let v [ʔada:ʕa]
أدان owe, condemn v [ʔada:na]
إدب literature n [dab]
أدب culture n [ʔadab]

بأدب
[Beadab] adv politely
إدخر save (money) v [ʔeddaxara]
أدخل enter vt [ʔadxala]
إدراك comprehension n [ʔidra:k]
أدرك realize v [ʔadraka]
أدرياتيكي Adriatic adj [ʔadrija:ti:ki:]

البحر الأدرياتيكي
[Albahr al adriateky] n Adriatic Sea
إدعاء allegation n [ʔiddiʕa:ʔ]
أدنى v ◄ lower, minimal adj [ʔadna:] minimum

أدنى درجة
[Adna darajah] n inferior

I'd like to check in, please	حد أدنى
أريد الذهاب إلى السوبر ماركت	[Had adna] n minimum
[areed al-dhehaab ela al-subar market] I	أدهش astonish v [ʔadhaʃa]
need to find a supermarket	أدى perform v [ʔadda]
will *(motivation)* n [ʔira:da] إرادة	إذا if conj [ʔiða:]
spill vt [ʔara:qa] إراق	إذاب dissolve, melt vt [ʔaða:ba]
four number [ʔarbaʕatun] أربعة	إذاع advertise v [ʔaða:ʕa]
number [ʔarbaʕata ʕaʃr] أربعة عشر	إذاع broadcast v [ʔaða:ʕa]
fourteen	إذاعة broadcast n [ʔiða:ʕa]
forty number [ʔarbaʕu:na] أربعون	Azerbaijan n [ʔaðarbajʒa:n] أذربيجان
confuse, rave v [ʔarbaka] أربك	أذربيجاني adj [ʔaðarbi:ʒa:nij]
doubt v [ʔerta:ba] ارتاب	Azerbaijani
engagement n [irtiba:tˤ] ارتباط	Azerbaijani
muddle n [irtiba:k] ارتباك	أذعر panic v [ʔaðʕara]
v [ʔertabatˤa] ارتبط	إذن permission n [ʔiðn]
يرتبط مع	اذن بالدخول
[Yartabet ma'aa] v tie up	[Edhn bel-dekhool] n admittance
shock n [rtiʒa:ʒ] ارتجاج	أذن ear n [ʔuðun]
ارتجاج في المخ	سماعات الأذن
[Ertejaj fee al-mokh] n concussion	[Sama'at al-odhon] npl earphones
bounce vi [ʔertadda] ارتدّ	سدادات الأذن
wear vt [ʔartada:] ارتدى	[Sedadat alodhon] npl earplugs
v [ʔertatˤama] ارتطم	ألم الأذن
يرتطم ب	[Alam al odhon] n earache
[Yartatem be] vi strike	طبلة الأذن
tremble v [ʔertaʕada] ارتعد	[Tablat alozon] n eardrum
shiver v [ʔertaʕaʃa] ارتعش	إذن permission n [ʔiðn]
height n [irtifa:ʕ] ارتفاع	أذهل amaze v [ʔaðhala]
climb, go up, rise v [ʔertafaʕa] ارتفع	أذى hurt v [ʔaðja]
commit v [ʔertakaba] ارتكب	أراد want v [ʔara:da]
يرتكب خطأ	أريد... من فضلك
[Yartekab khataa] v slip up	[areed... min faḍlak] I'd like..., please
suspend v [ʔarʒaʕa] أرجأ	أريد أن أتركها في...
back, put back, v [ʔarʒaʕa] أرجع	[Areed an atrokha fee...] I'd like to leave
send back	it in...
Argentine adj [ʔarʒunti:nij] أرجنتيني	أريد أن أتحدث مع... من فضلك
Argentinian *(person)* n ◁	[areed an ataḥad-ath ma'aa... min
purple adj [urʒuwa:nij] أرجواني	faḍlak] I'd like to speak to..., please
seesaw n [ʔurʒu:ħa] أرجوحة	أريد أن أذهب إلى...
الأرجوحة الشبكية	[Areed an adhhab ela...] I need to get
[Al orjoha al shabakiya] n hammock	to...
please! excl [ʔarʒu:ka] أرجوك	.أريد تذكرتين من فضلك
buttocks npl [ʔarda:fun] أرداف	[Areed tadhkaratayn men faḍlek.] I'd like
n ◁ Jordanian adj [unrdunij] أردني	two tickets, please
Jordanian	أريد التسجيل في الرحلة من فضلك
slate n [ardwa:z] اردواز	[areed al-tasjeel fee al-reḥla min faḍlak]

أرز [ʔurz] n rice

أرز أسمر
[Orz asmar] n brown rice

إرسال [irsa:l] n sending, shipping

جهاز إرسال الإشعاع
[Jehaz esrsaal al-esh'aaa'a] n radiator

أريد إرسال فاكس
[areed ersaal fax] I want to send a fax

أين يمكن إرسال هذه الكروت؟
[ayna yamken ersaal hadhy al-korot?]
Where can I post these cards?

كم تبلغ تكلفة إرسال هذا الطرد؟
[kam tablugh taklifat ersal hadha
al-ṭard?] How much is it to send this
parcel?

لقد قمت بإرسال حقائبي مقدما
[la'qad 'qimto be-irsaal ḥa'qa-eby
mu-'qadaman] I sent my luggage on in
advance

من أين يمكنني إرسال تلغراف؟
[min ayna yamken -ini ersaal
tal-ighraaf?] Where can I send a
telegram from?

أرسل v [ʔarsala] forward

يُرسل رسالة بالفاكس v [Yorsel resalah bel-fax] fax

يُرْسل بريدا إلكترونيا
[Yorsel bareedan electroneyan] v email

إرشادي [ʔirʃa:dijjat] adj guide

جولة إرشادية
[Jawlah ershadeyah] n guided tour

أرشيف [ʔarʃiːf] n archive

أرض [ʔardˤ] n land

صاحب الأرض
[Ṣaheb ardh] n landlord

سطح الأرض
[Saṭh alard] n ground

أرض سبخة
[Arḍ sabkha] n moor

أرض خضراء
[Arḍ khaḍraa] n meadow

أرض المعارض
[Arḍ al ma'ariḍ] n fairground

تحت سطح الأرض
[Taht saṭh al arḍ] adv underground

مالك الأرض

[Malek al-arḍ] n landowner

إرضاع [ʔirdˤa:ʕ] n breast-feeding

هل يمكنني إرضاعه هنا؟
[hal yamken -any erḍa-'aaho huna?]
Can I breast-feed here?

أرضي [ʔardˤijj] adj

الدور الأرضي
[Aldoor al-arḍey] n ground floor

الكرة الأرضية
[Al-korah al-ardheyah] n globe

أرضية [ʔardˤijja] n floor

أرعب [ʔarʕaba] v frighten

أرغن [ʔurɣun] n organ (music)

آلة الأرغن الموسيقية
[Aalat al-arghan al-moseeqeyah] n
organ (music)

أرفق [ʔarfaqa] v attach

أرق [ʔaraq] n insomnia

أرمل [ʔarmal] n widower

أرملة [ʔarmala] n widow

أرمني [ʔarminij] adj Armenian
Armenian (person) n ◁

اللغة الأرمنية
[Al-loghah al-armeeneyah] (language) n
Armenian

أرمينا [ʔarminja:] n Armenia

أرنب [ʔarnab] n hare, rabbit

إرهاب [ʔirha:b] n terrorism

إرهابي [ʔirha:bij] n terrorist

هجوم إرهابي
[Hojoom 'erhaby] n terrorist attack

إرهاق [ʔirha:q] n strain

إريتريا [ʔiri:tirja:] n Eritrea

أريكة [ʔri:ka] n settee

أزال [ʔaza:la] v remove

يُزيل الغموض
[Yozeel al-ghmooḍ] v clear up

إزالة [ʔiza:la] n removal

أزداد [ʔezda:da] v

يَزداد ثلاثة أضعاف
[Yazdad thalathat aḍ'aaaf] v triple

ازدحام [izdiḥa:m] n crowd

ازدحام المرور
[Ezdeham al-moror] n traffic jam

**هل هناك طريق بعيد عن ازدحام
المرور؟**

[areed tadhkera tazaluj le-mudat isboo'a] I'd like a ski pass for a week

الأسبوع التالي
[al-esboo'a al-taaly] next week

الأسبوع الذي يلي الأسبوع المقبل
[al-esboo'a al-ladhy yalee al-esboo'a al-mu'qbil] the week after next

الأسبوع الماضي
[al-esboo'a al-maady] last week

الأسبوع قبل الماضي
[al-esboo'a 'qabil al-maady] the week before last

في غضون أسبوع
[fee ghoḍon isboo'a] a week from today

كم تبلغ تكلفة الإقامة الأسبوعية بالغرفة؟
[kam tablugh taklifat al-e'qama al-isbo-'aiya bil-ghurfa?] How much is it per week?

منذ أسبوع
[mundho isboo'a] a week ago

weekly adj [ʔusbu:ʕij] **أسبوعي**

كم تبلغ التكلفة الأسبوعية؟
[kam tablugh al-taklifa al-isboo-'aiya?] How much is it for a week?

rent n [isti:ʒa:r] **استئجار**

استئجار سيارة
[isti-jar sayara] n rental car

أريد استئجار موتوسيكل
[Oreed esteajaar motoseekl] I want to rent a motorbike

hire (people) v [ʔesta?ʒara] **إستأجر**

n [ʔusta:ð] **أستاذ**

أستاذ جامعي
[Ostaz jame'aey] n professor

appeal n [ʔisti?na:f] **استئناف**

continue vi [ʔesta?nafa] **استأنف**

يَستأنف حكما
[Yastaanef al-hokm] v appeal

replacement n [istibda:l] **استبدال**

replace v [ʔestabdala] **استبدل**

rule out, v [ʔestabʕada] **استبعد**
exclude, leave out

questionnaire n [istibja:n] **استبيان**

[hal hunaka ṭaree'q ba'aeed 'aan izde-ham al-miroor?] Is there a route that avoids the traffic?

bloom, flourishing n [izdiha:r] **ازدهار**

موسم ازدهار
[Mawsem ezdehar] n high season

prosperity n [ʔizdiha:r] **ازدهار**

blue adj [ʔazraq] **أزرق**

أزرق داكن
[Azra'q daken] n navy-blue

mischief, nuisance n [ʔizʕa:ʒ] **إزعاج**

disturb v [ʔazʕaʒa] **أزعج**

slip vi [ʔazalla] **أزل**

crisis n [ʔazma] **أزمة**

أزمة قلبية
[Azmah 'qalbeyah] n heart attack

chisel n [ʔizmi:l] **أزميل**

flower, blossom v [ʔazhara] **أزهر**

v [ʔasaʔa] **أساء**

يُسِئ فهم
[Yoseea fahm] v misunderstand

v [ʔasa:ʔa] **أساء**

يُسيء إلى
[Yoseea ela] v offend

يُسيء استخدام
[Yosea estekhdam] v abuse

offence n [ʔisa:ʔa] **إساءة**

basis n [ʔasa:s] **أساس**

npl [ʔasa:sa:tun] **أساسات**
foundations

basic, main, adj [ʔasa:sij] **أساسي**
major

بصورة أساسية
[Beṣorah asasiyah] adv primarily

بشكل أساسي
[Beshkl asasy] adv basically

basics npl [ʔasa:sijja:tun] **أساسيات**

n ◁ Spanish adj [ʔisba:nij] **أسباني**
Spaniard, Spanish

Spain n [ʔisba:njja] **أسبانيا**

aspirin n [ʔasbiri:n] **أسبرين**

أريد بعض الأسبرين
[areed ba'aḍ al-asbereen] I'd like some aspirin

week n [ʔusbu:ʕ] **أسبوع**

أريد تذكرة تزلج لمدة أسبوع

استثمار investment n [istiθma:r]
استثمر invest v [ʔestaθmara]
استثناء exception n [istiθna:ʔ]
استثنائي adj [istiθna:ʔij]
exceptional, extraordinary
استجابة response n [istiʒa:ba]
استجدى beg v [ʔestaʒda:]
استجواب inquest n [istiʒwa:b]
استجوب interrogate, v [ʔestaʒwaba]
question
استجيب respond v [ʔestaʒa:ba]
استحق deserve v [ʔestaħaqqa]
متى يستحق الدفع؟
[mata yasta-ḥi'q al-dafʔa?] When is it
due to be paid?
استحم swim v [ʔestaħamma]
استحمام bathing n [istiħma:m]
سائل استحمام
[Saael estehmam] n bubble bath
غطاء الشعر للاستحمام
[ghetaa al-sha'ar lel-estehmam] n
shower cap
جل الاستحمام
[Jel al-estehmam] n shower gel
حقيبة أدوات الاستحمام
[Ha'qeebat adwat al-estehmam] n toilet
bag
أين توجد أماكن الاستحمام؟
[ayna tojad amaken al-estiḥmam?]
Where are the showers?
استحى blush v [ʔestaħa:]
استخدام use n [istixda:mu]
سهل الاستخدام
[Sahl al-estekhdam] adj user-friendly
استخدام الحاسب الآلي
[Estekhdam al-haseb al-aaly] n
computing
يُسيء استخدام
[Yosea estekhdam] v abuse
يُفضل استخدامه قبل التاريخ المُحدد
[Yofaḍḍal estekhdamoh 'qabl al-tareekh
al-mohaddad] adj best-before date
إنه للاستخدام الشخصي
[inaho lel-estikhdam al-shakhṣi] It is for
my own personal use
هل يمكنني استخدام تليفوني من

فضلك؟
[hal yamken -any esti-khdaam telefonak
min faḍlak?] Can I use your phone,
please?
هل يمكنني استخدام بطاقتي في
ماكينة الصرف الآلي هذه؟
[hal yamken -any esti-khdaam
beṭa-'qatee fee makenat al-ṣarf al-aaly
hadhy?] Can I use my card with this
cash machine?
استخدم use v [ʔestaxdama]
استخرج v [ʔestaxraʒa]
يستخرج نسخة
[Yastakhrej noskhah] v photocopy
استخف underestimate v [ʔestaxaffa]
استدان borrow v [ʔestada:na]
استدعى page, call v [ʔestadʕa:]
استدلال guidance n [ʔistidla:l]
الاستدلال على الاتجاهات من الأقمار
الصناعية
[Al-estedlal ala al-etejahat men al-'qmar
alṣena'ayah] n sat nav
إستراتيجي adj [ʔistira:ti:ʒij]
strategic
إستراتيجية n [ʔistira:ti:ʒijja]
strategy
استراح rest vi [ʔestara:ħa]
استراحة rest, break n [istira:ħa]
استراحة غداء
[Estrahet ghadaa] n lunch break
أسترالي Australian adj [ʔustra:lij]
Australian n ◁
أستراليا Australia n [ʔustra:lija]
استرخاء relaxation n [istirxa:ʔ]
استرخى relax vi [ʔestarxa:]
استرد v [ʔestarada]
أريد أن أسترد نقودي
[areed an asta-rid ni'qodi] I want my
money back
هل يمكن أن أسترد المال مرة أخرى؟
[hal yamken an asta-rid al-maal marra
okhra?] Can I have a refund?
استرد restore, get v [ʔestaradda]
back
استرليني n [ʒunajh]
جنيه استرليني

[Ma al-fatrah alatey sastaghre'qha lel-woṣool ela...] How long will it take to get to...?

ما هي المدة التي يستغرقها العبور؟

[ma heya al-mudda al-laty yasta-ghri'q-uha al-'auboor?] How long does the crossing take?

استغل exploit v [ʔestaɣalla]

استغلال exploitation n [istiɣla:l]

استغني v [ʔestaɣna:]

يستغني عن

[Yastaghney 'aan] v do without

استفاد benefit v [ʔestafa:da]

استفاق come round v [ʔestafa:qa]

استفهم query v [ʔestafhama]

استقال resign v [ʔestaqa:l]

استقبال reception n [istiqba:l]

جهاز الاستقبال

[Jehaz alest'qbal] n receiver (electronic)

موظف الاستقبال

[mowadhaf al-este'qbal] n receptionist

استقر settle down v [ʔestaqarra]

استقرار stability n [istiqra:r]

استقلال independence n [istiqla:lu]

استكشف explore v [ʔestakʃafa]

استلام takeover n [ʔistila:m]

استلام الأمتعة

[Estelam al-amte'aah] n baggage reclaim

استلم receive v [ʔestalama]

استمارة n [istima:ra]

استمارة مطالبة

[Estemarat moṭalabah] n claim form

استماع listening n [ʔistima:ʕ]

أين يمكننا الاستماع إلى عازفين محليين يعزفون الموسيقى؟

[ayna yamken-ana al-istima'a ela 'aazifeen ma-ḥaliyeen y'azifoon al-mose'qa?] Where can we hear local musicians play?

استمتاع pleasure n [ʔistimta:ʕ]

نتمنى الاستمتاع بوجبتك

[nata-mana al-estim-ta'a be-waj-bataka] Enjoy your meal!

استمتع v [ʔestamtaʕa]

هل تستمتع بهذا العمل؟

[Jeneh esterleeney] n pound sterling

استسلم give in v [ʔestaslama]

استشار consult v [ʔestaʃa:ra]

استضاف treat, v [ʔestadˤa:fa]

entertain (يسلي)

استطاع v [ʔestatˤa:ʕa]

لا يستطع التنفس

[la ysta-ṭee'a al-tanaf-uss] He can't breathe

استطاع can v [ʔestatˤa:ʕa]

استطلاع study n [ʔistitˤla:ʕ]

استطلاع الرأي

[Eateṭla'a al-ray] n opinion poll

محب للاستطلاع

[Moḥeb lel-esteṭlaa'a] adj curious

استطلع spot v [ʔestatˤlaʕa]

يستطلع الرأي

[Yastaṭle'a al-ray] v canvass

استعاد regain, resume v [ʔestaʕa:da]

استعبد slave v [ʔesataʕbada]

استعجال hurry n [istiʕʒa:l]

استعجل hurry up v [ʔestaʕʒala]

استعراض parade n [istiʕra:dˤ]

استعراضات القفز

[Este'araḍat al-'qafz] n show-jumping

مجال الاستعراض

[Majal al-este'araḍ] n show business

استعلام inquiry n [istiʕla:m]

استعلامات npl [istiʕla:ma:tun]

مكتب الاستعلامات

[Maktab al-este'alamaat] n enquiry desk

استعلم عن v [ʔestaʕlama ʕan]

inquire

استعمال n [stiʕma:lin]

سوء استعمال

[Sooa este'amal] v abuse

ما هي طريقة استعماله؟

[ma heya ṭaree-'qat esti-'amal-uho?] How should I take it?

استغرق v [ʔestaɣraqa]

كم من الوقت يستغرق تصليحها؟

[kam min al-wa'qt yast-aghri'q taṣle-ḥaha?] How long will it take to repair?

ما الفترة التي سأستغرقها للوصول إلى...؟

[Hal tastamte'a behadha al-'amal] Do you enjoy it?

هل استمتعت؟
[hal istam-ta'at?] Did you enjoy yourself?

استمتع ب enjoy v [ʔestamtaʕa bi]

استمر go on, carry v [ʔestamarra] continue vt ◁ on, last

استمع listen v [ʔestamaʕa]

يَستمِع إلى
[Yastame'a ela] v listen to

استند v [ʔestanada]

يَستند على
[Yastaned 'ala] v lean on

استنساخ clone n [istinsa:x]

اسْتَنْسَخ clone v [ʔestansax]

استنشق breathe in v [ʔestanʃaqa]

استنفذ run out of v [ʔestanfaða]

استهلك v [ʔestahlaka]

يَستهلِك كلية
[Yastahlek koleyatan] v use up

استواء n [istiwa:ʔ]

غابات المطر بخط الاستواء
[Ghabat al-maṭar be-khaṭ al-estwaa] n rainforest

خط الاستواء
[Khaṭ al-estwaa] n equator

استوائي tropical adj [istiwa:ʔij]

استوديو studio n [stu:dju:]

استورد import v [ʔestawrada]

استولى v [ʔestawla:]

يستولي على
[Yastwley 'ala] v seize

إستوني n ◁ Estonian adj [ʔistu:nij] Estonian (person)

اللغة الإستوانية
[Al-loghah al-estwaneyah] (language) n Estonian

إستونيا Estonia n [ʔistu:nja:]

استيراد import n [istijra:d]

استيقظ wake up v [ʔestajqaẓ'a]

أسد lion n [ʔasad]

أسَر capture v [ʔasira]

إسرائيل Israel n [ʔisra:ʔijl]

إسرائيلي Israeli adj [ʔisra:ʔi:lij] Israeli n ◁

أسرة family n [ʔusra]

هل توجد أسرة للأطفال؟
[hal tojad a-serra lil-aṭfaal?] Do you have a cot?

هل يوجد لديكم أسرة فردية بدورين؟
[Hal yoojad ladaykom aserah fardeyah bedoorayen?] Do you have any single sex dorms?

أشرع accelerate, hurry, v [ʔasraʕa] speed up

اسطبل stable n [istʕabl]

اسطوانة cylinder, n [ustʕuwa:na] CD, roller

اسطوانة دى فى دى
[Estwanah DVD] n DVD

مشغل اسطوانات دى فى دى
[Moshaghel estwanat D V D] n DVD player

ناسخ لاسطوانات دى فى دى
[Nasekh le-stewanat D V D] n DVD burner

هل يمكنك وضع هذه الصور على اسطوانة من فضلك؟
[hal yamken -aka waḍi'a hadhy al-ṣowar 'aala eṣti-wana min faḍlak?] Can you put these photos on CD, please?

اسطورة legend, myth n [ʔustʕu:ra]

علم الأساطير
['aelm al asateer] n mythology

أسطول navy n [ʔustʕu:l]

إسعاف help n [ʔisʕa:f]

سيارة إسعاف
[Sayarat es'aaf] n ambulance

اتصل بعربة الإسعاف
[itaṣel be-'aarabat al-es'aaf] Call an ambulance

أسعد v [ʔasʕada]

يسعدني أن التقي بك أخيرًا
[yas-'aedny an al-ta'qy beka akheran] I'm delighted to meet you at last

أسف sorrow, regret n [ʔasaf]

أنا أسف للإزعاج
[Ana asef lel-ez'aaj] I'm sorry to trouble you

أسف regret v [ʔasfa]

أسفل underneath adv [ʔasfala]

أَسْمَر brown adj [ʔasmar]

أرز أسمر
[Orz asmar] n brown rice

أسمر محمر
[Asmar mehmer] adj auburn

خبز أسمر
[Khobz asmar] n brown bread

أسمنت cement n [ʔasmant]

أسنان teeth npl [ʔasna:nu]

إسهاب redundancy (حشو) n [ʔisha:b]

إسهال diarrhoea n [ʔisha:l]

أعاني من الإصابة بالإسهال
[o-'aany min al-eṣaaba bel-es-haal] I have diarrhoea

إسهام contribution n [ʔisha:m]

أسهم contribute v [ʔashama]

أسوأ worse adj [ʔaswaʔ]

الأسوأ
[Al-aswaa] adj worst

أسود black adj [ʔaswad]

أسى grief n [ʔasa:]

آسيا Asia n [ʔa:sja:]

آسيوي Asian, Asiatic adj [ʔa:sjawij]

Asian n ◁

أشار point v [ʔeʃa:ra]

يُشير إلى
[Yosheer ela] v refer

يشير إلى
[Yosheer ela] v indicate

إشارة signal n [ʔiʃa:ra]

إشارة إنشغال الخط
[Esharat ensheghal al-khat] n engaged tone

إشارات المرور
[Esharaat al-moroor] npl traffic lights

عمود الإشارة
['amood al-esharah] n signpost

لغة الإشارة
[Loghat al-esharah] n sign language

إشاعة rumour n [ʔiʃa:ʕa]

أشباع satisfaction n [ʔiʃba:ʕ]

أشبع v [ʔaʃbaʕa]

لقد شبعت
[la'qad sha-be'ato] I'm full

أشبه resemble v [ʔaʃabbah]

أشبه look like v [ʔaʃbbaha]

في الأسفل
[Fee al-asfal] adv underneath

أسْفَل prep ◁ underneath adj [ʔasfalu]
beneath

إسفنج sponge n [ʔisfanʒ]

إسفنجة sponge (for n [ʔisfanʒa] washing)

أسْقَط v [ʔasqatˤa]

يُسقط من
[Yos'qeṭ men] v subtract

أُسْقُف bishop n [asquf]

اسكتلاندة n [iskutla:ndatu]
Scotland

اسكتلاندي Scottish adj [iskutla:ndi:]
Scot, Scotsman n ◁

اسكتلاندية n [iskutla:ndijja]
Scotswoman

اسكتلانديون [iskutla:ndiju:na]
Scots adj

إسكندنافيا n [ʔiskundina:fja:]
Scandinavia

اسكندينافي adj [ʔiskundina:fjj]
Scandinavian

إسلامي Islamic adj [ʔisla:mij]

أسلوب technique n [ʔuslu:b]

اسْم name, noun n [ism]

اسم المرأة قبل الزواج
[Esm al-marah 'qabl alzawaj] n maiden name

اسم مستعار
[Esm mostaar] n alias

اسم مَسيحي
[Esm maseeḥey] n first name

اسم مُستعار
[Esm most'aar] n pseudonym

اسم مُختَصَر
[Esm mokhtaṣar] n acronym

الاسم الأول
[Al-esm al-awal] n first name

اسمي...
[ismee..] My name is...

لقد قمت بحجز غرفة باسم...
[La'qad 'qomt behajz ghorfah besm...] I booked a room in the name of...

ما اسمك؟
[ma ismak?] What's your name?

اشتبه [ʔeʃtabaha] v

يَشتَبه ب [Yashtabeh be] v suspect

اشتراك [iʃtira:k] n subscription

اشتراكي [ʔiʃtira:kij] adj socialist
◁ n socialist

اشتراكية [ʔiʃtira:kijja] n socialism

اشترك [ʔeʃtaraka] v

يَشتَرك في [Yashtarek fee] v participate

اشترى [ʔeʃtara:] v buy

سوف أشتريه
[sawfa ashtareeh] I'll take it

أين يمكن أن أشتري خريطة للبلد؟
[ayna yamken an ash-tary khareeṭa
lil-balad?] Where can I buy a map of
the country?

أين يمكن أن أشتري الهدايا؟
[ayna yamken an ash-tary al-hadaya?]
Where can I buy gifts?

اشتعال [iʃtiʕa:l] n ignition

قابل للاشتعال
['qabel lel-eshte'aal] adj flammable

اشتمل [ʔeʃtamila] v

هل يشتمل على خضروات؟
[hal yash-tamil 'aala khiḍra-waat?] Are
the vegetables included?

إشراف [ʔiʃra:f] n supervision

أشرطة [ʔaʃriṭʕa] n

أشرطة للزينة
[Ashreṭah lel-zeena] n tinsel

إشعار (note) [ʔiʃʕa:r] n notice

إشعاع [ʔiʃʕa:ʕ] n radiation

إشعال [ʔiʃʕa:l] n making a fire

إشعال الحرائق
[Esha'aal alharae'q] n arson

إشعال النار
[Esh'aal al-naar] n bonfire

شمعة إشعال
[Sham'aat esh'aal] n spark plug

أشعة [ʔuʃiʕʕatu] npl

أشعة الشمس
[Ashe'aat al-shams] n sunshine

أشغَل [ʔaʃʕala] v turn on

أشفق [ʔaʃfaqa] v

يُشفق على
[Yoshfe'q 'aala] v pity

أشقاء [ʔaʃʃiqa:ʔun] npl siblings

أشقر [ʔaʃqar] n blonde

اشمأنَّز [ʔeʃmaʔazza] v

يَشمئز من
[Yashmaaez 'an] v loathe

أصاب [ʔasˤa:ba] v hit

لقد أُصيب أحد الأشخاص
[la'qad oṣeba aḥad al-ash-khaaṣ]
Someone is injured

إصابة [ʔisˤa:ba] n injury

إصابة بالإيدز - إيجابية
[Eṣaba bel edz – ejabeyah] adj
HIV-positive

إصابة بالإيدز - سلبية
[Eṣaba bel edz – salbeyah] adj
HIV-negative

أصبح [ʔasˤbaħa] v become

إصبع [ʔisˤbaʕ] n finger

إصبع القدم
[Eṣbe'a al'qadam] n toe

إصدار [ʔisˤda:r] n issue

إصدار التعليمات
[Eṣdar al ta'alemat] n briefing

أضّر [ʔasˤarra] v

يُضِر على
[Yoṣṣer 'aala] v insist

اصطاد [ʔesˤtˤa:da] v

هل نستطيع أن نصطاد هنا؟
[hal nasṭa-tee'a an naṣ-ṭaad huna?] Can
we fish here?

اصطاد [ʔesˤtˤa:da] vi fish

اضطدم [ʔesˤtˤadama] vi clash

اصطفَّ [ʔesˤtˤaffa] v queue

اصطفاء [isˤtˤifa:ʔ] n selection

اصطناعي [ʔisˤtˤina:ʕij] adj artificial

أصغر [ʔasˤɣaru] adj junior, younger

أصفر [ʔasˤfar] adj yellow

أصقل [ʔasˤqala] v varnish

أصل [ʔasˤl] adj pedigree ◁ n (source)
origin

في الأصل
[Fee al aṣl] adv originally

إصلاح [ʔisˤla:ħ] n repair

أين توجد أقرب ورشة لإصلاح الدراجات؟
[ayna tojad a'qrab warsha le-eṣlaḥ

إطار الصورة
[Eṭar al ṣorah] n picture frame

إطار العجلة
[Eṭar al ajalah] n tyre

أطاع obey v [ʔatˤaːʕa]

أطال v [ʔatˤaːla]

يُطيل السهر
[Yoṭeel alsahar] v wait up

أطرى flatter, applaud v [ʔatˤraː]

أطعم feed vt [ʔatˤʕama]

أطعمة food n [ʔatˤʕima]

الأطعمة البحرية
[Al-aṭ'aemah al-baḥareyh] n seafood

أطفأ turn off v [ʔatˤfaʔa]

اطلاع review n [itˤːilaːʕ]

إطلاق release n [ʔitˤːlaːq]

إطلاق سراح مشروط
[Eṭlaq ṣarah mashroot] n parole

إطلاق النار
[Eṭlaq al nar] n shooting

أطلق launch, shoot vt [ʔatˤlaqa]

يُطلق سراح
[Yoṭle'q sarah] v release

أطلنطي Atlantic n [ʔatˤlantˤij]

أطول longer adv [ʔatˤwalu]

أعاد bring back, return, v [ʔaʕaːda]
repeat

يُعيد عمل الشيء
[Yo'aeed 'aamal al-shaya] v redo

يُعيد تزيين
[Yo'aeed tazyeen] v redecorate

يُعيد تشغيل
[Yo'aeed tashgheel] v replay

يُعيد تنظيم
[Yo'aeed tanḍheem] v reorganize

يُعيد تهيئة
[Yo'aeed taheyaah] v format

يُعيد استخدام
[Yo'aeed estekhdam] v recycle, reuse

يُعيد النظر في
[Yo'aeed al-naḍhar fee] v reconsider

يُعيد بناء
[Yo'aeed benaa] v rebuild

يُعيد شحن بطارية
[Yo'aeed shahn baṭareyah] v recharge

يُعيد طَمْأنَته

al-darrajaat?] Where is the nearest bike repair shop?

أين توجد أقرب ورشة لإصلاح الكراسي المتحركة؟
[ayna tojad a'qrab warsha le-eṣlaḥ al-karasy al-mutaḥarika?] Where is the nearest repair shop for wheelchairs?

هل يمكن أن أحصل على عدة الإصلاح؟
[Hal yomken an aḥsol ala 'aedat eṣlaḥ] Can I have a repair kit?

أصلح repair, fix v [ʔaṣlaḥa]

أصلع bald adj [ʔaṣlaʕ]

أصلي genuine, principal adj [ʔaṣlij]

موطن أصلي
[Mawṭen aṣley] n homeland

أصم deaf adj [ʔaṣamm]

أصهار in-laws npl [ʔaṣhaːrun]

أصيل original adj [ʔaṣiːl]

أضاء light v [ʔadˤaːʔa]

إضاءة lighting n [idˤaːʔa]

أضاف add v [ʔadˤaːfa]

إضافة addition n [ʔidˤaːfatan]

بالإضافة إلى
[Bel-edafah ela] adv besides

إضافة additive n [ʔidˤaːfa]

إضافي additional adj [ʔidˤaːfij]

إطار إضافي
[Eṭar eḍafy] n spare tyre

ضريبة إضافية
[Ḍareba eḍafeyah] n surcharge

عجلة إضافية
['aagalh eḍafeyah] n spare wheel

غرفة إضافية
[ghorfah eḍafeyah] n spare room

إضراب strike n [ʔidˤraːb]

بسبب وجود إضراب
[besabab wijood eḍraab] Because there was a strike

أضرِب strike (suspend vi [ʔadˤraba]
work)

اضطراب turbulence n [idˤtˤiraːb]

اضطهد prosecute, v [ʔedtˤːahada]
persecute

إطار frame, rim n [ʔitˤaːr]

إطار إضافي
[Eṭar eḍafy] n spare tyre

ra'adan] I think it's going to thunder

اعتماد n [Ɂtima:d]

أوراق اعتماد

[Awra'p e'atemaad] n credentials

اعتمد v [Ɂeʕtamada]

يعتمد على

[jaʕtamidu ʕala:] v count on

اعتمد على v [Ɂeʕtamada ʕala:]
depend

يعتمد على

[jaʕtamidu ʕala:] v count on

اعتنى v [Ɂeʕtana:]
care

يعتني بـ

[Ya'ataney be] v look after

إعجاب n [Ɂiʕʒa:b]
admiration

أعجب بـ v [Ɂeʕʒiba bi]

يُعجب بـ

[Yo'ajab be] v admire

أعدّ v [Ɂaʕada]
prepare

أعدّ v [Ɂaʕadda]
calculate

إعداد n [Ɂiʕda:d]
preparation

أعدم v [Ɂaʕdama]
execute

أعزب n ◁ [Ɂaʕzab]
bachelor single adj

أعسر adj [Ɂaʕsar]
left-hand, left-
handed

أعشاب npl [Ɂaʕʃa:bun]
herbs

شاي بالأعشاب

[Shay bel-a'ashab] n herbal tea

إعصار n [Ɂiʕsˤa:r]
hurricane

إعصار قمعي

[E'aṣar 'qam'ay] n tornado

إعطاء n [Ɂiʕtˤa:Ɂ]
giving

اعتقد أنه قد تم إعطاء الباقي لك خطأ

[a'ata'qid an-naka a'atytani al-baa-'qy khata-an] I think you've given me the wrong change

أعطى vt [Ɂaʕtˤa:]
give

إعلام n [Ɂiʕla:m]
information

وسائل الإعلام

[Wasaael al-e'alaam] npl media

إعلان n [Ɂiʕla:n]
advert,
advertisement, announcement

صناعة الإعلان

[Ṣena'aat al e'alan] n advertising

إعلان تجاري

[E'alaan tejarey] n commercial

[Yo'aeed ṭomaanath] v reassure

يُعيد ملء

[Yo'aeed mela] v refill

هل يجب أن أعيد السيارة إلى هنا مرة أخرى؟

[hal yajib an a'aeed al-sayarah ela huna marra okhra?] Do I have to return the car here?

إعادة n [Ɂiʕa:da]
returning, restoring

إعادة صُنْع

[E'aadat taṣnea'a] n remake

إعادة تصنيع

[E'aadat taṣnee'a] n recycling

إعادة تشغيل

[E'aadat tashgheel] n replay

إعادة دفع

[E'aadat daf'a] n refund

رجاء إعادة إرسال الفاكس

[rejaa e-'aadat ersael al-fax] Please resend your fax

أين يمكن أن أشتري كارت إعادة شحن

[ayna yamken an ash-tary kart e-'aadat shaḥin?] Where can I buy a top-up card?

إعاقة n [Ɂiʕa:qa]
disability

أعال v [Ɂaʕa:la]
provide for

إعانة n [Ɂiʕa:na]
help, aid

إعانة بَطَالة

[E'anat baṭalah] n dole

إعانة مالية

[E'aanah maleyah] n subsidy

اعتبر v [Ɂeʕtabara]
regard

اعتدال n [iʕtida:l]
moderation

اعتذار n [Ɂiʕtiða:r]
apology

اعتذر v [Ɂaʕtaðara]
apologize

اعتراض n [iʕtira:dˤ]
objection

اعتراف n [iʕtira:f]
acknowledgement,
admission

اعترض v [Ɂeʕtaradˤa]
protest

اعترف v [Ɂeʕtarafa]
confess

اعتزم v [Ɂeʕtazama]
intend to

اعتقاد n [iʕtiqa:d]
belief

اعتقال n [iʕtiqa:l]
arrest

اعتقد v [Ɂeʕtaqada]

أعتقد أنه سوف يكون هناك رعدا

[a'ata'qid anna-ho sawfa yakoon hunaka

إعلان ملصق
[E'alan Molṣa'q] n poster

إعلانات صغيرة
[E'alanat ṣaghera] npl small ads

إعلاني [ʔiʕlaːni] advertising adj

فاصل إعلاني
[Faṣel e'alaany] n commercial break

أعلم [ʔaʕallama] instruct, notify v

أعلن [ʔaʕlana] announce, declare v

أعلى [ʔaʕlaː] higher adj

أعلى مكانة
[A'ala makanah] n superior

الأعلى مقاماً
[Al a'ala ma'qaman] adj senior

بالأعلى
[Bel'aala] adv upstairs

أعلى [ʔaʕlaː] raise v

أعمال [ʔaʕmaːl] work n

رَجُل أعمال
[Rajol a'amal] n businessman

سيدة أعمال
[Sayedat a'amaal] n businesswoman

أعمال تجارية
[A'amaal tejareyah] n business

أعمال الخشب
[A'amal al khashab] npl woodwork

أعمال الطريق
[a'amal alṭ aree'q] n roadworks

أعمال منزلية
[A'amaal manzelyah] n housework

جدول أعمال
[Jadwal a'amal] n agenda

درجة رجال الأعمال
[Darajat rejal ala'amal] n business class

اغتسال [ʔiɣtisaːl] n

هل يوجد أماكن للاغتسال؟
[hal yujad amakin lel-ightisaal?] Are there showers?

اغتصاب [iɣtisˤaːb] rape (sexual n attack)

لقد تعرضت للاغتصاب
[la'qad ta-'aaraḍto lel-ighti-saab] I've been raped

اغتصب [ʔeɣtasˤaba] rape (يسلب) v

أغذية [ʔaɣðijjat] food n

أغذية متكاملة
[Aghzeyah motakamelah] npl wholefoods

إغراء [ʔiɣraːʔ] temptation n

أغرى [ʔaɣraː] tempt v

أغسطس [ʔuɣustˤus] August n

إغلاق [ʔiɣlaːq] closure n

وَقت الإغلاق
[Wa'qt al-eghlaa'q] n closing time

أغلب [ʔaɣlab] most adj

في الأغلب
[Fee al-aghlab] adv mostly

أغلق [ʔaɣlaqa] shut, close v

يُغلِق الباب
[Yoghle'q albab] v slam

إغماء [ʔiɣmaːʔ] faint n

يُصاب بإغماء
[yoṣab be-eghmaa] faint v [ʔaɣmaː]

أُغمَى
يُغمَى عليه
[Yoghma alayh] v pass out

أغنى [ʔaɣnaː] sing v

أغنية [ʔuɣnija] song n

أغنية أطفال
[Aghzeyat aṭfaal] n nursery rhyme

أغنية مرحة
[oghneyah mareha] carol

أُغنيّة [ʔuɣnijja] song n

إفادة [ʔifaːda] notice, n communication

الإفادة بالرأي
[Al-efadah bel-raay] n feedback

أفاق [ʔafaːqa] awake v

افتراض [iftiraːdˤ] assumption n

على افتراض
[Ala efṭaraḍ] adv supposedly

بافتراض
[Be-efteraḍ] conj supposing

افتراضي [iftiraːdˤij] n

واقع افتراضي
[Wa'qe'a eftraḍey] n virtual reality

افترض [ʔeftaraḍˤa] assume v

افتقد [ʔeftaqada] miss vt

افراط [ʔifraːtˤ] excess n

افراط السحب على البنك
[Efraṭ al-saḥb ala al-bank] n overdraft

أفريقي [ʔifriːqij] African adj

dakhil ghurfaty?] Can I have breakfast in my room?

أفعى n [ʔafʕaː]

الأفعى ذات الأجراس
[Al-afʿaa dhat al-ajraas] n rattlesnake

افغانستان n [ʔafɣaːnistaːn] Afghanistan

أفغاني n ◁ Afghan adj [ʔafɣaːnij] Afghan,

أفقي horizontal adj [ʔufuqij]

أفوكاتو solicitor, n [ʔafuːkaːtuː] avocado

ثمرة الأفوكاتو
[Thamarat al-afokatoo] n avocado

أقام stay v [ʔaqama]

إقامة stay n [ʔiqaːma]

أريد الإقامة لليلتين
[areed al-eʿqama le lay-la-tain] I'd like to stay for two nights

اقتباس quote n [iqtibaːs]

علامات الاقتباس
[ʾaalamat al-eʿqtebas] n quotation marks

اقتبس quote v [ʔeqtabasa]

اقتحام break-in n [iqtiħaːm]

اقتراح offer, suggestion n [iqtiraːħ]

اقتراع poll n [iqtiraːʕ]

اقترب approach v [ʔeqtaraba]

اقترح propose, suggest v [ʔeqtaraħa]

اقتصاد economy n [iqtisˤaːd]

علم الاقتصاد
[ʾaelm al-eʿqtesad] npl economics

اقتصادي economic adj [iqtisˤaːdij]

عالم اقتصادي
[ʾaaelem eʿqtesaadey] n economist

اقتصد economize v [ʔeqtasˤada]

اقتطع deduct v [ʔeqtatˤaʕa]

اقتلع pull out v [ʔeqtalaʕa]

أقحوان daisy, n [ʔuqħuwaːn] chamomile

زهرة الأقحوان
[Thamrat al-oʾqħowan] n daisy

أقدام feet npl [ʔaqdaːmun]

إقدام courage n [ʔiqdaːm]

أقدم earlier adv [aqdam]

أقر admit (confess) v [ʔaqara]

جنوب أفريقي
[Janoob afreeʾqy] adj South African

أفريقيا Africa n [ʔifriːqijaː]

جمهورية أفريقيا الوسطى
[Jomhoreyat afreʾqya al-wosta] n Central African Republic

جنوب أفريقيا
[Janoob afreeʾqya] n South Africa

شخص من جنوب أفريقيا
[Shkhṣ men janoob afreeʾqya] n South African

شمال أفريقيا
[Shamal afreekya] n North Africa

إفريقيا Africa n [ʔifriːqja]

شخص من شمال إفريقيا
[Shakhs men shamal afreeʾqya] n North African

من شمال إفريقيا
[Men shamal afreeʾqya] adv North African

أفريكاني n [ʔafriːkaːnij]

اللغة الأفريكانية
[Al-loghah al-afreekaneyah] n Afrikaans

أفسد spoil vt [ʔafsada]

أفشى disclose v [ʔafʃaː]

أفضل best, better adj [ʔafdˤalu]

من الأفضل
[Men al-ʾafḍal] adv preferably

إفطار breakfast n [ʔiftˤaːr]

إفطار كونتينتال
[Eftaar kontenental] n continental breakfast

مبيت وإفطار
[Mabeet wa eftaar] n bed and breakfast, B&B

غير شاملة للإفطار
[gheyr shamela lel-eftaar] without breakfast

شاملة الإفطار
[shamelat al-eftaar] with breakfast

ما هو موعد الإفطار
[ma howa maw-ʾaid al-eftaar?] What time is breakfast?

هل يمكن أن أتناول الإفطار داخل غرفتي؟
[hal yamken an ata-nawal al-eftaar

يُقرِب
[Yo'qarreb] v own up
إقرار [ʔiqrar] n confession
إقرار ضريبي
[E'qrar dareeby] n tax return
أقراص n [ʔaqra:sˤ]
لا أتناول الأقراص
[la ata-nawal al-a'qraas] I'm not on the pill
أقرض [ʔaqradˤa] v loan
يُقرِض مالا
[Yo'qred malan] v loan
أقسام [ʔaqsa:mun] npl, part department
محل مكون من أقسام
[Maḥal mokawan men a'qsaam] n department store
أقسِم [ʔaqassama] vt ⊲ share out v divide
أقصى [ʔaqsˤa:] adj maximum, most, ultimate
أقصى عقوبة
[A'qsa 'aoqobah] n capital punishment
أقل [ʔaqallu] adj fewer
على الأقل
['ala ala'qal] adv at least
الأقل
[Al'aqal] adj least
إقلاع [ʔiqla:ʕ] n takeoff
أقلع [ʔaqalaʕa] v
يَقلَع عن
[Yo'qle'a 'aan] vt quit
أقلع [ʔaqalaʕa] v
يُقلِع عن
[Yo'qle'a an] v give up
أقلية [ʔaqallija] n minority
إقليم [ʔiqli:m] n region, territory
إقليمي [iqli:mij] adj regional
أقنع [ʔaqnaʕa] v
يُقنِع بـ
[Yo'qn'a be] v convince
أقواس [ʔaqwa:sun] npl brackets (round)
أكاديمي [ʔaka:di:mij] adj academic
أكاديمية [ʔaka:di:mijja] n academy
أكبر [ʔakbaru] adj bigger

اكتئاب [iktiʔa:b] n depression
مضاد للاكتئاب
[Moḍad lel-ekteaab] n antidepressant
اكتسب [ʔektasaba] v obtain, earn
اكتشف [ʔektaʃafa] v discover, find out
أكتوبر [ʔuktu:bar] n October
أكثر [ʔakθaru] adj more ⊲ adv best, better
أكثُر [ʔakθara] v multiply
أكّد [ʔakadda] v emphasize
يُؤكِد على
[Yoaked ala] v confirm
أكّد [ʔakkada] v stress
أكر [ʔakr] n acre
إكرامية [ʔikra:mijja] n tip (reward)
أكروبات [ʔakru:ba:t] n acrobat
إكزيما [ikzi:ma:] n eczema
أكسجين [ʔuksiʒi:n] n oxygen
أكل [ʔakl] n
صالح للأكل
[Ṣaleḥ lel-aakl] adj edible
شراهة الأكل
[Sharahat alakal] n bulimia
أكل [ʔakala] vt eat
إكليل [ʔikli:l] n
إكليل الجبل
[Ekleel al-jabal] n rosemary
أكورديون [ʔaku:rdju:n] n accordion
الإباحية [al-ʔiba:ħijatu] n porn
الإبحار [al-ʔibħa:ri] n sailing
الاثنين [al-ʔiθnajni] n Monday
في يوم الاثنين
[fee yawm al-ithnayn] on Monday
يوم الاثنين الموافق 15 يونيو
[yawm al-ithnain al-muwa-fi'q 15 yon-yo] It's Monday fifteenth June
الأجرة [alʔuʒrati] n rental
الأحد [al-ʔaħadu] n Sunday
يوم الأحد الموافق الثالث من أكتوبر
[yawm al-ahad al- muwa-fi'q al-thalith min iktobar] It's Sunday third October
الأربعاء [al-ʔarbiʕaːʔi] n Wednesday
في يوم الأربعاء
[fee yawm al-arbe-'aa] on Wednesday
الأرجنتين [ʔal-ʔarʒunti:n] n

Argentina
الأردن Jordan n [al-ʔurd]
الأرض earth n [al-ʔardˤi]
الاسترليني n [al-istirli:nijju] sterling
الإسلام Islam n [al-ʔisla:mu]
الأصغر youngest adj [al-ʔasˤɣaru]
الأطلس atlas n [ʔal-ʔatˤlasu]
الأغلبية majority n [al-ʔaɣlabijjatu]
الأفق horizon n [al-ʔufuqi]
الاقحوان n [al-uqħuwa:nu] chrysanthemum
الأقحوان n [al-ʔuqħuwa:nu] marigold
الإكوادور Ecuador n [al-ikwa:du:r]
الألف thousandth adj [al-ʔalfu]
الألفية millennium n [al-ʔalfijjatu]
الآلية machinery n [al-ajjatu]
آلام n [a:la:m]
مسكن آلام [Mosaken lel-alam] n painkiller
الأمن security n [alʔamnu]
الآن now adv [ʔal-ʔa:n]
من فضلك هل يمكنني الآن أن أطلب ما أريده؟
[min faḍlak hal yamkin-ani al-aan an aṭlib ma areed-aho?] Can I order now, please?
الإنترنت Internet n [al-intirnit]
الأنثروبولوجيا [ʔal-anθiru:bu:lu:ʒja:] anthropology n
الإنجيل Bible n [al-ʔinʒi:lu]
الأوبرا opera n [ʔal-ʔu:bira:]
الأوركسترا n [ʔal-ʔu:rkistra:] orchestra
الأوروجواياني n [al-ʔu:ru:ʒwa:ja:ni:] Uruguayan
الأوزون ozone n [ʔal-ʔu:zu:ni]
الأومليت omelette n [ʔal-ʔu:mli:ti]
الأونس ounce n [ʔal-ʔu:nsu]
الإيقاع rhythm n [ʔal-ʔi:qa:ʕu]
البابا pope n [al-ba:ba:]
الألباني n ◁ Albanian adj [ʔalba:nij] Albanian (person)
ألبانيا Albania n [ʔalba:nja:]
البحرين Bahrain n [al-baħrajni]

البرازيل Brazil n [ʔal-bara:zi:lu]
البربادوس n [ʔalbarba:du:s] Barbados
البرتغال Portugal n [al-burtuɣa:l]
الألبسة clothing n [ʔalbisa]
البندق hazelnut n [al-bunduqi]
البوذية Buddhism n [al-bu:ðijjatu]
البورصة stock n [al-bu:rsˤatu] market
البوسنة Bosnia v [ʔal-bu:snatu]
البوسنة والهرسك [ʔal-bu:snatu wa ʔal-hirsik] Bosnia and nwa Herzegovina
الألبوم album n [ʔalbu:m]
ألبوم الصور [Albom al ṣewar] n photo album
آلة machine n [a:la]
آلة الصنج الموسيقية [Alat al-ṣanj al-mose'qeyah] npl cymbals
آلة الإكسيليفون الموسيقية [aalat al ekseelefon al mose'qeiah] n xylophone
آلة التينور الموسيقية [aalat al teenor al mose'qeiah] n tenor
آلة الفيولا الموسيقية [aalat al veiola al mose'qeiah] n viola
آلة حاسبة [Aalah ḥasbah] n calculator
آلة كاتبة [aala katebah] n typewriter
آلة كشف الشذوذ الجنسي [aalat kashf al sheḍhoḍh al jensy] n fruit machine
التاسع عشر adj [atta:siʕa ʕaʃara] nineteenth
التذكرة memento n [at-taðkiratu]
التفاف n [iltifa:f]
التفاف إبهام القدم [Eltefaf ebham al-'qadam] n bunion
التقط v [ʔeltaqatˤa]
هل يمكن أن تلتقط لنا صورة هنا من فضلك؟
[hal yamken an talta-'qiṭ lana ṣoora min faḍlak?] Would you take a picture of us, please?
التقى v [ʔeltaqa:]

الجوزاء [al-ʒawza:ʔu] n Gemini
الحادي عشر [al-ħa:di: ʕaʃar] number
الحادي عشر
[al-ħa:di: ʕaʃar] adj eleventh
الحاضرين [ʔal-ħa:dˤiri:na] npl
attendance
الحج [al-ħaʒʒu] n pilgrimage
الحماة [al-ħama:tu] n mother-in-law
الحمو [alħamu:] n father-in-law
الحوت [al-ħu:tu] n Pisces
الحوض [alħawdˤi] n pelvis
إلخ [ʔilax] abbr etc
الخاسر [al-xa:siru] n loser
الخامس عشر [al-xa:mis ʕaʃar] adj
fifteenth
الخلد [al-xuldu] n mole (mammal)
الخميس [al-xami:su] n
في يوم الخميس
[fee yawm al-khamees] on Thursday
الدانمارك [ad-da:nma:rk] n
Denmark
الذي [al-laði:] pron who, that, which
ما الذي بك؟
[ma al-lathy beka?] What's wrong?
الرابع عشر [ar-ra:biʕu ʕaʃari] adj
fourteenth
الربيع [arrabi:ʕu] n spring (season)
الرضفة [aradˤfatu] n kneecap
الركمجة [ar-rakmaʒatu] n surfing
إلزامي [ʔilza:mij] adj compulsory
الزبّال [az-zabba:lu] n dustman
الزعتر [az-zaʕtari] n thyme
السابع [as-sa:biʕu] n seventh
السادس [as-sa:disu] adj sixth
السادس عشر [assa:disa ʕaʃara]
sixteenth adj
السبت [ʔa-sabti] n Saturday
في يوم السبت
[fee yawm al-sabit] on Saturday
السحلية [as-siħlijatu] n lizard
السعودية [ʔa-saʕu:dijjatu] adj Saudi
Arabian
السنغال [as-siniya:lu] n Senegal
السنونو [as-sunu:nu:] n
طائر السنونو
[ʈaaer al-sonono] n swallow

يَلْتَقي ب
[Yalta'qey be] v meet up
الإلتماس [iltima:s] n petition
الْتمس [ʔeltamasa] v request
التهاب [ʔiltiha:b] n inflammation
التهاب السحايا
[Eltehab al-sahaya] n meningitis
التهاب الغدة النكفية
[Eltehab alghda alnokafeyah] n mumps
التهاب الحنجرة
[Eltehab al-hanjara] n laryngitis
التهاب الكبد
[El-tehab al-kabed] n hepatitis
التهاب المثانة
[El-tehab al-mathanah] n cystitis
التهاب المفاصل
[Eltehab al-mafaṣel] n arthritis
التهاب شعبي
[Eltehab sho'aaby] n bronchitis
إلتهاب [ʔiltiha:bun] n
التهاب الزائدة
[Eltehab al-zaedah] n appendicitis
الْتِواء [ʔiltiwa:ʔ] n bend
الثالث [aθ-θa:liθu] n third
الثامن [aθθa:min] adj eighth
الثامن عشر [aθ-θa:min ʕaʃar] adj
eighteenth
الثاني [aθ-θa:ni:] adj second
الثلاثاء [aθ-θula:θa:ʔu] n
في يوم الثلاثاء
[fee yawm al-thalathaa] on Tuesday
الثور [aθθawri] n Taurus
الجابون [al-ʒa:bu:n] n Gabon
الجدي [alʒadjju] n Capricorn
الجدين [al-ʒaddajni] npl
grandparents
الجذل [al-ʒaðalu] n stub
الجزائر [ʔal-ʒaza:ʔiru] n Algeria
الجمعة [al-ʒumuʕatu] n Friday
في يوم الجمعة
[fee yawm al-jum'aa] on Friday
يوم الجمعة الموافق الحادي والثلاثين
من ديسمبر
[yawm al-jum'aa al- muwa-fi'q al-hady
waal-thalatheen min desambar] on
Friday, December thirty-first

السودان Sudan n [as-su:da:nu]

السوق marketplace n [as-su:qi]

السويد Sweden n [as-suwi:du]

السيخي Sikh n [assi:xijju]

تابع للديانة السيخية [Tabe'a lel-zobabah al-sekheyah] adj Sikh

السيد Mr n [asajjidu]

السيدة Mrs n [asajjidatu]

الشتاء winter n [aʃ-ʃita:ʔi]

الشيشان Chechnya n [aʃ-ʃi:ʃa:n]

الصرب Serbia n [asˤ-sˤirbu]

الصومال Somalia n [asˤ-sˤu:ma:lu]

الصيف summer n [asˤ-sˤajfu]

الصين China n [asˤ-sˤi:nu]

ألعاب القوى [ʔalʕa:bun ʔalqiwa:] athletics npl

العاشر n ◁ tenth adj [al-ʕa:ʃiru] tenth

العذراء Virgo n [al-ʕaðra:ʔi]

العراق Iraq n [al-ʕira:qi]

العشرون twentieth adj [al-ʕiʃru:na]

العقرب Scorpio n [al-ʕaqrabi]

الغاء abolition, cancellation n [ʔilɣa:ʔ]

الغوص diving n [al-ɣaws¹u]

الغى abolish v [ʔalɣa:]

ألف thousand number [ʔalfun]

جزء من ألف [Joza men al alf] n thousandth

الفاتيكان Vatican n [al-fa:ti:ka:ni]

الفاحص examiner n [al-fa:ħis¹u]

القارض rodent n [al-qa:rid¹i]

القرآن Koran n [al-qurʔa:nu]

ألقى v [ʔalqa:]

يُلقي بضغط [Yol'qy be-d¹aght] v pressure

يُلقي الضوء على [Yol'qy al-d¹awa 'aala] v highlight

يُلقي النفايات [Yol'qy al-nefayat] v dump

القيود handcuffs npl [al-quju:du]

الكاميرون n [al-ka:mi:ru:n] Cameroon

الكتروني adj [iliktru:nijjat] electronic

بريد الكتروني

[Bareed elektrooney] n email

كتاب الكتروني [Ketab elektrooney] n e-book

لعبة الكترونية [Lo'abah elektroneyah] n computer game

إلكتروني electronic adj [ʔiliktru:ni:]

هل تلقيت أي رسائل بالبريد الإلكتروني؟ [hal tala-'qyto ay rasa-el bil-bareed al-alekitrony?] Is there any mail for me?

الكترونيات npl [iliktru:nijja:tun] electronics

الكترونية n [iliktru:nijja]

تجارة الكترونية [Tejarah elektroneyah] n e-commerce

إلكترونية adj [ʔiliktru:nijjat]

تذكرة إلكترونية [Tadhkarah elektroneyah] n e-ticket

الكونغو Congo n [al-ku:nɣu:]

الكويت Kuwait n [al-kuwi:tu]

الكياسة politeness n [al-kija:satu]

الله Allah, God n [allahu]

ألم ache v [ʔalama]

ألم pain n [ʔalam]

ألم الأذن [Alam al odhon] n earache

ألم المَعِدة [Alam alma'aedah] n stomachache

ألم مفاجئ [Alam Mofajea] n stitch

ألَم الظهر [Alam al-dhahr] n back pain

إن ظهري به آلام [enna dhahry behe aa-laam] My back is sore

أريد أخذ حقنة لتخفيف الألم [areed akhdh hu'qna le-takhfeef al-alam] I want an injection for the pain

أعاني من ألم في صدري [o-'aany min alam fee ṣadry] I have a pain in my chest

أشعر بألم هنا [ash-'aur be-alam huna] It hurts here

موضع الألم هنا [mawdi'a al-alam huna] It hurts here

هل يمكنك إعطائي شيئًا لتخفيف الألم؟
[hal yamken -aka e'aṭa-ee shay-an le-takhfeef al-alam?] Can you give me something for the pain?

الماركسية [al-ma:rkisijjatu] n Marxism

الماع [ʔilma:ʕu] n cue

المؤلف [ʔal-muallifu] n author

الماني [ʔalma:nij] adj German ▷ n German (person)

اللغة الألمانية [Al loghah al almaniyah] (language) n German

حصبة ألمانية [Ḥaṣbah al-maneyah] n German measles

المانيا [ʔalma:nijja:] n Germany

المؤيد [al-muajjidu] n supporter

المتبجح [al-mutabaʒʒiḥ] n bouncer

المتفاخر [almutafa:xiru] n show-off

المجر [al-maʒari] n Hungary

المحيط الهادي [ʌl-moḥeeṭ al-haadey] n Pacific

المخنث [al-muxannaθu] n transvestite

المَسيح [al-masi:ḥu] n Christ

المَسيحية [al-masi:ḥijjatu] n Christianity

المَشرق [ʔalmaʃriqi] n Far East

المَغرب [almaɣribu] n Morocco

المكسيك [al-miksi:ku] n Mexico

الموظفين [almuwazˤzˤafi:na] n personnel

الميزان [al-mi:za:nu] n Libra

النجدة [al-naʒdati] excl help!

النرويج [an-narwi:ʒ] n Norway

النقص [an-naqsˤu] n decrease

النقيض [anaqi:dˤu] n reverse

النمس [an-nimsu] n ferret

النَمسا [ʔa-nnamsa:] n Austria

النَوع [an-nawʕu] n gender

النيجر [an-ni:ʒar] n Niger

إله [ʔilah] n god

الهند [al-hindi] n India

الهندوراس [al-handu:ra:si] n Honduras

ألومونيوم [ʔalu:minju:m] n aluminium

آلي [ajj] adj automatic

إليَّ [ʔilajja] pron me

إلى [ʔila:] prep to

آليا [ajjan] adv automatically

اليابان [al-ja:ba:nu] n Japan

اليابسة [al-ja:bisatu] n mainland

إلياف [ʔalja:f] n fibre

أليف [ʔali:f] adj

حيوان أليف [Ḥayawaan aleef] n pet

اليَمَن [al-jamanu] n Yemen

اليَوم [aljawma] adv today

اليونان [al-ju:na:ni] n Greece

أم [ʔumm] n mother

أم الأب أو الأم [Om al-ab aw al-om] n grandmother

الأم البديلة [al om al badeelah] n surrogate mother

الأم المُربية [al om almorabeyah] n godmother

اللغة الأم [Al loghah al om] n mother tongue

زوج الأم [Zawj al-om] n stepfather

متعلق بالأم [Mota'ale'q bel om] adj maternal

إمارة [ʔima:ra] n emirate

إمارة أندورة [ʔima:ratu ʔandu:rata] n Andorra

أمام [ʔama:ma] prep ▷ before adv before

إلى الأمام [Ela al amam] adv forward

أمامي [ʔama:mij] n ▷ front adj foreground

أمان [ʔama:n] n safety, security

حزام الأمان المثبت في المقعد [Ḥezam al-aman al-mothabat fee al-ma'q'aad] n seatbelt

أمانة [ʔama:na] n honesty

إمبراطور [ʔimbara:tˤu:r] n emperor

إمبراطورية [ʔimbara:tˤu:rijja] n empire

أمبير [ʔambi:r] n amp

أمة nation n [ʔumma]

الأمم المتحدة
[Al-omam al-motahedah] n United Nations

امتحان exam n [imtiħa:n]

امتد stretch vi [ʔemtada]

امتداد extension (توسع) n [imtida:d]

امتطي v [ʔemtatˤa:]

هل يمكننا أن نمتطي الجياد؟
[hal yamken -ana an namta-ty al-ji-yaad?] Can we go horse riding?

أمتعة baggage n [ʔamtiʕa]

أمتعة محمولة في اليد
[Amte'aah maḥmoolah fee al-yad] n hand luggage

أمتعة مُخزنة
[Amte'aah mokhazzanah] n left-luggage

استلام الأمتعة
[Estelam al-amte'aah] n baggage reclaim

مكتب الأمتعة
[Makatb al amte'aah] n left-luggage office

وَزن الأمتعة المسموح به
[Wazn al-amte'aah al-masmooh beh] n baggage allowance

امتعض resent v [ʔemtaʕadˤa]

امتلك possess, own v [ʔemtalaka]

امتياز concession, n [imtija:z] privilege

أمحى erase v [ʔamħa:]

إمداد supply n [ʔimda:d]

أمر thing n [ʔamr]

أمر دفع شهري
[Amr dafʕa shahrey] n standing order

أمر order v [ʔamara]

امرأة woman n [imraʔa]

امرأة ملتحقة بالقوات المسلحة
[Emraah moltaheʕqah bel-'qwat al-mosallaha] n servicewoman

أمريكا America n [ʔamri:ka:]

أمريكا الجنوبية
[Amrika al janobeyiah] n South America

أمريكا الشمالية
[Amreeka al- Shamaleyah] n North America

أمريكا اللاتينية
[Amreeka al-lateeneyah] n Latin America

أمريكا الوسطى
[Amrika al wostaa] n Central America

شخص من أمريكا الشمالية
[Shkhş men Amrika al shamalyiah] n North American

من أمريكا الشمالية
[men Amrika al shamalyiah] adv North American

من أمريكا اللاتينية
[men Amrika al lateniyah] adj Latin American

أمريكي n ◁ American adj [ʔamri:kij] American

جنوب أمريكي
[Janoob amriky] adj South American

الولايات المتحدة الأمريكية
[Alwelayat almotahdah al amrikiyah] n USA

كرة القدم الأمريكية
[Korat al-'qadam al-amreekeyah] n American football

أمس yesterday adv [ʔamsun]

أمس الأول
[ams-a-wal] the day before yesterday

منذ الأمس وأنا أعاني من المرض
[mundho al-ams wa ana o'aany min al-maraḍ] I've been sick since yesterday

امساك stopping n [imsa:k]

مصاب بالامساك
[Moşab bel-emsak] adj constipated

أمسك v [ʔamasaka]

يُمسك ب
[Yomsek be] v tackle ◁ vt catch

يمسك بإحكام
[Yamsek be-ehkam] v grip

أمطر rain v [ʔamtˤara]

تمطر ثلجا
[Tomṭer thaljan] v snow

تمطر مطرا متجمدا
[Tomṭer maṭran motajamedan] v sleet

إمكانية possibility, n [ʔimka:nijja] potential

أمكن v [ʔamkana]

حارس الأمن
[Ḥares al-amn] n security guard

أمّن insure v [ʔammana]

أمنية wish n [ʔumnijja]

أمواج waves npl [ʔamwa:ʒun]

ركوب الأمواج
[Rokoob al-amwaj] n surf

أمي illiterate adj [ʔumijju]

أمير prince n [ʔami:r]

أميرة princess n [ʔami:ra]

إميري fiscal adj [ʔami:rij]

أمين honest adj [ʔami:n]

أمين الصندوق
[Ameen alṣondoo'q] n treasurer

أمين المكتبة
[Ameen al maktabah] n librarian

غير أمين
[Gheyr amen] adj dishonest

أنّ if, that, a, though conj [ʔanna]

لأن
[liʔanna] conj because

إنّ groan v [ʔanna]

أنا I pron [ʔana]

إناء pot n [ʔina:ʔ]

أناناس pineapple n [ʔana:na:s]

أناني selfish adj [ʔana:nij]

إنبعج dent v [ʔenbaʕaʒa]

أنبوب jet, tube, pipe n [ʔunbu:b]

أنبوب اختبار
[Anbob ekhtebar] n test tube

أنبوب التصريف
[Anboob altaṣreef] n drainpipe

أنبوب فخاري
[Onbob fokhary] n tile

أنبوبة tube n [ʔunbu:ba]

أنت you pron [ʔanta]

إنتاج production n [inta:ʒ]

تخفيض الانتاج
[Takhfeeḍ al-entaj] n cutback

إنتاج production n [ʔinta:ʒ]

إعادة إنتاج
[E'adat entaj] n reproduction

إنتاج رئيسي
[Entaj raaesey] v staple (commodity)

إنتاجية productivity n [ʔinta:ʒijja]

انتباه attention n [ʔintiba:h]

أين يمكنني كيّ هذا؟
[Ayna yomkenaney kay hadhah] Where
can I get this ironed?

هل هذا يمكن غسله؟
[hal hadha yamken ghas-loho?] Is it
washable?

هل يمكن أن أجربها
[hal yamken an ajar-rebha] Can I try it
on?

هل يمكن أن نتقابل فيما بعد؟
[hal yamken an nta'qabal fema ba'ad?]
Shall we meet afterwards?

هل يمكن تصليح هذه؟
[hal yamken taṣleeḥ hadhy?] Can you
repair this?

هل يمكنك كتابة ذلك على الورق إذا
سمحت؟
[hal yamken -aka ketabat dhaleka 'aala
al-wara'q edha samaḥt?] Could you
write it down, please?

أمل hope n [ʔamal]

خيبة الأمل
[Khaybat al-amal] n disappointment

مفعم بالأمل
[Mof-'am bel-amal] adv hopefully

أمل hope v [ʔamela]

إملاء dictation n [ʔimla:ʔ]

أُمْلي v [ʔamla:]

يُمْلي عليه
[Yomely 'aleyh] v boss around

أمّم nationalize v [ʔammama]

أمن safety, security n [ʔa:min]

غير آمن
[Ghayr aamen] adj insecure

هل هذا المكان آمن للسباحة؟
[hal hadha al-makaan aamin
lel-sebaḥa?] Is it safe to swim here?

هل هو آمن للأطفال
[hal howa aamin lil-aṭfaal?] Is it safe for
children?

هل هو آمن للأطفال؟
[hal howa aamin lil-aṭfaal?] Is it safe for
children?

آمن reckon v [ʔamana]

آمِن safe adj [ʔa:mi]

أمن safety, security n [ʔamn]

شديد الانتباه
[shaded al-entebah] *adj* observant

أنتج produce *v* [ʔantaʒa]

انتحب weep *v* [ʔentaħaba]

انتحر suicide *v* [ʔetaħara]

انتخاب election *n* [intixa:b]

انتخابات *n* [intixa:ba:t]

انتخابات عامة
[Entekhabat 'aamah] *n* general election

انتخابي electoral *adj* [intixa:bijjat]

دائرة انتخابية
[Daaera entekhabeyah] *n* constituency

انتخب elect *v* [ʔentaxaba]

انتداب delegate *n* [intida:b]

انتدب delegate *v* [ʔantadaba]

انترنت Internet *n* [intirnit]

جرائم الكمبيوتر والانترنت
[Jraem al-kmobyoter wal-enternet] *n* cybercrime

مقهى الانترنت
[Ma'qha al-enternet] *n* cybercafé

إنترنت Internet *n* [ʔintirnit]

متصلا بالإنترنت
[Motaşelan bel-enternet] *adv* online

هل هناك اتصال لاسلكي بالإنترنت داخل الحجرة
[hal hunak ite-şaal la-silki bel-enternet dakhil al-hijra?] Does the room have wireless internet access?

هل يوجد أي مقهى للإنترنت هنا؟
[hal yujad ay ma'qha lel-internet huna?] Are there any Internet cafés here?

انتشار spread *n* [intiʃa:r]

انتشر *vt* ◁ spread out *v* [ʔentaʃara] spread

انتصار triumph *n* [intiş̧a:r]

تذكار انتصار
[tedhkaar enteşar] *n* trophy

انتصر triumph *v* [ʔentaş̧ara]

انتظار waiting *n* [intiz̧a:r]

غرفة انتظار
[Ghorfat entedhar] *n* waiting room

مكان انتظار
[Makan entedhar] *n* layby

هل يوجد مكان انتظار للسيارات بالقرب من هنا؟

[hal yujad makan inti-ḍhar lil-sayaraat bil-'qurb min huna?] Is there a car park near here?

انتظام order *n* [intiz̧a:m]

بانتظام
[bentedham] *adv* regularly

انتظر hang on, *v* [ʔentaz̧ara] wait for

ينتظر قليلا
[yantḍher 'qaleelan] *v* hold on

انتظرني من فضلك
[intaḍhirny min faḍlak] Please wait for me

هل يمكن أن تنتظر هنا دقائق قليلة؟
[hal yamken an tanta-ḍher huna le-da'qa-e'q 'qalela] Can you wait here for a few minutes?

انتفض shudder *v* [ʔentafaḍ'a]

انتقاء pick *n* [intiqa:ʔ]

انتقادي critical *adj* [intiqa:dij]

انتقال shift, transition *n* [intiqa:l]

انتقام revenge *n* [intiqa:m]

انتقد criticize *v* [ʔentaqada]

انتقل move in *v* [ʔentaqala]

انتقى pick out *v* [ʔentaqa:]

انتكاسة relapse *n* [intika:sa]

انتماء membership *n* [ntima:ʔ]

الانتماء الوطني
[Al-entemaa alwaṭaney] *n* citizenship

انتمى *v* [ʔentama:]

ينتمي إلى
[Yantamey ela] *v* belong to

انتهاء ending *n* [intiha:ʔ]

تاريخ الانتهاء
[Tareekh al-entehaa] *n* expiry date

موعد الانتهاء
[Maw'aed al-entehaa] *n* deadline

انتهى end *v* [ʔentaha:]

أنثى female *n* [ʔunθa:]

إنجاز achievement *n* [ʔinʒa:z]

أنجرف drift *vi* [ʔenʒarafa]

أنجز fulfil *v* [ʔanʒaza]

إنجلترا England *n* [ʔinʒiltira:]

إنجليزي English *adj* [inʒili:zij]

إنجليزي *n* ◁ English *adj* [ʔinʒili:zij] English

slide, skid v [ʔenzalaqa] انزلق
human being n [ʔinsa:n] إنسان
إنسان آلي
[Ensan aly] n robot
حقوق الإنسان
[Ho'qoo'q al-ensan] npl human rights
من صنع الإنسان
[Men son'a al-ensan] adj man-made
human adj [ʔinsa:nij] إنساني
ضمير إنساني
[Ḍameer ensaney] n conscience
Miss n [ʔa:nisa] آنسة
recession n [insiħa:b] انسحاب
withdrawal n [ʔinsiħa:b] انسحاب
drag vt [ʔensaħaba] أنسحب
blockage n [insida:d] إنسداد
insulin n [ʔansu:li:n] إنسولين
construct v [ʔanʃaʔa] أنشأ
construction n [ʔinʃa:ʔ] إنشاء
anchovy n [ʔunʃu:da] أنشوجة
get away v [ʔensˤarafa] انصَرف
impression n [intˤibba:ʕ] انطباع
go ahead v [ʔentˤalaqa] انطلق
freshen up v [ʔanʕaʃa] أنعش
reflection n [inʕika:s] انعكاس
adj [inʕika:sij] انعكاسي
رد انعكاسي
[Rad en'aekasey] n reflex
nose n [ʔanf] أنف
explosion n [infiʒa:r] انفجار
انفجار عاطفي
[Enfejar 'aatefy] n gust
blow up, burst v [ʔenfaʒara] انفجر
لقد انفجر إطار السيارة
[la'qad infajara eṭar al-sayara] The tyre
has burst
isolation n [ʔinfira:d] انفراد
هل يمكنني التحدث إليك على انفراد؟
[hal yamkan -any al-taḥaduth elayka
'aala enfi-raad?] Can I speak to you in
private?
separation n [infisˤa:l] انفِصال
split up v [ʔenfasˤala] انفَصل
n [infiʕa:l] انفعال
سريع الانفعال
[Saree'a al-enfe'aal] adj touchy

مواطنة إنجليزية
[Mowaṭenah enjlezeyah] n
Englishwoman
هل يوجد لديكم كتيب باللغة الإنجليزية؟
[hal yujad laday-kum kuty-ib bil-lugha
al-injile-ziya?] Do you have a leaflet in
English?
n [ʔinʒali:zijja] إنجليزية
هل تتحدث الإنجليزية
[hal tata- ḥadath al-injileez-iya?] Do you
speak English?
Angola n [ʔanʒu:la:] أنجولا
n ⊳ Angolan adj [ʔanʒu:lij] أنجولي
Angolan
gospel n [ʔinʒi:l] إنجيل
slope, decline n [ʔinħida:r] انحدار
هل هو شديد الانحدار؟
[hal howa shadeed al-inḥi-daar?] Is it
very steep?
descend v [ʔenħadara] انحدر
diversion (road) n [inħira:f] انحراف
swerve v [ʔenħarafa] انحرف
bow n [inħina:ʔ] انحناء
bend over v [ʔenħana] انحني
lower, come v [ʔenxafadˤa] انخفض
down
rush n [indifa:ʕ] اندفاع
dash, rush vi [ʔandafaʕa] اندفع
n [ʔandu:ni:sij] أندونيسي
Indonesian (person)
Indonesian adj ⊳
n [ʔandu:ni:sjja:] أندونيسيا
Indonesia
alarm, notice n [ʔinða:r] إنذار
(termination), ultimatum
إنذار سرقة
[endhar sare'qa] n burglar alarm
إنذار حريق
[endhar Haree'q] n fire alarm
إنذار كاذب
[endhar kadheb] n false alarm
then adv [ʔa:naða:ka] آذاك
notice v [ʔanðara] أنذر
slipping n [ʔinzila:q] إنزلاق
إنزلاق غضروفي
[Enzela'q ghodrofey] n slipped disc

إنفلوانزا **flu** n [ʔinfilwa:nza:]

إنفلوانزا الطيور
bird flu n [Enfelwanza al-ṭeyor]

أنفلونزا **influenza** n [ʔanfluwanza:]

إنقاذ **rescue** n [ʔinqa:ð]

عامل الإنقاذ
lifeguard n ['aamel alen'qadh]

حبل الإنقاذ
helpline n [Habl elen'qadh]

أين يوجد أقرب مركز لخدمة الإنقاذ بالجبل؟
Where is the nearest mountain rescue service post? [ayna yujad a'qrab markaz le-khedmat al-en-'qaadh bil-jabal?]

أنقذ **rescue** v [ʔanqaða]

انقسم **split** vt [ʔenqasama]

أنقص **decrease** v [ʔanqasˤa]

انقطاع **disruption** n [inqitˤa:ʕ]

انقطاع التيار الكهربي
power cut n [En'qetaa'a al-tayar alkahrabey]

انقطع **go off** v [ʔenqatˤaʕa]

انقلاب **turnover** n [inqila:b]

انقلب **capsize, upset** v [ʔenqalaba]

انقياد n [inqija:d]

سهل الانقياد
easy-going adj [Sahl al-en'qyad]

إنكار **denial** n [ʔinka:ruhu]

لا يمكن إنكاره
undeniable adj [La yomken enkareh]

أنكر **deny** v [ʔankara]

انكسر v [ʔenkasara]

لقد انكسرت علبة التروس
The gearbox is broken [la'qad inkasarat 'ailbat al-tiroos]

انهار **collapse** v [ʔenha:ra]

انهمك v [ʔenhamaka]

يَنهَمِك في القيل والقال
gossip v [Yanhamek fee al-'qeel wa al-'qaal]

أنهى **finalize** v [ʔanha:]

انهيار **avalanche, crash,** n [ʔinhija:r] **collapse**

انهيار أرضي
landslide n [Enheyar ardey]

انهيار عصبي
nervous breakdown n [Enheyar aṣabey]

أنواع **species** npl [ʔanwa:ʕ]

آنية n [ʔa:nija]

آنية من الصيني
china n [Aaneyah men al-ṣeeney]

أنيق **elegant** adj [ʔani:q]

أنيميا **anaemia** n [ʔani:mja:]

مُصاب بالأنيميا
anaemic n [Moṣaab bel-aneemeya]

أهان **insult, slap** v [ʔaha:na]

إهانة **insult** n [ʔiha:na]

اهتَزّ **shake** vi [ʔehtazza]

اهتمّ **mind** vi [ʔehtamma]

اهتمام **concern,** n [ihtima:m] **interest** (curiosity), **regard**

يُثير اهتمام
interest v [yotheer ehtemam]

اهتياج **agitation** n [htija:ʒ]

شديد الاهتياج
frantic adj [Shdeed al-ehteyaj]

أهدر **growl** v [ʔahdara]

أهل **family** n [ʔahl]

أهل البيت
household n [Ahl al-bayt]

أهّل **qualify** v [ʔahala]

هلا **hello!** excl [ʔahlan]

أهلي **family** adj [ʔahlij]

حرب أهلية
civil war n [Ḥarb ahleyah]

إهمال **neglect** n [ʔihma:l]

أهمَل **neglect** v [ʔahmala]

أهمية **importance** n [ʔahamijja]

أهمية مُلحة
urgency n [Ahameiah molehah]

أوبوا **oboe** n [ʔu:bwa:]

أوتوبيس **coach** n [ʔu:tu:bi:s]

تذكرة أوتوبيس
bus ticket n [tadhkarat otobees]

محطة أوتوبيس
bus station n [Maḥaṭat otobees]

موقف أوتوبيس
bus stop n [Maw'qaf otobees]

أوتوجراف **autograph** n [ʔu:tu:ʒra:f]

أوثَق **moor** v [ʔawθaqa]

أوركيد n [ʔu:rki:d]

زهرة الأوركيد

[Al-aḥrof al-ola] *npl* initials
في الدرجة الأولى
[Fee al darajah ola] *adv* mainly
إسعافات أولية
[Es'aafat awaleyah] *n* first aid
أومأ signal *v* [ʔawmaʔa]
يُومئ برأسه
[Yomea beraaseh] *v* nod
أوهم trick *v* [ʔewhama]
أي any *adj* [ʔajju]
أي شخص
[Ay shakhṣ] *pron* anybody
أي شيء
[Ay shaya] *n* anything
أي من
[Ay men] *pron* any
على أي حال
[Ala ay ḥal] *adv* anyway
بأي طريقة
[Be-ay ṭaree'qah] *adv* anyhow
في أي مكان
[Fee ay makan] *adv* anywhere
إيجابي positive *adj* [ʔiːʒaːbij]
إيجار rent *n* [ʔjʒaːr]
أيدولوجية ideology *n* [ʔajduːluːʒijja]
إيراد revenue *n* [ʔiːraːd]
إيران Iran *n* [ʔiːraːn]
إيراني *n ◁ Iranian adj* [ʔiːraːnij]
Iranian (person)
إيرلندا Ireland *n* [ʔajrlandaː]
إيرلندة *n* [ʔajrlanda]
إيرلندة الشمالية
[Ayarlanda al-shamaleyah] *n* Northern
Ireland
أيرلندي Irish *adj* [ajrlandij]
الأيرلندي
[Alayarlandey] *n* Irish
إيرلندي *adj* [ijrlandij]
رَجُل إيرلندي
[Rajol ayarlandey] *n* Irishman
إيرلندية Irishwoman *n* [ijrlandijja]
آيس *n* [ʔaːjs]
ستيك الآيس كريم
[Steek al-aayes kreem] *n* ice lolly
آيس كريم
[aayes kreem] *n* ice cream

زهرة الأوركيد
[Zahrat al-orkeed] *n* orchid
أوروبا Europe *n* [ʔuːruːbbaː]
أوروبي European *adj* [ʔuːruːbij]
الاتحاد الأوروبي
[Al-tehad al-orobey] *n* European Union
شخص أوروبي
[Shakhs orobby] *n* European
أوروجواي Uruguay *n* [uwruːʒwaːj]
أوروجواياني *adj* [ʔuːruːʒwaːjaːniː]
Uruguayan
أوزباكستان *n* [ʔuːzbaːkistaːn]
Uzbekistan
إوزة goose, swan *n* [ʔiwazza]
أوزون *n* [ʔuːzuːn]
طبقة الأوزون
[Taba'qat al-odhoon] *n* ozone layer
أوسترالياسيا *n* [ʔuːstraːlaːsjaː]
Australasia
أوسط mid *adj* [ʔawsatˤ]
أوسيانيا Oceania *n* [ʔuːsjaːnjaː]
أوصى recommend *v* [ʔawsˤaː]
أوضح point out *v* [ʔawdˤaħa]
أوضح clarify *v* [ʔawdˤaħa]
أوغندا Uganda *n* [ʔuːɣandaː]
أوغندي *n ◁ Ugandan adj* [ʔuːɣandij]
Ugandan
أوقع sign *v* [ʔawqaʕa]
أوقف stop, turn out *v* [ʔawqafa]
يُوقف السيارة
[Yo'qef sayarah] *v* pullover
أوكراني *n ◁ Ukrainian adj* [ʔuːkraːnij]
Ukrainian (person)
اللغة الأوكرانية
[Al loghah al okraneiah] (language) *n*
Ukrainian
أوكرانيا Ukraine *n* [ʔuːkraːnjaː]
أول first *n ◁ first adj* [ʔawwal]
الاسم الأول
[Al-esm al-awal] *n* first name
ما هو موعد أول قطار متجه إلى...؟
[ma howa maw-'aid awal 'qeṭaar mutajih
ela...?] When is the first train to...?
أولًا first, firstly *adv* [ʔawwalaː]
أولوية priority *n* [ʔawlawijja]
أولي primary *adj* [ʔawwalij]
الأحرف الأولى

Icelandic *adj* [ʔajslaːndiː] **أيسلاندي**
الأيسلندي
[Alayeslandey] *n* Icelandic

Iceland *n* [ʔajslandaː] **أيسلندا**
voucher *n* [ʔiːsˤaːl] **إيصال**
takings *npl* [ʔiːsˤaːlaːtun] **إيصالات**
(money)
also, else, too *adv* [ʔajdˤan] **أيضا**
adj [ʔiːdˤaːħijjat] **إيضاحي**
تجربة إيضاحية
[Tajrebah eeḍaheyah] *n* demonstration

n ◁ Italian *adj* [ʔiːtˤaːlij] **إيطالي**
Italian (person)
اللغة الإيطالية
[alloghah al eṭaleyah] (language) *n*
Italian
Italy *n* [ʔiːtˤaːljjaː] **إيطاليا**
stopping *n* [ʔiːqaːf] **إيقاف**
لا يمكنني إيقاف تشغيله
[la yam-kinuni e-'qaaf tash-ghe-lehe] I
can't turn the heating off
لن أقوم بإيقاف تشغيله
[Lan a'qoom be-ee'qaf tashgheeleh] It
won't turn off
هل يمكن إيقاف السيارة بالقرب منا؟
[hal yamken e'qaaf al-sayara bil-'qurb
min-na?] Can we park by our site?
icon *n* [ʔajquːna] **أيقونة**
deer *n* [ʔajl] **أيّل**
gesture *n* [ʔiːmaːʔa] **إيماءة**
faith *n* [ʔiːmaːn] **إيمان**
right-handed *adj* [ʔajman] **أيمن**
where *adv* [ʔajna] **أين**
أين تسكن؟
[ayna taskun?] Where do you live?
أين تقيم؟
[Ayn to'qeem?] Where are you staying?
أين يمكن أن نتقابل؟
[ayna yamken an nata-'qabal?] Where
can we meet?
أين يمكنني إرضاع الرضيع؟
[ayna yamken-any erḍa'a al-raḍee'a?]
Where can I breast-feed the baby?
أين يوجد قسم الشرطة؟
[ayna yujad 'qisim al- shurṭa?] Where is
the police station?

من أين أنت؟
[min ayna anta?] Where are you from?
lodging *n* [ʔiːwaːʔ] **إيواء**
دَار إيواء
[Dar eewaa] *n* dormitory (large bedroom)

ب in, on, with, by prep [bi]

بجانب
[Bejaneb] prep beside

vendor n [ba:ʔiʕ] **بائع**

بائع تجزئة
[Bae'a tajzeah] n retailer

بائع زهور
[Bae'a zohor] n florist

door n [ba:b] **باب**

جرس الباب
[Jaras al-bab] n doorbell

درجة الباب
[Darajat al-bab] n doorstep

مقبض الباب
[Me'qbad al-bab] n door handle

أين يوجد باب الخروج...؟
[Ayn yojad bab al-khoroj...] Which exit for...?

أين يوجد مفتاح الباب الأمامي؟
[ayna yujad muftaah al-baab al-ama-my?] Which is the key for the front door?

أين يوجد مفتاح الباب الخلفي؟
[ayna yujad muftaah al-baab al-khalfy?] Which is the key for the back door?

أين يوجد مفتاح هذا الباب؟
[ayna yujad muftaah hadha al-baab?]

Which is the key for this door?

اترك الباب مغلقا
[itruk al-baab mughla'qan] Keep the door locked

الباب لا يُغلَق
[al-baab la yoghla'q] The door won't close

الباب لا يُقفَل
[al-baab la yo'qfal] The door won't lock

لقد أوصد الباب وأنا بخارج الغرفة
[la'qad o-seda al-baab wa ana be kharej al-ghurfa] I have locked myself out of my room

daddy n [ba:ba:] **بابا**

بُوْبُوْ n [buʔbuʔ]

بُوْبُوْ العَيْن
[Boaboa al-'ayn] n pupil (eye)

neatly adv [biʔitqa:nin] **بإتقان**

v [ba:ħa] **باح**

يبوح ب
[Yabooh be] v reveal

close adv [biʔiħka:min] **بإحكام**

n [baxira] **باخِرَة**

باخِرَة رُكّاب
[Bakherat rokkab] n liner

sincerely adv [biʔixlasˤin] **بإخلاص**

starter n [ba:diʔ] **بادئ**

aubergine n [ba:ðinʤa:n] **باذنجان**

bar (alcohol) n [ba:r] **بار**

ساقي البار
[Sa'qey al-bar] n bartender

well n [biʔr] **بئر**

Paraguay n [ba:ra:ʒwa:j] **باراجواي**

شخص من باراجواي
[Shakhs men barajway] n Paraguayan

من باراجواي
[Men barajway] adj Paraguayan

n [ba:ra:si:ta:mu:l] **باراسيتامول**

أريد باراسيتامول
[areed barasetamol] I'd like some paracetamol

paraffin n [ba:ra:fi:n] **بارافين**

focus n [buʔra] **بؤرة**

ثنائي البؤرة
[Thonaey al-booarah] npl bifocals

cold adj [ba:rid] **بارد**

إن الطعام بارد أكثر من اللازم
[enna al-ṭa'aam bared akthar min
al-laazim] The food is too cold

إن اللحم باردة
[En al-laḥm baredah] The meat is cold

الحمامات باردة
[al-doosh bared] The showers are cold

هذه الغرفة باردة أكثر من اللازم
[hathy al-ghurfa barda ak-thar min
al-laazim] The room is too cold

بارز outstanding adj [ba:riz]

بارع skilful adj [ba:riʕ]

غير بارع
[gheer bare'a] adj unskilled

بارك bless v [ba:raka]

باروكة wig n [ba:ru:ka]

باس adj [baʔs]

لا باس
[la baas] No problem

لا بأس من أخذ الأطفال
[la baas min akhth al-aṭfaal] Is it OK to
take children?

بؤس misery n [buʔs]

باستا pasta n [ba:sta:]

باستمرار adv [bistimrarin]
continually

باسكي n ◁ Basque adj [ba:ski:]
Basque (person)

باص n [ba:sˤ]

ميني باص
[Meny baas] n minibus

باض whitewash, bleach v [ba:dˤa]

باطل void adj [ba:tˤil]

باطني inner adj [ba:tˤinij]

باع sell v [ba:ʕa]

يَبِيع المخزون
[Yabea'a al-makhzoon] v sell out

يَبِيع بالتصفية
[Yabea'a bel-taṣfeyah] v sell off

يَبِيع بالتجزئة
[Yabea'a bel-tajzeaah] v retail

هل تبيع كروت التليفون؟
[hal tabee'a kroot al-telefon?] Do you
sell phonecards?

باعث incentive n [ba:ʕiθ]

باقة bouquet n [ba:qa]

early adv [ba:kiran] باكراً

Pakistan n [ba:kista:n] باكستان

Pakistani adj [ba:kista:nij] باكستاني
◁ Pakistani n

shabby adj [ba:lin] بال

at home adv [bi-al-bajti] بالبَيْت

surely adv [bi-at-taʔki:di] بالتأكيد

precisely adv [bi-at-taħdi:di] بالتحديد

gradually adv [bi-at-tadri:ʒi] بالتدريج

instantly adv [bi-ilħa:ħin] بالحاح

adv [bi-adˤ-dˤaru:rati] بالضرورة
necessarily

grown-up, teenager n [ba:liɣ] بالغ

exaggerate v [ba:laɣa] بالغ

already adv [bi-al-fiʕli] بالفعل

hardly adv [bil-ka:di] بالكاد

completely adv [bialka:mili] بالكامل

per cent adv [biʔalmiʔati] بالمائة

sewer, washbasin n [ba:lu:ʕa] بالوعة

balloon n [ba:lu:n] بالون

ليان بالون
[Leban balloon] n bubble gum

ballet n [ba:li:h] باليه

راقص باليه
[Ra'qeṣ baleeh] n ballet dancer

راقصة باليه
[Ra'ṣat baleeh] n ballerina

أين يمكنني أن أشتري تذاكر لعرض
الباليه؟
[ayna yamken-any an ashtray tadhaker
le-'aarḍ al-baleh?] Where can I buy
tickets for the ballet?

honestly adv [biʔama:nati] بأمانة

n [ba:nʒu:] بانجو

آلة البانجو الموسيقية
[Aalat al-banjoo al-mose'qeyah] n banjo

fairly adv [bi-ʔinsˤa:fin] بإنصاف

dim adj [ba:hit] باهت

pint n [ba:jant] باينت

parrot n [babbaɣa:ʔ] بِبَّغاء

petroleum n [bitru:l] بترول

بئر بترول
[Beear betrol] n oil well

Botswana n [butswa:na:] بتسوانا

constantly adv [biθaba:tin] بثَبَات

pimple, blister n [baθra] بَثْرة

بَجَعَة pelican n [baʒaʕa]

بجُنون madly adv [biʒunu:nin]

بَحَّار sailor n [baħħa:r]

بحث search n [baħθ]

محب للبحث والتحقيق

[moheb lel-bahth wal-tah'qeeq] adj inquisitive

بَحْث دراسي

[Bahth derasy] n research

بحث v [baħaθa]

يَبْحَث عن

[Yabhath an] v look for, seek

إننا نبحث عن....

[ena-na nabhath 'aan...] We're looking for...

أنا أبحث عن بطاقات بريدية

[ana abhath 'aan beṭa-'qaat baree-diya] I'm looking for postcards

أنا أبحث هدية لطفلي

[Ana abhath hadeyah letfley] I'm looking for a present for a child

نحن نبحث عن أحد الفنادق

[nahno nabhath 'aan ahad al-fanadi'q] We're looking for a hotel

بحر sea n [baħr]

ساحل البحر

[sahel al-bahr] n seaside

عبر البحار

['abr al-behar] adv overseas

البحر الأحمر

[Al-bahr al-ahmar] n Red Sea

البحر الشمالي

[Al-bahr al-Shamaley] n North Sea

البحر الكاريبي

[Al-bahr al-kareebey] n Caribbean

البحر المتوسط

[Al-bahr al-motawaset] n Mediterranean

مستوى سطح البحر

[Mostawa saṭh al-bahr] n sea level

مياه البحر

[Meyah al-bahr] n sea water

أريد غرفة تطل على البحر

[areed ghurfa ṭa-ṭul 'aala al-baḥir] I'd like a room with a view of the sea

أعاني من دوار البحر

[o-'aany min dawaar al-baḥar] I get

travel-sick

هل تظهر هنا قناديل البحر؟

[hal taḏhar huna 'qana-deel al-baḥir?] Are there jellyfish here?

هل البحر مرتفع اليوم؟

[hal al-baḥr murta-fi'a al-yawm?] Is the sea rough today?

بحري maritime, naval adj [baħrij]

رحلة بحرية

[Rehalh bahreyah] n cruise

جندي بحري

[Jondey baharey] n seaman

الأطعمة البحرية

[Al-aṭ'aemah al-baḥareyh] n seafood

بحزم strictly adv [biħazmin]

بَحَق truly adv [biħaqqin]

بُحَيْرة lake, lagoon n [buħajra]

بحيوية lively adj [biħajawijjatin]

بَخَّاخ inhaler n [baxxa:x]

بُخَار steam n [buxa:r]

بَخْس inexpensive adj [baxs]

بَخِيل miser adj [baxi:l]

بدأ seem v [bada:]

بَدء start n [badʔ]

بدأ begin, start v [badaʔa]

يَبْدأ الحركة والنشاط

[Yabdaa alharakah wal-nashat] v start off

متى يبدأ العرض؟

[mata yabda al-'aarḍ?] When does the performance begin?

متى يبدأ العمل هنا؟

[mata yabda al-'aamal huna?] When does it begin?

بدائي primitive adj [bida:ʔij]

بداخل into prep [bida:xili]

بداية beginning n [bida:ja]

في بداية شهر يونيو

[fee bedayat shaher yon-yo] at the beginning of June

بَدد squander, waste v [baddada]

بَدر full moon n [badr]

بدروم basement n [bidru:m]

بدل v [baddala]

أين أستطيع أن أبدل ملابسي؟

[ayna astaṭe'a an abid-il mala-bisy]

Where do I change?

هل يمكن أن أبدل الغرف

[hal yamken an abad-il al-ghuraf?] Can I switch rooms?

بَدِّل alter, transform v [baddala]

بدلًا instead of prep [badalan]

بدلًا من ذلك

[Badalan men dhalek] adv instead of that

بدلة fancy dress, outfit n [badla]

بدلة تدريب

[Badlat tadreeb] n tracksuit

بدلة العمل

[Badlat al-'aamal] n overalls

بدلة الغوص

[Badlat al-ghaws] n wetsuit

بدني physical adj [badanij]

عقوبة بدنية

['ao'qoba badaneyah] n corporal punishment

بدون without prep [bidu:ni]

بدون توقف

[Bedon tawa'qof] adv non-stop

بديع magnificent adj [badi:ʕ]

بديل alternative n [badi:l]

بدين fat n ◁ obese adj [badi:n]

بذرة seed n [biðra]

بذلة suit n [baðla]

بذلة غامقة اللون للرجال

[Badlah ghame'qah al-loon lel-rejal] n tuxedo

برئ innocent adj [bari:ʔ]

برازيلي n ◁ Brazilian adj [bara:zi:lij] Brazilian

براعم flower n [bara:ʕim]

براعم الورق

[Bra'aem al-wara'q] n sprouts

برامج software n [bara:miʒ]

براندي brandy n [bra:ndi:]

سأتناول براندي

[sa-ata-nawal brandy] I'll have a brandy

برتغالي Portuguese adj [burtuɣa:lij] Portuguese (person) n ◁

اللغة البرتغالية

[Al-loghah al-bortoghaleyah] (language) n Portuguese

برتقال orange (fruit) n [burtuqa:l]

عصير برتقال

[Aseer borto'qaal] n orange juice

برتقالة orange n [burtuqa:la]

برتقالي orange adj [burtuqa:lij]

برتو ريكو Puerto n [burtu: ri:ku:] Rico

برج tower n [burʒ]

برج محصن

[Borj mohassan] n dungeon

بُرج كهرباء

[Borj kahrbaa] n pylon

بُرْج الكنيسة

[Borj al-kaneesah] n steeple

برد cold n [bard]

أريد شيئًا للبرد

[areed shyan lel-bard] I'd like something for a cold

أعاني من البرد

[o-'aany min al-barid] I have a cold

أشعر بالبرد

[ash-'aur bil-bard] I'm cold

برد v [brada]

يبرد بمبرد

[Yobared bemobared] v file (smoothing)

بَرّد chill v [barrada]

بَرْدَقوش n [bardaqu:ʃ]

عُشب البَرْدَقوش

['aoshb al-barda'qoosh] n marjoram

برر account for v [barara]

بَرّزُ v [baroza]

يُبْرُز من

[Yabroz men] v come out

برطمان jar n [bartʕama:n]

برغوث flea n [barɣu:θ]

بَرْق lightning n [barq]

برقوق plum, prune n [barqu:q]

بركان volcano n [burka:n]

بركانية volcanic adj [burka:nijjat]

الحمم البركانية

[Al-hemam al-borkaneyah] n lava

بِرْكَة pond, puddle n [birka]

بَرْلمان parliament n [barlama:n]

بَرمج programme v [barmaʒ]

برمجة programming n [barmaʒa]

برميل barrel n [birmi:l]

British *adj* [briːtˤaːnij] **بريطاني**
British *n* ◁
Britain *n* [briːtˤaːnjaː] **بريطانيا**
بريطانيا العظمى
[Beretanyah al-'aodhma] *n* Great Britain
orchard *n* [bustaːn] **بستان**
gardener *n* [bustaːnij] **بُستاني**
gardening *n* [bastana] **بَسْتَنة**
unroll *v* [basitˤa] **بسط**
simplify *v* [basatˤa] **بَسَّط**
biscuit *n* [baskawiːt] **بسكويت**
peas *n* [bisalati] **بسلّة**
mangetout *n* [bisallatin] **بَسِلّة**
easily *adv* [bisuhuːlatin] **بسهولة**
plain, simple *adj* [basiːtˤ] **بسيط**
بساطة
[Bebasata] *adv* simply
بشر [baʃara] *v* (يحك بسطح خشن)
grate
complexion *n* [baʃra] **بَشَرة**
human *adj* [baʃarijjat] **بشري**
قوة بشرية
['qowah bashareyah] *n* manpower
mankind *n* [baʃarijja] **بشرية**
hideous *adj* [baʃiʕ] **بَشِع**
spit *n* [busˤaːq] **بُصاق**
faithfully *adv* [bisˤidqin] **بصدق**
vision *n* [basˤar] **بصر**
أعاني من ضعف البصر
[o-'aany min ḍu'auf al-baṣar] I'm visually
impaired
visual *adj* [basˤarij] **بصري**
spit *v* [bsˤaqa] **بصق**
onion *n* [basˤal] **بصل**
بصل أخضر
[Baṣal akhdar] *n* spring onion
n [basˤala] **بصلة**
بصلة النبات
[baṣalat al-nabat] *n* bulb (electricity)
imprint *n* [basˤma] **بصمة**
بصمة الإصبع
[Baṣmat al-eṣba'a] *n* fingerprint
بصمة كربونية
[Baṣma karbonyah] *n* carbon footprint
goods *npl* [badˤaːʔiʕun] **بضائع**
slowness *n* [butˤʔ] **بطء**

programme, *n* [barnaːmaʒ] **برنامج**
(computer) programme
برنامج حواري
[Barnamaj hewary] *n* chat show
demonstrate *v* [barhana] **بَرْهَن**
adj [bruːtistaːntij] **بروتستانتي**
Protestant
Protestant *n* ◁
protein *n* [bruːtiːn] **بروتين**
cold *n* [buruːda] **برودة**
شديد البرودة
[Shadeedat al-broodah] *adj* freezing
brooch *n* [bruːʃ] **بروش**
rehearsal, test *n* [bruːfa] **بروفة**
n [bruːksiːl] **بروكسيل**
كرنب بروكسيل
[Koronb brokseel] *n* Brussels sprouts
bronze *n* [bruːnz] **برونز**
wild *adj* [barrij] **بري**
post *n* [bariːd] **بريد**
صندوق البريد
[Ṣondo'q bareed] *n* postbox
عنوان البريد الإلكتروني
['aonwan al-bareed al-electrooney] *n*
email address
بريد غير مرغوب
[Bareed gheer marghoob] *n* junk mail
بريد جوي
[Bareed jawey] *n* airmail
بريد الكتروني
[Bareed elektrooney] *n* email
يُرْسِل بريدا إلكترونيا
[Yorsel bareedan electroneyan] *v* email
ما المدة التي يستغرقها بالبريد العادي؟
[ma al-mudda al-laty yasta-ghru'qoha
bil-bareed al-al-'aadee?] How long will
it take by normal post?
postal *adj* [bariːdij] **بريدي**
نظام بريدي
[nedham bareedey] *n* post (mail)
هل يمكن أن أحصل على طوابع لأربعة كروت بريدية؟
[hal yamken an aḥṣal 'aala ṭawa-bi'a
le-arba'aat kiroot baree-diya?] Can I
have stamps for four postcards to...

ببطء
[Bebota] *adv* slowly
هل يمكن أن تتحدث ببطء أكثر إذا سمحت؟
[hal yamken an tata-ḥadath be-buṭi akthar edha samaḥt?] Could you speak more slowly, please?
battery *n* [batˤtˤa:rijja] بطارية
أريد بطارية جديدة
[areed baṭaariya jadeeda] I need a new battery
هل لديك أي بطاريات كهربية لهذه الكاميرا؟
[hal ladyka ay baṭa-reyaat le-hadhy al-kamera?] Do you have batteries for this camera?
potato *n* [batˤa:tˤis] بطاطس
بطاطس بالفرن
[Baṭaṭes bel-forn] *npl* jacket potato
بطاطس مشوية بقشرها
[Baṭaṭes mashweiah be'qshreha] *n* jacket potato
بطاطس مهروسة
[Baṭaṭes mahrosah] *n* mashed potatoes
شرائح البطاطس
[Sharaeh al- baṭaṭes] *npl* crisps
card *n* [bitˤa:qa] بطاقة
بطاقة عضوية
[Beṭaqat 'aodweiah] *n* membership card
بطاقة تهنئة
[Beṭaqat tahneaa] *n* greetings card
بطاقة بريدية
[Beṭaqah bareedyah] *n* postcard
بطاقة شخصية
[beṭ a'qah shakhṣeyah] *n* identity card, ID card
بطاقة لعب
[Beṭaqat la'aeb] *n* playing card
لقد سرقت بطاقتي
[la'qad sore'qat be-ṭa'qaty] My card has been stolen
هل لديك بطاقة تجارية؟
[hal ladyka beṭa'qa tejar-eya?] Do you have a business card?
هل يتم قبول بطاقات الخصم؟
[hal yatum 'qubool be-ṭa'qaat al-

khaṣim?] Do you take debit cards?
هل يمكنني الدفع ببطاقة الائتمان؟
[hal yamken -any al-daf'a be- beṭa-'qat al-etemaan?] Can I pay by credit card?
هل يمكنني الحصول على سلفه نقدية ببطاقة الائتمان الخاصة بي؟
[hal yamken -any al-ḥuṣool 'aala silfa na'qdiya be- beṭa-'qat al-etemaan al-khaṣa bee?] Can I get a cash advance with my credit card?
unemployment *n* [biṭˤa:la] بطالة
n [batˤa:la] بطالة
إعانة بطالة
[E'anat baṭalah] *n* dole
lining *n* [batˤa:na] بطانة
blanket *n* [batˤa:nijja] بطانية
بطانية كهربائية
[Baṭaneyah kahrobaeyah] *n* electric blanket
من فضلك أريد بطانية إضافية
[min faḍlak areed baṭa-nya eḍa-fiya] Please bring me an extra blanket
duck *n* [batˤˤa] بطة
penguin *n* [bitˤˤri:q] بطريق
champion *(competition)*, *n* [batˤal] بطل
hero *(novel)*
heroine *n* [batˤala] بطلة
stomach *n* [batˤn] بطن
سُرّة البطن
[Sorrat al-baṭn] belly button
coeliac *adj* [batˤnij] بطنيّ
championship *n* [butˤu:la] بطولة
slow *adj* [batˤi:ʔ] بطيء
watermelon *n* [batˤi:xa] بطيخة
v [baʕaθa] بعث
يبْعث ب
[Yab'ath be] *v* send
يبعث ب
[Tab'aath be] *v* send out
يبْعث رائحة
[Yab'ath raeḥah] *vi* smell
بعْثة *n* [biʕθa] expedition
after, *prep* ◁ after *conj* [baʕad] بعد
besides
بعْد ذلك
[Ba'ad dhalek] *adv* afterwards

بَعْدَما
[Ba'dama] *prep* after

بعد الميلاد
[Ba'ad al-meelad] *abbr* AD

فيما بعد
[Feema baad] *adv* later

بُعْد [buʕd] *n* dimension

عن بُعْد
['an bo'ad] *adv* remotely

بعض [baʕdˤu] *adj* few, some

أي يمكن أن أشتري بعض البطاقات البريدية؟
[ʔajji jumkinu ʔan ʔaʃtari: baʕdˤa albiʈˤa:qa:ti albari:dijjati] Where can I buy some postcards?

هناك بعض الأشخاص المصابين
[hunaka baʕaḍ al-ash-khaaṣ al-muṣabeen] There are some people injured

بعمق [biʕumqin] *adv* deeply

بعوضة [baʕu:dˤa] *n* mosquito

بعيد [baʕi:d] *adj* distant, far, out

المسافة ليست بعيدة
[al-masaafa laysat ba'aeeda] It's not far

هل المسافة بعيدة؟
[hal al-masafa ba'aeda?] Is it far?

بعيدا [baʕi:dan] *adv* off, away

بغبغاء [babbaɣaʔ] *n* budgerigar, budgie

بغض [buɣdˤ] *n* hatred

بغض [baɣadˤa] *v* hate

بَغْل [baɣl] *n* mule

بغيض [baɣi:dˤ] *adj* obnoxious

بفظاظة [bifazˤaːzˤatin] *adv* grossly

بفعالية [bifaʕaːlijjatin] *adv* effectively

بقاء [baqaːʔ] *n* survival

بقال [baqqaːl] *n* grocer

بقالة [baqaːla] *n* groceries

بقايا [baqaːjaː] *npl* remains

بقة [baqqa] *n* bug

بقدونس [baqdu:nis] *n* parsley

بقر [baqar] *n* cattle

راعى البقر
[Ra'aey al-ba'qar] *n* cowboy

بقرة [baqara] *n* cow

بُقسماط [buqsuma:tˤ] *n*

بقسماط مطحون
[Bo'qsomat maṭhoon] *n* breadcrumbs

بُقسماط [buqsuma:tˤin] *n* rusk

بقشيش [baqʃi:ʃan] *n* tip

يمنح بقشيشا
[Yamnah ba'qsheeshan] *vt* tip (reward)

هل من المعتاد إعطاء بقشيش؟
[hal min al-mu'a-taad e'aṭaa ba'q-sheesh?] Is it usual to give a tip?

بقع [buqaʕ] *n* stain

مزيل البقع
[Mozeel al-bo'qa,a] *n* stain remover

بُقْعَة [wasˤma] *n* spot (blemish)

بقى [baqa:] *v* remain

بُكاء [buka:ʔ] *n* cry

بكتريا [baktirja:] *npl* bacteria

قابل للتحلل بالبكتريا
['qabel lel-tahalol bel-bekteriya] *n* biodegradable

بكَرَة [bakara] *n* reel

بكسل [biksil] *n* pixel

بكَفاءة [bikafa:ʔatin] *adv* efficiently

بكين [biki:n] *n* Beijing

بلاتين [bla:ti:n] *n* platinum

بلاستيك [bla:sti:k] *n* plastic

بلاستيكي [bla:sti:kij] *adj* plastic

كيس بلاستيكي
[Kees belasteekey] *n* plastic bag

بلاط [bala:tˤ] *n*

بلاط القصر
[Balaṭ al-'qaṣr] *n* court

بلاك بيري® [bla:k bi:ri:] *n* BlackBerry®

بلايستيشن® [bla:jsiti:ʃn] *n* PlayStation®

بلجيكا [bilʒi:ka:] *n* Belgium

بلجيكي [bilʒi:kij] *adj* Belgian ◁ *n* Belgian

بلد [balad] *n* country, city, village

بَلَد نام
[Baladen namen] *n* developing country

ما هي أجرة التاكسي داخل البلد؟
[ma heya ejrat al-taxi dakhil al-balad?] How much is the taxi fare into town?

ما هي المسافة بيننا وبين وسط البلد؟

crystal n [billawr] بُلّور

blouse n [bluːza] بلوزة

oak n [balluːtˤ] بَلّوط

sweater n [buluːfar] بلوفر

n [bilja:rduː] بليياردو

لعبة البليياردو

[Lo'abat al-belyardo] n billiards

blazer n [blajzir] بليزر

coffee n [bunn] بن

حبوب البن

[Hobob al-bon] n coffee bean

building n [bina:ʔ] بناء

بناء على

[Benaa ala] adv accordingly

موقع البناء

[Maw'qe'a al-benaa] n building site

bricklayer, builder [banna:ʔ] بنّاء

constructive adj ◁

block (buildings) n [bina:ja] بِنَايَة

بِنَاية عالية

[Benayah 'aaleyah] n high-rise

lass n [bint] بَنْت

بَنْت الأخت

[Bent al-okht] n niece

successfully adv [bina3a:ħin] بنجاح

beetroot n [banʒar] بنجر

Bangladesh n [banʒla:diːʃ] بنجلاديش

adj [banʒla:diːʃij] بنجلاديشي

Bangladeshi

Bangladeshi n ◁

n [banʒuː] بنجو

لعبة البنجو

[Lo'abat al-benjo] n bingo

item n [bund] بَنْد

panda n [banda:] بَنْدا

gun, rifle n [bunduqijja] بندقية

بندقية رش

[Bonde'qyat rash] n shotgun

petrol n [binziːn] بنزين

خزان بنزين

[Khazan benzeen] n petrol tank

بنزين خالي من الرصاص

[Benzene khaly men al- raṣaṣ] n

unleaded petrol

محطة بنزين

[Mahaṭat benzene] n petrol station

[ma heya al-masafa bay-nana wa bayn waṣaṭ al-balad?] How far are we from the town centre?

town n [balda] بلدة

هل يوجد لديكم أي شيء يحمل طابع هذه البلدة؟

[hal yujad laday-kum ay shay yahmil ṭabi'a hadhy al-balda?] Have you anything typical of this town?

native adj [baladij] بلدي

axe n [baltˤa] بَلْطة

bully n [baltˤaʒij] بلطجي

gently adv [bilutˤfin] بلطف

swallow vt [balaʕa] بلع

v [balaɣa] بلغ

كم يبلغ سعر ذلك؟

[kam yablugh si'ar thalik?] How much does that come to?

كم يبلغ عمق المياه؟

[kam yablugh 'aom'q al-meah?] How deep is the water?

كم يبلغ ثمن تذكرة الذهاب فقط؟

[Kam yablogh thaman tadhkarat aldhehab fa'qaṭ?] How much is a single ticket?

كم يبلغ البقشيش الذي علي أن أدفعه؟

[Kam yablogh al-ba'qsheesh aladhey 'alay an adfa'aoh?] How much should I give as a tip?

كم يبلغ زمن العرض؟

[kam yablugh zamin al-'aard?] How long does the performance last?

كم يبلغ طولك؟

[kam yablugh ṭoolak?] How tall are you?

كم يبلغ وزنك؟

[kam yablugh waznak?] How much do you weigh?

reach v [balaɣa] بلّغ

Bulgarian adj [balɣa:riː] بلغاري

Bulgarian (person) n ◁

اللغة البلغارية

[Al-loghah al-balghareyah] (language) n Bulgarian

Bulgaria n [bulɣa:rja:] بلغاريا

Balkan adj [balqa:nij] بلقاني

drench v [balala] بَلل

[Bawabah motaharekah] n turnstile

by prep [biwa:sitˤati] **بواسطة**

powder n [bu:dra] **بودرة**

podcast n [bu:dka:st] **بودكاست**

n [bu:dal] **بودل**

كلب البودل
[Kalb al-boodel] n poodle

n [bu:di:nʒ] **بودينج**

حلوى البودينج
[Ḥalwa al-boodenj] n sweet

Buddha n [bu:ða:] **بوذا**

n ◁ Buddhist adj [bu:ðij] **بوذي**
Buddhist

Burma n [bu:rma:] **بورما**

n ◁ Burmese adj [bu:rmij] **بورمي**
Burmese (person)

اللغة البورمية
[Al-loghah al-bormeyah] (language) n
Burmese

Bosnian (person) n [bu:snij] **بوسني**

inch n [bawsˤa] **بوصة**

compass n [bawsˤala] **بوصلة**

clearly adv [biwudˤu:ħin] **بوضوح**

sideboard n [bu:fi:h] **بوفيه**

عربة البوفيه
['arabat al-boofeeh] n dining car

trumpet, cornet, horn n [bu:q] **بوق**

n [bu:kar] **بوكر**

لعبة البوكر
[Lo'abat al-bookar] n poker

urine n [bawl] **بُوْل**

Poland n [bu:landat] **بولندة**

n ◁ Polish adj [bu:landij] **بولندي**
Pole, Polish

Polynesian adj [bu:linisij] **بولنسي**

n [bu:li:sˤa] **بوليصة**

بوليصة تأمين
[Booleeṣat taameen] n insurance policy

n ◁ Bolivian adj [bu:li:fij] **بوليفي**
Bolivian

Bolivia n [bu:lijfja:] **بوليفيا**

Polynesia n [bu:li:nisja:] **بولينسيا**

Polynesian n [bu:li:ni:sij] **بولينيس**
(person)

اللغة البولينيسية
[Al- loghah al-bolenseyah] (language) n

penicillin n [binisili:n] **بنسلين**

trousers npl [bantˤalu:n] **بنطلون**

بنطلون صيق
[Banṭaloon ṣaye'q] npl leggings

بنطلون ضيق
[banṭaloon ḍaye'q] n tights

بنطلون قصير
[Banṭaloon 'qaṣeer] npl trunks

حمالات البنطلون
[Ḥammalaat al- banṭaloon] npl
suspenders

هل يمكن أن أجرب هذا البنطلون؟
[hal yamken an ajar-reb hadha
al-ban-taloon?] Can I try on these
trousers?

mauve adj [banafsaʒij] **بنفسجي**

bank (finance) n [bank] **بنك**

بنك تجاري
[Bank Tejarey] n merchant bank

موظف بنك
[mowaḍhaf bank] n banker

ما هي المسافة بينا وبين البنك؟
[Ma heya al-masafa bayna wa been
al-bank?] How far is the bank?

هل يوجد بنك هنا؟
[hal yujad bank huna?] Is there a bank
here?

adj [bankij] **بنكي**

حساب بنكي
[Hesab bankey] n bank account

كشف بنكي
[Kashf bankey] n bank statement

مصاريف بنكية
[Maṣareef Bankeyah] npl bank charges

Panama n [banama:] **بنما**

build vt [bana:] **بَنَي**

brown adj [bunnij] **بُنّي**

structure n [binja] **بِنْيَة**

بِنْيَة أساسية
[Benyah asaseyah] n infrastructure

delight, joy n [bahʒa] **بهجة**

quietly adv [bihudu:ʔin] **بهدوء**

jolly, merry adj [bahi:ʒ] **بهيج**

doorman n [bawwa:b] **بواب**

gate n [bawwa:ba] **بوابة**

بوابة متحركة

Polynesian

بومة [bu:ma] n owl

بيئة [bi:ʔit] n environment

صديق للبيئة
[Sadeek al-beeaah] adj environmentally friendly

علم البيئة
['aelm al-beeah] n ecology

البيئة المُحيطة
[Al- beeaah almoheeṭah] npl surroundings

بياض [bijaʔsin] adv desperately

بياضات [bajja:dˤa:tun] npl bedding

بياضات الأسرّة
[Bayaḍat al-aserah] n bed linen

بيان (بالأسباب) [baja:n] n account (report)

بيانات [baja:na:tun] npl data

بيانو [bija:nu:] n piano

لاعب البيانو
[La'aeb al-beyano] n pianist

بيئي [bi:ʔij] adj ecological, environmental

بيت [bajt] n house

أهل البيت
[Ahl al-bayt] n household

بيت من طابق واحد
[Bayt men ṭabe'q wahed] n bungalow

بيتزا [bi:tza:] n pizza

بيج [bi:ʒ] n beige

بيجامة [bi:ʒa:ma] n pyjamas

بيرة [bi:ra] n beer

مصنع البيرة
[maṣna'a al-beerah] n brewery

كأس آخر من البيرة
[kaas aakhar min al-beera] another beer

بيرو [bi:ru:] n Peru

بيرو ® [bi:ru:] n Biro®

بيروفي [bi:ru:fij] adj Peruvian ◁ n Peruvian

بيروقراطية [bi:ru:qra:tˤijjati] n bureaucracy

بيريه [bi:ri:h] n beret

بيسبول [bi:sbu:l] adj baseball

بيض [bajdˤ] n egg

بيض عيد الفصح
[Bayḍ 'aeed al-feṣh] n Easter egg

بيض مخفوق
[Bayḍ makhfou'q] n scrambled eggs

لا أستطيع تناول البيض النيئ
[la asta-ṭee'a ta-nawil al-bayḍ al-nee] I can't eat raw eggs

بيضة [bajdˤa] n egg

صفار البيض
[Ṣafar al-bayḍ] n egg yolk

بيضة مسلوقة
[Bayḍah maslo'qah] n boiled egg

بياض البيض
[Bayaḍ al-bayḍ] n egg white

كأس البيضة
[Kaas al-baydah] n eggcup

بيضوي [bajdˤawij] adj oval

بيع [bajʕ] n sale

الأكثر مبيعا
[Al-akthar mabe'aan] adj bestseller

بيع بالتجزئة
[Bay'a bel- tajzeaah] n retail

بيع بالجملة
[Bay'a bel-jomlah] n wholesale

طاولة بيع
[Ṭawelat bey'a] n counter

بِيع [beeʕa] v

أين تُباع التذاكر؟
[ayna tuba'a al-tadhaker?] Where can I get tickets?, Where do I buy a ticket?

بيكيني [bi:ki:ni:] n bikini

بيلاروسي [bi:la:ru:sij] n Belarussian, Belarussian (person)

اللغة البيلاروسية
[Al-loghah al-belaroseyah] (language) n Belarussian

بين [bajna] prep between

بينما [bajnama:] conj as

بينما [bajnama:] conj while, whereas, as

بينما [bajnama:] conj as

بيوتر [biju:tar] n

سبيكة البيوتر
[Sabeekat al-beyooter] n pewter

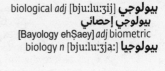

biological *adj* [bju:lu:ʒij] بيولوجي
بيولوجي إحصائي
[Bayology ehṢaey] *adj* biometric
biology *n* [bju:lu:ʒja:] بيولوجيا

تائه lost *adj* [ta:ʔih]
تابع following *n* [ta:biʕa]
شركة تابعة
[Sharekah tabe'ah] *n* subsidiary
تابوت coffin, box, case *n* [ta:bu:t]
تأثير impact *n* [taʔθi:r]
تاج crown *n* [ta:ʒ]
تاجر dealer *n* [ta:ʒir]
تاجر الأسماك
[Tajer al-asmak] *n* fishmonger
تاجر مخدرات
[Tajer mokhaddrat] *n* drug dealer
تأجير rental, lease *n* [taʔʒi:r]
تأجير سيارة
[Taajeer sayarah] *n* car rental
هل تقومون بتأجير أجهزة DVD
[Hal ta'qomoon betaajeer ajhezat DVD?]
Do you rent DVDs?
هل يمكن تأجير عربات للأطفال؟
[hal yamken ta-jeer 'aarabat lil-aṭfaal?]
Do you hire push-chairs?
تأجيل delay *n* [taʔʒi:l]
لقد تم تأجيل موعد الرحلة
[la'qad tum-a ta-jeel maw-'aid al-reḥla]
The flight has been delayed
تأخر delay *v* [taʔaxxara]
يتأخر في النوم في الصباح

تأكيد confirmation n [taʔkiːd]

[Yataakhar fee al-nawm fee al-ṣabah] v sleep in

بكل تأكيد
[Bekol taakeed] adv absolutely, definitely

هل تأخر القطار عن الموعد المحدد؟
[hal ta-akhar al-'qiṭaar 'aan al-maw'aid al-muḥadad?] Is the train running late?

تال next adv [taːlin]

تأخير delay n [taʔxiːr]

تألّف v [taʔallafa]

تأديب discipline n [taʔdiːb]

يَتَألّف من
[Yataalaf men] consist of

تأرجح rock v [taʔarʒaħa]

تالي further, next adj [taːliː]

تأرجُح swing n [taʔarʒuħ]

متى سنتوقف في المرة التالية؟
[mata sa-nata-wa'qaf fee al-murra al-taleya?] When do we stop next?

تاريخ date, history n [taːriːx]

تاريخ الانتهاء
[Tareekh al-entehaa] n expiry date

ما هو الموعد التالي للأتوبيس المتجه إلى....؟
[ma howa al-maw'aid al-taaly lel-baaṣ al-mutajeh ela...?] When is the next bus to...?

متعلق بما قبل التاريخ
[Mota'ale'q bema 'qabl al-tareekh] adj prehistoric

يُفضل استخدامه قبل التاريخ المُحدد
[Yofaḍḍal estekhdamoh 'qabl al-tareekh al-mohaddad] adj best-before date

ما هو موعد القطار التالي من فضلك؟
[ma howa maw-'aid al-'qeṭaar al-taaly min faḍlak?] The next available train, please

ما هو التاريخ؟
[ma howa al-tareekh?] What is the date?

تام perfect adj [taːmm]

تاريخي historical adj [taːriːxij]

تأمر plot (secret plan) v [taʔaːmara]

تاسع ninth n ◁ ninth adj [taːsiʕ]

تأمل speculate v [taʔammala]

تأشيرة visa n [taʔʃiːra]

تأمُّل meditation n [taʔammul]

لدي تأشيرة دخول
[la-daya ta-sherat dikhool] I have an entry visa

تأمين insurance n [taʔmiːn]

هذه هي التأشيرة
[hathy heya al-taa-sheera] Here is my visa

تأمين سيارة
[Taameen sayarah] n car insurance

تافه trivial, rubbish, adj [taːfih]

تأمين ضد الحوادث
[Taameen ḍed al-hawaadeth] n accident insurance

trifle n ◁ ridiculous, vain

تأمين على الحياة
[Taameen 'ala al-hayah] n life insurance

تاكسي taxi n [taːksiː]

تأمين السفر
[Taameen al-safar] n travel insurance

موقف سيارات تاكسي
[Maw'qaf sayarat taksy] n taxi rank

تأمين عن الطرف الثالث
[Tameen lada algheer] n third-party insurance

أنا في حاجة إلى تاكسي
[ana fee ḥaja ela taxi] I need a taxi

بوليصة تأمين
[Booleeṣat taameen] n insurance policy

أين يمكن استقلال التاكسي؟
[Ayn yomken este'qlal al-taksey?] Where can I get a taxi?

شهادة تأمين
[Shehadat taameen] n insurance certificate

لقد تركت حقائبي في التاكسي
[la'qad ta-rakto ḥa'qa-eby fee al-taxi] I left my bags in the taxi

أحتاج إلى إيصال لأجل التأمين
[aḥtaaj ela eṣaal leajl al-taameen] I need a receipt for the insurance

من فضلك احجز لي تاكسي
[min faḍlak iḥjiz lee taxi] Please order me a taxi

تفضل هذه هي بيانات التأمين الخاص بي
[Tafaḍal hadheh heya beyanaat altaameen alkhaṣ bee] Here are my insurance details

لدي تأمين صحي خاص
[la-daya ta-meen ṣiḥy khaṣ] I have private health insurance

ليس لدي تأمين في السفر
[laysa la-daya ta-meen lel-safar] I don't have travel insurance

هل ستدفع لك شركة التأمين مقابل ذلك
[hal sa-tadfaa laka share-kat al-tameen ma'qabil dhalik?] Will the insurance pay for it?

هل لديك تأمين؟
[hal ladyka ta-meen?] Do you have insurance?

تانزاني n ◁ Tanzanian adj [taːnzaːnij] Tanzanian

تَأنق dress up v [taʔannaqa]
تاهيتي Tahiti n [taːhiːtiː]
تايبست typist n [taːjbist]
تايلاند Thailand n [taːjlaːnd]
تايلاندي n ◁ Thai adj [taːjlaːndij] Thai (person)

اللغة التايلاندية
[Al-logha al-taylandeiah] (language) n Thai

تايوان Taiwan n [taːjwaːn]
تايواني n ◁ Taiwanese adj [taːjwaːnij] Taiwanese

تَبادل exchange v [tabaːdala]
تَباهى boast v [tabaːhaː]
تباين contrast n [tabaːjun]
تبديل change, substitute n [tabdiːl]

أين غرف تبديل الملابس؟
[ayna ghuraf tabdeel al-malabis?] Where are the clothes lockers?

تَبرّع donate v [tabarraʕa]
تبعيّات repercussions n [tabaʕijjaːt]
تبغ tobacco n [tibɣ]
تبن hay n [tibn]
تَبنّي adoption n [tabanniː]
تَبنّى adopt (يَقر) v [tabannaː]

---

figure out v [tabajjana] تَبيّن
track down v [tatabbaʕa] تَتبّع
yawn v [taθaːʔaba] تَثاءب
informative adj [taθqiːfij] تَثقيفي
experiment n [taʒaːrib] تَجارب

حقل للتجارب
[Ha'ql lel-tajareb] n guinea pig (for experiment)

trade n [tiʒaːra] تِجارة

تجارة الكترونية
[Tejarah elektroneyah] n e-commerce

commercial adj [tiʒaːrij] تجاري

إعلان تجاري
[E'alaan tejarey] n commercial

أعمال تجارية
[A'amaal tejareyah] n business

فاتورة تجارية
[Fatoorah tejareyah] n invoice

ما هو موعد إغلاق المحلات التجارية؟
[ma howa maw-'aid eghla'q al-mahalat al-tejar-iya?] What time do the shops close?

opposite adv [tiʒaha] تِجاه
ignore v [taʒaːhala] تَجاهل
pass (on road), v [taʒaːwaza] تَجاوز go past
تجديد n [taʒdiːd]

ممكن تجديده
[Momken tajdedoh] adj renewable

canoeing, rowing n [taʒdiːf] تجديف

أين يمكن أن أمارس رياضة التجديف بالقوارب الصغيرة؟
[ayna yamken an omares riyaḍat al-tajdeef bil- 'qawareb al-ṣaghera?] Where can we go canoeing?

أين يمكننا أن نذهب للتجديف؟
[?ajna jumkinuna: ?an naðhabu littaʒdiːf] Where can we go rowing?

experiment, try n [taʒriba] تجربة
تجربة إيضاحية
[Tajrebah eeḍaheyah] n demo

spying n [taʒassus] تجسس
spy vi [taʒasasa] تَجسس
burp vi [taʒaʃʃaʔa] تجشّأ
burp n [taʒaʃʃuʔ] تَجشّؤ
wrinkle n [taʒʕiːd] تجعيد

ماكينة تجعيد الشعر
[Makeenat taj'aeed sha'ar] n curler

tahaffodh] v speak up

challenge v [taħadda:ى] تحدى

تجفيف drying n [taʒfiːf]

specifically adv [taħdiːdan] تحديداً

تجفيف الشعر
[Tajfeef al-saha'ar] n blow-dry

warning n [taħðiːr] تحذير

لوحة تجفيف
[Lawhat tajfeef] n draining board

أضواء التحذير من الخطر
[Aḍwaa al-tahdheer men al-khaṭar] npl
hazard warning lights

هل يمكنك من فضلك تجفيفه؟
[hal yamken -aka min faḍlak taj-fefaho?]
Can you dye my hair, please?

liberal adj [taħarurij] تحرري

movement n [taħaruk] تحرك

هل يوجد مكان ما لتجفيف الملابس؟
[hal yujad makan ma le-tajfeef
al-malabis?] Is there somewhere to dry
clothes?

لا يمكنها التحرك
[la yam-kinuha al-taharuk] She can't
move

freezing n [taʒammud] تجمد

تحرّك v [taħarraka]

مانع للتجمد
[Mane'a lel-tajamod] n antifreeze

متى يتحرك أول ناقل للمتزلجين؟
[mata yata-ḥarak awal na'qil
lel-muta-zalijeen?] When does the first
chair-lift go?

freeze vi [taʒammada] تجمد

meeting n [taʒammuʕ] تجمع

shift vi [taħarraka] تحرك

متى يحين موعد التجمع؟
[mata yaḥeen maw'aid al-tajamu'a?]
When is mass?

يتحرك إلى الأمام
[Yatharak lel-amam] v move forward

n [taʒmiːl] تجميل

يتحرك للخلف
[Yatharak lel-khalf] v move back

جراحة تجميل
[Jerahat tajmeel] n plastic surgery

liberation n [taħriːr] تحرير

moving n [taħriːk] تحريك

مستحضرات التجميل
[Mostahdraat al-tajmeel] n make-up

هل يمكنك تحريك سيارتك من فضلك؟
[hal yamken -aka taḥreek saya-ratuka
min faḍlak?] Could you move your car,
please?

cosmetic adj [taʒmiːlij] تجميلي

مادة تجميلية تبرز الملامح
[Madah tajmeeleyah tobrez al-malameh]
n highlighter

تحسّن v [taħassana]

avoid v [taʒanabba] تجنب

أتمنى أن تتحسن حالة الجو
[ata-mana an tata-ḥasan ḥalat al-jaw] I
hope the weather improves

wander, tour v [taʒawwala] تجول

stroll n [taʒawwul] تجوّل

advance n [taħassun] تَحَسُّن

sinus n [taʒwiːf] تجويف

improvement n [taħsiːn] تحسين

alliance n [taħaːluf] تَحالُف

wreck, crash v [taħatˤtˤama] تَحَطُّم

below prep ◁ below adv [taħta] تحت

wreck n [taħatˤum] تَحَطُّم

lower adj [taħtij] تحتي

reservation n [taħafuzˤin] تَحَفُّظ

سروال تحتي
[Serwaal taḥtey] n underpants

motivation n [taħfiːz] تحفيز

challenge n [taħaddin] تحدّ

investigation n [taħqiːqu] تحقيق

talk vi [taħaddaθa] تحدث

control n [taħakkum] تحكم

يتحدث إلى
[yataḥdath ela] v talk to

التحكم عن بعد
[Al-taḥakom an bo'ad] n remote control

وحدة التحكم في ألعاب الفيديو
[Wehdat al-tahakom fee al'aab
al-vedyoo] n games console

يتحدث بحرية وبدون تحفظ
[yathadath be-ḥorreyah wa-bedon

لقد تعطلت مفاتيح التحكم عن العمل

هل هناك تخفيض للأشخاص المعاقين؟
[hal hunaka takhfeeḍ lel-ash-khaṣ al-mu'aa-'qeen?] Is there a reduction for disabled people?

هل يوجد أي تخفيضات لطلبة؟
[hal yujad ay takhfeeḍ-aat lel-ṭalaba?] Are there any reductions for students?

هل يوجد أي تخفيضات للأطفال؟
[hal yujad ay takhfeeḍ-aat lil-aṭfaal?] Are there any reductions for children?

relief n [taxfi:f] **تخفيف**

لا أريد أخذ حقنة لتخفيف الألم
[la areed akhith ḥu'qna li-takhfeef al-alam] I don't want an injection for the pain

n [taxallusˤ] **تخلص**

ممكن التخلص منه
[Momken al-takhalos menh] adj disposable

throw away v [taxallasˤa] **تَخَلَّص**
lag behind v [taxallafa] **تخلف**
v [taxallafa] **تخلف**

لقد تخلفت عنه
[la'qad takha-lafto 'aanho] I've been left behind

v [taxalla:] **تخلى**
[Yatkhala an] v let down **يتخلى عن**
[Yatkhala 'an] v part with **يَتَخَلَّى عن**
frontier n [tuxm] **تخم**
guess n [taxmi:n] **تخمين**
select v [taxajjara] **تخير**
imagine, fancy v [taxajjala] **تَخَيَّل**
imaginary adj [taxajjulij] **تَخَيُّلي**
go in v [tadaxxala] **تدخل**
smoking n [tadxi:n] **تدخين**

التدخين
[Al-tadkheen] n smoking

أريد غرفة مسموح فيها بالتدخين
[areed ghurfa masmooḥ feeha bil-tadkheen] I'd like a smoking room

n [tadruʒ] **تدرج**

طائر التدرج
[Ṭaear al-tadraj] n pheasant

training n [tadri:b] **تدريب**

[la'qad ta-'aaṭalat mafa-teeḥ al-taḥa-kum 'aan al-'aamal] The controls have jammed

v [taḥakkama] **تحكم**
[Yataḥkam be] v overrule **يتحكم ب**
arbitration n [taḥki:m] **تحكيم**
sweet n [taḥlija] **تحلية**
n [taḥli:q] **تحليق**

التحليق في الجو
[Al-taḥlee'q fee al-jaw] n gliding

analysis n [taḥli:l] **تحليل**
undergo v [taḥammala] **تحمل**
download n [taḥmi:l] **تحميل**
diversion n [taḥawwul] **تحول**

تحول في المظهر
[taḥawol fee almaḍhhar] n makeover

convert v [taḥawwala] **تحوّل**
transfer n [taḥwi:l] **تحويل**

قابل للتحويل
['qabel lel-taḥweel] adj convertible

كم يستغرق التحويل؟
[kam yasta-ghri'q al-taḥweel?] How long will it take to transfer?

greeting n [taḥijja] **تحية**
squabble v [taxa:sˤama] **تَخَاصم**
graduation n [taxarruʒ] **تخرج**
vandalism n [taxri:b] **تخريب**
destructive adj [taxri:bij] **تخريبي**

عمل تخريبي
['amal takhreeby] n sabotage

specialize v [taxasˤsˤasˤa] **تَخَصَّص**
speciality n [taxasˤusˤsˤ] **تَخَصُّص**
skip vt [taxatˤtˤa:] **تخطى**
planning n [taxtˤi:tˤ] **تخطيط**

تخطيط المدينة
[Takhṭeeṭ almadeenah] n town planning

تخطيط بياني
[Takhṭeeṭ bayany] n graph

reduction n [taxfi:dˤ] **تخفيض**

تخفيض الانتاج
[Takhfeeḍ al-entaj] n cutback

تخفيض قيمة العملة
[Takhfeeḍ 'qeemat al'aomlah] n devaluation

تدريجي gradual adj [tadri:ʒij]
تدريس teaching n [tadri:s]
هل تقومون بالتدريس؟
[hal ta'qo-moon bil-tadrees?] Do you give lessons?

تدريم n [tadri:m]
تدريم الأظافر
[Tadreem al-aḍhaafe] n manicure
تدفئة heating n [tadfiʔa]
تدفئة مركزية
[Tadfeah markazeyah] n central heating
إن نظام التدفئة لا يعمل
[enna neḍham al-tad-fe-a la ya'amal] The heating doesn't work

تدفق current (flow) n [tadaffuq]
تدفق flow v [tadaffaqa]
تدليك massage n [tadli:k]
تدمير destruction n [tadmi:r]
تدوير cycling n [tadwi:ru]
تذكار souvenir n [tiðka:r]
تذكّر remember v [taðakkara]
تذكرة ticket, pass n [taðkira]
تذكرة إلكترونية
[Tadhkarah elektroneyah] n e-ticket
تذكرة إياب
[tadhkarat eyab] n return ticket
تذكرة أوتوبيس
[tadhkarat otobees] n bus ticket
تذكرة الركن
[tadhkarat al-rokn] n parking ticket
تذكرة انتظار
[tadhkarat enteḍhar] n stand-by ticket
تذكرة ذهاب
[tadhkarat dhehab] n single ticket
تذكرة ذهاب وعودة في نفس اليوم
[tadhkarat dhehab we-'awdah fee nafs al-yawm] n day return
تذكرة فردية
[tadhkarat fardeyah] n single ticket
شباك التذاكر
[Shobak al-taḍhaker] n box office
ماكينة التذاكر
[Makenat al-taḍhaker] n ticket machine
تذكرة طفل
[tadhkerat ṭifil] a child's ticket

كم يبلغ ثمن تذكرة الذهاب والعودة؟
[Kam yablogh thaman tadhkarat al-dhab wal-'awdah?] How much is a return ticket?
لقد ضاعت تذكرتي
[la'qad ḍa'aat taḍhkeraty] I've lost my ticket
ما هو ثمن تذكرة التزلج؟
[ma howa thaman tathkarat al-tazal-oj?] How much is a ski pass?
من أين يمكن شراء تذكرة الأتوبيس؟
[Men ayen yomken sheraa tadhkarat al otoobees?] Where can I buy a bus card?
هل يمكن أن أشتري التذاكر هنا؟
[hal yamkn an ashtary al-tadhaker huna?] Can I buy the tickets here?

تذوّق taste v [taðawwaqa]
تراجع عن back out v [tara:ʒaʕa ʕan]
ترام tram n [tra:m]
ترانزستور transistor n [tra:nzistu:r]
تراوح range v [tara:waħa]
تربة soil n [turba]
تربوي educational adj [tarbawij]
تربية upbringing n [tarbija]
ترتيب arrangement n [tarti:b]
على الترتيب
[Ala altarteeb] adv respectively
ترجم translate v [tarʒama]
هل يمكن أن تترجم لي من فضلك؟
[hal yamken an tutar-jim lee min faḍlak?] Could you act as an interpreter for us, please?

ترجمة translation n [tarʒama]
ترحيب welcome n [tarħi:b]
تردد frequency n [taraddud]
تردد hesitate v [taraddada]
ترشيح nomination n [tarʃi:ħ]
جهاز ترشيح
[Jehaz tarsheeh] n filter
ترفيه n [tarfi:h]
هل يوجد ملهي للترفيه هنا؟
[hal yujad mula-hee lel-tarfeeh huna?] Is there a play park near here?
ترقوة collarbone n [turquwa]
ترك leave v [taraka]
أين يمكن أن أترك متعلقاتي الثمينة؟

[ayna yamken an noa-jer mo'aedat al-tazal-oj?] Where can I hire skiing equipment?

أين يمكن أن نذهب للتزلج على الجليد؟
[ayna yamken an nadhhab lel-tazaluj 'ala al-jaleed?] Where can we go ice-skating?

ما هي أسهل ممرات التزلج؟
[ma heya as-hal mama-raat al-tazal-oj?] Which are the easiest runs?

من أين يمكن أن نشتري تذاكر التزلج؟
[min ayna yamken an nash-tary tadhaker al-tazal-oj?] Where can I buy a ski pass?

تزلج skate v [tazallaʒa]

أين يمكن أن نتزلج على عربات التزلج؟
[ayna yamken an natazalaj 'ala 'aarabat al-tazal-oj?] Where can we go sledging?

تزلّج skiing n [tazzaluʒ]

تزلّق tobogganing n [tazaluq]

تزوّج marry v [tazawwaʒa]

يتزوّج ثانية
[Yatazawaj thaneyah] v remarry

تزوير forgery n [tazwiːr]

تزيين n [tazjiːnu]

تزيين الحلوى
[Tazyeen al-ḥalwa] n icing

تساؤل query n [tasaːʔul]

تسابق race vi [tasaːbaqa]

تسجّل v [tasaʒʒala]

يتسجّل في فندق
[Yatasajal fee fondo'q] v check in

تسجيل registration n [tasʒiːlu]

عملية التسجيل
['amalyat al-tasjeel] n recording

جهاز التسجيل
[Jehaz al-tasjeel] n recorder (music)

التسجيل في فندق
[Al-tasjeel fee fondo'q] n check-in

ماكينة تسجيل الكاش
[Makenat tasjeel al-kaash] n till

مكتب التسجيل
[Maktab al-tasjeel] n registry office

تسخين heating n [tasxiːn]

تسرّب leak n [tasarrub]

تسريح n [tasriːħ]

[ayna yamken an atruk muta-'ala'qaty al-thameena?] Where can I leave my valuables?

تركّز focus v [tarakkaza]

تركي Turkish adj [turkij]

تركيا: Turkey n [turkija:]

تركيب composition, n [tarki:b] instalment

تركيز concentration n [tarki:z]

ترمومتر n [tirmu:mitir] thermometer

ترنّم hum v [tarannama]

ترنيمة hymn n [tarni:ma]

ترويج promotion n [tarwi:ʒ]

ترياق antidote n [tirja:q]

تزامن coincidence n [taza:mana]

تزامن coincide v [taza:mana]

تزحلق sledging, n [tazaħluq] skating, rolling, sliding

ممر التزحلق
[Mamar al-tazahlo'q] n ski pass

تزلّج على العجل
[Tazaloj 'ala al-'ajal] n rollerskating

تزلّج على الجليد
[Tazaloj 'ala al-jaleed] n ice-skating

تزلّج على اللوح
[Tazaloj 'ala al-looh] n skateboarding

تزلّج على المياه
[Tazaloj 'ala al-meyah] n water-skiing

تزلّج شراعي
[Tazaloj shera'aey] n windsurfing

حلبة تزلّج
[Halabat tazaloj] n skating rink

أين يمكنك ممارسة رياضة التزحلق على الماء؟
[ayna yamken-ak muma-rasat riyaḍat al-tazaḥlu'q 'ala al-maa?] Where can you go water-skiing?

تزعّم lead vt [tzaʕʕama]

تزلّج n [tazaluʒ]

لوح التزلج
[Lawh al-tazalloj] n skateboard

أريد إيجار عصي تزلج
[areed e-jar 'aoṣy tazaluj] I want to hire ski poles

أين يمكن أن نؤجر معدات التزلج؟

هل تبيع مستحضرات لتسريح الشعر؟
[hal tabee'a musta-ḥḍaraat le-tasreeḥ al-sha'air?] Do you sell styling products?

تسريحة hairstyle n [tasri:ħa]

أريد تسريحة جديدة تمامًا
[areed tas-reeḥa jadeeda ta-maman] I want a completely new style

هذه التسريحة من فضلك
[hathy al-tasreeḥa min faḍlak] This style, please

تسريع acceleration n [tasri:ʕa]
تسعة nine number [tisʕatun]
تسعة عشر number [tisʕata ʕaʃara] nineteen
تسعين ninety number [tisʕi:nun]
تسلسل sequence n [tasalsul]
تسلق climbing n [tasalluq]

تسلق الصخور
[Tasalo'q alṣokhoor] n rock climbing

تسلق الجبال
[Tasalo'q al-jebal] n mountaineering

أود أن أذهب للتسلق؟
[awid an adhhab lel tasalo'q] I'd like to go climbing

تسلق climb v [tasallaqa]
تسلل hack (كمبيوتر) v [tasallala]
تسلية pastime n [taslija]
تسليم delivery n [tasli:m]
تسمانيا Tasmania n [tasma:nja:]
تسمم poisoning n [tasammum]

تسمم الدم
[Tasamom al-dam] n blood poisoning

التسمم الغذائي
[Al-tasmom al-ghedhaaey] n food poisoning

تسهيل n [tashi:l]

ما هي التسهيلات التي تقدمها للمعاقين؟
[ma heya al-tas-heelaat al-laty tu'qadem-ha lel-mu'aa'qeen?] What facilities do you have for disabled people?

تسوق shopping n [tasawwuq]

ترولي التسوق
[Trolley altasaw'q] n shopping trolley

تسونامي tsunami n [tsu:na:mi:]
تسوية compromise n [taswija]
تسويق marketing n [taswi:qu]
تشابه similarity n [taʃa:buh]
تشاجر scrap, fall out v [taʃa:ʒara]

يتشاجر مع
[Yatashajar ma'a] v row

تشاد Chad n [tʃa:d]
تشبث hug n [taʃabbuθ]
تشجيع encouragement n [taʃʒi:ʕ]
تشخيص diagnosis n [taʃxi:sˤ]
تشريع legislation n [taʃri:ʕ]
تشغيل working, n [taʃɣi:l] functioning

إعادة تشغيل
[E'aadat tashgheel] n replay

لا يمكنني تشغيله
[la yam-kinuni tash-gheloho] I can't turn the heating on

لن أقوم بتشغيله
[Lan a'qoom betashgheeloh] It won't turn on

تشوش muddle, mix-up n [taʃawwuʃ]
تشويق suspense, thriller n [taʃwi:q]
تشيكي Czech adj [tʃi:kij]

اللغة التشيكية
[Al-loghah al-teshekeyah] (language) n Czech

شخص تشيكي
[Shakhṣ tesheekey] (person) n Czech

تشيلي Chilean adj [tʃi:lij]

دولة تشيلي
[Dawlat tesheeley] n Chile

مواطن تشيلي
[Mowaṭen tsheeley] n Chilean

تصادف v [tasˤa:dafa]

يتصادف مع
[Yataṣaadaf ma'a] v bump into

تصادم collision n [tasˤa:dum]
تصادم collide v [tasˤa:dama]
تصحيح correction n [tasˤħi:ħ]
تصديق n [tasˤdi:q]

غير قابل للتصديق
[Ghayr 'qabel leltaṣdee'q] adj fabulous

تَصَرف behave v [tasˤarrafa]
تصريح permission, permit [tasˤri:ħ]

تصريح عمل
[Taṣreeh 'amal] n work permit

تصريح خروج
[Taṣreeh khoroj] n Passover

تصريح الركوب
[Taṣreeh al-rokob] n boarding pass

هل أنت في احتياج إلى تصريح بالصيد؟
[hal anta fee iḥti-yaj ela taṣreeh
bil-ṣayd?] Do you need a fishing
permit?

هل يوجد أي تخفيضات مع هذا
التصريح؟
[hal yujad ay takhfeeḍ-aat ma'aa hadha
al-taṣ-reeh?] Is there a reduction with
this pass?

تصريف n [tasˤriːf]

أنبوب التصريف
[Anboob altaṣreef] n drainpipe

تصريف الأفعال
[Taṣreef al-afaal] n conjugation

تصّفح browse vt [tassˤaffaħa]

يتصّفح الانترنت
[Yataṣafaħ al-enternet] v surf

تصفيف alignment n [tasˤfiːf]

تصفيف الشعر
[taṣfeef al-sha'ar] n hairstyle

تصفيق applause n [tasˤfiːq]

تصليح repair n [tasˤliːħ]

عدة التصليح
['aodat altaṣleeh] n repair kit

أين يمكنني تصليح هذه الحقيبة؟
[ayna yamken-any taṣleeh hadhe
al-ḥa'qeba?] Where can I get this
repaired?

كم تكلفة التصليح؟
[kam taklifat al-taṣleeh?] How much
will the repairs cost?

هل تستحق أن يتم تصليحها؟
[hal tasta-ḥi'q an yatum taṣle-ḥaha?] Is
it worth repairing?

هل يمكن تصليح ساعتي؟
[hal yamken taṣleeh sa'aaty?] Can you
repair my watch?

تصميم design, n [tasˤmiːm]
resolution

تصنيف assortment n [tasˤniːf]

visualize v [tasˤawwara] تصور
vote n [tasˤwiːt] تصويت
drawing, n [tasˤwiːr] تصوير
photography

التصوير الفوتوغرافي
[Al-taṣweer al-fotoghrafey] n
photography

ماكينة تصوير
[Makenat taṣweer] n photocopier

أين يوجد أقرب محل لبيع معدات
التصوير الفوتوغرافي؟
[Ayn yoojad a'qrab mahal lebay'a
mo'aedat al-taṣweer al-fotoghrafey]
Where is the nearest place to buy
photography equipment?

هل يمكنني القيام بالتصوير السينمائي
هنا؟
[hal yamken -any al-'qeyaam
bil-taṣ-weer al-sena-maiy huna?] Can I
film here?

inflation n [tadˤaxxum] تضخّم
include v [tadˤammana] تضمّن
extremism n [tatˤarruf] تطرف
embroidery n [tatˤriːz] تطريز
vaccination n [tatˤʕiːm] تطعيم

أنا أحتاج إلى تطعيم
[ana ahtaaj ela ṭaṭ-'aeem] I need a
vaccination

require v [tatˤallaba] تطلّب
development n [tatˤawwur] تطور
develop vi [tatˤawwara] تطور
volunteer v [tatˤawwaʕa] تطوع
pretend v [tazˤaːhara] تظاهر
v [taʕaːdala] تعادل

يتعادل مع
[Yata'aaadal ma'a] v tie (equal with)
disagree v [taʕaːradˤa] تعارض
sympathy n [taʕaːtˤuf] تعاطف
sympathize v [taʕaːtˤafa] تعاطف
cooperation n [taʕaːwun] تعاون
collaborate v [taʕaːwana] تعاون
exhaustion n [taʕib] تعب

تعب بعد السفر بالطائرة
[Ta'aeb ba'ad al-safar bel-ṭaerah] n
jetlag

أشعر بالتعب

[ash-'aur bil-ta'aab] I'm tired

تعبئة [taʕbiʔit] packaging n

تعبير [taʕbiːr] expression n

تعتيم [taʕtiːm] blackout n

تعثّر [taʕaθθara] v trip, stumble

تعجّب [taʕaʒʒaba] v wonder

تعديل [taʕdiːl] modification n

تعدين [taʕdiːn] mining n

تعذيب [taʕðiːb] torture n

تعرّض [taʕarrad'a] v

لقد تعرضت حقائبي للضرر
[la'qad ta-'aaraḍat ḥa'qa-eby lel-ḍarar]
My luggage has been damaged

تعرّف [taʕarrafa] v

يَتَعَرَّف على
[Yata'araf 'ala] v recognize

تَعَرُّق [taʕarruq] perspiration n

تعرّي [taʕarriː] adj

راقصة تعري
[Ra'qeṣat ta'arey] n stripper

تعريف [taʕriːf] n definition,
description

تعريف الهوية
[Ta'areef al-haweyah] n identification

تعريفة [taʕriːfa] tariff, notice n

تعشيقة [taʕʃiːqa] gear (mechanism) n

تعطل [taʕat'at'ala] break down v

لقد تعطلت سيارتي
[la'qad ta-'aaṭalat sayaraty] My car has
broken down

ماذا أفعل إلى تعطلت السيارة؟
[madha af'aal edha ta'aa-ṭalat
al-sayara?] What do I do if I break
down?

تَعطّل [taʕat'ʕul] breakdown n

تعفّن [taʕaffana] decay, rot v

تعقّل [taʕaqqul] discretion n

تعقيد [taʕqiːd] complication n

تعلّق [taʕallaqa] v

فيما يتعلق بـ
[Feema yat'ala'q be] adj moving

تعلّم [taʕallama] learn v

تعليق [taʕliːq] caption, n
commentary, suspension

تعليم [taʕliːm] teaching, n
education, tuition

تعليم عالى
[Ta'aleem 'aaly] n higher education

تعليم الكبار
[Ta'aleem al-kebar] n adult education

نظام التعليم الإضافي
[neḍham al-ta'aleem al-eḍafey] n higher
education (lower-level)

تعليمات [taʕliːmaːtun] npl
instructions

تعليمي [taʕliːmijjat] educational adj

منحة تعليمية
[Menḥah ta'aleemeyah] n scholarship

تعميد [tʕmiːd] n

حفلة التعميد
[Ḥaflat alt'ameed] n christening

تعويض [taʕwiːd'] compensation n

تعيس [taʕiːs] miserable, adj
unhappy

تغذية [taɣðija] nutrition n

سوء التغذية
[Sooa al taghdheyah] n malnutrition

تغطية [taɣt'ija] coverage n

تغطية الكيك
[taghṭeyat al-keek] n frosting

تغلّب [taɣallaba] v

يَتَغلب على
[Yatghalab 'ala] v get over

يَتَغلّب على
[Yatghalab 'ala] v overcome

يَتَغْلب على
[Yatghalab 'ala] v cope

تغيّب [taɣajjaba] play truant v

تغيّر [taɣajjur] shift, change n

تغير المناخ
[Taghyeer almonakh] n climate change

تغيّر [taɣajjara] change vi

تغيير [taɣjiːr] change n

قابل للتغيير
['qabel lel-tagheyer] adj changeable,
variable

أريد تغيير تذكرتي
[areed taghyeer tadhkeraty] I want to
change my ticket

أين يمكنني تغيير ملابس الرضيع؟
[ayna yamken-any taghyeer ma-labis
al-raḍee'a?] Where can I change the

[Mata sanata'qabal] Where shall we meet?

تقاطع junction, way out n [taqa:tʕuʕ]

اتجه نحو اليمين عند التقاطع الثاني
[Etajeh naḥw al-yameen] Go right at the next junction

السيارة بالقرب من التقاطع رقم...
[al-sayara bil-'qurb min al-ta'qa-ṭu'a ra'qim...] The car is near junction number...

ما هو التقاطع الذي يوصل إلى....؟
[ma howa al-ta'qa-ṭu'a al-lathy yo-waṣil ela...?] Which junction is it for...?

تقاعد retirement n [taqa:ʕud]
تقاعد v [taqa:ʕada]

لقد تقاعدت عن العمل
[Le'qad ta'qa'adt 'an al-'amal] I'm retired

تقاعد retire v [taqa:ʕada]
تقدم progress n [taqaddum]
تقدم advance v [taqadama]
تقدير estimate n [taqdi:r]
تقديم presentation n [taqdi:m]

تقديم الهدايا
[Ta'qdeem al-hadayah] n prize-giving

تقريبا approximately, adv [taqri:ban] almost

تقريبي approximate adj [taqri:bij]
تقرير report n [taqri:r]

تقرير مدرسي
[Ta'qreer madrasey] n report card

تقسيم division n [taqsi:m]
تقشير peeling n [taqʃi:r]

جهاز تقشير البطاطس
[Jehaz ta'qsheer al-baṭaṭes] n potato peeler

تقطير filtration, n [taqtˤi:r] distillation

معمل التقطير
[Ma'amal alta'qteer] n distillery

تقلص contraction n [taqalunsˤ]

تقلص عضلي
[Ta'qaloṣ 'aḍaley] n spasm

تقلص shrink v [taqalasˤa]
تقليد tradition n [taqli:d]
تقليدي conventional, adj [taqli:dij] traditional

baby?

هل من المتوقع أن يحدث تغيير في حالة الجو
[Hal men al-motwa'qa-a an yahdoth tagheer fee ḥalat al-jaw] Is the weather going to change?

تفاؤل optimism n [tafa:ʔul]
تفاح apple n [tuffa:ħ]

عصير تفاح
['aaṣeer tofaħ] n cider

فطيرة التفاح
[Faṭeerat al-tofaah] n apple pie

تفاحة apple n [tuffa:ħa]
تفادى flee v [tafa:da:]
تفاعل react v [tafaaʕala]
تفاعل reaction n [tafa:ʕul]
تفاهم n [tafa:hum]

هناك سوء تفاهم
[hunaka so-i tafa-hum] There's been a misunderstanding

تفاوض negotiate v [tafa:wadˤa]
تفتيش n [tafti:ʃ]

غرفة تفتيش
[Ghorfat tafteesh] n septic tank

تفجير bombing n [tafʒi:r]
تفحص (يستجوب) v [tafaħħasˤa] examine

تفريغ unpacking n [tafri:ɣ]

يجب على تفريغ الحقائب
[yajib 'aala-ya taf-reegh al-ḥa'qaeb] I have to unpack

تفصيل detail n [tafsˤi:l]
تفضيل preference n [tafdˤi:l]
تفقد v [tafaqqada]

أين يمكن أن أتفقد حقائبي؟
[ayna yamken e-da'a ḥa'qa-eby?] Where do I check in my luggage?

تفقد review, inspection n [tafaqqud]
تفقد الحضور
[Tafa'qod al-ḥoḍor] n roll call

تفكير thought n [tafki:r]

مستغرق في التفكير
[Mostaghre'q fee al-tafkeer] adj thoughtful

تقابل v [taqa:bala]
متى سنتقابل

غير تقليدي
[Gheer ta'qleedey] adj unconventional

تقليل [taqli:l] reduction n

تقني [tiqnij] adj technical

◄ techie n

تقنية [tiqnija] mechanism n

تقويم [taqwi:m] calendar n

تقيأ [taqajjaʔa] vomit v

تكاسل [taka:sala] skive v

تكبير [takbi:r] enlargement n

تكتك [taktaka] tick v

تكتيكات [takti:ka:tun] tactics npl

تكثيف [takθi:f] condensation n

تكدس [takaddus] pile-up n

تكرار [tikra:r] repeat n

تكراري [tikra:rij] repetitive adj

تكريس [takri:s] dedication n

تكلفة [taklufa] cost n

تكلفة المعيشة
[Taklefat al-ma'aeeshah] n cost of living

كم تبلغ تكلفة المكالمة التليفونية إلى...؟
[kam tablugh taklifat al-mukalama al-talefoniya ela...?] How much is it to telephone...?

كم تبلغ تكلفة ذلك؟
[kam tablugh taklifat dhalik?] How much does that cost?

هل يشمل ذلك تكلفة الكهرباء؟
[hal yash-mil dhalik tak-lifat al-kah-rabaa?] Is the cost of electricity included?

تكلم [takallum] speech n

عسر التكلم
['aosr al-takalom] n dyslexia

تكلم [takalama] speak v

تكنولوجي [tiknu:lu:ʒij] adj technological

تكنولوجيا [tiknu:lu:ʒja:] n technology

تكيّف [takajjafa] adapt v

تكييف [takji:fu] regulation, n adjusting

تكييف الهواء
[Takyeef al-hawaa] n air conditioning

هل هناك تكييف هواء بالغرفة

[hal hunaka takyeef hawaa bil-ghurfa?] Does the room have air conditioning?

تل [tall] n hill

تلاءم [tala:ʔama] v

يتلاءم مع
[Yatalaam ma'a] v fit in

تلخبط [talaxbat'a] v mess about

تلعثم [talaʕθama] stammer v

تلغراف [tiliɣra:f] telegram n

أريد إرسال تلغراف
[areed ersaal tal-ghraaf] I want to send a telegram

هل يمكن إرسال تلغراف من هنا؟
[hal yamken ersaal tal-ghraf min huna?] Can I send a telegram from here?

تلفاز [tilfa:z] n television, TV

أين أجد جهاز التلفاز؟
[ayna ajid jehaz al-tilfaz?] Where is the television?

تلفزيون [tilifiziju:n] n television

تلفزيون الواقع
[Telefezyon al-wa'qe'a] n reality TV

وَصُلة تلفزيونية
[Wṣlah telefezyoneyah] n cable television

هل يوجد قاعة لمشاهدة التلفزيون؟
[hal yujad 'qa.aa le-musha-hadat al-tali-fizyon?] Is there a television lounge?

تلفزيوني [tilifizju:nij] adj

دائرة تلفزيونية مغلقة
[Daerah telefezyoneyah moghla'qa] n CCTV

تلَقَّف [talaqqafa] grab v

تلقى [talaqqa:] v

يتلقى حملا
[Yatala'qa ħemlan] v load

تلقيح [talqi:ħ] vaccination n

تلمّس [talammasa] v

يتلمّس طريقه في الظلام
[Yatalamas ṭaree'qah fee al-dhalam] v grope

تلميح [talmi:ħ] hint n

تلميذ، تلميذة [tilmi:ðun, tilmi:ða، ntilmi:ða]
pupil, schoolboy, schoolgirl

[altamtheel al-ṣamet] n pantomime

تمريض n [tamri:dˤ]

دار التمريض
[Dar al-tamreed] n nursing home

تمرين n [tamri:n] exercise

تمرين الضغط
[Tamreen al- Daght] n push-up

تَمزّق v [tamzzaqa] tear up

تَمْزيق [tamzi:q] tear (split) n

تمساح [timsa:ħ] crocodile n

تمساح أمريكي
[Temsaah amreekey] n alligator

تمساح نهري أسيوي
[Temsaah nahrey asyawey] n mugger

تمنّى [tamanna:] wish v

تمويج n [tamwi:ʒu]

تمويج الشعر
[Tamweej al-sha'ar] n perm

تمويل [tamwi:l] finance n

تمَيز [tamajjaza] stand out v

تمييز [tamji:z] discrimination n

تمييز عنصري
[Tamyeez 'aonory] n racism

ممكن تمييزه
[Momken tamyezoh] adj recognizable

تنازل [tana:zul] waiver, surrender, n
fight

أريد عمل الترتيبات الخاصة بالتنازل عن
تعويض التصادم
[areed 'aamal al-tar-tebaat al-khaṣa
bil-tanazul 'aan ta'aweeḍ al-ta-ṣadum]
I'd like to arrange a collision damage
waiver

تنازل [tana:zala] v

يَتنازل عن
[Tetnazel 'an] v waive

تناسل [tana:sala] breed v

تنافس [tana:fus] rivalry n

تنافس [tana:fasa] compete v

تنافسي [tana:fusij] competitive adj

تناقض [tana:qudˤ] contradiction n

تناوب [tana:wub] relay n

تناول [tana:wul] taking, having n

أحب تناوله بدون...من فضلك
[aḥib tana-wilaho be-doon... min faḍlak]
I'd like it without..., please

تلميذ داخلي
[telmeedh dakhely] n boarder

تلميذة [tilmi:ða] schoolgirl n

تلوث [talawwuθ] pollution n

تلوين [talwi:n] colouring n

تليسكوب [tili:sku:b] telescope n

تليفريك [tili:fri:k] chairlift n

تليفزيون [tili:fizju:n] TV n

تليفزيون رقمي
[telefezyoon ra'qamey] n digital
television

تليفزيون بلازما
[Telefezyoon ra'qamey] n plasma TV

تليفزيون ملون
[Telefezyon molawan] n colour
television

شاشة تليفزيون
[Shashat telefezyoon] n screen

هل يوجد تليفزيون بالغرفة
[hal yujad tali-fizyon bil-ghurfa?] Does
the room have a TV?

تليفون [tili:fu:n] telephone n

رقم التليفون
[Ra'qm al-telefone] n phone number

تليفون المدخل
[Telefoon al-madkhal] n entry phone

تليفون بكاميرا
[Telefoon bekamerah] n camera phone

تليفون مزود بوظيفة الرد الآلي
[Telephone mozawad be-waḍheefat
al-rad al-aaley] n answerphone

كارت تليفون
[Kart telefone] n cardphone, phonecard

كابينة تليفون
[Kabeenat telefoon] n phonebox

تليفوني [tili:fu:nij] adj

يجب أن أقوم بإجراء مكالمة تليفونية
[yajib an a'qoom be-ijraa mukalama
talefonia] I must make a phonecall

تماماً [tama:man] fully, adv
altogether, exactly

تمايل [tama:jala] swing, sway vi

تمْتم [tamtama] stutter v

تمثال [timθa:l] statue n

تمثيل [tamθi:ll] acting n

التمثيل الصامت

أحب تناوله وبه...زائد من فضلك
[ahib tana-wilaho be-zeyaada... min faḍlak] I'd like it with extra..., please

لا يمكنني تناول الأسبرين
[la yam-kinuni tanawil al-asbireen] I can't take aspirin

ماذا تريد تناوله في الإفطار
[madha tureed tana-wilho fee al-eftaar?] What would you like for breakfast?

تناول v [tana:wala]

سوف أتناول هذا
[sawfa ata-nawal hadha] I'll have this

ماذا تريد أن تتناول؟
[madha tureed an tata-nawal?] What would you like to eat?

هل يمكن أن أتناول أحد المشروبات؟
[Hal yomken an atanaawal ahad al-mashroobat?] Can I get you a drink?

هل يمكن أن أتناول الإفطار داخل غرفتي؟
[hal yamken an ata-nawal al-eftaar dakhil ghurfaty?] Can I have breakfast in my room?

تنبأ v [tanabba?a] predict

يتنبأ ب
[Yatanabaa be] v foresee

تنبؤ n [tanabu?] forecast

لا يمكن التنبؤ به
[La yomken al-tanaboa beh] adj unpredictable

تنجيم n [tanʒi:m]

علم التنجيم
[A'elm al-tanjeem] n astrology

تنزانيا n [tanza:nija:] Tanzania

تنزه n [tanazzuh] hill-walking

التنزه بين المرتفعات
[Altanazoh bayn al-mortaf'aat] n hill-walking

تنس n [tinis] tennis

تنس الريشة
[Tenes al-reshah] n badminton

لاعب تنس
[La'aeb tenes] n tennis player

مضرب تنس
[Maḍrab tenes] n tennis racket

ملعب تنس
[Mal'aab tenes] n tennis court

نود أن نلعب التنس؟
[nawid an nal'aab al-tanis] We'd like to play tennis

تنسيق n [tansi:q] format

تنشق v [tanaʃʃaqa] sniff

تنظيف n [tanzˤi:f] cleaning

تنظيف شامل للمنزل بعد انتهاء الشتاء
[tandheef shamel lel-manzel ba'ad entehaa al-shetaa] n spring-cleaning

خادم للتنظيف
[Khadem lel-tandheef] n cleaner

محل التنظيف الجاف
[Mahal al- tandheef al-jaf] n dry-cleaner's

تنظيم n [tanzˤi:m] regulation

تنظيم المعسكرات
[Tanṭeem al-mo'askarat] n camping

تنظيم النسل
[tandheem al-nasl] n birth control

تنفس n [tanaffus] breathing

تنفس v [tanafasa] breathe

تنفيذ n [tanfi:ð] execution

تنفيذي adj [tanfi:ðijjat] executive

سلطة تنفيذية
[Soltah tanfeedheyah] n (مدير) executive

تنكر v [tanakkara] disguise

تنهد v [tanahhada] sigh

تنهيدة n [tanhi:da] sigh

تنوب n [tannu:b]

شجر التنوب
[Shajar al-tanob] n fir (tree)

تنورة n [tannu:ra]

تنورة تحتية
[Tanorah taḥteyah] n underskirt

تنورة قصيرة بها ثنيات واسعة
[Tannorah 'qaseerah beha thanayat wase'aah] n kilt

تنوع n [tanawwuʕ] variety

تنين n [tinni:n] dragon

تهادى v [taha:da:] stagger

تهجئة n [tahʒi?a] spelling

مصحح التهجئة
[Moṣaheh altahjeaah] n spellchecker

تهديد n [tahdi:d] threat

تهديدي [tahdi:dij] adj threatening

تهريب [tahri:bu] n smuggling

تهكمي [tahakumij] adj ironic

تهمة [tuhma] n charge (accusation)

تهنئة [tahniʔat] npl congratulations

تهوية [tahwijatin] n ventilation

تهويدة [tahwi:da] n lullaby

توا [tawwan] adv soon

توابل [tawa:bil] n seasoning, spice

توازن [tawa:zun] n balance

تواليت [tawa:lajtu] n
السيفون لا يعمل في التواليت [al-seefon la ya'amal fee al-toilet] The toilet won't flush

توأم [tawʔam] n twin

توت [tu:tt] n berry, raspberry

توت بري [Toot barrey] n cranberry

توث أزرق [Toot azra'q] n blueberry

توتر [tawattur] n tension

مسبب توتر [Mosabeb tawator] adj stressful

توثيق [tawθi:q] n documentation

توجو [tu:ʒu:] n Togo

توجيه [tawʒi:h] n direction, steering

توجيهات [tawʒi:ha:tun] npl directions

تَورد [tawarrada] v (يتدفق) flush

تَورط [tawarratˤa] v
يتَورط في [Yatawarat fee] v get into

توريد [tawri:d] n supply

توريد الطعام [Tarweed al-ta'aam] n catering

توريدات [tawri:da:tun] npl supplies

توزيع [tawzi:ʕ] n
ضنبور توزيع [Sonboor twazea'a] n dispenser

طريق توزيع الصحف [taree'q tawze'a al-sohof] n paper round

توصية [tawsˤijja] n recommendation

توصيل [tawsˤi:l] n conveyance

طلب التوصيل [Talab al-tawseel] n hitchhiking

أريد إرسال ساعي لتوصيل ذلك [areed ersaal sa'ay le-tawseel hadha] I want to send this by courier

هل يمكن توصيل حقائبي إلى أعلى؟ [hal yamken tawseel ha'qa-ebee ela a'ala?] Could you have my luggage taken up?

توصيلة n [tawsˤi:la]
توصيلة مجانية [tawseelah majaneyah] n ride (free ride)

توضيح [tawdˤi:ħ] n illustration

توظيف [tawzˤi:f] n recruitment

توفُر [tawaffur] n availability

توق [tawq] n
توق شديد [Too'q shaded] n anxiety

توق [tawaqa] v
يتوق إلى [Yatoo'q ela] v long

تَوقع [tawaqqaʕa] v expect, wait

تَوقع [tawaqqaʕa] n prospect

توقف [tawaqquf] n setback, stop

توقف في رحلة [Tawa'qof fee rehlah] n stopover

شاشة تَوقُف [Shashat taw'qof] n screen-saver

توقف [tawaqafa] v
هل سنتوقف في ...؟ [hal sanata-wa'qaf fee...?] Do we stop at...?

هل يتوقف القطار في...؟ [hal yata-wa'qaf al-'qetaar fee...?] Does the train stop at...?

تَوقف [tawaqqafa] vi stop

تَوقيع [tawqi:ʕ] n signature

تَولى [tawalla:] v take over

توليب [tawli:bu] n tulip

توليد [tawli:d] n reproduction, midwifery

مستشفى توليد [Mostashfa tawleed] n maternity hospital

تونجا [tu:nʒa:] n
مملكة تونجا [Mamlakat tonja] n Tonga

تونس [tu:nus] n Tunisia

تونسي [tu:nusij] adj Tunisian ◁ n

ث

Tunisian
تيار [tajja:r] n (electricity) current
تيبت [ti:bit] n Tibet
تيبتي [ti:bitij] adj
اللغة التيبتية
[Al-loghah al-tebeteyah] (language) n
Tibetan
تيبيتي [ti:bi:tij] adj Tibetan
شخص تيبيتي
[Shakhṣ tebetey] (person) n Tibetan
تيتانوس [ti:ta:nu:s] n tetanus
تيّم [tajjamma] v
يُتَيِّمّ ب
[Yotayam be] v love
تين [ti:n] n fig

ثائر [θa:ʔir] adj rebellious, furious
ثابت [θa:bit] adj fixed, still
ثابر [θa:bara] v persevere
ثالثًا [θa:liθan] adv thirdly
ثالث عشر [θa:liθa ʕaʃara] adj
thirteenth
ثانوي [θa:nawij] adj minor
ثاني [θa:ni:] adj next, second
اتجه نحو اليسار عند التقاطع الثاني
[Etajh naḥw al-yasar ʿaend al-ta'qato'a
al-thaney] Go left at the next junction
ثانيًا [θa:ni:an] adv secondly
ثانية [θa:nija] n second
ثاني عشر [θa:nija ʕaʃara] adj twelfth
ثبّت [θabbata] v do up, fix
ثدي [θadjj] n breast
ثرثار [θarθa:r] adj talkative
ثرموستات [θirmu:sta:t] n
thermostat
ثروة [θarwa] n wealth
ثري [θarij] adj wealthy
ثعبان [θuʕba:n] n snake
ثعلب [θaʕlab] n fox
ثعلب الماء
[Tha'alab al-maaa] n otter
ثقافة [θaqa:fa] n culture
ثقافي [θaqa:fij] adj cultural

كتلة ثلج رقيقة
[Kotlat thalj ra'qee'qah] n snowflake

محراث الثلج
[Mehrath thalj] n snowplough

مكعب ثلج
[Moka'ab thalj] n ice cube

يَتَزحلق على الثلج
[Yatazahal'q ala al-thalj] v ski

تتساقط الثلوج
[tata-sa'qat al-tholooj] It's snowing

الثلوج كثيفة جدا
[al- tholoj kathefa jedan] The snow is very heavy

هل تعتقد أن الثلوج سوف تتساقط؟
[hal ta'ata-'qid an-na al-thilooj sawfa tata-sa'qat?] Do you think it will snow?

ثلوج n [θulu:ʒ]

ماكينة إزالة الثلوج
[Makenat ezalat al-tholo'j] n de-icer

eighty number [θama:nu:na] ثمانون
eight number [θama:nijatun] ثمانية
[θama:nijata ʃaʃara] ثمانية عشر
eighteen number

ثمرة fruit n [θamara]

ثمرة العُليق
[Thamrat al-'alay'q] n blackberry

ثمرة البلوط
[Thamarat al-baloot] n acorn

ثمرة الكاجو
[Thamarat al-kajoo] n cashew

تَمل drunk adj [θamil]

ثَمن cost, value n [θaman]

مرتفع الثمن
[mortafe'a al-thaman] adj expensive

كم يبلغ الثمن لكل ساعة
[kam yablugh al-thaman le-kul layla?] How much is it per night?

لقد طلب مني ثمنًا باهظًا
[la'qad tuleba min-y thamanan ba-hedhan] I've been overcharged

ما هو ثمن التذاكر؟
[Ma hwa thamn al-tadhaker?] How much are the tickets?

ثُمّن rate v [θammana]

ثمن eighth n [θumun]

ثمين valuable adj [θami:n]

ثقالة weight n [θaqqa:la]

ثقالة الورق
[Na'qalat al-wara'q] n paperweight

ثقب aperture, puncture, n [θuqb] piercing,

ثَقب prick, bore v [θaqaba]

يَثقب بمثقاب
[Yath'qob bemeth'qaab] vt drill

ثقة confidence (secret), n [θiqa] confidence (trust)

غير جدير بالثقة
[Ghaayr jadeer bel-the'qa] adj unreliable

ثقة بالنفس
[The'qah bel-nafs] n confidence (self-assurance)

ثقيل heavy adj [θaqi:l]

إنه ثقيل جدا
[inaho tha'qeel jedan] This is too heavy

ثلاث number [θala:θun]

عندي ثلاثة أطفال
['aendy thalathat atfaal] I have three children

ثلاثاء Tuesday n [θula:θa:ʔ]

ثلاثاء المرافع
[Tholathaa almrafe'a] n Shrove Tuesday

ثلاثة three number [θala:θatun]
ثلاثة عشر number [θala:θata ʃaʃara] thirteen

ثلاثون thirty number [θala:θu:na]

ثلاثي triple adj [θula:θij]

ثلاثي الأبعاد
[Tholathy al-ab'aaad] adj three-dimensional

ثلاثي triplets npl [θula:θijjun]

ثلاجة fridge, refrigerator n [θalla:ʒa]

ثلاجة صغيرة
[Thallaja sagheerah] n minibar

ثلج snow n [θalʒ]

رجل الثلج
[Rajol al-thalj] n snowman

صندوق الثلج
[Sondoo'q al-thalj] n icebox

ثلج أسود
[thalj aswad] n black ice

كرة ثلج
[Korat thalj] n snowball

أريد أن أضع بعض الأشياء الثمينة في الخزينة
[areed an aḍa'a ba'aḍ al-ashiaa al-thameena fee al-khazeena] I'd like to put my valuables in the safe

bend v [θana:] ثني
crease n [θanja] ثنية
garment n [θawb] ثوب

ثوب الراقص أو البهلوان
[Thawb al-ra'qes aw al-bahlawan] n leotard

ثوب فضفاض
[Thawb feḍeaḍ] n negligee

bull n [θawr] ثور
revolution n [θawra] ثورة
revolutionary adj [θawrij] ثوري
garlic n [θu:m] ثوم

ثوم معمر
[Thoom mo'aamer] npl chives

هل به ثوم؟
[hal behe thoom?] Is there any garlic in it?

clothing n [θija:b] ثياب

ثياب النوم
[Theyab al-noom] n nightdress

أيجب أن نرتدي ثيابًا خاصة؟
[ayajib an nartady the-aban khaṣa?] Is there a dress-code?

Thermos® n [θi:rmu:s] ثيرموس®

unfair adj [ʒa:ʔir] جائر
award, prize n [ʒa:ʔiza] جائزة

الفائز بالجائزة
[Al-faez bel-jaaezah] n prizewinner

gateau n [ʒa:tu:] جاتوه
serious adj [ʒa:dd] جاد
argue, row (to argue) v [ʒa:dala] جادل
attraction n [ʒa:ðibijja] جاذبية
neighbour n [ʒa:r] جار
shovel n [ʒa:ru:f] جاروف
jazz n [ʒa:z] جاز

موسيقى الجاز
[Mosey'qa al-jaz] n jazz

risk v [ʒazafa] جازف
spy n [ʒa:su:s] جاسوس
espionage n [ʒa:su:sijja] جاسوسية
dry adj [ʒa:ff] جاف

تنظيف جاف
[tanḍheef jaf] n dry-cleaning

جاف تماماً
[Jaf tamaman] n bone dry

أنا شعري جاف
[ana sha'ary jaaf] I have dry hair

كأس من مشروب الشيري الجاف من فضلك
[Kaas mashroob al-sheery al-jaf men faḍlek] A dry sherry, please

جاكت [ʒa:kit] n jacket

جاكت العشاء
[Jaket al-'aashaa] n dinner jacket

جاكيت ثقيل
[Jaket tha'qeel] n anorak

جالس [ʒa:lasa] v

يُجالس الأطفال
[Yojales al-atfaal] v babysit

جاليري [ʒa:li:ri:] n gallery

جامايكي [ʒa:ma:jkij] adj Jamaican
▷ n Jamaican

جامبيا [ʒa:mbija:] n Gambia

جامع [ʒa:miʕ] n ▷ inclusive adj
mosque

جامع التذاكر
[Jame'a al-tadhaker] n ticket collector

جامع الجوز
[Jame'a al-jooz] n nutter

جامعة [ʒa:miʕa] n university

جامعي [ʒa:miʕij] adj academic

الحرم الجامعي
[Al-ḥaram al-jame'aey] n campus

جامل [ʒa:mala] v compliment

جاموسة [ʒa:mu:sa] n buffalo

جانب [ʒa:nib] n side

بجانب
[Bejaneb] prep beside

جانبي [ʒa:nibij] adj

ضوء جانبي
[Ḍowa janebey] n sidelight

آثار جانبية
[Aathar janeebyah] n side effect

شارع جانبي
[Share'a janebey] n side street

جاهز [ʒa:hiz] adj bought

جاهزة [ʒa:hizat] adj

السيارة ستكون جاهزة
[al-sayara sa-ta-koon ja-heza] When will the car be ready?

متى ستكون جاهزة للتشغيل؟
[mata sata-koon jaheza lel-tash-gheel?] When will it be ready?

جاهل [ʒa:hil] adj ignorant

جبال [ʒiba:l] npl mountains

جبال الألب
[ʒiba:lu al-ʔalbi] npl Alps

جبال الأنديز
[ʒiba:lu al-ʔandi:zi] npl Andes

جبل [ʒabal] n mountain

جبل جليدي
[Jabal jaleedey] n iceberg

دراجة الجبال
[Darrajah al-jebal] n mountain bike

أريد غرفة مطلة على الجبال
[areed ghurfa mu-tella 'aala al-jebaal] I'd like a room with a view of the mountains

أين يوجد أقرب كوخ بالجبل؟
[ayna yujad a'qrab kookh bil-jabal?] Where is the nearest mountain hut?

جبان [ʒaba:n] n coward ▷ cowardly adj

جبد [ʒabad] adj fit

جبلي [ʒabalij] adj mountainous

جبن [ʒubn] n cheese

جبن قريش
[Jobn 'qareesh] n cottage cheese

ما نوع الجبن؟
[ma naw'a al-jibin?] What sort of cheese?

جبهة [ʒabha] n forehead

جثة [ʒuθθa] n corpse

جحيم [ʒaḥi:m] n hell

جد [ʒadd] n granddad, grandfather, grandpa

الجَدّ الأكبر
[Al-jad al-akbar] n great-grandfather

جداً [ʒidan] adv very

مسرور جداً
[Masroor jedan] adj delighted

إلى جد بعيد
[Ela jad ba'eed] adv most

جدار [ʒida:r] n wall

الجدار الواقي
[Al-jedar al-wa'qey] n firewall

جدة [ʒadda] n grandma, granny

الجدة الأكبر
[Al-jaddah al-akbar] n great-grand-mother

جَدّد [ʒaddada] v renew

جدف [ʒaddafa] v row (in boat)

جَدَلي [ʒadalij] adj controversial

جدول [ʒadwal] n stream, table (chart)

جدول أعمال
[Jadwal a'amal] n agenda

جدول زمني
[Jadwal zamaney] n schedule,
timetable

جدياً [ʒiddi:an] adv seriously

جديد [ʒadi:d] adj new, unprecedented

جدير [ʒadi:r] adj worthy

جدير بالذكر
[Jadeer bel-dhekr] adj particular

جدير بالملاحظة
[Jadeer bel-molahaḍhah] adj
remarkable

جذاب [ʒaðða:b] adj attractive

جذب [ʒaðaba] pull vt ◁ attract v

جذر [ʒiðr] root n

جذع [ʒiðʕ] trunk n

جذف [ʒaððafa] paddle vi

جر [ʒarra] v

يَجُر سيارة
[Yajor sayarah] v tow away

جرأ [ʒaraʔa] dare v

جرئ [ʒariʔ] daring adj

جراب [ʒira:b] bag, holdall n

جراج [ʒara:ʒ] garage n

جراح [ʒarra:ħ] surgeon n

جراحة [ʒira:ħa] surgery n

جراحة تجميل
[Jerahat tajmeel] n plastic surgery

جراحة تجميلية
[Jerahah tajmeeleyah] n plastic surgery

جراد [ʒara:d] n

جراد الجندب
[Jarad al-jandab] n grasshopper

جراد البحر
[Jarad al-bahr] n crayfish

جَرَاد البحر
[Garad al-bahr] n lobster

جرار [ʒaraar] tractor n

جرافة [ʒarra:fa] bulldozer n

جرافيك [ʒara:fi:k] n

رسوم جرافيك
[Rasm jrafek] npl graphics

جرام [ʒra:m] gramme n

جرانيت [ʒara:ni:t] n

حجر الجرانيت
[Hajar al-jraneet] n granite

جرب [ʒarraba] try v

هل يمكن أن أجربها من فضلك؟
[hal yamken an ajar-rebha min faḍlak?]
Can I test it, please?

جرثومة [ʒurθu:ma] germ n

جرح [ʒurħ] injury, wound n

قابل للجرح
['qabel lel-jarh] adj vulnerable

جرح [ʒaraħa] injure, wound v

جرحي [ʒarħij] traumatic adj

جرد [ʒarrada] strip v

جرذ [ʒurð] rat n

جرس [ʒaras] bell n

جرس الباب
[Jaras al-bab] n doorbell

جرعة [ʒurʕa] dose n

جرعة زائدة
[Jor'aah zaedah] n overdose

جرف [ʒurf] drift, cliff n

جرم [ʒurm] crime n

جرائم الكمبيوتر والانترنت
[Jraem al-kmobyoter wal-enternet] n
cybercrime

جُرن [ʒurn] trough n

جرو [ʒarw] puppy n

جرى [ʒara:] run v

يَجري بالفرس
[Yajree bel-faras] v gallop

جريدة [ʒari:da] newspaper n

أين يمكن أن أشتري الجرائد الإخبارية؟
[Ayn yomken an ashtray al-jraaed
al-yawmeyah] Where can I buy a
newspaper?

أين يوجد أقرب محل لبيع الجرائد؟
[Ayn yojad a'qrab mahal leby'a
aljraaed?] Where is the nearest shop
which sells newspapers?

هل يوجد لديكم جرائد إخبارية؟
[hal yujad laday-kum jara-ed
ekhbar-iya?] Do you have newspapers?

جريمة [ʒari:ma] crime n

شريك في جريمة
[Shareek fee jareemah] n accomplice

جرينلاند [ʒri:nala:ndi] Greenland n

جشع greedy adj [ʒaʃiʕ]

جص plaster (for wall) n [ʒibsˤ]

جعة n [ʒunʕʕa]

[Jo'aah mo'ata'qah] n lager جعة معتقة

جعل v [ʒaʕala]

يجعله عصريا

[Tej'aalah 'aṣreyan] v update

جغرافيا geography n [ʒuɣra:fja:]

جفاف drought n [ʒafa:f]

جفف dry v [ʒaffafa]

جفن eyelid n [ʒafn]

جل gel n [ʒil]

جل الشعر

[Jel al-sha'ar] n hair gel

جلالة majesty n [ʒala:la]

جلب fetch, pick up v [ʒlaba]

جلبة fuss n [ʒalaba]

جلد skin n [ʒildu]

جلد الغنم

[Jeld al-'ghanam] n sheepskin

جلد مدبوغ

[Jeld madboogh] n leather

جلد مزأبر

[Jeld mazaabar] n suede

قشعريرة الجلد

['qash'aarerat al-jeld] n goose pimples

جلد thump v [ʒalada]

جلس v [ʒalasa]

هل يمكن أن نجلس معا؟

[hal yamken an najlis ma'aan?] Can we have seats together?

جلس sit down v [jaʒlasa]

يجلس مرة أخرى

[Yajles marrah okhra] v resit

جلسة session n [ʒalsa]

جلطة stroke n [ʒaltˤa]

جلوتين gluten n [ʒlu:ti:n]

جلوس sitting n [ʒulu:s]

حجرة الجلوس

[Hojrat al-joloos] n lounge

أين يمكنني الجلوس؟

[ayna yamken-any al-jiloos?] Where can I sit down?

هل يوجد مكان يمكنني الجلوس فيه؟

[hal yujad makan yamken -ini al-juloos

جُزّ mow v [ʒazza]

جزء part n [ʒuzʔ]

جزء صغير

[Joza ṣagheer] n bit

جزء ذو أهمية خاصة

[Joza dho ahammeyah khaṣah] n highlight

لا يعمل هذا الجزء كما ينبغي

[la ya'amal hatha al-juz-i kama yan-baghy] This part doesn't work properly

جزّأ break up v [ʒazzaʔa]

جزاء penalty n [ʒaza:ʔ]

جزائري Algerian adj [ʒaza:ʔirij]

شخص جزائري

[Shakhṣ jazayry] n Algerian

جزار butcher n [ʒazza:r]

جزازة mower n [ʒazza:zatu]

جزازة العشب

[Jazazt al-'aoshb] n lawnmower

جزئي partial adj [ʒuzʔij]

بدوام جزئي

[Bedwam jozay] adv part-time

جزئيا partly adv [ʒuzʔijan]

جزر carrot n [ʒazar]

جزر أبيض

[Jazar abyad] n parsnip

جزر الهند الغربية

[Jozor al-hend al-gharbeyah] n West Indies

جزر الباهاما

[ʒuzuru ʔal-ba:ha:ma:] Bahamas npl

جزيء molecule n [ʒuzajʔ]

جزيرة island n [ʒazi:ra]

جزيرة استوائية غير مأهولة

[Jozor ghayr maahoolah] n desert island

شبه الجزيرة

[Shebh al-jazeerah] n peninsula

جسر bridge, embankment n [ʒisr]

جسر معلق

[Jesr mo'aala'q] n suspension bridge

جسم body n [ʒism]

جسم السفينة

[Jesm al-safeenah] n hull

جسم مضاد

[Jesm moḍad] n antibody

feehe?] Is there somewhere I can sit down?

جلوكوز glucose n [ʒluku:z]

جَلِيّ obvious adj [ʒalij]

جَلِيد ice n [ʒali:d]

جليدي icy adj [ʒali:dij]

نهر جليدي

[Nahr jaleedey] n glacier

جليس companion (male) n [ʒali:s]

جليس أطفال

[Jalees atfaal] n babysitter

جليسة companion (female) n [ʒali:sa]

جليسة أطفال

[Jaleesat atfaal] n nanny

جليل glorious adj [ʒali:l]

جماع sexual intercourse n [ʒima:ʕ]

جماعة lot n [ʒama:ʕa]

جماعي collective adj [ʒama:ʕij]

جمال beauty n [ʒama:l]

جمانزيوم gym n [ʒimna:zju:mi]

أخصائي الجمنازيوم

[akheṣaaey al-jemnazyom] n gymnast

تدريبات الجمنازيوم

[Tadreebat al-jemnazyoom] npl gymnastics

جمبري shrimp n [ʒambarij]

جمبري كبير

[Jambarey kabeer] n scampi

جمجمة skull n [ʒumʒuma]

جمركي adj [ʒumrukij]

رسوم جمركية

[Rosoom jomrekeyah] npl customs

جمع plural n [ʒamʕ]

جمعة Friday n [ʒumuʕa]

الجمعة العظيمة

[Al-jom'ah al-'aaḍheemah] n Good Friday

جمعية association n [ʒamʕijja]

جمل camel n [ʒamal]

جملة sentence (words) n [ʒumla]

جملي wholesale adj [ʒumalij]

جمهور audience n [ʒumhu:r]

جمهور الناخبين

[Jomhoor al-nakhebeen] n electorate

جمهورية republic n [ʒunmhu:rijjati]

جمهورية أفريقيا الوسطى

[Jomhoreyat afre'qya al-wosṭa] n Central African Republic

جمهورية التشيك

[Jomhoreyat al-tesheek] n Czech Republic

جمهورية الدومنيكان

[Jomhoreyat al-domenekan] n Dominican Republic

جميع all adj [ʒami:ʕ]

جميل beautiful adj [ʒami:l]

على نحو جميل

[Ala nahw jameel] adv prettily

بشكل جميل

[Beshakl jameel] adv beautifully

جنائي criminal adj [ʒina:ʔij]

جناح van, wing n [ʒana:ħ]

جناح أيسر

[Janah aysar] adj left-wing

جناح أيمن

[Janah ayman] adj right-wing

جناح من مستشفى

[Janah men al-mostashfa] n ward (hospital room)

جنازة funeral n [ʒana:za]

جنب side n [ʒanbun]

من الجنب

[Men al-janb] adv sideways

جنة paradise, heaven n [ʒanna]

جندي serviceman, soldier [ʒundij]

جندي بحري

[Jondey baharey] n seaman

جنس category, class, n [ʒins] gender, sex

مؤيد للتفرقة العنصرية بحسب الجنس

[Moaed lel-tare'qa al'aonṣeryah behasb aljens] n sexist

مشته للجنس الآخر

[Mashtah lel-jens al-aakahar] adj heterosexual

جنسي sexual adj [ʒinsij]

مثير جنسيا

[Motheer jensyan] adj sexy

مثير للشهوة الجنسية

[Motheer lel shahwah al-jenseyah] adj erotic

مَيْل جنسي

[Bejahd shaded] *adv* barely

جهّز [ʒahhaza] *v* (يوفر)
accommodate

يُجَهِّز بالسِّلَع
[Yojahez bel-sela'a] *v* stock up on

ignorance *n* [ʒahl] **جهل**

جو [ʒaww] *n* ,weather, air,
atmosphere

الجو شديد البرودة
[al-jaw shaded al-boroda] It's freezing
cold

الجو شديد الحرارة
[al-jaw shaded al-harara] It's very hot

كيف ستكون حالة الجو غداً؟
[kayfa sata-koon halat al-jaw ghadan?]
What will the weather be like
tomorrow?

ما هي حالة الجو المتوقعة غداً؟
[ma heya halat al-jaw al-muta-wa'qi'aa
ghadan?] What's the weather forecast?

**هل من المتوقع أن يحدث تغيير في
حالة الجو**
[Hal men al-motwa'qa'a an yahdoth
tagheer fee halat al-jaw] Is the weather
going to change?

جواتيمالا [ʒwa:ti:ma:la:] *n*
Guatemala

جواد [ʒawa:d] *n*

جواد السباق
[Jawad al-seba'q] *n* racehorse

جواز [ʒawa:z] *n* permit

جواز سفر
[Jawaz al-safar] *n* passport

جواز مرور
[Jawaz moror] *n* pass *(permit)*

الأطفال مقيدون في هذا الجواز
[Al-atfaal mo'aydoon fee hadha
al-jawaz] The children are on this
passport

لقد سرق جواز سفري
[la'qad sure'qa jawaz safary] My
passport has been stolen

لقد ضاع جواز سفري
[la'qad da'aa jawaz safary] I've lost my
passport

لقد نسيت جواز سفري

[Mayl jensey] *n* sexuality

nationality *n* [ʒinsijja] **جنسية**

south *n* [ʒanu:bu] **جنوب**

جنوب أفريقيا
[Janoob afree'qya] *n* South Africa

جنوب شرقي
[Janoob shr'qey] *n* southeast

متجه للجنوب
[Motageh lel-janoob] *adj* southbound

واقع نحو الجنوب
[Wa'qe'a nahw al-janoob] *adj* southern

south *adv* [ʒanu:ban] **جنوباً**

جنوبي [ʒanu:bij] *adj* south

القارة القطبية الجنوبية
[Al-'qarah al-'qotbeyah al-janoobeyah] *n*
Antarctic

القطب الجنوبي
[Al-k'qotb al-janoobey] *n* South Pole

شخص من أمريكا الجنوبية
[Shakhs men amreeka al-janoobeyah] *n*
South American

قطبي جنوبي
['qotbey janoobey] *adj* Antarctic

كوريا الجنوبية
[Korya al-janoobeyah] *n* South Korea

madness *n* [ʒunu:n] **جنون**

fairy *n* [ʒinnija] **جنية**

foetus *n* [ʒani:n] **جنين**

antenatal *adv* [ʒani:nijjun] **جنيني**

جنيه [ʒunajh] *n*

جنيه استرليني
[Jeneh esterleeney] *n* pound sterling

جهاز [ʒiha:z] *n* apparatus, gear
(equipment), appliance

جهاز الرد الآلي
[Jehaz al-rad al-aaly] *n* answerphone

جهاز المناعة
[Jehaz al-mana'aa] *n* immune system

جهاز النداء الآلي
[Jehaz al-nedaa al-aaley] *n* bleeper

جهاز حفر
[Jehaz hafr] *n* rig

effort *n* [ʒuhd] **جهد**

جهد كهربي
[Jahd kahrabey] *n* voltage

بجهد شديد

[la'qad nasyto jawaz safary] I've forgotten my passport

جواهرجي jeweller n [ʒawa:hirʒi:]

محل جواهرجي
[Maħal jawaherjey] n jeweller's

جودة quality n [ʒawda]

جودو judo n [ʒu:du:]

جورب stocking n [ʒawrab]

جورب قصير
[Jawrab 'qaseer] n sock

جورجي Georgian adj [ʒu:rʒij]

مواطن جورجي
[Mowaṭen jorjey] n Georgian (person)

جورجيا Georgia (country) n [ʒu:rʒja:]

ولاية جورجيا
[Welayat jorjeya] n Georgia (US state)

جوز walnut n [ʒawz]

جامع الجوز
[Jame'a al-jooz] n nutter

حساسية الجوز
[Hasaseyat al-joz] n nut allergy

جوزة nut (food) n [ʒawza]

جوزة الهند
[Jawzat al-hend] n coconut

جوع hunger n [ʒu:ʕ]

جوّع starve v [ʒu:ʕa]

جوعان hungry adj [ʒawʕa:n]

جَوْقة choir n [ʒawqa]

جوكي jockey n [ʒu:kij]

جولة tour n [ʒawla]

جولة إرشادية
[Jawlah ershadeyah] n guided tour

جولف n [ʒu:lf]

رياضة الجولف
[Reyadat al-jolf] n golf

ملعب الجولف
[Mal'aab al-jolf] n golf course

نادي الجولف
[Nady al-jolf] n golf club (game)

أين يمكنني أن ألعب الجولف؟
[ayna yamken-any an al-'aab al-jolf?] Where can I play golf?

جونلة skirt n [ʒawnala]

جونلة قصيرة
[Jonelah 'qaṣeerah] n miniskirt

جوهر substance n [ʒawhar]

جوهرة jewel n [ʒawhara]

جوهري essential adj [ʒawharij]

جوي air adj [ʒawwij]

ما المدة التي يستغرقها بالبريد الجوي؟
[ma al-mudda al-laty yasta-ghru'qoha bil-bareed al-jaw-wy?] How long will it take by air?

جوية n [ʒawijja]

أريد تغيير رحلتي الجوية
[areed taghyeer reḥlaty al-jaw-wya] I'd like to change my flight

جيانا Guyana n [ʒuja:na:]

جيب pocket n [ʒajb]

جيتار guitar n [ʒi:ta:r]

جيد good, excellent adj [ʒajjid]

إنه جيد جدًا
[inaho jayed jedan] It's quite good

هل يوجد شواطئ جيدة قريبة من هنا؟
[hal yujad shawaṭee jayida 'qareeba min huna?] Are there any good beaches near here?

جيدًا well adv [ʒajjidan]

مذاقه ليس جيدًا
[madha-'qaho laysa jay-edan] It doesn't taste very nice

هل نمت جيدًا؟
[hal nimt jayi-dan?] Did you sleep well?

جير lime (compound) n [ʒi:r]

جيرانيوم n [ʒi:ra:nju:mi]

نبات الجيرانيوم
[Nabat al-jeranyom] n geranium

جيش army n [ʒajʃ]

جيل generation n [ʒi:l]

جيلي jelly n [ʒi:li:]

جين n [ʒi:n]

جين وراثي
[Jeen werathey] n gene

جينز n [ʒi:nz]

ملابس الجينز
[Malabes al-jeenz] npl jeans

جيني genetic adj [ʒi:nnij]

جيولوجيا geology n [ʒu:lu:ʒja:]

حاجز هجارى [Hajez hajarey] *n* kerb

حاجز وضع التذاكر
[Hajez wad'a al-tadhaker] *n* ticket barrier

حاخام rabbi *n* [ħa:xa:m]

حاد sharp *adj* [ħa:dd]

حادث accident *n* [ħa:diθ]

إدارة الحوادث والطوارئ
[Edarat al-hawadeth wa-al-tawarea] *n* accident & emergency department

تأمين ضد الحوادث
[Taameen ded al-hawaadeth] *n* accident insurance

تعرضت لحادث
[ta'aar-ḍto le-ḥadith] I've had an accident

لقد وقع لي حادث
[la'qad wa'qa lee ḥadeth] I've been in an accident

ماذا أفعل عند وقوع حادث؟
[madha af'aal 'aenda wi-'qoo'a ḥadeth?] What do I do if I have an accident?

حادثة *n* [ħa:diθa]

كانت هناك حادثة
[kanat hunaka ḥadetha] There's been an accident!

حار hot *adj* [ħa:rr]

فلفل أحمر حار
[Felfel aḥmar ḥar] *n* chilli

هذه الغرفة حارة أكثر من اللازم
[hathy al-ghurfa ḥara ak-thar min al-laazim] The room is too hot

حارب fight *v* [ħa:raba]

حارة *n* [ħa:ra]

أنت تسير في حارة غير صحيحة
[Anta taseer fee ḥarah gheyr ṣaheehah] You are in the wrong lane

حارس guard *n* [ħa:ris]

حارس الأمن
[Ḥares al-amn] *n* security guard

حارس المرمى
[Hares al-marma] *n* goalkeeper

حارس شخصي
[ḥares shakhṣ] *n* bodyguard

حازم strict *adj* [ħa:zim]

حاسب calculator, *n* [ħa:sib]

حائز *n* [ħa:ʔiz]

الحائز على المرتبة الثانية
[Al-ḥaez ala al-martabah al-thaneyah] *n* runner-up

حائط wall *n* [ħa:ʔitˤ]

ورق حائط
[Wara'q ḥaet] *n* wallpaper

حاج pilgrim *n* [ħa:ʒʒ]

حاجب eyebrow, janitor *n* [ħa:ʒib]

حاجة need *n* [ħa:ʒa]

حاجة ملحة
[Hajah molehah] *n* demand

إننا في حاجة إلى مفتاح آخر
[ena-na fee ḥaja ela muftaaḥ aakhar] We need a second key

أنا في حاجة إلى مكواة
[ana fee ḥaja ela muk-wat] I need an iron

نحن في حاجة إلى المزيد من المفارش
[naḥno fee ḥaja ela al-mazeed min al-mafa-rish] We need more sheets

حاجز barrier *n* [ħa:ʒiz]

حاجز الأمواج
[Hajez al-amwaj] *n* mole *(infiltrator)*

حاجز الماء
[Hajez al-maa] *n* jetty

حاجز حجرى

computer
علوم الحاسب الآلي
['aoloom al-haseb al-aaly] n computer
science

استخدام الحاسب الآلي
[Estekhdam al-haseb al-aaly] n
computing

n [ħa:siba] **حاسبة**

آلة حاسبة
[Aalah hasbah] n calculator

آلة حاسبة للجيب
[Alah haseba lel-jeeb] n pocket
calculator

sense n [ħa:ssa] **حاسة**

حاسة السمع
[Hasat al-sama'a] n audition

decisive adj [ħa:sim] **حاسم**

غير حاسم
[Gahyr hasem] adj indecisive

border n [ħa:ʃijja] **حاشية**

n ◁ present adj [ħa:dˤir] **حاضر**
present (time being)

lecture v [ħa:dˤara] **حاضر**

edge n [ħa:ffa] **حافة**

motive n [ħa:fiz] **حافز**

guardian n [ħa:fizˤa] **حافظ**

مادة حافظة
[Madah hafedhah] n preservative

v [ħa:fazˤa] **حافظ**

يحافظ على
[Yoħafez 'aala] v save

folder, wallet n [ħa:fizˤa] **حافظة**

carriage (train) n [ħa:fila] **حافلة**

spiteful adj [ħa:qid] **حاقد**

ruler (commander) n [ħa:kim] **حاكم**

judge v [ħa:kama] **حاكم**

situation n [ħa:l] **حال**

على أي حال
[Ala ay ħal] adv anyway

في الحال
[Fee al-hal] adv immediately

هل يجب علي دفعها في الحال؟
[hal yajib 'aala-ya daf'aa-ha fee
al-ħaal?] Do I have to pay it
straightaway?

هل يمكنك تصليحها في الحال؟

[hal yamken -aka taṣlee-ħaha fee
al-ħaal?] Can you do it straightaway?

readily adv [ħa:la:] **حالا**

state, situation, n [ħa:la] **حالة**
condition

الحالة الاجتماعية
[Al-halah al-ejtemaayah] n marital
status

حالة طارئة
[Ḥalah ṭareaa] n emergency

حالة مزاجية
[Halah mazajeyah] n mood

current adj [ħa:lij] **حالي**

currently adv [ħa:lijjan] **حاليّا**

sour adj [ħa:midˤ] **حامض**

rack n [ħa:mil] **حامل**

حامل أسهم
[Hamel ashom] n shareholder

حامل حقائب السفر
[Hamel ha'qaeb al-safar] n luggage rack

حامل حقيبة الظهر
[Hamel ha'qeebat al-dhahr] n
backpacker

pub n [ħa:na] **حانة**

صاحب حانة
[Ṣaheb hanah] n publican

undertaker n [ħa:nu:tij] **حانوتي**

attempt v [ħa:wala] **حاول**

container n [ħa:wija] **حاوية**

love n [ħubb] **حب**

حب الأطفال
[Hob al-atfaal] n paedophile

حب الشباب
[Hob al-shabab] n acne

squid n [ħabba:r] **حبار**

grain, seed, tablet n [ħabba] **حبة**

حبة الحمص
[Habat al-hommoṣ] n chickpea

حبة نوم
[Habit nawm] n sleeping pill

ink n [ħibr] **حبر**

prison n [ħabs] **حبس**

knitting n [ħibk] **حبك**

cord, rope n [ħabl] **حبل**

الحبل الشوكي
[Al-ħabl alshawkey] n spinal cord

Is there an Internet connection in the room?

reservation n [ħaʒz] **حجز**

حجز مقدم
[Hajz mo'qadam] n advance booking

لدي حجز
[la-daya ħajiz] I have a reservation

لقد أكدت حجزي بخطاب
[la'qad akad-to ħajzi bekhe-ṭab] I confirmed my booking by letter

هل يمكن أن أغير الحجز الذي قمت به؟
[hal yamken an aghyir al-ħajiz al-ladhy 'qumt behe?] Can I change my booking?

reserve v [ħʒiza] **حجز**

أريد حجز غرفة لشخص واحد
[areed ħajiz ghurfa le-shakhiṣ waḥid] I'd like to book a double room, I'd like to book a single room

أين يمكنني أن أحجز ملعبًا؟
[ayna yamken-any an aḥjiz mal-'aaban?] Where can I book a court?

size, volume n [ħaʒm] **حجم**

n [ħuʒajra] **حُجَيْرَة**

حُجَيْرَة الطَّيَّار
[Hojayrat al-ṭayar] n cockpit

boundary n [ħadd] **حد**

حد أقصى
[Had a'qsa] n maximum

mourning n [ħida:d] **حداد**

event n [ħadaθ] **حدث**

حدث عرضي
[Hadth 'aradey] n incident

v [ħadaθa] **حدث**

ماذا حدث
[madha ħadatha?] What happened?

من الذي يحدثني؟
[min al-ladhy yoħadi-thny?] Who am I talking to?

happen v [ħadaθa] **حدث**

specify v [ħaddada] **حدد**

intuition n [ħads] **حَدْس**

gaze v [ħaddaqa] **حدق**

يُحَدِّق بإمعان
[Yohade'q be-em'aaan] v pry

occurrence n [ħudu:θ] **حدوث**

حبل الغسيل
[ħ abl al-ghaseel] n washing line

pregnant adj [ħubla:] **حَبْلى**

cereal n [ħubu:b] **حبوب**

حبوب البن
[Hobob al-bon] n coffee bean

darling n [ħabi:b] **حبيب**

n [ħabi:ba] **حبيبة**

حبيبات خشنة
[Hobaybat khashabeyah] npl grit

ultimately adv [ħatmi:an] **حتميا**

even adv [ħatta:] **حتى**

persuade v [ħaθθa] **حث**

refuse n [ħuθa:la] **حثالة**

veil, cover n [ħiʒa:b] **حجاب**

حجاب واقى
[Hejab wara'qey] n dashboard

حجاب واق
[Hejab wa'q] n shield

screen v [ħaʒaba] **حجب**

argument, document, n [ħuʒʒa] **حجة**
pretext

stone n [ħaʒar] **حجر**

أحجار الدومينو
[Ahjar al-domino] npl dominoes

حجر رملي
[Hajar ramley] n sandstone

حجر الجرانيت
[Hajar al-jraneet] n granite

حجر الجير
[Hajar al-jeer] n limestone

حجر كريم
[Ajar kareem] n gem

حَجْر صحي
[Hajar ṣeḥey] n quarantine

room n [ħuʒra] **حجرة**

حجرة دراسية
[Hojrat derasah] n classroom

حجرة لحفظ المعاطف
[Hojarah le-hefdh al-ma'atef] n cloakroom

هل هناك تدفئة بالحجرة
[hal hunaka tad-fiaa bil-ħijra?] Does the room have heating?

هل يوجد وصلة إنترنت داخل الحجرة
[hal yujad wṣlat internet dakhil al-ħijra?]

حدوق n [ħaddu:q]

سمك الحدوق
[Samak al-hadoo'q] n haddock

حديث recent adj [ħadi:θ]

حديثا recently adv [ħadi:θan]

حديثة n [ħadi:θa]

لغات حديثة
[Loghat hadethah] npl modern languages

حديد iron n [ħadi:d]

سكة حديد تحت الأرض
[Sekah hadeed taht al-ard] n underground

محل تاجر الحديد والأدوات المعدنية
[Mahal tajer alhadeed wal-adwat al-ma'adaneyah] n ironmonger's

حديدي iron adj [ħadi:dijjat]

قضبان السكة الحديدية
['qodban al-sekah al-hadeedeyah] n rail

حديقة garden n [ħadi:qa]

حديقة ألعاب
[Hadee'qat al'aab] n theme park

حديقة الحيوان
[Hadee'qat al-hayawan] n zoo

حديقة وطنية
[Hadee'qah wataneyah] n national park

حذاء shoe n [ħiða:ʔ]

حذاء عالي الساق
[hedhaa 'aaley al-sa'q] n boot

حذاء الباليه
[hedhaa al-baleeh] npl ballet shoes

حذاء برقبة
[Hedhaa be-ra'qabah] npl wellingtons

زوج أحذية رياضية
[Zawj ahzeyah Reyadeyah] n sneakers

هل يمكن إعادة تركيب كعب لهذا الحذاء؟
[hal yamken e'aa-dat tarkeeb ka'ab le-hadha al-hedhaa?] Can you re-heel these shoes?

هل يمكن تصليح هذا الحذاء؟
[hal yamken tasleeh hadha al-hedhaa?] Can you repair these shoes?

حذر cautious adj [ħaðir]

بحذر
[behadhar] adv cautiously

توخي الحذر
[ta-wakhy al-hadhar] Take care

حذر warn v [ħaððara]

حَذَر caution n [ħaðar]

حَذِر careful adj [ħaðir]

حَذَف eliminate v [ħðefa]

حذف delete v [ħaðafa]

حَذِق cute adj [ħaðiq]

حر free (no restraint) adj [ħurr]

شديد الحر
[Shadeed al-har] adj sweltering

يعمل بشكل حر
[Ya'amal beshakl hor] adj freelance

حُر adj [ħurru]

حُر المهنة
[Hor al-mehnah] adj self-employed

حرارة heat n [ħara:ra]

درجة الحرارة
[Darajat al-haraarah] n temperature

درجة حرارة سلزيوس
[Darajat hararah selezyos] n degree Celsius

درجة حرارة فهرنهايتي
[Darjat hararh ferhrenhaytey] n degree Fahrenheit

لا يمكنني النوم بسبب حرارة الغرفة
[la yam-kinuni al-nawm be-sabab hararat al-ghurfa] I can't sleep because of the heat

حرب war n [ħarb]

حرب أهلية
[Harb ahleyah] n civil war

حرة n [ħura]

أين يوجد السوق الحرة؟
[ayna tojad al-soo'q al-horra?] Where is the duty-free shopping?

حرث plough vt [ħaraθa]

حرد sulk v [ħarada]

حَرَر free v [ħarrara]

حرَس guard v [ħarasa]

حرف letter (a, b, c) n [ħarf]

حرف ساكن
[harf saken] n consonant

حرف عطف
[Harf 'aatf] n conjunction

حَرَّف wrench v [ħarrafa]

[Behozn] adv sadly
حَزين sad adj [ħazi:nu]
حِس sense, feeling n [ħiss]
الحس العام
[Al-ḥes al-'aaam] n common sense
حساء soup n [ħasa:ʔ]
ما هو حساء اليوم؟
[ma howa ḥasaa al-yawm?] What is the
soup of the day?
حساب account (in bank) n [ħisa:b]
رقم الحساب
[Ra'qm al-hesab] n account number
حساب جاري
[Hesab tejarey] n current account
حساب بنكي
[Hesab bankey] n bank account, bank
balance
حساب مشترك
[Hesab moshtarak] n joint account
يخصم مباشرة من حساب العميل
[Yokhṣam mobasharatan men hesab
al'ameel] n direct debit
المشروبات على حسابي
[al-mashro-baat 'ala ḥesaby] The drinks
are on me
حساس sensitive, adj [ħassa:s]
sentimental
غير حساس
[Ghayr hasas] adj insensitive
حساسية allergy n [ħasa:sijja]
حساسية تجاه الفول السوداني
[Hasaseyah tejah al-fool alsodaney] n
peanut allergy
حساسية الجوز
[Hasaseyat al-joz] n nut allergy
حسب reckon v [ħisaba]
حسب count v [ħasaba]
حُسبان calculation n [ħusba:n]
حسد envy n [ħasad]
حسد envy v [ħasada]
حَسم rebate n [ħasm]
حَسَن well adj [ħasan]
حسن الاطلاع
[Hosn al-etela'a] adj knowledgeable
حسن المظهر
[Hosn al-maḍhar] adj good-looking

حِرفة craft n [ħirfa]
حِرَفي craftsman n [ħirafij]
حَرفيًا literally adv [ħarfijjan]
حَرْق burn n [ħuriqa]
حَرَق burn vt [ħaraqa]
حُرقة burning n [ħurqa]
حرقة في فم المعدة
[Hor'qah fee fom al-ma'adah] n
heartburn
حَرَّك shift vt [ħarraka]
حركة movement n [ħaraka]
حركة مفاجئة
[Harakah mofajeah] n hitch
حرم n [ħaram]
الحرم الجامعي
[Al-ḥaram al-jame'ey] n campus
حَرَّم v [ħarrama]
يُحرم شخصاً من الدخول
[Yoḥrem shakhṣan men al-dokhool] v
lock out
حَرَّم forbid v [ħarrama]
حرية freedom n [ħurrijja]
حرير silk n [ħari:r]
حريق sack n [ħari:q]
سُلَم النجاة من الحريق
[Solam al-najah men al-ḥaree'q] n fire
escape
طفاية الحريق
[Tafayat ḥaree'q] n fire extinguisher
حزام belt n [ħiza:m]
حزام الأمان
[Hezam al-aman] n safety belt
حزام النجاة من الغرق
[Hezam al-najah men al-ghar'q] n
lifebelt
حزام لحفظ المال
[Hezam lehefḍh almal] n money belt
حزب party (group) n [ħizb]
حزم n [ħuzam]
أنا في حاجة لحزم أمتعتي الآن
[ana fee ḥaja le-ḥazem am-te-'aaty
al-aan] I need to pack now
حَزَم pack vt [ħazama]
حزمة bunch, parcel n [ħuzma]
حُزن sorrow, sore n [ħuzn]
بحُزن

خُسن [ḥusn] n excellence, beauty

حسن السلوك [Ḥasen al-solook] adj well-behaved

حسن الأحوال [Hosn al-ahwaal] adj well-off

حسن الدخل [Hosn al-dakhl] adj well-paid

لحسن الطالع [Le-hosn alṭale'a] adj luckily

حسنا [ḥasanan] okay!, OK! excl

حسود [ḥasu:d] envious adj

حسي [ḥissij] sensuous adj

حشد [ḥaʃd] crowd, presenter n (multitude)

حشرة [ḥaʃara] insect n

الحشرة العصوية [Al-hasherah al-'aodweia] n stick insect

حشرة صرار الليل [Hashrat ṣarar al-layl] n cricket (insect)

حشرة القرادة [Hashrat al-'qaradah] n tick

حشو [ḥaʃw] filling n

لقد تأكل الحشو [la'qad ta-aa-kala al-ḥasho] A filling has fallen out

هل يمكنك عمل حشو مؤقت؟ [hal yamken -aka 'aamal ḥasho mo-a'qat?] Can you do a temporary filling?

حشوة [ḥaʃwa] stuffing n

حشي [ḥaʃeja] swot, charge vi (electricity)

حشية [ḥiʃja] mattress n

حشيش [ḥaʃi:ʃ] cannabis n

حشيش مخدر [Hashesh mokhader] n marijuana

حصاة [ḥasˤa:t] pebble n

حصاة المرارة [Ḥaṣat al-mararah] n gallstone

حصاد [ḥasˤa:d] harvest n

حصالة [ḥasˤsˤa:la] n

حصالة على شكل خنزير [Ḥaṣalah ala shakl khenzeer] n piggybank

حصان [ḥisˤa:n] horse n

حصان خشبي هزاز [Heṣan khashabey hazaz] n rocking horse

حدوة الحصان [Hedawat heṣan] n horseshoe

حصبة [ḥasˤ'aba] measles n

حصبة ألمانية [Haṣbah al-maneyah] n German measles

حصة [ḥisˤ'a] portion n

حصد [ḥasˤada] harvest v

حصل [jaḥsˤala] v get

يَحصُل على [Taḥsol 'ala] v get

هل يمكن أن أحصل على جدول المواعيد من فضلك؟ [hal yamken an aḥsal 'aala jadwal al-mawa-'aeed min faḍlak?] Can I have a timetable, please?

حصن [ḥisˤn] fort n

حصول [ḥusˤu:l] acquisition n

أرغب في الحصول على خمسمائة... [Arghab fee al-ḥoṣol alaa khomsamah…] I'd like five hundred…

أريد الحصول على أرخص البدائل [areed al-ḥusool 'aala arkhaṣ al-badaa-el] I'd like the cheapest option

كيف يمكن لنا الحصول على التذاكر؟ [kayfa yamkun lana al-ḥusool 'aala al-tadhaker?] Where can we get tickets?

هل يمكنني استخدام بطاقتي للحصول على أموال نقدية؟ [hal yamken -any esti-khdaam beṭa-'qatee lil-ḥiṣool 'aala amwaal na'qdiya?] Can I use my card to get cash?

هل يمكنني الحصول على شوكة نظيفة من فضلك؟ [hal yamken -any al-ḥusool 'aala shawka naḍhefa min faḍlak?] Could I have a clean fork please?

حصى [ḥasˤa:] gravel n

حضارة [ḥadˤa:ra] civilization n

حضانة [ḥadˤa:na] nursery n

حضانة أطفال [Haḍanat aṭfal] n crèche

حفلة [ħafla] n party (social gathering)

حفلة عشاء
[Ħaflat 'aashaa] n dinner party

حفلة موسيقية
[Haflah mose'qeyah] n concert

حفيد [ħafi:d] n grandchild

حفيدة [ħafi:da] n granddaughter

حق [ħaq] n right

حق الرفض
[Ha'q al-rafd] n veto

حق المرور
[Ha'q al-moror] n right of way

حقوق الإنسان
[Ho'qoo'q al-ensan] npl human rights

حقوق الطبع والنشر
[Ho'qoo'q al-tab'a wal-nashr] n
copyright

حقوق مدنية
[Ho'qoo'q madaneyah] npl civil rights

حقا [ħaqqan] indeed adv ▷ right excl

حقد [ħaqada] v

يحقد على
[yah'qed 'alaa] v spite

حقق [ħaqqaqa] v achieve

حقل [ħaql] n field

حقل النشاط
[Ha'ql al-nashat] n career

حقل للتجارب
[Ha'ql lel-tajareb] n guinea pig (for
experiment)

حقن [ħaqn] n injection

حقن [ħaqana] v inject

حقنة [ħuqna] n shot, syringe

أحتاج إلى حقنة تيتانوس
[ahtaaj ela ħe'qnat tetanus] I need a
tetanus shot

حقوق [ħuqu:qun] npl law

كلية الحقوق
[Kolayt al-ho'qooq] n law school

حقيبة [ħaqi:ba] n bag

حقيبة صغيرة
[Ha'qeebah ṣagheerah] n bum bag

حقيبة سِرج الحصان
[Ha'qeebat sarj al-hoṣan] n saddlebag

حقيبة أوراق
[Ha'qeebat awra'q] n portfolio

حضر [ħadˤr] n

حضر التجول
[hadr al-tajawol] n curfew

حضر [ʔeħadˤara] v

يحضر حفل
[Taħdar ħafl] v party

حضر [ħadˤdˤara] v attend, bring

حضن [ħudˤn] n lap

حضور [ħudˤu:r] n presence

حطام [ħutˤa:m] n wreckage

سفينة محطمة
[Safeenah mohaṭamah] adj shipwrecked

حطام السفينة
[Hoṭam al-safeenah] n shipwreck

حُطام النيزك
[Hoṭaam al-nayzak] n meteorite

حطم [ħatˤama] v wreck

حظ [ħazˤzˤ] n luck

حظ سعيد
[hadh sa'aeed] n fortune

لسوء الحظ
[Le-soa al-hadh] adv unfortunately

لحسن الحظ
[Le-hosn al-hadh] adv fortunately

حظر [ħazˤr] n ban

حظر [ħazˤara] v prohibit

حظيرة [ħazˤi:ra] n yard (enclosure)

حفار [ħaffa:r] n digger

حفر [ħafara] vt dig

حفرة [ħufra] n hole

حفرة رملية
[Hofrah ramleyah] n sandpit

حفز [ħaffaza] v prompt

حفظ [ħafazˤa] memorize v ▷ keep vt

يحفظ في ملف
[yahfadh fee malaf] v file (folder)

حفل [ħafl] n gathering, event

حفل راقص
[Half ra'qeṣ] n ball (dance)

أين يمكنني شراء تذاكر الحفل الغنائي؟
[ayna yamken-any sheraa tadhaker
al-hafil al-ghenaee?] Where can I buy
tickets for the concert?

نحن هنا لحضور حفل زفاف
[nahno huna le-ħidor ħafil zafaaf] We
are here for a wedding

حقيبة أوراق جلدية
[Ha'qeebat awra'q jeldeyah] n briefcase

حقيبة الظهر
[Ha'qeebat al-ḏhahr] n rucksack

حقيبة للرحلات القصيرة
[Ha'qeebah lel-rahalat al-'qaṣeerah] n
overnight bag

حقيبة للكتب المدرسية
[Ha'qeebah lel-kotob al-madraseyah] n
satchel

حقيبة مبطنة
[Ha'qeebah mobaṭanah] n sponge bag

حقيبة ملابس تحمل على الظهر
[Ha'qeebat malabes tohmal 'aala
al-ḏhahr] n rucksack

حقيبة من البوليثين
[Ha'qeebah men al-bolytheleyn] n
polythene bag

حقيبة يد
[Ha'qeebat yad] n handbag

شكرًا لا أحتاج إلى حقيبة
[shukran la aḥtaj ela ḥa'qeba] I don't
need a bag, thanks

من فضلك هل يمكنني الحصول على
حقيبة أخرى؟
[min faḍlak hal yamkin-ani al-ḥuṣool
'aala ḥa'qeba okhra?] Can I have an
extra bag, please?

حقير
stingy adj [ḥaqi:r]

حقيقة
fact, truth n [ḥaqi:qa]

حقيقي
true adj [ḥaqi:qij]

غير حقيقي
[Ghayer ḥa'qee'qey] adj unreal

حك
scratching n [ḥakka]

يَتَطلب الحك
[yataṭalab al-hak] adj itchy

حك
rub v [ḥakka]

حكاية
tale n [ḥika:ja]

إحدى حكايات الجان
[Aḥad ḥekayat al-jan] n fairytale

حكم
v [ḥakama]

يَحْكُم على
[Yaḥkom 'ala] v sentence

حَكَم
umpire n [ḥakam]

حكم مباريات رياضية
[Hosn almaḍhar] n referee

رول، sentence n [ḥukm] حُكم
(punishment)

حُكم المحلفين
[Hokm al-mohallefeen] n verdict

حُكم ذاتي
[ḥokm ḏhatey] n autonomy

حكمة
wisdom n [ḥikma]

حكومة
government n [ḥukuwamt]

موظف حكومة
[mowaḏhaf hokomah] n civil servant

حكومي
adj [ḥuku:mij]
governmental

موظف حكومي
[mowaḏhaf ḥokomey] n servant

حكيم
wise adj [ḥaki:m]

غير حكيم
[Ghayer hakeem] adj unwise

حل
solution n [ḥall]

حل
v [ḥalla]

يَحل محل
[Taḥel maḥal] v substitute

حل
work out v [ḥalla]

حلاق
shaving, barber n [ḥalla:q]

ماكينة حلاقة
[Makeenat ḥelaqah] npl clippers

صالون حلاقة
[Ṣalon helaqah] n hairdresser's

شفرة حلاقة
[Shafrat hela'qah] n razor blade

ماكينة حِلاقة
[Makenat hela'qa] n shaver

موس الحلاقة
[Mosa alḥela'qah] n razor

حلب
milk v [ḥalaba]

حلبة
rink n [ḥalaba]

حلبة تَزَلج
[Halabat tazaloj] n skating rink

حلبة السباق
[ḥ alabat seba'q] n racetrack

حلبة من الجليد الصناعي
[Halabah men aljaleed alṣena'aey] n ice
rink

حلزون
snail n [ḥalazu:n]

حلف
swear v [ḥalafa]

حلق
shave v [ḥalaqa]

حلقة
round, circle, ring n [ḥalaqa]

حلل analyse v [ḥallala]

حلم dream n [ḥulm]

حلم dream v [ḥalama]

حلو sweet (taste) adj [ḥulw]

حلوى sweet, toffee n [ḥalwa:]

حلوى البودينج
[Halwa al-boodenj] n sweet

قائمة الحلوى من فضلك
['qaemat al-ḥalwa min faḍlak] The dessert menu, please

حلويات sweets npl [ḥalawija:tun]

حليب milk n [ḥali:b]

حليب منزوع الدسم
[Haleeb manzoo'a al-dasm] n skimmed milk

حليب نصف دسم
[Haleeb nesf dasam] n semi-skimmed milk

بالحليب دون خلطه
[bil ḥaleeb doon khal-ṭuho] with the milk separate

حلية ornament n [ḥilijja]

حلية متدلية
[Halabh motadaleyah] n pendant

حليف ally n [ḥali:f]

حليق shaved adj [ḥali:q]

غير حليق
[Ghayr ḥalee'q] adj unshaven

حمار donkey n [ḥima:r]

الحمار الوحشي
[Al-hemar al-wahshey] n zebra

حماسة enthusiasm n [ḥama:sa]

حُماق chickenpox n [ḥumq]

حمالة braces, sling n [ḥamma:la]

حمالة ثياب
[Hammalt theyab] n hanger

حَمَّالة صَدْر
[Hammalat ṣadr] n bra

حمام bath, loo, toilet n [ḥamma:m]

بُرْنس حمام
[Bornos hammam] n dressing gown

حمام بخار
[Hammam bokhar] n sauna

مستلزمات الحمام
[Mostalzamat al-hammam] npl toiletries

منشفة الحمام
[Manshafah alhammam] n bath towel

يَأْخُذ حمام شمس
[yaakhoḍ hammam shams] v sunbathe

الحمام تغمره المياه
[al-ḥamaam taghmurho al-me-aa] The bathroom is flooded

هل يوجد حمام خاص داخل الحجرة
[hal yujad ḥamam khaṣ dakhil al-ḥujra?] Does the room have a private bathroom?

حمامات baths npl [ḥamma:ma:tun]

حمامة pigeon n [ḥama:ma]

حماية protection n [ḥima:ja]

حمض acid n [ḥimdˤ]

حمضي adj [ḥimdˤijjat]

أمطار حمضية
[Amṭar ḥemdeyah] n acid rain

حمل pregnancy n [ḥaml]

عازل طبى لمنع الحمل
['aazel ṭebey le-man'a al-haml] n condom

حمل حقيبة الظهر
[Hamal ha'qeebat al-ḍhahr] n backpacking

منع الحمل
[Man'a al-ḥml] n contraception

مواد مانعة للحمل
[Mawad mane'aah lel-haml] n contraceptive

حمل download v [ḥammala]

حمل carry vt [ḥamala]

حَمَل lamb n [ḥiml]

حَمْل pregnancy n [ḥaml]

حِمل load n [ḥiml]

حملة campaign n [ḥamla]

حملق stare, v [ḥamlaqa]

glare (يسطع)

حُمولة cargo n [ḥumu:la]

حمى fever n [ḥumma:]

حمى protect v [ḥama:]

حميم close, intimate adj [ḥami:m]

حنث n [ḥinθ]

الحنث باليمين
[Al-ḥanth bel-yameen] n perjury

حنجرة throat n [ḥanʒura]

حنفية tap n [ḥanafijja]

affectionate, kind *adj* [ħanu:n] **حنون**
longing *adj* [ħani:n] **حنين**

حنين إلى الوطن
[Ħaneem ela al-waṭan] *adj* homesick

dialogue *n* [ħiwa:ru] **حوار**
n [ħawa:la] **حوالة**

حوالة مالية
[Ħewala maleyah] *n* postal order

about *prep* [ħawa:laj] **حوالي**
hovercraft *n* [ħawwa:ma] **حَوَّامَة**
whale *n* [ħu:t] **حوت**
poplar *n* [ħu:r] **حور**

خشب الحور
[Khashab al-ħoor] *n* poplar, wood
n [ħu:rijja] **حورية**

حورية الماء
[Ħooreyat al-maa] *n* mermaid
basin, pool *n* [ħawdˤdˤiˤ] **حوض**

حوض سمك
[Ħawḍ al-samak] *n* aquarium

حوض استحمام
[Ħawḍ estehmam] *n* bathtub

حوض السفن
[Ħawḍ al-sofon] *n* dock

حوض الغسل
[Ħawḍ al-ghaseel] *n* washbasin

حوض مرسى السفن
[Ħawḍ marsa al-sofon] *n* marina

حوض منتج للنفط
[Ħawḍ montej lel-naft] *n* pool *(resources)*

حوض نباتات
[Ħawḍ nabatat] *n* plant pot
pool *(water)* *n* [ħawdˤ] **حَوض**

حَوض سباحة للأطفال
[Ħaeḍ sebaha lel-aṭfaal] *n* paddling pool

round *prep* [ħawla] **حول**
v [ħawwala] **حَوّل**

يَحْول عَيْنَه
[Yoħawel aynah] *v* squint
switch *v* [ħawwala] **حَوّل**
live *adj* [ħajj] **حي**

حَي الفقراء
[Ħay al-fo'qraa] *n* slum
life *n* [ħaja:t] **حياة**

على قيد الحياة
[Ala 'qayd al-hayah] *adj* alive

حياة برية
[Hayah bareyah] *n* wildlife

مُنقذ للحياة
[Mon'qedh lel-ħayah] *adj* life-saving

نمط حياة
[Namaṭ hayah] *n* lifestyle

neutral *n* [ħija:dij] **حيادي**
possession *n* [ħija:za] **حيازة**
where *conj* [ħajθu] **حيث**

حيث أن
[Hayth ann] *adv* as, because
everywhere *adv* [ħajθuma:] **حيثما**
precaution *n* [ħi:tˤa] **حيطة**
animal *n* [ħajawa:n] **حيوان**

حيوان أليف
[Ħayawaan aleef] *n* pet

حيوان الغَرير
[Ħayawaan al-ghoreer] *n* badger

حيوان الهمستر
[Heyawaan al-hemester] *n* hamster

vital *adj* [ħajawij] **حيوي**

مضاد حيوي
[Moḍad ħayawey] *n* antibiotic
zip *n* [ħajawijja] **حيوية**

خ

بالخارج
[Bel-kharej] *adv* abroad

خارجاً [xa:riʒan] *adv* out, outside

خارجي [xa:riʒij] *adj* exterior, outside

أريد إجراء مكالمة خارجية، هل يمكن أن تحول لي أحد الخطوط؟
[areed ejraa mukalama kharij-iya, hal yamkin an it-hawil le ahad al-khitoot?] I want to make an outside call, can I have a line?

خارطة [xa:ritˤatu] *n* map, chart

خارطة الشارع
[kharetat al-share'a] *n* street map

خارق [xa:riq] *adj* out-of-the-ordinary

خارق للطبيعة
[Khare'q lel-ṭabe'aah] *adj* supernatural

خازوق [xa:zu:q] *n* pole

خاص [xa:sˤsˤ] *adj* special

عرض خاص
['aarḍ khaṣ] *n* special offer

خاصة [xa:sˤsˤatan] *adv* specially

خاط [xa:tˤa] *v* sew

خاطئ [xa:tˤiʔ] *adj* incorrect, wrong

على نحو خاطئ
[Ala nahwen khaṭea] *adv* wrong

خاطر [xa:tˤir] *n* thought, wish

عن طيب خاطر
[An teeb khaṭer] *adv* willingly

خاطف [xa:tˤif] *adj* momentary

خاف [xa:fa] *v* fear

خال [xa:lin] *adj* empty

خال (skin) [xa:l] *n* mole

خالد [xa:lid] *adj* eternal

خالي [xa:li:] *adj* free (of)

خالي من الرصاص
[Khaley men al-raṣaṣ] *adj* lead-free

هل توجد أطباق خالية من الجلوتين؟
[hal tojad aṭba'q khaleya min al-jiloteen?] Do you have gluten-free dishes?

هل توجد أطباق خالية من منتجات الألبان؟
[hal tojad aṭba'q khaleya min munta-jaat al-albaan?] Do you have dairy-free dishes?

هل يمكن إعداد وجبة خالية من

خائر [xa:ʔir] *adj* excellent

خائر القوى
[Khaaer al-'qowa] *adj* faint

خائف [xa:ʔif] *adj* afraid, apprehensive, scared

خائف من الأماكن المغلقة
[Khaef men al-amaken al-moghla'ah] *adj* claustrophobic

خائن [xa:ʔin] *adj* unfaithful

خاتم [xa:tam] *n* ring

خاتم الخطوبة
[Khatem al-khotobah] *n* engagement ring

خاتم البريد
[Khatem al-bareed] *n* postmark

خاتم الزواج
[Khatem al-zawaj] *n* wedding ring

خاتمة [xa:tima] *n* conclusion

خادم [xa:dim] *n* server (person), servant

خادمة [xa:dima] *n* maid

خادمة في فندق
[Khademah fee fodo'q] *n* maid

خارج [xa:riʒ] *n* outside

خارج النطاق المُحَدد
[Kharej al-neta'q al-mohadad] *adv* offside

ختم [xitm] n seal (mark)

خجلان [xaʒla:n] n ashamed

خجول [xaʒu:l] adj self-conscious

خد [xadd] n cheek

خداع [xida:ʕ] n scam

خدر [xadir] adj numb

خدش [xudʃu] n scratch

خدش [xadaʃa] v scratch

خدع [xadaʕa] v bluff, kid

خدعة [xudʕa] n trick

خدم [xadama] v serve

خدمة [xidma] n service

خدمة رسائل الوسائط المتعددة
[Khedmat rasael al-wasaaeṭ almota'aadedah] n MMS

خدمة سرية
[Khedmah serreyah] n secret service

خدمة الغرف
[Khedmat al-ghoraf] n room service

خدمة ذاتية
[Khedmah ḍateyah] n self-service, self-catering (lodging)

مدة خدمة
[Modat khedmah] n serve

محطة الخدمة
[Mahaṭat al-khedmah] n service station

أريد في تقديم شكاوى بشأن الخدمة
[areed ta'q-deem shakawee be-shan al-khedma] I want to complain about the service

أي الصيدليات تقدم خدمة الطوارئ؟
[ay al-ṣyda-lyaat to'qadem khidmat al-ṭawa-ree] Which pharmacy provides emergency service?

كانت الخدمة سيئة للغاية
[kanat il-khidma say-ia el-ghaya] The service was terrible

هل هناك مصاريف للحصول على الخدمة؟
[Hal honak maṣareef lel-ḥoṣol ala al-khedmah] Is there a charge for the service?

خديعة [xadi:ʕa] n bluff

خراب [xara:b] n ruin, wreck

خراج [xura:ʒ] n abscess

أعاني من وجود خراج

الجلوتين؟
[hal yamken e'adad wajba khaliya min al-jilo-teen?] Could you prepare a meal without gluten?

خام [xa:m] adj raw

خامة [xa:ma] n

ماهي خامة؟
[ma heya khamat al-ṣuni'a?] What is the material?

خامس [xa:mis] adj fifth

خان [xa:na] n inn

خان [xa:na] v betray

خانق [xa:niq] adj stifling

خبّ [xabba] v

يخبّ الفرس
[Yakheb al-faras] v trot

خباز [xabba:z] n baker

خبرة [xibra] n experience

خبرة العمل
[Khebrat al'aamal] n work experience

قليل الخبرة
['qaleel al-khebrah] adj inexperienced

خبز [xubz] n bread, baking

خبز أسمر
[Khobz asmar] n brown bread

خبز محمص
[Khobz mohammṣ] n toast (grilled bread)

خبز ملفوف
[Khobz malfoof] n roll

كسرة خبز
[Kesrat khobz] n crumb

محمصة خبز كهربائية
[Mohamaṣat khobz kahrobaeyah] n toaster

من فضلك أحضر لي المزيد من الخبز
[min faḍlak iḥḍir lee al-mazeed min al-khibz] Please bring more bread

هل تريد بعض الخبز؟
[hal tureed ba'aḍ al-khubz?] Would you like some bread?

خبز [xabaza] v bake

خبل [xabil] adj mad (insane)

خبيث [xabi:θ] adj malicious, malignant

خبير [xabi:r] n expert

ختم [xatama] v seal

[o-'aany min wijood khuraaj] I have an abscess

خُرّاج abscess n [xurra:ʒ]

خرافي superstitious n [xura:fij]

خرّب sabotage v [xxarraba]

خرّب v [xarraba]

يُخَرِّب الممتلكات العامة والخاصة عن عمد

[Yokhareb al-momtalakat al-'aaamah 'an 'amd] v vandalize

خربش scribble v [xarbaʃa]

خرج v [xraʒa]

متى سيخرج من المستشفى؟

[mata sa-yakhruj min al-mus-tashfa?] When will he be discharged?

خرج get out v [xaraʒa]

خرخر purr v [xarxara]

خردة junk n [xurda]

خردل mustard n [xardal]

خرزة bead n [xurza]

خرشوف artichoke n [xarʃu:f]

خرصانة concrete n [xarasˤa:na]

خرطوشة cartridge n [xartˤu:ʃa]

خرطوم hose n [xurtˤu:m]

خرطوم المياه

[Khartoom al-meyah] n hosepipe

خرق pierce v [xaraqa]

خرقة rag n [xirqa]

خرّم punch v [xarrama]

خروج way out, departure n [xuru:ʒ]

أين يوجد باب الخروج؟

[ayna yujad bab al-khorooj?] Where is the exit?

خروف sheep n [xaru:f]

صوف الخروف

[Soof al-kharoof] n fleece

خريج graduate n [xirri:ʒ]

خريطة map n [xari:tˤa]

خريطة البروج

[khareetat al-brooj] n horoscope

خريطة الطريق

[Khareetat al-taree'q] n road map

أريد خريطة الطريق لـ...

[areed khareetat al-taree'q le...] I need a road map of...

أين يمكن أن أشتري خريطة للمنطقة؟

[ayna yamken an ash-tary khareeta lil-manta'qa?] Where can I buy a map of the region?

هل لديكم خريطة لمحطات المترو؟

[hal ladykum khareeta le-muhat-aat al-metro?] Do you have a map of the tube?

هل يمكن أن أري مكانه على الخريطة؟

[Hal yomken an ara makanah ala al-khareeṭah] Can you show me where it is on the map?

هل يمكنني الحصول على خريطة المترو من فضلك؟

[hal yamken -any al-ḥuṣool 'aala khareeṭat al-mitro min faḍlak?] Could I have a map of the tube, please?

هل يوجد لديك خريطة...؟

[hal yujad ladyka khareeṭa...?] Have you got a map of...?

خريف n [xari:f]

الخريف

[Al-khareef] n autumn

خزان reservoir n [xazza:nu]

خزان بنزين

[Khazan benzeen] n petrol tank

خزانة safe, closet, cabinet n [xiza:na]

خزانة الأمتعة المتروكة

[Khezanat al-amte'ah al-matrookah] n left-luggage locker

خزانة الثياب

[Khezanat al-theyab] n wardrobe

خزانة بقفل

[Khezanah be-'qefl] n locker

خزانة كتب

[Khezanat kotob] n bookcase

خزانة للأطباق والكؤوس

[Khezanah lel aṭba'q wal-koos] n cupboard

خزانة ملابس بأدراج

[Khezanat malabes be-adraj] n chest of drawers

خزفي ceramic adj [xazafij]

خزن stock v [xazana]

خزّن store v [xazzana]

خزي shame n [xizj]

خزينة safe n [xazi:na]

أريد أن أضع مجوهراتي في الخزينة
[areed an aḍa'a mujaw-haraty fee al-khazeena] I would like to put my jewellery in the safe

ضع هذا في الخزينة من فضلك
[ḍa'a hadha fee al-khazena, min faḍlak] Put that in the safe, please

خَسْ lettuce n [xussu]

خسارة loss n [xasa:ra]

خسر lose vt [xasara]

خسيس rubbish adj [xasi:s]

خشب wood (material) n [xaʃab]

خشب أبلكاج
[Khashab ablakajj] n plywood

n [xaʃabatu]

خشبة المسرح
[Khashabat al-masrah] n stage

خشبي wooden adj [xaʃabij]

خشخاش poppy n [xaʃxa:ʃ]

n [xaʃxi:ʃa]

خشخيشة الأطفال
[Khashkheeshat al-aṭfaal] n rattle

خشن harsh, rough adj [xaʃin]

خص belong v [xasˤsˤa]

خِصب fertile adj [xisˤb]

خصر waist n [xasˤr]

خصص privatize v [xasˤsˤasˤa]

n [xusˤla]

خُصلة شعر
[Khoṣlat sha'ar] n lock (hair)

خصم discount n [xasˤm]

خصم للطلاب
[Khaṣm lel-ṭolab] n student discount

هل يتم قبول بطاقات الخصم؟
[hal yatum 'qubool be-ṭa'qaat al-khaṣim?] Do you take debit cards?

خَضْم adversary, opponent, n [xasˤm] rival

n [xusˤu:sˤ]

على وجه الخصوص
[Ala wajh al-khoṣoṣ] adv particularly

خصوصا especially adv [xusˤwusˤan]

خصوصي private adj [xusˤu:sˤij]

خصية testicle n [xisˤja]

خضار vegetable n [xudˤa:r]

خضر vegetables npl [xudˤar]

متجر الخضر والفاكهة
[Matjar al-khoḍar wal-fakehah] n greengrocer's

خط queue n [xatˤtˤu]

إشارة إنشغال الخط
[Esharat ensheghal al-khat] n engaged tone

خط أنابيب
[Khaṭ anabeeb] n pipeline

خط التماس
[Khaṭ al-tamas] n touchline

خط الاستواء
[Khaṭ al-estwaa] n equator

خط طول
[Khaṭ ṭool] n longitude

ما هو الخط الذي يجب أن أستقله؟
[ma howa al-khaṭ al-lathy yajeb an asta'qil-uho?] Which line should I take for...?

خطأ mistake n [xatˤa]

رقم خطأ
[Ra'qam khataa] n wrong number

خطأ فادح
[Khata fadeh] n blunder

خطأ مطبعي
[Khata matba'aey] n misprint

خطاب letter, message, n [xitˤa:b] speech, address

أريد أن أرسل هذا الخطاب
[areed an arsil hadha al-khetab] I'd like to send this letter

خُطّاف crook n [xutˤtˤa:f]

خُطبة speech n [xutˤba]

خطة scheme n [xutˤtˤa]

خطر danger n [xatˤar]

هل يوجد خطر من وجود الكتلة الجليدية المنحدرة؟
[hal yujad khatar min wijood al-kutla al-jalee-diya al-muhadera?] Is there a danger of avalanches?

خطف abduct v [xatˤafa]

خطوة step n [xutˤwa]

خطيئة sin n [xatˤi:ʔa]

خطيب fiancé n [xatˤi:b]

خطيبة fiancée n [xatˤi:ba]

خطير dangerous adj [xatˤi:r]

خَلَـنْج n [xalnaʒ]

نبات الخَلَنْج

[Nabat al-khalnaj] n heather

خُفّاش bat (mammal) n [xuffa:ʃ]

خَفَر guard n [xafar]

خفر السواحل

[Khafar al-ṣawahel] n coastguard

خَفَض reduce v [xaffadˤa]

خفف dilute, relieve v [xafaffa]

خفق throb v [xafaqa]

خفي hidden adj [xafij]

خفيف light (not dark), light adj [xafi:f]
(not heavy)

خل vinegar n [xall]

خلاصة summary n [xula:sˤa]

خلاصة بحث أو منهج دراسي

[Kholaṣat bahth aw manhaj derasey] n
syllabus

خلاط mixer n [xala:tˤ]

خلاط كهربائي

[Khalat kahrabaey] n liquidizer

خلاف contrast, difference n [xila:f]

بخلاف

[Be-khelaf] prep apart from

خلاق creative adj [xalla:q]

خلال through prep [xila:la]

خلال ذلك

[Khelal dhalek] adv meanwhile

خلط mix up v [xalatˤa]

خلع v [xalaʕa]

يخلع ملابسه

[Yakhla'a malabesh] , take off

خلف behind adv [xalfa]

للخلف

[Lel-khalf] adv backwards

خلفي rear adj [xalfij]

متجّه خلفاً

[Motajeh khalfan] adj back

خلفية background n [xalfijja]

خلل marinade v [xallala]

خلود eternity n [xulu:d]

خلول n [xulu:l]

أم الخُلول

[Om al-kholool] n mussel

خلوي outdoor adj [xalawij]

خلية cell n [xalijja]

خليج bay n [xali:ʒ]

دُوَل الخليج العربي

[Dowel al-khaleej al'arabey] npl Gulf
States

خليط mixture n [xali:tˤ]

خليلة mistress n [xali:la]

خِمار veil n [xima:r]

خماسي five-part adj [xuma:sij]

مباراة خماسية

[Mobarah khomaseyah] n pentathlon

خمد stub out v [xamada]

خمر wine n [xamr]

خَمْر الشِري

[Khamr alsherey] n sherry

خَمْر الطعام

[Khamr al-ṭa'aam] n table wine

هذا الخمر ليس مثلج

[hatha al-khamur lysa muthal-laj] This
wine is not chilled

هذه البقعة بقعة خمر

[hathy al-bu'q-'aa bu'q-'aat khamur] This
stain is wine

خَمسة five number [xamsatun]

خَمسة عشر number [xamsata ʃaʃar]
fifteen

خَمسُون fifty number [xamsu:na]

خمّن guess v [xammana]

خِميرة yeast n [xami:ra]

خَنْدق trench n [xandaq]

خندق مائي

[Khanda'q maaey] n moat

خنزير pig n [xinzi:r]

خنزير غينيا

[Khnzeer ghemyah] n guinea pig
(rodent)

فخذ الخنزير المدخن

[Fakhdh al-khenzeer al-modakhan] n
ham

لحم خنزير

[Lahm al-khenzeer] n pork

لحم خنزير مقدد

[Lahm khanzeer me'qaded] n bacon

خُنْفِساء beetle n [xunfusa:ʔ]

خُنْفِساء الدَعْسوقة

[Khonfesaa al-da'aso'qah] n ladybird

خنق strangle, suffocate v [xanaqa]

نectarine, peach n [xu:x] خُوخ
helmet n [xuwða] خُوذة
هل يمكن أن أحصل على خوذة؟
[hal yamken an ahsal 'aala khoo-dha?]
Can I have a helmet?
fear n [xawf] خوف
خوف مرضي
[Khawf maradey] n phobia
intimidate v [xawwafa] خوّف
cucumber, option n [xija:r] خِيَار
tailor n [xajja:tˤ] خَيَّاط
sewing n [xija:tˤa] خِيَاطة
ماكينة خياطة
[Makenat kheyatah] n sewing machine
sewing n [xaja:tˤa] خِيَاطة
imagination n [xaja:l] خيَال
خيال علمي
[Khayal 'aelmey] n science fiction
خيال الظِل
[Khayal al-dhel] n scarecrow
fantastic adj [xaja:lij] خَيَالي
n [xajba] خيبَ
خيبة الأمل
[Khaybat al-amal] n disappointment
disappoint v [xajjaba] خيّب
good adj [xajr] خير
بخير، شكرا
[be-khair, shukran] Fine, thanks
bamboo n [xajzura:n] خَيْزُرَان
v [xajatˤa] خيط
يُخيط تماما
[Yokhayet tamaman] v sew up
thread n [xajtˤ] خَيْط
خَيْط تنظيف الأسنان
[Khayt tandheef al-asnan] n dental floss
horse n [xajl] خيل
ركوب الخيل
[Rekoob al-khayl] n horse riding
دوامة الخيل
[Dawamat al-kheel] n merry-go-round
أود أن أشاهد سباقًا للخيول؟
[awid an oshahed seba'qan lil-khiyool]
I'd like to see a horse race
أود أن أقوم بنزهة على ظهر الخيول؟
[awid an a'qoom be-nozha 'aala dhahir
al-khiyool] I'd like to go pony trekking

هيا نذهب لركوب الخيل
[hya nadhhab le-rikoob al-khayl] Let's go
horse riding
camp v [xajjama] خيم
tent n [xajma] خيمة
عمود الخيمة
['amood al-kheemah] n tent pole
نريد موقع لنصب الخيمة
[nureed maw'qi'a le-nasib al-khyma]
We'd like a site for a tent
هل يمكن أن ننصب خيمتنا هنا؟
[Hal yomken an nansob khaymatna
hona?] Can we pitch our tent here?

دَاخِل interior n [da:xil]

دَاخِلَا inside adv [da:xila:]

داخِلِي domestic, indoor, adj [da:xilij] internal

أنبوب داخلي
[Anboob dakheley] n inner tube

تلميذ داخلي
[telmeedh dakhely] n boarder

لباس داخلي
[Lebas dakhely] n panties

مدرسة داخلية
[Madrasah dakheleyah] n boarding school

ملابس داخلية
[Malabes dakheleyah] n underwear

مُصمِم داخلي
[Mosamem dakheley] n interior designer

نظام الاتصال الداخلي
[nedhaam aleteşaal aldakheley] n intercom

ما الأنشطة الرياضية الداخلية المتاحة؟
[ma al-anshiţa al-reyadya al-dakhiliya al-mutaha?] What indoor activities are there?

داخلياً indoors adv [da:xilijjan]

دار house, building n [da:r]

دار سك العملة
[Daar şaak al'aomlah] n mint (coins)

دار ضيافة
[Dar eḍafeyah] n guesthouse

دار البلدية
[Dar al-baladeyah] n town hall

دار الشباب
[Dar al-shabab] n youth hostel

دار المجلس التشريعى
[Dar al-majles al-tashre'aey] n council house

ماذا يعرض الآن في دار الأوبرا؟
[madha yu'a-rad al-aan fee daar al-obera?] What's on tonight at the opera?

دارة circuit n [da:ra]

داس stamp vt ◁ step on v [da:sa]

دافئ warm adj [da:fiʔ]

دافع n [da:fiʕ]

ل

داء illness n [da:ʔ]

داء البواسير
[Daa al-bawaseer] n piles

داء الكلب
[Daa al-kalb] n rabies

دائرة circle, round (series) n [da:ʔira]

دائرة تلفزيونية مغلقة
[Daerah telefezyoneyah moghla'qa] n CCTV

دائرة البروج
[Dayrat al-boroj] n zodiac

دائرة انتخابية
[Daaera entekhabeyah] n constituency, precinct

دائرة من مدينة
[Dayrah men madeenah] n ward (area)

الدائرة القطبية الشمالية
[Al-daerah al'qotbeyah al-Shamaleyah] n Arctic Circle

دائري circular adj [da:ʔirij]

طريق دائري
[Ţaree'q dayery] n ring road

دائم permanent adj [da:ʔim]

بشكل دائم
[Beshakl daaem] adv permanently

دائما always adv [da:ʔiman]

دَاخِل inside n [da:xila]

دافع الضرائب
[Daafe'a al-darayeb] n tax payer

دافع [da:faʕa] v defend

دانماركي [da:nma:rkij] adj Danish
▷ Dane n

دانمركي [da:nmarkijjat] adj

اللغة الدانمركية
[Al-loghah al-danmarkeyah] n (language)
Danish

دُبّ [dubb] n bear

دُب تيدي بير
[Dob tedey beer] n teddy bear

دبابة [dabba:ba] n tank (combat vehicle)

دبّاسة [dabba:sa] n stapler

دبّس [dabbasa] v

يُدبّس الأوراق
[Yodabes al-wra'q] v staple

دبس [dibs] n

دبس السكر
[Debs al-sokor] n treacle

دبلوما [diblu:ma:] n diploma

دبلوماسي [diblu:ma:sij] adj
diplomatic
▷ diplomat n

دبور [dabu:r] n wasp

دبوس [dabbu:s] n pin

دبوس أمان
[Daboos aman] n safety pin

دبوس تثبيت اللوائح
[Daboos tathbeet al-lawaeh] n drawing
pin

دبوس شعر
[Daboos sha'ar] n hairgrip

أحتاج إلى دبوس آمن
[ahtaaj ela dub-boos aamin] I need a
safety pin

دُجّ [duʒʒ] n thrush

دجاجة [daʒa:ʒa] n hen, chicken

دجّال [daʒʒa:l] n juggler

دخان [duxa:n] n smoke

كاشف الدُخان
[Kashef al-dokhan] n smoke alarm

هناك رائحة دخان بغرفتي
[hunaka ra-eha dukhaan be-ghurfaty]
My room smells of smoke

دخل [daxl] n income

ضريبة دخل
[Dareebat dakhl] n income tax

دخل [daxala] v access, come in

دخل [daxla] n income

دخن [daxxin] v

أين يمكن أن أدخن؟
[ayna yamken an adakhin?] Where can
I smoke?

هل أنت ممن يدخنون؟
[hal anta me-man yoda-khinoon?] Do
you smoke?

دخّن [daxana] v smoke

دخول [duxu:l] n (مادة) entry

رَسْم الدخول
[Rasm al-dokhool] n entrance fee

يَسمَح بالدخول
[Yasmaḥ bel-dokhool] v admit (allow in)

دخيل [daxi:l] adj exotic, alien

درابزين [dara:bizi:n] n banister

درابزينات [dara:bzi:na:tun] npl
railings

دراجة [darra:ʒa] n cycle

راكب الدراجة
[Rakeb al-darrajah] n cyclist

دراجة ترادفية
[Darrajah tradofeyah] n tandem

دراجة آلية
[darrajah aaleyah] n moped

دراجة الرجِل
[Darrajat al-rejl] n scooter

دراجة الجبال
[Darrajah al-jebal] n mountain bike

دراجة بخارية
[Darrajah bokhareyah] n cycle (bike)

دراجة بمحرك
[Darrajah be-moharrek] n motorbike

دراجة نارية
[Darrajah narreyah] n motorcycle

دراجة هوائية
[Darrajah hawaeyah] n bike

منفاخ دراجة
[Monfakh draajah] n bicycle pump

دراسة [dira:sa] n study

دراسة السوق
[Derasat al-soo'q] n market research

لا زلت في الدراسة

centigrade

بدرجة أقل
[Be-darajah a'qal] adv less

بدرجة أكبر
[Be-darajah akbar] adv more

بدرجة كبيرة
[Be-darajah kabeerah] adv largely

من الدرجة الثانية
[Men al-darajah althaneyah] adj second-rate

دردار elm n [darda:r]

شجر الدردار
[Shajar al-dardaar] n elm tree

دردش chat v [dardaʃa]

دردشة chat n [dardaʃa]

درز stitch v [daraza]

درس study v [darasa]

يَدرُس بجِد
[Yadros bejed] v swot (study)

درس teach v [darrasa]

درس lesson n [dars]

درس خصوصي
[Dars khoṣoṣey] n tutorial

دَرس القيادة
[Dars al-'qeyadah] n driving lesson

هل يمكن أن نأخذ دروسا؟
[hal yamken an nakhudh di-roosan?] Can we take lessons?

دِرع armour n [dirʕ]

درم do one's nails v [darrama]

دروة n [dirwa]

دروة تدريبية
[Dawrah tadreebeyah] n training course

دستة dozen n [dasta]

دستور constitution n [dustu:r]

دسم fat n [dasam]

قليل الدسم
['qaleel al-dasam] adj low-fat

الطعام كثير الدسم
[al-ṭa'aam katheer al-dasim] The food is very greasy

دش shower n [duʃʃ]

الدش لا يعمل
[al-doosh la ya'amal] The shower doesn't work

الدش متنسخ

لا زلت في الدراسة I'm still studying
[la zilto fee al-deraasa]

دراسي academic adj [dira:sij]

عام دراسي
['aam derasey] n academic year

حجرة دراسية
[Ḥojrat derasah] n classroom

كتاب دراسي
[Ketab derasey] n textbook

منهج دراسي
[Manhaj derasey] n curriculum

دراما drama n [dra:ma:]

درامي dramatic adj [dra:mij]

درب driveway n [darb]

درّب train vt [darraba]

دَرَج staircase n [daraʒ]

دُرج drawer n [durʒ]

درج الأسطوانات المدمجة
[Dorj al-esṭewanaat al-modmajah] n CD-ROM

دُرج العربة
[Dorj al-'aarabah] n glove compartment

دُرج النقود
[Dorj al-no'qood] n till

درجة degree, class n [daraʒa]

إلى درجة فائقة
[Ela darajah fae'qah] adv extra

درجة رجال الأعمال
[Darajat rejal ala'amal] n business class

درجة سياحية
[Darjah seyaḥeyah] n economy class

درجة أولى
[Darajah aula] adj first-class

درجة ثانية
[Darajah thaneyah] n second class

درجة الباب
[Darajat al-bab] n doorstep

درجة الحرارة
[Darajat al-haraarah] n temperature

درجة حرارة سلزيوس
[Darajat ḥararah selezyos] n degree Celsius

درجة حرارة فهرنهايتي
[Darjat hararh ferhrenhaytey] n degree Fahrenheit

درجة حرارة مئوية
[Draajat ḥaraarah meaweyah] n degree

[al-doosh mutasikh] The shower is dirty

دعا invite v [daʕa:]

يَدْعو إلى
[Yad'aoo ela] v call for

دِعائم piles npl [daʕa:ʔimun]

دُعَابة humour n [duʕa:ba]

دعامة pier, pillar, n [daʕa:ma]
support

دِعَاية propaganda n [diʕa:jat]

دَعم support, backing n [daʕm]

دَعم back up v ◁ support n [dʕama]

دعوة invitation n [daʕwa]

دعوة إلى طعام أو شراب
[Dawah elaa ṭa'aam aw sharaab] n treat

دعوى suit n [daʕwa:]

دعوى قضائية
[Da'awa 'qaḍaeyah] n proceedings

دَغدغ tickle v [daɣdaɣa]

دغل jungle n [daɣl]

دَغل bush (thicket) n [daɣal]

دفء warmth n [difʔ]

بدأ الدفء في الجو
[Badaa al-defaa fee al-jaw] It's thawing

دفاع defence n [difa:ʕ]

الدفاع عن النفس
[Al-defaa'a 'aan al-nafs] n self-defence

دفتر notebook n [diftar]

دفتر صغير
[Daftar ṣagheer] n notepad

دفتر العناوين
[Daftar al-'aanaaween] n address book

دفتر الهاتف
[Daftar al-hatef] n phonebook

دفتر شيكات
[Daftar sheekaat] n chequebook

دفتر تذاكر من فضلك
[daftar tadhaker min faḍlak] A book of tickets, please

دفع payment n [dafʕ]

دفع بالغيبة
[Dafa'a bel-ghaybah] n alibi

واجب دفعه
[Wajeb daf'aaho] adj payable

أين يتم الدفع؟
[ayna yatim al-daf'a?] Where do I pay?

هل سيكون الدفع واجبًا علي؟

[hal sayakon al-dafi'a wajeban 'aalya?]
Will I have to pay?

هل يجب الدفع مقدما؟
[hal yajib al-dafi'a mu'qad-aman?] Do I pay in advance?

دفع pay, push v [dfaʕa]

متى أدفع؟
[mata adfa'a?] When do I pay?

هل هناك أية إضافة تدفع؟
[hal hunaka ayaty eḍafa tudfa'a?] Is there a supplement to pay?

هل يمكن أن تدفع سيارتي؟
[hal yamken an tadfa'a sayaraty?] Can you give me a push?

يجب أن تدفع لي
[yajib an tad-fa'a lee...] You owe me...

دفن bury v [dafana]

دق ring v [daqqa]

دقة n [daqqa]

دقة قديمة
[Da'qah 'qadeemah] adj old-fashioned

دِقة accuracy n [diqqa]

بِدقّة
[Bedae'qah] adv accurately

دقق v [daqqaqa]

يدقق الحسابات
[Yoda'qe'q al-ḥesabat] v audit

دقيق accurate adj [daqi:q]

غير دقيق
[Ghayer da'qee'q] adj inaccurate

دقيق الحجم
[Da'qee'q al-hajm] adj minute

دقيق الشوفان
[Da'qee'q al-shofaan] n porridge

دقيق طحين
[Da'qee'q ṭaheen] n flour

دقيقة minute n [daqi:qa]

من فضلك، هل يمكن أن أترك حقيبتي معك لدقيقة واحدة؟
[min faḍlak, hal yamkin an atrik ḥa'qebaty ma'aak le-da'qe'qa waḥeda?]
Could you watch my bag for a minute, please?

هناك أتوبيس يغادر كل 20 دقيقة
[Honak otobees yoghader kol 20 da'qee'qa] The bus runs every twenty

stamp n [damɣa] دمغة
pimple n [dumul] دُمّل
bloody n [damawij] دموي
doll n [dumja] دمية
دمية متحركة
[Domeyah motaharekah] n puppet
n [dani:m] دنيم
قماش الدنيم القطنى
['qomash al-deneem al-'qotney] n denim
n [dini:mi] دِنيم
سروال من قماش الدِنيم القطنى
[Serwal men 'qomash al-deneem
al-'qotney] n jeans
paint n [diha:n] دِهان
greasy adj [duhnij] دُهنى
remedy, medicine n [dawa:ʔ] دواء
دواء مُقوى
[Dawaa mo'qawey] n tonic
حبة دواء
[Habbat dawaa] n tablet
vertigo, motion n [duwa:ru] دوار
sickness
دوار الجو
[Dawar al-jaw] n airsick
vertigo ◁ dizzy adj [duwa:r] دُوار
pedal n [dawwa:sa] دوّاسة
length of time n [dawa:m] دوام
دوام كامل
[Dawam kamel] adj full-time
vertigo, nausea n [du:xa] دوخة
أعانى من الدوخة
[o-'aany min al-dokha] I suffer from
vertigo
أشعر بدوخة
[ash-'aur be-dowkha] I feel dizzy
لا زلت أعانى من الدوخة
[la zilto o'aany min al-dokha] I keep
having dizzy spells
worm n [du:da] دُودة
round, floor, role n [dawr] دور
دور رئيسى
[Dawr raaesey] n lead (in play/film)
على من الدور؟
[Ala man al-door?] Whose round is it?
في أي دور تقع هذه الغرفة
[fee ay dawr ta'qa'a hadhy al-ghurfa?]

minutes
bossy n [dikta:tu:rij] دكتاتورى
significance n [dala:la] دلالة
locket n [dala:ja] دَلاية
pail, bucket n [dalw] دلو
directory, evidence, n [dali:l] دليل
handbook, proof
دليل التشغيل
[Daleel al-tashgheel] n manual
دليل الهاتف
[Daleel al-hatef] n telephone directory
استعلامات دليل الهاتف
[Este'alamat daleel al-hatef] npl
directory enquiries
ما هو رقم استعلامات دليل التليفون؟
[ma howa ra'qim esti'a-lamaat daleel
al-talefon?] What is the number for
directory enquiries?
blood n [dam] دم
ضغط الدم
[daght al-dam] n blood pressure
تسمم الدم
[Tasamom al-dam] n blood poisoning
اختبار الدم
[Ekhtebar al-dam] n blood test
فصيلة دم
[faseelat dam] n blood group
نقل الدم
[Na'ql al-dam] n blood transfusion,
transfusion
هذه البقعة بقعة دم
[hathy al-bu'q-'aa bu'q-'aat dum] This
stain is blood
destruction n [dama:r] دمار
مسبب لدمار هائل
[Mosabeb ledamar haael] adj
devastating
brain n [dima:ɣ] دِماغ
adj [damiθ] دَمِث
دَمِث الأخلاق
[Dameth al-akhla'q] adj good-natured
merge v [damaʒa] دمج
merger n [damʒ] دَمج
destroy v [dammara] دمّر
ruin v [dammara] دمّر
tear (from eye) n [damʕa] دمعة

What floor is it on?

في أي دور توجد محلات الأحذية؟

[fee ay dawr tojad maha-laat al-aḥ-dhiyah?] Which floor are shoes on?

دور turn, cycle v [dawara]

السيارة لا تدور

[al-sayara la tadoor] The car won't start

يجب أن تدور إلى الخلف

[yajib an tadoor ela al-khalf] You have to turn round

دَوَران circulation n [dawara:n]

دورة cycle (recurring n [dawra]

period), turn

دورة تنشيطية

[Dawrah tansheeṭeyah] n refresher course

دَوْرَة تعليمية

[Dawrah ta'aleemeyah] n course

دورق carafe, flask n [dawraq]

دورق من النبيذ الأبيض

[dawra'q min al-nabeedh al-abyaḍ] a carafe of white wine

دَورية patrol n [dawrijja]

دولاب n [du:la:b]

أي من دولاب من هذه الدواليب يخصني؟

[ay doolab lee?] Which locker is mine?

دُولار dollar n [du:la:r]

دولة country n [dawla]

دولة تشيلي

[Dawlat tesheeley] n Chile

دُولفين dolphin n [du:lfi:n]

دُولي international adj [dawlij]

أين يمكن أن أقوم بإجراء مكالمة دولية؟

[ayna yamken an a'qoom be-ijraa mukalama daw-liya?] Where can I make an international phonecall?

هل تبيع كروت المكالمات الدولية التليفونية؟

[hal tabee'a kroot al-muka-lamat al-daw-liya al-talefoniya?] Do you sell international phonecards?

دومنيكان adj [du:mini:ka:n] Dominican

جمهورية الدومنيكان

[Jomhoreyat al-domenekan] n Dominican Republic

دومينو n [du:mi:nu:]

أحجار الدومينو

[Ahjar al-domino] npl dominoes

لعبة الدومينو

[Loabat al-domeno] n domino

دوّن note down, blog, v [dawwana] write down

دير monastery n [dajr]

دَيْر الراهبات

[Deer al-rahebat] n convent

دَيْر الرهبان

[Deer al-rohban] n abbey, monastery

هل الدير مفتوحة للجمهور؟

[Hal al-deer maftoḥah lel-jomhoor?] Is the monastery open to the public?

ديزيل n [di:zi:l]

وقود الديزيل

[Wa'qood al-deezel] n diesel

ديسكو disco n [di:sku:]

ديسمبر December n [di:sambar]

دى فى دي n [di:fi: di:]

اسطوانة دى فى دي

[Esṭwanah DVD] n DVD

ديك cock n [di:k]

دِيّك رومي

[Deek roomey] n turkey

دِيّك صغير

[Deek ṣagheer] n cockerel

ديكتاتور dictator n [di:kta:tu:r]

ديمقراطي adj [di:muqra:tˤij] democratic

ديمقراطية n [di:muqra:tˤijja] democracy

دَيْن debt n [dajn]

دِيْن religion n [dajn]

دِيْناصور dinosaur n [di:na:sˤu:r]

ديناميكي adj [di:na:mi:kajj] dynamic

ديني religious, sacred adj [di:nij]

ن

arm n [ðira:ʕ] ذِرَاع
ذِراع الفتيس
[dhera'a al-fetees] n gearshift
لا يمكنني تحريك ذراعي
[la yam-kinuni taḥreek thera-'ay] I can't move my arm
لقد جرح ذراعه
[la'qad jara-ḥa thera-'aehe] He has hurt his arm
n [ðura] ذرة
ذرة سكري
[dhorah sokarey] n sweetcorn
نشا الذرة
[Nesha al-zorah] n cornflour
atom n [ðarra] ذَرَّة
corn n [ðura] ذَرَة
رقائق الذرة
[Ra'qae'a al-dorrah] npl cornflakes
peak n [ðirwa] ذروة
ساعات الذروة
[Sa'aat al-dhorwah] npl peak hours
في غير وقت الذروة
[Fee ghaeyr wa'qt al-dhorwah] adv off-peak
n [ðuru:r] ذرور
ذرور معطر
[Zaroor mo'aṭar] n sachet
atomic adj [ðarij] ذَرِّي
panic, scare n [ðuʕr] ذُعْر
chin n [ðaqn] ذَقْن
intelligence n [ðaka:ʔ] ذكاء
شخص متقد الذكاء
[shakhṣ mota'qed al-dhakaa] n brilliant
remind v [ðakkara] ذِكّر
mention v [ðkara] ذِكر
male n [ðakar] ذِكر
male adj [ðakarij] ذِكري
memory, n [ðikra:] ذِكرَى
remembrance
ذِكرى سنوية
[dhekra sanaweyah] n anniversary
brainy, smart, adj [ðakij] ذكي
intelligent
tail n [ðanab] ذنب
نجم ذو ذنب
[Najm dho dhanab] n comet

melt vi [ða:ba] ذاب
wolf n [ðiʔb] ذئب
personal adj [ða:tij] ذاتي
سيرة ذاتية
[Seerah dhateyah] n CV
حُكْم ذاتي
[ḥokm dhatey] n autonomy
v [ða:qa] ذاق
هل يمكنني تذوقها؟
[hal yamken -any tadha-we'qha?] Can I taste it?
memory n [ða:kira] ذاكرة
n [ða:hib] ذاهب
نحن ذاهبون إلى...
[naḥno dhahe-boon ela...] We're going to...
fly n [ðuba:ba] ذُبَابَة
ذبابة صغيرة
[Dhobabah ṣagheerah] n midge
n [ðabħa] ذبحة
ذبحة صدرية
[dhabhah ṣadreyah] n angina
wilt v [ðabula] ذِبُل
ammunition n [ðaxi:ra] ذَخِيرة
ذخيرة حربية
[dhakheerah ḥarbeyah] n magazine
(ammunition)

ذَنْب guilt n [ðanb]

ذهاب going n [ðaha:b]

أريد الذهاب للتزلج
[areed al-dhehaab lil-tazal-oj] I'd like to go skiing

أين يمكن الذهاب لـ...؟
[ayna yamken al-dhehaab le...?] Where can you go...?

أين يمكنني الذهاب للعدو؟
[ayna yamken-any al-dhehab lel-'aado?] Where can I go jogging?

نريد الذهاب إلى...
[nureed al-dhehaab ela...] We'd like to go to...

هل يمكن أن تقترح بعض الأماكن الشيقة التي يمكن الذهاب إليها؟
[hal yamken an ta'qta-reh ba'ad al-amakin al-shay-i'qa al-laty yamken al- dhehaab elay-ha?] Can you suggest somewhere interesting to go?

ذهب gold n [ðahab]

مطلي بالذهب
[Maṭley beldhahab] adj gold-plated

ذهب go v [ðahaba]

يذهب بسرعة
[yaḍhab besor'aa] v go away

سوف أذهب إلى...
[Sawf adhhab ela] I'm going to...

لم أذهب أبدا إلى...
[lam athhab abadan ela...] I've never been to...

لن أذهب
[Lan adhhab] I'm not coming

هل ذهبت إلى...
[hal dhahabta ela...?] Have you ever been to...?

ذهبي golden adj [ðahabij]

سمك ذهبي
[Samak dhahabey] n goldfish

ذهن mind n [ðihn]

شارد الذهن
[Shared al-dhehn] adj absent-minded

ذوبان dissolving, n [ðawaba:n] melting

قابل للذوبان
['qabel lel-dhawaban] adj soluble

ذوق taste n [ðawq]

عديم الذوق
['aadeem al-dhaw'q] adj tasteless

حسن الذوق
[Hosn aldhaw'q] adj tasteful

ذوى fade v [ðawwa:]

ذيّل tail n [ðajl]

راجع revise v [ra:ʒaʕa]
راحة leisure, relief, rest n [ra:ħa]
راحة اليد
[Rahat al-yad] n palm (part of hand)
أسباب الراحة
[Asbab al-rahah] n amenities
وسائل الراحة الحديثة
[Wasael al-rahah al-hadethah] npl mod cons
يساعد على الراحة
[Yosaed ala al-rahah] adj relaxing
يوم الراحة
[Yawm al-raḥah] n Sabbath
راحل gone adj [ra:ħil]
رادار radar n [ra:da:r]
راديو radio n [ra:dju:]
راديو رقمي
[Radyo ra'qamey] n digital radio
محطة راديو
[Mahaṭat radyo] n radio station
هل يمكن أن أشغل الراديو؟
[hal yamken an osha-ghel al-radio?] Can I switch the radio on?
هل يمكن أن أطفئ الراديو؟
[hal yamken an atfee al-radio?] Can I switch the radio off?
رأس head n [raʔs]
رأس البرعم القطني
[Raas al-bor'aom al-'qaṭaney] n cotton bud
سماعات الرأس
[Samaat al-raas] npl headphones
عصابة الرأس
['eṣabat al-raas] n hairband
غطاء للرأس والعنق
[Gheṭa'a lel-raas wal-a'ono'q] n hood
حليق الرأس
[Halee'q al-raas] n skinhead
وشاح غطاء الرأس
[Weshah gheṭaa al-raas] n headscarf
رأس إصبع القدم
[Raas eṣbe'a al-'qadam] n tiptoe
رأس السنة
[Raas alsanah] n New Year
هل توجد سماعات رأس؟
[hal tojad simma-'aat raas?] Does it

رائحة smell n [ra:ʔiħa]
رائحة كريهة
[Raaehah kareehah] n stink
كريه الرائحة
[Kareeh al-raaehah] adj smelly
مزيل رائحة العرق
[Mozeel raaehat al-'aara'q] n deodorant
أنني أشم رائحة غاز
[ina-ny ashum ra-e-hat ghaaz] I can smell gas
توجد رائحة غريبة في الغرفة
[toojad raeha ghareba fee al-ghurfa] There's a funny smell
رائع amazing, picturesque, adj [ra:ʔiʕ] (رقيق) fine
على نحو رائع
[Ala nahw rae'a] adv fine
رائعا remarkably adv [ra:ʔiʕan]
رائعة masterpiece n [ra:ʔiʕa]
رابط link n [ra:bitˤ]
رابطة connection n [ra:bitˤa]
رابع fourth adj [ra:biʕu]
رئة lung n [riʔit]
راتب salary n [ra:tib]
راتينج n [ra:ti:nӡ]
مادة الراتينج
[Madat al-ratenj] n resin

ر

dodge v [ra:waɣa] راوغ

n [ra:wand] راوند

عشب الراوند

['aoshb al-rawend] n rhubarb

teller n [ra:wi:] زاوي

option n [raʔj] رأي

الرأي العام

[Al-raaey al-'aam] n public opinion

ما رأيك في الخروج وتناول العشاء

[Ma raaek fee al-khoroj wa-tanawol al-'aashaa] Would you like to go out for dinner?

opinion n [raʔjj] رأي

see vt [raʔa] رأى

نريد أن نرى النباتات والأشجار المحلية

[nureed an nara al-naba-taat wa al-ash-jaar al-maḥali-ya] We'd like to see local plants and trees

sight n [ruʔja] رؤية

captain, president n [raʔijs] رئيس

رئيس أساقفة

[Raees asa'qefah] n archbishop

رئيس عصابة

[Raees eṣabah] n godfather (criminal leader)

رئيس الطهاة

[Raees al-ṭohah] n chef

رئيس المجلس

[Raees al-majlas] n chairman

رئيس الوزراء

[Raees al-wezaraa] n prime minister

نائب الرئيس

[Naeb al-raaes] n deputy head

chief adj [raʔi:sij] رئيسي

صفحة رئيسية

[Ṣafḥah raeseyah] n home page

دور رئيسي

[Dawr raaesey] n lead (in play/film)

طريق رئيسي

[ṭaree'q raeysey] n main road

طبق رئيسي

[Ṭaba'q raeysey] n main course

مراكز رئيسية

[Marakez raeaseyah] npl headquarters

مقال رئيسي فى صحيفة

[Ma'qal raaeaey fee ṣaheefah] n lead

have headphones?

head v [raʔasa] رأس

firm adj [ra:six] راسخ

capitalism n [raʔsuma:lijja] رأسمالية

vertical adj [raʔsij] رأسي

adult adj [ra:ʃid] راشد

طالب راشد

[Ṭaleb rashed] n mature student

satisfied adj [ra:dˤin] راض

غير راض

[Ghayr raḍ] adj dissatisfied

shepherd, sponsor n [ra:ʕi:] راعي

راعى البقر

[Ra'aey al-ba'qar] n cowboy

n [ra:fiʕ] رافع

رافع الأثقال

[Rafe'a al-ath'qaal] n weightlifter

crane (bird), jack n [ra:fiʕa] رافعة

escort, accompany v [ra:faqa] رافق

dancer nm [ra:qisˤu] راقص

راقص باليه

[Ra'qeṣ baleeh] n ballet dancer

dancer nf [ra:qisˤa] راقصة

راقصة باليه

[Ra'ṣat baleeh] n ballerina

passenger, rider n [ra:kib] راكب

راكب الدراجة

[Rakeb al-darrajah] n cyclist

n [ra:ku:n] راكون

حيوان الراكون

[Ḥayawaan al-rakoon] n racoon

n [ra:ki:t] راكيت

مضرب الراكيت

[Maḍrab alrakeet] n racquet

v [ra:ma] رام

على ما يُرام

['aala ma yoram] adv all right

إنه ليس على ما يرام

[inaho laysa 'aala ma you-ram] He's not well

monk n [ra:hib] راهب

nun n [ra:hiba] راهبة

current adj [ra:hin] راهن

الوضع الراهن

[Al-waḍ'a al-rahen] n status quo

bet vi [ra:hana] راهن

فصل الربيع
[Faṣl al-rabeya] *n* springtime

arrange, rank *v* [rattaba] رتّب

row *(line)* *n* [rutba] رُتبة

drab *adj* [rati:b] رَتيب

worn *adj* [raθθ] رَثّ

men *npl* [riʒa:lun] رجال

دَوْرة مياه للرجال
[Dawrat meyah lel-rejal] *n* gents'

turn back, go back *v* [raʒaʕa] رجع

man *n* [raʒul] رجُل

رَجُل أعمال
[Rajol a'amal] *n* businessman

رَجُل المخاطر
[Rajol al-makhater] *n* stuntman

أنا رجل أعمال
[ana rajul a'amaal] I'm a businessman

leg *n* [riʒl] رجل

return *n* [ruʒu:ʕ] رجوع

أوَد الرجوع إلى البيت
[awid al-rijoo'a ela al-bayt] I'd like to go home

رحّب *v* [raħħaba]

يُرحِب ب
[Yoraheb bee] *v* greet

depart *v* [raħala] رحل

journey, passage *(musical)* *n* [riħla] رحلة

رحلة سيرًا على الأقدام
[rehalah sayran ala al-a'qdam] *n* tramp *(long walk)*

رحلة على الجياد
[Rehalah ala al-jeyad] *n* pony trekking

رحلة عمل
[Reḥlat 'aamal] *n* business trip

رحلة جوية
[Rehalah jaweyah] *n* flight

رحلة جوية مُؤَجَّرة
[Rehalh jaweyah moajarah] *n* charter flight

رحلة بعربة ثيران
[Rehlah be-arabat theran] *n* trek

رحلة بحرية
[Rehalh bahreyah] *n* cruise

رحلة قصيرة
[Rehalh 'qaṣeerah] *n* trip

رحلة انكفائية

(position)

مكتب رئيسي

[Maktab a'ala] *n* head office

band *(strip)* *n* [riba:tˤ] رباط

رباط عنق على شكل فراشة
[Rebaṭ 'ala shakl frashah] *n* bow tie

رباط العنق
[Rebaṭ al-'aono'q] *n* tie

رباط الحذاء
[Rebaṭ al-hedhaa] *n* shoelace

رباط مطاطي
[rebaṭ maṭaṭey] *n* rubber band

quartet *n* [ruba:ʕijjatu] رباعية

quarter *n* [rubba:n] ربان

ربان الطائرة
[Roban al-ṭaaerah] *n* pilot

lady, owner *n* [rabba] رَبّة

رَبّة المنزل
[Rabat al-manzel] *n* housewife

gain *vt* [rabaħa] ربَح

profit *n* [ribħ] ربْح

crouch down *v* [rabadˤa] ربَض

join *vt* [rabaṭa] ربَط

attachment *n* [rabtˤ] ربْط

quarter *n* [rubʕ] ربع

سباق الدور رُبع النهائي
[Seba'q al-door roba'a al-nehaaey] *n* quarter final

الساعة الثانية إلا ربع
[al-sa'aa al-thaneya ella rubu'a] It's quarter to two

maybe *adv* [rubbama:] رُبما

n [rabw] ربو

الربو
[Al-rabw] *n* asthma

أعاني من مرض الربو
[o-'aany min maraḍ al-raboo] I suffer from asthma

bring up *v* [rabba:] ربى

godchild, godson, *n* [rabi:b] ربيب stepson

goddaughter, *n* [rabi:ba] ربيبة stepdaughter

spring *n* [rabi:ʕ] ربيع

زهرة الربيع
[Zahrat al-rabee'a] *n* primrose

رذيلة [raði:la] n vice

رزّق [razza] n

رزّة سلكية [Rozzah selkeyah] n staple (wire)

رزق [rizq] n living

رزمة [ruzma] n pack, packet

رسالة [risa:la] n message

رسالة تذكير [Resalat tadhkeer] n reminder

هل وصلتكم أي رسائل من أجلي؟ [hal waṣal-kum ay rasaa-el min ajlee?] Are there any messages for me?

هل يمكن أن أترك رسالة؟ [hal yamken an atruk resala?] Can I leave a message?

رسّام [rassa:m] n painter

رسّخ [rassixa] v settle

رسغ [rusɣ] n

رُسغ القدم [rosgh al-'qadam] n ankle

رسم [rasm] n charge (price), drawing

رسم بياني [Rasm bayany] n chart, diagram

رسم بياني دائري [Rasm bayany daery] n pie chart

رسوم جمركية [Rosoom jomrekeyah] npl customs

رسوم التعليم [Rasm al-ta'aleem] npl tuition fees

رسوم متحركة [Rosoom motaharekah] npl cartoon

رَسْم الدخول [Rasm al-dokhool] n entrance fee

رَسْم الخدمة [Rasm al-khedmah] n service charge

رَسْم الالتحاق [Rasm al-elteha'q] n admission charge

هل يحتسب رسم تحويل؟ [hal yoḥ-tasab rasim taḥ-weel?] Is there a transfer charge?

رسم [rasama] v draw (sketch)

يَرسم خطا تحت [Yarsem khaṭan taḥt] v underline

هل يمكن أن ترسم لي خريطة للاتجاهات؟ [Hal yomken an tarsem le khareeṭah

---

رحلة انكفائية [Reḥlah enkefaeyah] n round trip

خطة رحلة شاملة الإقامة والانتقالات [Khotah rehalah shamelah al-e'qamah wal-ente'qalat] n package tour

رحم [raḥim] n womb

فحص عنق الرحم [Faḥṣ 'aono'q al-raḥem] n smear test

رحمة [raḥma] n mercy

رحيق [raḥi:q] n nectar

شجيرة غنية بالرحيق [Shojayrah ghaneyah bel-raḥee'q] n honeysuckle

رحيل [raḥi:l] n parting

رُخام [ruxa:m] n marble

رخصة [ruxsˤa] n licence

رُخْصَة القيادة [Rokhṣat al-'qeyadah] n driving licence

رُخصَة بيع الخمور لتناولها خارج المحل [Rokhṣat baye'a al-khomor letnawolha kharej al-mahal] n off-license

رقم رخصة قيادتي هو... [ra'qim rikhṣat 'qeyad-aty howa...] My driving licence number is...

أحمل رخصة قيادة، لكنها ليست معي الآن [Aḥmel rokhṣat 'qeyadah, lakenaha laysat ma'aey al-aan] I don't have my driving licence on me

رَخْو [raxw] adj flabby

رخيص [raxi:sˤ] adj cheap

هل هناك أي رحلات جوية رخيصة؟ [hal hunaka ay reḥ-laat jaw-wya rakheṣa?] Are there any cheap flights?

رد [radd] n return, response, reply

رد انعكاسي [Rad en'aekasey] n reflex

تليفون مزود بوظيفة الرد الآلي [Telephone mozawad be-waḍheefat al-rad al-aaley] n answerphone

جهاز الرد الآلي [Jehaz al-rad al-aaly] n answerphone

رد [radda] v give back

مال يرد بعد دفعه [Maal yorad daf'ah] n drawback

رُدهَة [radha] n hallway

رذاذ [raða:ð] n drizzle

[Khelow men al-raṣaṣ] n unleaded
رصاصة bullet n [rasˤa:sˤa]
رصيف pavement n [rasˤi:fu]
رصيف الميناء
[Raṣeef al-meenaa] n quay
رضا content n [rid'a:]
رضع nursing n [rud'd'aʕ]
هل توجد تسهيلات لمن معهم أطفالهم الرضع؟
[hal tojad tas-heelat leman ma-'aahum atfaal-ahum al-ruda'a?] Are there facilities for parents with babies?
رضع breast-feed v [rad'ʕaʃa]
رضع suck v [rad'ʕaʃa]
رطب humid adj [rat'b]
الجو رطب
[al-jaw raṭb] It's muggy
رطل pound n [rat'l]
رطوبة humidity n [rut'u:ba]
رعاية sponsorship n [riʃa:ja]
رعاية الأطفال
[Re'aayat al-atfal] n childcare
رُعْب fright n [ruʕb]
رعد thunder n [raʕd]
مصحوب برعد
[Maṣhoob bera'ad] adj thundery
رعدي adj [raʕdij]
عاصفة رعدية
['aasefah ra'adeyah] n thunderstorm
رعشة thrill n [raʕʃa]
رعى tend, sponsor v [raʕa:]
رغب desire v [raɣaba]
رغبة desire n [raɣba]
رغب في v [rɣeba fi:]
أرغب في ترتيب إجراء اجتماع مع......؟
[arghab fee tar-teeb ejraa ejtemaa ma'aa...] I'd like to arrange a meeting with...
من فضلك أرغب في التحدث إلى المدير
[min faḍlak arghab fee al-tahaduth ela al-mudeer] I'd like to speak to the manager, please
هل ترغب في تناول أحد المشروبات؟
[hal tar-ghab fee tanawil ahad al-mashro-baat?] Would you like a drink?

lel-etejahaat?] Can you draw me a map with directions?
رسمي official adj [rasmij]
غير رسمي
[Ghayer rasmey] adj unofficial
غير رسمي
[Ghayer rasmey] adj informal
زي رسمي
[Zey rasmey] n uniform
شكل رسمي
[Shakl rasmey] n formality
رسول messenger n [rasu:l]
رسوم toll n [rusu:m]
أين سأدفع رسوم المرور بالطريق؟
[ayna sa-adfa'a rosom al-miroor bil-ṭaree'q?] Where can I pay the toll?
هل هناك رسوم يتم دفعها للمرور بهذا الطريق؟
[hal hunaka risoom yatim daf-'aaha lel-miroor be-hadha al- ṭaree'q?] Is there a toll on this motorway?
رش splash v [raʃʃa]
رشاد n [raʃa:d]
نبات رشاد
[Nabat rashad] n cress
رشاش machine gun, spray n [raʃʃa:ʃ]
رشاش مياه
[Rashah meyah] n watering can
رشح v [raʃaħa]
ماذا ترشح لنا؟
[madha tura-shih lana?] What do you recommend?
هل يمكن أن ترشح لي أحد الأطباق المحلية؟
[hal yamken an tura-shih lee aḥad al-aṭbaa'q al-maḥa-leya?] Can you recommend a local dish?
هل يمكن أن ترشح لي نوع جيد من النبيذ الوردي؟
[hal yamken an tura-shih lee naw'a jayid min al-nabeedh al-wardy?] Can you recommend a good rosé wine?
رَشّح nominate v [raʃʃaħa]
رشوة bribery n [raʃwa]
رصاص lead n [rasˤa:sˤa]
خلو من الرصاص

despite *prep* [raɣma] رغم
بالرغم من
[Bel-raghm men] *conj* although
foam *n* [raɣwa] رغوة
رغوة الحلاقة
[Raghwat ḥela'qah] *n* shaving foam
loaf *n* [raɣi:f] رغيف
shelf *n* [raffu] رف
رف المستوقد
[Raf al-mostaw'qed] *n* mantelpiece
رَف السقف
[Raf alsa'qf] *n* roofrack
رَف الكُتب
[Raf al-kotob] *n* bookshelf
companion, lot *npl* [rifa:qun] رفاق
الرفاق الموجودون في الأسرة المجاورة
يسببون إزعاجا شديدا
[al-osrah al-mojawera ḍajeej-oha
sha-deed] My roommates are very noisy
luxury *n* [rafa:hijja] رفاهية
lifting *n* [rafraf] رفرف
رفرف العجلة
[Rafraf al-'ajalah] *n* mudguard
flap *v* [rafrafa] رفرف
refuse *v* [rafadˤa] رفَض
refusal *n* [rafdˤ] رفَض
lifting *n* [rafʕ] رفع
رفع الأثقال
[Raf'a al-th'qaal] *n* weightlifting
lift *v* [rafaʕa] رفع
يَرفع بصره
[Yarfa'a baṣarah] *v* look up
من فضلك، ارفع صوتك في الحديث
[min faḍlak, irfa'a ṣawtak fee al-ḥadeeth]
Could you speak louder, please?
slender *adj* [rafi:ʕ] رفيع
boyfriend, mate *n* [rafi:q] رفيق
رفيق الحجرة
[Refee'q al-hohrah] *n* roommate
n [riqa:ba] رقابة
الرقابة على جوازات السفر
[Al-re'qabah ala jawazat al-safar] *n*
passport control
chip *(small piece)*, *n* [ruqa:qa] رقاقة
wafer
رقائق الذُرة

[Ra'qae'a al-dorrah] *npl* cornflakes رقاقة معدنية
[Re'qaeq ma'adaneyah] *n* foil
neck *n* [raqaba] رَقَبة
dancing *n* [raqsˤ] رقص
رقص ثنائي
[Ra'qs thonaaey] *n* ballroom dancing
رقص الكلاكيت
[Ra'qs al-kelakeet] *n* tap-dancing
أين يمكننا الذهاب للرقص؟
[ayna yamken-ana al-dhehaab
lel-ra'qṣ?] Where can we go dancing?
هل تحب الرقص؟
[hal taḥib al-ra'qiṣ?] Would you like to
dance?
.يتملكني شعور بالرغبة في الرقص
[yatamal-akany shi'aoor bil-raghba fee
al-ri'qṣ] I feel like dancing
dance *v* [raqasˤa] رقص
يَرقص الفالس
[Yar'qos al-fales] *v* waltz
dance *n* [raqsˤa] رقصة
رقصة الفالس
[Ra'qṣat al-fales] *n* waltz
patch *n* [ruqʕa] رقعة
figure, number *n* [raqm] رقم
رقم الغرفة
[Ra'qam al-ghorfah] *n* room number
رقم التليفون
[Ra'qm al-telefone] *n* phone number
رقم الحساب
[Ra'qm al-hesab] *n* account number
رقم المحمول
[Ra'qm almahmool] *n* mobile number
رقم مرجعي
[Ra'qm marje'ay] *n* reference number
ما هو رقم تليفونك المحمول؟
[ma howa ra'qim talefonak
al-maḥmool?] What is the number of
your mobile?
ما هو رقم التليفون؟
[ma howa ra'qim al-talefon?] What's the
telephone number?
ما هو رقم الفاكس؟
[ma howa ra'qim al-fax?] What is the
fax number?

مفتاح الغرفة رقم مائتين واثنين
[muftaah al-ghurfa ra'qim ma-atyn wa ithnayn] the key for room number two hundred and two

هل يمكن أن أحصل على رقم تليفونك؟
[hal yamken an ahsal 'aala ra'qm talefonak?] Can I have your phone number?

رقمي digital *adj* [raqmij]

راديو رقمي
[Radyo ra'qamey] *n* digital radio

ساعة رقمية
[Sa'aah ra'qameyah] *n* digital watch

تليفزيون رقمي
[telefezyoon ra'qamey] *n* digital television

كاميرا رقمية
[Kameera ra'qmeyah] *n* digital camera

أريد كارت ذاكرة لهذه الكاميرا الرقمية من فضلك
[areed kart dhakera le-hadhy al-kamera al-ra'qm-eya min fadlak] A memory card for this digital camera, please

رقيق delicate *adj* [raqi:q]

طين رقيق القوام
[Teen ra'qee'q al'qawam] *n* slush

رُكَام *n* [ruka:m]

رُكَام مُبَعثَر
[Rokaam moba'athar] *n* litter (*trash*)

ركب get in, get on, put in v [rakaba]

ركب ride *vt* [rakaba]

رَكْبَة ride *n* [runkbatu]

رُكْبَة knee *n* [rukba]

رَكْبِي *n* [rakbi:]

رياضة الرُّكْبِي
[Reyadat al-rakbey] *n* rugby

ركز concentrate v [rakkaza]

ركض v [rakad'a]

يَرْكُض بِسُرْعَه
[Yrkod besor'aah] v sprint

ركع kneel v [raka'sa]

ركل kick *vt* [rakala]

رَكْلَة kick *n* [rakla]

الرَّكلة الأولى
[Al-raklah al-ola] *n* kick-off

ركوب riding *n* [ruku:b]

تصريح الركوب
[Tasreeh al-rokob] *n* boarding pass

رم *n* [ramm]

شراب الرّم
[Sharab al-ram] *n* rum

رمادي grey *adj* [rama:dij]

رمال sand *n* [rima:l]

رُمّان pomegranate *n* [rumma:n]

رُمح javelin *n* [rumh]

رمز symbol, code *n* [ramz]

رمز بريدي
[Ramz bareedey] *n* post code

رمز stand for v [ramaza]

يَرْمُز إلى
[Yarmoz ela] v hint

رمش *n* [rimʃ]

رِمش العين
[Remsh al'ayn] *n* eyelash

رَمَضَان Ramadan *n* [ramad'a:n]

رملي *adj* [ramlij]

حجر رملي
[Hajar ramley] *n* sandstone

كُثبان رملية
[Kothban ramleyah] *n* sand dune

رمم renovate v [rammam]

رمى throw, pitch *vt* [rama:]

رَمْيَة pitch (*sport*) *n* [ramja]

رنجَة *n* [ranʒa]

سمك الرنجَة
[Samakat al-renjah] *n* herring

رنين sound *n* [rani:nu]

رنين انشغال الخط
[Raneen ensheghal al-khat] *n* engaged tone

رهان bet *n* [riha:n]

رَهن mortgage *n* [rahn]

رهيب horrendous, *adj* [rahi:b] horrible

رهينة hostage *n* [rahi:na]

رُوَائي novelist *n* [riwa:ʔij]

رواق porch, corridor *n* [riwa:q]

رواية novel *n* [riwa:ja]

رُوب *n* [ru:b]

رُوب الحَمّام
[Roob al-hamam] *n* dressing gown

رُوبِيَان shrimp *n* [ru:bja:n]

روتين n [ru:ti:n]

روّج promote v [rawwaʒa]

روح spirit n [ru:ħ]

روحي spiritual adj [ru:ħij]

أب روحي
[Af roohey] n godfather (baptism)

روسي Russian adj [ru:sij]

روسي الجنسية
[Rosey al-jenseyah] (person) n Russian

اللغة الروسية
[Al-loghah al-roseyah] (language) n
Russian

روسيا Russia n [ru:sja:]

روسيا البيضاء [ru:sja: ʔal-bajdˤa:ʔu]
Belarus n

روّع scare v [rawwaʕa]

يزروع فجأة
[Yorawe'a fajaah] v startle, surprise

روليت roulette n [ru:li:t]

روماتيزم n [ru:ma:ti:zmu]
rheumatism

رومانسي romantic adj [ru:ma:nsij]

رومانسية romance n [ru:ma:nsijja]

رومانسيكي adj [ru:ma:nsi:kij]

طراز رومانسيكي
[Teraz romanseekey] adj Romanesque

روماني Roman, adj [ru:ma:nij]

روماني الجنسية
[Romaney al-jenseyah] (person) n
Romanian

اللغة الرومانية
[Al-loghah al-romanyah] (language) n
Romanian

شخص روماني كاثوليكي
[shakhṣ romaney katholeekey] n Roman
Catholic

رومانيا Romania n [ru:ma:njja:]

روى water v [rawa:]

رياح wind n [rijja:ħ]

مذرو بالرياح
[Madhro bel-reyah] adj windy

رياضة sport n [rija:dˤa]

رياضة دموية
[Reyaḍah damaweyah] n blood sports

رياضة الطائرة الشراعية الصغيرة
[Reyadar al-Ṭaayearah al-ehraeyah
al-ṣagherah] n hang-gliding

رياضي adj [rija:dˤij]

رجل رياضي
[Rajol reyaḍey] n sportsman

رياضي) متعلق بالرياضة البدنية)
[(Reyaḍy) mota'ale'q bel- Reyaḍah
al-badabeyah] adj athletic

رياضي) متعلق بالألعاب الرياضية)
[(Reyaḍey) mota'ale'q bel- al'aab
al-reyaḍah] adj sporty

سيدة رياضية
[Sayedah reyaḍah] n sportswoman

زي رياضي
[Zey reyaḍey] n tracksuit

ملابس رياضية
[Malabes reyaḍah] n sportswear

إلى أي الأحداث الرياضية يمكننا أن
نذهب؟
[Ela ay al-aḥdath al-reyaḍiyah yamkuno-
na an nadhhab?] Which sporting
events can we go to?

كيف نصل إلى الإستاد الرياضي؟
[kayfa naṣil ela al-istad al-riyaḍy?] How
do we get to the stadium?

ما الخدمات الرياضية المتاحة؟
[ma al-khadamat al-reyaḍya
al-mutaḥa?] What sports facilities are
there?

رياضيات npl [rija:dˤijja:tun]
mathematics

علم الرياضيات
['aelm al-reyaḍyat] npl maths

ريح wind n [ri:ħ]

ريح موسمية
[Reeḥ mawsemeyah] adj monsoon

ريح هوجاء
[Reyh hawjaa] n gale

رَيحان basil n [rajħa:nn]

ريشة feather, pen n [ri:ʃa]

كرة الريشة
[Korat al-reeshaa] n shuttlecock

ريف countryside n [ri:f]

رَيفي rural adj [ri:fij]

قصر ريفي
['qaṣr reefey] n stately home

ز

زائد [za:ʔidun]
زائد الطهو
[Zaed al-ṭahw] *adj* overdone
زائد الوزن
[Zaed alwazn] *adj* overweight
extra *adj* [za:ʔid] زائد
visitor *n* [za:ʔir] زائر
fake (مدع) *n* ◄ false *adj* [za:ʔif] زائف
mercury *n* [ziʔbaq] زئبق
adj [za:xir] زاخر
زاخر بالأحداث
[Zakher bel-ahdath] (خطير) *adj*
eventful
increase *v* [za:da] زاد
يزيد من
[Yazeed men] *v* mount up, accumulate
هذا يزيد عن العداد
[hatha yazeed 'aan al-'aadad] It's more
than on the meter
visit *v* [za:ra] زار
forge *v* [za:ra] زار
v [za:la] زال
لا يزال
[La yazaal] *adv* still
n ◄ Zambian *adj* [za:mbij] زامبي
Zambian
Zambia *n* [za:mbja:] زامبيا

angle, corner *n* [za:wija] زاوية
زاوية يُمنى
[Zaweyah yomna] *n* right angle
(*at auction*) bid *vi* [za:jada] زايد
yoghurt *n* [zaba:dij] زبادي
butter *n* [zubda] زبدة
زبدة الفستق
[Zobdat al-fosto'q]
n peanut butter
client *n* [zabu:n] زبون
currant, raisin *n* [zabi:b] زبيب
glass *n* [zuʒa:ʒ] زجاج
الزجاج الأمامي
[Al-zojaj al-amamy] *n* windscreen
زجاج مُعشق
[Zojaj moasha'q] *n* stained glass
طبقتين من الزجاج
[Ṭaba'qatayen men al-zojaj] *n* double
glazing
مادة ألياف الزجاج
[Madat alyaf alzojaj] *n* fibreglass
لقد تحطم الزجاج الأمامي
[la'qad taḥa-ṭama al-zujaj al-amamy]
The windscreen is broken
هل يمكن أن تملئ خزان المياه
لمساحات الزجاج؟
[hal yamken an tamlee khazaan
al-meaah le-massa-ḥaat al-zujaaj?] Can
you top up the windscreen washers?
bottle *n* [zuʒa:ʒa] زجاجة
زجاجة رضاعة الطفل
[Zojajat reḍa'aat al-tefl] *n* baby's bottle
زجاجة الخمر
[Zojajat al-khamr] *n* wineglass
زجاجة من النبيذ الأحمر
[zujaja min al-nabeedh al-aḥmar] a
bottle of red wine
زجاجة مياه معدنية
[zujaja meaa ma'adan-iya] a bottle of
mineral water
معي زجاجة للمشروبات الروحية
[ma'ay zujaja lil-mashroobat al-roḥiya] I
have a bottle of spirits to declare
من فضلك أحضر لي زجاجة أخرى
[min faḍlak iḥḍir lee zujaja okhra] Please
bring another bottle

زجاجي [zuʒa:ʒij] adj

لوح زجاجي
[Loḥ zojajey] n window pane

زحف [zaħafa] v crawl

زخرف [zaxrafa] v decorate

زرّ [zirr] n button

زرار [zira:r] n button

أزرار كم القميص
[Azrar kom al'qamees] npl cufflinks

زراعة [zira:ʕa] n farming, agriculture

زراعي [zira:ʕij] adj agricultural

زرافة [zara:fa] n giraffe

زرع [zarʕ] n seed, planting

زرع الأعضاء
[Zar'a al-a'aḍaa] n transplant

زرع [zaraʕa] v plant

زعانف [zaʕa:nifun] npl

زعانف الغطس
[Za'aanef al-ghaṭs] npl flippers

زعتر [zaʕtar] n

زعتر بري
[Za'atar barey] n oregano

زعرور [zaʕru:r] n

زعرور بلدي
[Za'aroor baladey] n hawthorn

زعفران [zaʕfara:n] n crocus

نبات الزعفران
[Nabat al-za'afaran] n saffron

زعق [zaʕaqa] v squeak

زعيم [zaʕi:m] n boss

زغطة [zuɣˤatun] npl hiccups

زفاف [zifa:f] n wedding

زفر [zafara] v breathe out

زقاق [zuqa:q] n alley, lane

زقاق دائري
[Zo'qa'q daerey] n cycle lane

زكام [zuka:m] n cold

زلابية [zala:bijja] n doughnut, dumpling

زلاجات [zala:ʒa:tun] npl skates

زلاجة [zala:ʒa] n ski

أريد أن أوجر زلاجة
[areed an o-ajer zalaja] I want to hire skis

زلاقة [zalla:qa] n slide

زلزال [zilza:l] n earthquake

زَلِق [zalaqa] adj slippery

زمن [zaman] n time

عقد من الزمن
['aa'qd men al-zaman] n decade

زمني [zamanij] adj

جدول زمني
[Jadwal zamaney] n timetable

زميل [zami:l] n colleague

زميل الفصل
[Zameel al-faṣl] n classmate

زُنْبُرك [zunburk] spring (coil) n

زُنْبَق [zanbaq] n

زُنْبَق الوادي
[Zanba'q al-wadey] n lily of the valley

زِنبِقة [zanbaqa] n lily

زنجبيل [zanʒabi:l] n ginger

زنجية [zinʒijja] n

زنجية عجوز
[Enjeyah 'aajooz] n auntie

زنك [zink] n zinc

زهرة [zahra] n flower

زهرة الشجرة المثمرة
[Zahrat al-shajarah al-mothmerah] n blossom

زهرية [zahrijja] n vase

زواج [zawa:ʒ] n marriage

عقد زواج
['aa'qd zawaj] n marriage certificate

عيد الزواج
['aeed al-zawaj] n wedding anniversary

زواحف [zawa:ħif] n reptile

زَوْبَعة [zawbaʕa] n cyclone

زوج [zawʒ] n husband

زوج سابق
[Zawj sabe'q] n ex-husband

زوج الإبنة
[Zawj al-ebnah] n son-in-law

زوج الأخت
[Zawj alokht] n brother-in-law

زوج الأم
[Zawj al-om] n stepfather

أنا أبحث عن هدية لزوجي
[ana abḥath 'aan hadiya le-zawjee] I'm looking for a present for my husband

هذا زوجي
[hatha zawjee] This is my husband

[?ana: huna: lizija:ratin ?aħada al?as'diqa:?a] I'm here visiting friends

أيمكننا زيارة الحدائق؟
[a-yamkun-ana zeyarat al-hada-e'q?] Can we visit the gardens?

متى تكون ساعات الزيارة؟
[mata takoon sa'aat al-zeyara?] When are visiting hours?

نريد زيارة...
[nureed ze-yarat...] We'd like to visit...

هل الوقت متاح لزيارة المدينة؟
[hal al-wa'qt muaah le-ziyarat al-madeena?] Do we have time to visit the town?

زيت [zajt] n

زيت سمرة الشمس
[Zayt samarat al-shams] n suntan oil

زيت الزيتون
[Zayt al-zaytoon] n olive oil

طبقة زيت طافية على الماء
[Taba'qat zayt tafeyah alaa alma] n oil slick

معمل تكرير الزيت
[Ma'amal takreer al-zayt] n oil refinery

هذه البقعة بقعة زيت
[hathy al-bu'q-'aa bu'q-'aat zayt] This stain is oil

زيتون [zajtu:n] n olive

زيت الزيتون
[Zayt al-zaytoon] n olive oil

شجرة الزيتون
[Shajarat al-zaytoon] n olive tree

زيمبابوي [zi:mba:bwij] n Zimbabwe

دولة زيمبابوي
[Dawlat zembabway] adj Zimbabwean

مواطن زيمبابوي
[Mewaten zembabway] n Zimbabwean

زَيّن [zajjana] v embroider, trim

يُزَين بالنجوم
[Yozaeyen bel-nejoom] v star

زوجان [zawʒa:ni] n couple, pair

زوجة [zawʒa] n wife

أخت الزوجة
[Okht alzawjah] n sister-in-law

زوجة سابقة
[Zawjah sabe'qah] n ex-wife

زوجة الأب
[Zawj al-aab] n stepmother

زوجة الابن
[Zawj al-ebn] n daughter-in-law

هذه زوجتي
[hathy zawjaty] This is my wife

زود [zawwada] v provide, service, supply

زورق [zawraq] n boat

زورق صغير
[Zawra'q sagheer] n pram

زورق تجديف
[Zawra'q] n dinghy

زورق بخاري مخصص لقائد الأسطول
[Zawra'q bokharee mokhasas le-'qaaed al-ostool] n barge

زورق بمحرك
[Zawra'q be-moh arek] n motorboat

استدعي زورق النجاة
[istad'ay zawra'q al-najaat] Call out the lifeboat!

زي [zij] n clothing, outfit

زي رياضي
[Zey reyadey] n tracksuit

زي تَنكري
[Zey tanakorey] n fancy dress (party)

زي مدرسي موحد
[Zey madrasey mowahad] n school uniform

زي [zajj] n fancy dress

زيادة [zija:da] n increase

زيادة السرعة
[Zeyadat alsor'aah] n speeding

زيارة [zija:ra] n visit

ساعات الزيارة
[Sa'at al-zeyadah] n visiting hours

زيارة المعالم السياحية
[Zeyarat al-ma'aalem al-seyahyah] n sightseeing

أنا هنا لزيارة أحد الأصدقاء

[Sael tanḍheef] n cleansing lotion
سائل استحمام
[Saael estehmam] n bubble bath
سائل متقطّر
[Sael motaʿqaṭer] n drop
سُؤال [sua:l] n question
سابِح [sa:biḥ] n swimmer
سابع [sa:biʕu] adj seventh
سابع عشر [sa:biʕa ʕaʃara] adj
seventeenth
سابق [sa:biq] adj former
زوج سابق
[Zawj sabe'q] n ex-husband
سابقاً [sa:biqan] adv formerly
ساحة [sa:ħa] n
ساحة الدار
[Sahat al-dar] n courtyard
ساحر [sa:ħir] adj charming, magic
▷ n magician
ساحرة [sa:ħira] n witch
ساحِق [sa:ħiq] adj terrific
ساحِل [sa:ħil] n coast, shore
ساخر [sa:xir] adj sarcastic
ساخن [sa:xinat] adj hot
زجاجة مياه ساخنة
[Zojajat meyah sakhenah] n hot-water
bottle
إن الطعام ساخن أكثر من اللازم
[enna al-ṭaʿaam sakhen akthar min
al-laazim] The food is too hot
أهو مسبح ساخن؟
[a-howa masbaḥ sakhin?] Is the pool
heated?
لا توجد مياه ساخنة
[La tojad meyah sakhena] There is no
hot water
ساذَج [sa:ðaʒ] adj naïve
سار [sa:rr] adj pleasant, savoury
سار جداً
[Sar jedan] adj delightful
غير سار
[Ghayr sar] adj unpleasant
سار [sa:ra] march v
سارِق [sa:riq] n robber
ساطِع [sa:tˤiʕ] adj bright, glaring
ساعة [sa:ʕa] n hour

سائح [sa:ʔiħ] n tourist
دليل السائح
[Daleel al-saaeh] n itinerary
سائس [sa:ʔis] n
سائس خيل
[Saaes kheel] n groom
سائق [sa:ʔiq] n driver
سائق سيارة
[Saae'q sayarah] n chauffeur, motorist
سائق سيارة سباق
[Sae'q sayarah seba'q] n racing driver
سائق تاكسي
[Sae'q taksey] n taxi driver
سائق دراجة بخارية
[Sae'q drajah bokhareyah] n
motorcyclist
سائق شاحنة
[Sae'q shahenah] n truck driver
سائق لوري
[Sae'q lorey] n lorry driver
سائق مبتدئ
[Sae'q mobtadea] n learner driver
سائل [sa:ʔil] n liquid
سائل غسيل الأطباق
[Saael ghaseel al-aṭba'q] n washing-up
liquid
سائل تنظيف

ش

ساعة رقمية
[Sa'aah ra'qameyah] n digital watch

ساعة تناول الشاي
[Saa'ah tanawol al-shay] n teatime

ساعة الإيقاف
[Saa'ah al-e'qaaf] n stopwatch

ساعة حائط
[Saa'ah ḥaaet] n clock

ساعة يدوية
[Saa'ah yadaweyah] n watch

عكس عقارب الساعة
['aaks 'aa'qareb al-saa'ah] n
anticlockwise

باتجاه عقارب الساعة
[Betejah a'qareb al-saa'ah] adv
clockwise

شؤون الساعة
[Sheoon al-saa'ah] npl current affairs

كل ساعة
[Kol al-saa'ah] adv hourly

محسوب بالساعة
[Mahsoob bel-saa'ah] adj hourly

نصف ساعة
[Neṣf saa'aah] n half-hour

كم تبلغ تكلفة الدخول على الإنترنت
لمدة ساعة؟
[kam tablugh taklifat al-dikhool 'ala
al-internet le-mudat sa'aa?] How much
is it to log on for an hour?

كم يبلغ الثمن لكل ساعة؟
[kam yablugh al-thaman le-kul sa'a a?]
How much is it per hour?

ساعد [sa:ʕada] help vt

ساعي [sa:ʕi:] n courier

ساعي البريد
[Sa'aey al-bareed] n postwoman

ساعية [sa:ʕijatu] courier (female) n

ساعية البريد
[Sa'aeyat al-bareed] n postwoman

سافر [sa:fira] travel v

يُسافر متطفلا
[Yosaafer motaṭafelan] v hitchhike

يُسافر يوميا من وإلى مكان عمله
[Yosafer yawmeyan men wa ela makan
'amaleh] v commute

أنا أسافر بمفردي

[ana asaafir be-mufrady] I'm travelling
alone

ساكن [sa:kin] calm, motionless adj
◁ inhabitant n

حرف ساكن
[ḥarf saken] n consonant

سأل [saʔala] ask v

يَسأل عن
[Yasaal 'an] v inquire

سالامي [sa:la:mi:] n

طعام السالامي
[Ṭa'aam al-salamey] n salami

سالف [sa:lif] preceding adj

سام [sa:mm] poisonous adj

سَأم [saʔam] boredom n

سَئِمَ [saʔima] fed up adj

سان مارينو [sa:n ma:ri:nu:] San n
Marino

ساوم [sa:wama] haggle v

ساوى [sa:wa:] equal v

يُساوي بين
[Yosawey bayn] v equalize

إنه يساوي...
[Enah yosaawey...] It's worth...

كم يساوي؟
[kam yusa-wee?] How much is it
worth?

سبابة [sabba:ba] n

اصبع السبابة
[Eṣbe'a al-sababah] n index finger

سباحة [siba:ħa] swimming n

سباحة تحت الماء
[Sebaḥah taḥt al-maa] n snorkel

سباحة الصدر
[Sebaḥat al-ṣadr] n breaststroke

سروال سباحة
[Serwl sebaḥah] n swimming trunks

حمام سباحة
[Hammam sebaḥah] n swimming pool

زي السباحة
[Zey sebaḥah] n swimming costume

أين يمكنني أن أذهب للسباحة؟
[ayna yamken-any an adhhab
lel-sebaha?] Where can I go
swimming?

هل يوجد حمام سباحة؟

ستة عشر [sittata ʕaʃara] *number*
sixteen

سترة [sutra] *n* coat, jacket

سترة صوفية
[Sotrah ṣofeyah] *n* cardigan

سُترة النجاة
[Sotrat al-najah] *n* life jacket

سُترة بولو برقبة
[Sotrat bolo be-ra'qabah] *n* polo-necked
sweater

ستيرودي [stirwudij] *n* steroid
ستيريو [stirju:] *n* stereo
ستون [sittu:na] *number* sixty
سجائر [saʒaːʔir] *n*

هل يمكنني الحصول على طفاية
للسجائر؟
[hal yamken -any al-ḥuṣool 'aala ṭafa-ya
lel-saja-er?] May I have an ashtray?

سجاد [saʒʒaːd] *n*

سجاد مثبت
[Sejad mothabat] *n* fitted carpet

سجادة [saʒaːdda] carpet, rug *n*
سجد [saʒada] kneel down *v*
سجق [saʒq] sausage *n*
سجل [siʒʒil] register *n*

سجل مدرسي
[Sejel madrasey] *n* transcript

سجل القصاصات
[Sejel al'qeṣaṣat] *n* scrapbook

سجّل [saʒʒala] record, register *v*

يُسَجِل الدخول
[Yosajel al-dokhool] *v* log in

يُسجّل الخروج
[Yosajel al-khoroj] *v* log off

يُسجّل على شريط
[Yosajel 'aala shereet] *v* tape

سجن [siʒn] jail *n*

ضابط سجن
[Ḍabet sejn] *n* prison officer

سجن [saʒana] jail *v*
سجين [saʒiːn] prisoner *n*
سحاب [saḥaːb] cloud *n*

ناطحة سحاب
[Naṭehat sahab] *n* skyscraper

سحابة [saḥaːba] cloud *n*
سحب [saḥb] draw, withdrawing *n*

[hal yujad ḥamam sebaḥa?] Is there a
swimming pool?

هيا نذهب للسباحة
[hya nadhhab lil-sebaḥa] Let's go
swimming

سباق [siba:q] race (contest) *n*

سباق سيارات
[Seba'q sayarat] *n* motor racing

سباق الراليات
[Seba'q al-raleyat] *n* rally

سباق الضاحية
[Seba'q al-ḍaheyah] *n* cross-country

سباق الخيول
[Seba'q al-kheyol] *n* horse racing

سباق قصير سريع
[Seba'q 'qaṣer sare'a] *n* sprint

حلبة السباق
[ḥ alabat seba'q] *n* racetrack

سباك [sabba:k] plumber *n*
سباكة [siba:ka] plumbing *n*
سبانخ [saba:nix] spinach *n*
سبب [sabab] cause (ideals), cause *n*
(reason)

ما السبب في هذا الوقوف؟
[ma al-sabab fee hatha al-wi'qoof?]
What is causing this hold-up?

سبب [abbaba] cause *v*

يُسبب الملل
[Yosabeb al-malal] *v* bored

سبتمبر [sibtumbar] September *n*
سبح [sabaḥa] swim *vi*
سبخة [sabxa] marsh *n*
سبعة [sabʕatun] seven *number*

سبعة عشر [sabʕata ʕaʃara] *number*
seventeen

سبعين [sabʕiːna] seventy *number*
سبورة [sabu:ra] blackboard *n*
سبيل [sabi:l] path, way *n*

على سبيل المثال
['ala sabeel al-methal] *n* e.g.

ستارة [sita:ra] curtain *n*

ستارة النافذة
[Setarat al-nafedhah] *n* blind

ستارة مُعتِمة
[Setarah mo'atemah] *n* Venetian blind

ستة [sittatun] six *number*

كارت سحب

[Kart saḥb] n debit card

سحَب [saḥaba] v withdraw, pull up

يَسحب كلامه

[Yashab kalameh] v take back

سحر [siḥr] n spell, magic

سحر [jasḥiru] v spell

سِحري [siḥrij] adj magical

سحق [saḥaqa] v crush

سُخام [suxa:m] n soot

سخان [saxxa:n] n heater

سخَر [saxara] v

يَسخر من

[Yaskhar men] v scoff

سُخرية [suxrijja] n irony

سخَن [saxxana] v heat up

سخَن [saxxana] v heat, warm up

سخي [saxij] adj generous

سَخيف [saxi:f] adj absurd

سد [sadd] n dam

سَداد [sadda:d] n repayment

سِدادة [sidda:da] n tampon

سدَد [saddada] v pay back

سِرّ [sirr] n secret

سِرا [sirran] adv secretly

سراخِس [sara:xis] n

نبات السراخس

[Nabat al-sarakhes] n fern

سُرادق [sara:diq] n pavilion

سرَب [sarraba] vi leak

سِرب [sirb] n flock

سُرّة [surra] n navel

سُرّة البطن

[Sorrat al-baṭn] n belly button

سرج [sarʒ] n saddle

سرَح [sarraḥa] v lay off

سردين [sardi:nu] n sardine

سرطان [saratˤa:n] n

حيوان السرطان

[Ḥayawan al-saratan] n crab

مرض السرطان

[Maraḍ al-saratan] n cancer (illness)

سرعة [surˤa] n speed

سرعة السير

[Sorʿaat al-seer] n pace

بسرعة

[Besorʿaah] adv fast

حد السرعة

[Ḥad alsorʿaah] n speed limit

ذراع نقل السرعة

[Dheraʿa naʿql al-sorʿaah] n gearshift

سرق [saraqa] v steal

يَسرق عَلانية

[Yasreʾq ʿalaneytan] v rip off

لقد سرق شخص ما حقيبتي

[laʾqad saraʾqa shakh-ṣon ma ḥaʾqebaty] Someone's stolen my bag

سرقة [sariqa] n rip-off, theft

سرقة السلع من المَتاجِر

[Sareʾqat al-selaʿa men al-matajer] n shoplifting

سرقة الهوية

[Sareʾqat al-hawyiah] n identity theft

أريد التبليغ عن وقوع سرقة

[areed al-tableegh ʿan wiʾqooʿa sareʾqa] I want to report a theft

سروال [sirwa:l] n pants npl

سروال تحتي قصير

[Serwal taḥtey ʾqaṣeer] n briefs

سروال قصير

[Serwal ʾqaṣeer] n knickers

سروال من قماش الدِنيم القطني

[Serwal men ʿqomash al-deneem al-ʾqotney] n jeans

سرور [suru:r] n pleasure

بكل سرور

[bekul siroor] With pleasure!

من دواعي سروري العمل معك

[min dawa-ʾay siro-ry al-ʾaamal maʿaak] It's been a pleasure working with you

سروري [suru:rij] n

من دواعي سروري أن التقي بك

[min dawa-ʾay siro-ry an al-taʾqy bik] It was a pleasure to meet you

سري [sirrij] adj

سري للغاية

[Serey lel-ghayah] adj top-secret

سِرّي [sirij] adj confidential, secret

سِرّية [sirrija] n privacy

سرير [sari:r] n bed

سرير محمول للطفل

[Sareer maḥmool lel-ṭefl] n carrycot

سريرين منفصلين
[Sareerayn monfaṣ elayen] npl twin beds

بياضات الأسرّة
[Bayaḍat al-aserah] n bed linen

سَرير رحلات
[Sareer raḥalat] n camp bed

سَرير بدورين
[Sareer bedoreen] n bunk beds

سَرير فردي
[Sareer fardey] n single bed

سَرير مبيت
[Sareer mabeet] n bunk

سَرير مُزدوج
[Sareer mozdawaj] n double bed

أريد سرير بدورين
[Areed sareer bedoreen] I'd like a dorm bed

أريد غرفة بسرير مزدوج
[areed ghurfa be-sareer muzdawaj] I'd like a room with a double bed

السرير ليس مريخًا
[al-sareer laysa mureeḥan] The bed is uncomfortable

هل يجب علي البقاء في السرير؟
[hal yajib 'aala-ya al-ba'qaa fee al-sareer?] Do I have to stay in bed?

fast, quick adj [sariːʕ] سريع
سريع الغضب
[Saree'a al-ghaḍab] adj ticklish

زورق بخاري سريع
[Zawra'q bokharey sarea'a] n speedboat

quickly adv [sariːʕan] سريعًا
Sri Lanka n [sriː laːnkaː] سيري لانكا
surface n [saṭ'ḥ] سطح
سطح المبنى
[Saṭh al-mabna] n roof

سَطح مستوي
[Saṭ mostawey] n plane (surface)

أيمكننا أن نخرج إلى سطح المركب؟
[a-yamkun-ana an nakhruj ela saṭ-ḥ al-markab?] Can we go out on deck?

external, adj [saṭ'ḥij] سطحي
superficial
robbery, burglary n [saṭ'w] سطو
سطو مُسلح

[Saṭw mosalaḥ] n hold-up
burgle v [saṭ'waː] سطو
يسطو على
[Yaṣto 'ala] v break in
happiness n [saʕaːda] سَعادة
بسعادة
[Besa'aaadah] adv happily
cough n [suʕaːl] سُعال
capacity n [siʕa] سعة
price n [siʕr] سعر
سعر التجزئة
[Se'ar al-tajzeah] n retail price
سعر البيع
[Se'ar al-bay'a] n selling price
بنصف السعر
[Be-nesf al-se'ar] adv half-price
رجاء كتابة السعر
[rejaa ketabat al-si'ar] Please write down the price
كم سعره؟
[kam si'aroh?] How much is it?
ما هو سعر الصرف؟
[ma howa si'ar al-ṣarf?] What's the exchange rate?
ما هو سعر الوجبة الشاملة؟
[ma howa si'ar al-wajba al-shamela?] How much is the set menu?
ما هي الأشياء التي تدخل ضمن هذا السعر؟
[ma heya al-ashyaa al-laty tadkhul ḍimn hatha al-si'ar?] What is included in the price?
هل لديكم أشياء أقل سعرا؟
[hal ladykum ashyaa a'qal si'aran?] Do you have anything cheaper?
n [suʕr] سُعْر
سُعْر حراري
[So'ar hararey] n calorie
price n [siʕr] سِعر
سِعر الصرف
[Se'ar al-ṣ arf] n exchange rate, rate of exchange
cough vi [saʕala] سعل
Saudi n ◁ Saudi adj [saʕuːdij] سعودي
المملكة العربية السعودية
[Al-mamlakah al-'aarabeyah

سفلياً [suflijjan] adv downstairs
سفن [sufun] npl ships
تِرْسَانة السُفن
[Yarsanat al-sofon] n shipyard
بناء السفن
[Benaa al-sofon] n shipbuilding
حوض السفن
[Hawḍ al-sofon] n dock
سَفير [safiːr] n ambassador
سَفينة [safiːna] n ship
سَفينة حربية
[Safeenah ḥarbeyah] n battleship
سِقَالات [saqaːlaːtun] npl scaffolding
سقط [saqatˤa] v drop, fall down
سقطت
[sa'qaṭat] She fell
لقد سقط مقبض الباب
[la'qad sa'qaṭa me-'qbaḍ al-baab] The
handle has come off
هل تظن أن المطر سوف يسقط؟
[hal taḍhun ana al-maṭar sawfa yas'qiṭ?]
Do you think it's going to rain?
سقف [saqf] n roof, ceiling
يوجد تسرب في السقف
[yujad tasa-rub fee al-sa'qf] The roof
leaks
سقم [saqam] n sickness
سُقُوط [suquːtˤ] n fall
سَقيم [saqiːm] adj ill
سُكَان [sukkaːn] n population
سكب [sakaba] vt pour
سكت [sakata] v shut up
سكة [sikka] n road
سكة حديد بالملاهي
[Sekat ḥadeed bel-malahey] n
rollercoaster
سكة حديدية
[Sekah haedeedyah] n railway
قضبان السكة الحديدية
['qoḍban al-sekah al-ḥadeedeyah] n rail
سكر [sukar] n sugar
سكر ناعِم
[Sokar na'aem] n icing sugar
خالي من السكر
[Khaley men al-oskar] adj sugar-free
مرض السكر

السعودية [al-so'aodeyah] n Saudi Arabia
مواطن سعودي
[Mewaṭen saudey] n Saudi Arabian
سعى [saʕaː] v
يَسعى إلى
[Yas'aaa ela] n aim
يَسعى وراء
[Yas'aa waraa] v pursue, follow
سعيد [saʕiːd] adj fortunate, glad,
happy
حظ سعيد
[ḥadh sa'aeed] n fortune
سفاح [saffaːħ] n killer, thug
سفارة [sifaːra] n embassy
أريد الاتصال بسفارة بلادي
[areed al-etiṣal be-safaarat belaady] I'd
like to phone my embassy
أحتاج إلى الاتصال بسفارة بلادي
[ahtaaj ela al-iteṣaal be-safaarat
belaady] I need to call my embassy
سفاري [safaːriː] n
رحلة سفاري
[Reḥlat safarey] n safari
سفر [safar] n trip, travel, travelling
أجرة السفر
[Ojrat al-safar] n fare
دُوار السفر
[Dowar al-safar] n travel sickness
حقائب السفر
[ḥa'qaeb al-safar] n luggage
حقيبة سفر
[Ha'qeebat al-safar] n suitcase
أريد السفر في الدرجة الأولى
[areed al-safar fee al-daraja al-oola] I
would like to travel first-class
لم تصل حقائب السفر الخاصة بي بعد
[Lam taṣel ḥa'qaeb al-safar al-khaṣah
bee ba'ad] My luggage hasn't arrived
هذا هو جواز السفر
[hatha howa jawaz al-safar] Here is my
passport
سُفرة [sufra] n snack bar
سَفعَة [safʕa] n
سَفْعَة شمس
[Saf'aat ahams] n sunburn
سُفلى [suflaː] adj downstairs

[Salaṭ at al-koronb wal-jazar] n coleslaw

سَلاطة فواكه

[Salaṭat fawakeh] n fruit salad

سلالة [sula:la] n race (origin)

سلام [sala:m] n peace

سلامة [sala:ma] n safety

سلب [salaba] v rob

سلبي [silbij] adj negative, passive

سلة [salla] n basket

سلة الأوراق المهملة

[Salat al-awra'q al-mohmalah] n wastepaper basket

سلة المهملات

[Salat al-mohmalat] n litter bin

كرة السلة

[Korat al-salah] n basketball

سُلحفاة [sulħufa:t] n tortoise, turtle

سلزيوس [silizju:s] n

درجة حرارة سلزيوس

[Darajat ḥararah selezyos] n degree Celsius

سَلس [salis] adj fluent (فصيح)

سِلسِلة [silsila] n chain

سلسلة رسوم هزلية

[Selselat resoom hazaleyah] n comic strip

سلسلة جبال

[Selselat jebal] n range (mountains)

سلسلة متتابعة

[Selselah motatabe'ah] n episode

سلسلة مباريات

[Selselat mobarayat] n tournament

سلطانة [sult̄a:na] n sultana

زبيب سلطانة

[Zebeeb solṭanah] n sultana

سُلطانية [sult̄a:nijja] n bowls

سلطة [sult̄a] n command, power

سلف [salaf] n predecessor, ancestor

سلق [slaqa] vi boil

سلك [silk] n string, wire

سِلك شائك

[Selk shaaek] n barbed wire

سلكي [silkij] n

لا سلكي

[La-selkey] adj cordless

سلم [sullam] n stair, staircase

[Maraḍ al-sokar] n diabetes

بدون سكر

[bedoon suk-kar] no sugar

سكران [sakra:n] n drunk

سكرتير [sikirti:r] n secretary

هل يمكنني ترك رسالة مع السكرتير الخاص به؟

[hal yamken -any tark resala ma'aa al-sikertair al-khaṣ behe?] Can I leave a message with his secretary?

سكري [sukkarij] adj

شخص مصاب بالبول السكرى

[Shakhṣ moṣaab bel-bol al-sokarey] n diabetic

مصاب بالسكري

[Moṣab bel sokkarey] adj diabetic

سكسية [saksijja] n

آلة السكسية

[Alat al-sekseyah] n saxophone

سكن [sakana] v

أسكن في...

[askun fee..] We live in...

أسكن في...

[askun fee..] I live in...

سَكني [sakanij] adj residential

سكير [sikki:r] n alcoholic

سكين [sikki:n] n knife

سكين القلم

[Sekeen al-'qalam] n penknife

سَكاكين المائدة

[Skakeen al-maeadah] n cutlery

سكينة [sikki:na] n knife

سُل [sull] n tuberculosis

سلاح [sila:ħ] n weapon

سلاح الطيران

[Selaḥ al-ṭayaran] n Air Force

سلاح المُشاة

[Selah al-moshah] n infantry

سلاح ناري

[Selah narey] n revolver

سلاطة [sala:t̄a] n salad

سَلاطة خضراء

[Salaṭat khadraa] n green salad

سلاطة مخلوطة

[Salata makhloṭa] n mixed salad

سلاطة الكرنب والجزر

سلم متحرك
[Solam motaharek] n escalator

شُلَم نقال
[Sollam na'q'qaal] n stepladder

سلالم
[sala:lim] n stairs

سَلَم hand, surrender v [sallama]
◁ deliver vt

يُسَلِم ب
[Yosalem be] v presume

شُلَم ladder n
[salamu:n] n

سمك السلمون
[Samak al-salmon] n salmon

ذَكَر سمك السلمون
[Dhakar samak al-salamon] n kipper

سلوفاكي Slovak adj [slu:fa:kij]

اللغة السلوفاكية
[Al-logha al-slofakeyah] (language) n
Slovak

مواطن سلوفاكي
[Mowaṭen slofakey] (person) n Slovak

سلوفاكيا Slovakia [slu:fa:kija:]
سلوفاني Slovenian adj [slu:fa:ni:]

اللغة السلوفانية
[Al-logha al-slofaneyah] (language) n
Slovenian

مواطن سلوفاني
[Mowaṭen slofaney] (person) n Slovenian

سلوفانيا Slovenia n [slu:fa:nija:]
سلوك behaviour, manner n [sulu:k]
سلوكي adj [sulu:kij]

عادة سلوكية
['aadah selokeyah] n habit

سلوكيات npl [sulu:kijja:tun]
manners

سَلَى amuse v [salla:]
سليم intact, sound, adj [sali:m]
whole

شُمّ poison, venom n [summ]
سماء sky n [sama:ʔ]
سماد manure, fertilizer n [sama:d]

سماد عضوي
[Semad 'aodwey] n manure

سِمَاد طبيعي
[Semad ṭabe'ay] n peat

سماعات hands- n [samma:ʕa:t]
free kit

سَماكة thickness n [sama:ka]
سِمّان n [simma:n]

طائر السِمّان
[Ṭaaer al-saman] n quail

سمة characteristic, feature n [sima]
سمَح allow v [samaħa]
شُمرة tan n [sumra]

شُمرة الشمس
[Somrat al-shams] n suntan

سِمسار broker n [samsa:r]

سمسار عقارات
[Semsaar a'qarat] n estate agent

سمسار البورصة
[Semsar al-borṣah] n stockbroker

سَمْع hearing n [samʕ]
سمعة reputation n [sumʕa]

حسن السمعة
[Ḥasen al-som'aah] adj reputable

سَمعي acoustic adj [samʕij]
سِمفونية symphony n [samfu:nijja]
سمك fish n [samak]

صياد السمك
[Ṣayad al-samak] n fisherman

سمك سياف البحر
[Samak aayaf al-baḥr] n swordfish

سمك السُّلمون المُرَقط
[Samak al-salamon almora'qaṭ] n trout

سمك الأبيض
[Samak al-abyaḍ] n whiting

سمك التونة
[Samak al-tonah] n tuna

سمك الشص
[Samak al-shaṣ] n fisherman

سمك القد
[Samak al'qad] n cod

سمك ذهبي
[Samak dhahabey] n goldfish

سوف أتناول سمك
[sawfa ata-nawal samak] I'll have the
fish

لا أتناول الأسماك
[la ata-nawal al-asmaak] I don't eat fish

ماذا يوجد من أطباق السمك؟
[madha yujad min aṭbaa'q al-samak?]

What fish dishes do you have?	hurts
هل يمكن إعداد وجبة خالية من الأسماك؟	tooth n [sin] سِن
[hal yamken e'adad wajba khaliya min al-asmaak?] Could you prepare a meal without fish?	سِن المرء [Sen al-mara] n age
fish n [samaka] سَمَك	سِن المراهقة [Sen al-moraha'qah] n adolescence
سَمكة مياه عذبة	حد السِّن [Had alssan] n age limit
[Samakat meyah adhbah] n freshwater fish	brace n [sanaːd] سَناد
سَمكة الأنقليس	fishing rod n [sˤannaːra] سِنارة
[Samakat al-anfalees] n eel	cent, penny n [sint] سِنت
poison v [sammama] سَمَّم	year n [sana] سَنة
butter n [samn] سَمْن	سَنة ضريبية [Sanah ḍareebeyah] n fiscal year
سَمْن نباتي [Samn nabatey] n margarine	سَنة كبيسة [Sanah kabeesah] n leap year
salamander n [samandal] سَمَندل	سَنة مالية [Sanah maleyah] n financial year
سَمندل الماء [Samandal al-maa] n newt	رَأس السَنة [Raas alsanah] n New Year
toxic adj [summij] سُمي	كل سنة [Kol sanah] adj yearly
thick adj [samiːk] سَميك	سِنتيمتر n [santiːmitar]
fat adj [samiːn] سَمين	squirrel n [sinʒaːb] سِنجاب
tooth n [sinn] سِن	bond n [sanad] سَند
أطقم أسنان صناعية	sandwich n [sandiwiːtʃ] سَندويتش
[Aṭ'qom asnan ṣena'aeyah] npl dentures	Senegalese n [siniɣaːlij] سِنغالي
أكبر سِنّاً	teethe v [sannana] سَنَّن
[Akbar senan] adj elder	n [snuːkar] سِنوكَر
خَيْط تنظيف الأسنان	لَعْبة السُّنوكِر [Lo'abat al-sonoker] n snooker
[Khayṭ tandheef al-asnan] n dental floss	annual adj [sanawij] سنوي
الأكبر سناً	yearly adv [sanawijan] سنوياً
[Al-akbar senan] adj eldest	n [sahra] سهرة
طبيب أسنان	ملابس السهرة [Malabes al-sahrah] npl evening dress
[Ṭabeeb asnan] n dentist	easy, flat adj [sahl] سهل
متعلق بطب الأسنان	سهل الانقياد [Sahl al-en'qyad] adj easy-going
[Mota'ale'q be-ṭeb al-asnan] adj dental	سهل الوصول [Sahl al-woṣool] adj accessible
عندي وجع في الأسنان	arrow, dart n [sahm] سهم
['aendy waja'a fee al-as-nan] I have toothache	سهم مالي [Sahm maley] n share
لقد كسرت سنتي	لعبة رمي السهام [Lo'abat ramey al-seham] npl darts
[la'qad kasarto sin-ny] I've broken a tooth	
ليس لدي تأمين صحي لأسناني [laysa la-daya ta-meen ṣihee le-asnany] I don't have dental insurance	
هذا السن يؤلمني [haḍha al-sen yoelemoney] This tooth	

[Ala nahw saye] *adv* badly
أسوأ

[?aswa?un] *adj* worse
على نحو أسوأ

[Ala nahw aswaa] *adv* worse
الأسوأ

[Al-aswaa] *adj* worst
fence *n* [sija:ʒ] **سياج نقال**

سياج نقال
[Seyaj na'qal] *n* hurdle

سياج من الشجيرات
[Seyaj men al-shojayrat] *n* hedge

tourism *n* [sija:ħa] **سياحي**
adj [sija:ħij] **سياحي**

درجة سياحية
[Darjah seyaheyah] *n* economy class

مرشد سياحي
[Morshed seyahey] *n* tour guide

مكتب سياحي
[Maktab seayahey] *n* tourist office

لقد سرق شخص ما الشيكات السياحية الخاصة بي
[la'qad sara'qa shakh-ṣon ma al-shaikaat al-seyahiya al-khaṣa be] Someone's stolen my traveller's cheques

هل يتم قبول الشيكات السياحية؟
[hal yatum 'qobool al-shaikaat al-seyahiya?] Do you accept traveller's cheques?

carriage *n* [sajja:ra] **سيارة**

إيجار سيارة
[Ejar sayarah] *n* car rental

سائق سيارة
[Saae'q sayarah] *n* chauffeur

سيارة صالون
[Sayarah ṣalon] *n* saloon car

سيارة إسعاف
[Sayarat es'aaf] *n* ambulance

سيارة إيجار
[Sayarah eejar] *n* rental car

سيارة أجرة
[Sayarah ojarah] *n* cab

سيارة السباق
[Sayarah al-seba'q] *n* racing car

سيارة الشركة

oversight (*mistake*) *n* [sahw] **سهو**
misfortune *n* [su:ʔ] **سوء**

سوء الحظ
[Soa al-ḥaḍh] *n* misfortune

سوء فهم
[Soa fahm] *n* misunderstanding

سوء معاملة الأطفال
[Soo mo'aamalat al-aṭfaal] *n* child abuse

bracelet *n* [suwa:r] **سُوار**

سُوار الساعة
[Sowar al-sa'aah] *n* watch strap

Swaziland *n* [swa:zi:la:nd] **سوازيلاند**
n ◁ Sudanese *adj* [su:da:nij] **سوداني**
Sudanese

Syrian *n* ◁ Syrian *adj* [su:rij] **سوري**
Syria *n* [su:rja:] **سوريا**

whip *n* [sawtˤ] **سَوط**
market, market place *n* [su:q] **سوق**

سوق خيرية
[Soo'q khayreyah] *n* fair

سُوق الأوراق المالية
[Soo'q al-awra'q al-maleyah] *n* stock exchange

سُوق للسلع الرخيصة
[Soo'q lel-sealaa al-ṣgheerah] *n* flea market

متى يبدأ العمل في السوق؟
[mata yabda al-'aamal fee al-soo'q?] When is the market on?

vulgar *adj* [su:qij] **سُوقي**
n [su:la:r] **سولار**

سولار من فضلك...
[Solar men faḍlek...] ... worth of diesel, please

together *adv* [sawijjan] **سويا**
n ◁ Swedish *adj* [swi:dij] **سويدي**
Swede

اللغة السويدية
[Al-loghah al-sweedeyah] *n* Swedish

اللُّفت السويدي
[Al-left al-sweedey] *n* swede

Switzerland *n* [swi:sra:] **سويسرا**
n ◁ Swiss *adj* [swi:srij] **سويسري**
Swiss

bad *adj* [sajjiʔ] **سيء**
على نحو سيء

هناك ثقب في رديايتر السيارة
[Honak tho'qb fee radyateer al-sayarah]
There is a leak in the radiator
politics npl [sija:sa] **سياسة**
رجل سياسة
[Rajol seyasah] n politician
علم السياسة
['aelm alseyasah] n political science
political adj [sija:sij] **سياسي**
context n [sija:q] **سياق**
Siberia n [si:bi:rja:] **سيبيريا**
cigar n [si:ʒa:r] **سيجار**
cigarette n [si:ʒa:ra] **سيجارة**
skewer n [si:x] **سيخ**
chief n [sajjid] **سيد**
lady n [sajjida] **سيدة**
سيدة أعمال
[Sayedat a'amaal] n businesswoman
sir n [sajjidi:] **سيدي**
belt, march n [sajr] **سير**
سرعة السير
[Sor'aat al-seer] n pace
سير المروحة
[Seer almarwaha] n fan belt
سير متحرك
[Sayer motaḥrrek] n conveyor belt
أريد صعود التل سيرا على الأقدام
[areed ṣi'aood al-tal sayran 'aala
al-a'qdaam] I'd like to go hill walking
هل يمكن السير هناك؟
[hal yamken al-sayr hunak?] Can I walk
there?
هل يوجد أي جولات للسير مع أحد
المرشدين؟
[hal yujad ay jaw-laat lel-sayer ma'aa
aḥad al-murshid-een?] Are there any
guided walks?
biography n [si:ra] **سيرة**
سيرة ذاتية
[Seerah dhateyah] n autobiography, CV
n [si:rfar] **سيرفر**
جهاز السيرفر
[Jehaz al-servo] n server (computer)
circus n [si:rk] **سيرك**
sword n [sajf] **سيف**
adj [sajku:lu:ʒij] **سيكولوجي**

[Sayarat al-sharekah] n company car
سيارة بصالون متحرك المقاعد
[Sayarah be-ṣalon motaḥarek
al-ma'qaed] n estate car
سيارة بباب خلفى
[Sayarah be-bab khalfey] n hatchback
سيارة كوبيه
[Sayarah kobeeh] n convertible
سيارة مستأجرة
[Sayarah mostaajarah] n hired car
غسيل سيارة
[ghaseel sayaarah] n car wash
تأجير سيارة
[Taajeer sayarah] n car rental
تأمين سيارة
[Taameen sayarah] n car insurance
استئجار سيارة
[isti-jar sayara] n rental car
أريد أن استأجر سيارة
[areed an asta-jer sayara] I want to hire
a car
الأطفال في السيارة
[al-aṭfaal fee al-sayara] My children are
in the car
كم تبلغ مصاريف سيارة لشخصين؟
[kam tablugh ma-ṣareef sayarah
le-sha-khṣyn?] How much is it for a car
for two people?
لقد صدمتُ سيارتي
[la'qad ṣadamto sayaraty] I've crashed
my car
متى ستغادر السيارة في الصباح؟
[mata satu-ghader al-sayarah fee
al-ṣabaah?] When does the coach
leave in the morning?
هل يمكن أن أوقف السيارة هنا؟
[hal yamken an o'qef al- sayara huna?]
Can I park here?
هل يمكنني توصيلي بالسيارة؟
[hal yamken -aka taw-ṣeely bil-sayara?]
Can you take me by car?
هل يمكنك جر سيارتي إلى ورشة
السيارات؟
[Hal yomkenak jar sayaratey ela
warshat al-sayarat?] Can you tow me
to a garage?

psychological

سَيْل downpour *n* [sajl]

سينما cinema *n* [si:nima:]

ماذا يعرض الآن على شاشات السينما؟
[madha yu'a-raḍ al-aan 'aala sha-shaat al-senama?] What's on at the cinema?

سينمائي *adj* [si:nima:ʔij]

نجم سينمائي
[Najm senemaaey] *n* film star

شائع common *adj* [ʃa:ʔiʕ]

شائك prickly *adj* [ʃa:ʔiku]

نبات شائك الأطراف
[Nabat shaek al-aṭraf] *n* holly

شائن disgraceful *adj* [ʃa:ʔin]

شاب young *adj* [ʃa:bb]

شابك snarl *v* [ʃa:baka]

شاة ewe *n* [ʃa:t]

شاحب pale *adj* [ʃa:ħib]

شاحن charger *n* [ʃa:ħin]

شاحنة truck *n* [ʃa:ħina]

شاحِنة لوري
[Shaḥenah loorey] *n* truck

شاحنة قَطر
[Shaḥenat 'qaṭr] *n* breakdown truck

شاحنة نقل
[Shahenat na'ql] *n* removal van

شاذ odd *adj* [ʃa:ðð]

شارب moustache *n* [ʃa:rib]

شارة badge *n* [ʃa:ra]

شارع street *n* [ʃa:riʕ]

شارع جانبي
[Share'a janebey] *n* side street

خريطة الشارع
[Khareeṭat al-share'a] *n* street plan

أريد خريطة لشوارع المدينة
[areed khareeṭa le-shawari'a al-madena]

I want a street map of the city

شارك [ʃaːraka] share v

شاشة [ʃaːʃa] n monitor

شاشة بلازما
[Shashah blazma] n plasma screen

شاشة مسطحة
[Shasha moṣṭaḥah] adj flat-screen

شاطئ [ʃaːtˤiʔ] n beach

شاطئ البحر
[Shaṭeya al-baḥr] n seashore

سوف أذهب إلى الشاطئ
[sawfa adhab ela al-shaṭee] I'm going to the beach

ما هي المسافة بيننا وبين الشاطئ؟
[ma heya al-masafa bay-nana wa bayn al-shaṭee?] How far are we from the beach?, How far is the beach?

هل يوجد أتوبيس إلى الشاطئ؟
[Hal yojad otobees elaa al-shaṭea?] Is there a bus to the beach?

شاطر [ʃaːtˤir] clever adj

شاعر [ʃaːʕir] intuitive adj ◁ poet n

شاعر بالإطراء
[Shaa'aer bel-eṭraa] adj flattered

شاغب [ʃaːɣaba] riot v

شاغر [ʃaːɣir] vacant adj

شاكوش [ʃaːkuːʃ] hammer n

شال [ʃaːl] shawl n

شامبانيا [ʃaːmbaːnija] champagne n

شامبو [ʃaːmbuː] shampoo n

هل تبيع شامبوهات
[hal tabee'a shambo-haat?] Do you sell shampoo?

شامة [ʃaːma] beauty spot n

شامل [ʃaːmil] comprehensive, adj thorough

بشكل شامل
[Be-shakl shamel] adv thoroughly

شأن [ʃaʔn] affair n

شؤون الساعة
[Sheoon al-saa'ah] npl current affairs

شاهد [ʃaːhid] witness n

شاهد [ʃaːhada] watch v

أنا أشاهد فقط
[ana ashahid fa'qat] I'm just looking

شاهق [ʃaːhiq] steep, high adj

شاي [ʃaːj] tea n

برّاد الشاي
[Brad shaay] n teapot

فنجان شاي
[Fenjan shay] n teacup

كيس شاي
[Kees shaay] n tea bag

ملعقة شاي
[Mel'a'qat shay] v teaspoon

شاي من فضلك
[shaay min faḍlak] A tea, please

هل يمكن من فضلك الحصول على كوب آخر من الشاي؟
[hal yamken min faḍlak al-ḥusool 'aala koob aakhar min al-shay?] Could we have another cup of tea, please?

شباب [ʃabaːb] youth n

بيت الشباب
[Bayt al-shabab] n hostel

شباك [ʃubbaːk] n

شباك التذاكر
[Shobak al-tadhaker] n box office

شبح [ʃabaḥ] ghost n

شبحي [ʃabaḥij] spooky adj

شبشب [ʃubʃub] flip-flops n

شبشب حمام
[Shebsheb ḥamam] n slipper

شبكة [ʃabaka] net, network n

شبكة عنكبوتية
[Shabakah 'ankaboteyah] n web

شبكة داخلية
[Shabakah dakheleyah] n intranet

كرة الشبكة
[Korat al-shabakah] n netball

شبكة قضبان متصالبة
[Shabakat 'qodban motaṣalebah] n grid

لا أستطيع الوصول إلى الشبكة
[la asṭa-tee'a al-wiṣool ela al-shabaka] I can't get a network

شبل [ʃibl] cub n

شبه [ʃibhu] semi-detached house, n resemblance

شبّورة [ʃabuwra] mist n

شتوي [ʃitwijjat] winter adj

رياضات شتوية
[Reyḍat shetweyah] npl winter sports

هل هذا مناسب للأشخاص النباتيين
[hal hadha munasib lel-ash-khaaṣ al-nabat-iyen?] Is this suitable for vegetarians?

personal adj [ʃaxsˤij] **شخصي**

بطاقة شخصية
[beṭ aʼqah shakhṣeyah] n identity card

حارس شخصي
[ḥares shakhṣ] n bodyguard

أريد عمل الترتيبات الخاصة بالتأمين ضد الحوادث الشخصية
[areed ʼaamal al-tar-tebaat al-khaṣa bil-taameen ḍid al-ḥawadith al-shakhṣiya] I'd like to arrange personal accident insurance

personally adv [ʃaxsˤi:an] **شخصياً**
character, n [ʃaxsˤijja] **شخصية**
personality

shipment n [ʃaxna] **شخنة**
extreme, intensive adj [ʃadi:d] **شديد**

بدرجة شديدة
[Bedarajah shadeedah] adv extremely

odour n [ʃaða:] **شذى**
purchase n [ʃira:ʔ] **شراء**

شراء كامل
[Sheraa kaamel] n buyout

أين يمكن شراء الطوابع؟
[ayna yamken sheraa al-ṭawabiʼa?] Where can I buy stamps?

هل يجب شراء تذكرة لإيقاف السيارة؟
[hal yajib al-sayarah tadhkara] Do I need to buy a car-parking ticket?

chips npl [ʃaraʔiḥun] **شرائح**
drink, syrup n [ʃara:b] **شراب**

إسراف في الشراب
[Esraf fee alsharab] n booze

الإفراط في تناول الشراب
[Al-efraaṭ fee tanawol alsharab] n binge drinking

شراب الجبن المُسكر
[Sharaab al-jobn al-mosaker] (محلج n gin (القطن

شراب البَنْش المُسكر
[Sharaab al-bensh al-mosker] n punch (hot drink)

شراب مُسكر

swearword, insult n [ʃati:ma] **شتيمة**
row n [ʃiʒa:r] **شجار**
brave n [ʃuʒa:ʕ] **شجاع**
bravery n [ʃaʒa:ʕa] **شجاعة**
tree n [ʃaʒar] **شجر**

شجر البتولا
[Ahjar al-betola] n birch

شجر الطقسوس
[Shajar al-ṭaʼqsoos] n yew

أشجار الغابات
[Ashjaar al-ghabat] n timber

tree n [ʃaʒara] **شجرة**

شجرة عيد الميلاد
[Shajarat ʼaeed al-meelad] n Christmas tree

شجرة الصنوبر
[Shajarat al-ṣonobar] n pine

شجرة الصنوبر المخروطية
[Shajarat al-ṣonobar al-makhrooṭeyah] n conifer

شجرة الصِفْصَاف
[Shajart al-ṣefṣaf] n willow

شجرة الزان
[Shajarat al-zaan] n beech (tree)

encourage v [ʃaʒʒaʕa] **شجّع**
bush (shrub) n [ʃuʒajra] **شجيْرة**
blackbird n [ʃaḥru:r] **شحرور**
grease n [ʃaḥm] **شحم**
charge (electricity) n [ʃaḥn] **شحن**

إنها لا تقبل الشحن
[inaha la taʼqbal al-shaḥin] It's not charging

freight n [ʃuḥna] **شحنة**
person, character n [ʃaxsˤun] **شخص**

أي شخص
[Ay shakhṣ] pron anybody

شخص عربي
[Shakhṣ ʼarabey] (person) adj Arab

شخص جزائري
[Shakhṣ jazayry] n Algerian

كم تبلغ تكلفة عربة مجهزة للمخيمات لأربعة أشخاص؟
[kam tablugh taklifat ʼaaraba mujahaza lel-mukhyamat le-arbaʼat ash-khaṣ?] How much is it for a camper with four people?

شرارة n [ʃaraːra] spark n
شراشف n [ʃaraːʃif] bedding n
شراع n [ʃiraːʕ] sail n
شرب n [ʃurb] drinking n
مياه الشرب
[Meyah al-shorb] n drinking water
شرب v [ʃareba] drink v
.أنا لا أشرب
[ana la ashrab] I'm not drinking
أنا لا أشرب الخمر أبدا
[ana la ashrab al-khamr abadan] I never
drink wine
أنا لا أشرب الكحول
[ana la ashrab al-kohool] I don't drink
alcohol
هل أنت ممن يشربون اللبن؟
[hal anta me-man yash-raboon
al-laban?] Do you drink milk?
شرب vt [ʃaraba] drink vt
شرح v [ʃaraħa] explain v
هل يمكن أن تشرح لي ما الذي بي؟
[hal yamken an tash-raħ lee ma al-ladhy
be?] Can you explain what the matter
is?
شرح n [ʃarħ] explanation n
شرس adj [ʃaris] bad-tempered adj
شرط n [ʃartˤ] condition n
شرطة n [ʃurtˤa] police n
ضابط شرطة
[Ḍabet shortah] n policeman
شرطة سرية
[Shortah serryah] n detective
شرطة قصيرة
[Shartah 'qaseerah] n hyphen
شرطة مائلة للأمام
[Shartah maelah lel-amam] n forward
slash
شرطة مائلة للخلف
[Shartah maelah lel-khalf] n backslash
قسم شرطة
['qesm shortah] n police station
سوف يجب علينا إبلاغ الشرطة
[sawfa yajeb 'aalyna eb-laagh al-shurta]
We will have to report it to the police
أريد الذهاب إلى قسم الشرطة؟

[areed al-dhehaab ela 'qism al-shurta] I
need to find a police station
أرغب في التحدث إلى أحد رجال الشرطة
[arghab fee al-tahaduth ela shurtia] I
want to speak to a policewoman
اتصل بالشرطة
[itaṣel bil-shurta] Call the police
احتاج إلى عمل محضر في الشرطة
لأجل التأمين
[ahtaaj ela 'aamal mahḍar fee al-shurta
le-ajl al-taameen] I need a police report
for my insurance
شرطي n [ʃurtˤij] cop n
شرطي adj [ʃartˤij] provisional adj
شرطي adj [ʃurtˤijju] adj
شرطي المرور
[Shrtey al-moror] n traffic warden
شرعي adj [ʃarʕij] legal, kosher adj
شرف v [ʃarrafa] supervise v
شرف n [ʃaraf] honour n
شرفة n [ʃurfa] balcony n
مزود بشرفة
[Mozawad be-shorfah] adj terraced (row houses)
شرفة مكشوفة
[Shorfah makshofah] n terrace
هل يمكن أن أتناول طعامي في
الشرفة؟
[hal yamken an ata-nawal ta'aa-mee fee
al-shur-fa?] Can I eat on the terrace?
شرق n [ʃarq] east n
الشرق الأقصى
[Al-shar'q al-a'qsa] n Far East
الشرق الأوسط
[Al-shar'q al-awsat] n Middle East
شرقاً adv [ʃarqan] east adv
متجه شرقاً
[Motajeh sharqan] adj eastbound
شرقي adj [ʃarqij] east, eastern adj
جنوب شرقي
[Janoob shr'qey] n southeast
شمال شرقي
[Shamal shar'qey] n northeast
شركة n [ʃarika] company n
سيارة الشركة
[Sayarat al-sharekah] n company car

شركة تابعة
[Sharekah tabe'ah] n subsidiary
شركة طيران
[Sharekat ṭayaraan] n airline
شركة متعددة الجنسيات
[Shreakah mota'adedat al-jenseyat] n multinational
أريد الحصول على بعض المعلومات عن الشركة
[areed al-ḥusool 'aala ba'aḍ al-ma'aloomat 'an al-shareka] I would like some information about the company
تفضل بعض المعلومات المتعلقة بشركتي
[tafaḍal ba'aḍ al-ma'a-lomaat al-muta'a-le'qa be-share-katy] Here's some information about my company
n [ʃuru:q] شروق
شروق الشمس
[Sheroo'q al-shams] n sunrise
artery n [ʃurja:n] شريان
chip (electronic), n [ʃari:ħatt] شريحة
splint
شريحة صغيرة
[Shareeḥat ṣagheerah] n microchip
شريحة السليكون
[Shreeḥah men al-selekoon] n silicon chip
شريحة لحم مخلية من العظام
[Shreeḥat laḥm makhleyah men al-edham] (عصابة رأس) n fillet
شريحة من لحم البقر
[Shreeḥa men laḥm al-ba'qar] n rump steak
slice n [ʃari:ħa] شريحة
شريحة لحم
[Shareehat laḥm] n steak
شريحة لحم خنزير
[Shareehat laḥm khenzeer] n pork chop
شريحة لحم مشوية
[Shareehat laḥm mashweyah] n cutlet
homeless adj [ʃari:d] شريد
evil, villain adj [ʃirri:r] شرير
tape n [ʃari:tˤ] شريط
شريط الحذاء

[Shreeṭ al-ḥedhaa] n lace
شريط قياس
[Shreeṭ 'qeyas] n tape measure
strip n [ʃari:tˤa] شريطة
sharia n [ʃari:ʕa] شريعة
هل توجد أطباق مباح أكلها في الشريعة الإسلامية؟
[hal tojad aṭba'q mubaḥ akluha fee al-sharee-'aa al-islam-iya?] Do you have halal dishes?
partner n [ʃari:k] شريك
شريك السكن
[Shareek al-sakan] n inmate
شريك حياة
[Shareek al-hayah] n match (partnership)
شريك في جريمة
[Shareek fee jareemah] n accomplice
cross out v [ʃatˤaba] شطب
npl ◁ chess n [ʃatˤranʒ] شطرنج
draughts
rinse v [ʃatˤafa] شطف
rinse n [ʃatˤf] شطف
splinter n [ʃazˤijja] شظية
ritual adj [ʃaʕaːʔirij] شعائري
logo n [ʃiʕaːr] شعار
adj [ʃuʕaːʕij] شعاعيّ
صورة شعاعيّة
[Ṣewar sho'aeyah] v X-ray
public n [ʃaʕb] شعب
popular, public adj [ʃaʕbij] شعبي
موسيقى شعبية
[Mose'qa sha'abeyah] n folk music
popularity n [ʃaʕbijjit] شعبية
publicity n [ʃaʕbijja] شعبيّة
hair n [ʃaʕr] شعر
رمادي الشعر
[Ramadey al-sha'ar] adj grey-haired
شبراي الشعر
[Sbray al-sha'ar] n hair spray
أحمر الشعر
[Aḥmar al-sha'ar] adj red-haired
تسريحة الشعر
[Tasreehat al-sha'ar] n hairdo
جل الشعر
[Jel al-sha'ar] n hair gel
خصلة شعر مستعار

[khoṣlat sha'ar mosta'aar] n toupee
قصة شعر قصيرة
['qaṣat sha'ar] n crew cut
كثير شعر
[Katheer sha'ar] adj hairy
ماكينة تجعيد الشعر
[Makeenat taj'aeed sha'ar] n curler
يَعْقِص الشعر
[Ya'aqes al-sha'ar] n curl
إن شعري مصبوغ
[enna sha'ary maṣboogh] My hair is highlighted
أنا في حاجة إلى مجفف شعر
[ana fee ḥaja ela mujaf-if sh'aar] I need a hair dryer
شعري أشقر بطبيعته
[sha'ary ash'qar beṭa-be'aatehe] My hair is naturally blonde
هل تبيع بلسم مرطب للشعر؟
[hal tabee'a balsam mura-ṭib lil-sha'air?] Do you sell conditioner?
هل يمكن أن تصبغ لي جذور شعري من فضلك؟
[hal yamken an taṣbugh lee jidhoor sha'ary min faḍlak?] Can you dye my roots, please?
هل يمكن أن تقص أطراف شعري؟
[hal yamken an ta'quṣ aṭraaf sha'ary?] Can I have a trim?
شعر feel v [ʃaʃura]
كيف تشعر الآن
[kayfa tash-'aur al-aan?] How are you feeling now?
شِعْر poetry n [ʃiʃr]
شَعر ب v [ʃaʃura bi]
أشعر بهرش في قدمي
[ash-'aur be-harsh fee sa'qy] My leg itches
شُعُور feeling n [ʃuʃuːr]
شَعِير barley n [ʃaʃiːrr]
شَعِيرة ritual n [ʃaʃiːra]
شَغْبْ riot n [ʃaɣab]
شَغّل turn on, operate v [ʃaɣɣala] *(to function)*
شِفَاء cure, recovery n [ʃifaː?]
شَفَاف transparent adj [ʃaffaːʃ]

شفاه lip n [ʃifaːh]
شفرة blade, edge n [ʃafra]
شفرة حلاقة
[Shafrat hela'qah] n razor blade
شفقة pity n [ʃafaqa]
شفهي oral adj [ʃafahij]
فحص شفهي
[Faḥṣ shafahey] n oral
شفى heal, recover v [ʃafa:]
شق rip vt [ʃaqqa]
شقة n [ʃaqqa]
شقة ستديو
[Sha'qah stedeyo] n studio flat
شقة بغرفة واحدة
[Sh'qah be-ghorfah waḥedah] n studio flat
إننا نبحث عن شقة
[ena-na nabḥath 'aan shu'qa] We're looking for an apartment
لقد قمنا بحجز شقة باسم...
[la'qad 'qimto be- ḥajis shu'qa be-isim...] We've booked an apartment in the name of...
هل يمكن أن نرى الشقة؟
[hal yamken an naraa al-shu'qa?] Could you show us around the apartment?
شقي mischievous adj [ʃaqij]
شك doubt n [ʃakk]
معتنق مذهب الشك
[Mo'atane'q maḍhhab al-shak] adj sceptical
شك doubt n [ʃak]
بلا شك
[Bela shak] adv certainly
شكا complain v [ʃaka:]
شكر thank v [ʃakara]
شكرا thanks! excl [ʃukran]
إشكرا!
[Shokran!] excl thanks!
شكرا جزيلا
[shukran jazeelan] Thank you very much
شكرا لك
[Shokran lak] That's very kind of you
شكل form n [ʃakl]
بشكل صحيح

[Beshakl ṣaheeh] adv correctly

بشكل سيء
[Be-shakl sayea] adj unwell

بشكل كامل
[Beshakl kaamel] adv totally

بشكل مُنفصِل
[Beshakl monfaṣel] adv apart

شكل رسمي
[Shakl rasmey] n formality

ما هو شكل الثلوج؟
[ma howa shakl al-thilooj?] What is the snow like?

شكّل model v [ʃakkala]
شكوى complaint, grouse n [ʃakwa:] (complaint)

إني أرغب في تقديم شكوى
[inny arghab fee ta'qdeem shakwa] I'd like to make a complaint

شكيمة kerb n [ʃaki:ma]
شلال waterfall n [ʃalla:l]

شلال كبير
[Shallal kabeer] n cataract (waterfall)

شلل n [ʃalal]

شلل أطفال
[Shalal atfaal] n polio

شمّ smell vt [ʃamma]
شماعة n [ʃamma:ʕa]

شماعة المعاطف
[Shama'aat al-ma'aatef] n coathanger

شمال north n [ʃama:l]

شمال أفريقيا
[Shamal afreekya] n North Africa

شمال غربي
[Shamal gharbey] n northwest

شمال شرقي
[Shamal shar'qey] n northeast

شمالا north adv [ʃama:lan]

متجه شمالاً
[Motajeh shamalan] adj northbound

شمالي adj ◄ north n [ʃama:lij] northern

أمريكا الشمالية
[Amreeka al- Shamaleyah] n North America

أيرلندة الشمالية
[Ayarlanda al-shamaleyah] n Northern

Ireland

الدائرة القطبية الشمالية
[Al-daerah al'qotbeyah al-Shamaleyah] n Arctic Circle

البحر الشمالي
[Al-bahr al-Shamaley] n North Sea

القطب الشمالي
[A'qotb al-shamaley] n North Pole

المحيط القطبي الشمالي
[Al-moheet al-'qotbey al-shamaley] n Arctic Ocean

كوريا الشمالية
[Koreya al-shamaleyah] n North Korea

شمّام melon n [ʃamma:m]
شمبانزي chimpanzee n [ʃamba:nzij]
شمر n [ʃamar]

نبات الشمر
[Nabat al-shamar] n fennel

شمس sun n [ʃams]

عباد الشمس
['aabaad al-shams] n sunflower

حمام شمس
[Ḥamam shams] n sunbed

كريم الشمس
[Kreem shams] n sunscreen

كريم للوقاية من الشمس
[Kreem lel-we'qayah men al-shams] n sunblock

مسفوع بأشعة الشمس
[Masfoo'a be-ashe'aat al-shams] adj sunburnt

أعاني من حروق من جراء التعرض للشمس
[O'aaney men ḥoro'q men jaraa al-ta'aroḍ lel-shams] I am sunburnt

شمسي solar adj [ʃamsij]

طاقة شمسية
[Ṭa'qah shamseyah] n solar power

نظارات شمسية
[naḍharat shamseyah] npl sunglasses

نظام شمسي
[neḍham shamsey] n solar system

شمع wax n [ʃamʕ]
شمعة candle n [ʃamʕa]
شمعدان candlestick n [ʃamʕada:n]
شمل involve v [ʃamela]

هل يشمل السعر عصي التزلج
[hal yash-mil al-si'ar 'aoşy al-tazal-oj?]
Does the price include poles?

هل يشمل ذلك الإفطار؟
[hal yash-mil dhalik al-iftaar?] Is
breakfast included?

شنّ v [ʃanna]

يَشن غارة
[Yashen gharah] v raid

شنق hang vt [ʃanaqa]

شنيع awful, outrageous adj [ʃaniːʕ]

شهادة certificate n [ʃahaːda]

شهادة تأمين
[Shehadat taameen] n insurance
certificate

شهادة طبية
[Shehadah țebeyah] n medical
certificate

شهادة ميلاد
[Shahadat meelad] n birth certificate

هل يمكنني الإطلاع على شهادة التأمين
من فضلك؟
[hal yamken -any al-eṭla'a 'aala
sha-hadat al-tameen min faḍlak?] Can I
see your insurance certificate please?

شهر month n [ʃahr]

شهر العسل
[Shahr al-'asal] n honeymoon

في غضون شهر
[fee ghoḍon shahr] a month from now

في نهاية شهر يونيو
[fee nehayat shahr yon-yo] at the end of
June

من المقرر أن أضع في غضون خمسة
أشهر
[min al-mu'qarar an aḍa'a fee ghiḍoon
khamsat ash-hur] I'm due in five
months

منذ شهر
[mundho shahr] a month ago

شهرة celebrity n [ʃuhra]

شهري monthly adj [ʃahrij]

شهوة lust n [ʃahwa]

شهي delicious adj [ʃahij]

شهية appetite n [ʃahijja]

شهيد martyr n [ʃahiːd]

شهير renowned adj [ʃahiːr]

الشهير بـ
[Al-shaheer be-] adj alias

شوى grill v [ʃawaː]

شواء n [ʃiwaːʔu]

شواء اللحم
[Shewaa al-lahm] n barbecue

شوارب whiskers npl [ʃawaːribun]

شواية grill n [ʃawwaːja]

شورت shorts n [ʃuːrt]

شورت بوكسر
[Short boksar] n boxer shorts

شوفان oats n [ʃuːfaːn]

دقيق الشوفان
[Da'qee'q al-shofaan] n porridge

شوك thistle n [ʃawk]

شوكة thorn, fork n [ʃawkatu]

شوكة طعام
[Shawkat ța'aaam] n fork

شوكولاتة chocolate n [ʃuːkuːlaːta]

شيء object, thing n [ʃajʔun]

أي شيء
[Ay shaya] n anything

شيء ما
[Shaya ma] pron something

لا شيء
[La shaya] n nothing, zero

شيّال porter n [ʃajjaːl]

شيخ n [ʃajx]

طب الشيخوخة
[Țeb al-shaykhokhah] n geriatric

شيخوخي geriatric adj [ʃajxuːxij]

شيطان devil n [ʃajtˤaːn]

شيعي Shiite adj [ʃiːʕij]

شيك tick n [ʃiːk]

دفتر شيكات
[Daftar sheekaat] n chequebook

شيك على بياض
[Sheek ala bayad] n blank cheque

شيك سياحي
[Sheek seyahey] n traveller's cheque

شيك بنكي
[Sheek bankey] n tick

أريد صرف شيكًا من فضلك
[areed ṣarf shaikan min faḍlak?] I want
to cash a cheque, please

هل يمكنني الدفع بشيك؟
[hal yamken -any al-daf'a be- shaik?]
Can I pay by cheque?
شيكولاتة n [ʃiːkuːlaːta]
شيكولاتة سادة
[Shekolatah sada] n plain chocolate
شيكولاتة باللبن
[Shekolata bel-laban] n milk chocolate
كريمة شيكولاتة
[Kareemat shekolatah] n mousse
شيوعي [ʃujuːʕij] adj communist ◁ n
communist
communism n [ʃuːʕijja] **شيوعية**

صابون soap n [sˤaːbuːn]
طبق صابون
[Ṭaba'q ṣaboon] n soap dish
مسحوق الصابون
[Mashoo'q ṣaboon] n washing powder
لا يوجد صابون
[la yujad ṣaboon] There is no soap
صاح scream, shout v [sˤaːħa]
صاحب companion n [sˤaːħib]
صاحب الأرض
[Ṣaheb ardh] n landlord
صاحب العمل
[Ṣaheb 'aamal] n employer
صَاحب escort v [sˤaːħaba]
صاد hunt v [sˤaːda]
صادر export (تصدير) n [sˤaːdir]
صادق truthful adj [sˤaːdiq]
ضارخ blatant adj [sˤaːrix]
صارم stark adj [sˤaːrim]
صاروخ rocket n [sˤaːruːxin]
صاري mast n [sˤaːriː]
صاعداً upwards adv [sˤaːʕidan]
صافي net adj [sˤaːfiː]
صالة n [sˤaːla]
صالة العبور
[Ṣalat al'aoboor] n transit lounge
صالة المغادرة

نفاذ الصبر
[nafadh al-ṣabr] n impatience

dye v [sˤabaya] صبغ
dye n [sˤibya] صبغة
patient adj [sˤabu:r] صبور
lad n [sˤabij] صبي
journalism n [sˤaḥa:fa] صحافة
health n [sˤiḥḥa] صحة
correct v [sˤaḥḥaḥa] صحح
desert n [sˤaḥra:ʔu] صحراء
الصحراء الكبرى
[Al-ṣahraa al-kobraa] n Sahara
journalist n [sˤaḥafij] صحفي
dish n [sˤaḥn] صحن
صحن الفنجان
[Ṣahn al-fenjaan] n saucer
healthy adj [sˤiḥij] صحي
غير صحي
[Ghayr ṣṣhey] adj unhealthy
منتجع صحي
[Montaja'a ṣehey] n spa
correct, right adj [sˤaḥi:ḥ] صحيح
(correct)
بشكل صحيح
[Beshakl ṣaheeh] adv correctly, rightly
لم تكن تسير في الطريق الصحيح
[lam takun ta-seer fee al-ṭaree'q al-ṣaheeh] It wasn't your right of way
ليس مطهي بشكل صحيح
[laysa maṭ-hee be-shakel ṣaheeh] This isn't cooked properly
newspaper, plate n [sˤaḥi:fa] صحيفة
rock n [sˤaxra] صخرة
rust n [sˤada] صدأ
rusty adj [sˤadiʔ] صدئ
headache n [sˤuda:ʕ] صداع
صداع النصفي
[Ṣoda'a al-naṣfey] n migraine
أريد شيئًا للصداع
[areed shyan lel-ṣuda'a] I'd like something for a headache
friendship n [sˤada:qa] صداقة
export v [sˤaddara] صدّر
bust, chest (body part) n [sˤadr] صدْر
vest n [sˤadra] صدرة
waistcoat n [sˤadrijja] صدرية

[Ṣalat al-moghadarah] n departure lounge
أين توجد صالة الألعاب الرياضية؟
[ayna tojad ṣalat al-al'aab al-reyaḍeya?] Where is the gym?
fitting, good adj [sˤa:liħ] صالح
صالح للأكل
[Ṣaleh lel-aakl] adj edible
غير صالح
[Ghayer Ṣaleḥ] adj unfit
saloon car n [sˤa:lu:n] صالون
صالون تجميل
[Ṣalon hela'qa] n beauty salon
صالون حلاقة
[Ṣalon helaqah] n hairdresser's
silent adj [sˤa:mit] صامت
bolt n [sˤa:mu:la] صامولة
maintain v [sˤa:na] صان
maker n [sˤa:niʕ] صانع
morning n [sˤaba:ħ] صباح
غثيان الصباح
[Ghathayan al-ṣabah] n morning sickness
صباح الخير
[ṣabah al-khyer] Good morning
سوف أغادر غدا في الساعة العاشرة صباحا
[sawfa oghader ghadan fee al-sa'aa al-'aashera ṣaba-han] I will be leaving tomorrow morning at ten a.m.
غدًا في الصباح
[ghadan fee al-ṣabah] tomorrow morning
في الصباح
[fee al-ṣabah] in the morning
منذ الصباح وأنا أعاني من المرض
[mundho al-ṣabaah wa ana o'aany min al-maraḍ] I've been sick since this morning
هذا الصباح
[hatha al-ṣabah] this morning
morning adj [sˤaba:ħan] صباحا
cactus n [sˤabba:r] صبار
patience n [sˤabr] صبر
بدون صبر
[Bedon ṣabr] adv impatiently

صدرية طفل
[Şadreyat teﬂ] n bib

صدع crack vi [sˤadaʕa]

صَدْع crack (fracture) n [sˤadʕ]

صدفة oyster n [sˤadafa]

صَدَفة n [sˤudfa]

بالصَّدَفة
[Bel-sodfah] adv accidentally

صدّق v [sˤddaqa]

لا يصدق
[La yoşda'q] adj incredible

صدّق reckon vt [sˤaddaqa]

صدم shock v [sˤadama]

يَصْدِم بقوة
[Yaşdem be'qowah] v ram

صَدْمة shock n [sˤadma]

صَدْمة كهربائية
[Şadmah kahrbaeyah] n electric shock

صَدى echo n [sˤada:]

صديق friend, pal n [sˤadi:q]

صديق بالمراسلة
[Şadeek belmoraslah] n penfriend

صديق للبيئة
[Şadeek al-beeaah] adj ecofriendly

أنا هنا مع أصدقائي
[ana huna ma'aa aşde'qa-ee] I'm here with my friends

صديقة friend, girlfriend n [sˤadi:qa]

صراحة clarity n [sˤara:ħa]

بصراحة
[Beşarahah] adv frankly

صراخ scream n [sˤura:x]

صِراع conflict n [sˤira:ʕ]

صراع عنيف
[Şera'a 'aneef] n tug-of-war

صرّاف cashier n [sˤarra:f]

صرافة banking n [sˤira:fa]

ماكينة صرافة
[Makenat şerafah] n cash dispenser

مكتب صرافة
[Maktab şerafah] n bureau de change

أريد الذهاب إلى مكتب صرافة
[areed al-dhehaab ela maktab şerafa] I need to find a bureau de change

متى يبدأ مكتب الصرافة عمله؟
[mata yabda maktab al-şirafa

'aamalaho?] When is the bureau de change open?

صربي Serbian n ◄ Serbian adj [sˤirbij] (person)

اللغة الصربية
[Al-loghah al-şerbeyah] (language) n Serbian

صرّح v [sˤarraħa]

يُصَرِح ب
[Yoşareh be] v state

صرخ shriek, cry v [sˤraxa]

صرصور cockroach n [sˤarsˤu:r]

صرع n [sˤaraʕ]

نوبة صرع
[Nawbat şar'a] n epileptic fit

صرَع knock down v [sˤaraʕa]

صرف n [sˤarafa]

لقد ابتلعت ماكينة الصرف الآلي بطاقتي
[la'qad ibtal-'aat makenat al-şarf al-aaly be-ta'qaty] The cash machine swallowed my card

هل توجد ماكينة صرف آلي هنا؟
[hal tojad makenat şarf aaly huna?] Is there a cash machine here?

هل يمكنني صرف شيك؟
[hal yamken -any şarf shaik?] Can I cash a cheque?

صرف dismiss v [sˤarafa]

يَصْرِف من الخدمة
[Yaşref men al-khedmah] v sack

صَرّف v [sˤarrafa]

يُصَرّف ماءً
[Yoşaref maae] vt plughole

صريح outspoken, adj [sˤari:ħ] straightforward

صعب challenging, adj [sˤaʕb] difficult, hard (difficult)

صَعْب الإرضاء
[Şa'ab al-erdaa] (منمق) adj fussy

صعوبة difficulty n [sˤuʕu:ba]

صعود rise n [sˤuʕu:d]

صغير little, small adj [sˤaɣi:r]

شريحة صغيرة
[Shareehat şagheerah] n microchip

إنه صغير جدا

[inaho sagheer jedan] It's too small

الغرفة صغيرة جدا
[al-ghurfa sagherah jedan] The room is too small

هل يوجد مقاسات صغيرة؟
[hal yujad ma'qaas-at saghera?] Do you have a small?

صف (line) n [sˤaff] rank

صف مسائي
[Saf masaaey] n evening class

صَف n [sˤaf] queue

صِفار n [sˤafa:r] yolk

صَفَّارَة n [sˤaffa:ra] whistle

صَفَّارَة إنذار
[Safarat endhar] n siren

صفة n [sˤifa] adjective

صفحة n [sˤaffˈha] page

صفحة رئيسية
[Safhah raeseyah] n home page

صِفر n [sˤifr] zero

صَفَر v [sˤaffara] whistle

صفع v [sˤafaʕa] slap, smack

ضَفَق vi [sˤaffaqa] clap

صَفقة n [sˤafqa] bargain, deal

صَفى v [sˤaffa:] filter

صفيح n [sˤafi:ħ] tin

صقيع n [sˤaqi:ʕ] frost

تَكَوُّن الصقيع
[Takawon al-sa'qee'a] adj frosty

صلاة n [sˤala:t] prayer

صلب adj [sˤalb] hard, steel, solid

صلب غير قابل للصدأ
[Salb ghayr 'qabel lel-sadaa] n stainless steel

صلصال n [sˤalsˤa:l] clay

صلصة n [sˤalsˤa] sauce

صلصة السلطة
[Salsat al-salata] n salad dressing

صلصة طماطم
[Salsat tamatem] n tomato sauce

ضَلى v [sˤala:] pray

صليب n [sˤali:b] cross

الصليب الأحمر
[Al-Saleeb al-ahmar] n Red Cross

صمام n [sˤamma:m]

صمام كهربائي

[Samam kahrabaey] n fuse

صَمْت n [sˤamt] silence

صمد v [sˤamada] bear up

صمّم v [sˤammama] design

صمولة n [sˤamu:la] nut (device)

صناعة n [sˤina:ʕa] industry

صناعي adj [sˤina:ʕij] industrial

أطقم أسنان صناعية
[At'qom asnan sena'aeyah] npl dentures

عقارات صناعية
['aa'qarat senaeyah] n industrial estate

قمر صناعي
['qamar senaaey] n satellite

صُنبور n [sˤunbu:r]

صُنبور توزيع
[Sonboor twazea'a] n dispenser

صنج n [sˤanʒ]

آلة الصنج الموسيقية
[Alat al-sanj al-mose'qeyah] npl cymbals

صندل n [sˤandal] canoe,| sandal (حذاء)

صندوق n [sˤundu:q] box, chest (storage), bin

صندوق العدة
[Sondok al-'aedah] n kit

صندوق الخطابات
[Sondok al-khetabat] n postbox

صندوق القمامة
[Sondok al-'qemamah] n dustbin

صندوق الوارد
[Sondok alwared] n inbox

صنع n [sˤunʕ] manufacture, making

من صنع الإنسان
[Men son'a al-ensan] adj man-made

صنع v [sˤanaʕa] make

صنع v [sˤanaʕa] manufacture

صنف n [sˤinf] sort, kind

صَنَّف v [sˤannafa] type

صهريج n [sˤihri:ʒ] tank (large container)

صوبة n [sˤu:bba]

صوبة زراعية
[Sobah zera'aeyah] n greenhouse

صوت n [sˤawt] sound, voice

صوت السوبرانو
[Sondok alsobrano] soprano

جهاز الصوت المجسم الشخصي
[Jehaz al-sawt al-mojasam al-shakhsey]
n personal stereo

بصوت مرتفع
[Besot mortafe'a] adv aloud

كاتم للصوت
[Katem lel-sawt] n silencer

مكبر الصوت
[Mokabber al-sawt] n speaker

صَوَّت vote v [sˤawwata]

صوتي adj [sˤawtij]

بريد صوتي
[Bareed sawtey] n voicemail

صوّر v [sˤawwara]

يُصور فوتوغرافيا
[Yosawer fotoghrafeyah] v photograph

صورة image, picture n [sˤu:ra]

صورة عارية
[Soorah 'aareyah] n nude

صورة فوتوغرافية
[Sorah fotoghrafeyah] n photo,
photograph

صورة للوجه
[Sorah lel-wajh] n portrait

صوص soya n [sˤu:sˤu]

صوص الصويا
[Sos al-soyah] n soy sauce

صوف wool n [sˤu:f]

شال من الصوف الناعم
[Shal men al-Soof al-na'aem] n
cashmere

صوفي woollen adj [sˤu:fij]

صَوْم frost n [sˤawm]

الصَوْم الكبير
[Al-sawm al-kabeer] n Lent

صومالي n ⊲ Somali adj [sˤsˤu:ma:lij]
(person) Somali

اللغة الصومالية
[Al-loghah al-Somaleyah] n (language)
Somali

صويا soy n [sˤu:ja:]

صوص الصويا
[Sos al-soyah] n soy sauce

صباد hunter n [sˤajja:d]

صيانة maintenance n [sˤija:na]

صيحة shout n [sˤajħa]

صيد hunting n [sˤajd]

صيد السمك
[Sayd al-samak] n fishing

صيد بالسنّارة
[Sayd bel-sayarah] n fishing

قارب صيد
['qareb sayd] n fishing boat

صيدلي pharmacist n [sˤajdalij]

صيدلية pharmacy n [sˤajdalijja]

صيغة formula n [sˤi:ɣa]

صيغة الفعل
[Seghat al-fe'al] n tense

صيف summer n [sˤajf]

بعد فصل الصيف
[ba'ad fasil al-sayf] after summer

في الصيف
[fee al-sayf] in summer

قبل الصيف
['qabl al-sayf] before summer

صيفي summer adj [sˤajfij]

الأجازات الصيفية
[Al-ajazat al-sayfeyah] npl summer
holidays

منزل صيفي
[Manzel sayfey] n holiday home

صيني n ⊲ Chinese adj [sˤi:nij]
Chinese (person)

آنية من الصيني
[Aaneyah men al-seeney] n china

اللغة الصينية
[Al-loghah al-seeneyah] (language) n
Chinese

اللغة الصينية الرئيسية
[Al-loghah al-Seneyah alraeseyah] n
mandarin (official)

صينية tray n [sˤi:nijja]

ضايق [dˤaːjaqa] v annoy, pester, tease

ضئيل [dˤaʔiːjl] adj remote, tiny

ضباب [dˤabaːb] n fog

ضبابي [dˤabaːbij] adj misty, foggy

ضبط [dˤabtˤ] n control, adjustment

على وجه الضبط
[Ala wajh al-ḍabṭ] adv just

يُمْكَن ضبطه
[Yomken ḍabṭoh] adj adjustable

هل يمكنك ضبط الأربطة لي من فضلك؟
[hal yamken -aka ḍabṭ al-arbe-ṭa lee min faḍlak?] Can you adjust my bindings, please?

ضبط [dˤabatˤa] v control, adjust

ضجّة [dˤaʒʒa] n bang

ضجيج [dˤaʒiːʒ] n din

ضحك [dˤaħaka] v laugh

يَضْحَك ضحكاً نصف مكبوت
[Yaḍhak ḍehkan neṣf makboot] v snigger

ضحكة [dˤaħka] n laugh

ضَحِك
[dˤaħik] n laughter

ضحل [dˤaħl] adj shallow

ضحية [dˤaħijja] n victim

ضخ [dˤaxxa] v pump

ضخم [dˤaxm] adj enormous, massive

ضد [dˤiddun] prep against

ضرّ [dˤarra] v damage, harm

ضرب [dˤaraba] v beat (strike), strike

يَضْرِب ضربة عنيفة
[Yaḍreb ḍarban 'aneefan] v swat

يَضْرِب بعنف
[Yaḍreb be'aonf] v bash

ضربة [dˤarba] bash, hit, strike, n bump

ضربة عنيفة
[Ḍarba 'aneefa] n knock

ضربة خلفية
[Ḍarba khalfeyah] n backstroke

ضربة حرة
[Ḍarba ḥorra] n free kick

ضربة شمس
[Ḍarbat shams] n sunstroke

ض

ضابط [dˤaːbitˤ] officer n

ضابط رقيب
[Ḍabeṭ ra'qeeb] n sergeant

ضابط سجن
[Ḍabeṭ sejn] n prison officer

ضابط شرطة
[Ḍabeṭ shorṭah] n police officer

ضابطة [dˤaːbitˤa] police, officer n (female)

ضابطة شرطة
[Ḍaabeṭ shorṭah] n policewoman

ضاحية [dˤaːħija] suburb n

ساكن الضاحية
[Saken al-ḍaheyah] adj suburban

سباق الضاحية
[Seba'q al-ḍaheyah] n cross-country

ضارب [dˤaːrib] striker n

ضاع [dˤaːʕa] misplace, lose v

لقد ضاع جواز سفري
[la'qad ḍa'aa jawaz safary] I've lost my passport

ضاعف [dˤaːʕafa] double vt

ضَالّ [dˤaːl] stray n

ضأن [dˤaʔn] sheep n

لحم ضأن
[Lahm ḍaan] n mutton

ضاهى [dˤaːhaː] match vt

ضوء [dˤawʔ] n light
ضوء الشمس
[Dawa al-shams] n sunlight
ضوء مُسَلَّط
[Dawa mosalt] n spotlight
هل يمكن أن أشاهدها في الضوء؟
[hal yamken an osha-heduha fee
al-doe?] May I take it over to the light?
ضواح [dˤawaːħin] npl outskirts
ضوضاء [dˤawdˤaːʔ] n ◁ noisy adj
clutter, noise
ضيافة [dˤijaːfa] n
حُسن الضيافة
[Hosn al-deyafah] n hospitality
ضيف [dˤajf] n guest
ضيق [dˤajjiq] adj narrow
ضيق جدا
[Daye'q jedan] adj skin-tight
ضَيّق الأُفُق
[Daye'q al-ofo'q] adj narrow-minded
ضَيّق [dˤajjiqa] v tighten

ضرر [dˤarar] n damage
ضرورة [dˤaruːra] n necessity
ضروري [dˤaruːrij] adj necessary
غير ضروري
[Ghayer darorey] adj unnecessary
ضريبة [dˤariːba] n tax
ضريبة دخل
[Dareebat dakhl] n income tax
ضريبة طُرُق
[Dareebat toro'q] n road tax
ضريبي [dˤariːbij] adj
مَعفي من الضرائب
[Ma'afey men al-daraaeb] n duty-free
ضريح [dˤariːħ] shrine, grave, tomb n
ضرير [dˤariːr] adj blind
ضعف [dˤiʕfa] n weakness
ضعيف [dˤaʕiːf] adj mad, weak
ضغط [dˤaɣtˤ] n stress, pressure
ضغط الدم
[daght al-dam] n blood pressure
تمرين الضغط
[Tamreen al- Daght] n push-up
ضغط [dˤaɣatˤa] v press
ضغينة [dˤaɣiːna] n grudge, spite
ضفة [dˤiffa] n bank (ridge), shore
ضفدع [dˤifdaʕ] n frog
ضفدع الطين
[Dofda'a al- teen] n toad
ضفيرة [dˤafiːra] n pigtail, ponytail
ضلع [dˤiliʕ] n rib
ضلل [dˤallala] v
لقد ضللنا الطريق
[la'qad dalalna al-taree'q] We're lost
ضمادة [dˤammaːda] n plaster
أريد ضمادة جروح
[areed dimadat jirooh] I'd like a bandage
أريد ضمادة جديدة
[areed dimada jadeeda] I'd like a fresh
bandage
ضمان [dˤamaːn] n guarantee
ضمن [dˤamana] v guarantee
ضمير [dˤamiːr] n pronoun
ضمير إنساني
[Dameer ensaney] n conscience
حى الضمير
[Hay al-Dameer] adj conscientious

[moḍeef al-ṭaaerah] n flight attendant

طائش [tˤa:ʔiʃ] adj thoughtless

طائفة [tˤa:ʔifa] n sect

طائفة شهود يهوه المسيحية
[Ṭaaefat shehood yahwah al-maseyheyah] n Jehovah's Witness

طابع [tˤa:baʕ] n stamp

أين يوجد أقرب محل لبيع الطوابع؟
[ayna yujad aʼqrab maḥal le-bayʼa al-ṭawabiʼa?] Where is the nearest shop which sells stamps?

هل تبيعون الطوابع؟
[hal tabeeʼa-oon al-ṭawa-biʼa] Do you sell stamps?

هل يوجد لديكم أي شيء يحمل طابع هذه المنطقة؟
[hal yujad laday-kum ay shay yaḥmil ṭabiʼa hadhy al- manṭaʼqa?] Do you have anything typical of this region?

طابعة [tˤa:biʕa] n printer (person), printer (machine)

هل توجد طابعة ملونة؟
[hal tojaḍ ṭabe-ʼaa mulawa-na?] Is there a colour printer?

طابق [tˤa:baq] n story (building)

طابق علوي
[Ṭabeʼq ʼaolwei] n loft

طاجكستان [tˤa:ʒikista:n] n Tajikistan

طاحونة [tˤa:ħu:na] n mill

طار [tˤa:ra] vi fly

طارئ [tˤa:riʔ] adj casual, accidental

حالة طارئة
[Ḥalah ṭareaa] n emergency

طارئة [tˤa:riʔit] n accident

أحتاج إلى الذهاب إلى قسم الحوادث الطارئة
[aḥtaaj ela al-dhehaab ela ʼqisim al-ḥawadith al-ṭaa-reaa] I need to go to casualty

طارد [tˤa:rid] n expulsion, repellent

طارد للحشرات
[Ṭared lel-ḥasharat] n insect repellent

هل لديك طارد للحشرات؟
[hal ladyka ṭared lel-ḥasha-raat?] Do you have insect repellent?

طائر [tˤa:ʔir] n bird

طائر أبو الحناء
[Ṭaaer abo elḥnaa] n robin

طائر الرفراف
[Ṭaayer alrafraf] n kingfisher

طائر الغطاس
[Ṭaayer al-ghaṭas] n wren

طائر الحجل
[Ṭaayer al-hajal] n partridge

طائر الكناري
[Ṭaaer al-kanarey] n canary

طائر الوقواق
[Ṭaaer al-waʼqwaʼq] n cuckoo

طائرة [tˤa:ʔira] n aircraft, plane (airplane), plane (tool)

رياضة الطائرة الشراعية الصغيرة
[Reyadar al-Ṭaayearah al-ehraeyah al-ṣagherah] n hang-gliding

طائرة شراعية
[Ṭaayearah ehraeyah] n glider

طائرة نفاثة
[Ṭaayeara nafathah] n jumbo jet

طائرة ورقية
[Ṭaayeara waraʼqyah] n kite

كرة طائرة
[Korah Ṭaayeara] n volleyball

مضيف الطائرة

طبع [t'ab'] n temper, character
شئ الطبع
[Sayea al-tabe'a] adj grumpy
طبع [ʃabaʃa] v print
طبعة [t'abʃa] n edition
طبق [t'abaq] n dish
طبق رئيسي
[Ṭaba'q raeesey] n main course
طبق صابون
[Ṭaba'q ṣaboon] n soap dish
طبق قمر صناعي
[Ṭaba'q ṣena'aey] n satellite dish
ما الذي في هذا الطبق؟
[ma al-lathy fee hatha al-ṭaba'q?] What
is in this dish?
ما هو طبق اليوم
[ma howa ṭaba'q al-yawm?] What is the
dish of the day?
طبقة [t'abaqa] n layer, level, class
طبقة صوت
[Ṭabaqat ṣawt] n pitch (sound)
طبقة عاملة
[Ṭaba'qah 'aaamelah] adj working-class
طبقة الأوزون
[Ṭaba'qat al-odhoon] n ozone layer
طبقتين من الزجاج
[Ṭaba'qatayen men al-zojaj] n double
glazing
من الطبقة الوسطى
[men al-Ṭaba'qah al-wosṭa] adj
middle-class
طبلة [t'abla] n drum
طبلة الأذن
[Ṭablat alozon] n eardrum
طبلة كبيرة رنانة غليظة الصوت
[Ṭablah kabeerah rannanah ghaleeḍhat
al-ṣawt] n bass drum
طبي [t'ibbij] adj medical
فحص طبي شامل
[Faḥṣ ṭebey shamel] n physical
طبيب [t'abi:b] n doctor
طبيب أسنان
[Ṭabeeb asnan] n dentist
طبيب أمراض نساء
[Ṭabeeb amraḍ nesaa] n gynaecologist
طبيب بيطري

طارد [t'a:rada] v chase
طازج [t'a:zaʒ] adj fresh
هل الخضروات طازجة أم مجمدة؟
[hal al-khiḍ-rawaat ṭazija amm
mujam-ada?] Are the vegetables fresh
or frozen?
هل يوجد بن طازج؟
[hal yujad buṇ ṭaazij?] Have you got
fresh coffee?
طاقة [t'a:qa] n energy
طاقة شمسية
[Ṭa'qah shamseyah] n solar power
ملئ بالطاقة
[Maleea bel-ṭa'qah] adj energetic
طاقم [t'a:qam] n crew
طالب [t'a:lib] n student
طالب راشد
[Ṭaleb rashed] n mature student
طالب عسكري
[Ṭaleb 'askarey] n cadet
طالب لجوء سياسي
[ṭ aleb lejoa seyasy] n asylum seeker
طالب لم يتخرج بعد
[ṭ aleb lam yatakharaj ba'aad] n
undergraduate
طالب [t'a:laba] v claim
يُطالب ب
[Yoṭaleb be] v demand
طاولة [t'a:wila] n
طاولة بيع
[Ṭawelat bey'a] n counter
طاولة قهوة
[Ṭawlat 'qahwa] n coffee table
كرة الطاولة
[Korat al-ṭawlah] n table tennis
لعبة طاولة
[Lo'abat ṭawlah] n board game
طَاوِلَة زينة
[Ṭawlat zeenah] n dressing table
طاووس [t'a:wu:s] n peacock
طبّاخ [t'abba:x] n cook
طباشير [t'aba:ʃi:r] n chalk
طبال [t'abba:l] n drummer
طبخ [t'abx] n cooking
فن الطبخ
[Fan al-ṭabkh] n cookery

[Ṭabeeb baytareey] n vet

طبيب مساعد
[Ṭabeeb mosaa'aed] n paramedic

طبيب نفساني
[Ṭabeeb nafsaaney] n psychiatrist

أرغب في استشارة طبيب
[arghab fee es-ti-sharaṭ ṭabeeb] I'd like to speak to a doctor

أحتاج إلى طبيب
[aḥtaaj ela ṭabeeb] I need a doctor

اتصل بالطبيب
[itaṣel bil-ṭabeeb] Call a doctor!

هل يمكنني تحديد موعد مع الطبيب؟
[hal yamken -any tahdeed maw'aid ma'aa al-ṭabeeb?] Can I have an appointment with the doctor?

هل يوجد طبيب هنا يتحدث الإنجليزية؟
[hal yujad ṭabeeb huna yata-ḥadath al-injile-ziya?] Is there a doctor who speaks English?

doctor (female) n [tˤabiːba] طبيبة

أرغب في استشارة طبيبة
[arghab fee es-ti-sharaṭ ṭabeeba] I'd like to speak to a female doctor

nature n [tˤabiːʕa] طبيعة

natural, normal adj [tˤabiːʕij] طبيعي
naturally adv ◁

علاج طبيعي
['aelaj ṭabeye] n physiotherapy

غير طبيعي
[Ghayer ṭabe'aey] adj abnormal

بصورة طبيعية
[beṣoraten ṭabe'aey] adv normally

موارد طبيعية
[Mawared ṭabe'aey] npl natural resources

n [tˤunħlub] طُحْلُب

طُحْلُب بحري
[Ṭoḥleb baḥahrey] n seaweed

moss n [tˤunħlub] طُحْلُب

grind vt [tˤaħana] طحن

model, kind n [tˤiraːz] طراز

قديم الطراز
['qadeem al-teraz] adj naff

lay vt [tˤaraħa] طرح

يَطرَح جانبا
[Yaṭraḥ janeban] v fling

parcel n [tˤard] طرد

أريد أن أرسل هذا الطرد
[areed an arsil hadha al-ṭard] I'd like to send this parcel

expel v [tˤarada] طرد

terminal n [tˤaraf] طرف

طرف مستدق
[Ṭaraf mostabe'q] n tip (end of object)

terminal adj [tˤarafij] طرفي

corridor, aisle n [tˤuruq] طرق

طرق متقاطعة
[Ṭaree'q mot'qat'ah] n crossroads

n [tˤarqa] طرقة

أريد مقعد بجوار الطرقة
[Oreed ma'q'aad bejwar al-ṭor'qah] I'd like an aisle seat

quarry n [tˤariːda] طريدة

quaint, odd adj [tˤariːf] طريف

road n [tˤariːq] طريق

عن طريق الخطأ
[Aan ṭaree'q al-khataa] adv mistakenly

طريق رئيسي
[taree'q raeysey] n main road

طريق اسفلتي
[taree'q asfaltey] n tarmac

طريق السيارات
[taree'q alsayaraat] n motorway

طريق مسدود
[Taree'q masdood] n dead end

طريق متصل بطريق سريع للسيارات أو منفصل عنه
[taree'q mataṣel be- ṭaree'q sarea'a lel-sayaraat aw monfaṣel 'anho] n slip road

طريق مختصر
[taree'q mokhtaṣar] n shortcut

طريق مزدوج الاتجاه للسيارات
[Taree'q mozdawaj al-etejah lel-sayarat] n dual carriageway

طريق مشجر
[taree'q moshajar] n avenue

طريق ملتو
[taree'q moltawe] n roundabout

مشاحنات على الطريق
[Moshahanaat ala al-ṭaree'q] n road

rage

ما هو الطريق الذي يؤدي إلى... ؟
[ma howa al-ṭaree'q al-lathy yo-aady ela...?] Which road do I take for...?

هل يوجد خريطة طريق لهذه المنطقة؟
[hal yujad khareeṭat ṭaree'q le-hadhy al-manṭa'qa?] Do you have a road map of this area?

method n [tˤari:qa] **طريقة**

بأي طريقة
[Be-ay ṭaree'qah] adv anyhow

بطريقة صحيحة
[Be- ṭaree'qah ṣaheeḥah] adv right

بطريقة أخرى
[ṭaree'qah okhra] adv otherwise

food n [tˤaʕa:m] **طعام**

عربة تناول الطعام في القطار
['arabat tanawool al-ṭa'aaam fee al-'qeṭar] n dining car

غرفة طعام
[ghorat ṭa'aam] n dining room

توريد الطعام
[Tarweed al-ṭa'aam] n catering

بقايا الطعام
[Ba'qaya ṭ a'aam] npl leftovers

طعام مطهو بالغلي
[ṭ a'aam maṭhoo bel-ghaley] n stew

وجبة طعام خفيفة
[Wajbat ṭ a'aam khafeefah] n refreshments

وَجْبة الطعام
[Wajbat al-ṭa'aam] n dinner

الطعام متبل أكثر من اللازم
[al-ṭa'aam mutabal akthar min al-laazim] The food is too spicy

هل تقدمون الطعام هنا؟
[hal tu'qa-dimoon al-ṭa'aam huna?] Do you serve food here?

taste n [tˤaʕm] **طعم**

أطعمة معلبة
[a ṭ'aemah mo'aalabah] n delicatessen

stab v [tˤaʕana] **طعن**

float vi [taˤfa:] **طفا**

n [tˤaffa:ja] **طفاية**

طفاية السجائر
[Ṭafayat al-sajayer] n ashtray

طفاية الحريق
[Ṭafayat ḥaree'q] n extinguisher

rash n [tˤafḥ] **طفح**

طفح جلدي
[Ṭafḥ jeldey] n rash

أعاني من طفح جلدي
[O'aaney men ṭafḥ jeldey] I have a rash

run over v [tˤafaḥa] **طفح**

child, baby n [tˤifl] **طفل**

سرير محمول للطفل
[Sareer maḥmool lel-ṭefl] n carrycot

طفل رضيع
[Ṭefl readea'a] n baby

طفل صغير عادة ما بين السنة الأولى والثانية
[Ṭefl ṣagheer 'aaadatan ma bayn al-sanah wal- sanatayen] n toddler

طفل حديث الولادة
[Ṭefl ḥadeeth alweladah] n newborn

طفل متبنى
[Ṭefl matabanna] n foster child

طفل مزعج
[Ṭefl moz'aej] n brat

عندي طفل واحد
['aendy ṭifil wahid] I have one child

الطفل مقيد في هذا الجواز
[Al- ṭefl mo'qayad fee hadha al-jawaz] The child is on this passport

ليس لدي أطفال
[laysa la-daya aṭfaal] I don't have any children

هل توجد أنشطة للأطفال
[hal tojad anshi-ṭa lil-aṭfaal?] Do you have activities for children?

هل يمكن أن ترشح لي أحد أطباء الأطفال؟
[hal yamken an tura-shiḥ lee aḥad aṭebaa al-aṭfaal?] Can you recommend a paediatrician?

هل يوجد لديك مقعد للأطفال؟
[hal yujad ladyka ma'q'aad lil-aṭfaal?] Do you have a child's seat?

childhood n [tˤufu:la] **طفولة**

childish adj [tˤufu:lij] **طفوليٌّ**

slight adj [tˤafi:f] **طفيفٌ**

بدرجة طفيفة

[Bedarajah ţafeefah] adv slightly

طقس weather n [tˤaqs]

توقعات حالة الطقس

[Tawaʼqoʼaat ḥalat al-ţaqs] npl weather forecast

ما هذا الطقس السيئ

[Ma hadha al-ţa'qs al-sayea] What awful weather!

طقم set n [tˤaqm]

هل يمكنك إصلاح طقم أسناني؟

[hal yamken -aka eşlaah ţa'qum asnany?] Can you repair my dentures?

طل v [tˤalla]

يَطُل على

[Ya'aşeb al-'aynayn] v overlook

طلا paint vt [tˤala:]

طلاء coating n [tˤila:ʔ]

طلاء أظافر

[Telaa aḏhafer] n nail varnish

طلاء المينا

[Telaa al-meena] n enamel

طلاق divorce n [tˤala:q]

طلب application, order n [tˤalab]

مُقدم الطلب

[Moʼqadem al-ţalab] n applicant

نموذج الطلب

[Namozaj al-ţalab] n application form

يَتَقَدم بطلب

[Yataʼqadam be-ţalab] n apply

طلب ask for v [tˤalaba]

هل تطلب عمولة؟

[hal taţlub 'aumoola?] Do you charge commission?

طلع come up v [tˤalaʕa]

طماطم tomato n [tˤama:tˤim]

طمئن assure v [tˤmaʔana]

طمْث menstruation n [tˤamθ]

طموح ambitious adj [tˤumu:ħ]

طموح ambition n [tˤamu:ħ]

طن ton n [tˤunn]

طها cook v [tˤaha:]

طهي v [tˤahja:]

كيف يطهي هذا الطبق؟

[Kayfa yoţhaa hadha alţaba'q] How do you cook this dish?

طهْي cooking n [tˤahj]

طوارئ emergency n [tˤawa:riʔ]

مخرج طوارئ

[Makhraj ţawarea] n emergency exit

طوال throughout, durring [tˤiwa:la]

طوال شهر يونيو

[tewal shahr yon-yo] all through June

طوبة brick n [tˤu:ba]

طور develop vt [tˤawwara]

طوْعي voluntary adj [tˤawʕij]

طوْف raft n [tˤawf]

طوفان flood n [tˤu:fa:n]

طوق strap, necklace n [tˤawq]

طول length n [tˤu:l]

على طول

[Ala tool] prep along

طول الموجة

[Tool al-majah] n wavelength

هذا الطول من فضلك

[hatha al-tool min faḍlak] This length, please

طويل long adj [tˤawi:l]

طويل القامة

[Taweel al-'qamah] adj tall

طويل مع هزال

[Taweel maʼa hozal] adj lanky

طويلًا long adv [tˤawi:la:an]

طي fold n [tˤajj] (حظيرة خراف)

طيّب goodness n [tˤi:bu]

جوزة الطيب

[Jozat al-ţeeb] n nutmeg

طية plait n [tˤajja]

طير bird n [tˤajr]

طيور جارحة

[Teyoor jareḥah] n bird of prey

طيران flying n [tˤajara:n]

شركة طيران

[Sharekat ţayaraan] n airline

أود أن أمارس رياضة الطيران الشراعي؟

[awid an oma-ris reyaḍat al- ţayaran al-shera'ay] I'd like to go hang-gliding

طين mud, soil n [tˤi:n]

طيهوج n [tˤajhu:ʒ]

طائر الطيهوج

[Taaer al-ţayhooj] n grouse (game bird)

turn up

ظَهر back n [zˤahr]

أَلَمُ الظهر [Alam al-ḍhahr] n backache

ظهر المركب [ḍhahr al-mrkeb] n deck

لقد أُصيب ظهري [la'qad oṣeba ḍhahry] I've got a bad back

لقد جرحت في ظهري [la'qad athayto ḍhahry] I've hurt my back

ظهر noon n [zˤuhr]

بَعد الظهر [Ba'ada al-ḍhohr] n afternoon

الساعة الثانية عشر ظهرًا [al-sa'aa al-thaneya 'aashar ḍhuhran] It's twelve midday

كيف يمكن الوصول إلى السيارة على ظهر المركب؟ [kayfa yamkin al-wiṣool ela al-sayarah 'ala ḍhahr al-markab?] How do I get to the car deck?

هل المتحف مفتوح بعد الظهر؟ [hal al-mat-ḥaf maf-tooḥ ba'ad al-ḍhihir?] Is the museum open in the afternoon?

ظهيرة noon n [zˤahi:ra]

أوقات الظهيرة [Aw'qat aldhaherah] npl sweet

غدًا في فترة بعد الظهيرة [ghadan ba'ad al-ḍhuhr] tomorrow afternoon

في فترة ما بعد الظهيرة [ba'ada al-ḍhuhr] in the afternoon

ظاهر apparent adj [zˤa:hir]

ظاهرة phenomenon n [zˤa:hira]

ظاهرة الاحتباس الحراري [dhaherat al-eḥtebas al-ḥararey] n global warming

ظبي antelope n [zˤabjj]

ظرف adverb n [zˤarf]

ظروف circumstances npl [zˤuru:fun]

ظفر fingernail, claw n [zˤufr]

ظل shade, shadow n [zˤill]

ظل العيون [dhel al-'aoyoon] n eye shadow

ظل stay up v [zˤalla]

إلى متى ستظل هكذا؟ [ela mata sa-taḍhil hakadha] How long will it keep?

أتمنى أن يظل الجو على ما هو عليه [ata-mana an yaḍhil al-jaw 'aala ma howa 'aa-ly-he] I hope the weather stays like this

ظلام dark n [zˤala:m]

ظلم injustice n [zˤulm]

ظلمة darkness n [zˤulma]

ظمأ thirst n [zˤama]

ظمآن thirsty adj [zˤamʔa:n]

ظن suppose v [zˤanna]

ظهر show up, appear, v [zˤahara]

عاد come back v [ʕaːda]
عادة custom, practise n [ʕaːdatun]

عادة سلوكية
['aadah selokeyah] n habit

عادة من الماضى
['aadah men al-madey] n hangover
عادةً generally, usually adv [ʕaːdatan]
عادل fair (reasonable) adj [ʕaːdil]
عادم waste, exhaust n [ʕaːdim]

أدخنة العادم
[Adghenat al-'aadem] npl exhaust
fumes

ماسورة العادم
[Masorat al-'aadem] n exhaust pipe

لقد انكسرت ماسورة العادم
[Le'aad enkasarat masoorat al-'adem]
The exhaust is broken
عادي ordinary adj [ʕaːdij]
عادى antagonize v [ʕaːdaː]
عار naked adj [ʕaːr]
عارض oppose v [ʕaːradˤa]
عارِض adj [ʕaːridˤ]

بِشَكلٍ عارِض
[Beshakl 'aared] n casually
عارضة staff (stick or rod), n [ʕaːridˤa]
post, beam

غارضَة خشبِيَّة
['aaredeh khashabeyah] n beam
عاري naked adj [ʕaːriː]

صورة عارية
[Soorah 'aareyah] n nude
غازَل insulation n [ʕaːzil]
عاش live v [ʕaːʃa]

يعيش سوياً
[Ya'aeesh saweyan] v live together

يعيش على
[Ya'aeesh ala] v live on
عاصف stormy adj [ʕaːsˤif]

الجو عاصف
[al-jaw 'aasˤuf] It's stormy
عاصفة storm n [ʕaːsˤifa]

عاصفة ثلجية
['aasefah thaljeyah] n snowstorm

عاصفة ثلجية عنيفة
['aasefah thaljeyah 'aneefah] n blizzard

هل تتوقع هبوب أية عواصف؟

ع

عائد return (yield) n [ʕaːʔid]
عائدات proceeds npl [ʕaːʔidaːtun]
عائلة family n [ʕaːʔila]

أقرب أفراد العائلة
[A'qrab afrad al-'aaleah] n next-of-kin

أنا هنا مع عائلتي
[ana huna ma'aa 'aa-elaty] I'm here
with my family
عاثر n [ʕaːθir]

حظ عاثر
[Hadh 'aaer] n mishap
عاج ivory n [ʕaːʒ]
عاجز disabled, unable to adj [ʕaːʒiz]
عاجل immediate adj [ʕaːʒil]

أنا في حاجة إلى إجراء مكالمة تليفونية
عاجلة
[ana fee haja ela ejraa mukalama
talefoniya 'aajela] I need to make an
urgent telephone call

هل يمكنك الترتيب للحصول على بعض
الأموال التي تم إرسالها بشكل عاجل؟
[hal yamken -aka tarteeb ersaal ba'ad
al-amwaal be-shakel 'aajil?] Can you
arrange to have some money sent
over urgently?
عاجلاً sooner, adv [ʕaːʒilaː]
immediately

[Al-ḥes al-'aaam] n common sense
كل عام
[Kol-'aaam] adv annually
مصاريف عامة
[Maṣareef 'aamah] n overheads
نقل عام
[Na'ql 'aam] n public transport
worker, labourer, n [ʕa:mil] **عامل**
workman
عامل مناجم
['aaamel manajem] n miner
v [ʕa:mala] **عامل**
يُعامِل معاملة سيئة
[Yo'aamal mo'aamalh sayeah] v abuse
handle v [ʕa:mala] **عامَل**
worker (female) n [ʕa:mila] **عاملة**
عاملة النظافة
['aamelat al-nadhafah] n cleaning lady
staff (workers) n [ʕa:mili:na] **عاملين**
غرفة العاملين
[Ghorfat al'aameleen] n staffroom
slang n [ʕa:mmija] **عامّية**
spinster n [ʕa:nis] **عانس**
cuddle, hug v [ʕa:naqa] **عانق**
suffer v [ʕa:na:] **عانى**
أنه يعاني من الحمى
[inaho yo-'aany min al- ḥomma] He has
a fever
prostitute n [ʕa:hira] **عاهرة**
v [ʕa:wada] **عاود**
يُعَاوِد الاتصال
[Yo'aaawed al-etesaal] v ring back
gauge v [ʕa:jara] **عأير**
burden n [ʕibʔ] **عبء**
phrase n [ʕiba:ra] **عبارة**
slave n [ʕabd] **عبد**
worship v [ʕabada] **عبد**
across prep [ʕabra] **عبر**
cross vt [ʕabara] **عَبر**
يُعَبِر عن
[Yo'aber 'an] v express
Jewish adj [ʕibri:] **عِبري**
frown v [ʕabasa] **عَبس**
ingenious adj [ʕabqarij] **عبقري**
شخص عبقري
[Shakhṣ'ab'qarey] n genius

[Hal tatawa'q'a hobob 'awasef?] Do you
think there will be a storm?
capital n [ʕa:ṣimaʔ] **عاصمة**
disobedient adj [ʕa:sˤʕi:] **عاصي**
emotion, affection n [ʕa:tˤifa] **عاطفة**
emotional, adj [ʕa:tˤifij] **عاطفي**
affectionate
jobless, idle adj [ʕa:tˤil] **عاطل**
عاطل عن العمل
['aatel 'aan al-'aamal] adj unemployed
ungrateful, adj [ʕa:q] **عاق**
disrespectful
obstruct v [ʕa:qa] **عاق**
punish v [ʕa:qaba] **عَاقب**
consequence n [ʕa:qiba] **عاقبة**
high adj [ʕa:lin] **عال**
بصوت عال
[Besot 'aaley] adv loudly
cure vt ◁ deal with v [ʕa:laʒa] **عالج**
يُعالِج باليد
[Yo'aalej bel-yad] v manipulate
adj [ʕa:liq] **عالق**
درج الملابس عالق
[durj al-malabis 'aali'q] The drawer is
jammed
world n [ʕa:lam] **عالم**
العالم الثالث
[Al-'aalam al-thaleth] n Third World
scientist n [ʕa:lim] **عَالِم**
عالم آثار
['aalem aathar] n archaeologist
عالم اقتصادي
['aaalem e'qteṣaadey] n economist
عالم لغويات
['aalem laghaweyat] n linguist
global adj [ʕa:lamij] **عالمي**
high adj [ʕa:lijju] **عالي**
قفزة عالية
['qafzah 'aaleyah] n high jump
كعوب عالية
[Ko'aoob 'aleyah] npl high heels
up adv [ʕa:lijan] **عالياً**
general, public adj [ʕa:m] **عام**
عام دراسي
['aam derasey] n academic year
الحِس العام

عبور n [ʃubu:r] crossing, transit

كان العبور صعبا
[kan il-'aobor ṣa'aban] The crossing was rough

عبير n [ʃabi:r] aroma

عتلة n [ʃatla] lever

عتيق adj [ʃati:q] antique

عثة n [ʃaθθa] moth

عُجالة n [ʃuʒa:la]

في عُجالة
[Fee 'aojalah] adv hastily

عجز n [ʃaʒz] disability, shortage

عجز فى الميزانية
['ajz fee- almezaneyah] n deficit

عجل n [ʃiʒl] calf

عجلة n [ʃaʒala] wheel

عجلة إضافية
['aagalh eḍafeyah] n spare wheel

عجلة القيادة
['aagalat al-'qeyadh] n steering wheel

عجلة اليد
['aagalat al-yad] n wheelbarrow

عجوز adj [ʃaʒu:z] old

عجيب adj [ʃaʒi:b] weird, wonderful

عَجيزة n [ʃaʒi:za] bum

عجينة n [ʃaʒi:na] dough

عجينة الياف باستري
['ajeenah aleyaf bastrey] n puff pastry

عجينة الكريب
['aajenat al-kreeb] n batter

عدّاء n [ʃadda:ʔ] runner

عدائي adj [ʃida:ʔij] hostile

عداد n [ʃadda:d] metre

عداد السرعة
['adaad al-sor'aah] n speedometer

عداد الأميال المقطوعة
['adaad al-amyal al-ma'qto'aah] n mileometer

عداد وقوف السيارة
['adaad wo'qoof al-sayarah] n parking meter

أين يوجد عداد الكهرباء؟
[ayna yujad 'aadad al-kah-raba?] Where is the electricity meter?

من فضلك قم بتشغيل العداد
[Men faḍlek 'qom betashgheel al'adaad]

Please use the meter

هل لديك عداد؟
[hal ladyka 'aadaad?] Do you have a meter?

عَدَالة n [ʃada:la] justice

عدة n [ʃudda] tackle

عدد n [ʃadad] quantity, amount

كما عدد المحطات الباقية على الوصول إلى ...؟
[kam 'aadad al-muhaṭaat al-ba'qiya lel-wiṣool ela...?] How many stops is it to...?

عدس n [ʃadas] lentils

نبات العدس
[Nabat al-'aads] npl lentils

عدسة n [ʃadasa] lens

عدسة تكبير
['adasah mokaberah] n zoom lens

عدسة مكبرة
['adasat takbeer] n magnifying glass

أننى استعمل العدسات اللاصقة
[ina-ny ast'amil al-'aadasaat al-laṣi'qa] I wear contact lenses

محلول مطهر للعدسات اللاصقة
[maḥlool muṭaher lil-'aada-saat al-laṣi'qa] cleansing solution for contact lenses

عدل n [ʃadl] fairness

عدل v [ʃaddala] rectify

عَدّل v [ʃadala] modify

عدم n [ʃadam] lack, absence

عدم التأكد
['adam al-taakod] n uncertainty

عدم الثبات
['adam al-thabat] n instability

عدم المُلاءمة
['adam al-molaamah] n inconvenience

أنا أسف لعدم معرفتي باللوائح
[Ana aasef le'aadam ma'arefatey bel-lawaeah] I'm very sorry, I didn't know the regulations

عدو n [ʃaduww] enemy, run

عدواني adj [ʃudwa:nij] aggressive

عدوى n [ʃadwa:] infection

ناقل للعدوى
[Na'qel lel-'aadwa] adj contagious

several adj [ʕadi:d] عديد
lacking adj [ʕadi:m] عديم
عديم الجدوى
['aadam al-jadwa] adj useless
عديم الاحساس
['adeem al-ehsas] adj senseless
عديم القيمة
['adeem al-'qeemah] adj worthless
sweet (pleasing) adj [ʕaðb] عَذْب
torture v [ʕaððaba] عَذَّبَ
excuse, pardon n [ʕuðr] عذر
excuse v [ʕaðara] عذر
virgin, Virgo n [ʕaðra:ʔ] عذراء
n [ʕara:ʔ] عراء
في العراء
[Fee al-'aaraa] adv outdoors
Iraqi n ◁ Iraqi adj [ʕira:qij] عراقي
scrap (dispute) n [ʕira:k] عِراك
trolley, vehicle n [ʕaraba] عربة
عربة صغيرة خفيفة
['arabah şagheerah khafeefah] n buggy
عربة تناول الطعام في القطار
['arabat tanawool al-ţa'aaam fee
al-'qeţar] n dining car
عربة الأعطال
['arabat al-a'ataal] n breakdown truck
عربة الترولي
['arabat al-troley] n trolley
عربة البوفيه
['arabat al-boofeeh] n dining car
عربة النوم
['arabat al-nawm] n sleeping car
عربة حقائب السفر
['arabat ha'qaaeb al-safar] n luggage
trolley
عربة طفل
['arabat ţefl] n pushchair
عربة مقطورة
['arabat ma'qtoorah] n trailer
هل يوجد عربة متنقلة لحمل الحقائب؟
[hal yujad 'aaraba muta-na'qela leĥaml
al-ha'qaeb?] Are there any luggage
trolleys?
Arabic, Arab adj [ʕarabij] عربي
عربي الجنسية
['arabey al-jenseyah] adj Arab

الإمارات العربية المتحدة
[Al-emaraat al'arabeyah al-motahedah]
npl United Arab Emirates
اللغة العربية
[Al-loghah al-arabeyah] (language) n
Arabic
المملكة العربية السعودية
[Al-mamlakah al-'aarabeyah
al-so'aodeyah] n Saudi Arabia
limp v [ʕaraʒa] عرج
throne n [ʕarʃ] عرش
proposal n [ʕarḍ] عرض
عرض أسعار
['aarḍ as'aar] n quotation
جهاز عرض
[Jehaz 'ard] n projector
جهاز العرض العلوي
[Jehaz al-'ard al-'aolwey] n overhead
projector
خط العرض
[Khaṭ al-'arḍ] n latitude
v [ʕaraḍa] عرض
أي فيلم يعرض الآن على شاشة
السينما؟
[ay filim ya'aruḍ al-aan 'ala sha-shat
al-senama?] Which film is on at the
cinema?
display, set out, v [ʕaraḍa] عرض
show
v [ʕarraḍa] عَرَّض
يُعَرِض للخطر
[Yo'areḍ lel-khaṭar] v endanger
accidental adj [ʕaraḍij] عرضي
custom n [ʕurf] عرف
know, define v [ʕarafa] عرف
لا أعرف
[la a'arif] I don't know
هل تعرفه؟
[hal ta'a-rifuho?] Do you know him?
formal adj [ʕurafij] عُرفي
sweat n [ʕirq] عرق
مبلل بالعرق
[Mobala bel-ara'q] adj sweaty
sweat v [ʕaraqa] عَرَق
ethnic adj [ʕirqij] عرقي
bride n [ʕaru:s] عروس

وصيفة العروس
[Waṣeefat al-'aroos] n bridesmaid

عُزْي [ʕurj] n

مُناصِر للعُزْي
[Monaṣer lel'aory] n nudist

عَرّى [ʕarra:] v undress

عريس [ʕari:s] n bridegroom

إشبين العريس
[Eshbeen al-aroos] n best man

عريض [ʕari:dˤ] adj large, wide

ابتسامة عريضة
[Ebtesamah areeḍah] n grin

عريضًا [ʕari:dˤun] adv wide

عريف [ʕari:f] n corporal

عِزْبة [ʕizba] n estate

عَزّز [ʕazzaza] v (يتبنى) foster, boost

عَزْف [ʕazafa] vt play (music)

عَزْف [ʕazf] n

آلة عَزْف
[Aalat 'aazf] n player (instrumentalist)

عزم [ʕazm] n determination

عاقد العزم
['aa:qed al-'aazm] adj determined

عزيز [ʕazi:z] adj dear (loved)

عزيزي [ʕazi:zi:] adj dear (expensive)

عسر [ʕusr] n difficulty

عسر التكلم
['aosr al-takalom] n dyslexia

عسر الهضم
['aosr al-haḍm] n indigestion

عسكري [ʕaskarij] adj military

طالب عسكري
[Ṭaleb 'askarey] n cadet

عسل [ʕasal] n honey

عش [ʕuʃ] n nest

عشاء [ʕaʃa:?] n dinner, supper

حفلة عشاء
[Ḥaflat 'aashaa] n dinner party

متناول العشاء
[Motanawal al-'aashaa] n diner

كان العشاء شهيا
[kan il-'aashaa sha-heyan] The dinner was delicious

ما رأيك في الخروج وتناول العشاء
[Ma raaek fee al-khoroj wa-tanawol al-'aashaa] Would you like to go out for

dinner?

ما هو موعد العشاء؟
[ma howa maw-'aid al-aashaa?] What time is dinner?

عشب [ʕuʃb] n grass (plant)

غُشب الحَوْذان
['aoshb al-hawdhan] n buttercup

غُشب الطرخون
['aoshb al-ṭarkhoon] n tarragon

عشبة [ʕuʃba] n

عشبة ضارة
['aoshabah ḍarah] n weed

عشر [ʕaʃar] ten number

أحد عشر
[ʔaḥada ʕaʃar] number eleven

الحادي عشر
[al-ḥa:di: ʕaʃar] adj eleventh

لقد تأخرنا عشرة دقائق
[la'qad ta-akharna 'aashir da-'qae'q] We are ten minutes late

عشرة [ʕaʃaratun] ten number

عشرون [ʕiʃru:na] twenty number

عشري [ʕuʃarij] decimal adj

عشق [ʕiʃq] n passion

فاكهة العشق
[Fakehat al-'aesh'q] n passion fruit

عشق [ʕaʃaqa] v adore

عشوائي [ʕaʃwa:ʔij] adj random

عشية [ʕaʃijja] n eve

عشية عيد الميلاد
['aasheyat 'aeed al-meelad] n Christmas Eve

عصا [ʕasˤa:] n stick

عصا القيادة
['aaṣa al-'qeyadh] n joystick

عصا المشي
['asaa almashey] n walking stick

عصابة [ʕisˤa:ba] n gang, band

عصابة الرأس
['eṣabat al-raas] n hairband

معصوب العينين
[Ma'aṣoob al-'aainayn] adj blindfold

عصابي [ʕisˤa:bij] adj neurotic

عصب [ʕasˤab] n nerve (to/from brain)

عصب [ʕasˤaba] v

يَعْصِبُ العينين

perfume, scent n [ʃitˤˈr] عطر
أشعر بالعطش
[ash-'aur bil-'aatash] I'm thirsty
sneeze v [ʃatˤˈasa] عطس
holiday, n [ʃutˤˈla] عطلة
unemployment
['aotlah osboo'ayeah] n weekend عطلة أسبوعية
عطلة نصف الفصل الدراسي
['aotlah nesf al-faṣl al-derasey]
half-term
خطة عطلة شاملة الإقامة والانتقال
[Khot at 'aotlah shamelat al-e'qamah
wal-ente'qal] n package tour
bone n [ʃazˤˈm] عظم
عظم الوجنة
[aḍhm al-wajnah] n cheekbone
bone n [ʃazˤˈama] عظمة
grand, great adj [ʃazˤˈiːm] عظيم
الجمعة العظيمة
[Al-jom'ah al-'aadheemah] n Good
Friday
mould (fungus) n [ʃafan] عفن
spontaneous adj [ʃafawij] عفوي
punishment n [ʃiqaːb] عقاب
eagle n [ʃuqaːb] عُقاب
medication, drug n [ʃaqaːr] عقار
عقار مسكن
['aa'qaar mosaken] n sedative
عقار مخدر موضعي
['aa'qar mokhader mawde'aey] n local
anaesthetic
end n [ʃiqb] عقب
مقلوب رأسا على عقب
[Ma'qloob raasan 'ala 'aa'qab] adv
upside down
obstacle n [ʃaqaba] عقبة
contract n [ʃaqd] عقد
عقد إيجار
['aa'qd eejar] n lease
عقد من الزمن
['aa'qd men al-zaman] n decade
knit v [ʃaqada] عقد
knot n [ʃuqda] عقدة
scorpion, Scorpio n [ʃaqrab] عقرب
v [ʃaqasˤˈa] عقص

[Ya'aṣeb al-ozonayn] v blindfold
nervous adj [ʃasˤˈabij] عصبي
عصبي جداً
['aṣabey jedan] adj uptight
عصبي المزاج
['aṣabey] adj nervous
squeeze v [ʃasˤˈara] عصر
modern adj [ʃasˤˈrij] عصري
sparrow n [ʃusˤˈfuːr] عصفور
disobey v [ʃasˤˈaː] عصى
crucial adj [ʃasˤˈiːb] عصيب
porridge n [ʃasˤˈiːda] عصيدة
juice n [ʃasˤˈiːru] عصير
عصير الفاكهة
['aseer fakehah] n fruit juice
عصير برتقال
[Aṣeer borto'qaal] n orange juice
muscle n [ʃadˤˈala] عضلة
muscular adj [ʃadˤˈalij] عضلي
member n [ʃudˤˈw] عضو
عضو في عصابة
['aoḍw fee eṣabah] n gangster
عضو في الجسد
['aoḍw fee al-jasad] n organ (body part)
عضو مجلس
['aoḍw majles] n councillor
عضو مُنتَدب
['aḍow montadab] n president (business)
عضو نقابة عمالية
['aḍw ne'qabah a'omaleyah] n trade
unionist
هل يجب أن تكون عضوا؟
[hal yajib an takoon 'auḍwan?] Do you
have to be a member?
هل يجب علي أن أكون عضوا؟
[hal yajib 'aala-ya an akoon 'auḍwan?]
Do I have to be a member?
organic adj [ʃudˤˈwij] عضوي
سماد عضوي
[Semad 'aodwey] n manure
غير عضوي
[Ghayer 'aodwey] adj mineral
membership n [ʃudˤˈwijja] عضوية
عضوية في مجلس تشريعي
['aoḍweyah fee majles tashreaey] n seat
(constituency)

يَعْقِص الشعر
[Ya'aqes al-sha'ar] n cur

عَقْعَق [ʕaqʕaq] n

طائر العَقْعَق
[Ţaaer al'a'qa'q] n magpie

mind, intelligence n [ʕaql] عقل

ضرس العقل
[Ders al-a'aql] n wisdom tooth

rational adj [ʕaqla:nij] عقلاني

mental adj [ʕaqlij] عقلي

mentality n [ʕaqlijja] عقلية

sterilize v [ʕaqqama] عَقَم

punishment n [ʕuqu:ba] عقوبة

أقصى عقوبة
[A'qsa 'aoqobah] n capital punishment

عقوبة بدنية
['ao'qoba badaneyah] n corporal punishment

hook n [ʕaqi:fa] عقيفة

sterile adj [ʕaqi:m] عقيم

crutch n [ʕukka:z] عكاز

reverse, reversal n [ʕaks] عكس

عكس عقارب الساعة
['aaks 'aa'qareb al-saa'ah] n anticlockwise

والعكس كذلك
[Wal-'aaks kaḏalek] adv vice versa

reflect v [ʕakasa] عكس

therapy, treatment n [ʕila:ʒ] علاج

علاج بالعطور
['aelaj bel-otoor] n aromatherapy

علاج طبيعي
['aelaj tabeye] n physiotherapy

علاج نفسي
['aelaj nafsey] n psychotherapy

مُركّب لعلاج السعال
[Morakab le'alaaj also'aal] n cough mixture

relation, relationship n [ʕala:qa] علاقة

علاقات عامة
['ala'qat 'aamah] npl public relations

آسف، أنا على علاقة بأحد الأشخاص
[ʔa:sifun ʔana: ʕala: ʕila:qatin biʔaħadin alʔaʃxa:sˤij] Sorry, I'm in a relationship

n [ʕala:qatu] عَلاَقَة

عَلَاقَة مفاتيح

[aalaqat mafateeh] n keyring

mark, symptom, n [ʕala:ma] علامة
tag, token

علامة تعجب
['alamah ta'ajob] n exclamation mark

علامة تجارية
['alamah tejareyah] n trademark

علامة استفهام
['alamat estefham] n question mark

علامة مميزة
['alamah momayazah] n bookmark

العلامة التجارية
[Al-'alamah al-tejareyah] n brand name

يَضَع عَلامَة صَح
[Beḍa'a 'aalamat ṣaḥ] v tick off

bonus n [ʕala:wa] علاوة

علاوة على ذلك
['aelawah ala ḍalek] adv further

cans npl [ʕulab] علب

فتاحة علب
[fatta ḥat 'aolab] n tin opener

parcel n [ʕulba] علبة

علبة صغيرة
['aolbah ṣagherah] n canister

علبة التروس
['aolbat al-teroos] n gear box

علبة الفيوز
['aolbat al-feyoz] n fuse box

علبة كارتون
['aolbat kartoon] n carton

hang vt [ʕallaqa] عَلّق

يُعَلِّق على
[Yo'alle'q ala] v comment

chewing gum n [ʕilka] علكة

justify v [ʕallala] عَلّل

knowledge, science n [ʕilm] علم

علم التنجيم
[A'elm al-tanjeem] n astrology

علم الاقتصاد
['aelm al-e'qtesad] npl economics

علم البيئة
['aelm al-beeah] n ecology

علم الحيوان
['aelm al-hayawan] n zoology

علم الفلك
['aelm al-falak] n astronomy

[Sa'aat 'aamal marenah] n flexitime
ساعات العمل

[Sa'aat al-'amal] npl office hours,
opening hours
مكان العمل

[Makan al-'amal] n workspace
أنا هنا للعمل

[ana huna lel-'aamal] I'm here for work
عمل v [Samala] work

يعمل بشكل حر

[Ya'amal beshakl ḥor] adj freelance
سيارة تعمل بنظام نقل السرعات
اليدوي من فضلك

[sayara ta'amal be-nedham na'qil
al-sur'aat al-yadawy, min faḍlak] A
manual, please
أعمل لدى...

[a'amal lada...] I work for...
أين تعمل؟

[ayna ta'amal?] Where do you work?
التكيف لا يعمل

[al-tak-yeef la ya'amal] The air
conditioning doesn't work
المفتاح لا يعمل

[al-muftaaḥ la ya'amal] The key doesn't
work
كيف يعمل هذا؟

[Kayfa ya'amal hatha?] How does this
work?
ماذا تعمل؟

[madha ta'amal?] What do you do?
ماكينة التذاكر لا تعمل

[makenat al-tadhaker la-ta'amal] The
ticket machine isn't working
هذا لا يعمل كما ينبغي

[hatha la-ya'amal kama yan-baghy] This
doesn't work
عملاق giant, gigantic adj [Simla:q]
عملة currency, pay n [Sumla]
عملة معدنية

[Omlah ma'adaneyah] n coin
عملة متداولة

[A'omlah motadawlah] n currency
تخفيض قيمة العملة

[Takhfeeḍ 'qeemat al'aomlah] n
devaluation

علم النحو والصرف

['aelm al-naḥw wal-ṣarf] n grammar
علوم الحاسب الآلي

['aoloom al-ḥaseb al-aaly] n computer
science
عَلَم flag n [Salam]
عِلم n [Silm]
علم الآثار

['Aelm al-aathar] n archaeology
علم (المعرفة) n [Silmu] science
عَلمي scientific adj [Silmij]
خيال علمي

[Khayal 'aelmey] n scifi
عُلُو altitude n [Suluww]
علوي top adj [Sulwij]
على above adv ◁ on prep [Sala:]
على طول

[Ala ṭool] prep along
علية loft n [Silja]
عَليل sick adj [Sali:l]
عم uncle n [Samm]
ابن العم

[Ebn al-'aam] n cousin
عمارة building n [Sima:ra]
فن العمارة

[Fan el-'aemarah] n architecture
عمال labour n [Summa:l]
عمان Oman n [Suma:n]
عمة aunt (خالة) n [Samma]
عمر age n [Sumur]
شخص متقدم العمر

[Shakhṣ mota'qadem al-'aomr] n senior
citizen
إنه يبلغ من العمر عشرة أعوام

[inaho yabligh min al-'aumr 'aashrat
a'a-wam] He is ten years old
أبلغ من العمر خمسين عاماً

[ablugh min al-'aumr khamseen 'aaman]
I'm fifty years old
كم عمرك؟

[kam 'aomrak?] How old are you?
عمق depth n [Sumq]
عمل work n [Samal]
رحلة عمل

[Reḥlat 'aamal] n business trip
ساعات عمل مرنة

دار سك العملة
[Daar saak al'aomlah] n mint (coins)

عملي
feasible, practical adj [ʿamalij]

غير عملي
[Ghayer 'aamaley] adj impractical

عمليا
practically adv [ʿamalijan]

عملية
operation n [ʿamalijja] (undertaking), process

عملية جراحية
['amaleyah jeraheyah] n operation (surgery), surgery (operation)

عملية الأيض
['amaleyah al-abyaḍ] n metabolism

عَمّم
generalize v [ʿammama]

عمود
column, post (stake) n [ʿamu:d]

عمود النور
['amood al-noor] n lamppost

عمود فقري
['amood fa'qarey] n backbone, spine

عموديا
upright adv [ʿamu:dijan]

عمولة
commission n [ʿumu:la]

ما هي العمولة؟
[ma heya al-'aumola?] What's the commission?

عموما
overall adv [ʿumu:man]

عمى
blind n [ʿama:]

مصاب بعمى الألوان
[Moṣaab be-'ama al-alwaan] adj colour-blind

عميق
deep adj [ʿami:q]

واد عميق وضيق
[Wad 'amee'q wa-ḍaye'q] n ravine

عميل
customer, client, n [ʿami:l] agent

عن
about, from prep [ʿan]

عناق
cuddle n [ʿina:q]

عناية
care n [ʿina:ja]

بعناية
[Be-'aenayah] n carefully

عنب
grape n [ʿinab]

عنب أحمر
['aenab aḥmar] n redcurrant

كَرْمَة العنب
[Karmat al'aenab] n vine

عنبر
hospital ward n [ʿanbar]

في أي عنبر يوجد.......؟

[fee ay 'aanbar yujad...?] Which ward is... in?

عند
at prep [ʿinda]

عنصر
element n [ʿunsˤur]

عنصري
n ◁ racial adj [ʿunsˤurij] racist

التفرقة العنصرية بحسب الجنس
[Al-tafreʿqa al'aonṣoreyah beḥasab al-jens] n sexism

عنف
violence n [ʿunf]

عَنّف
scold v [ʿannafa]

عنكبوت
spider n [ʿankabu:t]

بيت العنكبوت
[Bayt al-'ankaboot] n cobweb

عنوان
address (location) n [ʿunwa:n]

عنوان البريد الإلكتروني
['aonwan al-bareed al-electrooney] n email address

عنوان المنزل
['aonwan al-manzel] n home address

عنوان الويب
['aonwan al-web] n web address

دفتر العناوين
[Daftar al-'aanaaween] n address book

عُنوان رئيسي
['aonwan raaesey] n headline

عنوان موقع الويب هو...
['ainwan maw-'q i'a al-web howa...] The website address is...

ما هو عنوان بريدك الالكتروني؟
[ma howa 'ain-wan bareed-ak al-alikit-rony?] What is your email address?

من فضلك قم بتحويل رسائلي إلى هذا العنوان
[min faḍlak 'qum be-taḥweel rasa-ely ela hadha al-'ainwan] Please send my mail on to this address

هل يمكن لك أن تدون العنوان، إذا تفضلت؟
[hal yamken laka an tudaw-win al-'aenwaan, edha tafaḍalt?] Will you write down the address, please?

عنيد
stubborn adj [ʿani:d]

عنيف
drastic, violent adj [ʿani:f]

عهد
promise n [ʿahd]

['aaysh al-ghorab] n mushroom

eye n [ʕajn] عين

إن عيناي ملتهبتان
[enna 'aynaya multa-hebatan] My eyes
are sore

يوجد شيء ما في عيني
[yujad shay-un ma fee 'aynee] I have
something in my eye

appoint v [ʕajjana] عيّن

يُعَيِّنُ الهويّة
[Yo'aeyen al-haweyah] b identify

sample n [ʕajjina] عينة

same adj [ʕajinnat] عينه

منذ عهد قريب
[monḏh 'aahd 'qareeb] adv lately

float, buoy n [ʕawa:ma] عوامة

stick n [ʕuːd] عود

عود الأسنان
['aood al-asnan] n toothpick

return n [ʕawda] عودة

تذكرة ذهاب وعودة في نفس اليوم
[tadhkarat dhehab we-'awdah fee nafs
al-yawm] n day return

رجاء العودة بحلول الساعة الحادية عشر
مساءً
[rejaa al-'aawda behilool al-sa'aa
al-ḥade-a 'aashar masa-an] Please
come home by 11p.m.

ما هو موعد العودة؟
[ma howa maw-'aid al-'aawda?] When
do we get back?

يمكنك العودة وقتما رغبت ذلك
[yam-kunaka al-'aawda wa'qt-ama
raghabta dhalik] Come home whenever
you like

compensate v [ʕawwadˤa] عوّض

يُعوّض عن
[Yo'aweḍ 'an] v reimburse

عَوّل v [ʕawwala]

يُعَوِل على
[yo'awel 'ala] v rely on

globalization n [ʕawlama] عَوْلَمَة

aid n [ʕawn] عون

howl v [ʕawaː] عوى

clinic n [ʕija:da] عيادة

defect, fault, n [ʕajb] عيب
disadvantage

festival, holiday n [ʕiːd] عيد

عيد الحب
['aeed al-ḥob] n Valentine's Day

عيد الفصح
['aeed al-fesh] n Easter

عيد الميلاد المجيد
['aeed al-meelad al-majeed] n
Christmas

عيد ميلاد
['aeed al-meelad] n birthday

عيش n [ʕajʃ]

عيش الغراب

من أي مكان يغادر المركب؟
[min ay makan yoghader al-markab?]
Where does the boat leave from?

هل هذا هو الرصيف الذي يغادر منه القطار المتجه إلى...؟
[hal hadha howa al-raṣeef al-ladhy yoghader minho al-'qeṭaar al-mutajeh ela...?] Is this the right platform for the train to...?

foul *adj* [ɣaːdir] **غادِر**

n [ɣaːr] **غار**

ورق الغار
[Waraʾq alghaar] *n* bay leaf

raid *n* [ɣaːra] **غارة**

gas *n* [ɣaːz] **غاز**

غاز طبيعي
[ghaz ṭabeeaey] *n* natural gas

غاز مسيل للدموع
[Ghaz moseel lel-domooa] *n* teargas

موقد يعمل بالغاز للمعسكرات
[Maw'qed ya'amal bel-ghaz lel-mo'askarat] *n* camping gas

أين يوجد عداد الغاز؟
[ayna yujad 'aadad al-ghaz?] Where is the gas meter?

هل يمكنك إعادة ملء الولاعة بالغاز؟
[hal yamken -aka e'aadat mil-e al-walla-'aa bil-ghaz?] Do you have a refill for my gas lighter?

flirt *v* [ɣaːzala] **غازَل**

angry, stuffy *adj* [ɣaːdˤib] **غاضِب**

fret *v* [ɣaːzˤʕa] **غاظ**

often *adv* [ɣaːliban] **غالِباً**

adj [ɣaːliː] **غالي**

إنه غالي جدا ولا يمكنني شراؤه
[Enaho ghaley gedan wala yomken sheraaoh] It's too expensive for me

إنه غالي بالفعل
[inaho ghalee bil-fi'ail] It's quite expensive

v [ɣaːlaː] **غالى**

يغالي في الثمن
[Yoghaley fee al-thaman] *v* overcharge

يُغَالي في التقدير
[Yoghaley fee al-ta'qdeer] *v* overestimate

absent *adj* [ɣaːʔibb] **غائِب**

cloudy, foggy *adj* [ɣaːʔim] **غائِم**

v [ɣaːba] **غاب**

يَغيب عن الأنظار
[Yagheeb 'an al-anḍhaar] *v* vanish

forest, woods *n* [ɣaːba] **غابة**

غابات المطر بخط الاستواء
[Ghabat al-maṭar be-khaṭ al-estwaa] *n* rainforest

v [ɣaːdara] **غادر**

سوف أغادر غداً
[Yoghader al-fodo'q] *v* check out

يُغادِر المكان
[Yoghader al-makanan] *v* go out

يُغَادر مكانا
[Yoghader makanan] *v* go away

سوا أغادر غدا
[Sawa oghader ghadan] I'm leaving tomorrow

أين نترك المفتاح عندما نغادر؟
[ayna natruk al-muftaaḥ 'aendama nughader?] Where do we hand in the key when we're leaving?

على أي رصيف يغادر القطار؟
['ala ay raṣeef yo-ghader al-'qeṭaar?] Which platform does the train leave from?

[Neḍhaam ghedhey] v diet
غرر [ɣirr] n child
غراء [ɣira:ʔ] glue n
غراب [ɣura:b] crow n
غراب أسود
[Ghorab aswad] n raven
غرّافة [ɣarra:fa] carafe n
غرامة [ɣara:ma] fine n
أين تدفع الغرامة؟
[ayna tudfa'a al-gharama?] Where do I pay the fine?
كم تبلغ الغرامة؟
[kam tablugh al-gharama?] How much is the fine?
غرب [ɣarban] n
متجه غرباً
[Motajeh gharban] adj westbound
غَرْب [ɣarb] west n
غرباً [ɣarban] west adv
غربي [ɣarbij] west, western adj
ساكن الهند الغربية
[Saken al-hend al-gharbeyah] n West Indian
جنوب غربي
[Janoob gharbey] n southwest
شمال غربي
[Shamal gharbey] n northwest
غرز [ɣaraza] stick vi
غرض [ɣaradˤ] purpose n
غرفة [ɣurfa] room n
رقم الغرفة
[Ra'qam al-ghorfah] n room number
غرفة إضافية
[ghorfah eḍafeyah] n spare room
غرفة عمليات
[ghorfat 'amaleyat] n operating theatre
غرفة تبديل الملابس
[Ghorfat tabdeel al-malabes] n fitting room
غرفة خدمات
[ghorfat khadamat] n utility room
غرفة القياس
[ghorfat al-'qeyas] n fitting room
غرفة المعيشة
[ghorfat al-ma'aeshah] n sitting room
غرفة النوم

غامض [ɣa:midˤ] mysterious adj
غانا [ɣa:na:] Ghana n
غاني [ɣa:nij] Ghanaian adj
مواطن غاني
[Mowaṭen ghaney] n Ghanaian
غبار [ɣuba:r] dust n
غبي [ɣabijju] stupid adj
غثيان [ɣaθaja:n] nausea n
غَجَريّ [ɣaʒarij] gypsy n
غد [ɣad] n
أريد أن توقظني بالتليفون في الساعة السابعة من صباح الغد
[areed an to'qeḍhaney bel-telefone fee al-sa'aah al-sabe'aah men ṣabah al-ghad] I'd like a wake-up call for tomorrow morning at seven o'clock
بعد غد
[ba'ad al-ghad] the day after tomorrow
غداً [ɣadan] tomorrow adv
هل هو مفتوح غداً؟
[hal how maftooh ghadan?] Is it open tomorrow?
هل يمكن أن أتصل بك غداً؟
[hal yamken an ataṣel beka ghadan?] May I call you tomorrow?
غداء [ɣada:ʔ] lunch n
غدة [ɣuda] gland n
غذاء [ɣaða:ʔ] n
وجبة الغذاء المعبأة
[Wajbat al-ghezaa al-mo'abaah] n packed lunch
كان الغذاء رائعا
[kan il-ghadaa ra-e'aan] The lunch was excellent
متى سنتوقف لتناول الغذاء؟
[mata sa-nata-wa'qaf le-tanawil al-ghadaa?] Where do we stop for lunch?
متى سيتم تجهيز الغذاء؟
[mata sayatim taj-heez al-ghadaa?] When will lunch be ready?
غذائي [ɣiða:ʔij] adj
التسمم الغذائي
[Al-tasmom al-ghedhaaey] n food poisoning
نظام غذائي

غُروب sunset n [ɣuru:b]

غَرّى glue v [ɣarra:]

غريب strange, spooky adj [ɣari:b]

شخص غريب
[Shakhṣ ghareeb] n stranger

غُرَير n [ɣurajr]

حيوان الغُرَير
[Ḥayawaan al-ghoreer] n badger

غريزة instinct n [ɣari:za]

غزل [ɣazl] n (حركة خاطفة) flirt

غزل البنات
[Ghazl al-banat] n candyfloss

غزى invade, conquer v [ɣaza:]

غسالة washing machine n [ɣassa:la]

غسالة أطباق
[ghasalat aṭbaa'q] n dishwasher

غَسَق dusk n [ɣasaq]

غسل n [ɣasl]

قابل للغسل في الغسالة
['qabel lel-ghaseel fee al-ghassaalah]
adj machine washable

أرغب في غسل هذه الأشياء
[arghab fee ghasil hadhy al-ashyaa] I'd
like to get these things washed

غسل wash v [ɣasala]

يَغْسِل الأطباق
[Yaghsel al-aṭbaa'q] v wash up

أريد أن أغسل السيارة
[areed an aghsil al-sayara] I would like
to wash the car

أين يمكن أن أغسل يدي؟
[ayna yamken an aghsil yady?] Where
can I wash my hands?

هل يمكنك من فضلك غسله
[hal yamken -aka min faḍlak ghaslaho?]
Could you wash my hair, please?

غسول cleanser n [ɣasu:l]

غسول سمرة الشمس
[ghasool somrat al-shams] n suntan
lotion

غسيل washing n [ɣassi:l]

غسيل سيارة
[ghaseel sayaarah] n car wash

غسيل الأطباق
[ghaseel al-atba'q] n washing-up

خط الغسيل

[Ghorfat al-noom] n bedroom غرفة النوم

[ghorat ṭa'aam] n dining room غرفة طعام

غرفة لشخص واحد
[ghorfah le-shakhṣ wahed] n single
room

غرفة محادثة
[ghorfat mohadathah] n chatroom

غرفة مزدوجة
[Ghorfah mozdawajah] n double room,
twin room

غُرفة خشبية
[Ghorfah khashabeyah] n shed

أريد غرفة أخرى غيرها
[areed ghurfa ukhra ghyraha] I'd like
another room

أريد غرفة للإيجار
[areed ghurfa lil-eejar] I'd like to rent a
room

أريد حجز غرفة عائلية
[areed ḥajiz ghurfa 'aa-e-liya] I'd like to
book a family room

أريد حجز غرفة لشخصين
[areed ḥajiz ghurfa le-shakhiṣ-yen] I
want to reserve a double room

أيمكنني الحصول على أحد الغرف؟
[a-yamkun-iny al-ḥuṣool 'ala aḥad
al-ghuraf?] Do you have a room?

أين توجد غرفة الكمبيوتر؟
[ayna tojad ghurfat al-computer] Where
is the computer room?

الغرفة ليست نظيفة
[al-ghurfa laysat naḍhefa] The room
isn't clean

الغرفة متسخة
[al-ghurfa mutaskha] The room is dirty

هل هناك خدمة للغرفة؟
[hal hunaka khidma lil-ghurfa?] Is there
room service?

هل يمكن أن أرى الغرفة؟
[hal yamken an ara al-ghurfa?] Can I see
the room?

هناك ضوضاء كثيرة جدا بالغرفة
[hunaka ḍaw-daa kathera jedan
bil-ghurfa] The room is too noisy

غرق washbasin, drown vi [ɣaraqa]

forgive v [ɣafara] غفر
nap n [ɣafwa] غفوة
kid n [ɣula:m] غلام
kettle n [ɣalla:ja] غلاية
mistake v [ɣalatˤun] غلط
error n [ɣaltˤa] غلطة
wrap, wrap up v [ɣallafa] غلف
هل يمكن أن تغلفه من فضلك؟
[hal yamken an tugha-lifho min faḍlak?]
Could you wrap it up for me, please?
n [ɣalaqa] غلق
ما هو ميعاد الغلق هنا؟
[ma howa me-'aad al-ghali'q huna?]
When does it close?
boil vi [ɣala:] غلى
boiling n [ɣalaja:n] غليان
flood vt [ɣamara] غمر
wink v [ɣamaza] غمز
dip vt [ɣamasa] غمس
dip (food/sauce) n [ɣams] غَمْس
mutter v [ɣamɣama] غَمْغَم
mystery n [ɣumu:dˤ] غموض
singing n [ɣina:ʔ] غناء
غناء مع الموسيقى
[Ghenaa ma'a al-mose'qa] n karaoke
adj [ɣina:ʔijjat] غنائي
قصائد غنائية
['qaṣaaed ghenaaeah] npl lyrics
n [ɣanam] غنم
جلد الغنم
[Jeld al-ghanam] n sheepskin
rich adj [ɣanij] غني
غني بالألوان
[Ghaney bel-alwaan] غمصم colourful
submarine n [ɣawwa:sˤa] غواصة
gorilla n [ɣu:ri:la:ˤ] غوريلا
diving n [ɣaws] غوص
غوص بأجهزة التنفس
[ghawṣ beajhezat altanafos] n scuba
diving
أين يمكننا أن نجد أفضل مناطق
الغوص؟
[ayna yamken-ana an najed afḍal
manaṭi'q al-ghawṣ?] Where is the best
place to dive?
absence n [ɣija:b] غياب

[Khat al-ghaseel] n washing line
حبل الغسيل
[ḥabl al-ghaseel] n washing line
مسحوق الغسيل
[Mashoo'q alghaseel] n washing
powder
مشبك الغسيل
[Mashbak al-ghaseel] n clothes peg
cheat n [ɣaʃʃa] غش
deceive, cheat v [ɣaʃʃa] غش
anger n [ɣadˤab] غضب
سريع الغضب
[Saree'a al-ghaḍab] adj irritable
غضب شديد
[ghaḍab shaded] n rage
مثير للغضب
[Mother lel-ghaḍab] adj infuriating
v [ɣutˤtˤa] غط
يَغْطُ في النوم
[yaghoṭ fee al-nawm] v snore
cover, lid n [ɣitˤa:ʔ] غطاء
غطاء سرير
[Gheṭa'a sareer] n bedspread
غطاء المصباح
[Gheṭaa almeṣbah] n lampshade
غطاء الوسادة
[ghetaa al-wesadah] n pillowcase
غطاء قنينة
[Gheṭa'a 'qeneenah] n cap
غطاء للرأس والعنق
[Gheṭa'a lel-raas wal-a'ono'q] n hood
غطاء للوقاية أو الزينة
[Gheṭa'a lel-we'qayah aw lel-zeenah] n
hubcap
غطاء مخملى
[Gheṭa'a makhmaley] n duvet
غطاء مائدة
[Gheṭa'a maydah] n tablecloth
diver n [ɣatˤtˤa:s] غطاس
dive n [ɣatˤasa] غطس
لوح غطس
[Looh ghaṭs] n diving board
dive v [ɣatˤisa] غطس
plunge v [ɣatˤasa] غطس
cover v [ɣatˤtˤa:] غطى
snooze v [ɣafa] غفا

ف

غيار n [ɣijjaːr]
هل لديك قطع غيار لماركة تويوتا
[hal ladyka 'qiṭa'a gheyaar le-markat toyota?] Do you have parts for a Toyota?

غيبة n [ɣajba]
دفع بالغيبة
[Dafa'a bel-ghaybah] n alibi

غيبوبة n [ɣajbuːba]
غيبوبة عميقة
[Ghaybobah 'amee'qah] n coma

غير not adj [ɣajru]
غير صبور
[Ghaeyr ṣaboor] adj impatient
غير معتاد
[Ghayer mo'ataad] adj unusual
غير مُرتب
[Ghayer moratb] adj untidy

غَيّر vary, change v [ɣajjara]

غينيا Guinea n [ɣiːnjaː]
غينيا الاستوائية
[ɣiːnjaː al-nistiwaːʔijjatu] Equatorial Guinea

غيور jealous adj [ɣajuːr]

فائدة benefit n [faːʔida]
معدل الفائدة
[Moaadal al-faaedah] n interest rate

فائز winning adj [faːʔiz]
شخص فائز
[Shakhṣ faaez] n winner

فائض surplus adj [faːʔidˤ]
فائق adj [faːʔiq]
فائق الجمال
[Faae'q al-jamal] adj gorgeous

فئة category n [fiʔa]
فاتح fair (light colour) adj [faːtiħ]
فاتر dull, lukewarm adj [faːtir]
فاتن catching, glamorous, adj [faːtin] superb, fascinating

فاتورة n [faːtuːra]
فاتورة رسمية
[Fatoorah rasmeyah] n note (account)
فاتورة تجارية
[Fatoorah tejareyah] n invoice
فاتورة تليفون
[Fatoorat telefon] n phone bill
يُعِد فاتورة
[Yo'aed al-fatoorah] v invoice
قم بإضافته إلى فاتورتي
['qim be-iḍa-fatuho ela foatoraty] Put it on my bill

قم بإعداد الفاتورة من فضلك
['qim be-i'adad al-foatora min faḍlak]
Please prepare the bill

من فضلك أحضر لي الفاتورة
[min faḍlak iḥḍir lee al-fatora] Please
bring the bill

هل لي أن أحصل على فاتورة مفصلة؟
[hal lee an aḥṣil 'aala fatoora
mufa-ṣala?] Can I have an itemized bill?

obscene adj [fa:ħiʃ] فاحش
mouse n [faʔr] فأر
Persian adj [fa:risij] فارسي
blank adj [fa:riɣ] فارغ
distinction n [fa:riq] فارق
win v [fa:za] فاز
corrupt adj [fa:sid] فاسد
interval n [fa:sˤil] فاصل

فاصل إعلاني
[Faṣel e'alaany] n commercial break

comma n [fa:sˤila] فاصلة

فاصلة علوية
[Faṣela a'olweyah] n apostrophe

n [fa:sˤu:lja:] فاصوليا

فاصوليا خضراء متعرشة
[faṣoleya khadraa mota'aresha] n
runner bean

فاصوليا خضراء
[Faṣoleya khadraa] npl French beans

flood vi [fa:dˤa] فاض
fax n [fa:ks] فاكس

هل يوجد فاكس؟
[hal yujad fax?] Do you have a fax?

fruit n [fa:kiha] فاكهة

عصير الفاكهة
['aṣeer fakehah] n fruit juice

متجر الخضر والفاكهة
[Matjar al-khoḍar wal-fakehah] n
greengrocer's

مثلجات الفاكهة
[Mothalajat al-fakehah] n sorbet

n [fa:ni:la] فانيلة

صوف فانيلة
[Ṣoof faneelah] n flannel

vanilla n [fa:ni:lja:] فانيليا
February n [fabra:jir] فبراير
lass n [fata:t] فتاة

n [fatta:ħa] فتاحة

فتاحة علب
[fatta ḥat 'aolab] n tin opener

فتاحة علب التصبير
[Fatahat 'aolab al-taṣdeer] n tin opener

فتاحة الزجاجات
[Fatahat al-zojajat] n bottle-opener

n [fataħa] فتح

أريد أن أبدأ بالمكرونة لفتح شهيتي
[areed an abda bil-makarona le-fatiḥ
sha-heiaty] I'd like pasta as a starter

ما هو ميعاد الفتح هنا؟
[ma howa me-'aad al-fatiḥ huna?] When
does it open?

open vt [fataħa] فتح

يفتح النشاط
[Yaftah nashat] v unzip

يَفتَح القفل
[Yaftaḥ al-'qafl] v unlock

الباب لا يُفتح
[al-baab la yoftaḥ] The door won't open

متى يُفتح القصر؟
[mata yoftaḥ al-'qaṣir?] When is the
palace open?

متى يُفتح المعبد؟
[mata yoftaḥ al-ma'abad?] When is the
temple open?

slot n [fatḥa] فتحة

فتحة سقف السيارة
[fath at saa'qf al-sayaarah] n headroom

فتحة سَقف
[Fathat sa'qf] n sunroof

فتحة الأنف
[Fathat al-anf] n nostril

فتحة التوصيل
[Fathat al-tawṣeel] n plughole

n [fatra] فترة

فترة راحة
[Fatrat raaḥ a] n break

فترة ركود
[Fatrat rekood] n low season

فترة المحاكمة
[Fatrat al-moḥkamah] n trial period

فترة النهار
[Fatrat al-nehaar] n daytime

فترة وجيزة

فراش [fira:ʃ] n bed

فراش كبير الحجم
[Ferash kabeer al-ḥajm] n king-size bed

عند العودة سوف نكون في الفراش
['aenda al-'aoda sawfa nakoon fee al-feraash] We'll be in bed when you get back

فراشة [fara:ʃa] n butterfly, moth

فراغ [fara:ɣ] n void

وَقْت فراغ
[Wa'qt faragh] n spare time

فرامل [fara:mil] n brake

الفرامل لا تعمل
[Al-faramel la ta'amal] The brakes are not working, The brakes don't work

هل يوجد فرامل في الدراجة؟
[hal yujad fara-mil fee al-darraja?] Does the bike have brakes?

فراولة [fara:wla] n strawberry

فرخ [farx] n

فرخ الضفدع
[Farkh al-ḍofda'a] n tadpole

فرد [fard] n single, person

أقرب أفراد العائلة
[A'qrab afrad al-'aaleah] n next-of-kin

فردي [fardijjat] adj individual

مباراة فردية
[Mobarah fardeyah] n singles

فرز [faraza] v sort out

فرس [faras] n mare

عدو الفرس
[adow al-faras] (جري) n gallop

فرس النهر
[Faras al-nahr] n hippo

فرَس قزم
[Faras 'qezm] n pony

فرشاة [furʃa:t] n brush

فرشاة أظافر
[Forshat aḍhafer] n nailbrush

فرشاة الأسنان
[Forshat al-asnaan] n toothbrush

فرشاة الدهان
[Forshat al-dahaan] n paintbrush

فرشاة الشعر
[Forshat al-sha'ar] n hairbrush

يُنظِف بالفرشاة

[Fatrah wajeezah] n while

إنها لا تزال داخل فترة الضمان
[inaha la tazaal dakhel fatrat al-ḍaman] It's still under guarantee

لقد ظللنا منتظرين لفترة طويلة
[La'qad ḍhallalna montaḍhereen le-fatrah ṭaweelah] We've been waiting for a very long time

ما الفترة التي سأستغرقها للوصول إلى هناك؟
[Ma alfatrah alaty saastaghre'qha lel-woṣool ela honak?] How long will it take to get there?

فَتِّش [fattaʃa] search v

فتق [fatq] hernia n

فتنة [fitna] charm n

فتى [fata:] guy n

فج [faʒʒ] crude adj

فجأة [faʒʔatun] suddenly adv

فجّر [faʒʒara] explode v

فجر [faʒr] dawn n

فجل [fiʒl] radish n

فجل حار
[Fejl ḥar] n horseradish

فجوة [faʒwa] gap n

فحص [faḥsˤ] tick, examination n

فحص طبى عام
[Faḥṣ ṭebey 'aam] n check-up

هل تسمح بفحص إطارات السيارة؟
[hal tasmaḥ be-faḥṣ eṭaraat al-sayarah?] Can you check the tyres, please?

فحص [faḥasˤa] tick, inspect vt

فحم [faḥm] coal n

منجم فحم
[Majam faḥm] n colliery

فحْم نباتي
[Faḥm nabatey] n charcoal

فخار [faxxa:r] n

مصنع الفخار
[Maṣna'a al-fakhaar] n pottery

فخذ [faxð] thigh n

فخر [faxr] pride n

فخور [faxu:r] proud adj

فدية [fidja] ransom n

فرّ [farra] escape vi

Frenchwoman

فرو [farw] n fur

فريد [fari:d] adj peculiar, unique

فريزر [fri:zar] n freezer

فريسة [fari:sa] n prey

فريق [farjq] n team

فريق البحث
[Faree'q al-bahth] n search party

فزع [fazaʕ] n horror

فساد [fasa:d] n corruption

فستان [fusta:n] n dress

فستان الزفاف
[Fostaan al-zefaf] n wedding dress

هل يمكن أن أجرب هذا الفستان؟
[hal yamken an ajar-reb hadha al-fustaan?] Can I try on this dress?

فسد [fasada] v deteriorate

فسّر [fassara] v interpret

فسيفساء [fusajfisa:ʔ] n mosaic

فشار [fuʃa:r] n popcorn

فشل [faʃal] n failure

فشل [faʃala] vi fail

فص [fasˤsˤ] n

فص ثوم
[Fas thawm] n clove

فضام [fisˤa:m] n

مريض بالفضام
[Mareeḍ bel-feṣaam] adj schizophrenic

فصل [fasˤl] n chapter

فصل دراسي
[Faṣl derasey] n semester

فصل الربيع
[Faṣl al-rabeya] n springtime

فصل الصيف
[Faṣl al-ṣayf] n summertime

فصل من فصول السنة
[Faṣl men foṣol al-sanah] n term (division of year)

فصل [fasˤala] v disconnect

فصلة [fasˤla] n

فصلة منقوطة
[faṣelah man'qoṭa] n semicolon

فصيلة [fasˤi:la] n

فصيلة دم
[faṣeelat dam] n blood group

فصيلة دمي 0 موجب

[yonaḍhef bel-forshah] v brush

فرصة [fursˤa] n opportunity

فرع [farʕ] n branch

عناوين فرعية
['anaween far'aeyah] npl subtitles

فرعي [farʕijji] adj

مزود بعنوان فرعي
[Mozawad be'aonwan far'aey] adj subtitled

فرّغ [farraɣa] vt empty

يُفرغ حمولة
[Yofaregh ḥomolah] v unload

فرق [firaq] n

فرق كشافة
[Fear'q kashafah] npl troops

فرّق [farraqa] vt separate

فرقة [firqa] n

فرقة الآلات النحاسية
[Fer'qat al-aalat al-naḥaseqeyah] n brass band

فرقة مطافيء
[Fer'qat maṭafeya] n fire brigade

فرقة موسيقية
[Fer'qah mose'qeyah] n band (musical group)

من فضلك اتصل بفرقة المطافئ
[min faḍlak itaṣil be-fir'qat al-maṭa-fee] Please call the fire brigade

فرك [faraka] v scrub

فرم [faram] n chop

فرم [farama] v chop

فرمل [farmala] v brake

فرملة [farmala] n

فرملة يَدّ
[Farmalat yad] n handbrake

فرن [furn] n oven

فرنسا [faransa:] n France

فرنسي [faransij] French adj

اللغة الفرنسية
[All-loghah al-franseyah] adj French

بوق فرنسي
[Boo'q faransey] n French horn

مواطن فرنسي
[Mowaṭen faransey] n Frenchman

مواطنة فرنسية
[Mowaṭenah faranseyah] n

[faṣeelat damey 0 mojab] My blood group is O positive

فضّ [fadˤdˤa] v unwrap

فضاء [fadˤaːʔ] n space

رائد فضاء
[Raeed faḍaa] n astronaut

سَفينة الفضاء
[Safenat al-faḍaa] n spacecraft

فضة [fidˤdˤa] n silver

فضفاض [fadˤfaːdˤ] adj loose

كنزة فضفاضة يرتديها الرياضيون
[Kanzah feḍfaḍh yartadeha al-reyadeyon] n sweatshirt

فضل [fadˤl] n

غير المدخنين من فضلك
[gheyr al-mudakhin-een min faḍlak] Non-smoking, please

في الأمام من فضلك.
[Fee al-amaam men faḍlek] Facing the front, please

من فضلك أخبرني عندما نصل إلى...
[min faḍlak ikh-birny 'aindama naṣal ela...] Please let me know when we get to...

فضل [fadˤala] v

أفضل أن تكون الرحلة الجوية في موعد أقرب
[ofaḍel an takoon al-reḥla al-jaw-wya fee maw-'aed a'qrab] I would prefer an earlier flight

أنا أفضل...
[ana ofaḍel...] I like..., I prefer to...

من فضلك
[min faḍlak] Please

فضّل [fadˤdˤala] v prefer

فضلات [fadˤalaːt] n waste

فَضلة [fadˤla] n scrap (small piece)

فضولي [fudˤuːlij] adj nosy

فضيحة [fadˤiːħa] n scandal

فطر [fatˤara] n

فطر الغاريقون
[Feṭr al-gharekoon] n toadstool

فطِن [fatˤin] adj witty

فطنة [fitˤna] n wit

فطير [fatˤiːratu] adj

فطيرة التفاح
[Fateerat al-tofaah] n apple pie

فطيرة [fatˤiːra] n pie

فطيرة فُلان
[Faṭerat folan] n flan

فطيرة محلاة
[Faṭerah moḥalah] n pancake

فطيرة هَشّة
[Faṭerah hashah] n shortcrust pastry

فطيرة مَحشُوّة
[Fateerah maḥshowah] n tart

فظ [fazˤzˤ] adj coarse

حيوان الفظ
[Ḥayawan al-fadh] n walrus

فظاعة [fazˤaːʕa] n

بفظاعة
[befaḍha'aah] adv awfully

فعال [faʕːaːl] adj effective

غير فعال
[Ghayer fa'aal] adj inefficient

فعل [fiʕl] n verb, act, action

فعل [faʕala] v do

ما الذي يمكن أن نفعله هنا؟
[ma al-lathy yamkin an naf-'aalaho hona?] What is there to do here?

فعلاً [fiʕlan] adv quite

فعلي [fiʕlij] n actual

فقاعة [fuqaːʕa] n bubble

فقدان [fuqdaːn] n

فقدان الشهية
[Fo'qdaan al-shaheyah] n anorexia

فَقر [faqr] n poverty

فقرة [faqra] n paragraph

فقط [faqatˤ] adv only

فقمة [fuqma] n

حيوان الفقمة
(حيوان) [Ḥayawaan al-fa'qmah] n seal (animal)

فقيد [faqiːd] adj late (dead)

فقير [faqiːr] adj poor

فك [fakk] n jaw

فك [fakka] v unpack

فك [fakka] vt unwind, undo

يَفُكُ اللولب
[Yafek al-lawlab] v unscrew

فكاهة [fukaːha] n

حس الفكاهة

فلك [falak] n
علم الفلك
['aelm al-falak] n astronomy
فلوت [flu:t] n
آلة الفلوت
[Aalat al-felot] n flute
فلوري [flu:rij] adj fluorescent
فلين [filli:n] n cork
فم [fam] n mouth
غسول الفم
[Ghasool al-fam] n mouthwash
فن [fann] n (مهارة) art
فناء [fana:ʔ] n
فناء مرصوف
[Fenaa marşoof] n patio
فنان [fanna:n] n artist
فنان متسول
[Fanan motasawol] n busker
فنان مشترك في حفلة عامة
[Fanan moshtarek fe ḥaflah 'aama] n
entertainer (فنان)
فنجان [finʒa:n] n cup
صحن الفنجان
[Şahn al-fenjaan] n saucer
فنجان شاي
[Fenjan shay] n teacup
هل يمكن الحصول على فنجان آخر من
القهوة من فضلك؟
[hal yamken al-ḥuşool 'aala fin-jaan
aakhar min al-'qahwa min faḍlak?]
Could we have another cup of coffee,
please?
فندق [funduq] n hotel
جناح في فندق
[Janaḥ fee fond'q] n suite
يغادر الفندق
[Yoghader al-fodo'q] v check out
يتسجل فى فندق
[Yatasajal fee fondo'q] v check in
أنا مقيم في فندق
[ana mu'qeem fee finda'q] I'm staying
at a hotel
أيمكنك أن تحجز لي بالفندق؟
[a-yamkun-ika an taḥjuz lee bil-finda'q?]
Can you book me into a hotel?
ما هو أفضل طريق للذهاب إلى هذا

[Ḥes al-fokahah] n sense of humour
فكاهي [fuka:hij] adj humourous
فكّة [fakkat] n
معذرة، ليس لدي أية فكّة
[Ma'adheratan, lays laday ay fakah]
Sorry, I don't have any change
هل يمكن إعطائي بعض الفكّة من
فضلك؟
[Hal yomken e'ataaey ba'aḍ alfakah
men faḍlek] Can you give me some
change, please?
فكّر [fakkara] v think
يُفَكِر في
[Yofaker fee] vi consider
فكرة [fikra] n idea
فكرة عامة
[Fekrah 'aamah] n general
فكرة مفيدة
[Fekrah mofeedah] n tip (suggestion)
فِكري [fikrij] adj intellectual ⊳ n
intellectual
فكّك [fakkaka] v
يُفَكِك إلى أُجزاء
[Yo'fakek ela ajzaa] v take apart
فلاش [fla:ʃ] n
إن الفلاش لا يعمل
[enna al-flaash la ya'amal] The flash is
not working
فلامنجو [fla:minʒ] n
طائر الفلامنجو
[Taaer al-flamenjo] n flamingo
فلبيني [filibbi:nij] adj Filipino
مواطن فلبيني
[Mowaṭen felebeeney] n Filipino
فلسطين [filastˤi:nu] n Palestine
فلسطيني [filastˤi:nij] adj
Palestinian ⊳ n Palestinian
فلسفة [falsafa] n philosophy
فلفل [fulful] n pepper
فلفل أحمر حار
[Felfel aḥmar ḥar] n chilli
مطحنة الفلفل
[maṭhanat al-felfel] n peppermill
فُلْفُل مطحون
[Felfel maṭhoon] n paprika

الفندق
[Ma howa afḍal taree'q lel-dhehab ela al-fondo'q] What's the best way to get to this hotel?

ما هي أجرة التاكسي للذهاب إلى هذا الفندق؟
[ma heya ejrat al-taxi lel-thehaab ela hatha al-finda'q?] How much is the taxi fare to this hotel?

هل يمكن أن تنصحني بأحد الفنادق؟
[hal yamken an tan-ṣaḥny be-aḥad al-fana-di'q] Can you recommend a hotel?

هل يمكن الوصول إلى الفندق بكراسي المقعدين المتحركة؟
[hal yamken al-wiṣool ela al-finda'q be-karasi al-mu'q'aadeen al-mutaḥarika?] Is your hotel wheelchair accessible?

Venezuela n [finzwi:la:] فنزويلا
Venezuelan adj [finizwi:li:] فنزويلي
Venezuelan n ◁

Finland n [finlanda:] فنلندا
Finnish adj [fanlandij] فنلندي

مواطن فنلندي
[Mowaṭen fenlandey] n Finn

artistic adj [fanij] فني

عمل فني
['amal faney] n work of art

جاليري فني
[Jalery faney] n art gallery

technician n [fannij] فني

index (list), index n [fahras] فهرس
(numerical scale)

n [fahranha:jti:] فهرنهايتي

درجة حرارة فهرنهايتي
[Darjat hararh ferhrenhaytey] n degree Fahrenheit

n [fahm] فهم

سوء فهم
[Soa fahm] n misunderstanding

understand v [fahama] فهم

أفهمت؟
[a-fa-hemt?] Do you understand?

فهمت
[fahamto] I understand

لم أفهم
[lam afham] I don't understand

fizzy adj [fuwa:r] فوار

npl [fawa:ṣilun] فواصل

فواصل معقوفة
[Fawaṣel ma'a'qoofah] npl quotation marks

n [fu:tu:ɣra:fijja] فوتوغرافي

صورة فوتوغرافية
[Ṣorah fotoghrafeyah] n photo

كم تبلغ تكلفة الصور الفوتوغرافية؟
[kam tablugh taklifat al-ṣowar al-foto-ghrafiyah?] How much do the photos cost?

regiment n [fawʒu] فوج

vodka n [fu:dka:] فودكا

promptly adv [fawran] فورا

adv ◁ immediate adj [fawrij] فوري
simultaneously

authorize v [fawwaḍʕa] فوّض

messy adj [fawḍʕawij] فوضوي

chaos, mess n [fawḍʕa:] فوضى

n [fu:tʕa] فوطة

فوطة تجفيف الأطباق
[Foṭah tajfeef al-aṭba'q] n tea towel

above prep [fawqa] فوق

فوق ذلك
[Faw'q dhalek] adv neither

upper adj [fawqi:] فوقي

broad bean, bean n [fu:l] فول

حبة فول سوداني
[Ḥabat fool sodaney] n peanut

براعم الفول
[Braa'em al-fool] npl beansprouts

folklore n [fu:lklu:r] فولكلور

in prep [fi:] في

vitamin n [fi:ta:mi:n] فيتامين

Vietnam n [fi:tna:m] فيتنام

Vietnamese adj [fi:tna:mij] فيتنامي

اللغة الفيتنامية
[Al-loghah al-fetnameyah] (language) n Vietnamese

شخص فيتنامي
[Shakhṣ fetnamey] (person) n Vietnamese

Fiji n [fi:ʒi:] فيجي

ق

video n [fi:dju:] فيديو

كاميرا فيديو نقال

[Kamera fedyo na'q'qaal] n camcorder

هل يمكنني تشغيل ألعاب الفيديو؟

[hal yamken -any tash-gheel al-'aab al-video?] Can I play video games?

turquoise adj [fajru:zij] فيروزي

virus n [fi:ru:s] فيروس

مضاد للفيروسات

[Moḍad lel-fayrosat] n antivirus

visa n [fi:za:] فيزا

physics n [fi:zja:ʔ] فيزياء

physicist n [fi:zja:ʔij] فيزيائي

flooding n [fajadˤa:n] فيضان

elephant n [fi:l] فيل

villa [fi:la:] فيلا

أريد فيلا للإيجار

[areed villa lil-eejar] I'd like to rent a villa

movie n [fi:lm] فيلم

فيلم رعب

[Feelm ro'ab] n horror film

فيلم وثائقي

[Feel wathaae'qey] n documentary

throw up v [qa:ʔa] قاء

principal (principal), leader [qa:ʔidun, qa:ʔida] (قائدة) n قائد

قائد فرقة موسيقية

['qaaed fer'qah mose'qeyah] n conductor

adj [qa:ʔim] قائم

القائم برحلات يومية من وإلى عمله

[Al-'qaem beraḥlaat yawmeyah men wa ela 'amaleh] n commuter

قائم على مرتفع

['qaem ala mortafa'a] adv uphill

list n [qa:ʔima] قائمة

قائمة أسعار

['qaemat as'aar] n price list

قائمة خمور

['qaemat khomor] n wine list

قائمة انتظار

['qaemat enteḍhar] n waiting list

قائمة بريد

['qaemat bareed] n mailing list

قائمة طعام

['qaemat ṭa'aam] n menu

قائمة مرشحين

['qaemat morashaheen] n short list

قائمة مجموعات الأغذية

['qaemat majmo'aat al-oghneyah] n set

menu

قابِس [qa:bis] n plug

قابِض [qa:bid'] n clutch

قابِل [qa:bil] adj

قابل للتغيير
['qabel lel-tagheyer] adj changeable

قابل للتحويل
['qabel lel-tahweel] adj convertible

قابل للطي
['qabel lel-ṭay] adj folding

قابل للمقارنة
['qabel lel-mo'qaranah] adj comparable

قابِل [qa:bala] v interview, meet up

قابِلة [qa:bila] n midwife

قاتِل [qa:til] n murderer

قاحِل [qa:ħil] adj infertile

قاد [qa:da] v drive

كان يقود السيارة بسرعة كبيرة
[ka:na jaqu:du assajja:rata bisurʕatin
kabi:ratin] He was driving too fast

قادِر [qa:dir] adj able

قادِم [qa:dim] adj

أريد تذكرتين للجمعة القادمة
[areed tadhkeara-tayn lel-jum'aa
al-'qadema] I'd like two tickets for next
Friday

ما هي المحطة القادمة؟
[ma heya al-muhaṭa al-'qadema?] What
is the next stop?

هل المحطة القادمة هي محطة...؟
[Hal al-mahaṭah al-'qademah hey
mahṭat...?] Is the next stop...?

يوم السبت القادم
[yawm al-sabit al-'qadem] next
Saturday

قارِئ [qa:riʔ] n reader

قارئ الأخبار
['qarey al-akhbar] n newsreader

قارِب [qa:rib] adj

قارب صيد
['qareb ṣayd] n fishing boat

قارب تجديف
['qareb tajdeef] n rowing boat

قارب ابحار
['qareb ebhar] n sailing boat

قارب نجاة
['qareb najah] n lifeboat

قارة [qa:rra] n continent

قارِص [qa:ris'] adj stingy

قارَن [qa:rana] v compare

قاروس [qa:ru:s] n

سمك القاروس
[Samak al-faros] n bass

قاسٍ [qa:sin] ruthless, stiff adj

قاس [qasa] v measure

يَقيس ثوباً
[Ya'qees thawban] v try on

يَقيس مقدار
[Ya'qees me'qdaar] v quantify

قاسي [qa:si:] cruel adj

قاصِر [qa:s'ir] underage adj

شخص قاصر
[Shakhṣ 'qaṣer] n minor

قاضي [qa:d'i:] judge, magistrate n

قاضَى [qa:d'a:] sue v

قاطِع [qa:t'iʕ] edgy, keen adj

قاطَع [qa:t'aʕa] interrupt v

قاع [qa:ʕ] bottom n

قاعة [qa:ʕa] hall n

قاعة إعداد الموتى
['qaat e'adad al-mawta] n funeral
parlour

ماذا يعرضون هذه الليلة في قاعة
الحفلات الغنائية؟
[madha ya'a-redoon hadhehe al-layla
fee 'qa'aat al-ḥaf-laat al-ghena-eya?]
What's on tonight at the concert hall?

قاعدة [qa:ʕida] base n

قاعدة بيانات
['qaedat bayanat] n database

قافلة [qa:fila] fleet n

قال [qa:la] say v

قالب [qa:lab] mould (shape) n

قالب مستطيل
['qaleb mostateel] n bar (strip)

قام ب [qa:ma bi ʕamalin] v

يَقوم بعمل
[Ya'qoom be] v act

قامَر [qa:mara] gamble v

قاموس [qa:mu:s] dictionary n

قانون [qa:nu:n] law n

مشروع قانون

القدرة الفنية
[Al'qodrah al-faneyah] n know-how

قدرة على الاحتمال
['qodrah ala al-ehtemal] n stamina

قدم [qadam] n foot

أثر القدم
[Athar al-'qadam] n footstep

حافي القدمين
[Ḥafey al-'qadameyn] adv barefoot

لاعب كرة قدم
[La'eb korat 'qadam] n footballer

مُعالِج القدم
[Mo'aaleg al-'qadam] n chiropodist

إن قدماي تؤلمني
[enna 'qadam-aya to-al-imany] My feet
are sore

مقاس قدمي ستة
[ma'qas 'qadamy sit-a] My feet are a
size six

قدم [qaddama] v offer, introduce,
put forward

كيف يقدم هذا الطبق؟
[kayfa yu'qadam hatha al-ṭaba'q?] How
is this dish served?

قُدِمًا [qudumaan] adv ahead

قديس [qiddi:s] n saint

قديم [qadi:m] adj ancient

قديمًا [qadi:man] adv since

قذارة [qaða:ra] n dirt

قذر [qaðir] adj filthy, sloppy

قذف [qaðafa] v toss, throw out

قذيفة [qaði:fa] n

قذيفة صاروخية
['qadheefah ṣarookheyah] n missile

قرأ [qaraʔa] v read

يَقرأ الشفاه
[Ya'qraa al-shefaa] v lip-read

يَقرأ بصوت مرتفع
[Ya'qraa beṣawt mortafe'a] v read out

قراءة [qira:ʔa] n reading

قرابة [qura:ba] n proximity

قرار [qara:r] n decision

قراصنة [qara:sˤina] n

قراصنة الكمبيوتر
['qaraṣenat al-kombyotar] (كمبيوتر) n
hacker

قرب [qurb] n

مشروع قانوني
[Mashroo'a 'qanooney] n note
(legislation)

قانوني [qa:nu:nij] legal adj

غير قانوني
[Ghayer 'qanooney] adj illegal

قاوم [qa:wama] v resist

قايَض [qa:jadˤa] v swap

قبر [qabr] n grave

شاهد القبر
[Shahed al-'qabr] n gravestone

قبرص [qubrusˤ] n Cyprus

قبرصي [qubrusˤij] adj Cypriot ▷ n
Cypriot (person)

قبض [qabadˤa] v

يَقبِض على
[jaqbudˤu ʕala:] v grasp

قبضة [qabdˤa] n fist

قبض على [qabadˤ ʕala:] v arrest

قبعة [qubaʕa] n hat

قُبَّعة [qubbaʕa] n

قُبَّعة البيسبول
['qoba'at al-beesbool] n baseball cap

قبقاب [qubqa:b] n clog

قبل [qabla] prep

من قبل
[Men 'qabl] adv previously

قبل [qabbala] accept v ▷ agree n

قبَّل [qabbala] kiss v

قبلة [qibla] n kiss

قبو [qabw] n cellar

قبيح [qabi:ħ] adj ugly

قبيلة [qabi:la] n tribe

قتال [qita:l] n fight, fighting

قتل [qatl] n

جريمة قتل
[Jareemat 'qatl] n murder

قتل [qatala] v kill

يقتل عمدًا
[Ya'qtol 'aamdan] v murder

قدّاحة [qadda:ħa] cigarette lighter, n
lighter

قُدّاس [qudda:s] n mass (church)

قدر [qadara] v afford, appreciate

قدَر [qadar] n destiny, fate

قدرة [qudra] n ability

هل توجد مغسلة آلية بالقرب من هنا؟
[hal tojad maghsala aalya bil-'qurb min huna?] Is there a launderette near here?

هل هناك أي أماكن شيقة للمشي بالقرب من هنا؟
[hal hunaka ay amakin shay-i'qa lel-mashy bil-'qurb min huna?] Are there any interesting walks nearby?

هل يوجد بنك بالقرب من هنا؟
[hal yujad bank bil-'qurb min huna?] Is there a bank nearby?

هل يوجد ورشة سيارات بالقرب من هنا؟
[hal yujad warshat sayaraat bil-'qurb min huna?] Is there a garage near here?

قُرب near adv [qurba]
قُرة n [qurra]
قرة العين [‘qorat al-'ayn] n watercress
قرحة ulcer n [qurħa]
قرحة البرد حول الشفاة [‘qorħat al-bard ħawl al-shefah] n cold sore
قرد monkey n [qird]
قرر opt out, decide v [qarrara]
قرش n [qirʃ]
سمك القرش [Samak al-'qersh] (سمك) n shark
قرص disc n [qurṣˁ]
سواقة أقراص [Sowa'qat a'qraṣ] n disk drive
قرص صغير [‘qorṣ ṣagheyr] n diskette
قرص صلب [‘qorṣ ṣalb] n hard disk
قرص مرن [‘qorṣ maren] n floppy disk
قرص مضغوط [‘qorṣ maḍghooṭ] n compact disc
قرص pinch vt [qaraṣˁa]
قرصان pirate n [qurṣˁaːn]
قرض loan n [qardˁ]
قرط earring n [qirtˁ]
قرع knock v [qaraʃa]
قرع pumpkin n [qarʃ]
نبات القرع

[Nabat al-'qar'a] n squash
قرفة cinnamon n [qirfa]
قرمزي scarlet adj [qurmuzij]
قرميد n [qarmiːd]
مكسو بالقرميد [Makso bel-'qarmeed] adj tiled
قرن century, centenary n [qarn]
قرنبيط broccoli n [qarnabiːtˁ]
قريب relative n ⊳ near adj [qariːb]
على نحو قريب [Ala naħw 'qareeb] adv nearby
قريب من [‘qareeb men] adj close by
قريبا shortly, soon adv [qariːban]
أراكم قريبا [arakum 'qareeban] See you soon
قرية village n [qarja]
قزحية n [quzaħijja]
قزحية العين [‘qazeħeyat al-'ayn] n iris
قزم dwarf n [qazam]
قس vicar n [qiss]
قسم section, oath, n [qism] department
قسوة cruelty n [qaswa]
بقسوة [Be'qaswah] adv roughly
يُوبخ بقسوة [Yowabekh be-'qaswah] v spank
قسيس priest n [qasiːs]
قسيمة n [qasiːma]
قسيمة هدية [‘qaseemat hadeyah] n gift voucher
قش straw n [qaʃʃ]
كومة مضغوطة من القش [Kawmah maḍghoṭah men al-'qash] n haystack
مسقوف بالقش [Mas'qoof bel-'qash] adj thatched
قشدة cream n [qiʃda]
قشر peel vt [qaʃʃara]
قشرة n [qiʃritu]
قشرة الرأس [‘qeshart al-raas] n dandruff
قشعريرة npl [quʃaʃriːratun]
قشعريرة الجلد

[Beṭaqah lel-safar bel-kharej] n railcard

كيف يمكن أن أركب القطار المتجه إلى...؟
[kayfa yamkin an arkab al- 'qeṭaar al-mutajih ela...?] Where can I get a train to...?

لم أتمكن من اللحاق بالقطار
[lam atamakan min al-leḥaq bil-'qeṭaar] I've missed my train

متى يحين موعد القطار؟
[mata yaḥeen maw'aid al-'qeṭaar?] When is the train due?

ما هو أفضل طريق للذهاب إلى محطة القطار
[Ma howa afḍal ṭaree'q lel-dhehab ela mahaṭat al-'qeṭaar] What's the best way to get to the railway station?

ما هو موعد القطار التالي المتجه إلى...؟
[ma howa maw-'aid al-'qeṭaar al-taaly al-mutajih ela...?] When is the next train to...?

هل هذا هو القطار المتجه إلى...؟
[hal hadha howa al-'qeṭaar al-mutajeh ela...?] Is this the train for...?

قطاع [qiṭʕaːʕ] n sector

قطب [quṭʕb] n pole

القطب الشمالي
[A'qoṭb al-shamaley] n North Pole

قطبي [quṭʕbij] adj polar

الدب القطبي
[Al-dob al-shamaley] n polar bear

القارة القطبية الجنوبية
[Al-'qarah al-'qoṭbeyah al-janoobeyah] n Antarctic

قطبي جنوبي
['qoṭbey janoobey] adj Antarctic

قطبي شمالي
['qoṭbey shamaley] adj Arctic

قطة [qiṭʕa] n cat

قطر [qaṭar] n Qatar

قطر [qaṭʕara] v drip

قطر [qaṭʕr] n

شاحنة قطر
[Shaḥenat 'qaṭr] n breakdown truck

قطر [quṭʕr] n diameter

قطرة [qaṭʕra] n drop

['qashʕaarerat al-jeld] n goose pimples

قص [qasʕsʕ] n

من فضلك أريد قص شعري وتجفيفه
[min faḍlak areed 'qaṣ sha'ary wa taj-fefaho] A cut and blow-dry, please

قصاصة [qusʕaːsʕa] n slip (paper)

قصبة [qasʕaba] n reed

قَصبة الرِجْل
['qaṣabat al-rejl] n shin

قصة [qisʕsʕa] n story

قصة خيالية
['qeṣah khayaleyah] n fiction

قصة الشعر
['qaṣat al-sha'ar] n haircut

قصة شعر قصيرة
['qaṣat sha'ar] n crew cut

قصة قصيرة
['qeṣah 'qaṣeerah] n short story

قصد [qasʕada] v mean

قَصْد [qasʕd] n

بدون قَصْد
[Bedoon 'qaṣd] adv inadvertently

قصر [qasʕr] n palace

بلاط القصر
[Balaṭ al-'qaṣr] n court

قصر ريفي
['qaṣr reefey] n stately home

هل القصر مفتوح للجمهور؟
[hal al-'qaṣir maf-tooh lel-jamhoor?] Is the palace open to the public?

قصف [qasʕafa] vt bomb

قصيدة [qasʕiːda] n poem

قصير [qasʕiːr] adj short

قصير الأكمام
['qaṣeer al-akmam] adj short-sleeved

قضائي [qadʕaːʔijja] n

دعوى قضائية
[Da'awa 'qaḍaeyah] n proceedings

قضمة [qadʕma] n bite

قضى [qadʕaː] v spend

قضيب [qadʕiːb] n rod

قضيب قياس العمق
['qaḍeeb 'qeyas al-'aom'q] n dipstick

قضية [qadʕijja] n case

قطار [qiṭʕaːr] n train

بطاقة للسفر بالقطار

['qeladah 'qaseerah] n collar

قلاووظ n [qala:wu:zˤ]

لقد انفك المسمار القلاووظ
[La'qad anfak al-mesmar al-'qalawodh]
The screw has come loose

frying pan n [qala:jja] **قلاية**

heart n [qalb] **قلب**

واقع في قلب المدينة
[Wa'qe'a fee 'qalb al-madeenah] adv
downtown

أعاني من حالة مرضية في القلب
[o-aany min hala maradiya fee al-'qalb]
I have a heart condition

reverse v [qalaba] **قلب**

stir vt [qallaba] **قلب**

adj [qalbijjat] **قلبي**

أزمة قلبية
[Azmah 'qalbeyah] n heart attack

shortfall n [qilla] **قلة**

imitate v [qallada] **قلد**

castle n [qalʕa] **قلعة**

قلعة من الرمال
['qal'aah men al-remal] n sandcastle

أيمكننا زيارة القلعة؟
[a-yamkun-ana zeyarat al-'qal'aa?] Can
we visit the castle?

restless, upset, adj [qalaq] **قلق**
trouble n ◁ worried

worry, bother vi [qalaqa] **قلق**

diminish, turn down v [qallala] **قلل**

pen n [qalam] **قلم**

أقلام ملونة
[A'qlaam molawanah] n crayon

قلم رصاص
['qalam raṣaṣ] n pencil

قلم تحديد العينين
['qalam taḥdeed al-'ayn] n eyeliner

قلم حبر
['qalam ḥebr] n fountain pen

قلم حبر جاف
['qalam ḥebr jaf] n Biro®

قلم ذو سن من اللباد
['qalam dho sen men al-lebad] n felt-tip
pen

هل يمكن أن أستعير منك أحد الأقلام؟
[hal yamken an asta-'aeer minka aḥad

قطرة للعين
['qatrah lel-'ayn] n eye drops

diagonal adj [qutˤrij] **قطري**

cutting n [qitˤaʕ] **قطع**

قطع غيار
['qata'a gheyar] n spare part

cut v [qatˤʕaʕa] **قطع**

v [qatˤʕaʕa] **قطع**

يُقطّع إلى شرائح
[Yo'qate'a ela shraeḥ] v slice

يُقطّع إلى شرائح
[Yo'qate'a ela shraeḥ] v fillet

piece n [qitˤʕa] **قطعة**

قطعة أرض
['qet'aat ard] n plot (piece of land)

قطعة غليظة قصيرة
['qet'aah ghaledhah] n chunk

cotton wool n [qutˤʕn] **قطن**

قطن طبي
['qotn tebey] n cotton wool

adj [qutˤʕnijju] **قطني**

رأس البرعم القطني
[Raas al-bor'aom al-'qataney] n cotton
bud

sit vi [qaʕada] **قعد**

glove n [quffa:z] **قفاز**

قفاز فرن
['qoffaz forn] n oven glove

قفاز يغطي الرسغ
['qoffaz yoghatey al-rasgh] n mitten

pop-up n [qafaza] **قفز**

قفز بالحبال
['qafz bel-ḥebal] n bungee jumping

قفز بالزانة
['qafz bel-zanah] n pole vault

jump vi [qafaza] **قفز**

n [qafza] **قفزة**

قفزة عالية
['qafzah 'aaleyah] n high jump

قفزة طويلة
['qafzah taweelah] n long jump

cage n [qafasˤ] **قفص**

padlock n [qufl] **قفل**

lock vt ◁ shut down v [qafala] **قفل**

necklace, plaque n [qila:da] **قلادة**

قلادة قصيرة

canal n [qana:t] قناة
mask n [qina:ʕ] قناع
bomb n [qunbula] قنبلة
قنبلة ذرية
['qobelah dhareyah] n atom bomb
قنبلة موقوتة
['qonbolah maw'qota] n timebomb
cauliflower n [qanbi:tˤ] قنبيط
beaver n [qundus] قندس
n [qindi:l] قنديل
قنديل البحر
['qandeel al-baḥr] n jellyfish
consul n [qunsˤul] قنصل
consulate n [qunsˤulijja] قنصلية
arch n [qantˤara] قنطرة
hedgehog n [qunfuð] قنفذ
v [qahara] قهر
لا يقهر
[La yo'qhar] adj unbeatable
giggle v [qahqaha] قَهْقَهة
coffee n [qahwa] قهوة
أبريق القهوة
[Abreeq al-'qahwah] n coffeepot
طاولة قهوة
[Ṭawlat 'qahwa] n coffee table
قهوة سادة
['qahwa sadah] n black coffee
قهوة منزوعة الكافيين
['qahwa manzo'aat al-kafayen] n
decaffeinated coffee
قهوة باللبن من فضلك
['qahwa bil-laban min faḍlak] A white
coffee, please
قهوة من فضلك
['qahwa min faḍlak] A coffee, please
هذه البقعة بقعة قهوة
[hathy al-bu'q-aa bu'q-'aat 'qahwa] This
stain is coffee
strengthen v [qawwa:] قوّا
power, strength n [quwwa] قوة
بقوة
[Be-'qowah] adv hard, strongly
قوة عسكرية
['qowah askareyah] n force
قوة الإرادة
['qowat al-eradah] n willpower

al-a'qlaam?] Do you have a pen I could
borrow?
hood (car) n [qulunsuwa] قلنسوة
deep-fry, fry v [qala:] قلى
scarce adj [qali:l] قليل
cloth, fabric n [quma:ʃ] قماش
قماش الرسم
['qomash al-rasm] n canvas
قماش الدنيم القطنى
['qomash al-deneem al-'qotney] n denim
قماش قطنى متين
['qomash 'qoṭ ney mateen] n corduroy
قماش مقلم
['qomash mo'qallem] n stripe
قماشة لغسل الأطباق
['qomash le-ghseel al-atbaa'q] n
dishcloth
trash n [quma:ma] قمامة
أين تُوضع القمامة؟
[ayna toḍa'a al-'qemama?] Where do
we leave the rubbish?
peak, top n [qima] قمة
مؤتمر قمة
[Moatamar 'qemmah] n summit
wheat n [qamħ] قمح
حساسية القمح
[Ḥasaseyah al-'qamḥ] n wheat
intolerance
moon n [qamar] قمر
قمر صناعي
['qamar ṣenaaey] n satellite
funnel n [qamʕ] قمع
lice npl [qamlun] قمل
shirt n [qami:sˤ] قميص
أزرار كم القميص
[Azrar kom al'qameeṣ] npl cufflinks
قميص تحتي
['qameeṣ taḥtey] n slip (underwear)
قميص بولو
['qameeṣ bolo] n polo shirt
قميص قصير الكمين
['qameeṣ 'qaseer al-kmayen] n T-shirt
قميص من الصوف
['qameeṣ men al-ṣoof] n jersey
قميص نوم نسائي
['qamees noom nesaaey] n nightie

قوة العاملة
['qowah al-'aamelah] n workforce

قوة بشرية
['qowah bashareyah] n manpower

قوس bow (weapon) n [qaws]

قوس قزح
['qaws 'qazh] n rainbow

قوقاز Caucasus n [qu:qa:z]

قَوْل saying n [qawl]

قولون colon n [qu:lu:n]

قوم v [qawwama]

هل يمكن أن أقوم بإجراء مكالمة دولية من هنا؟
[hal yamken an a'qoom be-ijraa mukalama dawleya min huna?] Can I phone internationally from here?

هل يمكن أن نقوم بعمل مخيم للمبيت هنا؟
[hal yamken an na'qoom be-'aamal mukhyam lel-mabeet huna?] Can we camp here overnight?

قومي national adj [qawmijju]

قومِيّة nationalism n [qawmijja]

قوي powerful, tough adj [qawij]

قيادة lead (metal) n [qija:da]

رُخْصَة القيادة
[Rokhṣat al-'qeyadah] n driving licence

سهل القيادة
[Sahl al-'qeyadah] adj manageable

عجلة القيادة اليمنى
['aajalat al-'qeyadah al-yomna] n right-hand drive

دَرْس القيادة
[Dars al-'qeyadah] n driving lesson

اختبار القيادة
[Ekhtebar al-'qeyadah] n driving test

القيادة تحت تأثير الكحول
[Al-'qeyadh taht taatheer al-koḥool] n drink-driving

معلم القيادة
[Mo'alem al-'qeyadh] n driving instructor

قياس n [qija:s]

وحدة قياس
[Weḥdat 'qeyas] n module

قياسات measurements n [qija:sa:t]

---

standard adj [qija:sij] قياسي

قيام n [qija:m]

أيمكنك القيام بذلك وأنا معك هنا؟
[a-yamkun-ika al-'qeyam be-dhalek wa ana ma'aka huna?] Can you do it while I wait?

نعم، أحب القيام بذلك
[na'aam, aḥib al-'qiyam be-dhalik] Yes, I'd love to

هل تفضل القيام بأي شيء غدا؟
[Hal tofaḍel al-'qeyam beay shaya ghadan?] Would you like to do something tomorrow?

قيثار harp n [qi:θa:ra]

قيح pus n [qajḥ]

قيد limit n [qajd]

قيّد tie, restrict v [qajjada]

قيراط carat n [qi:ra:tˤ]

قيقب n [qajqab]

أشجار القيقب
[Ashjaar al-'qay'qab] n maple

قيّم estimate v [qajjama]

قيمة value n [qi:ma]

قيمة مالية
['qeemah maleyah] n worth

ك *pron* [ka]

كما
[kama:] *prep* as

كائن situated *adj* [ka:ʔin]

كآبة blues *n* [kaʔa:ba]

كابل cable *n* [ka:bil]

كابوس nightmare *n* [ka:bu:s]

كابينة [ka:bi:na]

كابينة تليفون
[Kabeenat telefoon] *n* phonebox

كابينة الطاقم
[Kabbenat al-ṭa'qam] *n* cabin crew

كابينة من الدرجة الأولى
[kabeena min al-daraja al-o-la] a first-class cabin

كابينة من الدرجة العادية
[kabeena min al-daraja al-'aadiyah] a standard class cabin

كاتب *n* [ka:tib]

الكاتب
[Al-kateb] *n* writer

كاتب مسرحي
[Kateb masrhey] *n* playwright

كاتدرائية cathedral *n* [ka:tidra:ʔijja]

متى تفتح الكاتدرائية؟
[mata tuftaḥ al-katid-ra-eya?] When is the cathedral open?

كاتشب ketchup *n* [ka:tʃub]

كاثوليكي Catholic *adj* [ka:θu:li:kij]

روماني كاثوليكي
[Romaney katholeykey] *adj* Roman Catholic

شخص كاثوليكي
[Shakhṣ katholeykey] *n* Catholic

كَارْبُوهَيْدْرَات *n* [ka:rbu:hajdra:t] carbohydrate

كارت *n* [ka:rt]

كارت إعادة الشحن
[Kart e'aadat shaḥn] *n* top-up card

كارت سحب
[Kart saḥb] *n* debit card

كارت تليفون
[Kart telefone] *n* cardphone

كارت ائتمان
[Kart eateman] *n* credit card

كارت الكريسماس
[Kart al-kresmas] *n* Christmas card

كارت ذاكرة
[Kart dhakerah] *n* memory card

أريد كارت للمكالمات الدولية من فضلك
[areed kart lel-mukalamat al-dawleya min faḍlak] An international phonecard, please

أين يمكن أن اشتري كارت للهاتف؟
[ayna yamken an ash-tary kart lil-haatif?] Where can I buy a phonecard?

كارتون *n* [ka:rtu:n]

علبة كارتون
['aolbat kartoon] *n* carton

كارثه disaster *n* [ka:riθa]

كارثي disastrous *adj* [ka:riθij]

كاري curry *n* [ka:ri:]

مسحوق الكاري
[Mashoo'q alkaarey] *n* curry powder

كاريبي Caribbean *adj* [ka:rajbi:]

البحر الكاريبي
[Al-baḥr al-kareebey] *n* Caribbean

كازاخستان *n* [ka:za:xista:n] Kazakhstan

كازينو casino *n* [ka:zi:nu:]

كأس [kaʔs] n

كأس العالم
World Cup n [Kaas al-'aalam]

كأس من البيرة من فضلك
A draught beer, please [kaas min al-beera min faḍlak]

كاسيت cassette n [ka:si:t]

كاش [ʃ:ka] n

ماكينة تسجيل الكاش
till n [Makenat tasjeel al-kaash]

كاف efficient, enough adj [ka:fin]

كافح struggle v [ka:faħa]

كافي adj [ka:fi:]

غير كافي
insufficient adj [Ghayr kafey]

كافيتريا cafeteria n [kafijtirja:]

كافيين caffeine n [ka:fi:n]

كافيين [ka:faji:n] n

منزوع منه الكافيين
decaffeinated adj [Manzoo'a menh al-kafayeen]

كاكاو cocoa n [ka:ka:w]

كالسيوم calcium n [ka:lsju:m]

كامبوديا Cambodia n [ka:mbu:dja:]

كامل complete adj [ka:mil]

على نحو كامل
perfectly adv [Ala naḥw kaamel]

بدوام كامل
full-time adv [Bedawam kaamel]

بشكل كامل
entirely adv [Beshakl kaamel]

شراء كامل
buyout n [Sheraa kaamel]

كاميرا camera n [ka:mi:ra:]

كاميرا رقمية
digital camera n [Kameera ra'qmeyah]

كاميرا الانترنت
webcam n [Kamera al-enternet]

كاميرا فيديو
video camera n [Kamera fedyo]

كاميرا فيديو نقال
camcorder n [Kamera fedyo na'q'qaal]

هل يمكن أن أحصل على شريط فيديو
لهذه الكاميرا من فضلك؟
[hal yamken an aḥṣal 'aala shar-eeṭ video le- hadhy al-kamera min faḍlak?]

Can I have a tape for this video camera, please?

هناك التصاق بالكاميرا
My camera is sticking [hunaka el-tiṣaa'q bel-kamera]

كان be v [ka:na]

كاهن minister (clergy) n [ka:hin]

كئيب gloomy adj [kaʔijb]

كباب kebab n [kaba:b]

كبح inhibition n [kabħ]

كبد liver n [kabid]

التهاب الكبد
hepatitis n [El-tehab al-kabed]

كبسولة capsule n [kabsu:la]

كبش ram n [kabʃ]

كبير big, mega adj [kabi:r]

إنه كبير جدا
It's too big [inaho kabeer jedan]

كتاب book n [kita:b]

كتاب دراسي
textbook n [Ketab derasey]

كتاب العبارات
phrasebook n [Ketab al-'aebarat]

كتاب الكتروني
e-book n [Ketab elektrooney]

كتاب طهى
cookery book n [Ketab ṭahey]

كتاب مدرسي
schoolbook n [Ketab madrasey]

كتاب هزلي
comic book n [Ketab hazaley]

كتاب ورقي الغلاف
paperback n [Ketab wara'qey al-gholaf]

كتابة writing n [kita:ba]

كتالوج catalogue n [kata:lu:ʒ]

أريد مشاهدة الكتالوج
I'd like a catalogue [areed mu-shahadat al-kataloj]

كتان linen n [katta:n]

كتب write v [kataba]

كتب بسرعة
jot down v [Katab besor'aah]

كتف shoulder n [katif]

كتف طريق صلب
hard shoulder n [Katef ṭaree'q ṣalb]

لوح الكتف

declare

هل يحتوي هذا على الكحول؟
[hal yaḥ-tawy hadha 'aala al-kiḥool?]
Does that contain alcohol?

كحولي alcoholic adj [kuħu:lij]

كدح fag n [kadaħ]

كدمة bruise n [kadama]

كذاب liar n [kaða:b]

كذب lie v [kaððaba]

كذبة lie n [kiðba]

كراتيه karate n [kara:ti:h]

كرامة dignity n [kara:ma]

كربون carbon n [karbu:n]

كربونات n [karbu:na:t]

ثاني كربونات الصوديوم
[Thaney okseed al-karboon] n
bicarbonate of soda

كرة ball (toy) n [kura]

الكرة الأرضية
[Al-korah al-ardheyah] n globe

كرة صغيرة
[Korat ṣagheerah] n pellet

كرة السلة
[Korat al-salah] n basketball

كرة الشبكة
[Korat al-shabakah] n netball

كرة القدم
[Korat al-'qadam] n football

كرة القدم الأمريكية
[Korat al-'qadam al-amreekeyah] n
American football

كرة اليد
[Korat al-yad] n handball

كرة لحم
[Korat laḥm] n meatball

كرر v [karrara]

كرر ما قلت، إذا سمحت
[kar-ir ma 'qulta, edha samaḥt] Could
you repeat that, please?

كرر rehearse v [karara]

كرز cherry n [karaz]

كرسي chair (furniture) n [kursij]

كرسي بعجلات
[Korsey be-'ajalat] n wheelchair

كرسي بجوار الممر
[Korsey be-jewar al-mamar] n aisle seat

[Looh al-katef] n shoulder blade

لقد أصبت في كتفي
[la'qad oṣibto fee katfee] I've hurt my
shoulder

كتكوت chick n [kutku:t]

كتلة block (solid piece) n [kutla]

كتلة خشبية أو حجرية
[Kotlah khashebeyah aw hajareyah] n
block (obstruction)

كتوم sly adj [katu:m]

كتيب pamphlet, booklet n [kutajjib]

كتيب إعلاني
[Kotayeb e'alaaney] n leaflet

كتيب ملاحظات
[Kotayeb molaḥaḍhat] n notepad

كتيّب الإرشادات
[Kotayeb al-ershadat] n guidebook

كثافة density n [kaθa:fa]

كثير many, much adj [kaθi:r]

لا تقم بقص الكثير منه
[la ta'qum be-'qaṣ al-katheer minho]
Don't cut too much off

يوجد به الكثير من...
[yujad behe al-kather min...] There's too
much... in it

كثيرا much adv [kaθi:ran]

كثيف dense adj [kaθi:f]

كحة n [kuħħa]

أعاني من الكحة
[o-'aany min al-kaḥa] I have a cough

كحول alcohol n [kuħu:l]

خالي من الكحول
[Khaley men al-koḥool] adj alcohol-free

القيادة تحت تأثير الكحول
[Al-'qeyadh taḥt taatheer al-koḥool] n
drink-driving

قليلة الكحول
['qaleelat al-koḥool] adj low-alcohol

أنا لا أشرب الكحول
[ana la ashrab al-koḥool] I don't drink
alcohol

معي كمية من الكحول لا تزيد عن الكمية المصرح بها
[ma'ay kam-iya min al-kuḥool la tazeed
'aan al-kam-iya al-muṣa-raḥ beha] I
have the allowed amount of alcohol to

[Keremah makhfoo'qah] n whipped cream

كرسي بلا ظهر أو ذراعين
[Korsey bela ḏhahr aw dhera'aayn] n stool

cream adj [kri:mi:] كريمي

كرسي مريح
nasty, wicked adj [kari:ħ] كريه
[Korsey moreeḥ] n easy chair

coriander (seed) n [kuzbara] كزبرة

كرسي مزود بذراعين
n [kassa:ra] كسارة
[Korsey mozawad be-dhera'aayn] n armchair

كسارة الجوز
[Kasarat al-jooz] n cracker

كرسي هزّاز
[Korsey hazzaz] n rocking chair
custard n [kustard] كسترد

كُرْسي مُرتَفِع
chestnut n [kastana:ʔ] كَسْتِناء
[Korsey mortafe'a] n highchair
fracture n [kasr] كَسَر

هل توجد كراسي عالية للأطفال؟
غير قابل للكسر
[hal tojad kursy 'aaleya lil-atfaal?] Do you have a high chair?
[Ghayr 'qabel lelkasr] adj unbreakable

قابل للكسر
celery n [kurfus] كرفس
['qabel lel-kassr] adj fragile

generosity n [karam] كَرَم
break, snap vt [kasara] كسر

vineyard n [karm] كَرْم
n [kisra] كِسْرة

caramel n [karami:l] كرميل
كِسْرة خبز
[Kesrat khobz] n crumb

cabbage n [kurnub] كرنب
كرنب بروكسيل
casserole n [kasru:latu] كسرولة
[Koronb brokseel] n Brussels sprouts
lazy adj [kasu:l] كسول

carnival n [karnafa:l] كرنفال
lame adj [kasi:ħ] كسيح

dislike v [kareha] كره
scout n [kaʃʃa:f] كشاف

Croatian adj [kruwa:tijjat] كرواتي
كشاف كهربائي
◁ Croatian (person) n
[Kashaf kahrabaey] n torch

اللغة الكرواتية
grin v [kaʃʃara] كشر
[Al-loghah al-korwateyah] n (language) Croatian
n [kaʃf] كشف

كشف بنكي
Croatia n [karwa:tja:] كرواتيا
[Kashf bankey] n bank statement

Xmas n [kri:sma:s] كريسماس
v [kzʃafa] كشف

n [kri:ki:t] كريكيت
يَكْشِف عن
[Yakshef 'an] v bare

لعبة الكريكيت
[Lo'abat al-kreeket] n cricket (game)
kiosk n [kiʃk] كشك

n [kri:m] كريم
gooseberry n [kuʃmuʃ] كشمش

كريم الحلاقة
n [kiʃmiʃ] كشمش
[Kereem al-helaka] n shaving cream

كريم للشفاه
كِشمِش أسود
[Keshmesh aswad] n blackcurrant
[Kereem lel shefah] n lip salve
heel n [kaʕb] كعب

أريد تناول آيس كريم
كعب عالى
[Ka'ab 'aaaley] adj high-heeled
[areed tanawil ice kreem] I'd like an ice cream
كعوب عالية
[Ko'aoob 'aleyah] npl high heels

n [kri:matu] كريمة
cake n [kaʕk] كعك

كريمة شيكولاتة
bun n [kaʕka] كعكة
[Kareemat shekolatah] n mousse

كعكات محلاة مقلية
كريمة مخفوقة
[Ka'akat mohallah ma'qleyah] n

doughnut

كف [kaff] *n*

كف الحيوان

[Kaf al-ḥayawaan] *n* paw

كفؤ [kufuʔ] *adj*

غير كفؤ

[Ghayr kofa] *adj* incompetent

كفاح [kifa:ħ] *n* struggle

كفالة [kafa:la] *n* bail, warranty

كفتي [kafatajj] *adj*

كفتي الميزان

[Kafatay al-meezan] *n* scales

كفل [kafala] *v* ensure

كفى [kafa:] *v*

هذا يكفي شكرًا لك

[hatha ykfee shukran laka] That's enough, thank you

كل [kulla] *pron* all

بكل تأكيد

[Bekol taakeed] *adv* absolutely

كل يوم سبت

[kul yawm sabit] every Saturday

كلا [kula:an] *adj*

كلا من

[Kolan men] *adj* both

كلارينت [kla:ri:nit] *n* clarinet

كلاسيكي [kla:si:kij] *adj* classic, classic ◁ *n* classical

كلام [kala:m] *n* talk

فاقد القدرة على الكلام

[Fa'qed al-'qodrah 'aala al-kalam] *adj* speechless

كلاهما [kila:huma:] *pron* both

كلب [kalb] *n* dog, bitch *(female dog)*

كلب ترير

[Kalb tereer] *n* terrier

كلب اسكتلندي ضخم

[Kalb eskotalandey dakhm] *n* collie

كلب الراعي

[Kalb al-ra'aey] *n* sheepdog

كلب السبنيلي

[Kalb al-sebneeley] *n* spaniel

كلب بكيني

[Kalb bekkeeney] *n* Pekinese

كلب هادي مدرب للمكفوفين

[Kalb hadey modarab lel-makfoofeen] *n*

guide dog

وجار الكلب

[Wejaar alkalb] *n* kennel

لدي كلب يرشدني في السير

[la-daya kalb yar-shidiny fee al-sayr] I have a guide dog

كلّف [kallafa] *v* cost

كلمة [kalima] *n* word

كلمة السر

[Kelmat al-ser] *n* password

كلمة واحدة فقط

[kilema waheda fa'qat] all one word

ما هي الكلمة التي تعني...؟

[ma heya al-kalema al-laty ta'any...?] What is the word for...?

كلور [klu:r] *n* chlorine

كلية [kulijja] *n*

كلية الحقوق

[Kolayt al-ho'qooq] *n* law school

كلية الفنون

[Koleyat al-fonoon] *n* art school

كُلِّية [kulijjatan] *adv* well

كلية [kulijja] *n* college

كلية [kilja] *n* kidney

كم [kumm] *n* sleeve

بدون أكمام

[Bedon akmaam] *adj* sleeveless

كما [kama:] *conj*

كما

[kama:] *prep* as

كمّاشة [kamma:ʃa] *n* pliers

كمال [kama:l] *n*

كمال الأجسام

[Kamal al-ajsaam] *npl* bodybuilding

كماليات [kama:lijja:t] *n* accessory

كمان [kama:n] *n* violin

عازف الكمان

['aazef al-kaman] *n* violinist

آلة الكَمَان الموسيقية

[Aalat al-kaman al-moose'qeyah] *n* violin

كمبودي [kambu:dij] *adj* Cambodian

شخص كمبودي

[Shakhṣ kamboodey] *(person)* *n* Cambodian

كمبيوتر [kumbiju:tar] *n* computer

هل لي أن استخدم الكمبيوتر الخاص بك؟
[hal lee an astakhdim al-computer al-khaas bik?] May I use your computer?

كُمّثرى pear n [kummiθra:]

كمنجة violin n [kaman3a]

كمنجة كبيرة
[Kamanjah kabeerah] n cello

كَمّون cumin n [kammu:n]

كمية quantity n [kammija]

كمين ambush n [kami:n]

كناري canary adj [kana:rij]

طائر الكناري
[Ṭaer al-kanarey] n canary

طيور الكناري
[tˤuju:ru al-kana:rijj] n Canaries

كناسة n [kanna:sati]

جاروف الكناسة
[Jaroof al-kannasah] n dustpan

كنبة sofa n [kanaba]

كنبة سرير
[Kanabat sereer] n sofa bed

كندا Canada n [kanada:]

كندي Canadian n [kanadij]

شخص كندي
[Shakhṣ kanadey] n Canadian

كنز treasure n [kanz]

كنس sweep v [kanasa]

يَكنِس بالمكنسة الكهربائية
[Yaknes bel-maknasah al-kahrabaeyah] v vacuum

كُنغُر kangaroo n [kanɣur]

كنية nickname n [kinja]

كنيسة church n [kani:sa]

كنيسة صغيرة
[Kanesah ṣagherah] n chapel

كنيسة معمدانية
[Kaneesah me'amedaneyah] n Baptist

أيمكننا زيارة الكنيسة؟
[a-yamkun-ana zeyarat al-kaneesa] Can we visit the church?

كهرباء electricity n [kahraba:ʔ]

مشتغل بالكهرباء
[Moshtaghel bel-kahrabaa] n electrician

لا توجد كهرباء

[la tojad kah-rabaa] There is no electricity

هل يجب علينا دفع مصاريف إضافية للكهرباء؟
[hal yajib 'aala-yna daf'a maṣa-reef eḍafiya lel-kah-rabaa?] Do we have to pay extra for electricity?

كهربائي electrical adj [kahraba:ʔij]

صَدمَة كهربائية
[Ṣadmah kahrbaeyah] n electric shock

سِلك كهربائي
[Selk kahrabaey] (لي) n flex

بطانية كهربائية
[Baṭaneyah kahrobaeyah] n electric blanket

كهربي adj [kahrabij]

انقطاع التيار الكهربي
[En'qetaa'a al-tayar alkahrabey] n power cut

أين توجد علبة المفاتيح الكهربية
[ayna tojad 'ailbat al-mafateeh al-kahraba-eya?] Where is the fusebox?

هل لديك أي بطاريات كهربية؟
[hal ladyka ay baṭa-reyaat?] Do you have any batteries?

هناك خطأ ما في الوصلات الكهربية
[hunaka khaṭaa ma fee al-waslaat al-kah-rabiya] There is something wrong with the electrics

كهرمان amber n [kahrama:n]

كهف cave n [kahf]

كهل middle-aged adj [kahl]

كهنوت ministry (religion) n [kahnu:t]

كهولي elderly adj [kuhu:lij]

كوب n [ku:b]

كوب من الماء
[koob min al-maa] a glass of water

كوبا Cuba n [ku:ba:]

كوبي Cuban n ◁ Cuban adj [ku:bij]

كوخ cabin, hut n [ku:x]

كوخ لقضاء العطلة
[Kookh le-'qadaa al-'aotlah] n cottage

كود n [ku:du]

كود الاتصال بمنطقة أو بلد
[Kod al-eteṣal bemanṭe'qah aw balad] n dialling code

chrome n [ku:ru:mu] كُوروم

كُوري [ku:rijjat] adj Korean ▸ n
Korean (person)

اللغة الكورية
[Al-loghah al-koreyah] (language) n
Korean

Korea n [ku:rja:] كوريا

كوريا الشمالية
[Koreya al-shamaleyah] n North Korea

zucchini n [ku:sa] كوسة

Costa n [ku:sta:ri:ka:] كوستاريكا
Rica

Kosovo n [ku:su:fu:] كوسوفو

cocaine n [ku:ka:ji:n] كوكايين

planet n [kawkab] كوكب

n [kawkaba] كوكبة

كوكبة القوس والرامي
[Kawkabat al-'qaws wa alramey] n Sagit-
tarius

cocktail n [ku:kti:l] كوكتيل

أتقدمون الكوكتيلات؟
[a-tu'qade-moon al-koktailaat?] Do you
sell cocktails?

n [ku:listiru:l] كولسْترُول
cholesterol

Colombian adj [ku:lu:mbi:] كولومبي

شخص كولومبي
[Shakhs kolombey] n Colombian

Colombia n [ku:lu:mbija:] كولومبيا

colonel n [ku:lu:ni:l] كولونيل

heap n [ku:ma] كومة

كومة منتظم
[Komat montadhem] n stack

bedside n [ku:mu:di:nu:] كومودينو
table

comedy n [ku:mi:dja:] كوميديا

كوميديا الموقف
[Komedya al-maw'qf] n sitcom

universe n [kawn] كوْن

adj [ku:nti:nunta:l] كونتينتال

إفطار كونتينتال
[Eftaar kontenental] n continental
breakfast

iron v [kawa:] كوى

n [kuwajtij] كويتي ▸ Kuwaiti adj
Kuwaiti

---

n [kajj] كيّ

كيّ الملابس
[Kay almalabes] n ironing

لوح الكي
[Looh alkay] n ironing board

n [ki:raʒista:n] كيرجستان
Kyrgyzstan

kerosene n [ki:runwsi:n] كيروسين

sack (container) n [ki:s] كيس

كيس التسوق
[Kees al-tasawo'q] n shopping bag

كيس النوم
[Kees al-nawm] n sleeping bag

كيس بلاستيكي
[Kees belasteekey] n plastic bag

كيس مشتريات
[Kees moshtarayat] n shopping bag

how adv [kajfa] كيف

كيف حالك؟
[kayfa haluka?] How are you?

كيف يمكن أن أصل إلى هناك؟
[kayfa yamkin an asal ela hunaak?]
How do I get there?

kilo n [ki:lu:] كيلو

kilometre n [ki:lu:mitr] كيلومتر

chemistry n [ki:mija:ʔ] كيمياء

كيمياء حيوية
[Kemyaa hayaweyah] n biochemistry

pharmacist adj [ki:mija:ʔij] كيميائي

معمل كيميائي
[M'amal kemyaeay] n pharmacy

مادة كيميائية
[Madah kemyaeyah] n chemical

Kenyan adj [ki:nij] كيني

شخص كيني
[Shakhs keeny] n Kenyan

Kenya n [ki:nja:] كينيا

n [ki:wi:] كيوي

طائر الكيوي
[Taarr alkewey] n kiwi

ل prep [li]

لأن
[liʔanna] conj because

لا no, not adv [la:]

لائم suit v [la:ʔama]

لاتيفي Latvian adj [la:ti:fi:]

اللغة الاتيفية
[Al-loghah al-atefeyah] (language) n Latvian

شخص لاتيفي
[Shakhs lateefey] (person) n Latvian

لاتيفيا Latvia n [la:ti:fja:]

لاتيني Latin adj ◁ Latin n [la:ti:ni:]

أمريكا اللاتينية
[Amreeka al-lateeneyah] n Latin America

لاجئ refugee n [la:ʒiʔ]

لأجل for prep [liʔaʒli]

لاحظ observe v [la:ħazˤa]

أعتذر، لم ألاحظ ذلك
[A'atadher, lam olaḥeḍh dhalek] Sorry, I didn't catch that

لاحق following adj [la:ħiq]

سوف أتصل بك لاحقا
[sawfa ataṣil beka laḥi'qan] I'll call back later

هل يجب أن أدفع الآن أم لاحقا؟
[hal yajib an adfa'a al-aan am la-ḥe-qan?] Do I pay now or later?

هل يمكن أن أعود في وقت لاحق؟
[hal yamken an a'aood fee wa'qt la-ḥi'q?] Shall I come back later?

لاحق pursue v [la:ħaqa]

يلاحق خطوة بخطوة
[Yolaḥek khotwa bekhotwah] v keep up

لاحقا eventually adv [la:ħiqan]

لاصق adj [la:sˤiq]

شريط لاصق
[Shreeṭ laṣe'q] n Sellotape®

لاصقة n [la:sˤiqa]

أريد بعض اللاصقات الطبية
[areed ba'aḍ al-laṣi-'qaat al-ṭub-iya] I'd like some plasters

لاطف stroke v [la:tˤafa]

لاعب player (of a sport) n [la:ʕib]

لاعب رياضي
[La'aeb reyaḍey] n athlete

لاعب كرة القدم
[La'aeb korat al-'qadam] n footballer

لافت adj [la:fit]

لافت للنظر
[Lafet lel-nadhar] adj striking

لافتة sign n [la:fita]

لافتة طريق
[Lafetat ṭaree'q] n road sign

لافندر lavender n [la:fandar]

لؤلؤة pearl n [luʔluʔa]

لام blame v [la:m]

لامع shiny, vivid adj [la:miʃ]

لأن conj [liʔanna]

لأن
[liʔanna] conj because

لاهوت theology n [la:hu:t]

لاووس n [la:wu:s]

جمهورية لاووس
[Jomhoreyat lawoos] n Laos

لايصدق unbelievable adj [la:jusˤsˤaddaq]

لإيلاك lilac n [la:jla:k]

لُب core n [lubb]

لبؤة lioness n [labuʔa]

لباد felt n [liba:d]

لباس style n [liba:s]

لباس الاستحمام
[Lebas al-estehmam] n swimming

لحم أحمر
[Laḥm aḥmar] *n* red meat

لحم ضأن
[Laḥm ḍaan] *n* mutton

لحم عجل
[Laḥm 'aejl] *n* veal

لحم غزال
[Laḥm ghazal] *n* venison

لحم خنزير مقدد
[Laḥm khanzeer me'qaded] *n* bacon

لحم بقري
[Laḥm ba'qarey] *n* beef

لحم مفروم
[Laḥm mafroom] *n* mince

لا أتناول اللحوم الحمراء
[la ata- nawal al-liḥoom al-ḥamraa] I don't eat red meat

لا أحب تناول اللحوم
[la aḥib ta-nawal al-liḥoom] I don't like meat

لا أكل اللحوم
[la aakul al-liḥoom] I don't eat meat

ما هي الأطباق التي لا تحتوي على لحوم أو أسماك؟
[ma heya al-aṭba'q al-laty la taḥtawy 'aala liḥoom aw asmak?] Which dishes have no meat / fish?

لحن
melody *n* [laḥn]

لحن منفرد
[Laḥn monfared] *n* concerto

لحية
beard *n* [liḥja]

لخبط
shuffle *v* [lxbat'a]

لختنشتاين
n [lixtunʃta:jan] Liechtenstein

لخّص
summarize *v* [laxxas'a]

لدغ
sting *v* [ladaɣa]

لقد لدغت
[la'qad lode'q-to] I've been stung

لدغة
sting *n* [ladɣa]

لذيذ
adj [laðiːð]

لذيذ المذاق
[Ladheedh al-madha'q] *adj* tasty

كان مذاقه لذيذًا
[kan madha-'qoho ladhe-dhan] That was delicious

كان هذا لذيذًا

costume

لباقة
tact *n* [laba:qa]

لبس
dress *vi* [labasa]

لبق
tactful, graceful *adj* [labiq]

غير لبق
[Ghaey labe'q] *adj* tactless

لبلاب
ivy *n* [labla:b]

لبن
n [laban]

لبن أطفال
[Laban aṭfaal] *n* formula

لبن مبستر
[Laban mobaster] *n* UHT milk

مصنع منتجات الألبان
[maṣna'a montajat al-alban] *n* dairy

منتجات الألبان
[Montajat al-baan] *npl* dairy products

إنه منتج بلبن غير مبستر
[inaho muntaj be-laban ghayr mubastar] Is it made with unpasteurised milk?

لبنان
Lebanon *n* [lubna:n]

لبناني
Lebanese *adj* [lubna:nij]

لبون
mammal *n* [labu:n]

لتر
litre *n* [litr]

لثة
gum *n* [laθatt]

لثتي تنزف
[lathaty tanzuf] My gums are bleeding

لجأ
v [laʒaʔa]

لجأ إلى
[Lajaa ela] *v* resort to

لجام
reins *n* [liʒa:m]

لجنة
committee *n* [laʒna]

لحاء
bulb (plant) *n* [liḥa:ʔ]

لحاف
quilt *n* [liḥa:f]

لحظة
moment *n* [laḥz'a]

كل لحظة
[Kol laḥdhah] *adv* momentarily

لحظة واحدة من فضلك
[laḥdha waheda min faḍlak] Just a moment, please

لحق بـ
catch up *n* [laḥiqa bi]

لحم
meat *n* [laḥm]

شرائح اللحم البقري المشوي
[Shraeḥ al-laḥm al-ba'qarey al-mashwey] *n* beefburger

كرة لحم
[Korat laḥm] *n* meatball

[kan hadha ladhe-dhan] That was
delicious

لزج sticky adj [laziʒ]

لسان tongue n [lisa:n]

لسع bite v [lasaʕa]

لص thief n [lisˤsˤ]

لص المنازل
[Leṣ al-manazel] n burglar

لصقة n [lasˤqa]

لصقة طبية
[Laṣ'qah ṭebeyah] n Band-Aid

لطخ stain v [latˤtˤaxa]

لطخة stain, smudge n [latˤxa]

لطف kindness n [lutˤf]

لطفا kindly adv [lutˤfan]

لطمة blow n [latˤma]

لطيف mild, nice, tender adj [latˤiːf]

لعاب saliva n [luʕaːb]

لعب play n [laʕib]

لعب play (in sports) vt [laʕaba]

أين يمكنني أن ألعب التنس؟
[ayna yamken-any an al-'aab al-tanis?]
Where can I play tennis?

لعبة toy n [luʕba]

لعبة رمي السهام
[Lo'abat ramey al-seham] npl darts

لعبة ترفيهية
[Lo'abah trafeheyah] n amusement
arcade

لعبة الاستغماية
[Lo'abat al-estoghomayah] n
hide-and-seek

لعبة البولنغ العشرية
[Lo'aba al-boolenj al-'ashreyah] n tenpin
bowling

لعبة البولينج
[Lo'aba al-boolenj] n tenpin bowling

لعبة الكريكيت
[Lo'abat al-kreeket] n cricket (game)

لعبة الكترونية
[Lo'abah elektroneyah] n computer game

لعبة طاولة
[Lo'abat ṭawlah] n board game

لعق lick v [laʕaqa]

لعل perhaps adv [laʕalla]

لعنة curse n [laʕna]

cheerful adj [laʃuːb] **لعوب**

damn adj [laʕiːnu] **لعين**

language n [luɣa] **لغة**

اللغة الصينية
[Al-loghah al-ṣeeneyah] (language) n
Chinese

اللغة الأرمنية
[Al-loghah al-armeeneyah] (language) n
Armenian

اللغة الألبانية
[Al-loghah al-albaneyah] (language) n
Albanian

اللغة العربية
[Al-loghah al-arabeyah] (language) n
Arabic

اللغة التشيكية
[Al-loghah al-teshekeyah] (language) n
Czech

اللغة الباسكية
[Al-loghah al-bakestaneyah] (language)
n Basque

اللغة البلغارية
[Al-loghah al-balghareyah] (language) n
Bulgarian

اللغة البورمية
[Al-loghah al-bormeyah] (language) n
Burmese

اللغة البيلاروسية
[Al-loghah al-belaroseyah] (language) n
Belarussian

اللغة الفنلندية
[Al-loghah al-fenlandeyah] n Finnish

اللغة الكرواتية
[Al-loghah al-korwateyah] (language) n
Croatian

مُفردات اللغة
[Mofradat Al-loghah] npl vocabulary

puzzle n [luɣz] **لغز**

linguistic adj [luɣawij] **لغوي**

roll vi [laffa] **لف**

go round v [laffa] **لف**

scarf n [lifaːʕ] **لفاع**

turnip n [laft] **لفت**

نبات اللفت
[Nabat al-left] n rape (plant)

roll n [laffa] **لفة**

[Looḥat al-faarah] n mouse mat
لوحة الملاحظات
[Looḥat al-molaḥdhat] n notice board
لوحة النشرات
[Looḥat al-nasharaat] n notice board
لوحة بيضاء
[Looḥ bayḍaa] n whiteboard
لوحة مفاتيح
[Looḥat mafateeh] n keyboard
لوحة مفاتيح تحكم
[Looḥat mafateeh taḥakom] n
switchboard
لوري n [lu:ri:]
شاحنة لوري
[Shaḥenah loorey] n truck
لوز almond n [lawz]
لوزة n [lawza]
التهاب اللوزتين
[Eltehab al-lawzatayn] n tonsillitis
لوزتين tonsils npl [lawzatajni]
لوشن n [lawʃan]
لوشن بعد التعرض للشمس
[Loshan b'ad al-t'aroḍ lel shams] n after-
sun lotion
لوكيميا leukaemia n [lu:ki:mja:]
لوم blame n [lawm]
لون colour n [lawn]
لون مائي
[Lawn maaey] n watercolour
أنا لا أحب هذا اللون
[ana la oḥibo hadha al-lawn] I don't like
the colour
بالألوان
[bil-al-waan] in colour
هذا اللون من فضلك
[hatha al-lawn min faḍlak] This colour,
please
هل يوجد لون آخر غير ذلك اللون؟
[hal yujad lawn aakhar ghayr dhalika
al-lawn?] Do you have this in another
colour?
لوى twist vt [lawa:]
يلوي المفصل
[Yalwey al-mefṣal] v sprain
ليبي Libyan n ◁ Libyan adj [li:bij]
ليبيا Libya n [li:bja:]

لفحة blast n [lafḥa]
لقاء n [liqa:ʔ]
إلى اللقاء
[ela al-le'qaa] excl bye-bye!
إلى اللقاء
[ela al-le'qaa] Goodbye
لقاح pollen n [liqa:ħ]
لقب surname, title n [laqab]
لقح vaccinate v [laqqaħa]
لقطة n [laqtˤa]
لقطة فوتوغرافية
[La'qtah fotoghrafeyah] n snapshot
لكسمبورغ n [luksambu:rɣ]
Luxembourg
لكل per prep [likulli]
لكم poke v [lakama]
لمبة n [lamba]
اللمبة لا تضئ
[al-lumbah la-tuḍee] The lamp is not
working
لمح glance v [lamaħa]
لمحة glance n [lamħa]
لمس n [lams]
لوحة اللمس
[Lawḥat al-lams] n touchpad
لمس touch v [lamasa]
لمع shine v [lamaʕa]
لندن London n [lund]
لهب flame n [lahab]
لهجة dialect n [lahʒa]
لهو fun n [lahw]
لوّث pollute v [lawwaθa]
لوح board (wood) n [lawħ]
لوح صلب
[Looḥ ṣolb] n hardboard
لوح غطس
[Looḥ ghaṭs] n diving board
لوح الركمجة
[Looḥ al-rakmajah] n surfboard
لوح الكي
[Looḥ alkay] n ironing board
لوّح wave v [lawwaħa]
لوحة tablet, painting n [lawḥa]
لوحة الأرقام
[Looḥ al-ar'qaam] n number plate
لوحة الفأرة

ليبيري [li:bi:rij] adj Liberian ◁ n
Liberian

ليبيريا [li:bi:rja:] n Liberia

ليتواني [li:twa:nij] adj Lithuanian

اللغة الليتوانية
[Al-loghah al-letwaneyah] (language) n
Lithuanian

شخص ليتواني
[shakhṣ letwaneyah] (person) n
Lithuanian

ليتوانيا [li:twa:nja:] n Lithuania

ليزر [lajzar] n laser

ليس [lajsa] adv

ليس لدي أية فكّة أصغر
[Laysa laday ay fakah aṣghar] I don't
have anything smaller

ليل [lajl] n night

منتصف الليل
[montaṣaf al-layl] n midnight

غدًا في الليل
[ghadan fee al-layl] tomorrow night

ليلا [lajla:] at night adv

ليلة [lajla] night n

في هذه الليلة
[Fee hadheh al-laylah] adv tonight

.أريد تذكرتين لحفلة الليلة، إذا تفضلت
[areed tadhkara-tayn le-ḥaflat al-layla,
edha tafaḍalt] Two tickets for tonight,
please

أريد تذكرتين لهذه الليلة
[areed tadhkeara-tayn le-hadhy al-layla]
I'd like two tickets for tonight

أريد البقاء لليلة أخرى
[areed al-ba'qaa le-layla ukhra] I want
to stay an extra night

أريد حجز مائدة لثلاثة أشخاص هذه الليلة
[areed ḥajiz ma-e-da le-thalathat
ashkhaaṣ hadhy al-layla] I'd like to
reserve a table for three people for
tonight

الليلة الماضية
[al-laylah al-maaḍiya] last night

كم تبلغ تكلفة الإقامة في الليلة الواحدة؟
[kam tablugh taklifat al-e'qama fee
al-layla al-waḥida?] How much is it per
night?

كم تبلغ تكلفة الخيمة في الليلة الواحدة؟
[kam tablugh taklifat al-khyma fee
al-layla al-waḥida?] How much is it per
night for a tent?

ليلة سعيدة
[layla sa'aeeda] Good night

ما المكان تفضل الذي الذهاب إليه الليلة؟
[ma al-makan aladhy tofaḍel al-dhehab
wlayhe al-laylah?] Where would you
like to go tonight?

ماذا يعرض الليلة على شاشة السينما؟
[madha yu-a-raḍ al-layla 'aala sha-shat
al-senama?] What's on tonight at the
cinema?

نريد حجز مقعدين في هذه الليلة
[nureed ḥajiz ma'q-'aad-ayn fee hadhy
al-layla] We'd like to reserve two seats
for tonight

هل سيكون الجو باردا الليلة؟
[hal sayakon al-jaw baredan al-layla?]
Will it be cold tonight?

هل لديكم غرفة شاغرة الليلة؟
[hal ladykum ghurfa shaghera al-layla?]
Do you have a room for tonight?

ليلي [lajlij] nighttime adj

الخدمات الترفيهية الليلية
[Alkhadmat al-tarfeeheyah al-layleyah] n
nightlife

مدرسة ليلية
[Madrasah layleyah] n night school

نادي ليلي
[Nadey layley] n nightclub

نوبة ليلية
[Noba layleyah] n nightshift

ليموزين [li:mu:zi:n] n limousine

ليمون [lajmu:n] lemon, lime (fruit) n

عصير الليمون المحلى
['aaṣeer al-laymoon al-moḥala] n lemon-
ade

بالليمون
[bil-laymoon] with lemon

ليو [liju:] n Leo

سكاكين المائدة
[Skakeen al-maeadah] n cutlery
أريد حجز مائدة لشخصين في ليلة الغد
[areed ḥajiz ma-e-da le-shakhṣiyn fee laylat al-ghad] I'd like to reserve a table for two people for tomorrow night
من فضلك أريد مائدة لأربعة أشخاص
[min faḍlak areed ma-eda le-arba'aat ash-khaṣ] A table for four people, please
مائل [ma:ʔil] adj
مائل للبرودة
[Mael lel-brodah] adj cool (cold)
مؤامرة [muʔa:mara] n conspiracy
مات [ma:ta] v die
مؤتمر [muʔtamar] n conference
مؤتمر صحفي
[Moatamar ṣaḥafey] n press conference
مؤتمن [muʔtaman] adj trusting
مؤثر [muʔaθir] adj impressive
مؤخرًا [muʔaxxaran] adv
أصبت مؤخرًا بمرض الحصبة
[oṣebtu mu-akharan be-maraḍ al-ḥaṣba] I had measles recently
مُؤخِّرةٌ [muʔaxirra] n backside
مؤخرة الجيش
[Mowakherat al-jaysh] n rear
مُؤخِّره [muʔaxxirra] n behind
مؤدب [muʔaddab] adj polite
مادة [ma:dda] n clause, material
مادة سائلة
[madah saaelah] n liquid
مادة غير عضوية
[Madah ghayer 'aodweyah] n mineral
مادة تلميع
[Madah talmee'a] adj polish
مادة كيميائية
[Madah kemyaeyah] n chemical
مادة لاصقة
[Madah laṣe'qah] n plaster (for wound)
مادة مركبة
[Madah morakabah] n complex
مادة مسيلة
[Madah moseelah] n liquidizer
مادة متفجرة
[Madah motafajerah] n explosive

ما [ma:] pron what
كما
[kama:] prep as
ما الذي بك؟
[ma al-lathy beka?] What's the matter?
ماء [ma:ʔ] n water
تحت الماء
[Taḥt al-maa] adv underwater
ماء ملحي
[Maa mel'ḥey] adj saltwater
إبريق من الماء
[ebree'q min al-maa-i] a jug of water
أتسمح بفحص الماء بالسيارة؟
[a-tas-maḥ be-faḥiṣ al-maa-i bil-sayara?] Can you check the water, please?
أود أن أسبح تحت الماء.
[Owad an asbaḥ taḥt al-maa.] I'd like to go snorkelling
مائة [ma:ʔitun] number hundred
أرغب في تغيير مائة... إلى...
[arghab fee taghyeer ma-a... ela...] I'd like to change one hundred... into...
أرغب في الحصول على مائتي...
[arghab fee al-ḥuṣool 'aala ma-a-tay...] I'd like two hundred...
مائدة [ma:ʔida] n

مادة منظفة
[Madah monadhefah] n detergent

مادة منكهة
[Madah monakahah] n flavouring

مادي adj [ma:dijat]

مكوّنات مادية
[Mokawenat madeyah] n hardware

مؤذ [muʔðin] adj mischievous

غير مؤذ
[Ghayer modh] adj harmless

ماذا [ma:ða:] pron

ماذا أفعل؟
[madha af'aal?] What do I do?

ماذا يوجد في هذا؟
[madha yujad fee hadha?] What is in this?

ماذا؟
[Madeyah] Pardon?

مؤذي [muʔði:] v ◁ harmful adj abusive

مارثون [ma:raθu:n] n

سباق المارثون
[Seba'q al-marathon] n marathon

مؤرّخ [muʔarrix] n historian

مارد [ma:rid] n giant

مارس [ma:ris] n March

مارس [ma:rasa] v practise

يُمارس رياضة العدو
[Yomares reyadat al-'adw] v/ jog

.أود أن أمارس رياضة ركوب الأمواج
[Awad an omares reyadat rekob al-amwaj.] I'd like to go wind-surfing

أين يمكن أن نمارس رياضة التزلج بأحذية التزلج؟
[ayna yamken an nomares riyadat al-tazal-oj be-ahdheat al-tazal-oj?] Where can we go roller skating?

ماركة [ma:rka] n make

ماركة جديدة
[Markah jadeedah] n brand-new

ماريجوانا [ma:ri:ʒwa:na:] n marijuana

مئزر [miʔzar] n pinafore

مأزق [maʔziq] n ordeal

ماس [ma:s] n diamond

مأساة [maʔsa:t] n tragedy

مأساوي [maʔsa:wij] adj tragic

ماسح [ma:siħ] n

ماسح ضوئي
[Maaseh daweay] n scanner

ماسح الأراضي
[Maseh al-araadey] n surveyor

ماسحة [ma:siħa] n

ماسحة زجاج السيارة
[Masehat zojaj sayarh] n windscreen wiper

مؤسس [muʔassas] adj

مؤسس على
[Moasas ala] adj based

مؤسسة [muʔassasa] n firm, institution

ماسكارا [ma:ska:ra:] n mascara

ماسورة [ma:su:ra] n pipe

مؤشر [muʔaʃʃir] n cursor, indicator

ماشية [ma:ʃijjatun] npl cattle

ماضي [ma:dˤi:] n past

ماعز [ma:ʕiz] n goat

مؤقّت [muʔaqqat] adj temporary

عامل مؤقّت
['aamel mowa'qat] n temp

ماكر [ma:kir] adj cunning

ماكريل [ma:kiri:li] n

سمك الماكريل
[Samak al-makreel] n mackerel

ماكينة [ma:ki:na] n machine

ماكينة صرافة
[Makenat serafah] n cash dispenser

ماكينة تسجيل الكاش
[Makenat tasjeel al-kaash] n till

ماكينة الشقبية
[Makenat al-sha'qabeyah] n vending machine

ماكينة بيع
[Makenat bay'a] n vending machine

أين توجد ماكينة التذاكر؟
[ayna tojad makenat al-tadhaker?] Where is the ticket machine?

هل توجد ماكينة فاكس يمكن استخدامها؟
[hal tojad makenat fax yamken istekh-damuha?] Is there a fax machine I can use?

مال money n [ma:l]

مال يرد بعد دفعه
[Maal yorad daf'ah] n drawback

أريد تحويل بعض الأموال من حسابي
[areed taḥweel ba'aḍ al-amwal min ḥesaaby] I would like to transfer some money from my account

ليس معي مال
[laysa ma'ay maal] I have no money

هل يمكن تسليفي بعض المال؟
[hal yamken tas-leefy ba'aḍ al-maal?] Could you lend me some money?

مال tip (incline), bend down v [ma:la]

مالح adj [ma:liḥ]

ماء مالح
[Maa maleḥ] n marinade

مالطة Malta n [ma:ltˤa]

مالطي n ◄ Maltese adj [ma:ltˤij]

اللغة المالطية
[Al-loghah al-malṭeyah] (language) n Maltese

مؤلف author n [muʔallif]

مؤلف موسيقى
[Moaalef mosee'qy] n composer

مالك owner n [ma:lik]

مالك الأرض
[Malek al-arḍ] n landowner

مالك الحزين
[Malek al ḥazeen] n heron

من فضلك هل يمكنني التحدث إلى المالك؟
[min faḍlak hal yamkin-ani al-tahaduth ela al-maalik?] Could I speak to the owner, please?

مالكة n [ma:lika]

مالكة الأرض
[Malekat al-ard] n landlady

مؤلم painful adj [mulim]

مألوف familiar adj [maʔlu:f]

غير مألوف
[Ghayer maaloof] adj unfamiliar

مالي financial adj [ma:lij]

سنة مالية
[Sanah maleyah] n financial year

موارد مالية
[Mawared maleyah] npl funds

ورقة مالية
[Wara'qah maleyah] n note

ماليزي Malaysian adj [ma:li:zij]

شخص ماليزي
[shakhṣ maleezey] n Malaysian

ماليزيا Malaysia n [ma:li:zja:]

ماما mum, mummy n [ma:ma:] (mother)

مُؤمّن secure adj n [muʔamman]

مؤمن عليه
[Moaman 'aalayh] adj insured

أنا مؤمن علىّ
[ana mo-aaman 'aalya] I have insurance

ماموث mammoth n [ma:mu:θ]

مؤنث feminine, adj [muʔannaθ] female

مَانح donor n [ma:niḥ]

مانع n [ma:niʕ]

هل لديك مانع في أن أدخن؟
[Hal ladayk mane'a fee an adakhan?] Do you mind if I smoke?

مانع v [ma:naʕa]

أنا لا أمانع
[ana la omani'a] I don't mind

هل تمانع؟
[hal tumani'a?] Do you mind?

ماهر skilled adj [ma:hir]

مؤهل capable n [moahhal]

مُؤهّل qualified adj [muahhal]

مُؤهّل qualification n [muahhil]

ماهوجني adj [ma:hu:ʒnij]

خشب الماهوجني
[Khashab al-mahojney] n mahogany

ماوري Maori adj [ma:wrij]

اللغة الماورية
[Al-loghah al-mawreyah] (language) n Maori

شخص ماوري
[Shakhṣ mawrey] (person) n Maori

مئوية n [miʔiwijja]

درجة حرارة مئوية
[Draajat ḥaraarah meaweyah] n degree centigrade

ما يرام adv [ma: jura:m]

premature adj [mubatasir] مبتسر

wet adj [mubtal] مبتل

moist adj [mubtall] مُبْتَل

principle n [mabdau] مبدأ

initially adv [mabdaʔijjan] مبدئياً

ingenious adj [mubdiʕ] مبدع

pencil sharpener n [mibra:t] مبراة

n [mibrad] مبرد

مبرد أظافر

[Mabrad adhafer] n nailfile

reason n [mubbarir] مُبِّرر

programmer n [mubarmiʒ] مُبَرْمِج

pasteurized adj [mubastar] مبستر

missionary n [mubaʃʃir] مُبَشِّر

late (delayed) adj [mubtʕiʔ] مُبطئ

early adj [mubakkir] مبكر

adv [mubakiran] مبكراً

لقد وصلنا مبكراً

[la'qad waṣalna mu-bakiran] We arrived early/late

amount n [mablaɣ] مبلغ

adj [muballal] مبلل

مبلل بالعرق

[Mobala bel-ara'q] adj sweaty

n [mabna:] مبنى

المبنى والأراضي التابعة له

[Al-mabna wal-aradey al-taabe'ah laho] n premises

مبنى نُصُب تذكاري

[Mabna noṣob tedhkarey] n monument

cheerful adj [mubhaʒ] مبهج

vague adj [mubham] مبهم

n [mabi:t] مبيت

مبيت وإفطار

[Mabeet wa eftaar] n bed and breakfast, B&B

هل يجب علي المبيت؟

[hal yajib 'aala-ya al-mabeet?] Do I have to stay overnight?

n [mubi:d] مبيد

مبيد الأعشاب الضارة

[Mobeed al'ashaab al-ḍarah] n weedkiller

مبيد الجراثيم

[Mobeed al-jaratheem] n disinfectant

مبيد حشرات

أشعر أنني لست على ما يرام

[ash-'aur enna-nee lasto 'aala ma yo-raam] I feel sick

هل أنت على ما يرام

[hal anta 'aala ma yoraam?] Are you alright?

May n [ma:ju:] مايو

swimsuit n [ma:ju:h] مَايوه

initiative n [muba:dara] مبادرة

game, match n [muba:ra:t] مباراة (sport)

مباراة الإياب فى ملعب المضيف

[Mobarat al-eyab fee mal'aab al-moḍeef] n home match

مباراة الذهاب

[Mobarat al-dhehab] n away match

مباراة كرة قدم

[Mobarat korat al-'qadam] n football match

direct adj [muba:ʃir] مباشر

غير مباشر

[Ghayer mobasher] adj indirect

أفضل الذهاب مباشرة

[ofaḍel al-dhehaab muba-sharatan] I'd prefer to go direct

هل يتجه هذا القطار مباشرة إلى...؟

[hal yata-jih hadha al-'qetaar muba-sha-ratan ela...?] Is it a direct train?

directly adv [muba:ʃaratan] مباشرةً

sold out adj [muba:ʕ] مُبَاع

adj [muba:laɣ] مبالغ

مبالغ فيه

[mobalagh feeh] adj overdrawn

exaggeration n [muba:laɣa] مبالغة

npl [maba:ni:] مباني

مباني وتجهيزات

[Mabaney watajheezaat] n plant (site/equipment)

adj [mubtadiʔ] مبتدئ

المبتدئ

[Almobtadea] n beginner

أين توجد منحدرات المبتدئين؟

[Ayn tojad monḥadrat al-mobtadean?] Where are the beginners' slopes?

stale adj [mubtaðal] مبتذل

واجهة العرض في المتجر
[Wagehat al-'aarḍ fee al-matjar] n shop window

مَتجر السجائر
[Matjar al-sajaaer] n tobacconist's

متجعد wrinkled adj [mutaʒaʕid]

متجمد frozen adj [mutaʒammid]

مطر متجمد
[Maṭar motajamed] n sleet

متجه adj [muttaʒih]

ما هو الموعد التالي للمركب المتجه إلى...؟
[ma howa al-maw'aid al-taaly lel-markab al-mutajeh ela...?] When is the next sailing to...?

مُتَجوّل rambler n [mutaʒawwil]

متحامل prejudiced adj [mutaħa:mil]

متحجر petrified adj [mutaħaʒʒir]

متحد united adj [muttaħid]

الإمارات العربية المتحدة
[Al-emaraat al'arabeyah al-motahedah] npl United Arab Emirates

الأمم المتحدة
[Al-omam al-motahedah] n United Nations

المملكة المتحدة
[Al-mamlakah al-motahedah] n UK

الولايات المتحدة
[Al-welayat al-mothedah al-amreekeyah] n United States, US

متحدث adj [mutaħaddiθ]

متحدث باللغة الأم
[motaḥdeth bel-loghah al-om] n native speaker

مُتَحدّث باسم
[Motaḥadeth besm] n spokesman, spokesperson

مُتَحدّثة n [mutaħddiθa]

مُتَحدّثة باسم
[Motaḥadethah besm] n spokeswoman

متحرك moving adj [mutaħarriki]

سلم متحرك
[Solam motaḥarek] n escalator

سير متحرك
[Sayer motaḥrrek] n conveyor belt

مُتَحَرِّك mobile adj [mutaħarrik]

[Mobeed hasharat] n pesticide

مُبَيِّض bleached adj [mubajjidˤ]

مبيَّض ovary n [mabi:dˤ]

مبيع n [mubi:ʃ]

مبيعات بالتليفون
[Mabee'aat bel-telefoon] npl telesales

مندوب مبيعات
[Mandoob mabee'aat] n sales rep

متأثر impressed adj [mutaʔaθirr]

متأخر delayed adj [mutaʔaxxir]

متأخراً late adv [mutaʔaxiran]

متأخرات npl [mutaʔaxxira:tun] arrears

متأكد sure adj [mutaʔakkid]

غير متأكد
[Ghayer moaakad] adj unsure

متأنق dressed adj [mutaʔanniq]

متأهب ready adj [mutaʔahib]

متاهة maze n [mata:ha]

متبادل mutual adj [mutaba:dal]

متبرع n [mutabarriʃ]

محل لبضائع متبرع بها لجهة خيرية
[Maḥal lebaḍae'a motabar'a beha lejahah khayryah] n charity shop

متبقي remaining adj [mutabaqij]

متبل spicy adj [mutabbal]

متبلد blunt adj [mutaballid]

متبلد الحس
[Motabled al-ḥes] adj cool (stylish)

مُتَبَنّى adopted adv [mutabanna:]

متتابع adj [mutata:biʃ]

سلسلة متتابعة
[Selselah motatabe'ah] n episode

متتالية series n [mutata:lijja]

متجر n [matʒar]

صاحب المتجر
[Ṣaheb al-matjar] n shopkeeper

متجر البقالة
[Matjar al-be'qalah] n grocer's

متجر المقتنيات القديمة
[Matjar al-mo'qtanayat al-qadeemah] n antique shop

متجر كبير جداً
[Matjar kabeer jedan] n hypermarket

متجر هدايا
[Matjar hadaya] n gift shop

متحضر adj [mutaħadˤdˤir]

غير متحضر
[ghayer motahaḍer] adj uncivilized

متحف [matħaf] n museum

متى يُفتح المتحف؟
[mata yoftaḥ al-matḥaf?] When is the museum open?

هل المتحف مفتوح في الصباح؟
[hal al-mat-ḥaf maf-tooḥ fee al-ṣabaḥ] Is the museum open in the morning?

متحفظ [mutaħaffizˤ] adj shy

متحكم [mutaħakkim] adj

متحكم به عن بعد
[Motaḥkam beh an bo'ad] adj radio-controlled

متحمس [mutaħammis] adj keen

متحير [mutaħajjir] adj baffled, bewildered

متحيز [mutaħajjiz] adj biased

غير متحيز
[Ghayer motaḥeyz] adj impartial

متحيز عنصريا
[Motaḥeyz 'aonṣoreyan] n racist

متخصص [mutaxasˤsˤisˤ] n specialist

متخلف [mutaxaliff] adj out-of-date

متداول [mutada:walat] adj

عملة متداولة
[A'omlah motadawlah] n currency

متدرب [mutadarrib] n trainee

متر [mitr] n metre

متراس [mutara:sin] n roadblock

متراكز [mutara:kiz] adj

لا متراكز
[La motrakez] adj eccentric

مترجم [mutarʒim] n translator

مترف [mutraf] adj luxurious

مترنح [mutaranniħ] adj tipsy

مترو [mitru:] n

محطة مترو
[Mahaṭat metro] n tube station

أين توجد أقرب محطة للمترو؟
[ayna tojad a'qrab muḥaṭa lel-metro?] Where is the nearest tube station?

متري [mitri] adj metric

متزامن [mutaza:min] adj simultaneous

متزايد [mutaza:jid] adj

بشكل متزايد
[Beshakl motazayed] adv increasingly

مُتَزَلِّج [mutazalliʒ] n skier

متزوج [mutazawwiʒ] adj married

غير متزوج
[Ghayer motazawej] adj unmarried

مُتَسابق [mutasa:biq] n sprinter

متسامح [mutasa:miħ] adj tolerant

متسخ [muttasix] adj

إنها متسخة
[inaha mutasikha] It's dirty

متسلق [mutasalliq] n

متسلق الجبال
[Motasale'q al-jebaal] n mountaineer

متسلق الجبال
[Motasale'q al-jebaal] n climber

متسول [mutasawwil] n tramp (beggar)

المتسول
[Almotasawel] n beggar

فنان متسول
[Fanan motasawol] n busker

متشائم [mutaʃa:ʔim] adj pessimistic, pessimist

متصدع [mutasˤaddiʕ] adj cracked

متصفح [mutasˤaffiħ] n browser

متصفح شبكة الإنترنت
[Motaṣafeḥ shabakat al-enternet] n web browser

مُتَصِّفح الانترنت
[Motaṣafeḥ al-enternet] n surfer

متصل [muttasˤil] adj

غير متصل بالموضوع
[Ghayr motaṣel bel-maeḍo'a] adj irrelevant

متصل بالإنترنت
[motaṣel bel-enternet] adj online

من المتصل؟
[min al-mutaṣil?] Who's calling?

متضارب [mutadˤa:rib] adj inconsistent

متطابق [mutatˤa:biq] adj identical

متطرف [mutatˤarrif] n extremist

متطفل [mutatˤafil] n intruder

متطوع [mutatˤawwiʕ] n volunteer

[Be-shakl mota'amad] adv deliberately

creased adj [mutayad'd'in] مُتغضن

adj [mutayajjir] مُتغير

غير مُتغير
[Ghayr motaghayer] adj unchanged

optimistic, adj [mutafa:ʔil] مُتفائل
optimist

surprised adj [mutafa:ʒiʔ] مُتفاجئ

dedicated adj [mutafarriɣ] مُتفرِّغ

غير مُتَفرِّغ
[Ghayr motafaregh] part-time

adj [muttafaq] مُتفق

مُتفق عليه
[Motafa'q 'alayeh] adj agreed

adj [mutafahhim] مُتفهم
understanding

adj [mutaqa:tˤiʕ] مُتقاطع

طرق مُتقاطعة
[Taree'q mot'qat'ah] n crossroads

كلمات مُتقاطعة
[Kalemat mota'qat'aa] n crossword

cross adj [mutaqa:tˤiʔ] مُتقاطع

retired adj [mutaqa:ʕid] مُتقاعد

advanced adj [mutaqaddim] مُتقدم

شخص مُتقدم العمر
[Shakhs mota'qadem al-'aomr] n senior
citizen

unsteady adj [mutaqalibb] مُتقلب

مُتقلب المزاج
[Mota'qaleb al-mazaj] adj moody

shrunk adj [mutaqallisˤ] مُتقلص

shaky adj [mutaqalqil] مُتقلقل

snob n [mutakabbir] مُتكبر

frequent, adj [mutakarrir] مُتكرر
recurring

على نحو مُتكرر
['aala nahw motakarer] adv repeatedly

سُؤال مُتكرر
[Soaal motakarer] n FAQ

adj [mutakallif] مُتكلف
sophisticated

n [mutala:zima] مُتلازمة

مُتلازمة داون
[Motalazemat dawon] n Down's
syndrome

recipient n [mutalaqi] مُتَلَقٍ

adj [mutaʕa:tˤif] مُتعاطف
sympathetic

adj [mutaʕa:qib] مُتعاقب
consecutive, successive

tired adj [mutʕab] مُتعب

arrogant adj [mutaʕaʒrif] مُتعجرف

numerous adj [mutaʕaddid] مُتعدد

تَلَيُّف عصبي مُتعدد
[Talayof 'aasabey mota'aded] n multiple
sclerosis

مُتعدد الجنسيات
[Mota'aded al-jenseyat] adj
multinational

مُتعدد الجوانب
[Mota'aded al-jawaneb] n versatile

adj [mutaʕaððir] مُتعذر

مُتعذر تجنبه
[Mota'adhar tajanobah] adj unavoidable

مُتعذر التحكم فيه
[Mota'adher al-tahakom feeh] adj
uncontrollable

adj [mutaʕassir] مُتعسر

شخص مُتعسر النطق
[Shakhs mota'aser al-not'q] n dyslexic

adj [mutaʕasˤsˤib] مُتعصب

شخص مُتعصب
[Shakhs motaʕseb] n fanatic

intolerant adj [mutaʕasˤsˤibb] مُتَعصب

mouldy adj [mutaʕaffin] مُتعفن

adj [mutaʕalliq] مُتعلق

مُتعلق بالعملة
[Mota'ale'q bel-'omlah] adj monetary

مُتعلق بالبدن
[Mota'ale'q bel-badan] n physical

مُتعلق بالقرون الوسطى
[Mot'aale'q bel-'qroon al-wosta] adj
mediaeval

npl [mutaʕalliqa:tun] مُتعلقات
belongings

educated adj [mutaʕallim] مُتعلم

learner n [mutaʕallinm] مُتَعلم

adj [mutaʕammad] مُتعمد
deliberate

غير مُتعمد
[Ghayr mota'amad] adj unintentional

بشكل مُتعمد

متماثل [mutama:θil] adj
symmetrical

متماسك [mutama:sik] adj
consistent

متمتّع [mutamatti3] adj

متمتّع بحُكْم ذاتي
[Motamet'a be-hokm dhatey] adj
autonomous

متمرد [mutamarrid] adj rebellious

متمم [mutammim] adj
complementary

متموج [mutamawwi3] adj wavy

مُتَناوِب [mutana:wibb] adj alternate

متناول [mutana:wil] n

في المتناول
[Fee almotanawal] adj convenient

متنزه [mutanazzah] park n

متنقل [mutanaqil] n

هل يمكن أن نوقف عربة النوم المتنقلة هنا؟
[hal yamken an nuwa-'qif 'aarabat al-nawm al-muta-na'qila huna?] Can we park our caravan here?

متنكر [mutanakkir] masked adj

متنوع [mutanawwi3] adj
miscellaneous

متهم [muttaham] accused n

متوازن [mutawa:zinn] balanced adj

متوازي [mutawa:zi:] parallel adj

متواصل [mutawas3il] continual adj

متواضع [mutawa:d3i3] humble adj

متوافق [mutawa:fiq] compatible adj

متوافق مع المعايير
[Motawaf'q fee al-m'aayeer] n pass
(meets standard)

متوان [mitwa:n] slack adj

متوتر [mutawattir] stressed, adj
tense

متوحد [mutawaħħid] lonely adj

متورم [mutawarrim] bigheaded adj

متوسط [mutawassit3] average, adj
moderate

متوسط الحجم
[Motawaset al-hajm] adj medium-sized

متوسطي [mutawassit3ij] n
Mediterranean

متوفر [mutawaffir] available adj

متوفى [mutawaffin] dead adj

متوقع [mutawaqqa3] predictable adj

على نحو غير متوقع
[Ala naḥw motawa'qa'a] adv
unexpectedly

غير متوقع
[Ghayer motwa'qa'a] adj unexpected

متى [mata:] when adv

متى ستنتهي من ذلك؟
[mata satan-tahe min dhalik?] When will you have finished?

متى حدث ذلك؟
[mata ḥadatha dhalik?] When did it happen?

مُثار [muθa:r] excited adj

مثال [miθa:l] example n

على سبيل المثال
['ala sabeel al-methal] n e.g.

مَثّال [maθθa:l] sculptor n

مثالي [miθa:lij] ideal, model adj

بشكل مثالي
[Be-shakl methaley] adv ideally

مثاليّة [miθa:lijja] perfection n

مَثانة [maθa:na] bladder, cyst n

التهاب المثانة
[El-tehab al-mathanah] n cystitis

مثقاب [miθqa:b] drill n

مثقاب هوائي
[Meth'qaab hawaey] n pneumatic drill

مثقب [miθqab] punch (blow) n

مثقوب [maθqu:b] pierced adj

مَثَل [maθal] proverb n

مَثّل [maθθala] represent v

مثلث [muθallaθ] triangle n

مثلج [muθli3] adj

هل النبيذ مثلج؟
[hal al-nabeedh mutha-laj?] Is the wine chilled?

مُثلَّج [muθalla3] chilly adj

مثلي [miθlij] adj

العلاج المثلي
[Al-a'elaj al-methley] n homeopathy

معالج مثلي
[Moalej methley] adj homeopathic

مثير [muθi:r] exciting, gripping, adj

criminal n [muʒrim] مجرم
injured adj [maʒru:ħ] مجروح
Hungarian adj [maʒrij] مجري
Hungarian adj [maʒarij] مَجَري
مَجَري الجنسية
[Majra al-jenseyah] (person) n
Hungarian
n [maʒra:] مجري
مجرى نهر
[Majra nahr] n channel
shambles n [maʒzar] مجزر
rewarding adj [muʒzi:] مُجزي
dried, adj [muʒaffif] مجفف
dehydrated, dryer
مجفف ملابس
[Mojafef malabes] n tumble dryer
مُجَفِف دوار
[Mojafef dwar] n spin drier
مُجَفِف الشعر
[Mojafef al-sha'ar] n hairdryer
magazine n [maʒalla] مجلة
(periodical)
أين يمكن أن أشتري المجلات؟
[ayna yamken an ash-tary al-majal-aat?]
Where can I buy a magazine?
council n [maʒlis] مجلس
رئيس المجلس
[Raees al-majlas] n chairman
عضو مجلس
['aodw majles] n councillor
دار المجلس التشريعى
[Dar al-majles al-tashre'aey] n council
house
adj [muʒammad] مجمد
هل السمك طازج أم مجمد؟
[hal al-samak ṭazij amm mujam-ad?] Is
the fish fresh or frozen?
هل الخضروات طازجة أم مجمدة؟
[hal al-khiḍ-rawaat ṭazija amm
mujam-ada?] Are the vegetables fresh
or frozen?
n [maʒmuːʕ] مجموع
مجموع مراهنات
[Majmoo'a morahnaat] n jackpot
مجموع نقاط
[Majmo'aat ne'qaat] n score (game/

sensational
عمل مثير
['aamal Mother] n stunt
مثير المتاعب
[Mother al-mataa'aeb] n troublemaker
مثير للغضب
[Mother lel-ghaḍab] adj infuriating,
irritating
مثير للاشمئزاز
[Mother lel-sheazaz] adj disgusting,
repulsive
مثير للحساسية
[Mother lel-hasaseyah] adj allergic
مثير للحزن
[Mother lel-ħozn] adj pathetic
mug n [maʒʒ] مَجّ
pass (in mountains) n [maʒa:z] مجاز
famine n [maʒa:ʕa] مجاعة
area n [maʒa:l] مجال
مجال جوي
[Majal jawey] n airspace
مجال البصر
[Majal al-baṣar] n eyesight
n [muʒa:lisa] مجالسة
مجالسة الأطفال
[Mojalasat al-atfaal] n babysitting
adj [muʒa:mil] مُجامل
complimentary
compliment n [muʒa:mala] مجاملة
free (no cost) adj [maʒʒa:nij] مجاني
adjacent, adj [muʒa:wir] مجاور
nearby
n [muʒa:wira] مُجَاورة
neighbourhóod
society, n [muʒtamaʕ] مجتمع
community
glory n [maʒd] مجد
oar n [miʒda:f] مجداف
adj [muʒaddid] مُجدد
مُجدد للنشاط
[Mojaded lel-nashaṭ] adj refreshing
stranded adj [maʒduːl] مجدول
lunatic, maniac n [maʒðuːb] مجذوب
spade n [miʒra:f] مجراف
experienced adj [muʒarrib] مُجَرَب
mere, bare adj [muʒarrad] مجرد

match)

collection n [maʒmuːʕa] مجموعة

مجموعة قوانين السير في الطرق السريعة
[Majmo'aat 'qwaneen al-sayer fee al-toro'q al-saree'aah] n Highway Code

مجموعة كتب
[Majmo'aat kotob] n set

مجموعة لعب
[Majmo'aat le'aab] n playgroup

مجموعة مؤتلفة
[Majmo'aah moatalefa] n combination

insane, mad adj [maʒnuːn] مجنون
(angry)
madman n ◁

intense adj [muʒhid] مجهد

equipped adj [muʒahhaz] مجهز

jewelry n [muʒawhara:t] مجوهرات

conversation n [muħa:daθa] محادثة

shellfish n [maħa:r] محار

محار الاسقلوب
[mahar al-as'qaloob] n scallop

n [muħa:rib] محارب

محارب قديم
[Mohareb 'qadeem] n veteran

shell n [maħa:ra] محارة

accountant n [muħa:sib] محاسب

accountancy n [muħa:saba] مُحَاسَبَة

lecturer n [muħa:dˤir] محاضر

lecture n [muħa:dˤara] محاضرة

mayor n [muħa:fizˤ] محافظ

شخص محافظ
[Shakhs mohafedh] adj conservative

n [muħa:fazˤa] مُحافظة

المُحافظة على الموارد الطبيعية
[Al-mohafadhah ala al-mawared al-tabe'aeyah] n conservation

imitation n [muħa:ka:t] محاكاة

trial n [muħa:kama] محاكمة

solicitor n [muħa:mij] محامي

محامي ولاية
[Mohamey welayah] n solicitor

interviewer n [muħa:wir] محاور

attempt n [muħa:wala] محاولة

adj [muħa:jid] محايد

شخص محايد

[Mohareb mohayed] n neutral

adj [muħibb] محب

محب للاستطلاع
[Moheb lel-estetlaa'a] adj curious

lover n [muħib] مُحِب

مُحِب لنفسه
[Moheb le-nafseh] adj self-centred

lovely adj [muħabbab] مُحبب

depressed, adj [muħbatˤ] محبط
disappointed

disappointing adj [muħbitˤ] مُحبِط

adj [maħbuːb] محبوب

غير محبوب
[Ghaey mahboob] adj unpopular

stuck adj [maħbuːsa] محبوس

professional n [muħtarif] محترف

respectable adj [muħtaram] محترم

likely, adj [muħtamal] محتمل
probable

غير محتمل
[Ghaeyr mohtamal] adj unlikely

بصورة محتملة
[be sorah mohtamalah] adv presumably

inevitable adj [maħtuːm] محتوم

npl [muħtawaja:tun] محتويات
contents

reserved adj [maħʒuːz] محجوز

up-to-date adj [muħaddiθ] مُحَدَّث

certain, adj [muħadadd] محدد
specific

في الموعد المحدد
[Fee al-maw'aed al-mohadad] adj on time

plough n [miħra:θ] محراث

paddle n [miħra:k] محراك

embarrassed adj [muħraʒ] مُحرَج

embarrassing adj [muħriʒ] مُحرِج

editor n [muħarrir] مُحَرِّر

crematorium n [maħraqa] مَحْرَقَة

engine n [muħarrik] محرك

محرك البحث
[moharek al-bahth] n search engine

المحرك حرارته مرتفعه
[al-muhar-ik harara-tuho murtafe'aa]
The engine is overheating

banned adj [muħarram] محرم

معزول بوصفه محرما
[Ma'azool bewaṣfeh moḥaraman] adj taboo

محرمات مقدسات
[moḥaramat mo'qadasat] n taboo

محزن depressing, sore adj [mu\ḥzin]

humanitarian adj [muḥsin] مُحسِن

sensible adj [maḥsu:s] محسوس

crammed adj [maḥʃuww] محشو

collector n [muḥaṣ'ṣil] مُحصِّل

crop n [maḥs'u:l] محصول

record n [maḥd'ar] محضر

محضر الطعام
[Moḥder al-ṭa'aam] n food processor

station n [maḥat't'a] محطة

محطة راديو
[Mahaṭat radyo] n radio station

محطة سكك حديدية
[Mahaṭat sekak ḥadeedeyah] n railway station

محطة أنفاق
[Mahaṭat anfa'q] n tube station

محطة أوتوبيس
[Mahaṭat otobees] n bus station

محطة عمل
[Mahaṭat 'aamal] n work station

محطة الخدمة
[Mahaṭat al-khedmah] n service station

محطة بنزين
[Mahaṭat benzene] n petrol station

محطة مترو
[Mahaṭat metro] n tube station

أين توجد أقرب محطة للمترو؟
[ayna tojad a'qrb muḥaṭa lel-metro?] Where is the nearest tube station?

أين توجد محطة الأتوبيس؟
[ayna tojad muḥaṭat al-baaṣ?] Where is the bus station?

كيف يمكن أن أصل إلى أقرب محطة مترو؟
[Kayf yomken an aṣel ela a'qrb mahaṭat metro?] How do I get to the nearest tube station?

ما هو أفضل طريق للذهاب إلى محطة القطار
[Ma howa af dal ṭaree'q lel-dhehab ela

---

maḥaṭat al-'qeṭaar] What's the best way to get to the railway station?

هل يوجد محطة بنزين قريبة من هنا؟
[hal yujad muḥaṭat banzeen 'qareeba min huna?] Is there a petrol station near here?

prohibited adj [maḥz'u:r] محظور

lucky adj [maḥz'u:z'] محظوظ

غير محظوظ
[Ghayer mahḏhooḏh] adj unlucky

motivated adj [muḥaffiz] محفز

wallet n [miḥfaz'a] محفظة

لقد سرقت محفظة نقودي
[la'qad sore'qat meḥ-faḏhat ni-'qoody] My wallet has been stolen

لقد ضاعت محفظتي
[la'qad ḍa'aat meḥ-faḏhaty] I've lost my wallet

adj [maḥfu:f] محفوف

محفوف بالمخاطر
[Maḥfoof bel-makhaater] adj risky

reporter n [muḥaqqiq] مُحقق

precise, tight adj [muḥkam] مُحكم

مُحكم الغلق
[Moḥkam al-ghal'q] n airtight

tribunal n [maḥkama] محكمة

store n [maḥall] محل

محل أحذية
[Maḥal aḥdheyah] n shoe shop

محل تجاري
[Maḥal tejarey] n store

محل تاجر الحديد والأدوات المعدنية
[Maḥal tajer alḥadeed wal-adwat al-ma'adaneyah] n ironmonger's

محل العمل
[Maḥal al-'aamal] n workplace

محل الجزار
[Maḥal al-jazar] n butcher's

محل الميلاد
[Maḥal al-meelad] n birthplace

محل لبضائع متبرع بها لجهة خيرية
[Maḥal lebaḍae'a motabar'a beha lejahah khayryah] n charity shop

محل مكون من أقسام
[Maḥal mokawan men a'qsaam] n department store

laboratory

inventor n [muxtaraʕ] مُخْتَرِع

محلل n [muħallil]

competent adj [muxtasˤsˤ] مختَصّ

محلل نظم

hijacker n [muxtatˤif] مُخْتَطِف

[Mohalel nodhom] n systems analyst

different, adj [muxtalif] مختَلِف

local adj [maħalij] محلي

various

أريد أن أجرب أحد الأشياء المحلية من

n [muxadirru] مُخَدِّر

فضلك

مُخَدِّر كلي

[areed an ajar-rub aḥad al-ashyaa

[Mo-khader koley] n general

al-maḥal-lya min faḍlak] I'd like to try

anaesthetic

something local, please

crack (cocaine), n [muxaddir] مُخَدِّر

ما هو الطبق المحلي المميز؟

anaesthetic

[ma howa al-ṭaba'q al-maḥa-ly al-muma-

drug n [muxaddira:t] مخدرات

yaz?] What's the local speciality?

vandal n [muxarrib] مخرب

roast adj [muħamasˤsˤ] محمص

way out n [maxraʒ] مخرج

portable adj [maħmu:l] محمول

مخرج طوارئ

كمبيوتر محمول

[Makhraj ṭawarea] n emergency exit

[Kombeyotar mahmool] n laptop

cone n [maxru:tˤ] مخروط

reserve (land) n [maħmijja] مَحْمِيَّة

storage n [maxzan] مخزن

streetwise, adj [muħannak] محنَك

مخزن حبوب

veteran

[Makhzan ḥoboob] n barn

n [miħwar] محور

inventory, stock n [maxzu:n] مخزون

محور الدوران

mistaken adj [muxtˤiʔ] مخطئ

[Meḥwar al-dawaraan] n axle

scheme, layout n [muxatˤatˤ] مخطَّط

n [muħawwil] محوِّل

مخطط تمهيدي

محول إلى منطقة مشاه

[Mokhaṭat tamheedey] n outline

[Meḥawel ela manṭe'qat moshah] adj

sketch n [muxatˤtˤatˤ] مُخَطَّط

pedestrianized

manuscript n [maxtˤu:tˤa] مخطوطة

مُحَوِّل كهربي

diluted adj [muxaffaf] مخفف

[Mohawel kahrabey] n adaptor

مخفف الصدمات

puzzling adj [muħajjir] مُحير

[Mokhafef al-ṣadamat] n cushion

ocean n [muħi:tˤ] محيط

n [maxfu:q] مخفوق

المحيط القطبي الشمالي

مخفوق الحليب

[Al-moheeṭ al-'qoṭbey al-shamaley] n

[Makhfoo'q al-ḥaleeb] n milkshake

Arctic Ocean

faithful, sincere adj [muxlisˤ] مخلص

المحيط الهادي

mixed adj [maxlu:tˤ] مخلوط

[Al-moheeṭ al-haadey] n Pacific

creature n [maxlu:q] مخلوق

المحيط الهندي

frustrated adj [muxajjib] مخيب

[Almoheeṭ alhendey] n Indian Ocean

scary adj [muxi:f] مخيف

tricky adj [muxa:diʕ] مخادِع

n [madd] مد

risk n [muxa:tˤara] مخاطرة

مد وجزر

foul n [muxa:lafa] مخالفة

[Mad wa-jazr] n tide

bakery n [maxbaz] مخبز

متى يعلو المد؟

baked adj [maxbu:z] مخبوز

[mata ya'alo al-mad?] When is high

chosen adj [muxta:r] مختار

tide?

laboratory n [muxtabar] مُخْتَبَر

defender n [muda:fiʕ] مُدَافِع

مُخْتَبَر اللغة

[Mokhtabar al-loghah] n language

مدالية n [mida:lijja]

مدالية كبيرة
[Medaleyah kabeerah] n medallion

period, duration n [mudda] مدة

مُدَّخَرَات npl [muddaxara:tin]
savings

مدخل way in n [madxal]

مدخن n [mudaxxin]

أريد مقعد في المكان المخصص
للمدخنين
[areed ma'q'ad fee al-makan
al-mukhaṣaṣ lel -mudakhineen] I'd like a
seat in the smoking area

مُدَخِّن smoker n [muðaxxin]

غير مُدَخِّن
[Ghayr modakhen] n non-smoking

شخص غير مُدَخِّن
[Shakhṣ Ghayr modakhen] n
non-smoker

مَدخَنة chimney n [midxana]

مدرب coach (trainer), n [mudarrib]
trained, trainer

مدربون trainers npl [mudarribu:na]

مَدرَج runway n [madraʒ]

مُدرَّج registered adj [mudarraʒ]

غير مُدرَّج
[Ghayer modraj] adj unlisted

مدرس master, teacher, n [mudarris]
schoolteacher

مدرس أول
[Modares awal] n principal

مدرس خصوصي
[Modares khoṣooṣey] n tutor

مُدرّس بديل
[Modares badeel] n supply teacher

مدرسة school n [madrasa]

طلاب المدرسة
[Ṭolab al-madrasah] n schoolchildren

مدرسة إبتدائية
[Madrasah ebtedaeyah] n primary
school

مدرسة أطفال
[Madrasah aṭfaal] n infant school

مدرسة عامة
[Madrasah 'aamah] n public school

مدرسة ثانوية

[Madrasah thanaweyah] n secondary
school

مدرسة داخلية
[Madrasah dakheleyah] n boarding
school

مدرسة الحضانة
[Madrasah al-ḥaḍanah] n nursery
school

مدرسة لغات
[Madrasah lo-ghaat] n language school

مدرسة ليلية
[Madrasah layleyah] n night school

مدرسة نوعية
[Madrasah naw'aeyah] n primary school

مدير مدرسة
[Madeer madrasah] n principal

مدرسي adj [madrasij]

حقيبة مدرسية
[Ḥa'qeebah madraseyah] n schoolbag

زي مدرسي موحد
[Zey madrasey mowaḥad] n school
uniform

كتاب مدرسي
[Ketab madrasey] n schoolbook

مدرك aware adj [mudrik]

مدعي adj [muddaʕi:]

مدعي العلم بكل شيء
[Moda'aey al'aelm bel-shaya] n
know-all

مُدَّعَى adj [mudaʕʕa:]

مُدَّعى عليه
[Moda'aa 'aalayh] n defendant

مدغشقر n [madaɣaʃqar]
Madagascar

مدفأة n [midfaʔa]

كيف تعمل المدفأة؟
[kayfa ta'amal al-madfaa?] How does
the heating work?

مدفع n [midfaʕu]

مدفع الهاون
[Madfa'a al-hawon] n mortar (military)

مدفن graveyard n [madfan]

مدفوع adj [madfuːʕ]

مدفوع بأقل من القيمة
[Madfoo'a be-a'qal men al-q'eemah] adj
underpaid

مدفوع مسبقا
[Madfo'a mosba'qan] adj prepaid

مدلل **mudallal]** adj spoilt

مدمر [mudammar] adj devastated

مدمن [mudmin] n addict, addicted

مدمن مخدرات
[Modmen mokhadarat] n drug addict

مدني [madanijjat] adj ⊳ civilian
n ⊳ civilian

حقوق مدنية
[Ho'qoo'q madaneyah] npl civil rights

مدهش [mudhiʃ] adj, marvellous
splendid

مدو [mudawwin] adj loud

مُدَوّنة [mudawwana] n blog

مدى [mada:] n extent, range (limits)

مدير [mudi:r] n manageress, director

مدير الإدارة التنفيذية
[Modeer el-edarah al-tanfeedheyah] n
CEO

مدير مدرسة
[Madeer madrasah] n principal

مديرة [mudi:ra] n manageress

مَدين [madi:n] n debit

مدينة [madi:na] n city

وسط المدينة
[Wasaṭ al-madeenah] n town centre

واقع في قلب المدينة
[Wa'qe'a fee 'qalb al-madeenah] adv
downtown

وَسَطُ المدينة
[Wasaṭ al-madeenah] n town centre

أين يمكن أن أشتري خريطة للمدينة؟
[ayna yamken an ash-tary khareeṭa
lil-madena?] Where can I buy a map of
the city?

هل يوجد أتوبيس إلى المدينة؟
[Hal yojad otobees ela al-madeenah?] Is
there a bus to the city?

مذبح [maðbaħ] n

مذبح الكنيسة
[madhbaḥ al-kaneesah] n altar

مذبحة [maðbaħa] n massacre

مذكر [muðakkar] adj masculine

مذكرة [muðakkira] n memo

مذنب [muðnib] adj guilty, culprit

مذهل **muðhil]** adj astonishing,
stunning

مذهول **maðhu:l]** adj astonished,
stunned

مذيب [muði:b] n solvent

مر [murr] adj bitter

مَرّ [marra] vi pass ⊳ go by v

مرآة [mirʔa:t] n mirror

مرآة جانبية
[Meraah janebeyah] n wing mirror

مرآة الرؤية الخلفية
[Meraah al-roayah al-khalfeyah] n
rear-view mirror

مرأة [marʔa] n

اسم المرأة قبل الزواج
[Esm al-marah 'qabl alzawaj] n maiden
name

شخص موال لمساواة المرأة بالرجل
[Shakhṣ mowal le-mosawat al-maraah
bel-rajol] n feminist

مراجع [mura:ʒiʕ] n

مراجع حسابات
[Moraaje'a ḥesabat] n auditor

مراجعة [mura:ʒaʕa] n revision

مراجعة حسابية
[Moraj'ah ḥesabeyah] n audit

مَرَارَة [marra:ra] n gall bladder

مُراسِل [mura:sil] n correspondent

مراسَلة [mura:salatu] n
correspondence

مراسم [mara:sim] n ceremony

مرافق [mura:fiq] n associate,
companion

بدون مُرافق
[Bedon morafe'q] adj unattended

مراقب [mura:qib] n observer,
invigilator

نقطة مراقبة
[No'qtat mora'qabah] n observatory

مراقبة [mura:qaba] n

مراقبة جوية
[Mora'qabah jaweyah] n air-traffic
controller

مراهق [mura:hiq] n adolescent

مراهنة [mura:hana] n betting

مرؤوس [marʔuws] n inferior

boiler n [mirʒal] مرجل

hilarious adj [maraħ] مرح

lavatory, loo n [mirħa:dˤ] مرحاض

لفة ورق المرحاض
[Lafat waraq al-merḥaḍ] n toilet roll

welcome! excl [marħaban] مرحبا
مرحبا!
[marḥaban] excl hi!

instance n [marħala] مرحلة

marzipan n [marzi:ba:n] مَرزيبان

anchor n [mirsa:t] مرساة

sender n [mursil] مُرسِل

berth n [marsa:] مرسى

sprinkler n [miraʃʃa] مرشة

candidate n [muraʃʃaħ] مُرشَح

guide n [murʃid] مرشد

مرشد سياحي
[Morshed seyaḥey] n tour guide

في أي وقت تبدأ الرحلة مع المرشد؟
[fee ay wa'qit tabda al-reḥla m'aa al-murshid?] What time does the guided tour begin?

هل يوجد أي رحلات مع مرشد يتحدث بالإنجليزية؟
[hal yujad ay reḥlaat ma'aa murshid yata-ḥadath bil-injile-ziya?] Is there a guided tour in English?

هل يوجد لديكم مرشد لجولات السير المحلية؟
[hal yujad laday-kum murshid le-jaw-laat al-sayr al-maḥal-iya?] Do you have a guide to local walks?

disease n [maradˤ] مرض

مرض تصلب الأنسجة المتعددة
[Maraḍ taṣalob al-ansejah al-mota'adedah] n MS

مرض السرطان
[Maraḍ al-saraṭan] n cancer (illness)

مرض السكر
[Maraḍ al-sokar] n diabetes

مرض التيفود
[Maraḍ al-tayfood] n typhoid

مرض الزهايمر
[Maraḍ al-zehaymar] n Alzheimer's disease

مرض حمى القش

---

visible adj [marʔij] مرئي

lucrative, adj [murbiħ] مربح
profitable

n [marbatˤu] مربط

مربط الجواد
[Marbaṭ al-jawad] n stall

adj [murabbaʕ] مربع
ذو مربعات
[dho moraba'aat] adj checked

مربع الشكل
[Moraba'a al-shakl] adj square

confusing adj [murbik] مُربك

jam n [murabba:] مربّى

وعاء المربّى
[We'aaa almorabey] n jam jar

nanny n [murabbija] مربية

once adv [marratan] مرّة

مرة ثانية
[Marrah thaneyah] n again

n [mara] مرّة
مرة واحدة
[Marah waḥedah] n one-off

relieved adj [murta:ħ] مرتاح

tidy adj [murattab] مرتب

n [martaba] مرتبة
مرتبة ثانية
[Martabah thaneyah] adj second-class

هل يوجد مرتبة احتياطية؟
[hal yujad ferash iḥte-yaṭy?] Is there any spare bedding?

related adj [murtabitˤ] مرتبط

puzzled, adj [murtabik] مرتبك
confused

pedestrian n [murtaʒil] مُرتَجِل

high adv [murtafiʕun] مرتفع

بصوت مرتفع
[Beṣot mortafe'a] adv aloud

مرتفع الثمن
[mortafe'a al-thaman] adj expensive

المقعد مرتفع جدا
[al-ma'q'ad mur-taf'a jedan] The seat is too high

twice adv [marratajni] مرتين

lawn n [marʒ] مرج

coral n [marʒa:n] مُرجان

reference n [marʒaʕin] مرجع

[markaz al-'aamal] n job centre
مركز الاتصال
[Markaz al-etesal] n call centre
مركز زائري
[Markaz zaerey] n visitor centre
مركز موسيقى
[Markaz mose'qa] n stereo
مركزي central adj [markazijjat]
تدفئة مركزية
[Tadfeah markazeyah] n central heating
مرن flexible adj [marin]
غير مَرِن
[Ghayer maren] adj stubborn
مرهق exhausted, adj [murhiq] strained
مرهق الأعصاب
[Morha'q al-a'aṣaab] adj nerve-racking
مرهم ointment n [marhamuns]
مُرهِن pawnbroker n [murhin]
مرهَوَظ baggy adj [marhu:zˤ]
مروحة fan n [mirwaħa]
هل يوجد مروحة بالغرفة
[hal yujad mirwa-ha bil-ghurfa?] Does the room have a fan?
مُرور traffic n [muru:r]
مُرَوَض tame adj [murawwidˤ]
مروع appalling, adj [murawwiʃ] grim, terrific
مريب dubious adj [muri:b]
مريح comfortable, adj [muri:ħ] restful
غير مريح
[Ghaeyr moreeh] adj uncomfortable
دافئ ومريح
[Dafea wa moreeh] adj cosy
كرسي مريح
[Korsey moreeh] n easy chair
مريض invalid, patient n [mari:dˤ]
مريع terrible adj [muri:ʕ]
بشكل مريع
[Be-shakl moreeh] adv terribly
مريلة n [marjala]
مريلة مطبخ
[Maryalat maṭbakh] n apron
مِزاج temper n [miza:ʒ]

[Maraḍ homma al-'qash] n hay fever
مرض ذات الرئة
[Maraḍ dhat al-re'aa] n pneumonia
مرضي disease-related adj [maradˤij]
إذن غياب مرضي
[edhn gheyab maraḍey] n sick note
أجازة مَرضِيّة
[Ajaza maraḍeyah] n sick leave
غير مرضي
[Ghayr marda] adj unsatisfactory
الأجر المدفوع خلال الأجازة المرضية
[Al-'ajr al-madfoo'a khelal al-'ajaza al-maraḍeyah] n sick pay
مرطب moisturizer n [muratˤˤib]
مرعب frightening, adj [murʃib] horrifying, alarming
مرعوب frightened, adj [marʃu:b] terrified
مُرفق included adj [murfiq]
مِرفق elbow n [mirfaq]
مرقي broth n [maraq]
مرقة n [marqatu]
مرقة اللحم
[Mara'qat al-laḥm] n gravy
مرقط spotty adj [muraqqatˤ]
مرقع patched adj [muraqqaʕ]
مَركب boat n [markab]
ظهر المركب
[ḍhahr al-mrkeb] n deck
ما هو موعد آخر مركب؟
[ma howa maw-'aid aakhir markab?] When is the last boat?
مُركّب medication n [murakkab]
مُركّب لعلاج السعال
[Morakab le'alaaj also'aal] n cough mixture
مُركّب complex adj [markab]
مَركّبة coach (vehicle) n [markaba]
مركز strong adj [markazu]
مراكز رئيسية
[Marakez raeaseyah] npl headquarters
مركز ترفيهي
[Markaz tarfehy] n leisure centre
مركز تسوق
[Markaz tasawe'q] n shopping centre
مركز العمل

نحن في حاجة إلى المزيد من أواني
الطهي
[nahno fee haja ela al-mazeed min
awany al-ṭahy] We need more crockery

نحن في حاجة إلى المزيد من البطاطين
[Nahn fee ḥajah ela al-mazeed men
al-baṭaṭeen] We need more blankets

مُزَيَّف fake *adj* [muzajjaf]

مزيل *n* [muzi:l]

مزيل رائحة العرق
[Mozeel raaehat al-'aara'q] *n* deodorant

مزيل طلاء الأظافر
[Mozeel ṭalaa al-adhafer] *n* nail-polish
remover

مساء evening *n* [masa:ʔ]

في المساء
[fee al-masaa] in the evening

مساء الخير
[masaa al-khayer] Good evening

ما الذي ستفعله هذا المساء
[ma al-lathy sataf-'aalaho hatha
al-masaa?] What are you doing this
evening?

ماذا يمكن أن نفعله في المساء؟
[madha yamken an naf-'aalaho fee
al-masaa?] What is there to do in the
evenings?

هذه المائدة محجوزة للساعة التاسعة
من هذا المساء
[hathy al-ma-eda mahjoza lel-sa'aa
al-tase'aa min hatha al-masaa] The
table is reserved for nine o'clock this
evening

مساءً p.m. *adv* [masa:ʔun]

مسائي *adj* [masa:ʔij]

صف مسائي
[Ṣaf masaaey] *n* evening class

مُسَابِق racer *n* [musa:biq]

مسابقة contest *n* [musa:baqa]

مسار track *n* [masa:r]

مسار كرة البولينج
[Maser korat al-boolenj] *n* bowling alley

مساعد *n* ◁ associate *adj* [musa:ʕid]
assistant

مساعد اللبس
[Mosa'aed al-lebs] *n* dresser

مزاد auction *n* [maza:d]

مزارع farmer *n* [maza:riʕ]

مزج mix *vt* [maziʒa]

مزح joke *v* [mazaħa]

مزحة prank *n* [mazħa]

مزحي fun *adj* [mazħij]

مُزَخْرَف painter (*in n* [muzaxraf]
house)

مزدحم crowded *adj* [muzdaħim]

مزدهر lush, thrifty *adj* [muzdahir]

مزدوج twinned *adj* [muzdawaʒ]

غرفة مزدوجة
[Ghorfah mozdawajah] *n* double room

طريق مزدوج الاتجاه للسيارات
[Taree'q mozdawaj al-etejah lel-sayarat]
n dual carriageway

مزرعة farm *n* [mazraʕa]

مزرعة خيل استيلاد
[Mazra'at khayl esteelaad] *n* stud

مزعج *adj* [muzʕiʒ]

طفل مزعج
[Ṭefl moz'aej] *n* brat

مَزْعوم alleged *adj* [mazʕum]

مزق rip up, disrupt, tear *v* [mazzaqa]

مزلجة sledge *n* [mizlaʒa]

مزلجة بعجل
[Mazlajah be-'aajal] *n* rollerskates

مزلقان level crossing *n* [mizlaqa:n]

مزلقة toboggan *n* [mizlaqa]

مزمار bassoon *n* [mizma:r]

مزامير القربة
[Mazameer al-'qarbah] *npl* bagpipes

مزمن chronic *adj* [muzmin]

مَزْهُوّ *adj* [mazhuww]

مَزْهُوّ بنَفْسِه
[Mazhowon benafseh] *adj* smug

مزود *n* [muzawwad]

مزود بخدمة الإنترنت
[Mozawadah be-khedmat al-enternet] *n*
ISP

مُزَوَّر mock *adj* [muzawwir]

مزيج mix *n* [mazi:ʒ]

مزيد *adj* [mazi:d]

من فضلك أحضر لي المزيد من الماء
[min faḍlak iḥḍir lee al-mazeed min
al-maa] Please bring more water

مساعد المدرس
[Mosa'aed al-modares] n classroom assistant

مساعد المبيعات
[Mosa'aed al-mobee'aat] n sales assistant

مساعد شخصي
[Mosa'aed shakhşey] n personal assistant

مساعد في متجر
[Mosa'aed fee matjar] n shop assistant

مساعدة [musa:ʕada] n assistance, help

وسائل المساعدة السمعية
[Wasael al-mosa'adah al-sam'aeyah] n hearing aid

سرعة طلب المساعدة
[isri'a be-talab al-musa-'aada] Fetch help quickly!

أحتاج إلى مساعدة
[aḥtaaj ela musa-'aada] I need assistance

هل يمكن مساعدتي
[hal yamken musa-'aadaty?] Can you help me?

هل يمكنك مساعدتي في الركوب من فضلك؟
[hal yamken -aka musa-'aadaty fee al-rikoob min faḍlak?] Can you help me get on, please?

هل يمكنك مساعدتي من فضلك؟
[hal yamken -aka musa-'aadaty min faḍlak?] Can you help me, please?

مسافة [masa:fa] n distance

على مسافة بعيدة
[Ala masafah ba'aedah] adv far

مسافة بالميل
[Masafah bel-meel] n mileage

مسافر [musa:fir] n traveller

مسافر يوقف السيارات ليركبها مجانا
[Mosafer yo'qef al-sayarat le-yarkabha majanan] n hitchhiker

مسألة [masʔala] n matter

مسالم [musa:lim] adj peaceful

مساهم [musa:him] n stockholder

مساو [musa:win] adj equal

مساواة [musa:wa:t] n equality

مسؤول [masʔu:l] adj accountable, responsible

غير مسؤول
[Ghayr maswool] adj irresponsible

مسئول الجمرك
[Masool al-jomrok] n customs officer

مسؤولية [masʔuwlijja] n responsibility

مُساوي [musa:wi:] n equivalent

مسبب [musabbibu] adj

مسبب الصمم
[Mosabeb lel-ṣamam] adj deafening

مسبح [masbaħ] n

هل يوجد مسبح؟
[hal yujad masbaḥ?] Is there a swimming pool?

مستاء [musta:ʔ] adj hurt, resentful

مستأجر [mustaʔʒir] n tenant

مُسْتَثمر [mustaθmir] n investor

مستحسن [mustaħsan] adj

من مستحسن
[Men al-mostahsan] adj advisable

مستحضر [mustaħdˤara:t] n

مستحضرات تزيين
[Mostaḥdarat tazyeen] npl cosmetics

مُستحضر [mustaħdˤar] n

مُستحضر سائل
[Mosthdar saael] n lotion

مستحق [mustaħaqq] adj

مستحق الدفع
[Mostaḥa'q al-daf'a] adj due

مستحيل [mustaħi:l] adj impossible

مُستخدم [mustaxdamu] adj used

مُستخدم [mustaxdim] n user

مُستخدِم الانترنت
[Mostakhdem al-enternet] n internet user

مستدير [mustadi:r] adj round

مسترخي [mustarxi:] adj laid-back

مستريح [mustri:ħ] adj relaxed

مستشار [mustaʃa:r] n specialist (physician)

مستشفى [mustaʃfa:] n hospital

مستشفى أمراض عقلية
[Mostashfa amraḍ 'aa'qleyah] n mental

مستمر constant, adj [mustamirr]
running n ◁ continuous
مستمع listener n [mustamiʕ]
مستنبت زجاجي [mustanbatun
conservatory zuʒa:ʒijjun]
مستند document n [mustanad]
أريد نسخ هذا المستند
[areed naskh hadha al-mustanad] I
want to copy this document
مستندات npl [mustanada:tun]
documents
مستنقع bog n [mustanqaʕ]
مُستهل outset n [mustahall]
مُستهلك consumer n [mustahlik]
مستو even adj [mustawin]
مستودع n [mustawdaʕu]
warehouse
مستودع الزجاجات
[Mostawda'a al-zojajat] n bottle bank
مستوقد fireplace n [mustawqid]
مستوى n [mustawa:]
مستوى المعيشة
[Mostawa al-ma'aeeshah] n standard of
living
مُستيقظ awake adj [mustajqiz]
مسجد n [masʒid]
هل يوجد هنا مسجد؟
[hal yujad huna masjid?] Where is there
a mosque?
مسجل adj [musaʒʒal]
مسجل شرائط
[Mosajal sharayeţ] n tape recorder
ما المدة التي يستغرقها بالبريد
المسجل؟
[ma al-mudda al-laty yasta-ghru'qoha
bil-bareed al-musajal?] How long will it
take by registered post?
مُسَجل registered adj [mussaʒal]
مُسَجل recorder (scribe) n [musaʒʒal]
مسح survey n [masħ]
مسح ضوئي
[Mash ḍawaey] n scan
مسح mop up, wipe, v [masaħa]
wipe up
يمسح الكترونياً
[Yamsaḥ elektroneyan] v scan

مستشفى توليد hospital
[Mostashfa tawleed] n maternity
hospital
أعمل في أحد المستشفيات
[A'amal fee aḥad al-mostashfayat] I
work in a hospital
أين توجد المستشفى؟
[ayna tojad al-mustashfa?] Where is the
hospital?
علينا أن ننقله إلى المستشفى
['alayna an nan-'quloho ela
al-mustashfa] We must get him to
hospital
كيف يمكن أن أذهب إلى المستشفى؟
[kayfa yamkin an athhab ela
al-mustashfa?] How do I get to the
hospital?
مستطيل rectangle n [mustat'i:l]
مستطيل الشكل
[Mostaţeel al-shakl] adj oblong,
rectangular
مُستعار adj [mustaʕa:r]
اسم مُستعار
[Esm most'aar] n pseudonym
مستعد willing adj [mustaʕidd]
مستعص obstinate adj [mustaʕsˤin]
مستعمل adj [mustaʕmal]
secondhand
مُستغل extortionate adj [mustaɣill]
مستقبل future n [mustaqbal]
مستقبلي future adj [mustaqbalij]
مستقر stable adj [mustaqir]
غير مستقر
[Ghayr mosta'qer] adj unstable
مستقل independent adj [mustaqill]
مُستقل adj [mustaqilin]
بشكل مُستقل
[Beshakl mosta'qel] adv freelance
مستقيم straight adj [mustaqi:m]
في خط مستقيم
[Fee khad mosta'qeem] adv straight on
مستكشف n [mustakʃif] (مسبار)
explorer
مُستكمَل done adj [mustakmal]
مُستلِم receiver (person) n [mustalim]

n [masħu:q] مسحوق

[Hala'qah mosalsalah] n serial

مسلسل درامي
[Mosalsal deramey] n soap opera

route n [maslak] مسلك

Moslem, Muslim adj [muslim] مُسلِم
◁ Muslim n

intact, adj [musallam] مُسَلَّم
accepted

مُسَلَّم به
[Mosalam beh] adj undisputed

poached adj [maslu:q] مسلوق
(simmered gently)

nail n [misma:r] مسمار

مسمار صغير يدفع بالإبهام
[Mesmar ṣagheer yodfa'a bel-ebham] n
thumb tack

مسمار قلاووظ
[Mesmar 'qalawoodh] n screw

adj [masmu:ħ] مسموح

أريد غرفة غير مسموح فيها بالتدخين
[areed ghurfa ghyer masmooħ feeha
bil-tadkheen] I'd like a non-smoking
room

أمسموح لي أن أصطاد هنا؟
[amasmooħ lee an aṣ-ṭad huna?] Am I
allowed to fish here?

ما هو الحد المسموح به من الحقائب؟
[ma howa al-ħad al-masmooħ behe min
al-ħa'qaeb?] What is the baggage
allowance?

ما هي أقصى سرعة مسموح بها على
هذا الطريق؟
[ma heya a'qsa sur'aa masmooħ beha
'aala hatha al- ṭaree'q?] What is the
speed limit on this road?

adj [musamma:] مسمى

غير مسمى
[ghayr mosama] adj anonymous

aged adj [musinn] مُسِن

draught n [muswadda] مسودة

offensive adj [musi:ʔ] مسيء

n [masi:ħ] مسيح

نزول المسيح
[Nezool al-maseeħ] n advent

n ◁ Christian adj [masi:ħij] مَسيحي
Christian

n [masħu:q] مسحوق

مسحوق خبز
[Mashoo'q khobz] n baking powder

مسحوق الكاري
[Mashoo'q alkaarey] n curry powder

مَسْحوق الطَّلْق
[Mashoo'q al-ṭal'q] n talcum powder

monster n [masx] مسخ

paid adj [musaddad] مسدد

غير مسدد
[Ghayr mosadad] adj unpaid

pistol n [musaddas] مسدس

blocked n [masdu:d] مسدود

طريق مسدود
[Taree'q masdood] n dead end

theatre n [masraħ] مسرح

ماذا يعرض الآن على خشبة المسرح؟
[madha yu-a-raḍ al-aan 'aala kha-shabat
al-masraħ?] What's on at the theatre?

adj [masraħij] مسرحي

متى يمكننا أن نذهب لمشاهدة عرضًا
مسرحيًا؟
[mata yamkin-ona an nadhab
le-musha-hadat 'aarḍan masra-ḥyan?]
Where can we go to see a play?

n [masraħijja] مسرحية

مسرحية موسيقية
[Masraheyah
mose'qeya] n musical

extravagant adj [musrif] مسرف

pleased adj [masru:r] مسرور

مسرور جداً
[Masroor jedan] adj delighted

flat n [musatˤtˤaħ] مُسَطَّح

ruler (measure) n [mistˤara] مسطرة

trowel n [mistˤarajni] مسطرين

liqueur n [muskir] مسكر

n [maskan] مسكن
accommodation

n [masku:n] مسكون

غير مسكون
[Ghayr maskoon] adj uninhabited

entertaining adj [musallin] مسل

armed adj [musallaħ] مُسلح

n [musalsal] مسلسل

حلقة مسلسلة

اسم مَسيحي
[Esm maseeḥey] n Christian name

مشادة [muʃa:dda] n

مشادة كلامية
[Moshadah kalameyah] n argument

مُشادّة [muʃa:da] n row (argument)

مُشاركة [muʃa:rika] n

مُشاركة في الوقت
[Mosharakah fee al-wa'qt] n timeshare

مُشاركة [muʃa:raka] n communion

مشاعر [maʃa:ʕir] n

مُراع لمشاعر الآخرين
[Moraa'a le-masha'aer al-aakhareen] adj considerate

مشاهد [muʃa:hid] n spectator, onlooker

مشاهد التلفزيون
[Moshahadat al-telefezyon] n viewer

مشاهدة [muʃa:hada] n

متى يمكننا أن نذهب لمشاهدة فيلمًا سينمائيا؟
[Mata yomkenona an nadhab le-moshahadat feelman senemaeyan] Where can we go to see a film?

هل يمكن أن نذهب لمشاهدة الغرفة؟
[hal yamken an nadhhab le-musha-hadat al-ghurfa?] Could you show me please?

مَشئُوم [maʃʔwm] adj sinister

مشبع [muʃbaʕ] adj

مشبع بالماء
[Moshaba'a bel-maa] adj soppy

مشبك [maʃbak] n clip

مشبك الغسيل
[Mashbak al-ghaseel] n clothes peg

مشبك ورق
[Mashbak wara'q] n paperclip

مشبوه [maʃbu:h] adj suspicious

مشتبه [muʃtabah] n suspect

مشتبه به
[Moshtabah beh] v suspect

مشترك [muʃtarak] adj joint

مشتري [muʃtari:] n buyer

مشتعل [muʃtaʕil] adj inflamed

مشتغل [muʃtaɣil] n

مشتغل بالكهرباء
[Moshtaghel bel-kahrabaa] n electrician

مشتل [maʃtal] n garden centre

مشجع [muʃaʒʒiʕ] adj encouraging

مشرحة [maʃraḥa] n morgue

مشرف [muʃrif] n supervisor

مشرف على بيت
[Moshref ala bayt] n caretaker

مَشرِقي [maʃriqij] adj far-eastern, oriental

مشروب [maʃru:b] n drink

مشروب غازي
[Mashroob ghazey] n soft drink

مشروب النُّخب
[Mashroob al-nnkhb] n toast (tribute)

مشروب فاتح للشهية
[Mashroob fateḥ lel shaheyah] n aperitif

مشروبات روحية
[Mashroobat rooḥeyah] npl spirits

أي المشروبات لديك رغبة في تناولها؟
[ay al-mash-roobat la-dyka al-raghba fee tana-wilha?] What would you like to drink?

ما هو مشروبك المفضل
[ma howa mashro-bak al-mufaḍal?] What is your favourite drink?

ماذا يوجد من المشروبات المسكرة المحلية؟
[madha yujad min al-mash-robaat al-musakera al-maḥa-leya] What liqueurs do you have?

هل لديك رغبة في تناول مشروب؟
[hal ladyka raghba fee tanawil mash-roob?] Would you like a drink?

مشروط [maʃru:tˤ] adj conditional

غير مشروط
[Ghayr mashrooṭ] adj unconditional

مشروع [maʃru:ʕ] adj valid ◁ n project

مشط [muʃtˤ] n comb

مشط [maʃatˤa] v comb

مشع [muʃiʕʕ] adj radioactive

مُشعوذ [muʃaʕwið] n sorcerer, juggler

مشغل [muʃaɣɣil] n operator

مشغل اسطوانات دى في دي
[Moshaghel esṭwanat D V D] n DVD player

مشغل الأغنيات المسجلة
[Moshaghel al-oghneyat al-mosajalah] n
disc jockey

مشغل الاسطوانات
[Moshaghel al-estewanat] n CD player

مشغل ملفات MP3
[Moshaghel malafat MP3] n MP3 player

مشغل ملفات MP4
[Moshaghel malafat MP4] n MP4 player

مشغول busy, engaged adj [maʃɣuːl]

مشغول البال
[Mashghool al-bal] adj preoccupied

إنه مشغول
[inaho mash-ghool] It's engaged

مَشفى infirmary n [maʃfaː]

مشكلة problem n [muʃkila]

هناك مشكلة ما في الغرفة
[Honak moshkelatan ma fel-ghorfah]
There's a problem with the room

هناك مشكلة ما في الفاكس
[Honak moshkelah ma fel-faks] There is
a problem with your fax

مشكوك adj [maʃkuːk]

مشكوك فيه
[Mashkook feeh] adj doubtful

مشلول paralysed adj [maʃluːl]

مشمئز disgusted adj [muʃmaʔizz]

مشمس sunny adj [muʃmis]

الجو مشمس
[al-jaw mushmis] It's sunny

مشمش apricot n [miʃmiʃ]

مشمع n [muʃammiʕ]

مشمع الأرضية
[Meshama'a al-arḍeyah] n lino

مشهد scene n [maʃhad]

مشهدي spectacular adj [maʃhadij]

مشهور known, well- adj [maʃhuːr]
known, famous

مُشوار walk n [miʃwaːr]

مشوش chaotic adj [muʃawwaʃ]

مُشوق interesting adj [muʃawwiq]

مشوي grilled adj [maʃwij]

مَشي walking n [maʃj]

مشى walk v [maʃaː]

يَمشي أثناء نومه
[Yamshee athnaa nawmeh] v sleepwalk

مشيخي Presbyterian adj [maʃʃaxijj]

كَنيسة مَشيَخيَّة
[Kaneesah mashyakheyah] n
Presbyterian

مصاب casualty adj [musˤaːb]

مصاب بدوار البحر
[Mosab be-dawar al-baḥr] adj seasick

مصاب بالسكري
[Mosab bel sokkarey] adj diabetic

مصاب بالامساك
[Mosab bel-emsak] adj constipated

إنها مصابة بالدوار
[inaha musa-ba bel-dawar] She has
fainted

مصادفة chance n [musˤaːdafa]

مُصارع wrestler n [musˤaːriʕ]

مصارَعة wrestling n [musˤaːraʕa]

مصاريف n [masˤaːriːf]

هل يوجد مصاريف للحجز؟
[hal yujad maṣareef lel-ḥajz?] Is there a
booking fee?

مصاص n [masˤsˤaːsˤ]

مصاص دماء
[Maṣaṣ demaa] n vampire

مَصّاصه lolly n [masˤsˤaːsˤa]

مصباح lamp n [misˤbaːħ]

مصباح أمامي
[Mesbah amamey] n headlight

مصباح علوي
[Mesbah 'aolwey] n headlight

مصباح اضاءة
[Mesbah eḍaah] n light bulb

مصباح الضباب
[Mesbah al-ḍabab] n fog light

مصباح الشارع
[Mesbah al-share'a] n streetlamp

مصباح الفرامل
[Mesbah al-faramel] n brake light

مِصْباح بسَرير
[Meṣbaah besareer] n bedside lamp

مصد bumper n [musˤidd]

مَصْدَر infinitive n [masˤdar]

مصدم shocking adj [musˤdim]

مصر Egypt n [misˤru]

مُصِر persistent adj [musˤirru]

مضراع n [misˤraːʕ]

مصنع البيرة
[maṣna'a al-beerah] n brewery

مصنع منتجات الألبان
[maṣna'a montajat al-alban] n dairy

مصنع منزلياً
[Maṣna'a manzeleyan] adj home-made

أعمل في أحد المصانع
[A'amal fee aḥad al-maṣaane'a] I work in a factory

مصور cameraman n [muṣʻawwir]

مصور فوتوغرافي
[moṣawer fotoghrafey] n photographer

مصيدة trap n [misʻjada]

مضاد opposite adj [muḍʻaːd]

جسم مضاد
[Jesm moḍad] n antibody

مضاد حيوي
[Moḍad ḥayawey] n antibiotic

مضاد لإفراز العرق
[Moḍad le-efraz al-'aar'q] n antiperspirant

مضاد للفيروسات
[Moḍad lel-fayrosat] n antivirus

مضارب n [muḍaːrib]

هل يؤجرون مضارب الجولف؟
[hal yo-ajeroon maḍarib al-jolf?] Do they hire out golf clubs?

هل يقومون بتأجير مضارب اللعب؟
[hal ya'qo-moon be-ta-jeer maḍarib al-li'aib?] Do they hire out rackets?

double adj [muḍaːʕaf] مضاعف

مضاعفة n [muḍaːʕafa]
multiplication

annoying adj [muḍaːjiq] مضايق

harassment n [muḍaːjaqa] مُضايقة

exact adj [maḍʻbuːtʻ] مضبوط

settee n [maḍʻʒaʕ] مضجع

مضجع صغير
[Madja'a ṣagheer] n couchette

funny adj [muḍʻħik] مضحك

pump n [midʻaxxa] مضخة

المضخة رقم ثلاثة من فضلك
[al-maḍkha ra'qum thalath min faḍlak] Pump number three, please

bat (with ball) n [midʻrab] مضرب

مضرب كرة الطاولة

مصراع النافذة
[meṣraa'a alnafedhah] n shutters

ditch n [masʻrif] مصرف

المصاريف المدفوعة مقدما
[Al-maṣaareef al-madfoo'ah mo'qadaman] n cover charge

مصرف للمياه
[Maṣraf lel-meyah] n plughole

مصرف النفايات به انسداد
[muṣraf al-nifayaat behe ensi-dad] The drain is blocked

مصروف n [masʻruːf]

مصروف الجيب
[Maṣroof al-jeeb] n pocket money

Egyptian adj [misʻrij] مصري ◁ n
Egyptian

lift (up/down) n [misʻʕad] مصعد

مِصْعَد التَّزَلُّج
[Meṣ'aad al-tazalog] n ski lift

أين يوجد المصعد؟
[ayna yujad al-maṣ'aad?] Where is the lift?

هل يوجد مصعد في المبنى؟
[hal yujad maṣ'aad fee al-mabna?] Is there a lift in the building?

miniature adj [musʻʻayyar] مُصَغَّر

شكل مُصَغر
[Shakl moṣaghar] n miniature

colander n [misʻfaːt] مصفاة

مصفاة معمل التكرير
[Meṣfaah ma'amal al-takreer] n refinery

n [musʻaffif] مُصَفف

مُصَفف الشعر
[Moṣafef al-sha'ar] n hairdresser

interest (income) n [masʻlaħa] مصلحة

designer n [musʻammim] مُصَمِّم

مُصَمِّم أزياء
[Moṣamem azyaa] n stylist

مُصَمِّم داخلي
[Moṣamem dakheley] n interior designer

مُصَمِّم موقع
[Moṣamem maw'qe'a] n webmaster

factory n [masʻnaʕ] مصنع

صاحب المصنع
[Ṣaheb al-maṣna'a] n manufacturer

[Maḍrab korat al-ṭawlah] n racquet

مَضْرَب [midˤrabu] n whisk

مضغ [madˤaɣa] v chew

مضغوط [madˤɣu:tˤ] adj compact, jammed

قرص مضغوط ['qorṣ maḍghoot] n compact disc

مُضَلِّل [mudˤallil] adj misleading

مضيف [mudˤi:f] n presenter (entertains), steward

مضيف الطائرة [moḍeef al-ṭaaerah] n flight attendant

مضيف بار [Moḍeef bar] n bartender

مضيفة [mudˤi:fa] n

مضيفة جوية [Moḍeefah jaweyah] n flight attendant

مضيفة بار [Moḍefat bar] n bartender

مطار [matˤa:r] n airport

أتوبيس المطار [Otobees al-maṭar] n airport bus

كيف يمكن أن أذهب إلى المطار [Kayf yomken an adhhab ela al-maṭar] How do I get to the airport?

مُطَارَد [mutˤa:rad] adj haunted

مطاردة [mutˤa:rada] n chase

مطاط [matˤtˤa:tˤ] n rubber band

مطاطي [matˤa:tˤij] adj stretchy

شريط مطاطي [shareeṭ maṭaṭey] n rubber band

قفازات مطاطية ['qoffazat maṭaṭeyah] n rubber gloves

مطافئ [matˤa:fij] adj

رَجُل المطافئ [Rajol al-maṭafeya] n fireman

مطالب [matˤa:lib] adj

كثير المطالب [Katheer almaṭaleb] adj demanding

مطالبة [mutˤa:laba] n claim

مطبخ [matˤbax] n kitchen

مطبخ مجهز [Maṭbakh mojahaz] n fitted kitchen

مطبوع [matˤbu:ʕ] adj

هل يوجد لديكم أي مطبوعات عن ...؟ [hal yujad laday-kum ay maṭ-bo'aat 'aan...?] Do you have any leaflets about...?

مطبوعات [matˤbu:ʕa:tun] npl printout

مطحنة [mitˤħanatu] n

مطحنة الفلفل [maṭħanat al-felfel] n peppermill

مطر [matˤar] n rain

أمطار حمضية [Amṭar ḥemdeyah] n acid rain

هل تظن أن المطر سوف يسقط؟ [hal taḏhun ana al-maṭar sawfa yas'qiṭ?] Do you think it's going to rain?

مطرد [mutˤrad] adj steady

مطعم [matˤʕam] n cafeteria, restaurant

هل يمكن أن تنصحني بمطعم جيد؟ [hal yamken an tan-ṣaḥny be-maṭ'aam jayid?] Can you recommend a good restaurant?

هل يوجد أي مطاعم نباتية هنا؟ [hal yujad ay maṭa-'aem nabat-iya huna?] Are there any vegetarian restaurants here?

مطل [matˤall] n outlook

مطلب [matˤlab] n request, requirement

مُطَلِّق [mutˤallaq] adj divorced

مُطلَق [mutˤlaq] adj sheer

مطمئن [mutˤmaʔin] adj reassuring

مطنب [mutˤanabb] adj redundant

مطهر [mutˤahhir] n antiseptic

مطهو [matˤhuww] adj ready-cooked

مطيع [mutˤi:ʕ] adj obedient

مُظَاهَرة [muzˤa:hara] n demonstration

مظلة [mizˤalla] n umbrella, parachute

مظلم [muzˤlim] adj dark

مظهر [mazˤhar] n appearance, showing, shape

مع [maʕa] prep with

معاد [muʕa:d] adj unfavourable

مُعادلة [muʕa:dala] n equation

معارض [muʕa:ridˤ] adj opposing

مُعارَضة [muʕa:radˤa] n opposition

معاش [maʕaːʃ] n pension

صاحب المعاش
[Şaheb al-ma'aash] n senior

صاحب معاش كبير السن
[Şaheb ma'aash kabeer al-sen] n senior
citizen

معاصر [muʕaːsˤiru] adj
contemporary

معاق [muʕaːq] handicapped adj

مُعَاق [muʕaːqun] disabled npl

مُعَاكس [muʕaːkis] contrary n

مُعَالج [muʕaːliʒ] n

مُعَالِج القدم
[Mo'aaleg al-'qadam] n chiropodist

معالم [maʕaːlim] n

ما هي المعالم التي يمكن أن نزورها
هنا؟
[ma heya al-ma'aalim al-laty yamken an
nazo-raha huna?] What sights can you
visit here?

معاملة [muʕaːmala] treatment, n
transaction

سوء معاملة الأطفال
[Soo mo'aamalat al-atfaal] n child abuse

معاهدة [muʕaːhada] treaty n

معبد [muʕabbad] temple n

معبد اليهود
[Ma'abad al-yahood] n synagogue

معتاد [muʕtaːd] usual, regular adj

معتدل [muʕtadil] medium adj
(between extremes), modest

معتل [muʕtal] unwell adj

معتم [muʕtim] overcast adj

معجزة [muʕʒiza] miracle n

معجل [muʕaʒʒil] accelerator n

معجنات [muʕaʒʒanaːt] pastry n

معجون [maʕʒuːn] paste n

معجون الأسنان
[ma'ajoon asnan] n toothpaste

مُعَد [muʕadd] prepared adj

مُعْد [muʕdin] infectious adj

معدات [muʕidaːt] n

هل يمكن أن نؤجر المعدات؟
[hal yamken an no-ajer al-mu'ae-daat?]
Can we hire the equipment?

مُعَدات [muʕadaːt] equipment, n

معدة [maʕida] stomach n outfit

مُعَدّة [muʕadda] device n

معدل [muʕaddal] varied adj ⊳ n
average, rate

معدل وراثيا
[Mo'aaddal weratheyan] adj
genetically-modified

معدن [maʕdin] metal n

معدني [maʕdinij] adj

زجاجة من المياه المعدنية غير الفوارة
[zujaja min al-meaa al-ma'adan-iya gher
al-fawara] a bottle of still mineral
water

معدي [muʕddiː] adj

هل هو معدي؟
[hal howa mu'ady?] Is it infectious?

معدية [muʕdija] ferry n

معدية سيارات
[Me'adeyat sayarat] n car-ferry

معذرة [maʕðiratun] excl

معذرة، هذا هو مقعدي؟
[ma'a-dhera, hadha howa ma'q'aady]
Excuse me, that's my seat

معرض [maʕridˤ] exhibition, show n

معرفة [maʕrifa] knowledge n

معركة [maʕraka] battle n

معروف [maʕruːf] favour n

غير معروف
[Gheyr ma'aroof] adj unknown

معزول [maʕzuːl] isolated adj

معسر [muʕassir] drunk adj

معسكر [muʕaskar] camp, camper n

تنظيم المعسكرات
[Tanţeem al-mo'askarat] n camping

موقد يعمل بالغاز للمعسكرات
[Maw'qed ya'amal bel-ghaz
lel-mo'askarat] n camping gas

معصم [miʕsˤam] wrist n

معضلة [muʕdˤila] dilemma n

معطف [miʕtˤaf] overcoat n

معطف المطر
[Me'ataf lel-matar] n raincoat

معطف فرو
[Me'ataf farw] n fur coat

معطف واق من المطر

معمل كيميائي
[M'amal kemyaeay] n pharmacy

[Me'ataf wa'qen men al-maartar] n
raincoat

npl [maʕnawijja:tun] معنويّات
morale

معطل [muʕatˤtˤal] broken down adj

concerned adj [maʕnij] مَعنيّ

عداد موقف الانتظار معطل
['adad maw'qif al-entidhar mo'aatal] The
parking meter is broken

meaning n [maʕna:] معنى

institute n [maʕhad] معهد

العداد معطل
[al-'aadad mu'aatal] The meter is
broken

gut n [maʕijj] معى

criterion n [miʕjir] معيار

معفى [muʕfa:] adj

demonstrator n [muʕi:d] معيد

معفى من الرسوم الضريبية
[Ma'afee men al-rosoom al-dareebeyah]
adj duty-free

n [maʕi:ʃa] معيشة

complicated adj [muʕaqqad] معقد

تكلفة المعيشة
[Taklefat al-ma'aeeshah] n cost of living

curly adj [maʕquːsˤ] معقوص

حجرة المعيشة
[Ḥojrat al-ma'aeshah] n sitting room

reasonable adj [maʕquːlin] معقول

faulty adj [maʕjuːb] معيوب

إلى حد معقول
[Ela ḥad ma'a'qool] adv pretty

departure n [muɣa:dara] مغادرة

على نحو معقول
[Ala naḥw ma'a'qool] adv reasonably

مغادرة الفندق
[Moghadarat al-fondo'q] n checkout

غير معقول
[Ghear ma'a'qool] adj unreasonable

adventurous adj [muɣa:mir] مُغامِر

tinned adj [muʕallab] معلب

adventure n [muɣa:mara] مغامرة

outstanding adj [muʕallaq] معلق

dusty adj [muɣbarr] مغبر

commentator n [muʕalliq] مُعلق

rapist n [muɣtasˤib] مُغتَصِب

n [muʕallim] معلم

nutritious adj [muɣaððij] مغذي

معلم القيادة
[Mo'alem al-'qeyadh] n driving
instructor

مادة مغذية
[Madah moghadheyah] n nutrient

landmark n [maʕlam] مَعلم

tempting adj [muɣrin] مغر

instructor n [muʕallim] مُعلم

n ◁ Moroccan adj [maɣribij] مغربي
Moroccan

n [amaʕlu:ma:t] معلومات
information

ladle n [miɣrafa] مغرفة

أريد الحصول على بعض المعلومات عن ...
[areed al-ḥuṣool 'aala ba'aḍ
al-ma'aloomat 'an...] I'd like some
information about...

stuck-up adj [maɣru:r] مغرور

moral n [maɣzan] مغزى

n [maʕlu:ma] معلومة

بلا مغزى
[Bela maghdha] adj pointless

معلومات عامة
[Ma'aloomaat 'aamah] npl general
knowledge

laundry n [miɣsala] مغسلة

naive, daft adj [muɣaffal] مغفل

architect n [miʕmairjj] معماري

fool n [muɣaffl] مُغَفل

n [maʕmada:nijja] معمداني

n ◁ packed adj [muɣallaf] مغلف
envelope

كنيسة معمدانية
[Kaneesah me'amedaneyah] n Baptist

closed adj [muɣlaq] مغلق

lab n [maʕmal] معمل

closely adv [muɣlaqan] مغلقا

boiled adj [maɣlij] مغلي

magnet n [miɣna:tˤiːs] مغناطيس

adj [miɣna:tˤiːsij] مغناطيسي
magnetic

singer n [muɣanni:] مغني

مغني أو عازف منفرد
[Moghaney aw 'aazef monfared] n soloist

مُغَنّي حفلات
[Moghaney ḥafalat] n lead singer

مُغَيِّر n [muɣajjir]

مُغَيِّر السرعة
[Moghaey al-sor'aah] n gearshift

مفاجئ [mufa:ʒiʔ] adj sudden, abrupt, surprising

على نحو مفاجئ
[Ala naḥw mofaheya] adv surprisingly

بشكل مفاجئ
[Be-sakl mofajeya] adv abruptly

حركة مفاجئة
[Ḥarakah mofajeah] n hitch

مفاجئة [mufa:ʒaʔa] surprise n

مُفاعل [mufa:ʕil] reactor n

مفاوض [mufa:wiḍ] negotiator n

مفاوضات [mufa:wadˤa:tun] npl negotiations

مفتاح [mifta:ħ] key (for lock) n

صانع المفاتيح
[Ṣaane'a al-mafateeḥ] n locksmith

مفتاح ربط
[Meftaḥ rabṭ] n wrench

مفتاح ربط وفك الصواميل
[Meftaḥ rabṭ wafak al-ṣawameel] n wrench

مفتاح كهربائي
[Meftaḥ kahrabaey] n switch

مفتاح لغز
[Meftaḥ loghz] n clue

مفاتيح السيارة
[Meftaḥ al-sayarah] n car keys

أين يمكن أن أحصل على المفتاح...؟
[ayna yamken an naḥṣal 'ala al-muftaaḥ...?] Where do we get the key...?

أين يوجد مفتاح ...
[le-ay ghurfa hadha al-muftaaḥ?] What's this key for?

أين يوجد مفتاح الجراج؟
[ayna yujad muftaaḥ al-jaraj?] Which is the key for the garage?

المفتاح لو سمحت
[al-muftaaḥ law samaḥt] The key, please

لقد نسيت المفتاح
[la'qad nasyto al-muftaaḥ] I've forgotten the key

مفترس [muftaris] adj fierce, ravenous

مفتش [mufattiʃ] inspector n

مفتش التذاكر
[Mofatesh taḏhaker] n ticket inspector

مفتوح [maftu:ħ] open adj

هل المعبد مفتوح للجمهور؟
[hal al-ma'abad maf-tooḥa lel-jamhoor?] Is the temple open to the public?

هل المتحف مفتوح أيام السبت؟
[hal al-mat-ḥaf maf-tooh ayaam al-sabit?] Is the museum open on Sundays?

مفجر [mufaʒʒir] n

مفجر انتحاري
[Mofajer enteḥaarey] n suicide bomber

مفر [mafarr] adj

لا مفر منه
[La mafar menh] adj indispensable

مُفرح [mufriḥ] thrilling adj

مفرد [mufrad] singular n

مفرط [mufritˤ] excessive adj

مفروش [mafru:ʃ] furnished adj

مفروض [mafru:dˤ] adj

هل هناك رسوم مفروضة على كل شخص؟
[hal hunaka risoom maf-rooḍa 'aala kul shakhiṣ?] Is there a cover charge?

مفزع [mufziʕ] dreadful adj

مفسد [mufsid] n

مفسد المتعة
[Mofsed al-mot'aah] n spoilsport

مُفَسِّر [mufassir] interpreter n

مفصل [mifsˤal] adj

التواء المفصل
[El-tewaa al-mefsal] n sprain

مُفَصَّل [mufasˤsˤal] detailed adj

مُفصَّل [mafsˤal] joint (meat) n

مفصلة [mifsˤala] hinge n

مفصول [mafsˤu:l] adj

غير مفصول فيه
[Ghaey mafsool feeh] adj undecided

مفضل favourite adj [mufad'd'al]

مُفقِد n [mufqid]

مُفقِد للشهية
[Mof'qed lel-shaheyah] adj anorexic

مفقود missing adj [mafqu:d]

مفقودات وموجودات
[maf'qodat wa- mawjoodat] n
lost-and-found

إن ابنتي مفقودة
[enna ibnaty maf-'qoda] My daughter is missing

مفك screwdriver n [mifakk]

مفكرة notebook n [mufakkira]

مفلس broke, bankrupt adj [muflis]

مفهوم adj [mafhu:m]
understandable

مُفوّض adj [mufawwd']

تلميذ مُفوّض
[telmeedh mofawad] n prefect

مفيد helpful adj [mufi:d]

غير مفيد
[Ghayr mofeed] adj unhelpful

مقابل opposed adj [muqa:bill]

مقابلة interview n [muqa:bala]

مقارنة comparison n [muqa:rana]

قابل للمقارنة
['qabel lel-mo'qaranah] adj comparable

مقاس n [maqa:s]

مقاس كبير
[Ma'qaas kabeer] adj outsize

هل يوجد مقاس أصغر من ذلك؟
[hal yujad ma'qaas asghar min dhalik?]
Do you have this in a smaller size?

هل يوجد مقاس أكبر من ذلك؟
[hal yujad ma'qaas akbar min dhalik?]
Do you have this in a bigger size?

هل يوجد مقاس كبير جدا؟
[hal yujad ma'qaas kabeer jedan?] Do
you have this in an extra large?

مقاطعة interruption n [muqa:t'as'a]

مقال essay n [maqa:l]

مقالة article n [maqa:la]

مقام adj [maqa:m]

هل يوجد أية حفلات غنائية ممتعة مقامة حاليًا؟
[hal yujad ayat haf-laat ghena-eya
mumti'aa mu'qama haleyan?] Are there
any good concerts on?

مقامر gambler n [muqa:mir]

مقامرة gambling n [muqa:mara]

مقاول contractor n [muqa:wil]

مقاوم adj [muqa:wim]

مقاوم لحرارة الفرن
[Mo'qawem le-harart al-forn] adj
ovenproof

مقاوم للبلل
[Mo'qawem lel-balal] adj showerproof

مقاوم للمياه
[Mo'qawem lel-meyah] adj waterproof

مقاومة resistance n [muqa:wama]

مقبرة cemetery, tomb n [maqbara]

مقبس socket n [miqbas]

مقبض handle, knob n [miqbad']

مقبض الباب
[Me'qbad al-bab] n door handle

لقد سقط مقبض الباب
[la'qad sa'qata me-'qbad al-baab] The
door handle has come off

مقبل coming n [muqbil]

مقبول acceptable, adj [maqbu:l]
okay

غير مقبول
[Ghayr ma'qool] adj unacceptable

مقتصد sober, adj [muqtas'id]
economical

مقدار n [miqda:r]

مقدار كبير
[Me'qdaar kabeer] n mass (amount)

مقدام courageous adj [miqda:m]

مقدس holy adj [muqadas]

مقدم presenter n [muqaddim]

مقدم برامج
[Mo'qadem bramej] n compere

مُقدم الطلب
[Mo'qadem al-talab] n applicant

مقدما adv [muqaddaman]
beforehand

مقدمة introduction n [muqadima]

مُقرّب intimate, close adj [muqarrab]

شخص مُقرّب
[Shakhs mo'qarab] n favourite

مقروء legible adj [maqru:ʔ]

غير مقروء
[Ghayr ma'qrooa] adj illegible

مقص [miqasˤ] scissors n

مقص أظافر
[Ma'qas adhafer] n nail scissors

مَقصَد [maqsˤid] destination n

مقصود [maqsˤuːd] intentional adj

مقصورة [maqsˤuːra] compartment n

مقطب [muqatˤtˤab] n

مقطب الجبين
[Mo'qt ab al-jabeen] adj sulky

مقطع [maqtˤaʕ] n

مقطع لفظي
[Ma'qta'a lafdhy] n syllable

مَقطورة [maqtˤuːra] trailer n

موقع المَقطورة
[Maw'qe'a al-ma'qtorah] n caravan site

مقطوعة [maqtˤuːwʕa] n

مقطوعة موسيقية
[Ma'qtoo'aah moose'qeyah] n tune

مقعد [maqʕad] seat (furniture) n

مقعد بجوار النافذة
[Ma'q'aad bejwar al-nafedhah] n window seat

أريد حجز مقعد في العربة المخصصة لغير المدخنين
[areed ḥajiz ma'q'ad fee al-'aaraba al-mukhaṣaṣa le-ghyr al-mudakhin-een] I want to reserve a seat in a non-smoking compartment

أريد مقعد في العربة المخصصة لغير المدخنين
[areed ma'q'aad fee al-'aaraba al-mukhaṣaṣa le-ghyr al-mudakhineen] I'd like a non-smoking seat

أريد مقعد لطفل عمره عامين
[areed ma'q'ad le-ṭifil 'aumro 'aam-yin] I'd like a child seat for a two-year-old child

المقعد منخفض جدا
[al-ma'q'ad mun-khafiḍ jedan] The seat is too low

لقد قمت بحجز المقعد
[la'qad 'qimto be-ḥajis al-ma'q'aad] I have a seat reservation

هل يمكن الجلوس في هذا المقعد؟
[hal yamken al-jiloos fee hadha al-ma'q-'aad?] Is this seat free?

مقلاة [miqlaːt] pan, saucepan n

مقلب [muqallib] n

مقلب النفايات
[Ma'qlab al-nefayat] n rubbish dump

مقلق [muqliq] worrying adj

مقلم [muqallam] stripy adj

مقلمة [miqlama] pencil case n

مقلي [maqlij] fried adj

مقنع [muqniʕ] convincing, persuasive adj

مقهى [maqha:] café n

مقهى الانترنت
[Ma'qha al-enternet] n cybercafé, internet café

مقود [miqwad] handlebars n

سيارة مقودها على الجانب الأيسر
[Sayarh me'qwadoha ala al-janeb al-aysar] n left-hand drive

مقياس [miqja:s] gauge, standard n

مقيم [muqi:m] resident n

أجنبي مقيم
[Ajnabey mo'qeem] n au pair

مكاتب [maka:tib] office n

أعمل في أحد المكاتب
[A'amal fee aḥad al-makateb] I work in an office

مكاسب [maka:sibun] earnings npl

مكافئ [muka:fiʔ] matching adj

مكافأة [muka:faʔa] reward n

مكالمة [muka:lama] call n

أين يمكن أن أقوم بإجراء مكالمة تليفونية؟
[ayna yamken an a'qoom be-ijraa mukalama talefoniya?] Where can I make a phonecall?

مكان [maka:n] location, place, n spot (place)

في أي مكان
[Fee ay makan] adv anywhere

ليس في أي مكان
[Lays fee ay makan] adv nowhere

مكان عمل
[Makan 'aamal] n workstation

مكان الحوادث

[hal ladyka maktab e'a-laamy?] Do you
have a press office?

هل لي أن أستخدم المكتب الخاص بك؟

[hal lee an astakhdim al-maktab
al-khaaş bik?] May I use your desk?

library n [maktaba] **مكتبة**

مكتبة لبيع الكتب

[Maktabah le-bay'a al-kotob] n
bookshop

adj [maktabij] **مكتبي**

أعمال مكتبية

[A'amaal maktabeyah] npl paperwork

أدوات مكتبية

[Adawat maktabeyah] n stationery

stick out, stay in v [makaθa] **مكث**

adj [mukaθθaf] **مُكَثّف**

بصورة مُكَثّفة

[Beşorah mokathafah] adv heavily

n [mukarban] **مكربن**

المكربن

[Al-makreen] n carburettor

devoted adj [mukarras] **مكرس**

npl [makaru:natun] **مكرونة**

macaroni

مكرونة سباجتي

[Makaronah spajety] n spaghetti

مكرونة اسباجتي

[Makaronah spajety] n noodles

gain n [maksab] **مَكسَب**

broken adj [maksu:r] **مكسور**

مكسور القلب من شدة الحزن

[Maksoor al-'qalb men shedat al-hozn]
adj heartbroken

إنها مكسورة

[inaha maksoora] This is broken

القفل مكسور

[al-'qiful maksoor] The lock is broken

Mexican adj [miksi:kij] **مكسيكي**

Mexican n ◁

cube n ◁ cubic adj [mukaʕʕab] **مكعب**

مكعب ثلج

[Moka'aab thalj] n ice cube

مكعب حساء

[Moka'aab ḥasaa] n stock cube

supplement n [mukammill] **مُكَمِّل**

broom n [miknasatu] **مكنسة**

[Makan al-ḥawadeth] n venue **مكان الحوادث**

مكان الميلاد

[Makan al-meelad] n place of birth

أتعرف مكانا جيدا يمكن أن أذهب إليه؟

[a-ta'aruf makanan jayidan yamkin an
adhhab e-lay-he?] Do you know a good
place to go?

أنا في المكان ...

[ana fee al-makaan...] My location is...

position, rank n [maka:na] **مكانة**
(status)

مكانة أعلى

[Makanah a'ala] n superior

n [makbaħ] **مكبح**

مكبح العربة

[Makbaḥ al-'arabah] n spoke

amplifier n [mukabbir] **مكبر**

piston n [mikbas] **مِكبَس**

Mecca n [makkatu] **مكة**

desk, disk, office n [maktab] **مكتب**

مكتب رئيسي

[Maktab a'ala] n head office

مكتب صرافة

[Maktab şerafah] n bureau de change

مكتب التسجيل

[Maktab al-tasjeel] n registry office

مكتب التذاكر

[Maktab al-taḏhaker] n ticket office

مكتب الاستعلامات

[Maktab al-este'alamaat] n enquiry desk

مكتب البريد

[maktab al-bareed] n post office

مكتب الحجز

[Maktab al-ḥjz] n ticket office

مكتب المراهنة

[Maktab al-morahanah] n betting shop

مكتب المفقودات

[Maktab al-maf'qodat] n lost-property
office

مكتب وكيل السفريات

[Maktab wakeel al-safareyat] n travel
agent's

أين يوجد مكتب السياحة؟

[ayna maktab al-siyaḥa?] Where is the
tourist office?

هل لديك مكتب إعلامي؟

ملازم أول
[Molazem awal] n lieutenant

ملاط [mala:tˤ] n mortar (plaster)

ملاقط [mala:qitˤ] n

ملاقط صغيرة
[Mala'qet sagheerah] npl tweezers

ملاك [mala:k] n angel

ملاكم [mula:kim] n boxer

ملاكمة [mula:kama] n boxing

ملاهي [mala:hijju] n funfair

ملاوي [mala:wi:] n Malawi

ملتجأ [multaʒa] n shelter

ملتجأ آمن
[Moltajaa aamen] n asylum

مُلتح [multaħin] adj bearded

ملتهب [multahib] adj

لثتي ملتهبة
[lathaty multaheba] My gums are sore

ملجأ [malʒa] n refuge

ملح [milħ] adj ⊲ salt n instant, urgent

مُلحد [mulħid] n atheist

ملحق [mulħaq] adj attached

ملحوظ [malħu:zˤ] n noticeable

ملحي [milħij] adj

ماء ملحي
[Maa mel'hey] adj saltwater

ملخص [mulaxxasˤ] adj brief ⊲ n
summary

ملصق [mulsˤaq] n sticker

ملصق بيانات
[Molsa'q bayanat] n label

ملطف [mulatˤtˤif] n conditioner

ملعب [malʕab] n playground

مباراة الإياب فى ملعب المضيف
[Mobarat al-eyab fee mal'aab
al-modeef] n home match

ملعب رياضي
[Mal'aab reyady] n playing field

ملعب الجولف
[Mal'aab al-jolf] n golf course

ملعقة [milʕaqa] n spoon

مقدار ملعقة صغيرة
[Me'qdar mel'a'qah sagheerah] n
spoonful

ملعقة البسط
[Mel'a'qat al-bast] n spatula

مكنسة كهربائية
[Meknasah kahrobaeyah] n vacuum
cleaner

مكهرب [mukahrab] adj electric

مكوك [makku:k] n shuttle

مكون [mukawwin] adj component

⊲ n component

مُكوّن [mukawwan] n ingredient

ملأ [malaʔa] v

يَملأ ب
[Yamlaa be] v fill up

ملأ [malaʔa] fill vt

يَمْلأ الفراغ
[Yamlaa al-faragh] v fill in

ملئ [malʔ] adj

ملئ بالطاقة
[Maleea bel-ta'qah] adj energetic

ملاءة [malla:ʔa] n sheet

ملاءة مثبتة
[Melaah mothabatah] n fitted sheet

ملائم [mula:ʔim] adj appropriate,
suitable

غير ملائم
[Ghayr molaem] adj inadequate,
inconvenient

ملابس [mala:bisun] npl clothes

غرفة تبديل الملابس
[Ghorfat tabdeel al-malabes] n fitting
room

ملابس داخلية
[Malabes dakheleyah] n lingerie

ملابس السهرة
[Malabes al-sahrah] npl evening dress

ملابس قطنية خشنة
[Malabes 'qotneyah khashenah] npl
dungarees

ملابسي بها بلل
[mala-bisy beha balal] My clothes are
damp

ملاحظة [mula:ħazˤa] n comment,
note (message), remark

ملاحظة الطيور
[molahadhat al-teyoor] n birdwatching

ملاحقة [mula:ħaqa] n pursuit

ملاريا [mala:rja:] n malaria

ملازم [mula:zim] n

ملعقة الحلويات
[Mel'a'qat al-ḥalaweyat] n dessert spoon

ملعقة شاي
[Mel'a'qat shay] v teaspoon

ملعقة مائدة
[Mel'a'qat maedah] n tablespoon

ملف file (folder), file (tool) n [milaff]

ملف PDF
PDF ى [Malaf PDF]

ملف على شكل حرف U
[Malaf 'ala shakl ḥarf U] n U-turn

ملف له حلقات معدنية لتثبيت الورق
[Malaf lah ḥala'qaat ma'adaneyah
letathbeet al-wara'q] n ring binder

ملك king, monarch n [milk]

ملك have v [malaka]

ملكة queen n [malika]

ملكه own adj [mulkahu]

مَلَكي royal adj [milki:]

مِلْكِية property n [milkijja]

مِلْكِية خاصة
[Melkeyah khaṣah] n private property

ملل n [malal]

يُسبب الملل
[Yosabeb al-malal] v bored

ملوث dirty, polluted adj [mulawwaθ]

ملون adj [mulawwan]

تليفزيون ملون
[Telefezyon molawan] n colour
television

ملون على نحو خفيف
[Molawan ala naḥw khafeef] adj tinted

أرجو الحصول على نسخة ضوئية ملونة
من هذا المستند
[arjo al-ḥuṣool 'aala nuskha mu-lawana
min hadha al-mustanad min faḍlak] I'd
like to speak to a colour photocopy of this, please

فيلم ملون من فضلك
[filim mola-wan min faḍlak] A colour
film, please

مليار billion n [milja:r]

مليمتر millimetre n [mili:mitr]

ملين n [mulajjin]

ملين الأمعاء
[Molayen al-am'aa] n laxative

مليون million n [milju:n]

مليونير millionaire n [milju:ni:ru]

مماثل similar adj [muma:θil]

ممارسة practise n [muma:rasa]

ممانع reluctant adj [muma:niʕ]

ممتاز excellent adj [mumta:z]

ممتاز جدا
[Momtaaz jedan] adj super

ممتد extensive adj [mumtadd]

ممتع enjoyable adj [mumtiʕ]

ممتلئ chubby adj [mumtaliʔ]

ممتلئ الجسم
[Momtaleya al-jesm] adj plump

ممتلئ full adj [mumtali:ʔ]

ممتن grateful adj [mumtann]

ممثل actor (عامل) n [mumaθθil]

ممثل هزلي
[Momthel hazaley] n comedian

ممثلة actress n [mumaθθila]

ممحاة rubber n [mimḥa:t]

ممر passage (route) n [mamarr]

ممر جانبي
[Mamar janebey] n bypass

مَمَر سُفْلِي
[Mamar sofley] n underpass

ممر دخول
[Mamar dokhool] n way in

ممر خاص لعبور المشاه
[Mamar khaṣ leaboor al-moshah] n
pedestrian crossing

ممر الدراجات
[Mamar al-darajat] n cycle path

ممر المشاة
[mamar al-moshah] n footpath

مُمْرِض sickening adj [mumridⁱ]

ممرضة nurse n [mumarridⁱa]

أرغب في استشارة ممرضة
[arghab fee es-ti-sharat mu-mareḍa] I'd
like to speak to a nurse

ممسحة n [mimsaḥa]

ممسحة أرجل
[Memsahat arjol] n mat

ممسحة تنظيف
[Mamsahat tanḍheef] n mop

ممسوس touched adj [mamsu:s]

ممشى aisle, walkway n [mamʃa:]

مُمطر rainy adj [mumtⁱir]

لقد استهلكت المناشف
[la'qad istuh-lekat al-mana-shif] The towels have run out

هل يمكن أن أقترض منك أحد المناشف؟
[hal yamken an a'qta-reḍ minka aḥad al-mana-shif?] Could you lend me a towel?

مُناصِر n [muna:sˤir]

مُناصِر للطبيعة
[monaSer lel-ṭabe'aah] n naturalist

مُناصِر للقومية
[Monaṣer lel-'qawmeyah] n nationalist

مناصفة fifty-fifty adv [muna:sˤafatan]

مقسم مناصفة
[Mo'qassam monaṣafah] adj fifty-fifty

مناظر n [mana:zˤir]

نريد أن نشاهد المناظر المثيرة
[nureed an nusha-hid al-manaḏhir al-muthera] We'd like to see spectacular views

منافس rival, adj [muna:fis] competitor

منافسة competition n [muna:fasa]

منافق insincere adj [muna:fiq]

مناقشة debate, n [muna:qaʃa] discussion

مناقصة bid n [muna:qasˤa]

منبسط flat, level adj [munbasitˤ] level n ◁

منبه alarm clock n [munabbih]

منبوذ maroon adj [manbu:ð]

منتبه alert adj [muntabih]

منتج n [muntaʒ]

منتج ألبان
[Montej albaan] npl dairy products

منتجات الألبان
[Montajat al-baan] npl dairy products

منتج product n [mantu:ʒ]

مُنتِج producer n [muntiʒ]

منتجع resort n [muntaʒaʕ]

منتسب adj [muntasib]

منتسب لجماعة الأصحاب
[Montaseb le-jama'at al-aṣhaab] n Quaker

منتشر widespread adj [muntaʃir]

ممكن possible, adj [mumkin] potential

من الممكن
[Men al-momken] adv possibly

ممل boring, adj [mumill] monotonous

مملح salty adj [mumallaḥ]

مملكة kingdom n [mamlaka]

المملكة العربية السعودية
[Al-mamlakah al-'aarabeyah al-so'aodeyah] n Saudi Arabia

المملكة المتحدة
[Al-mamlakah al-motahedah] n United Kingdom

مملكة تونجا
[Mamlakat tonja] n Tonga

ممنوع forbidden adj [mamnu:ʕ]

مميت (مقدر) adj [mumi:t] fatal

مميز distinctive adj [mumajjaz]

من from prep [min]

أي من
[Ay men] pron any

أنا من ...
[ana min...] I'm from...

من هذا؟
[man hadha?] Who is it?

مَنْ who pron [man]

مِنْ from prep [min]

مَناخ climate n [muna:x]

منارة lighthouse n [mana:ra]

مُنازِع contestant n [muna:ziʕ]

مناسِب convenient, adj [muna:sib] proper

غير مناسب
[Ghayr monaseb] adj unsuitable

بشكل مناسب
[Be-shakl monaseb] adv properly

مناسبة occasion n [muna:saba]

هل توجد حمامات مناسبة للمعاقين؟
[hal tojad ḥama-maat muna-seba lel-mu'aa'qeen?] Are there any toilets for the disabled?

مناسبي occasional adj [muna:sabij]

مناشف n [mana:ʃif]

مَناشِف الصُّحون
[Manashef al-ṣoḥoon] n tea towel

مُنتشي [muntaʃij] adj thrilled
منتصف [muntasˤaf] n

إلى منتصف المسافة
[Ela montasˤaf al-masafah] adv halfway

منتصف الليل
[montasˤaf al-layl] n midnight

منتصف اليوم
[Montasˤaf al-yawm] n noon

منتظم [muntazˤim] adj

غير منتظم
[Ghayr montadˤhem] adj irregular

منتفخ [muntafixx] adj swollen

منتهي [muntahij] adj over

منثني [munθanij] adj bent (not straight)

مَنجا [manʒa:] n mango

مُنجَز [munʒaz] adj finished

منجم [manʒam] n mine

منح [manaħa] v

يمنح بقشيشاً
[Yamnaħ ba'qsheeshan] vt tip (reward)

منحة [minħa] n grant

منحة تعليمية
[Menħah ta'aleemeyah] n scholarship

منحدر [munħadir] n slope

طريق منحدر
[Ṭaree'q monħadar] n ramp

منحدر التزلج للمبتدئين
[monħadar al-tazaloj lel-mobtadeen] n nursery slope

منحدر النهر
[Monħadar al-nahr] n rapids

منحني [munħanij] adj bent (dishonest), reclining

منخفض [munxafidˤ] adj low

منخفضاً [munxafadˤan] adv low

منخل [manxal] n sieve

مندهش [mundahiʃ] adj amazed

مندوب [mandu:b] n

مندوب مبيعات
[Mandoob mabee'aat] n salesman, shop assistant

مندوبة [mandu:ba] n

مندوبة مبيعات
[Mandoobat mabee'aat] n saleswoman

منديل [mindi:l] n hankie

منديل أطفال
[Mandeel atˤfaal] n baby wipe

منديل المائدة
[Mandeel al-maaedah] n serviette

منديل قماش
[Mandeel 'qomash] n handkerchief

منزل [manzil] n home

منزل ريفي
[Mazel reefey] n farmhouse

منزل صيفي
[Manzel sˤayfey] n villa

منزل فخم
[Mazel fakhm] n stately home

منزل متحرك
[Mazel motaharek] n mobile home

منزل منفصل
[Manzel monfasˤelah] n house

منزل نصف متصل
[Mazel nesˤf motasˤel] n semi-detached house

مَنزِلة [manzila] n mark

منزلي [manzilijjat] adj

أعمال منزلية
[A'amaal manzelyah] n housework

منسي [mansijju] adj forgotten

منشأ [manʃa] n

منشأ السلعة المصنوعة
[Manshaa al-sel'aah al-masˤno'aah] n make

منشآت [munʃaʔa:tun] npl (تسهيلات) facilities

منشار [minʃa:r] n saw

منشار المنحنيات
[Menshar al-monħanayat] n jigsaw

منشفة [minʃafa] n towel

منشفة صحية
[Manshafah sˤeheyah] n sanitary towel

منشفة الحمام
[Manshafah alħammam] n bath towel

منشفة الوجه
[Menshafat al-wajh] n flannel

منشور [manʃu:r] n publication

منشور الكتروني
[Manshoor elektrooney] n webzine

منصة [minasˤsˤa] n platform

منصة البهلوان

منعزل bleak adj [munʕazil]

منعطف turning n [munʕatˤaf]

هل هذا هو المنعطف الذي يؤدي إلى...؟

[hal hadha howa al-mun'aa-ṭaf al-ladhy yo-addy ela...?] Is this the turning for...?

منغولي Mongolian adj [manɣu:lij]

Mongolian (person) n ◁

اللغة المنغولية

[Al-koghah al-manghooleyah] (language) n Mongolian

منغوليا Mongolia n [manɣu:lja:]

منفاخ n [minfa:x]

منفاخ دراجة

[Monfakh draajah] n bicycle pump

هل لديك منفاخ؟

[hal ladyka minfaakh?] Do you have a pump?

منفذ n [manfað]

منفذ جوي أو بحري

[manfaḍh jawey aw baḥrey] n port (ships)

منفذ خروج

[Manfaz khoroj] n way out

منفرد adj [munfarid]

عمل منفرد

['amal monfared] n solo

لحن منفرد

[Laḥn monfared] n concerto

منفصل separate adj [munfasˤil]

بصورة منفصلة

[Beṣorah monfaṣelah] adv separately

منزل منفصل

[Manzel monfaṣelah] n house

بشكل مُنفَصِل

[Beshakl monfaṣel] adv apart

فواتير منفصلة من فضلك

[fawateer mufa-ṣa-lah min faḍlak] Separate bills, please

منفى exile n [manfa:]

منقار beak n [minqa:r]

مُنقِذ adj [munqið]

مُنقذ للحياة

[Mon'qedh lel-ḥayah] adj life-saving

منقرض extinct adj [munqaridˤ]

منقوع soaked adj [manqu:ʕ]

منصة [Manaṣat al-bahlawan] n trampoline

منصرف outgoing adj [munsˤarif]

منصرم past, adj [munsˤarim] previous

مُنْضَبِط punctual adj [mundˤabitˤ]

منضدة table (furniture) n [mindˤada]

منطقة district, zone n [mintˤaqa]

منطقة تقديم الخدمات

[Menta'qat ta'qdeem al- khadamat] n service area

منطقة مجاورة

[Menta'qat mojawerah] n vicinity

منطقة مشاه

[Menta'qat moshah] n precinct

منطقي logical adj [mantˤiqij]

منظار binoculars n [minzˤa:r]

منظر view, scenery n [manzˤar]

منظر طبيعى

[mandhar ṭabe'aey] n landscape

منظف adj [munazˤzˤif]

مادة منظفة

[Madah monadhefah] n detergent

منظم n [munazˤzˤim]

منظم رحلات

[monadhem raḥalat] n tour operator

منظم الضارة

[monadhem al-ḍarah] n catalytic converter

منظم الخطوات

[monadhem al-khaṭawat] n pacemaker

منظم شخصي

[monadhem shakhṣey] n personal organizer

منظمة n [munazˤzˤama] organization

منظمة تعاونية

[monadhamah ta'aaaweneyah] n collective

منظور perspective n [manzˤu:r]

غير منظور

[Ghayr monadhoor] adj invisible

منع n [manʕ]

منع الحمل

[Man'a al-ḥml] n contraception

منع prevent v [manaʕa]

منع ban v [manaʕa]

مِنْك n [mink]

حيوان المِنْك
mink n [Ḥayawaan almenk]

منهج n [manhaʒ]

منهج دراسي
curriculum n [Manhaj derasey]

منهجي adj Methodist [manhaʒij]

منهِك adj tiring [munhak]

مَنيّ sperm n [manij]

مهاجر adj migrant [muha:ʒir]

مهارة skill n [maha:ra]

مهتاج adj furious [muhta:ʒ]

مهتم adj interested [muhttam]

مهتم بالآخرين
caring n [Mohtam bel-aakhareen]

معذرة، أنا غير مهتم بهذا الأمر
[maʕðaratun ʔana: ɣajru muhtammin biha:ða: alʔamri] Sorry, I'm not interested

مهجور adj [mahʒu:r] lonesome, obsolete

مهد cot, cradle n [mahd]

مُهدّئ tranquilliser n [muhaddiʔ]

مهذب adj [muhaðða:b] decent, subtle

مهر foal n [mahr]

مهرب n [muharrib]

مهرب بضائع
smuggler n [Moharreb baḍae'a]

مهرج clown n [muharriʒ]

مهرجان festival n [mihraʒa:n]

مهزوز shaken adj [mahzu:z]

مهمة assignment, n [mahamma] task

مهمل adj [muhmil] careless, neglected

مهنة occupation (work) n [mihna]

مهندس engineer n [muhandis]

مهني vocational adj [mihanij]

مهني مبتدئ
apprentice n [Mehaney mobtadea]

مهووس obsessed adj [mahwu:s]

مَهيب prestigious adj [mahi:b]

موَاطِن citizen n [muwa:tˤin]

مواطن إثيوبي
Ethiopian n [Mowaṭen ethyobey]

مواطن تشيلي
Chilean n [Mowaṭen tsheeley]

مواطن انجليزي
Englishman n [mowaṭen enjeleezey]

مواطنة إنجليزية
Englishwoman n [Mowaṭenah enjlezeyah]

موافقة approval n [muwa:faqa]

مواكب adj [muwa:kib]

مواكب للموضة
trendy adj [Mowakeb lel-moḍah]

مَوْت death n [mawt]

موتور motor n [mawtu:r]

مُوثّق authentic adj [muwaθθiq]

موثوق adj [mawθu:qan]

موثوق به
reliable adj [Mawthoo'q beh]

موثوق فيه
credible adj [Mawthoo'q beh]

موجة wave, surge n [mawʒa]

موجز concise adj [mu:ʒaz]

موجود adj [mawʒu:d]

ما هي النكهات الموجودة؟
[Ma hey al-nakhaat al-mawjoodah] What flavours do you have?

هل... موجود؟
[hal... mawjood?] Is... there?

موحد adj [muwaḥḥad]

الفاتورة موحدة من فضلك
[al-fatoorah mowaḥada min faḍlak] All together, please

موحش dismal adj [mu:ħiʃ]

موحل muddy adj [mu:ħil]

مودم modem n [mu:dim]

مورد supplier n [muwarrid]

مَورد resource n [mu:rad]

مورس Morse n [mu:ris]

مورفين morphine n [mu:rfi:n]

موروث heritage n [mawru:θ]

موريتاني Mauritius n [mu:ri:ta:nij]

موريتانيا Mauritania n [mu:ri:ta:nja:]

موز banana n [mawz]

موزع distributor n [muwazziʕ]

موزمبيق n [mu:zambi:q] Mozambique

مواكب للموضة
[Mowakeb lel-moḍah] adj fashionable
موضع post (position) n [mawdˤiʕ]
موضع لحفظ الأطعمة
[Mawḍe'a lehafḍh al-aṭ'aemah] n larder
موضعي topical adj [mawdˤiʕij]
موضوع subject, theme n [mawdˤuːʕ]
موضوع مقالة أو حديث
[Mawḍoo'a ma'qaalah aw hadeeth] n
topic
موضوعي adj [mawdˤuːʕij]
impersonal, objective
موطن n [mawtˤin]
موطن أصلي
[Mawṭen aṣley] n homeland
موطن ضعف
[Mawṭen ḍa'af] n shortcoming
موظف employee n [muwazzˤzˤaf]
موظف بنك
[mowaḍhaf bank] n banker
موظف حكومة
[mowaḍhaf hokomah] n civil servant
موعد appointment, n [mawʕid]
rendezvous
فات موعد استحقاقه
[Fat maw'aed esteḥ'qa'qh] adj overdue
موعد الانتهاء
[Maw'aed al-entehaa] n deadline
أود في تحديد موعد
[awid fee taḥdeed maw'aid] I'd like to
make an appointment
لدي موعد مع......؟
[la-daya maw-'aid m'aa...] I have an
appointment with...
هل تحدد لك موعدًا؟
[hal taha-dada laka maw'aid?] Do you
have an appointment?
موعظة sermon n [mawʕizˤa]
موقد stove n [mawqid]
موقد يعمل بالغاز
[Maw'qed ya'amal bel-ghaz] n gas
cooker
موقد يعمل بالغاز للمعسكرات
[Maw'qed ya'amal bel-ghaz
lel-mo'askarat] n camping gas
مَوْقِد stove n [muːqid]

مُوَسَّع adj [muwassaʕ]
بشكل مُوَسَّع
[Beshakl mowasa'a] adv extensively
موسم season n [mawsim]
موسم راكد
[Mawsem raked] adj off-season
موسمي seasonal adj [mawsimijjat]
التذاكر الموسمية
[Al-tadhaker al-mawsemeyah] n season
ticket
موسوعة n [mawsuːʕa]
encyclopaedia
موسى adj [muːsaː]
موسى الحلاقة
[Mosa alḥela'qah] n razor
موسيقي musical adj [muːsiːqij]
آلة موسيقية
[Aala mose'qeyah] n musical
instrument
حفلة موسيقية
[Haflah mose'qeyah] n concert
قائد فرقة موسيقية
['qaaed fer'qah mose'qeyah] n
conductor
مسرحية موسيقية
[Masraḥeyah mose'qeya] n musical
موسيقى music n [muːsiːqaː]
عازف موسيقي
['aazef mose'qaa] n musician
مركز موسيقى
[Markaz mose'qa] n stereo
مؤلف موسيقي
[Moaalef mosee'qy] n composer
موسيقى تصويرية
[Mose'qa taṣweereyah] n soundtrack
موسيقى شعبية
[Mose'qa sha'abeyah] n folk music
أين يمكننا الاستماع إلى موسيقى حية؟
[ayna yamken-ana al-istima'a ela
mose'qa ḥay-a?] Where can we hear
live music?
موصل sweater n [muːsˤil]
موضة (نمط) n [muːdˤa] fashion
غير مواكب للموضة
[Ghayr mowakeb lel-moḍah] adj
unfashionable

site n [mawqiʕ] موقع
موقع البناء
[Maw'qe'a al-benaa] n building site
موقع المعسكر
[Maw'qe'a al-mo'askar] n campsite
موقع المَقْطُورة
[Maw'qe'a al-ma'qtorah] n caravan site
موقع الويب
[Maw'qe'a al-weeb] n website
attitude n [mawqif] موقف
موقف سيارات
[Maw'qaf sayarat] n parking
موقف أوتوبيس
[Maw'qaf otobees] n bus stop
موقف انتظار
[Maw'qaf entedhar] n car park
أين يوجد موقف التاكسي؟
[ayna maw'qif al-taxi?] Where is the taxi
stand?
هل معك نقود فكه لعداد موقف
الانتظار؟
[Hal ma'ak ne'qood fakah le'adad
maw'qaf al-ente dhar?] Do you have
change for the parking meter?
convoy, procession n [mawkib] موكب
finance v [mawwala] مَوَل
generator n [muwalid] مولد
Moldovan adj [mu:lda:fij] مولدافي
Moldovan n ◁
Moldova n [mu:lda:fja:] مولدافيا
born n [mawlu:d] مولود
mummy (body) n [mu:mja:ʔ] مومياء
Monaco n [mu:na:ku:] موناكو
talent n [mawhiba] موهبة
gifted, adj [mawhu:b] موهوب
talented
Myanmar n [mija:nma:r] ميانمار
water n [mijja:hu] مياه
زجاجة مياه ساخنة
[Zojajat meyah sakhenah] n hot-water
bottle
مياه البحر
[Meyah al-bahr] n sea water
مياه الشرب
[Meyah al-shorb] n drinking water
مياه بيضاء

[Meyah baydaa] n cataract (eye)
مياه فوارة
[Meyah fawarah] adj sparkling water
مياه معدنية
[Meyah ma'adaneyah] n mineral water
زجاجة من المياه المعدنية الفوارة
[zujaja min al-meaa al-ma'adan-iya
al-fawara] a bottle of sparkling mineral
water
كيف يعمل سخان المياه؟
[kayfa ya'amal sikhaan al-meaah?] How
does the water heater work?
لا توجد مياه ساخنة
[La tojad meyah sakhena] There is no
hot water
هل يشمل السعر توفير المياه
الساخنة؟
[hal yash-mil al-si'ar taw-feer al-me-yah
al-sakhina?] Is hot water included in
the price?
medal n [mi:da:lijja] ميدالية
square n [majda:n] ميدان
inheritance n [mi:jra:θ] ميراث
meringue n [mi:rinʒu:] ميرنجو
distinguish v [majjaza] مَيَز
scale (measure), n [mi:za:n] ميزان
scale (tiny piece)
كفتي الميزان
[Kafatay al-meezan] n scales
balance n [mi:za:nijja] ميزانية
sheet, budget
advantage n [mi:za] ميزة
n [mi:ʕa:d] ميعاد
ما ميعاد استيقاظك؟
[ma me-'aad iste'qa-dhak?] What time
do you get up?
timer n [mi:qa:tij] ميقاتي
adj [mi:ka:ni:kij] ميكانيكي
mechanical
mechanic n ◁
ميكانيكي السيارات
[Mekaneekey al-sayarat] n motor
mechanic
هل يمكن أن ترسل لي ميكانيكي؟
[hal yamken an tarsil lee meka-neeky?]
Can you send a mechanic?

ن

n [miːkuruːskuːb] **ميكروسكوب**
microscope
n [miːkuruːfuːn] **ميكروفون**
microphone, mike
هل يوجد ميكروفون؟
[hal yujad mekro-fon?] Does it have a
microphone?
n [majkuruːwiːf] **ميكروويف**
فرن الميكروويف
[Forn al-maykroweef] *n* microwave oven
tendency *n* [majl] **مَيل**
مَيل جنسي
[Mayl jensey] *n* sexuality
mile *n* [miːl] **ميل**
birth *n* [miːlaːd] **ميلاد**
عشية عيد الميلاد
['aasheyat 'aeed al-meelad] *n* Christmas
Eve
عيد الميلاد المجيد
['aeed al-meelad al-majeed] *n*
Christmas
عيد ميلاد
['aeed al-meelad] *n* birthday
بعد الميلاد
[Ba'ad al-meelad] *abbr* AD
شجرة عيد الميلاد
[Shajarat 'aeed al-meelad] *n* Christmas
tree
شهادة ميلاد
[Shahadat meelad] *n* birth certificate
قبل الميلاد
['qabl al-meelad] *adv* BC
محل الميلاد
[Mahal al-meelad] *n* birthplace
harbour *n* [miːnaːʔ] **ميناء**
adj [miːniː] **ميني**
ميني باص
[Meny baas] *n* minibus
n [mijuːsliː] **ميوسلي**
حبوب الميوسلي
[Hoboob al-meyosley] *npl* muesli
mayonnaise *n* [majuːniːz] **ميونيز**

us *pron* [naː] **نا**
acting, *adj* [naːʔibb] **نائب**
representative
نائب الرئيس
[Naeb al-raaes] *n* deputy head
asleep *adj* [naːʔim] **نائم**
outcome *n* [naːtiʒ] **ناتج**
survivor *n* [naːʒin] **ناج**
successful *adj* [naːʒiħ] **ناجِح**
غير ناجح
[ghayr najeh] *adj* unsuccessful
aspect *n* [naːħija] **ناحية**
rare (*uncommon*), rare *adj* [naːdir] **نادر**
(*undercooked*)
rarely, scarcely *adv* [naːdiran] **نادرا**
نادرا ما
[Naderan ma] *adv* seldom
waiter *n* [naːdil] **نادل**
waitress *n* [naːdila] **نادلة**
club (*group*) *n* [naːdiː] **نادي**
نادي الجولف
[Nady al-jolf] *n* golf club (*society*)
نادي الشباب
[Nadey shabab] *n* youth club
نادي ليلي
[Nadey layley] *n* nightclub
هل يوجد نادي جيدة؟

open the window?

useful adj [na:fiʕ] نافع

fountain n [na:fu:ra] نافورة

critic n [na:qid] ناقد

debate, discuss v [na:qaʃa] ناقش

incomplete, nude adj [na:qisˤ] ناقص

contradict v [na:qadˤa] ناقض

adj [na:qil] ناقل

ناقل للعدوى
[Na'qel lel-'aadwa] adj contagious

ناقل السرعات لا يعمل
[na'qil al-sur'aat la ya'amal] The gears are not working

n [na:qila] ناقلة

ناقلة بترول
[Na'qelat berool] n tanker

adj [na:min] نام

بلد نام
[Balad
en namen] n developing country

sleep v [na:ma] نام

nylon n [na:jlu:n] نايلون

plant n [naba:t] نبات

نبات رشاد
[Nabat rashad] n cress

نبات الجاودار
[Nabat al-jawdar] n rye

نبات اللفت
[Nabat al-left] n turnip

نبات الهندباء البرية
[Nabat al-hendbaa al-bareyah] n dandelion

نبات ذو وبر شائك
[Nabat dho wabar shaek] n nettle

نبات يزرع في حاوية
[Nabat yozra'a fee ḥaweyah] n pot plant

n ◁ vegetarian adj [naba:tij] نباتي
vegan, vegetarian

حياة نباتية
[Hayah Nabateyah] n vegetation

هل يوجد أي أطباق نباتية؟
[hal yujad ay aṭbaa'q nabat-iya?] Do you have any vegan dishes?

bark v [nabaħa] نبح

pulses npl [nabadˤa:tun] نبضات

beat, pulse n [nabdˤa] نبضة

alert v [nabbaha] نبّه

[Hal yojad nady jayedah] Where is there a good club?

sack n [na:ru] نار

إشعال النار
[Esh'aal al-naar] n bonfire

وقْف إطلاق النار
[Wa'qf eṭlaa'q al-naar] n ceasefire

adj [na:rijjat] ناري

ألعاب نارية
[Al-'aab nareyah] npl fireworks

people npl [na:s] ناس

fit vt [nasaba] ناسب

n [na:six] ناسخ

ناسخ الاسطوانة
[Nasekh al-esṭewanah] n CD burner

ناسخ لاسطوانات دى في دي
[Nasekh le-sṭewanat D V D] n DVD burner

publisher n [na:ʃir] ناشر

mature, ripe adj [na:dˤiʒ] ناضج

غير ناضج
[Ghayr naḍej] adj immature

adj [na:tˤiq] ناطق

ناطق بلغتين
[Naṭe'q be-loghatayn] adj bilingual

soft adj [na:ʕim] ناعم

window n [na:fiða] نافذة

عتبة النافذة
['aatabat al-nafedhah] n windowsill

أريد مقعد بجوار النافذة
[areed ma'q'aad be-jewar al-nafedha] I'd like a window seat

النافذة لا تُفتح
[al-nafidhah la tuftaḥ] The window won't open

لا يمكنني فتح النافذة
[la yam-kinuni faitḥ al-nafitha] I can't open the window

لقد كسرت النافذة
[la'qad kasarto al-nafe-tha] I've broken the window

هل يمكن أن أغلق النافذة؟
[hal yamken an aghli'q al-nafidha?] May I close the window?

هل يمكن أن أفتح النافذة؟
[hal yamken an aftaḥ al-nafidha?] May I

فن النحت
[Fan al-naht] *n* sculpture

نحت carve *vt* [naħata]

نحلة bee *n* [naħla]

نحلة ضخمة
[Naḥlah ḍakhmah] *n* bumblebee

نحوي grammatical *adj* [naħwij]

نحيف slim, thin *adj* [naħiːf]

نخاع *n* [nuxaːʕu]

نخاع العظم
[Nokhaa'a al-'aḍhm] *n* marrow

نُخالة bran *n* [nuxaːla]

نخلة palm (*tree*) *n* [naxla]

نداء *n* [nidaːʔ]

جهاز النداء
[Jehaaz al-nedaa] *n* pager

جهاز النداء الآلي
[Jehaz al-nedaa al-aaley] *n* bleeper

نداء استغاثة
[Nedaa esteghathah] *n* alarm call

نداوة moisture *n* [nada:wa]

ندب moan *v* [nadaba]

ندبة scar, seam *n* [nadba]

ندم remorse *n* [nadam]

نَدِم regret *n* [nadima]

نَدِي damp, soggy *adj* [nadij]

نرجس daffodil *n* [narʒis]

نَرْد dice *n* [nard]

نرويجي Norwegian *adj* [narwiːʒij]
▷ Norwegian (*person*) *n*

اللغة النرويجية
[Al-loghah al-narwejeyah] (*language*) *n*
Norwegian

نزعة trend *n* [nazʕa]

نزف bleed *vi* [nazafa]

نزل get off, go down *v* [nazala]

يَنْزِل في مكان
[Yanzel fee makaan] *v* put up

يَنْزِلُ البَرَد
[Yanzel al-barad] *v* hail

نَزْلة catarrh *n* [nazla]

نزهة outing, promenade *n* [nuzha]

نزهة في سيارة
[Nozhah fee sayarah] *n* drive

نزهة في الهواء الطلق
[Nozhah fee al-hawaa al-ṭal'q] *n* picnic

نبيذ *n* [nabiːð]

نبيذ أحمر
[nabeedh aḥmar] *n* red wine

دورق من النبيذ الأحمر
[dawra'q min al-nabeedh al-aḥmar] a
carafe of red wine

زجاجة من النبيذ الأبيض
[zujaja min al-nabeedh al-abyaḍ] a
bottle of white wine

قائمة النبيذ من فضلك
['qaemat al-nabeedh min faḍlak] The
wine list, please

هل يمكن أن ترشح لي نوع جيد من
النبيذ الأبيض؟
[hal yamken an tura-shiḥ lee naw'a jayid
min al-nabeedh al-abyaḍ?] Can you
recommend a good white wine?

نبيل *adj* [nabiːl]

رَجُل نبيل
[Rajol nabeel] *n* gentleman

نبيل المحتد
[Nabeel al-moḥtad] *adj* gentle

نتن rotten *adj* [natin]

نتَن stink *v* [natina]

نتوء *n* [nutuːʔ]

نتوء صغير
[Netoa ṣagheer] *n* wart

نتيجة result, sequel *n* [natiːʒa]

نثر spray *v* [naθara]

نجاح success *n* [naʒaːħ]

نجّار joiner *n* [naʒʒaːr]

نِجَارة carpentry *n* [niʒʒaːra]

نجح succeed *v* [naʒaħa]

نجم star (*person*) *n* [naʒm]

نجم سينمائي
[Najm senemaaey] *n* film star

نجم ذو ذنب
[Najm dho dhanab] *n* comet

نَجَم *v* [naʒama]

يَنْجُم عن
[Yanjam 'an] *v* result

نجمة star (*sky*) *n* [naʒma]

نحاس copper *n* [nuħaːs]

نحاس أصفر
[Nahas aṣfar] *n* brass

نحت *n* [naħt]

نسخة مطابقة
[Noskhah moṭe'qah] n replica

vulture n [nasr] نسر

breed n [nasl] نسل

forget v [nasa:] نسى

n [nisa:nuhu] نسيان

لا يمكن نسيانه
[La yomken nesyanh] adj unforgettable

textile n [nasi:ʒ] نسيج

نسيج مضلع
[Naseej moḍala'a] n representative

نَسيج الجِسْم
[Naseej al-jesm] n tissue

breeze n [nasi:m] نسيم

starch n [naʃa:] نشا

نشا الذرة
[Nesha al-zorah] n cornflour

breadbin, rolling n [naʃʃa:ba] نشابة
pin

sawdust n [niʃa:ra] نشارة

activity n [naʃa:tˤ] نشاط

pickpocket n [naʃʃa:l] نشال

sob v [naʃaʒa] نشج

press n [naʃr] نشر

حقوق الطبع والنشر
[Ho'qoo'q al-ṭab'a wal-nashr] n
copyright

publish v [naʃara] نشر

leaflet n [naʃra] نشرة

نشرة دعائية
[Nashrah de'aeyah] n prospectus

نشرة مطبوعة
[Nashrah maṭbo'aah] n print

revive v [naʃʃtˤa] نشط

evolution n [nuʃwuʔ] نشوء

outbreak n [nuʃu:b] نشوب

ecstasy n [naʃawiij] نشوي

anthem n [naʃi:d] نشيد

نشيد وطني
[Nasheed waṭney] n national anthem

active adj [naʃi:tˤ] نشيط

text n [nasˤsˤ] نص

يَضع نصا
[Yaḍa'a naṣan] v text

n [nusˤub] نُصُب

نُصُب تذكاري

---

n [nuzu:l] نزول

ما هي المحطة النزول للذهاب إلى ...
[ma heya muḥaṭat al-nizool lel-thehaab
ela...?] Which stop is it for...?

من فضلك أريد النزول الآن
[min faḍlak areed al-nizool al-aan]
Please let me off

من فضلك أخبرني عندما يأتي موعد
النزول
[Men faḍlek akhberney 'aendama
yaatey maw'aed al-nozool] Please tell
me when to get off

نزيف n [nazi:f]

نزيف الأنف
[Nazeef al-anf] n nosebleed

lodger n [nazi:l] نزيل

n [nisa:ʔ] نساء

طبيب أمراض نساء
[Tabeeb amraḍ nesaa] n gynaecologist

adj [nisa:ʔij] نسائي

قميص نوم نسائي
['qamees noom nesaaey] n nightie

proportion, ratio n [nisba] نسبة

نسبة مئوية
[Nesbah meaweyah] n percentage

proportional adj [nisbij] نسبي

comparatively adv [nisbijjan] نسبيًا

relatively adv [nisbijan] نسبيًا

n [nasʒ] نسج

أنسجة صوفية
[Ansejah ṣoofeyah] npl woollens

copy (reproduction) n [nasx] نسخ

أين يمكنني الحصول على بعض النسخ؟
[Ayn yomken al-ḥoṣool ala ba'aḍ
al-nosakh?] Where can I get some
photocopying done?

copy v [nasaxa] نسخ

هل يمكنك نسخ هذا من أجلي؟
[hal yamken -aka nasikh hadha min
ajlee?] Can you copy this for me?

copy (written text), n [nusxa] نسخة
version

نسخة ضوئية
[niskha ḍaw-iyaa] n photocopy

نسخة احتياطية
[Noskhah eḥteyaṭeyah] n backup

hygiene n [naẓˤa:fa] نظافة

عاملة النظافة
['aamelat al-nadhafah] n cleaning lady

system n [niẓˤa:m] نظام

نظام غذائي
[Neḍhaam ghedhey] v diet

نظام شمسي
[neḍham shamsey] n solar system

systematic adj [niẓˤa:mij] نظامي

n [naẓˤr] نظر

قريب النظر
['qareeb al- naḍhar] adj near-sighted

قصير النظر
['qaseer al-naḍhar] adj near-sighted

أعاني من طول النظر
[o-'aany min buˤad al-naḍhar] I'm
long-sighted

أعاني من قصر النظر
[o-'aany min 'quṣr al-naḍhar] I'm
short-sighted

look vi [naẓˤara] نظر

ينظر إلى
[yanḍhor ela] v look at

look n [naẓˤra] نظرة

abstract adj [naẓˤarij] نظري

theory n [naẓˤarijja] نظرية

clean vt [naẓˤˤafa] نظّف

organize v [naẓˤˤama] نظّم

clean, neat adj [naẓˤiːf] نظيف

نظيف تماما
[naḍheef tamaman] adj spotless

هل يمكنني الحصول على كوب نظيف
من فضلك؟
[hal yamken -any al-ḥuṣool 'aala koob
naḍheef min faḍlak?] Can I have a clean
glass, please?

هل يمكنني الحصول على ملعقة نظيفة
من فضلك؟
[hal yamken -any al-ḥuṣool 'aala
mil-'aa'qa naḍheefa min faḍlak?] Could I
have a clean spoon, please?

ostrich n [naʃa:ma] نعامة

sheep n [naʕʒa] نعجة

doze v [naʕasa] نعس

drowsy, sleepy adj [naʕsa:n] نعسان

yes! excl [niʕma] نعم

[Noṣob tedhkarey] n memorial

advise v [nasˤaħa] نصح

victory n [nasˤr] نصر

half n [nisˤf] نصف

نصف إقامة
[Neṣf e'qamah] n half board

نصف ساعة
[Neṣf saa'aah] n half-hour

نصف دائرة
[Neṣf daaeyrah] n semicircle

نصف السعر
[Neṣf al-se'ar] n half-price

نِصْف الوقت
[Neṣf al-wa'qt] n half-time

half adj [nisˤfaj] نصفي

half adv [nisˤfijja:] نصفياً

blade n [nasˤl] نصل

adj [nasˤsˤijj] نصّي

رسالة نصية
[Resalah naṣeyah] n text message

lot, quota n [nasˤiːb] نصيب

advice n [nasˤiːħa] نصيحة

flush n [nadˤdˤa:ra] نضارة

grow up v [nadˤaʒa] نضج

bench n [nadˤad] نضد

n [nitˤa:q] نطاق

نطاق زمني
[Neṭa'q zamaney] n time zone

نطاق واسع
[Neṭ'q wase'a] n broadband

n [nutˤqin] نطق

متعسر النطق
[Mota'aer alnoṭ'q] adj dyslexic

pronounce v [natˤaqa] نطق

كيف تنطق هذه الكلمة؟
[kayfa taṇṭu'q hathy al-kalema?] How
do you pronounce it?

pronunciation n [nutˤq] نُطْق

optician n [naẓˤˤa:ra:ti:] نظاراتي

glasses, specs, n [naẓˤˤa:ra] نظارة
spectacles

نظارة واقية
[naḍharah wa'qeyah] n goggles

هل يمكن تصليح نظارتي؟
[hal yamken taṣleeḥ naḍharaty] Can you
repair my glasses?

نعناع [naʕna:ʔ] n mint *(herb/sweet)*, peppermint

نعومة [nuʕu:ma] n smooth, velvet

نَعْي [naʕij] n obituary

نعيم [naʕi:m] n bliss

نغمة [naɣama] n note *(music)*

نغمة الرنين [Naghamat al-raneen] n ringtone

نغمة الاتصال [Naghamat al-eteșal] n dialling tone

نغمة مميزة [Naghamaah momayazah] n key *(music/computer)*

نَفَائِس [nafa:ʔisun] npl valuables

نفاية [nufa:ja] n dump, garbage

نفخ [nafx] adj

آلة نفخ موسيقية [Aalat nafkh mose'qeyah] n woodwind

قابل للنفخ ['qabel lel-nafkh] adj inflatable

نفخ [nafaxa] v pump up

نَفَّذ [naffaða] v carry out

نفس [nafs] n breath

أنفسكم [Anfosokom] pron yourselves

ضبط النفس [Dabț al-nafs] n self-control, self-discipline

علم النفس ['aelm al-nafs] n psychology

ثقة بالنفس [The'qah bel-nafs] n confidence *(self-assurance)*

افعلها بنفسك [Ef'alhaa be-nafsek] n DIY

متميز بضبط النفس [Motameyez bedț al-nafs] adj self-contained

نفسك [Nafsek] pron yourself

لقد جرحت نفسها [la'qad jara-hat naf-saha] She has hurt herself

نفساني [nafsa:nij] adj

طبيب نفساني [Țabeeb nafsaaney] n psychiatrist

نفسي [nafsij] adj psychiatric

عالم نفسي ['aaalem nafsey] n psychologist

نفض [nafad̦a] vt dust

نفط [naftˤ] n (زيت) oil

جهاز حفر آبار النفط [Gehaz ḥafr abar al-naft] n oil rig

نفق [nafaq] n tunnel, underpass

نفقات [nafaqa:tun] npl expenses

نَفقة [nafaqa] n expenditure

نفي [nafa:] v deport

نفيس [nafi:s] n ◁ valuable adj precious

نقابة [niqa:ba] n

نقابة العمال [Ne'qabat al-'aomal] n trade union

نقالة [naqqa:la] n stretcher

نقانق [naqa:niq] n

نقانق ساخنة [Na'qane'q sakhenah] n hot dog

نقد [naqd] n cash, criticism

نقدي [naqdijjat] adj

ليس معي أية أموال نقدية [laysa ma'ay ayat amwaal na'q-diya] I don't have any cash

نقر [naqara] v click

نَقر [naqr] n percussion

نقرة [naqra] n click

نقش [naqʃ] n inscription

نقش [naqaʃa] v engrave

نقص [naqsˤ] n flaw, lack

نقطة [nuqtˤa] n dot, point, period *(punctuation)*

مجموع النقاط [Majmoo'a al-nekat] n score *(of music)*

نقطة الاستشراف [No'qtat al-esteshraf] n standpoint

نقع [naqaʃa] v soak

نقل [naql] n transport

قابل للنقل ['qabel lel-na'ql] adj removable

نقل عام [Na'ql 'aam] n public transport

نقل الدم [Na'ql al-dam] n blood transfusion

نقل [naqala] v take away, transport

نقود n [nuqu:d]

حافظة نقود
[ḥafedhat ne'qood] n purse

أين يمكنني تغيير بعض النقود؟
[ayna yamken-any taghyeer ba'aḍ al-ni'qood?] Where can I change some money?

هل لديك فكّة أصغر من النقود؟
[Hal ladayk fakah aṣghar men alno'qood?] Do you have any small change?

هل يمكن إعطائي فكّة من النقود تبلغ...؟
[Hal yomken e'aṭaey fakah men alno'qood tablogh...?] Could you give me change of...?

هل يمكن أن أسترد نقودي مرة أخرى؟
[hal yamken an asta-rid ni-'qoody marra okhra?] Can I have my money back?

نقي pure adj [naqij]

نكبة catastrophe n [nakba]

نكتة joke n [nukta]

نكهة flavour, zest (lemon- n [nakha] peel), zest (excitement)

نمر panther n [namir]

نمر مخطط
[Namer mokhaṭaṭ] n tiger

نمر منقط
[Nemr men'qaṭ] n leopard

نمساوي Austrian adj [namsa:wij]
◁ Austrian n

نمش freckles n [namʃ]

نمط pattern n [namatˤ]

نمطي adj [namatˤij]

شكل نمطي
[Shakl namaṭey] n stereotype

نملة ant n [namla]

نمو growth n [numuww]

نموذج n [namu:ðaʒ]

نموذج طلبية
[Namodhaj ṭalabeyah] n order form

نموذجي typical adj [namu:ðaʒij]

نمى grow v [nama:]

نميمة gossip n [nami:ma]

نهائي final n ◁ final adj [niha:ʔij]

لا نهائي

نهائية [La nehaaey] adj endless

مباراة شبه نهائية
[Mobarah shebh nehaeyah] n semifinal

نهار n [nha:r]

فترة النهار
[Fatrat al-nehaar] n daytime

نهاية end, finish n [niha:ja]

إلى النهاية
[Ela al-nehayah] adv terminally

نهر river n [nahr]

فرس النهر
[Faras al-nahr] n hippopotamus

أيمكن السباحة في النهر؟
[a-yamkun al-sebaḥa fee al-naher?] Can one swim in the river?

هل يوجد أي رحلات بالمراكب في النهر؟
[hal yujad ay reḥlaat bil-markab fee al-nahir?] Are there any boat trips on the river?

نهض get up, stand up v [nahaḍˤa]

نوبة fit, spell (magic) n [nawba]

نوبة صرع
[Nawbat ṣar'a] n epileptic fit

نوبة غضب
[Nawbat ghaḍab] n tantrum

نوبة مرضية
[Nawbah maraḍeyah] n seizure

نور light n [nu:r]

النور لا يضاء
[al-noor la yo-ḍaa] The light doesn't work

هل يمكن أن أشغل النور؟
[hal yamken an osha-ghel al-noor?] Can I switch the light on?

هل يمكن أن أطفئ النور؟
[hal yamken an aṭfea al-noor?] Can I switch the light off?

نورس n [nawras]

نورس البحر
[Nawras al-baḥr] n seagull

نوع kind, type, gender n [nawʕ]

ما نوع الساندويتشات الموجودة؟
[ma naw'a al-sandweshaat al-maw-jooda?] What kind of sandwiches do you have?

هل قمت من قبل بقص شعري من نوع

شعري
[hal 'qumt min 'qabil be-'qaṣ sha'ar min naw'a sha'ary?] Have you cut my type of hair before?

نوعي *adj* [nawʕij]

مدرسة نوعية
[Madrasah naw'aeyah] *n* primary school

نوفمبر November *n* [nu:fumbar]

نوم sleep *n* [nawm]

غرفة النوم
[Ghorfat al-noom] *n* bedroom

ثياب النوم
[Theyab al-noom] *n* nightdress

وَقت النوم
[Wa'qt al-nawm] *n* bedtime

لا أستطيع النوم
[la asta-ṭee'a al-nawm] I can't sleep

لا استطيع النوم بسبب الضوضاء
[la asta-ṭee'a al-nawm besa-bab al-ḍawḍaa] I can't sleep for the noise

نومة *n* [nawma]

نومة خفيفة
[Nomah khafeefa] *n* snooze

نونية *n* [nu:nijja]

نونية للأطفال
[Noneyah lel-aṭfaal] *n* potty

نووي nuclear *adj* [nawawij]

نيبال Nepal *n* [ni:ba:l]

نية intention *n* [nijja]

نيتروجين nitrogen *n* [ni:tru:ʒi:n]

نيجيري Nigerian *n* [ni:ʒi:rij]

نيجيريا Nigeria *n* [ni:ʒi:rja:]

نيكاراجاو *n* [ni:ka:ra:ʒwa:]

من نيكاراجاو
[Men nekarajwa] *adj* Nicaraguan

نيكاراجاوي *n* [ni:ka:ra:ʒa:wi:] Nicaraguan

نيكاراجوا Nicaragua *n* [ni:ka:ra:ʒwa:]

نيكوتين nicotine *n* [ni:ku:ti:n]

نيوزلندا New Zealand *n* [nju:zilanda:]

نيوزلندي New *n* [nju:zilandi:] Zealander

نيون *n* [niju:n]

غاز النيون
[Ghaz al-neywon] *n* neon

هائل gross, huge, *adj* [ha:ʔil] tremendous

مسبب لدمار هائل
[Mosabeb ledamar haael] *adj* devastating

هاتف ring up *n* [ha:tif]

دفتر الهاتف
[Daftar al-hatef] *n* phonebook

هاتف عمومي
[Hatef 'aomoomy] *n* payphone

هاتف جوال
[Hatef jawal] *n* mobile phone

هاتف ذكي
[Hatef zaky] *n* smart phone

هاتف مرئي
[Hatef mareay] *n* videophone

أريد بعض العملات المعدنية من أجل الهاتف من فضلك
[areed ba'aḍ al-'aimlaat al-ma'a-danya min ajil al-haatif min faḍlak] I'd like some coins for the phone, please

هل يمكن أن أستخدم هاتفك؟
[hal yamken an asta-khdim ha-tifak?] May I use your phone?

هناك مشكلة في الهاتف
[hunaka mushkila fee al-haatif] I'm having trouble with the phone

هاتفي adj [ha:tifij]

اتصال هاتفي

[Eteṣal hatefey] n phonecall

هاجر emigrate v [ha:ʒara]

هاجس n [ha:ʒis]

هاجس داخلي

[Hajes dakheley] n premonition

هاجم attack vt [ha:ʒama]

يهاجم بقصد السرقة

[Yohajem be'qaṣd al-sare'qah] v mug

هادئ quiet adj [ha:diʔ]

أفضل أن تكون الغرفة هادئة

[ofaḍel an takoon al-ghurfa hade-a] I'd like a quiet room

هل يوجد شواطئ هادئ قريب من هنا؟

[hal ju:ʒadu ʃawa:tˤiʔa ha:diʔi qari:bun min huna:] Is there a quiet beach near here?

هام important, adj [ha:mm] significant

غير هام

[Ghayr ham] adj unimportant

هام جداً

[Ham jedan] adj momentous

هامبرجر hamburger n [ha:mbarʒar]

هامش margin n [ha:miʃ]

هاو amateur n [ha:win]

هايتي Haiti n [ha:jti:]

هبّ blow vi [habba]

هبّ yield v [haba]

هباء n [haba:ʔ]

هباء جوي

[Habaa jawey] n aerosol

هبة gift n [hiba]

هبط land vi [hsbstˤa]

هبوط landing n [hubu:tˤt]

هبوط اضطراري

[Hoboot eḍterary] n emergency landing

هبوط الطائرة

[Hoboot al-ṭaerah] n touchdown

هتف yell v [hatafa]

هجر abandon v [haʒara]

هجرة migration, n [hiʒra] immigration

هجوم attack n [huʒu:m]

هجوم إرهابي

[Hojoom 'erhaby] n terrorist attack

هجوم للسرقة

[Hojoom lel-sare'qah] n mugging

لقد تعرضت لهجوم

[la'qad ta-'aaraḍto lel-hijoom] I've been attacked

مهجين mongrel n [haʒi:n]

هُدّاب fringe (hair) n [huda:b]

هُدّال n [huda:l]

نبات الهُدّال

[Nabat al-hoddal] n mistletoe

هَدّد threaten v [haddada]

هدف aim, goal, target n [hadaf]

الهدف في لعبة الجولف

[Al-hadaf fy le'abat al-jolf] n tee

هدم demolish, pull down v [hadama]

هدنة truce n [hudna]

هدية present (gift) n [hadijja]

قسيمة هدية

['qaseemat hadeyah] n gift voucher

أنا أبحث عن هدية لزوجتي

[ana abḥath 'aan hadiya le-zawjatee] I'm looking for a present for my wife

هذا that, this adj [haða:]

هذيان rave n [haðaja:n]

هراء nonsense, trash n [hura:ʔ]

هراوة club (weapon) n [hara:wa]

هرب run away v [haraba]

يَهرُب مسرعا

[Yahrab mosre'aan] v fly away

هَرّب smuggle v [harraba]

هرة n [hira]

هرة صغيرة

[Herah ṣagheerah] n kitten

هرس squash v [harrisa]

هرم pyramid n [haram]

هرمون hormone n [hurmu:n]

هرمونيكا n [hirmu:ni:ka:]

آلة الهرمونيكا الموسيقية

[Alat al-harmoneeka al-mose'qeyah] n mouth organ

هروب escape n [huru:b]

هَرْوَلة jogging n [harwala]

هز shake v [hazza]

يهز كتفيه

[Yahoz katefayh] v shrug

هزأ [hazaʔabi] v

يهزأ ب

[Yah-zaa be] v mock

هزة [haza] n

هزة الجماع

[Hezat al-jemaa'a] n orgasm

هزلي [hazlijja] n comic

سلسلة رسوم هزلية

[Selselat resoom hazaleyah] n comic strip

كتاب هزلي

[Ketab hazaley] n comic book

ممثل هزلي

[Momthel hazaley] n comedian

هزم [hazima] v defeat, beat (outdo)

هزيل [hazi:l] adj skimpy

هزيل الجسم

[Hazeel al-jesm] adj skinny

هزيمة [hazi:munt] n defeat

هستامين [hista:mi:n] n

مضاد للهستامين

[Moḍad lel-hestameen] n antihistamine

هش [haʃ] adj crisp, crispy

هشم [haʃʃama] vt smash

هضم [hadˤm] n digestion

هضم [hadˤama] v digest

هفوة [hafwa] n slip (mistake)

هلام [hala:mu] n

هلام الفاكهة

[Holam al-fakehah] n marmalade

هم [hamma] v matter

لا يهم

[la yahim] It doesn't matter

همجي [hamaȝij] adj barbaric

همس [hamasa] v whisper

هنا [huna:] adv here

هنأ [hannaʔa] v congratulate

هناك [huna:ka] adv there

إنه هناك

[inaho honaka] It's over there

هند [hind] n

ساكن الهند الغربية

[Saken al-hend al-gharbeyah] n West Indian

هندباء [hindaba:ʔi] n

نبات الهندباء البرية

[Nabat al-hendbaa al-bareyah] n dandelion

هندسة [handasa] n engineering

هَنْدَم [handama] v tidy up

هندوسي [hindu:sij] adj Hindu

◄ n Hindu

هندوسية [hindu:sijja] n Hinduism

هندي [hindij] adj Indian ◄ n Indian

المحيط الهندي

[Almoḥeet alhendey] n Indian Ocean

هواء [hawa:ʔ] n air

طاحونة هواء

[ṭahoonat hawaa] n windmill

في الهواء الطلق

[Fe al-hawaa al-ṭal'q] adv outdoors

مُكيف الهواء

[Mokaeyaf al-hawaa] adj air-conditioned

هوائي [hawa:ʔij] adj aerial

هواية [hiwa:ja] n hobby

هَوَس [hawas] n mania

هوكي [hu:ki:] n

لعبة الهوكي على الجليد

[Lo'abat alhookey 'ala aljaleed] n ice hockey

لعبة الهوكي

[Lo'abat alhookey] n hockey

هولندا [hu:landa:] n Holland, Netherlands

هولندي [hu:landij] adj Dutch ◄ n Dutch

رَجُل هولندي

[Rajol holandey] n Dutchman

هولندية [hu:landijja] n Dutchwoman

هَوِي [hawa:] v wind (coil around)

هوية [huwijja] n

غير محدد الهوية

[Ghayr mohadad al-haweyah] adj unidentified

هَوية [hawijja] n personality

هَويّة [huwijja] n identity

هويس [huwajs] n lock (door)

هيأ [hajjaʔa] v set

هيئة [hajʔa] n board (meeting)

هيئة المحلفون

و

[Hayaat moḥalefeen] *n* jury

هيبة prestige *n* [hajba]

هيبيز hippie *n* [hi:biz]

هيدروجين hydrogen *n* [hi:dru:ʒi:n]

هيرويين heroin *n* [hi:rwi:n]

هيكل structure *n* [hajkal]

هيكل عظمي
[Haykal aḍhmey] *n* skeleton

هيلكوبتر helicopter *n* [hi:liku:btir]

و and *conj* [wa]

واثق confident *adj* [wa:θiq]

غير واثق
[Ghayr wathe'q] *adj* uncertain

واثق بنفسه
[Wathe'q benafseh] *adj* self-assured

واجب duty *n* [wa:ʒib]

واجب منزلي
[Wajeb manzeley] *n* homework

واجه face *v* [wa:ʒaha]

واجهة front *n* [wa:ʒiha]

واحة oasis *n* [wa:ħa]

واحد one *number* ◁ ace *n* [wa:ħid]

وادي valley *n* [wa:di:]

واسع broad *adj* [wa:siʕ]

واسع الأفق
[Wase'a al-ofo'q] *adj* broad-minded

واسع الحيلة
[Wase'a al-ḥeelah] *adj* shifty

واشي grass (*informer*) *n* [wa:ʃi:]

واضح clear, definite *adj* [wa:dˤiħ]

غير واضح
[Ghayr waḍeh] *adj* unclear

بشكل واضح
[Beshakl waḍeh] *adv* obviously

من الواضح
[Men al-waḍeh] *adv* apparently

واعٍ conscious adj [wa:ʕin]
واعَد promise v [wa:ʕada]
واعِد promising adj [wa:ʕada]
واعِد hopeful adj [wa:ʕid]
وَافِد immigrant, n [wa:fid] newcomer
وافق approve v [wa:faqa]
وَافِل waffle n [wa:fil]
واقِع reality n [wa:qiʕ]

تلفزيون الواقع
[Telefezyon al-wa'qe'a] n reality TV

في الواقع
[Fee al-wa'qe'a] adv actually

واقعي real, realistic, adj [wa:qiʕij] virtual

غير واقعي
[Ghayer wa'qe'aey] adj unrealistic

واقي n [wa:qij]

نظّارة واقية
[nadharah wa'qeyah] n goggles

واقي الشمس
[Wa'qey al-shams] n sunscreen

والد parent, father n [wa:lidajni]

أحد الوالدين
[Ahad al-waledayn] n single parent
◁ npl parents

والِد أو والدة
[Waled aw waledah] n parent n

واهِن frail adj [wa:hin]
واين n [wa:jn]

خمر هاوس واين
[Khamr hawees wayen] n house wine

وباء epidemic, pest n [waba:ʔ]
وَبّخ tell off v [wabbaxa]
وتد peg n [watad]

وتد الخيمة
[Watad al-kheemah] n tent peg

وتر tendon n [watar]
وتّر strain v [wattara]
وثائقي adj [waθa:ʔiqij]

فيلم وثائقي
[Feel wathaae'qey] n documentary

وثب leap v [waθaba]
وثق v [waθiqa]

يثق ب
[Yathe'q be] n trust

وثيق adj [waθi:q]

على نحو وثيق
['aala nahwen wathee'q] adv nearly

وثيق الصلة
[Wathee'q al-selah] adj relevant

وجبة meal n [waʒba]

متجر الوجبات السريعة
[Matjar al-wajabat al-sarey'aa] n snack bar

وجبة خفيفة
[Wajbah khafeefah] n snack

وجبات سريعة
[Wajabat sarey'aa] n takeaway

وَجْبَة الطعام
[Wajbat al-ṭa'aam] n dinner

كانت الوجبة شهية
[kanat il-wajba sha-heyah] The meal was delicious

وجد exist v [waʒada]
وجِد find v [waʒada]
وجع n [waʒaʕ]

وجع الأسنان
[Waja'a al-asnaan] n toothache

وجنة n [waʒna]

عظم الوجنة
[aḍhm al-wajnah] n cheekbone

وجه face n [waʒh]

على وجه الحصر
['ala wajh al-ḥaṣr] adv exclusively

تدليك الوجه
[Tadleek al-wajh] n facial

وجّه direct vt [waʒʒaha]
وجهة n [wiʒha]

وجهة نظر
[Wejhat naḍhar] n viewpoint

وجهي facial adj [waʒhij]
وحّد combine, unite v [waḥḥada]
وحدة unit, loneliness n [waḥda]

وحدة إضاءة كشافة
[Weḥdah eḍafeyah kashafah] n floodlight

وحدة العناية المركزة
[Weḥdat al-'aenayah al-morkazah] n intensive care unit

وحدة كاملة
[Weḥdah kamelah] n whole

وحش [waḥʃij] adj brutal

وحل [waḥɪl] n

أرض وحلة

[Arḍ waḥelah] n swamp

وحيد [waḥi:d] adj alone

وخز [waxz] n jab

وداعاً [wada:ʕan] excl goodbye!

ودود [wadu:d] adj friendly

ودي [widij] adj

غير ودي

[Ghayr wedey] adj unfriendly

وراء [wara:ʔa] prep beyond

إلى الوراء

[Ela al-waraa] adv back

وراثة [wira:θa] n

علم الوراثة

[A'elm al-weratha] n genetics

وراثي [wira:θij] adj hereditary

ورث [wariθa] v inherit

ورَدة [warda] n rose

وردي [wardij] adj pink

ورشة [warʃatu] n

ورشة العمل

[Warshat al-'aamal] n workshop

هل يمكن أن توصلني إلى ورشة السيارات؟

[hal yamken an tuwa-ṣilny ela warshat al-sayaraat?] Can you give me a lift to the garage?

ورطة [wartˤa] n stalemate

ورق [waraq] n

أوراق اعتماد

[Awra'q e'atemaad] n credentials

أوراق الشجر

[Awra'q al-shajar] npl leaves

ورق السنفرة

[Wara'q al-sanfarah] n sandpaper

ورق الغار

[Wara'q alghaar] n bay leaf

ورق التغليف

[Wara'q al-taghleef] n wrapping paper

ورق المرحاض

[Wara'q al-merḥaḍ] n toilet paper

ورق شفاف

[Wara'q shafaf] n tracing paper

ورق فضي

[Wara'q feḍey] n tinfoil

ورق مسودة

[Wara'q mosawadah] n scrap paper

ورق مقوى

[Wara'q mo'qawa] n cardboard

لا يوجد ورق تواليت

[la yujad wara'q toilet] There is no toilet paper

ورقة [waraqa] n paper

ورقة عشب

[Wara'qat 'aoshb] n spire

ورقة عمل

[Wara'qat 'aamal] n spreadsheet

ورقة كتابة

[Wara'qat ketabah] n writing paper

ورقة مالية

[Wara'qah maleyah] n note

ورقة ملاحظات

[Wara'qat molaḥadhaat] n notepaper

ورقة نبات

[Wara'qat nabat] n leaf

ورم [waram] n lump, tumour

ورنيش [warni:ʃu] n varnish

ورنيش الأحذية

[Warneesh al-aḥdheyah] n shoe polish

ورنيش اللك

[Warneesh al-llak] n lacquer

وريث [wari:θ] n heir, successor

وريثة [wari:θa] n heiress

وريد [wari:d] n vein

وزارة [wiza:ra] n ministry (government)

وَزرة [wizra] n skirting board

وزع [wazzaʕa] v distribute, give out

وزن [wazn] n weight

وزن زائد للأمتعة

[Wazn zaed lel-amte'aah] n excess baggage

وَزن الأمتعة المسموح به

[Wazn al-amte'aah al-masmooh beh] n baggage allowance

وزن [wazana] v weigh

وزير [wazi:r] n minister (government)

وَسائل [wasa:ʔilun] npl means

وسادة [wisa:da] n pillow

وسَادة هوائية

[Wesadah hwaaeyah] n airbag

غطاء الوسادة
[ghetaa al-wesadah] n pillowcase

وسادة رقيقة
[Wesadah ra'qee'qah] n pad

من فضلك أريد وسادة إضافية
[min faḍlak areed wesada eḍa-fiya]
Please bring me an extra pillow

وسط n [wasatˤ]
centre

العصور الوسطى
[Al-'aoṣoor al-wosta] npl Middle Ages

الشرق الأوسط
[Al-shar'q al-awsaṭ] n Middle East

كيف يمكن أن أذهب إلى وسط ...
[kayfa yamkin an athhab ela wasaṭ...?]
How do I get to the centre of...?

وسط [wasatˤa] among prep

وَسَط [wasatˤ] middle n

وَسَط المدينة
[Wasaṭ al-madeenah] n town centre

وِسْكي [wiski] whisky n

وَسَم [wasama] mark (make sign) v

وسيلة [wasi:la]

هل هناك وسيلة مواصلات إلى... تسمح بصعود الكراسي المتحركة؟
[hal hunaka waseelat muwa-ṣalaat ela... tasmaḥ beṣi-'aood al-karasi al-mutaḥarika?] Is there wheelchair-friendly transportation available to...?

وسيم [wasi:m] handsome, pretty adj

وشاح [wiʃa:ħ] scarf, ribbon n

وِشاح غطاء الرأس
[Weshaḥ ghetaa al-raas] n headscarf

وَشم [waʃm] tattoo n

وصاية [wisˤa:ja] custody n

وَصَف [wasˤafa] describe v

يصف علاجا
[Yaṣef 'aelagan] v prescribe

وَصْف [wasˤf] description n

وصفة [wasˤfa]

وصفة طبية
[Waṣfah ṭebeyah] n prescription

وصفة طهي
[Waṣfat ṭahey] n recipe

أين يمكنني إيجاد هذه الوصفة؟
[ayna yamken-any ejad hadhe al-waṣfa?] Where can I get this

prescription made up?

وصل [wasˤala] arrive v

يَصل بين
[yaṣel bayn] v link

كيف يمكن أن أصل إلى ...
[kayfa yamkin an aṣal ela...?] How do I get to...?

متى يصل إلى ...
[mata yaṣil ela...?] When does it arrive in...?

وصّل [wasˤala] conduct vt

وَصْل [wasˤl] receipt n

وصلة [wasˤla] junction, joint n (junction)

وصلة بطارية السيارة
[Waṣlat baṭareyah al-sayarah] npl jump leads

وَصْلَة تلفزيونية
[Wṣlah telefezyoneyah] n cable television

وَصْلَة تمديد
[Waṣlat tamdeed] n extension cable

وصول [wusˤu:l] access, arrival n

سهل الوصول
[Sahl al-woṣool] adj accessible

بعلم الوصول
[Be-'aelm al-woṣool] n recorded delivery

وَصِيّ [wasˤij] warden n

وَصِيّة [wasˤijja] will (document) n

وصيفة [wasˤi:fa] n

وصيفة العروس
[Waṣeefat al-'aroos] n bridesmaid

وضع [wadˤʕ] situation, placement n

أجازة وضع
[Ajazat wad'a] n maternity leave

وضع علامات الترقيم
[Wad'a 'alamaat al-tar'qeem] n punctuation

وضع [wadˤaʕa] put v

يَضع على الأرض
[Yaḍa'a ala al-arḍ] v ground

يَضع تحت الاختبار
[Yaḍa'a taḥt al-ekhtebar] v try out

يَضع في
[Yaḍa'a fee] n place

لقد وضعت بعض الأشياء في الخزينة

[Wa'qt al-dhorwah] n rush hour
وَقْت الطعام
[Wa'qt al-ṭa'aaam] n mealtime
وَقْت اللعب
[Wa'qt al-la'aeb] n playtime
وَقْت النوم
[Wa'qt al-nawm] n bedtime
وَقْت بدل الضائع
[Wa'qt badal ḍaye'a] n injury time
وَقْت فراغ
[Wa'qt faragh] n spare time
أعتقد أن ساعتي متقدمة عن الوقت الصحيح
[a'ata'qid anna sa'aaty muta-'qadema] I think my watch is fast
أنا غير مشغول وقت الغذاء
[Ana ghayr mashghool waqt al-ghadaa] I'm free for lunch
تأخرنا قليلًا عن الوقت المحدد
[ta-akharna 'qale-lan 'aan al-wa'qt al-muhadad] We are slightly behind schedule
في أقرب وقت ممكن
[fee a'qrab wa'qt mumkin] as soon as possible
في أي وقت سوف نصل إلى ...؟
[Fee ay wa'qt sawfa naṣel ela?...] What time do we get to...?
كم الوقت من فضلك؟
[kam al-wa'qt min faḍlak?] What time is it, please?
نقضي وقتا سعيدا
[na'qdy wa'qtan sa'aedan] We are having a nice time
rude adj [waqiħu] وقح
cheeky adj [waqiħ] وَقْح
occur, fall v [waqaʕa] وقع
يقع في غرامها
[Ya'qah fee ghrameha] v fall for
stand v [waqafa] وقف
قف هنا من فضلك
['qif hona min faḍlak] Stop here, please
n [waqf] وَقْف
وَقْف إطلاق النار
[Wa'qf eṭlaa'q al-naar] n ceasefire
pause n [waqfa] وَقْفة

[la'qad wada'ato ba'ad al-ash-ya fe al-khazeena] I have some things in the safe
visibility n [wudˤuːħ] وضوح
vile adj [wadˤiːʕ] وَضِيع
n [watˤan] وطن
حنين إلى الوطن
[Haneem ela al-watan] adj homesick
patriotic adj [watˤanij] وطني
الانتماء الوطني
[Al-entemaa alwataney] n citizenship
employ v [wazzˤafa] وظف
employment, n [wazˤiːfa] وَظيفة profession, post
تليفون مزود بوظيفة الرد الآلي
[Telephone mozawad be-wadheefat al-rad al-aaley] n answerphone
وَظيفة فى فترة الأجازة
[wadheefah fee fatrat al-ajaazah] holiday job
bowl n [wiʕaːʔ] وعاء
bumpy adj [waʕir] وَعر
n [waʃj] وعى
فاقد الوعي
[Fa'qed al-wa'aey] adj unconscious
consciousness n [waʕaː] وَعى
save up v [waffara] وَفر
plenty n [wafra] وَفرة
according to adv [wifqan-li] وفقاً
repay v [wafaː] وَفى
nerve (boldness) n [waqaːħa] وقاحة
prevention n [wiqaːja] وقاية
time n [waqt] وقت
في أي وقت
[Fee ay wa'qt] adv ever
من وقت لآخر
[Men wa'qt le-aakhar] adv occasionally
وَقْت إضافي
[Wa'qt edafey] n overtime
وَقْت الإغلاق
[Wa'qt al-eghlaa'q] n closing time
وَقْت العشاء
[Wa'qt al-'aashaa] n dinner time
وَقْت الغداء
[Wa'qt al-ghadhaa] n lunchtime
وَقْت الذروة

وقواق [waqwa:q] n
طائر الوقواق
[Taaer al-wa'qwa'q] n cuckoo
fuel n [waqunwdu] وقود
halt n [wuqu:f] وقوف
agency n [wika:la] وكالة
وكالة سفريات
[Wakalat safareyat] n travel agent's
agent, attorney n [waki:l] وكيل
وكيل سفريات
[Wakeel safareyat] n travel agent
وكيل أخبار
[Wakeel akhbaar] n newsagent
n [wila:da] ولادة
ولادة الحيوان
[Weladat al-hayawaan] n litter (offspring)
state n [wila:ja] ولاية
الولايات المتحدة
[Al-welayat al-mothedah al-amreekeyah]
n United States
ولاية جورجيا
[Welayat jorjeya] n Georgia (US state)
lad, child n [walad] ولد
وَلَع [walaʕ] passion n
flash, blink vi [w:madˤa] ومض
flash, torch n [wami:dˤ] وميض
crane (for lifting) n [winʃ] ونش
blaze n [wahaʒ] وَهج
illusion n [wahm] وهم
whisky n [wi:ski:] ويسكي
ويسكي الشعير المجفف
[Weskey al-she'aeer al-mojafaf] n malt
whisky
سأتناول ويسكي
[sa-ata-nawal wisky] I'll have a whisky
ويسكي بالصودا
[wesky bil-ṣoda] a whisky and soda
Wales n [wi:lzu] ويلز
Welsh n ◁ Welsh adj [wi:lzij] ويلزي

hopeless adj [ja:ʔis] يائس
n ◁ Japanese adj [ja:ba:ni:] ياباني
Japanese (person)
اللغة اليابانية
[Al-lghah al-yabaneyah] (language) n
Japanese
yard (measurement) n [ja:rda] ياردة
despair n [jaʔs] يأس
سن اليأس
[Sen al-yaas] n menopause
v [ja:qu:tun] ياقوت
ياقوت أزرق
[Ya'qoot azra'q] n sapphire
aniseed n [ja:nsu:n] يانسون
lottery n [ja:nasˤi:b] يانصيب
بيع باليانصيب
[Bay'a bel-yanaṣeeb] n raffle
desperate adj [jaʔu:s] يؤوس
orphan n [jati:m] يتيم
v [jaʒʕaluhu] يَجعل
يَجعله أسوأ
[Tej'aalah aswaa] v worsen
mimic v [ħa:ka:] يحاكي
bear n [juħtamalu] يَحتمل
shift n [juħawwilu] يحول
v [juħibu] يُخِب
يُخِب الفرس

cast n [jasˤubu] يَصُبْ

issue n [jasˤduru] يَصْدُر

sacrifice n [judˤaħħi:] يُضحِي

fool v [judˤallilu] يُضَلِلْ

plaster n [judˤammidu] يُضَمِّد

dragonfly n [jaʕsu:b] يَعْسُوب

hold up v [junʕatˤtˤilu] يُعَطِّل

v [qa:ma] يقم

لا تقم بتحريكه
[la ta'qum be-taḥ-rekehe] Don't move
him

certainty n [jaqi:n] يقين

undoubtedly adv [jaqi:nan] يَقِينًا

dove n [jama:ma] يمامة

right (not left) adj [jami:n] يمين

على اليمين
[Ala al-yameen] adj right-hand

الحنث باليمين
[Al-ḥanth bel-yameen] n perjury

اتجه نحو اليمين
[Etajeh anḥw al-yameen] Turn right

January n [jana:jiru] يناير

v [janbaɣi:] ينبغي

إن... لا يعمل كما ينبغي
[enna... la ya'amal kama yanbaghy]
The... doesn't work properly

كم الكمية التي ينبغي على تناولها؟
[kam al-kamiyah al-laty yan-baghy 'ala
tana-welaha?] How much should I
take?

كم الكمية التي ينبغي علي إعطائها؟
[kam al-kamiyah al-laty yan-baghy
'aalaya e'aṭa-eha?] How much should I
give?

expire v [janqadˤi:] ينتهي

nag v [janiqqu] ينق

calm down v [juhaddiʔu] يَهَدَّأْ

Jew n [jahu:di:] يهودي

هل توجد أطباق مباح أكلها في
الشريعة اليهودية؟
Do you have kosher dishes?

yoga n [ju:ʒa:] يُوجَا

deposit n [judiʕu] يُودِع

uranium n [ju:ra:nju:mi] يورانيوم

euro n [ju:ru:] يورو

أريد كارت تليفون بخمس وعشرين يورو

[Yokheb al-faras] v canter

yacht n [jaxt] يخت

v ◁ scheme n [juxatˤtˤitˤu] يُخَطِّط

يُخَطِّط بدون تفاصيل
[Yokhaṭeṭ bedon tafaṣeel] v sketch

hand n [jadd] يد

خط اليد
[Khaṭ al-yad] n handwriting

كرة اليد
[Korat al-yad] n handball

v [jadawijjun] يدوي

غير يدوي
[Ghayr yadawey] adj hands-free

handmade adj [jadawij] يَدَوي

gerbil n [jarbu:ʕ] يَربوع

bribe n [jarʃu:] يَرشو

jaundice n [jaraqa:n] يرقان

slug, caterpillar n [jaraqa:na] يرقانة

maggot n [jaraqa] يَرَقَة

يَرَقَة دودية
[Yara'qah doodeyah] n grub

mortgage n [jarhanu] يَرْهِن

call off n [jazʒuru] يَزْجُر

oil n [juzajjitu] يزيت

left n [jasa:r] يسار

اتجه نحو اليسار
[Etajeh naḥw al-yasaar] Turn left

left adv [jasa:ran] يسارا

left adj [jasa:rij] يساري

v [jastaħikkuhu] يستحك

يستحكه جلده
[yastaḥekah jaldah] v itch

يَسمَح بـ [jasmaħu bidduxu:li] يَسمَح بالدخول
[Yasmaḥ bel-dokhool] v admit (allow in)

hear v [jasmaʕu] يسمع

أنا لا أسمع
[ana la asma'a] I'm deaf

Jesus n [jasu:ʕ] يسوع

v [ʔeʃtahara] يشتهر

ما هو الطبق الذي يشتهر به المكان؟
[ma howa al-ṭaba'q al-lathy yashta-her
behe al-makan?] What is the house
speciality?

confiscate n [jusˤa:diru] يُصَادِر

clasp n [jusˤa:fiħu] يصافح

[areed kart talefon be-khams
wa-'aishreen yoro] I'd like a
twenty-five-euro phonecard

يوسفي mandarin *(fruit)*, *n* [juːsufij]
tangerine

يوليو July *n* [juːljuː]

يوم day *n* [jawm]

يوم الراحة
[Yawm al-raḥah] *n* Sabbath

يوم الثلاثاء
[Yawm al-tholathaa] *n* Tuesday

يوم الخميس
[jawmul xamiːsi] *n* Thursday

يوم في الأسبوع
[Yawm fee al-osboo'a] *n* weekday

أريد تذكرة تزلج ليوم واحد
[areed tadhkera tazaluj le-yawm waḥid]
I'd like a ski pass for a day

أي الأيام تكون اليوم؟
[ay al-ayaam howa al- yawm?] What
day is it today?

**لا نريد أن نرى أي شخص آخر غيرنا
إطوال اليوم!**
[la nureed an nara ay shakhṣ akhar
ghyranạ ṭewaal al-yawm!] We'd like to
see nobody but us all day!

!يا له من يوم جميل
[ya laho min yawm jameel] What a
lovely day!

يومان fortnight *n* [jawmaːni]

يومي daily *adj* [jawmij]

يومياً daily *adv* [jawmijjaan]

يوميات diary *n* [jawmijjaːt]
(appointments)

يوناني Greek *n* ◁ Greek *adj* [juːnaːnij]
(person)

اللغة اليونانية
[Al-loghah al-yonaneyah] *(language)* *n*
Greek

يونيو June *n* [juːnjuː]

قواعد الانجليزية

المحتويات

مثل كثير من اللغات تتبع اللغة الإنجليزية قواعد محددة. فيما يلي بعض القواعد الأساسية للغة الإنجليزية.

الأفعال الرئيسية Main verbs

هي أهم الأفعال في الجملة لأنه بدونها لاتكتمل الجملة ولها معنى خاصاً بها على خلاف الأفعال المساعدة. يمكن تقسيم الأفعال الأساسية إلى المجموعات التالية:

الأفعال المتعدية واللازمة Transitive and intransitive verbs

وهي التي تقبل مفعولاً به مباشراً، مثل:

He bought a guitar   اشترى غيتاراً

الأفعال اللازمة والتي لا تأخذ مفعولاً به مباشراً، مثل:

I woke up   أنا استيقظت

الكثير من الأفعال، مثل (speak يتكلم)، يمكن أن تكون متعدية أو لازمة. كما هو الحال في الأمثلة التالية:

متعدي transitive	لازم intransitive
He speaks Spanish	John speaks fast
يتحدث الإسبانية	جون يتحدث بسرعة

أفعال الربط Linking verbs

إن فعل الربط ليس له معنى خاصاً به بشكل عام. تربط هذه الأفعال الفاعل مع ماقيل عنه (**بقية الجملة**) . ويعبر فعل الربط عادة عن تغير إلى حالة أو مكان ما وغالباً مايتبع بصفة. إن فعل الربط هو دائماً لازم لكن

ليست كل الأفعال اللازمة أفعال ربط. أنظر الأمثلة التالية:

The sky looks cloudy	The book sounds interesting
تبدو السماء غائمة	يبدو الكتاب ممتعاً

الأفعال الديناميكية (الحركية) والحالة Dynamic and stative verbs

هنالك أفعال تصف الحركة وتسمى أفعال حركية، و تستعمل مع صيغ الأفعال المستمرة. من هذه الأفعال:

hit	run	go
يضرب	يجري	يذهب

و هنالك أفعال أخرى تصف الحالة وتدعى أفعال الحالة، و عادة لا تستعمل مع صيغ
الأفعال المستمرة.

be	love	wish	see	include	need	resemble
يكون	يحب	يتمنى	يرى	يتضمن	يحتاج	يشبه

Regular and irregular verbs الأفعال المنتظمة و الشاذة

هذا متعلق بالمفردات أكثر منه بالقواعد. الاختلاف الحقيقي الوحيد بين الأفعال
المنتظمة و الشاذة هو اختلاف نهايتها في أشكال التصريفين الثاني و الثالث. في حالة
الأفعال النظامية، تكون نهاية التصريف الثاني و نهاية التصريف الثالث واحدة.-ed
أما في حالة الأفعال الشاذة، فإن نهاية التصريف الثاني و نهاية التصريف الثالث
متغيرة. لذا من الضروري أن نحفظها عن ظهر قلب.

الأفعال المنتظمة:

التصريف الثالث	التصريف الثاني	التصريف الأول
looked نظر	looked نظر	look ينظر
worked عمل	worked عمل	work يعمل

الأفعال الشاذة:

التصريف الثالث	التصريف الثاني	التصريف الأول
bought اشترى	bought اشترى	buy يشتري
done عمل	did عمل	do يعمل

في أغلب الأحيان التقسيمات أعلاه يمكن أن تخلط. على سبيل المثال، يمكن أن يكون
فعل ما شاذ، متعد و حركي؛ فعل آخر يمكن أن يكون منتظم، متعد و حالة.

Auxiliary verbs الأفعال المساعدة

تستعمل الأفعال المساعدة مع الأفعال الرئيسية بغرض السماح لنا بالتحدث عن فترات
زمنية مختلفة وتشكيل صيغ استفهام ونفي.

يمثل الفعلان be (يكون) و have (يملك) الأفعال المساعدة الرئيسية. الغرض من
الفعل المساعد الرئيسي تشكيل أزمنة مركبة. يستخدم (be) لتشكيل زمني المضارع
المستمر والماضي المستمر ولتشكيل المبني للمجهول أيضا، كما توضح الأمثلة التالية:

I am working	أنا أعمل.
We were all wondering about that.	كنا جميعا نتساءل عن ذلك.
Martin was arrested and held overnight.	تم اعتقال مارتن واحتجازه طيلة الليل.

يستخدم (have) لتشكيل زمني المضارع التام والماضي التام:

Sara <u>has finished</u> fixing the car	لقد أنهت سارا إصلاح السيارة.
Amanda <u>had</u> already <u>eaten</u> when we arrived.	كانت أماندا قد فرغت من تناول الطعام عندما وصلنا.

يعد الفعل يفعل Do الفعل المساعد الداعم ويستخدم في تشكيل صيغ النفي والاستفهام والجمل التأكيدية:

I <u>do</u> not like meat at all.	أنا لا أحب اللحم على الإطلاق.
<u>Do</u> you <u>like</u> fish?	هل تحب السمك؟
You <u>do like</u> fish, don't you?	أنت تحب السمك، أليس كذلك؟

الأفعال الشكلية (الناقصة)   Modal verbs

تستخدم الأفعال الشكلية قبل الأفعال الأخرى للتعبير عن أفكار مثل المقدرة (can) والإمكانية (may) والوجوب (must) .

الأفعال الشكلية الأساسية هي:

should	would	will	shall	ought to	must	might	May	could	can

تختلف الأفعال الشكلية عن غيرها من الأفعال لأنها لاتغير شكلها:

I <u>can</u> ride a horse   يمكنني أن أمتطي الحصان

She <u>can</u> ride a horse   يمكنها أن تمتطي الحصان

ويتم صياغة النفي من الأفعال الشكلية كالتالي:

Short form الشكل المختصر للنفي	Negative النفي	Modal verb الفعل الشكلي
can't	cannot	can
couldn't	could not	could
(نادراً ماتستخدم mayn't)	may not	may
mightn't	might not	might
mustn't	must not	must
oughtn't to	ought not to	ought to
shan't	shall not	shall
shouldn't	should not	should
won't	will not	will
wouldn't	would not	would

233

غالباً مايتم اختصار الفعل الشكلي (will سوف) إلى (ll') وذلك أثناء الكلام والكتابة غير الرسمية، مثال: I'll، they'll . ويتم أيضاً اختصار الفعل (would) إلى (d')، مثال: I'd و they'd .

أشباه الجمل Phrasal verbs

إن شبه الجملة هي نوع من الأفعال التي تتشكل عندما يتم جمع فعل أساسي مع أي من:

• حال adverb

give in	take off	break in
تنازل/قدم	نزع/حلّق	اقتحم

• حرف جر preposition

get at (someone)	pick up
يصل/يشير إلى (شخص ما)	التقط/رفع

• حال وحرف جر adverb+preposition

put up with (insults)	get rid of
يحتمل (إهانة)	يتخلص من

إن المعنى الحقيقي غالباً لاعلاقة له بالمعنى الحرفي للفعل أو الأداة (الحال أو حرف الجر).

الأسماء Nouns

الأسماء هي الكلمات التي تدل على الأشياء والأفكار. ويمكن تصنيف الأسماء كما يلي:

أسماء العلم Proper nouns

وهي أسماء الأشخاص أوالأماكن أوالأشياء وجميعها يبدأ بحرف كبير:

Thursday	April	Mount Everest	Egypt	Victor Hugo
الثلاثاء	إبريل/ نيسان	جبل إفرست	مصر	فيكتور هوجو

الأسماء العامة Common nouns

وهي كل الأسماء الأخرى التي تشير إلى الأشياء والتي يمكن تقسيمها إلى المجموعات التالية:

الأسماء المجردة Abstract nouns والتي تشير إلى الأشياء التي لايمكنك رؤيتها أو لمسها، مثل:

time	idea	anger	honesty
وقت	فكرة	غضب	صدق

الأسماء المحسوسة Concrete nounsوهي التي تشير إلى الأشياء التي يمكنك رؤيتها أو لمسها، مثل:

teacher	stone	sugar	dog
مدرّس	حجر	سكر	كلب

الأسماء الجماعيةCompound nouns

وهي تتكون من كلمتين أو أكثر. بعضها يكتب ككلمة واحدة والبعض الآخر ككلمتين منفصلتين أو بينهما واصلة (-). كما هو الحال في الأمثلة التالية:

teapot	washing machine	break-in
إبريق الشاي	غسالة	اقتحام

الأسماء المعدودة وغير المعدودة   Countable and uncountable nouns

الأسماء المعدودة هي الأسماء التي تشير إلى الأشياء التي يمكن عدّها، مثل: بقرة واحدة

one cow ، بقرتان اثنتان two cows، سبع عشرة قطة seventeen cats ، ...إلخ. ولهذه الأسماء حالتان: الجمع والإفراد، وهي تظهر في طريقة الكتابة. يجب أن يسبقها أحد المحددات إذا كانت مفردة:

car/cars	apple/apples
سيارة/سيارات	تفاحة/تفاحات

الأسماء غير المعدودة وهي تشير إلى الأشياء التي لايمكن عدها: (sugar سكر) ، (advice نصيحة)

Sami asked me for some advice	Sugar is quite cheap
طلب سامي مني أن أسدي له بعض النصح	السكر رخيص جدا

لا تجمع عادة الأسماء غير المعدودة ويأتي بعدها أفعال تشير إلى المفرد. كما أنه من غير المألوف استخدامها مع أدوات التنكير. لايمكن التحدث عن (an advice نصيحة) أو (a money مال)

أسماء الكتلة Mass nouns وهي تشير إلى المواد التي يمكن تقسيمها أو قياسها ولكن لا يمكن عدها. ولا يوجد عادة قبلها أداة تنكير.

Meat is usually more expensive than **cheese**	**Sugar** is quite cheap
اللحم عادة ثمنه أكثر من الجبن	السكر رخيص جداً

يمكن أن تجمع أسماء الكتلة في حالات خاصة. على سبيل المثال، عندما تشير إلى نوع معين أو أنواع من المادة أو عندما تشير إلى تقديم مادة ما.

Rose brought out a tempting selection of <u>French cheeses</u>	**Two teas**, please
جلبت روز مجموعة مغرية من الأجبان الفرنسية	كوبان من الشاي، من فضلك

Pronouns الضمائر

الضمير هو كلمة يمكن أن تستخدم عوضاً عن الإسم أو العبارة الإسمية. وتستخدم الضمائر عندما لا نريد أن نكرر نفس الإسم في الجملة أو المقطع. كما هو الحال في المثال التالي:

Gary saw Sue so he asked her to help him

غاري قابل سو فسألها أن تساعده.

هنالك سبعة أنواع من الضمائر وهي تصنف تبعاً لمعانيها و استعمالاتها.

Personal pronouns الضمائر الشخصية

ويمكن أن تستخدم كفاعل أو مفعول به في الجمل.

He gave <u>her</u> a box of chocolate.	<u>We</u> saw <u>them</u> both on Friday.
أعطاها علبة من الشوكولاتة.	رأينا كلاهما يوم الجمعة.

Reflexive pronouns الضمائر الإنعكاسية

وتستخدم لتحل محل المفعول به وتعود على فاعل الجملة كما في المثال التالي:

I've just cut <u>myself</u> on a piece of glass.
لقد جرحت نفسي بقطعة من الزجاج.

وتستعمل الضمائر الانعكاسية أيضاً للتأكيد على أمر ما كما يوضح المثال التالي:

Never mind. I'll do it <u>myself</u>.
لا تقلق. سوف أقوم بذلك بنفسي.

Possessive pronouns ضمائر الملكية

وهي تشير إلى ملكية الشيء:

Give it back, it's <u>mine</u>.
أعطنيه. إنه لي.

Demonstrative pronouns ضمائر الإشارة

وهي الضمائر التي تستخدم للدلالة على قرب الشيء أو بعده عنا كما يوضح المثال الآتي:

This is John's and that is Peter's.
هذا ملك لجون وذاك ملك لبيتر

Relative pronouns ضمائر الوصل

والغرض منها الربط مابين شبه جملة إيضاحية (وهي الجزء من الجملة الذي يعطي معلومات أكثر عن كلمة أو عبارة في الجملة ذاتها) وعبارة إسمية أو شبه جملة أخرى كما يوضح المثال التالي:

That's the girl <u>who</u> always comes top.
تلك هي الفتاة التي حدثتك عنها.

Interrogative pronouns ضمائر الاستفهام

وتستعمل للسؤال عن العبارة الإسمية التي تصفها كما هو الحال في المثال التالي:

<u>What</u> would you like for lunch?	<u>Who</u> was responsible?
ما الذي ترغب بتناوله على وجبة الغداء؟	من كان المسؤول؟

Indefinite pronouns الضمائر غير المعرفة

وهي الضمائر التي تستخدم على نطاق واسع للإشارة إلى شيء ما عندما لا يكون هناك حاجة أو إمكانية لاستخدام أحد الضمائر الشخصية، كما هو واضح في المثال التالي:

<u>Everyone</u> had a compass and a whistle.	<u>Neither</u> wanted to give in and apologize.
كل شخص منهم يملك بوصلة وصفارة.	لا أحد منهما أراد أن يتنازل ويتقدم باعتذار.

الضمائر الشخصية يمكن أن تحل محل الفاعل في الجملة (أنا، أنت، هو، هي، نحن، هم) أو محل المفعول به. ومن الصعب تحديد الصيغة التي يجب اعتمادها في بعض الأحيان وخاصة إذا ما كنا بصدد استعمال ضميرين في آن واحد أو اسماً شخصياً مرفقاً بضمير شخصي. وفيما يلي بعض القواعد التوضيحية:

ـ إذا كان الضميران المستخدمان يشكلان الفاعل المشترك للفعل، عندها يجب استخدام الضمير بصيغة الفاعل:

Jerry and I are going to paint the house ourselves.
سنقوم أنا وجيري بطلاء المنزل بأنفسنا

ـ إذا كان الضميران المستخدمان يشكلان المفعول به المشترك للفعل، عندها يجب استخدام الضمير بصيغة المفعول به:

They decided to help Jane and me	I want to give you and him a present.
قرروا بأن يساعدانني وجين.	أود تقديم هدية لك وله.

ـ تستخدم صيغة المفعول به للضمائر بعد أحرف الجر:

Between you and me, I don't like this place	Wasn't that kind of him?
بيني وبينك، لا أحب هذا المكان.	ألم يكن ذلك لطفاً منها؟

الصفات Adjectives

تقوم الصفة بإعطاء معلومات عن الاسم وتصف إحدى خواص الاسم بشيء من التفصيل.

a tall man	their new, wide-screen TV
رجل طويل	تلفازهم الجديد ذو الشاشة العريضة

عندما يكون هنالك أكثر من صفة غالباً ما يتم استخدام الفواصل بينها، إلا أنه يمكن استخدام لائحة من الصفات المتتالية من دون فواصل بينها:

a happy young blonde German girl.
بنت ألمانية صغيرة شقراء سعيدة

وتستخدم الصيغة المقارنة comparative للصفة للمقارنة بين شخصين أو شيئين أو حالتين:

Ann is taller than Mary, but Mary is older
آن أطول من ماري لكن ماري أكبر سناً

في حين تستخدم الصيغة التفضيلية superlative لأكثر من شخصين أو شيئين أو حالتين وذلك عندما يكون أحدها لديه أهمية أو نوعية أو نوعية أفضل من الأخرى. عادة ما يأتي قبل هذه الصفة التفضيلية أداة التعريف the.

Mike is the tallest student in the school.
مايك هو أطول طالب في المدرسة

هناك طريقتان يتم فيهما تشكيل الصيغ المقارنة والتفضيلية للصفات:

• نقوم بإضافة -er (المقارنة)، و -est (التفضيل) للصفة. الصفات ذات المقطع اللفظي الواحد تأخذ النهايات التالية:

	المقارنة comparative	التفضيلية superlative
bright ذكي/ ساطع	brighter أكثر ذكاءً/سطوعاً	the brightest الأكثر ذكاءً/سطوعاً
long طويل	longer أكثر طولاً	the longest الأكثر طولاً

إذا كانت الكلمة تنتهي بـ (e) **عندها يجب أن تترك ويتم إضافة (r) أو (st)** . أما إذا كانت تنتهي بـ (y) عادة يتم تغيير الـ (y) إلى (i) وإضافة (er) أو (est).

	المقارنة comparative	التفضيلية superlative
wise حكيم	wiser أكثر حكمة	the wisest الأكثر حكمة
pretty جميل	prettier أكثر جمالاً	the prettiest الأكثر جمالاً

ملاحظة: عندما يتم إضافة (er) أو (est) للصفات ذات المقطع اللفظي الواحد والمنتهي بحرف صوتي يتبعه حرف صامت، يجب مضاعفة الحرف الصامت، مثل:
– أكبر bigger

الأكثر حزناً saddest

• نقوم بإضافة إحدى الكلمتين (more أكثر) أو (most الأكثر) قبل الصفات التي تتكون من ثلاثة مقاطع لفظية أو أكثر:

	المقارنة comparative	التفضيلية superlative
Fortunate محظوظ	more fortunate أكثر حظاً	the most fortunate الأكثر حظاً
Beautiful جميل	more beautiful أكثر جمالاً	the most beautiful الأكثر جمالاً

الصفات التي يتم صياغتها من اسم المفعول (**أحد أشكال الفعل**) تستخدم كلاً من more أو most أيضاً:

	المقارنة comparative	التفضيلية superlative
provoking مزعج	more provoking أكثر إزعاجاً	the most provoking الأكثر إزعاجاً
determined مصمم	more determined أكثر تصميماً	the most determined الأكثر تصميماً

الصفات ذات المقطعين اللفظيين بما فيها تلك التي تنتهي بـ er- يمكن أن تتبع أحد النمطين أو كلاهما أحياناً. في حال لم تكن متأكداً يمكنك عندئذ استخدام more/most مع الصفات ذات المقطعين اللفظيين.

	المقارنة comparative	التفضيلية superlative
shallow ضحل، قليل العمق	shallower أو more shallow أقل عمقاً	the shallowest أو the most shallow الأقل عمقاً
Polite مهذب	politer أو more polite أكثر تهذيباً	the politest أو the most polite الأكثر تهذيباً

هنالك مجموعة من الصفات غير النظامية والتي لديها صياغة مختلفة في حالتي المقارنة والتفضيل:

	المقارنة comparative	التفضيلية superlative
good جيد	better أفضل	the best الأفضل
bad سيء	worse أسوأ	the worst الأسوأ
Far بعيد	Further, farther أبعد	the furthest, the farthest الأبعد

ويتم استخدام (less أقل) أو (least الأقل) للإشارة إلى عكس كلٍ من (er/-est-) و (more/most) وذلك عند المقارنة بين الأشياء أو الأشخاص.

	المقارنة comparative	التفضيلية superlative
sharp حاد/ذكي	less sharp أقل حدة/ذكاء	the least sharp الأقل حدة/ذكاء
interesting مشوّق	less interesting أقل تشويقاً	the least interesting الأقل تشويقاً

أحرف الجر   Prepositions

حرف الجر هو كلمة تنتمي إلى مجموعة صغيرة ولكن شائعة من الكلمات التي تربط عناصر مختلفة ببعضها البعض. معظم أحرف الجر الانجليزية هي ذات معان متعددة ترتبط بحرف جر محدد. وتتكون أحرف الجر البسيطة من كلمة واحدة كما هو ملاحظ في الأمثلة التالية:

in	on	under
في	على	تحت

أما أحرف الجر المعقدة فتتكون من أكثر من كلمة واحدة كما هو مبين في الأمثلة التالية:

due to	together with	on top of	in spite of	out of
بسبب	بالاشتراك مع	بالإضافة إلى ذلك	بالرغم من	خارج

وتتضمن المجموعتان أدناه جميع أحرف الجر البسيطة. بعض الكلمات يمكن أن تكون أحرف جر أو أحوال، وهذا متعلق بكيفية استخدامها وبما يرتبط بها. يحتاج حرف الجر إلى مفعول به، حاله في ذلك كحال الفعل المتعدي.و سنجد بأن أحرف الجر التي يمكن أن تستخدم كأحوال أيضا تظهر في المجموعة الأولى بينما تتضمن المجموعة الثانية أحرف الجر التي لا تستخدم كأحوال:

المجموعة الأولى:

Aboard (على متن), about (بخصوص ،حول، عن), above (فوق), across (عبر), after (بعد، عقب), along (على طول، بمحاذاة), alongside (بمحاذاة), around (حول), before (قبل، أمام), behind (وراء), below (أسفل), by (ب، بفعل، بالقرب من), beneath (تحت), beside (بجانب), between (بين), beyond (ماوراء), down (تحت، بالقرب من), inside (داخل), near (بالقرب من), off (عن), opposite (عكس), outside (خارج), over (فوق), past (إلى ماوراء، بعد), round (حول، طوال), since (منذ), through (خلال، بواسطة، طوال), throughout (طوال), under (تحت), underneath (تحت، في الأسفل), pu (فوق، نحو), within (داخل، ضمن), without (خارج، بدون).

المجموعة الثانية:

against (ضد ،عكس), amid (في خضم), among (بين), as (ك), at (عند), atop (في أعلى الشيء), bar (ماعدا), despite (على الرغم), during (خلال), for (لأجل، بسبب), from (من), ni (في), into (عبر، في), like (ك ، مثل), of (من), on (على), onto (على، فوق), pending (خلال), per (في، بواسطة), prior (سابق), pro (تأييدا ل), re (فيما يتعلق ب), regarding (بخصوص), than (من، غير، على أن، حتى), till (حتى), to (إلى), towards (نحو، من، حوالي، من أجل), until (إلى أن، حتى), unto (حتى، إلى), upon (حين، على وشك), via (بواسطة), with (مع، ب).

Conjunctions   أدوات العطف

تقوم أداة العطف بربط اسمين (أو أكثر) أو عبارتين (أو أكثر) مع بعضهما البعض. وتسمى أدوات العطف أحيانا "كلمات الوصل".

I bought some bread <u>but</u> forgot to get the milk.	I went to the shop <u>and</u> bought some bread.
اشتريت بعض الخبز ولكن نسيت أن أجلب الحليب.	ذهبت إلى المتجر واشتريت بعض الخبز.

في أغلب الكتابة الرسمية لا يعتبر أسلوباً جيداً أن تبدأ الجملة بأداة عطف. ولكن في أسلوب الكتابة الأكثر ابداعاً يمكن القيام بذلك من أجل جعل الكتابة ذات تأثير.

الأزمنة الفعلية   Tenses

تستخدم أشكال الأفعال الأزمنة للإشارة إلى الزمن الذي يمثل ما نتكلم عنه، سواء أكان ذلك في الماضي أو الحاضر أو المستقبل:

Laurence worked in the post office over the Christmas holidays.	Jessica works in the post office.
عمل لورنس في مكتب البريد خلال عطلة عيد الميلاد.	تعمل جيسيكا في مكتب البريد.

في اللغة الانجليزية، هناك نوعان من الأزمنة:
- الزمن البسيط: وهو مكون من كلمة واحدة.
- الأزمنة المركبة: ويتم تشكيل هذه الأزمنة باستخدام الشكل المضارع أو الماضي من الأفعال المساعدة مع فعل آخر منته بـ (ing) أو (ed). وفيما يلي الأشكال المختلفة للأزمنة في اللغة الانجليزية:

المضارع البسيط   Present simple

I <u>go</u> to college in London.	Manuela <u>goes</u> to school every day.
أذهب إلى المعهد في لندن.	تذهب مانويلا إلى المدرسة كل يوم.

الماضي البسيط   Past simple

I <u>cooked</u> a meal.	He <u>saw</u> a tiger.
طهوت وجبة.	رأى نمراً.

المستقبل البسيط   Future simple

We <u>will give</u> you the money tomorrow.	Louise <u>will phone</u> you later.
سوف نعطيك النقود غداً.	ستتصل لويز بك لاحقاً.

Present perfect المضارع التام

I <u>have ordered</u> a new sofa.	The illness <u>has ruined</u> my life.
لقد طلبت أريكة جديدة.	لقد دمر المرض حياتي.

Past perfect الماضي التام

They <u>had noticed</u> a strange smell.	She <u>had visited</u> Paris before.
كانوا قد لاحظوا رائحة غريبة.	كانت قد زارت باريس من قبل.

Future perfect المستقبل التام

We <u>will have finished</u> before dark.	Gary <u>will have done</u> his work by then.
سنكون قد انتهينا قبل حلول الظلام.	سيكون غاري قد أتم عمله عندئذ.

Present continuous المضارع المستمر

I <u>am waiting</u> for Jack.	She <u>is finishing</u> her meal.
أنا أنتظر جاك.	إنها تنهي وجبتها.

Past continuous الماضي المستمر

We <u>were trying</u> to see the queen.	The man <u>was waiting</u> for the bus.
كنا نحاول رؤية الملكة.	كان الرجل ينتظر الحافلة.

Future continuous المستقبل المستمر

We <u>will be playing</u> football with another school team.	Mum <u>will be worrying</u> about us.
سوف نلعب كرة القدم مع فريق من مدرسة أخرى.	سوف تقلق أمي علينا.

Present perfect continuous المضارع التام المستمر

We <u>have been trying</u> to phone you all morning.	The snow <u>has been falling</u> all night.
ظللنا نحاول الاتصال بك طيلة فترة الصباح.	ظل الثلج يهطل طوال الليل.

Past perfect continuous الماضي التام المستمر

The children <u>had been using</u> my computer.	Anna <u>had been sitting</u> there all day.
كان الأولاد يستعملون حاسبي الشخصي.	كانت آنا تجلس هناك طيلة اليوم.

Future perfect continuous المستقبل التام المستمر

On Sunday, we <u>will have been living</u> here for 10 years.	I <u>will have been working</u> on the project for over a year.
بحلول يوم الأحد، سيكون قد مر على حياتنا هنا عشر سنوات.	سيكون قد مر على عملي بهذا المشروع مايزيد عن عام.

الفعل والفاعل والمفعول به غير المباشر Subject, object, and indirect object

إن الفاعل في الجملة هو الشخص أو الشيء الذي يقوم بالفعل. يمكن أن يكون الفعل إسماً أو عبارة إسمية أو ضمير. جميع الجمل بحاجة إلى فاعل.

<u>Her</u> car broke down.	<u>The man in the red coat</u> asked me some questions.	<u>Adam</u> played the piano.
تعطلت سيارتها.	الرجل ذو المعطف الأحمر سألني بضعة أسئلة.	عزف آدم على البيانو.

يأتي المفعول به في الجملة عادة بعد الفعل. ويمكن أن يكون اسماً أو عبارة إسمية أو ضمير.

I couldn't find <u>it</u>.	She saw <u>a large, black bird</u>.	I threw <u>the ball</u>.
لم أتمكن من إيجاده.	رأت طائراً أسود كبيراً.	رميت الكرة.

لا يوجد لكل الجمل مفعول به.

Erica was writing a letter. (with object)	Erica was writing. (no object)
كانت إريكا تكتب رسالة. (مع مفعول به)	كانت إريكا تكتب. (بلا مفعول به)

كما يكون لبعض الأفعال أنواعاً أخرى من المفعول به وتسمى المفعول به غير المباشر. يسمي المفعول به غير المباشر الشخص الذي من أجله أو لأجله تم عمل شيء ما. وعادة ما يحتاج المفعول به غير المباشر إلى أفعال مثل: give يعطي – find يجد – owe يدين بكذا

Susan bought her cat <u>some more food</u>.	Naveen gave me <u>a box of chocolate</u>.	Jonathan owes Tom <u>five pounds</u>.
اشترت سوزان لقطتها المزيد من الطعام.	أعطتني نافين علبة من الشوكولاتة.	جوناثان مدين لتوم بخمسة

التوافق   Agreement

التوافق يعني الحرص على جعل كل الكلمات والعبارات في جملة ما تأخذ الصيغة الصحيحة في علاقتها ببعضها البعض.

توافق الفاعل والفعل   Subject-verb agreement

يجب أن تكون صيغة الفعل صحيحة لكي يتوافق مع الفاعل:

The house <u>is</u> very large. (singular subject, singular verb)	The stars <u>are</u> very bright (plural subject, plural verb)
المنزل كبير جداً (الفاعل مفرد والفعل مفرد)	النجوم ساطعة جداً (الفاعل جمع والفعل جمع)

في الجمل الطويلة جداً يكون من السهل ارتكاب خطأ ما وخاصة إذا ماكان الفعل بعيداً في موضعه في الجملة عن موضع الفاعل. إذا كان هناك فاعلان مفردان ويجمعهما حرف الوصل and ، يكون عندئذ من الضروري استخدام فعل بصيغة الجمع:

John and Larry <u>are</u> going on holiday.	The table and the chair <u>need</u> cleaning.
جون ولاري ذاهبان في عطلة.	الطاولة والكرسي يحتاجان إلى تنظيف.

ولكن عندما ينظر إلى شيئين تجمعهما and على أنهما شيء واحد نستعمل عندها فعلاً مفرداً:

Fish and chips <u>is</u> my favorite meal.
إن السمك وشرائح البطاطس المقلية هي وجبتي المفضلة

إذا كان الفاعل مسبوقاً بـ each أو every أو no، فإن صيغة الفعل يجب أن تكون مفردة، والشيء ذاته ينطبق على any عندما تسبق فاعلاً مفرداً:

Every seat <u>was</u> taken already.	Each vase <u>holds</u> four or five roses.
كل المقاعد كان قد تم حجزها مسبقاً.	كل مزهرية تحتوي على أربع أو خمس زهرات.

إذا كان هناك فاعلان مفردان ويجمعهما neither/nor أو either/or أو

Not only/but also، نستعمل عندها فعلاً مفرداً كما في الأمثلة التالية:

Either Mrs Spiers or Mr Turner <u>takes</u> the children to football.	Neither Blake nor Jones <u>was</u> available for comment.
إما السيدة سبيرز أو السيد تيرنر سيأخذ الأطفال ليلعبوا كرة القدم.	لا بليك ولا جونز كان موجوداً للتعليق.

نستخدم فعلاً مفرداً مع عناوين الكتب والأفلام والأغاني، إلخ حتى لو كان العنوان نفسه بصيغة الجمع:

The Birds' <u>is</u> a really scary film.'
الطيور هو فيلم مخيف بالفعل.

Pronoun agreement   توافق الضمير

يجب أن يكون للضمائر الصيغة الصحيحة في علاقتها بالأشياء التي تشير إليها. غالباً ما تشير الضمائر إلى جملة سبقتها:

<u>The car</u> started fine, but <u>it</u> broke down half way to Manchester.
عملت السيارة بشكل جيد في البداية

Singular subject followed by plural pronoun
فاعل مفرد يتبعه ضمير بصيغة الجمع

انظر الجملة التالية:

<u>Any pupil</u> who is going on the school trip should hand in <u>their</u> payment at the office.
أي تلميذ يرغب في الذهاب في الرحلة المدرسية يجب أن يدفع رسم الاشتراك في المكتب.

في هذه الجملة، any pupil هو تعبير مفرد ونلاحظ بأن الفعل is مفرد أيضاً ولكن الضمير their وهو بصيغة الجمع قد تم استخدامه هنا.

Agreement with group nouns   التوافق مع أسماء المجموعات

أسماء المجموعات هي كلمات تشير إلى مجموعة أو كل الأفراد في تلك المجموعة:

Parliament	Committee
برلمان، مجلس الشعب	لجنة

في اللغة الإنجليزية، يمكنك استخدام فعل مفرد أو جمع مع هذه الأسماء ولكن عليك أن تعتمد أسلوباً واحداً. انظر المثالين التاليين:

The army <u>were</u> marching towards us.	The army <u>was</u> marching towards us.
كان أفراد الجيش يتقدمون نحونا.	كان الجيش يتقدم نحونا.

توافق الأزمنة الفعلية Tense agreement

يجب عليك أن تحرص على جعل الأزمنة الفعلية في جملة تتوافق مع بعضها البعض بشكل صحيح:

While I was waiting, I <u>seen</u> a film. (incorrect)	While I was waiting, I <u>saw</u> a film. (correct)
بينما كنت أنتظر كنت قد أشاهد فيلماً (خاطئة)	بينما كنت أنتظر شاهدت فيلماً (صحيحة)

احذر عند استخدامك فعلين مساعدين أو فعلين شكليين معاً في جملة واحدة:

I <u>can</u> and I <u>have done</u> it. (incorrect)	I <u>can do</u> it and I <u>have done</u> it. (correct)
أنا أستطيع أن أفعلها ولقد فعلتها (خاطئة)	أنا أستطيع أن أفعلها ولقد فعلتها (صحيحة)